FELIPE II Y SU TIEMPO

Obra patrocinada por el Colegio Libre de Eméritos
Edición conmemorativa del IV Centenario
de la muerte de Felipe II
(1598-1998)

Manuel Fernández Álvarez

FELIPE II Y SU TIEMPO

ESPASA

ESPASA FÓRUM

Director Editorial: Juan González Álvaro
Editores: Pilar Cortés y Ricardo López Uralde

Primera edición: mayo, 1998
Segunda edición: junio, 1998
Tercera edición: septiembre, 1998
Cuarta edición: septiembre, 1998

Diseño de cubierta: Tasmanias
Maqueta de cubierta: Ángel Sanz Martín

Depósito legal: M. 34.245-1998
ISBN: 84-239-9736-7

Impreso en España / Printed in Spain
Impresión: Huertas, S. A.

Editorial Espasa Calpe, S. A.
Carretera de Irún, km 12,200. 28049 Madrid

ÍNDICE

PARTE PRIMERA

LA ÉPOCA

PARTE TERCERA

EL HOMBRE Y EL REY

Al Colegio Libre de Eméritos
y a su Presidente,
don José Ángel Sánchez Asiaín,
sin cuyo generoso patrocinio
esta obra no habría existido.

INTRODUCCIÓN
EL MUNDO HACIA 1527

FELIPE II Y SU TIEMPO: ese es el título, ese es el gran tema de esta obra. Empecemos, pues, por el tiempo de Felipe II, que es, claro está, el de toda su vida, y no sólo de su reinado; por lo tanto también, en buena parte, el tiempo de Carlos V, bajo cuya sombra se formó el Rey. De ahí el natural punto de arranque: ¿Cómo era el mundo hacia 1527, el año en el que nace nuestro personaje? ¿Qué cosas nuevas están surgiendo, qué es lo que sorprende a los hombres de esa hora? ¿Qué es lo que ya empieza a ser habitual, pese a su carácter novedoso, y hasta en algunos casos revolucionario, en cuanto a la profunda transformación que se estaba operando en las relaciones de los hombres?

Tal planteamiento invita a unas reflexiones previas. Estamos acostumbrados a considerar que nuestro tiempo es la verdadera y hasta casi, para no pocos, la única época de los grandes cambios. Todos los días amanece con un nuevo descubrimiento, con otro hallazgo que abre nuevos caminos para la investigación, para la gran industria, para la vida cotidiana. De forma que lo extraordinario se ha convertido en ordinario y que, cuando se echa la vista atrás y se hace balance de lo que ha ocurrido, no ya en el último siglo, sino en las últimas décadas, el cambio es tan grande que ya se nos embota nuestra capacidad de asombro.

Está claro que la vida sufre actualmente un proceso de cambio profundamente acelerado y que, en contraste, tenía otro ritmo más pausado en los siglos pasados y, por supuesto, tal era lo que ocurría en el Quinientos, en especial en el mundo rural.

Ahora bien, si fijamos más nuestra atención, encontraremos que toda época tiene ocasiones de sobra para llenarse de asombro frente al fenómeno del cambio. Y eso es lo que ocurriría también en el siglo XVI y, por ser más precisos, en esa década de los años veinte que es en la que nace Felipe II.

De entrada, un acontecimiento de primera magnitud ha trastocado el conocimiento que se tenía de la Tierra, pues ocurre que un navegante portugués, al servicio del emperador Carlos V, ha dado por navegar siempre hacia Occidente y, después de alcanzar las costas de la América meridional, ha encontrado un paso que le ha permitido penetrar en el nuevo Océano, en el mar Pacífico, y ha seguido la gran aventura, hasta ahora jamás intentada por el hombre, de llegar al mundo oriental por las rutas occidentales, demostrando a todos aquello que algunos sabios habían ya formulado desde la Antigüedad, pero tomado por la gente sensata como fantasías; esto es, que la Tierra era redonda. Con lo cual se alzaba una interrogante formidable: ¿Cómo podían sostenerse los antípodas? ¿Qué era lo que les sujetaba a la tierra, dado que se hallaban boca abajo y, en buena lógica, debían precipitarse a los abismos? Pero las cosas ya era seguro que estaban así: los navegantes seguidores de Magallanes (unos pocos, ciertamente, pues la mayoría han perecido, con el mismo Magallanes, en la empresa) han regresado a España en 1522, provocando la gran admiración.

Lo que esto quiere decir es que los hombres que nacen hacia 1527, coetáneos del príncipe Felipe, forman una generación que está dentro del gran milagro. Es una generación muy moderna, que se destaca ya formidablemente de todo lo anterior, de una concepción de la Tierra hasta entonces tan medieval.

Y precisamente es por entonces cuando un clérigo polaco de nombre sonoro, Nicolás Copérnico, gran matemático, gran conocedor de la sabiduría de la Antigüedad y gran observador de los cielos, ha encontrado que los cálculos de los astrónomos de su tiempo eran erróneos y ha dado en volver sobre una curiosa teoría de un sabio antiguo poco conocido: Aristarco de Samos. La cuestión era nada menos que un desafío a todo lo que nos señalaban los sentidos: ¿y si la Tierra se movía, aunque los humanos fueran incapaces de percibirlo? Toda la gente afirmaba que la Tierra era el centro del universo y que, en consecuencia, el firmamento giraba en torno a ella; lo cual, además de ser lo más sensato que se podía creer, pues bastaba con ver cómo salía el sol todos los días y cómo caminaba por el firmamento de la mañana a la noche, era también lo que aseguraba el libro divino, el libro por excelencia: la Sagrada Biblia, con lo cual cesaba cualquier discusión.

Sin embargo, precisamente hacia 1533 el papa Clemente VII quiso enterarse. ¿Qué cosa tan curiosa era aquella? Que alguien le informara sobre ello. Y así lo hizo su secretario, Juan Alberto Widmanstadt. Claro que tomándolo como un mero juego intelectual, como una fantasía, como un «divertimento». El propio Copérnico, al guardar su manuscrito, lo haría, como confesaría después al papa Paulo III, para evitar «la mofa a que me expongo, por la novedad de mi teoría, difícil de comprender» [1].

Por lo tanto, estamos ante una época singularísima, en la que se está preparando la nueva concepción de la Tierra y del cosmos. Pero, por lo pronto, y en eso hay poco cambio, es también una era de guerras y calamidades. Y entre ellas, la mayor que pueda pensarse: que los soldados de Carlos V combatan contra las tropas pontificias. Esto es, Clemente VII, que tal es el Papa,

---

[1] Jan Adamczewski, *Nicolás Copérnico,* Varsovia, 1972, pág. 131.

ateniéndose a su condición de jefe temporal de un Estado italiano, se ha olvidado de que también es el pastor de la Cristiandad y ha declarado la guerra al Emperador.

Gran confusión en toda la Cristiandad, particularmente en España. Una situación que Luis Vives, desde su observatorio de Brujas, no dudaría en calificar de guerra civil entre los pueblos cristianos, bien aprovechada por el Turco con sus ofensivas sobre la Europa central. En efecto, en el mismo año en el que se forma la liga clementina contra el Emperador, en 1526, es también cuando Solimán el Magnífico vence en Mohacs al rey Luis II de Hungría y se apodera de casi todo el reino magiar.

También es, no hay que olvidarlo, cuando Lutero apresta su traducción alemana de la Biblia, como grito de protesta contra toda la estructura de la Iglesia que dirige el Papa desde Roma, y cuando se enzarza con Erasmo por el problema del libre albedrío. Y, por citar nombres señeros, es cuando muere en Florencia Maquiavelo, sin que toda su astucia política le sirva para mantenerse en la confianza de sus conciudadanos, y cuando, en Inglaterra, todavía Tomás Moro, el autor de la *Utopía,* sigue gozando de la protección de su rey Enrique VIII.

¿Y en España? ¿Cómo es y cómo se presenta España? La primera consideración que podríamos hacer es que España, como un ente político, hace bien poco que ha logrado su unidad y que, por ello, esa unidad es todavía harto frágil.

En efecto, sólo hacía medio siglo que se habían unido las Coronas de Castilla y Aragón; poco más de treinta años que se había terminado la Reconquista, con la toma de Granada, y ese era también el tiempo que hacía de la definitiva incorporación de las Canarias, concluida por Alonso Fernández de Lugo con la conquista de Tenerife en 1496. Y todavía hacía menos tiempo, apenas nada, desde que Fernando el Católico incorporaba el reino de Navarra a la Corona de Castilla, en las Cortes de 1515.

Está claro que aquellos hombres del Quinientos europeo asistían, asombrados, al despegue internacional de la Monarquía hispana, cuando los tercios viejos acaudillados por el Gran Capitán eran capaces de arrojar a los franceses del reino de Nápoles, cuando Pedro Navarro dominaba el norte de África y se apoderaba de Trípoli. Y, por si fuera poco, cuando tras el descubrimiento de América vino la rápida conquista de la zona antillana y la penetración en Tierra Firme, con la victoria sobre el imperio mexicano de los aztecas.

Precisamente en 1528, cuando el príncipe Felipe cuenta un año, Hernán Cortés regresa a España. Es un hombre de leyenda; su nombre es ya mítico. El propio cronista de sus hazañas, Bernal Díaz del Castillo, lo diría de forma magistral:

> ... la fama de sus grandes hechos volaba por toda Castilla... [2]

---

[2] Bernal Díaz del Castillo, *Historia verdadera de la conquista de la Nueva España,* Madrid, ed. por Carlos Pereyra, 1968, pág. 545.

No cabe duda, a pesar de que todas aquellas hazañas eran tan recientes y de que su unidad política era tan frágil, Castilla y España entera pasaban por una etapa de euforia.

En verdad, Castilla era consciente de su propia grandeza. Y eso se reflejaría en las Cortes castellanas, reunidas aquel mismo año de 1527 en Valladolid, convocadas por Carlos V para afrontar todo lo que se le viene encima.

A ese respecto tenemos un testimonio de primera mano: el discurso que ante aquellas Cortes castellanas de 1527 pronunció el canciller imperial Mercurino de Gattinara, en nombre de su señor Carlos V. Estaba reciente la liga clementina, en la que se aliaban, contra el Emperador, el papa Clemente VII y Francisco I de Francia, una liga a la que se uniría poco después el rey de Inglaterra, Enrique VIII; por lo tanto, toda la Europa occidental confabulada contra Carlos V, a excepción de Portugal.

Y, sin embargo, Gattinara preferiría hacerse eco de otro acontecimiento, aquel que antes hemos mencionado: la caída de Hungría en manos del turco Solimán el Magnífico. Gattinara no haría un llamamiento a la defensa de España, que parecía tan amenazada, sino que clama por la salvación de la Europa cristiana, tan a riesgo de sucumbir ante el empuje turco.

Es cuando pronuncia aquellas elocuentes razones: España no podía permanecer indiferente ante la ofensiva turca sobre el corazón de Europa:

> Por donde a Su Majestad por la sangre [3] y a sus súbditos y a España principalmente parece este negocio pertenecer; pues en conformidad de opiniones, en unión de señoríos, en fuerzas, poder y riquezas a todas las otras cristianas naciones ahora sobrepuja y es sola la que en religión y servicio de Dios y ensalzamiento de su santa fe contra los enemigos de Él ha excedido tanto...

Gattinara no se quedaría ahí. Elevaría aún más la elocuencia de su discurso, para poner en pie a los procuradores de aquellas Cortes castellanas, haciendo un llamamiento a sus sentimientos nacionales, a la grandeza de la hora histórica que estaban viviendo.

Y así les añade:

> ... que se puede lícitamente decir aquello: No podrá [España] acabar lo que no quisiere comenzar. Y de la gloria que dexare de alcanzar, no a la natura, ni a la fortuna, mas a sí misma podrá culpar... [4]

---

[3] Se refiere, claro, al parentesco de Carlos V con el rey Luis II de Hungría, casado con María, la hermana del Emperador.

[4] Este discurso de Gattinara a las Cortes castellanas de 1527 no aparece incorporado en la edición de la voluminosa obra *Cortes de León y de Castilla,* publicada por la Real Academia de la Historia. Ha de verse en el benemérito trabajo de Francisco de Laiglesia, *Estudios históricos,* Madrid, 1918, I, págs. 371-380.

Y anótese ese aspecto de la cuestión: aquel político piamontés, al servicio de Carlos V, identificaba Castilla con España, de forma que, al alentar a los procuradores castellanos a que apoyaran al Emperador, no se ceñía exclusivamente a los intereses de Castilla, sino que les hablaba de la grandeza de España y de la responsabilidad histórica que por ello les alcanzaba.

Esto es, no había intereses en juego, sino, en todo caso, responsabilidades y sacrificios para Castilla, como alma que era de España. Porque de igual forma que la lengua castellana se estaba haciendo sinónima de la española, Castilla lo estaba siendo de España; así lo entendía al menos aquel hombre de Estado al servicio de Carlos V que era el canciller Gattinara.

Y es en esa Castilla, corazón de España, y en aquel Valladolid, corazón de Castilla, donde puso su corte Carlos V. Y de ese modo, allí iría a nacer en 1527 el príncipe Felipe. Un príncipe que desde su cuna ya está abocado a ser una de las grandes personalidades de su siglo.

Bastaría con recordar, a bote pronto, algunos hechos, vinculados a su persona: la fijación de la capital en Madrid, convirtiendo aquella Monarquía de nómada en sedentaria; el logro de la unidad peninsular, con la incorporación de Portugal; el paso en América de la etapa violenta de la conquista a la pacificadora de la colonización; el nacimiento de la única nación cristiana en el lejano Oriente, la nación que con toda justicia con su nombre recuerda su nombre: Filipinas; la fundación del monasterio de San Lorenzo de El Escorial, acaso el monumento más representativo del Imperio español.

Asimismo, en el orden internacional se le conoce por el soberano que frena de una vez por todas al Turco en Lepanto, si bien es cierto que también por las severas justicias aplicadas a sus vasallos de los Países Bajos, que darían por resultado el surgimiento de un nuevo pueblo, rebelde a su poderío, una nueva nación en el ámbito de la Europa occidental: Holanda.

No cabe duda de que entre 1527 y 1598, entre las fechas del nacimiento y de la muerte del Rey, se producen grandes transformaciones en España y en el mundo; unas, promovidas por el soberano; otras, acaecidas bien a su pesar, pero todas teniéndole por factor de primer orden, con el personaje con el que hay que contar o al que hay que combatir. Y eso en todos los ámbitos de la vida.

Pues suele pensarse en Felipe II como el Rey en función exclusiva de una serie de acontecimientos, internos o internacionales, tales como la rebelión de los moriscos granadinos de Las Alpujarras, la prisión y muerte del príncipe don Carlos, el proceso de Antonio Pérez; o bien, la rebelión de los Países Bajos, con la ejecución de los condes de Egmont y Horn; la acción de Lepanto, la incorporación de Portugal o el desastre de la *Armada Invencible*. Y, evidentemente, todo eso hay que recordarlo. Pero también hay que verle como el protector de las artes, tan evidente al ritmo de la construcción de San Lorenzo de El Escorial (Juan de Herrera, Pellegrino Tibaldi, el propio Tiziano); o por su mecenazgo a hombres de letras, como Ambrosio de Morales o Arias Montano; o a músicos, como Antonio de Cabezón, sin olvidar su amparo a figuras de la calidad de santa Teresa de Jesús.

También habría que recordar sus afanes por conocer mejor España, a través de las famosas *Relaciones topográficas,* que con tanto detalle nos señalan cómo eran los lugares, grandes y chicos, de su geografía, en la década de los setenta; o la fijación del castillo de Simancas como depósito de los documentos de Estado, que le convertirían al andar de los siglos en uno de los mejores archivos del mundo.

Claro que, junto con todo eso, subsisten las grandes dudas sobre aspectos decisivos de su comportamiento, como rey y como hombre: la prisión y proceso del arzobispo Carranza; la de su hijo don Carlos —una de las páginas más oscuras de su reinado—; el asesinato de Escobedo, con todo lo que aquello supuso; la ejecución tras alevosa detención de los condes de Egmont y de Horn; la de Montigny o Lanuza, la de éste sin siquiera proceso alguno; la brutal represión de Ávila por su protesta ante el odioso impuesto de los millones...

Todo eso hace del personaje uno de los más controvertidos de la historia, un personaje para un debate siempre abierto.

Y eso es lo que ahora intentaremos presentar, a través de la época, del fluir de los acontecimientos y del reposado examen de su propia obra como rey y como hombre.

Y en cuanto a la época, teniendo en cuenta sus diversos aspectos, en estos cuatro grandes apartados: lo político, lo socioeconómico, las corrientes ideológicas y la misma vida cotidiana. A su vez, cada uno de ellos pedirá algún desdoblamiento, a tratar en sus respectivos capítulos, pues si en lo político importa presentar en seguida el perfil de aquella Monarquía, eso obligará después a la pormenorización de los diversos instrumentos de aquel Estado. De igual modo, lo socioeconómico pide una división: por una parte, presentar el propio desarrollo económico y, por otra, la compleja estructura social, desde los grupos minoritarios de los poderosos (la alta nobleza, el alto clero, los príncipes de la milicia y los ministros principales de la Monarquía) hasta los marginados. Incluso las corrientes ideológicas piden un tratamiento por separado de la vida religiosa y del desarrollo cultural.

Por lo tanto, una serie de capítulos para enfocar esas diversas materias, los primeros dedicados al tema político, a la gran cuestión del Estado, porque, en definitiva, eso es lo que más singulariza a la época: el milagro político de una Monarquía católica que en menos de medio siglo se convierte en la primera potencia de Europa y construye el primer imperio de los tiempos modernos, con tal fuerza, que lograría superar incluso los períodos de mayor decadencia nacional, para subsistir a lo largo de toda la Edad Moderna, hasta penetrar en el siglo XIX [5].

De ese modo podremos darnos cuenta de cómo era la España que recibe Felipe II, la Monarquía católica de aquellos mediados del siglo XVI que asiste al relevo de los tiempos de Carlos V, el Emperador, por los de Felipe II, el que en su día se tituló *Philippus Hispaniarum Princeps,* esto es, Felipe, príncipe de las Españas.

---

[5] Por lo tanto, nada que tenga que ver ni remotamente con «la frustración de un Imperio», como tan desacertadamente se ha calificado a esa etapa de nuestra historia [M. Tuñón de Lara (dir.), *Historia de España,* t. V: *La frustración de un Imperio,* Barcelona, 1980].

LA HISTORIOGRAFÍA FILIPINA: VISIÓN GENERAL

Un personaje tan destacado, en la época de la plenitud del Imperio español, que en cierto sentido combatió por la supremacía mundial y que, además, fue el abanderado de Roma en los tiempos de los más duros enfrentamientos religiosos en Europa, y de esa misma Europa frente al poderío musulmán, no podía menos de provocar infinidad de estudios históricos, de muy diverso valor y frecuentemente con una carga laudatoria o peyorativa, lejos de la realidad histórica. Ante la imposibilidad de entrar en su pormenorizada relación —lo que sería impropio de la naturaleza de este libro—, sí destacaremos lo más importante.

Y, de entrada, podría señalarse algo en relación con sus fuentes documentales. Es raro el año en el que la prensa no resalte, en grandes caracteres, el hallazgo de sensacionales documentos, en España o fuera de España, cuya inminente publicación hará cambiar radicalmente nuestro juicio sobre el Rey Prudente. A ese respecto, la palma se la lleva el Archivo del Vaticano, y está claro que el destacado papel de Roma en la política internacional filipina siempre permite esperar hallazgos afortunados. Y no digamos en Simancas, que es el gran depósito documental para nuestra historia del siglo XVI, quedando ya muy a distancia otros, sin duda con todo de relativo valor, como los fondos manuscritos de la Biblioteca Nacional, o los que custodia la Biblioteca de Palacio, de los que dejé constancia en su día en mi libro sobre los Austrias mayores[1], y, por supuesto, los que posee la Real Academia de la Historia, en particular en su fondo de la Colección Salazar, donde están tan importantes documentos filipinos como sus cartas en relación con la prisión de su hijo, don Carlos, o la relación de un testigo de aquel suceso que comento en mi presente obra. Ahora bien, si examinamos toda la documentación publicada, podemos afirmar que existe ya bastante material acumulado y a disposición

---

[1] *Política mundial de Carlos V y Felipe II,* Madrid, 1965, págs. 18, 19, 192 y sigs.

de los estudiosos como para que nos atrevamos a escribir una obra de conjunto sobre aquel monarca.

En esa tarea, es de justicia reconocer todo lo que han aportado los hombres del siglo XIX, en especial en la benemérita publicación titulada *Colección de documentos inéditos para la historia de España,* iniciada a mediados de siglo; obra comenzada bajo la dirección de Fernández de Navarrete (Madrid, 1842 y sigs., 111 vols.), cuyo manejo puede facilitarse gracias a la paciente obra del archivero Julián Paz, su *Catálogo* sobre la colección (Madrid, 1930-1931, 2 vols.). Yo mismo pude utilizar, en su día, con provecho, para mi libro *Tres embajadores de Felipe II en Inglaterra* (Madrid, 1951), los despachos de los embajadores, publicados en los tomos 87, 89 y 90. Porque, en efecto, la *Codoin* es particularmente rica para la historia diplomática, que era la gran tarea que se había asignado la historiografía decimonónica. De forma que las relaciones de Felipe II con Isabel de Inglaterra pueden verse también en los tomos 91 y 92 de esa colección, no pudiendo faltar los relacionados con la *Armada Invencible,* en los tomos 14 y 43. Asimismo, los documentos referentes al saqueo de Cádiz de 1596, en el tomo 36. La cuestión de Flandes, otro de los grandes temas de aquel reinado, puede encontrarse documentada desde el gobierno de Margarita de Austria hasta el de Alejandro Farnesio, su hijo, en los tomos 4, 37, 38, 50, 51, 72-75. Especial atención dedica *Codoin* a lo relativo a la lucha de la España de Felipe II con el Turco, en los tomos 3, 21, 29. Para Portugal es particularmente importante el tomo 6, con la correspondencia de Felipe II con su embajador Cristóbal de Moura, así como los tomos 27, 32, 33, 34, 35, 39, 40, 50, 51. Y me estoy refiriendo no a documentos sueltos que ocupan cuatro o cinco páginas, sino a una impresionante masa documental que en muchos de esos tomos ocupan cientos de páginas.

Igual ocurre con las relaciones entre las dos ramas de la Casa de Austria, recogidas en los tomos 2, 98, 101, 103, 110 y 111, o con Roma, como la embajada de Requesens *(Codoin,* t. 102). La correspondencia de personajes de la talla de Arias Montano o de Zayas se encuentra en el tomo 41. A su vez, el tomo 27 dedica más de ciento cincuenta páginas a cartas de don Juan de Austria, de los años de la Liga contra el Turco y de su gobierno en los Países Bajos, entre 1570 y 1576.

Son numerosos los documentos que inserta también *Codoin* en torno a la figura del príncipe don Carlos, en los tomos 13, 15, 18 y 21, así como su testamento, que puede leerse en el tomo 24, que alumbra no poco sobre la personalidad de aquel personaje.

Uno de los historiadores españoles, verdadero pionero en la historia de la demografía, sería Tomás González, el autor del *Censo de población de las provincias y partidos de la Corona de Castilla en el siglo XVI.* Este valiosísimo trabajo apareció en Madrid ¡en 1829! Pues bien, este archivero de Simancas, dándose cuenta del tesoro que custodiaba, también publicó documentos importantes sobre Felipe II, en relación con Inglaterra, en el Apéndice documental de su libro: *Apuntamientos para la historia del rey don Felipe II de España, por lo tocante a sus relaciones con la reina Isabel de Inglaterra (1558-1576)* (en *Memorias de la Real Academia de la Historia,* t. VII, Madrid, 1832).

No se ha de olvidar que a fines del siglo XIX se publica el *Testamento de Felipe II,* según el original existente en el monasterio de El Escorial (Madrid, 1882), que, aunque sin aparato crítico, supuso sin duda una aportación al estudio de aquel monarca.

También los hispanistas del XIX tuvieron su contribución, y no pequeña, a esta documentación filipina. Baste recordar el caso, verdaderamente notable, de Gachard, el gran historiador belga que había escrito páginas tan admirables sobre Carlos V. Investigando no sólo en Simancas, sino también en los archivos belgas, publicaría a mediados de siglo su voluminosa obra: *Correspondance de Philippe II sur les affaires des Pays-Bas* (Bruselas, 1848-1879, 5 vols.), completada después con otro libro suyo: *Correspondance de Marguerite d'Autriche avec Philippe II (1559-1565)* (Bruselas, 1887-1891, 3 vols., en parte extractos del anterior). Y sería Gachard el que resultara recompensado por su infatigable labor investigadora con el hallazgo más notable sobre la personalidad de Felipe II: las cartas del Rey a sus hijas, escritas durante su estancia en Portugal entre 1580 y 1583, encontradas casualmente en el Archivo de Turín: *Lettres de Philippe II à ses filles les Infantes Isabelle et Catherine écrites pendant son voyage en Portugal (1581-1583)* (París, 1884).

El siglo XX ha visto un descenso en esta fiebre de publicación de fuentes documentales. De todas formas, algunas obras importantes han aparecido, como las de Luciano Serrano: *Correspondencia diplomática entre España y la Santa Sede durante el pontificado de san Pío V* (Madrid, Centro de Estudios Históricos, 1914, 4 vols.); Carlos Riba García: *Correspondencia privada de Felipe II con su secretario Mateo Vázquez, 1567-1591* (Madrid, CSIC, 1959); Pedro Rodríguez y Justina Rodríguez: *Don Francés de Álava y Beamonte: Correspondencia inédita de Felipe II con su embajador en París (1564-1570)* (San Sebastián, 1991). Asimismo, algunas obras publicadas en este siglo son tanto más útiles por los documentos que insertan que por las reflexiones de sus autores sobre Felipe II. Tal es el caso del estudio de Alfonso Danvila: *Don Cristóbal de Moura (1538-1613)* (Madrid, 1900), con importante Apéndice documental en relación con la anexión de Portugal; la de Enrique Herrera Oria: *Felipe II y el marqués de Santa Cruz en la empresa de Inglaterra, según los documentos del Archivo de Simancas* (Madrid, Instituto Histórico de la Marina, 1946); de Gabriel Maura Gamazo, duque de Maura: *El designio de Felipe II y el episodio de la Armada Invencible* (Madrid, 1957), útil no sólo para el conocimiento de las circunstancias en que se desarrolló la empresa de la *Armada* contra Inglaterra, sino también sobre la incorporación de Portugal, y la muy reciente de María Remedios Casamar sobre la conjura de fray Miguel de los Santos y del pastelero de Madrigal: *Las dos muertes del rey don Sebastián* (Granada, 1995).

También, en este apartado documental, son de recordar obras como los *Papiers d'État du Cardinal de Granvelle, 1565-1586,* publicados por Ch. Weiss

(París, 1841-1852, 9 vols.), o su correspondencia, en este caso publicada por E. Poullet *(Correspondance du Cardinal de Granvelle, 1565-1585,* Bruselas, 1877-1896, 12 vols.), o el *Epistolario* del tercer duque de Alba (Madrid, 1952, 3 vols.).

Otra colección documental de primer orden es el famoso *Calendar of State Papers,* que en los tomos dedicados a España contó nada menos que con la labor de Martin Hume.

Una versión, sesgada en ocasiones, pero que de todas formas ha de tenerse siempre en cuenta, es la ofrecida por los embajadores extranjeros, en particular los venecianos, publicada a mediados del siglo pasado por Alberi *(Relazioni degli ambasciatori Veneti al Senato durante il secolo decimosesto,* Florencia, 1839-1862, 15 vols.) [2], y la de los franceses, en particular en este caso, como presente en el *annus horribilis* de 1568, de Fourquevaulx, publicados por C. Douais *(Dépêches de M. Fourquevaulx, ambassadeur... en Espagne, 1565-1572,* París, 1896-1904, 3 vols.).

No puedo olvidar, pues creo que he sido uno de los pocos que la he manejado para este reinado, una de las colecciones documentales más desconocidas por los especialistas, en su día publicada por el conde de Castries: *Sources inédites pour l'Histoire du Maroc* (París, 1918), de particular valor para los tiempos de la incorporación de Portugal y de la *Armada Invencible* [3].

Hay que destacar en este apartado documental la continuación de las cartas familiares de Felipe II, en este caso las dirigidas a su hija Catalina, publicadas por Erika Spivakovsky: *Felipe II: Epistolario familiar. Cartas a su hija la infanta doña Catalina (1585-1596)* (Madrid, Espasa Calpe, 1975). Epistolario familiar reunido en un solo volumen, junto con las enviadas desde Lisboa y publicadas con impresionante acompañamiento de notas por uno de los mejores especialistas actuales sobre Felipe II, el profesor Fernando J. Bouza Álvarez: *Cartas de Felipe II a sus hijas* (Madrid, Turner, 1988).

A este conjunto documental, que resulta imprescindible consultar para una adecuada interpretación de la obra política de Felipe II, así como de su personalidad, hemos tratado de colaborar con algunos trabajos, como la correspondencia cruzada entre Felipe II y su padre, Carlos V, entre 1543 y 1558, como la edición crítica del *Testamento* de Felipe II o como la cuidada edición del *Memorial* de Luis de Ortiz, que al ser escrito en 1558 nos depara precisamente una visión de la situación socioeconómica de España a principios del reinado del Rey Prudente; trabajos a los que luego aludiré con más detalle.

Antes de dejar este apartado, será preciso indicar que también habría que recordar algunas otras publicaciones documentales que, sin referirse directamente a la obra del Rey, sí nos ayudan a conocer la España que gobernó; en

---

[2] Traducción de Ciriaco Pérez Bustamante en su libro *Carlos V y Felipe II a través de sus contemporáneos,* Madrid, 1944.
[3] Véase mi estudio *Felipe II, Isabel de Inglaterra y Marruecos,* Madrid, 1951.

especial, claro, las *Actas de las Cortes de Castilla,* publicadas a partir de las de Madrid de 1563 por la Real Academia de la Historia desde 1860[4]. Pero también las famosas *Relaciones topográficas,* mandadas hacer por Felipe II, que se empezaron a publicar a principios de este siglo, las referentes a *Guadalajara,* por J. Catalina y M. P. Villamil (en *Memorial Histórico Español,* Madrid, 1903-1915, vols. 41-43 y 45-47), siguiendo las de *Cuenca,* a cargo del padre Zarco Cuevas (Cuenca, 1927, 2 vols.), y terminando por las de *Madrid* (Madrid, CSIC, 1949), *Reino de Toledo* (Madrid, CSIC, 1951-1963, 3 vols.) y *Ciudad Real* (Madrid, 1971), publicadas por Carmelo Viñas Mey y Ramón Paz[5]. Fondos documentales impresos sobre esa España meseteña filipina que darían lugar a trabajos tan notables como el de Noël Salomon: *La vida rural castellana en tiempos de Felipe II* (Barcelona, ed. Planeta, 1973); de F. J. Campos y Fernández de Sevilla: *La mentalidad en Castilla la Nueva en el siglo XVI* (Madrid, 1986), y la magna obra de Alfredo Alvar Esquerra: *Relaciones topográficas de Felipe II: Madrid* (Madrid, 1993, 3 vols.).

Tampoco se pueden silenciar otras aportaciones documentales tan en relación con la Monarquía filipina como los grandes procesos de aquel reinado, en especial los relacionados con la vida espiritual. Aquí deben citarse, por su importancia, los referentes al arzobispo Carranza, que custodia la Real Academia de la Historia, publicados por José Ignacio Tellechea Idígoras[6], cuyos principales resultados quedan bien reflejados en su obra *El arzobispo Carranza y su tiempo* (Madrid, ed. Guadarrama, 1968, 2 vols.), y, asimismo, el de más alcance cultural, por vincularse a la obra del más grande poeta del reinado de Felipe II, fray Luis de León, cuyo proceso inquisitorial fue publicado en el siglo XIX, dentro de la citada *Colección de documentos inéditos* (vols. 10 y 11, Madrid, 1847), y que actualmente se puede conocer en la depuradísima edición crítica de Ángel Alcalá: *El proceso inquisitorial de fray Luis de León* (Salamanca, 1991). Y aquí podríamos meter, con toda justicia, el importantísimo *Epistolario* de santa Teresa, que constituye en torno a la tercera parte de su obra escrita (en *Obras completas,* Madrid, 1984, págs. 1220 a 2077, pero con algunas omisiones, como puede confrontarse en la edición de la Biblioteca de Autores Cristianos, a cargo de Efrén de la Madre de Dios y Otger Steggink, Madrid, 1979, págs. 669 a 1127).

No se puede perder de vista otro tipo de documentos, como son las fuentes literarias y artísticas: *Libro de la vida,* de santa Teresa; *De los nombres de*

---

[4] Véase mi estudio «La política exterior», en *Las Cortes de Castilla y León en la Edad Moderna,* Valladolid, 1989, págs. 345-366.

[5] Una buena visión de la importancia de estas fuentes hecha por los hermanos Josefina y Antonio López Gómez: «Cien años de estudios de las *Relaciones topográficas* de Felipe II...», en *Arbor,* 1990, núm. 538, págs. 33-72.

[6] J. I. Tellechea Idígoras, *Fray Bartolomé de Carranza. Documentos históricos,* Madrid, Real Academia de la Historia, 1962. Entre los hallazgos documentales de Tellechea está el borrador de san Pío V, con la absolución de Carranza, que la prematura muerte del Papa impidió que se hiciera pública.

Cristo, de fray Luis de León; la poesía de estas cumbres del Quinientos, junto con la de san Juan de la Cruz o la de Herrera, por no citar más que eso: las cumbres; la escultura (Juan de Juni, Alonso Berruguete), la pintura (Fernández de Navarrete *el Mudo,* Luis Morales *el Divino,* El Greco), la arquitectura (Juan de Herrera) y la música (Cabezón, Tomás Luis de Victoria) son otras tantas referencias imprescindibles[7]. Sin tratar aquí de la iconografía del Rey, a la que después aludiremos, sí es obligada la referencia a los dibujos que poseemos de la España de Felipe II, bien gracias a Hoefnagel y publicados en la magna obra *Civitates Orbis Terrarum,* con 40 dibujos (de ellos, 32 dedicados a Andalucía[8]), y, por supuesto, en los interesantísimos debidos a Anton van den Wyngaerde, por encargo precisamente del Rey, que dieron lugar a la notable obra del hispanista inglés Richard L. Kagan: *Ciudades españolas del Siglo de Oro. Las vistas españolas de Anton van den Wyngaerde* (El Viso, 1986).

Por supuesto, de este mundo artístico, lo más destacado, en relación con Felipe II, es todo lo que se refiere al monasterio de El Escorial; de ahí la importancia, para un tema como este de *Felipe II y su tiempo,* de un libro como el muy notable de Fernando Checa: *Felipe II, mecenas de las Artes* (Madrid, Nerea, 1992), y en este orden de cosas hay que poner también la recentísima publicación de Katherine Wilkinson: *Juan de Herrera, arquitecto de Felipe II* (Madrid, ed. Akal, 1997).

No son muy abundantes las crónicas sobre el reinado de Felipe II. No estamos en el caso del reinado de Carlos V. Juan Ginés de Sepúlveda, su profesor y cronista del Emperador, escribió también otra de Felipe II, *De rebus gestis Philippi II* (publicada dos siglos más tarde: Madrid, 1788), pero que sólo abarca los ocho primeros años del reinado, como no podía ser de otro modo, pues Sepúlveda falleció en 1573. La de Antonio de Herrera (*Historia general del mundo del tiempo de... Felipe II,* Madrid, 1601-1603, 3 vols.) es útil, pero más bien como historia del reinado que del propio Rey. Afortunadamente, contamos con la completísima crónica de Luis Cabrera de Córdoba, cronista muy vinculado personalmente a Felipe II en sus últimos años, vividos en la corte. Cabrera tuvo a su disposición documentación de primera mano del mayor valor (por ejemplo, la copia de la carta enviada por el Rey a su hermana la emperatriz María, informándola de la detención de su hijo, el príncipe don Carlos). Por otra parte, su crónica es detalladísima, en particular para los sucesos externos, y mucho más objetiva de lo que cabría esperar de un escritor asalariado de la Corona, hasta el punto de señalar sobre el Rey que «su risa y su cuchillo eran confines». En ocasiones, como en la severa represión de los alborotos de Ávila de 1591, la condena de Cabrera es notoria. Acaso por eso

---

[7] Testimonios que he estudiado con toda la atención que se merecía en mi libro *La sociedad española del Siglo de Oro,* Madrid, Gredos, 1989, 2 vols.; en especial, vol. I, págs. 501-574.

[8] Hace muchos años hicimos hincapié en esa curiosa ocultación de España por Andalucía, ya vigente en los hombres del Quinientos (v. mi libro *Aportaciones a la historia del turismo en España: Relatos de viajeros desde el Renacimiento hasta el Romanticismo,* Madrid, 1956).

la primera edición (Madrid, 1619) sea incompleta, no llegando más que hasta 1583. De ahí el interés de su publicación íntegra por la Real Academia de la Historia, realizada a fines del siglo pasado (*Felipe II, rey de España,* Madrid, Real Academia de la Historia, 1874, 4 vols., en folio).

Por supuesto, para sucesos puntuales contamos con algunas otras crónicas, como la de Calvete de Estrella sobre el *grand tour* de Felipe II de 1548-1551 (Juan Cristóbal Calvete de Estrella: *El felicísimo viaje del... príncipe don Phelipe... desde España a sus tierras de la baxa Alemaña,* Amberes, 1552); las referentes a la guerra de los Países Bajos, como las de Bernardino de Mendoza (*Comentarios de las guerras de los Países Bajos,* ed. BAE, Madrid, t. 28, 1948) [9], y de Carlos Colona: *Las guerras de los Estados Bajos* (Madrid, BAE, t. 28, 1948) [10], o la muy famosa sobre la guerra de Las Alpujarras de Diego Hurtado de Mendoza, uno de los clásicos de nuestra literatura historiográfica del Quinientos (*Guerra de Granada hecha por Phelippe II contra los moriscos,* Madrid, BAE, t. 21).

Aquí es donde debe entrar otra crónica, que los historiadores de Felipe II desconocen pese a su valor para los sucesos ocurridos en la capital narrados por un testigo de los mismos, como lo fue Jerónimo de Quintana, el autor de la crónica de Madrid (*A la muy noble y coronada villa de Madrid: Historia de su antigüedad, nobleza y grandeza,* Madrid, 1629; reed. facsímil, Madrid, Ábaco Ediciones, 1984). Es la mejor fuente para comprobar la reacción madrileña ante los sucesos que conmovieron a la capital de la Monarquía, como la fuga de Antonio Pérez, quedando patente la admiración general por el valor y la astucia desplegados por la mujer del secretario del Rey, Juana Coello.

Entre las fuentes del tiempo han de insertarse libros como el de Baltasar Porreño: *Dichos y hechos del señor rey don Philipe segundo, el Prudente* (Cuenca, 1621; Sevilla, 1639). Igualmente, la muy conocida obra de Pierre de Bourdeille, señor de Brantôme: *Recueil de gentillesses et rodomontades espaignolles,* de la que existe una reciente versión española con notable aparato crítico de notas: *Gentilezas y bravuconadas de los españoles* (Madrid, ed. Mosand, a cargo de Juan Quiroga, 1996).

Todo lo referente a Antonio Pérez atañe también en buena medida a Felipe II; de ahí el interés que suscitaron en su día las famosas *Relaciones* del secretario del Rey (París, 1598), que son fundamentalmente dos, la primera dedicada a su prisión y la segunda a las alteraciones de Zaragoza de 1591. Muchas veces reimpresa, la primera edición parisina de 1598 se presenta hábilmente con una siniestra imagen de un calabozo lleno de grilletes y cadenas. La más cuidada edición de estas *Relaciones* de Antonio Pérez, junto con las cartas del secretario del Rey, es la hecha por Alfredo Alvar Ezquerra (*Antonio Pérez: Relaciones y cartas,* Madrid, Turner, 1986, 2 vols.).

---

[9] Véase mi estudio «La cuestión de Flandes», en mi reciente libro *Poder y sociedad en la España del Quinientos,* Madrid, Alianza Universidad, 1995, págs. 263-266.

[10] También estudiada por mí en la obra citada *Poder y sociedad...,* págs. 266-269.

Respecto a la inmensa bibliografía sobre Felipe II y su reinado, sólo trataremos aquí las obras principales en estos apartados: los sucesos más destacados, los personajes y la propia figura del Rey, a su vez en cuanto a estudios parciales y, por último, por lo que hace al monarca en su conjunto; esto es, a las biografías filipinas más sobresalientes.

Para mí, la mejor visión de conjunto del reinado, dejando aparte las historias de corte narrativo del siglo XIX (algunas, cierto, todavía útiles por manejar documentación de primera mano, como la *Historia general de España,* de Modesto Lafuente, Madrid, 1850-1867, 30 vols., que se sigue leyendo con gusto y con provecho), es la de Pedro Aguado Bleye (*Manual de Historia de España,* Madrid, Espasa Calpe, 1954, 3 vols.), que en su segundo volumen dedica más de 250 páginas a dos columnas, con detallado comentario de las principales fuentes del reinado[11].

En cuanto a obras sobre los sucesos más notables, voy a citar las indispensables, por verdaderamente magistrales. Y la primera que quiero evocar es la del gran antropólogo Julio Caro Baroja, con su precioso libro *Los moriscos del reino de Granada* (Madrid, ed. Istmo, 1976), sin cuya lectura resulta imposible comprender la gravedad del alzamiento de los moriscos de Las Alpujarras granadinas contra Felipe II. Para el gravísimo problema, a la vez familiar y nacional, de la prisión del príncipe don Carlos hay que recordar con admiración, a pesar de su antigüedad, la obra del hispanista belga varias veces citado L. P. Gachard: *Don Carlos y Felipe II* (Barcelona, Edit. Lorenzana, 1963; 1.ª ed., Bruselas, 1863). Para el punto de arranque de Madrid como capital de la Monarquía, tema que tanto me ha interesado siempre, tenemos la obra de uno de los historiadores españoles de más talento y mejor pluma, Alfredo Alvar Ezquerra, con dos estudios suyos: *Felipe II, la Corte y Madrid en 1561* (Madrid, CSIC, 1985) y *El nacimiento de una capital europea: Madrid entre 1561 y 1606* (Madrid, Turner Libros, 1989); estudios sobre Madrid que no eran sino el desarrollo de su notable tesis doctoral, en cuyo tribunal tuve la fortuna de estar, que versó sobre *Estructuras socioeconómicas de Madrid y su entorno en la segunda mitad del siglo XVI* (Madrid, Facultad de Geografía e Historia). Para la cuestión de Flandes, la obra cimera es la de G. Parker: *Army of Flanders and the Spanish Road, 1567-1659* (Cambridge-Nueva York, 1972), básica para el conocimiento del instrumento militar de la Monarquía católica y para lo que suponía «el pasillo español» entre el Milanesado y los Países Bajos, traducida recientemente al español (*El ejército de Flandes y el camino español, 1567-1659,* Madrid, Alianza, 1991). Para la *Armada Invencible,* el estudio de G. Mattingly sigue siendo el más notable (*La Armada Invencible,* Barcelona, 1961; 1.ª ed. inglesa, 1959); pero deben recordarse algunos otros estudios, desde el ya clásico de Cesáreo Fernández Duro, *La Armada Invencible* (Madrid, 1884-1885, 2 vols.), hasta el

---

[11] No cabe aquí hablar de manual; la parte que Aguado Bleye dedicó a Felipe II supera, en estudio de las fuentes y en información sobre el reinado, a las últimas biografías aparecidas sobre el Rey Prudente.

más reciente de Carlos Gómez-Centurión Jiménez, *La Invencible y la empresa de Inglaterra* (Madrid, 1988). Y, sobre todo, el valiosísimo Catálogo de la exposición en Londres con motivo de la efeméride, a cargo de una de las especialistas más notables sobre el reinado de Felipe II, la catedrática de la Universidad de Londres María José Rodríguez Salgado *(Armada, 1588-1988. An international exhibition to commemorate the Spanish Armada,* Londres, Penguin Books, 1988).

Aunque desbordando nuestro campo, bien temáticamente, bien cronológicamente, siguen siendo de obligada lectura la obra de dos de los mejores historiadores franceses de nuestro siglo: *El Mediterráneo y el mundo mediterráneo en la época de Felipe II,* de Fernand Braudel (México, Fondo de Cultura Económica, 1953, 2 vols.), uno de los libros magistrales de nuestro tiempo, y *Erasmo y España,* de Marcel Bataillon (México, Fondo de Cultura Económica, 1950, 2 vols.), la obra impar del gran hispanista galo.

Quizá sea en este apartado donde debamos recoger un libro, verdaderamente notable, de varios autores, bajo la dirección de José Martínez Millán, en el que colabora otro de los más destacados historiadores modernistas de nuestros días, Fernando Bouza Álvarez: *La corte de Felipe II* (Madrid, Alianza Editorial, 1994). Igualmente, no podemos olvidar, en el campo económico, el exhaustivo estudio del eminente historiador cubano Modesto Ulloa: *La Hacienda Real de Castilla en el reinado de Felipe II* (Madrid, Fundación Universitaria Española, 1986); lo que mi libro debe a este infatigable investigador queda bien patente, sobre todo en su primera parte.

Para otro de los capítulos primordiales del reinado, la incorporación de Portugal, aparte de la obra de Alfonso Danvila *Cristóbal de Moura* (Madrid, 1900), ya citada, está la importantísima tesis doctoral de Fernando Jesús Bouza Álvarez (en cuyo tribunal tuve la fortuna de hallarme), aunque desborde cronológicamente la etapa del Rey Prudente: *Portugal en la Monarquía hispánica (1580-1640). Felipe II, las Cortes de Tomar y la génesis del Portugal católico* (Madrid, Facultad de Geografía e Historia, Universidad Complutense, 1986).

Sobre los personajes más vinculados con el Rey, tenemos asimismo algunas notables obras. En primer lugar, sobre la reina Isabel de Valois, pero también sobre don Juan de Austria y sobre los políticos Granvela y Antonio Pérez.

En cuanto a Isabel de Valois, la tercera esposa de Felipe II, que vino a cerrar así el nuevo tratado de alianza con Francia firmado en Cateau-Cambrésis, fue el tema escogido por Agustín González de Amezúa y Mazo *(Isabel de Valois,* Madrid, 1949, 3 vols.), quien sobre documentación de primera mano y manejando también los despachos del embajador francés Fourquevaulx, que ya hemos comentado, presenta un cuadro de la Reina y de la corte verdaderamente notable, no sólo en cuanto a sucesos, como la prisión de don Carlos, sino también a las tareas de Estado desplegadas por la Reina en las Vistas de Bayona celebradas con su madre, Catalina de Médicis, en 1565.

La obra más lograda de Charles Petrie se centra sobre don Juan de Austria *(Don John of Austria,* Londres, 1967), acaso la figura más atractiva de la

corte filipina, que, sin embargo, aún está esperando un estudio de más aliento, que es de esperar sea el que prepara en la actualidad Peter Pierson. En
cuanto a su sucesor en el gobierno de los Países Bajos, y el mejor estadista y
soldado con que pudo contar Felipe II, Alejandro Farnesio, el estudioso puede contar con la muy detallada obra de León van der Essen: *Alexandre Farnese, prince de Parme (1545-1592)* (Bruselas, 1933-1937, 5 vols.).

El padre J. M. March, que fue el que mejor conoció la etapa juvenil de
Felipe II, como hemos de señalar, hizo el estudio de uno de los compañeros
de juegos infantiles del Príncipe, y después tan importante colaborador en
la política exterior, si bien centrado en su etapa de gobernador de Milán: *El
Comendador Mayor de Castilla, don Luis de Requesens (1571-1573)* (Madrid, 1943).

Sobre el duque de Alba tenemos el libro de S. W. Maltby: *El Gran Duque de Alba. Un siglo de España y de Europa (1507-1582)* (Madrid, 1985).

Para Antonio Pérez contamos con uno de los mejores libros de Gregorio
Marañón, aunque no siempre sean convincentes sus juicios sobre el secretario
del Rey, pero también imprescindible para el estudio del propio Felipe II y de
otros personajes de la corte, en especial de la famosa princesa de Éboli: *Antonio Pérez: el hombre, el drama, la época* (Madrid, Espasa Calpe, 1951, 2 vols.);
es también el libro en el que mejor se puede seguir la responsabilidad del Rey
en el asesinato de Escobedo, uno de los asuntos más turbios de aquel reinado.
En todo caso, la obra de Marañón es muy superior a la del hispanista francés
Louis Bertrand: *El enemigo de Felipe II: Antonio Pérez, secretario del Rey*
(Madrid, 1943).

La figura de la princesa de Éboli ha sido bien estudiada hace más de un
siglo por Gaspar Muro *(Vida de la princesa de Éboli,* Madrid, 1877), sobre
fuentes documentales, siendo Muro uno de los primeros en manejar los fondos de la Colección Altamira.

En cuanto a don Carlos, ya hemos comentado la obra excepcional de Gachard; puede manejarse también con provecho la más abreviada de C. Giardini: *El trágico destino de don Carlos* (Barcelona, 1940).

Una de las mejores herencias que recibió el Rey de su padre, Carlos V,
fue la de su ministro, el cardenal Granvela, posiblemente con Alejandro Farnesio el hombre de más talla de verdadero estadista de todo el reinado.
M. van Durme acometió su estudio, a lo largo de los dos reinados, del Emperador y de su hijo. La obra fue publicada en flamenco en 1953, con una carga
hispanófoba atemperada curiosamente en la edición española: *El cardenal
Granvela (1517-1586). Imperio y revolución bajo Carlos V y Felipe II* (Barcelona, ed. Teide, 1957).

La figura, tan debatida, del arzobispo Carranza, que tanto interesó a estudiosos de la talla de Menéndez Pelayo y de Marañón, encontró su mejor
biógrafo en José Ignacio Tellechea Idígoras, el que asumió la tarea, ya comentada, de publicar su ingente proceso inquisitorial que custodia la Real Academia de la Historia, y que nos da los trazos principales del personaje en su

libro, ya citado: *El arzobispo Carranza y su tiempo*. Como contrapunto, debe consultarse la documentadísima obra de José Luis González Novalín: *El inquisidor general Fernando de Valdés (1483-1568). Su vida y su obra* (Oviedo, 1968-1971, 2 vols.), con importantísimo apéndice documental, debidamente anotado, que llena todo el segundo volumen, en el que se insertan documentos tan importantes como todos los referentes al auto de fe de Valladolid de 1559.

El erudito Ángel González Palencia escribió un libro sobre Gonzalo Pérez, el supuesto padre del famoso Antonio Pérez, con una base documental de primera mano: *Gonzalo Pérez, secretario de Felipe II* (Madrid, CSIC, 1946, 2 vols.).

Uno de los hispanistas franceses más benemérito, Henri Lapeyre, discípulo de Braudel, hizo una espléndida tesis doctoral sobre los tan destacados mercaderes de Medina del Campo, los Ruiz, consiguiendo una obra ejemplar en su género, basada no sólo en la documentación de Simancas, sino también en el archivo familiar conservado en el Archivo Histórico Provincial de Valladolid: *Une famille de marchands: les Ruiz* (París, 1955).

Pero no sólo debiéramos atender a esta galería de personajes de la corte española. A este respecto, la figura de Isabel de Inglaterra es de obligada referencia. Yo utilicé hace medio siglo para mi tesis doctoral la valiosísima obra de Tenison: *Elizabethan England* (Londres, 1933-1961, 14 vols.). Muy sugestivo ensayo el que nos ofrece Martin Hume, ese hispanista inglés más olvidado de lo que se merece, en su libro: *Two English Queens and Philip* (Londres, 1908), referente a María Tudor y a Isabel de Inglaterra, y a sus relaciones con el Rey. A recordar, por supuesto, la más reciente obra de C. Haigh (ed.): *The reign of Elizabeth I* (Londres, 1984).

Entremos ya en el último apartado: los estudios centrados en la figura del Rey. Aunque las investigaciones posteriores han dejado muy superadas las biografías del siglo XIX, como la de W. H. Prescott *(History of the reign of Philip the Second, King of Spain,* Boston, 1855-1859, 3 vols.) o la de H. Forneron *(Histoire de Philippe II,* París, 1881-1882, 4 vols.), aún sigue siendo provechosa la lectura de las páginas del historiador más insigne de aquel siglo, Ludwig Ranke: *Die Osmanen und die Spanische Monarchie im 16. und 17. Jahrhundert* (Berlín, 1857), traducida al español con el título: *La Monarquía española en los siglos XVI y XVII* (México, 1946).

Resaltemos un hecho: Felipe II ha sido tomado como el abanderado de una postura ideológica: la defensa del catolicismo a ultranza, con el rigor implacable contra los disidentes. De ahí que la historiografía liberal del siglo XIX le fuese, en general, hostil, tanto en España como en el extranjero. Esa visión, fuertemente tendenciosa, empezó a modificarse gracias sobre todo a la obra de algunos hispanistas que escribieron su obra entre siglo y siglo. Citaremos aquí dos: el inglés Martin Hume: *Philip II of Spain* (Londres, 1897), buen conocedor de la documentación del tiempo, y el danés Carl Bratli, con su estudio *Filip II of Spanien* (Koebenhaven, 1909; trad. española: *Felipe II, Rey de España,* Madrid, 1927).

Sigue siendo muy sugestiva, aunque algunas de sus interpretaciones sobre la personalidad del Rey sean ciertamente discutibles, la obra del hispanista alemán Ludwig Pfandl: *Felipe II. Bosquejo de una vida y de una época* (Madrid, 1942; 1.ª ed. alemana, Munich, 1938), quien contaba ya con una notable preparación, por su conocimiento a fondo de la cultura hispana, bien patente en su libro: *Spanische Kultur und Sitte des 16. und 17. Jahrshunderts* (Munich, 1924).

En la década de los años treinta siguen apareciendo las biografías filipinas, en particular en el ámbito anglosajón, con las obras de David Loth: *Philip II* (Londres, 1932), y, sobre todo, con la muy importante de R. B. Merriman: *Philip the Prudent* (Nueva York, 1934), que constituye el volumen IV de su magno estudio: *The Rise of the Spanish Empire in the Old World and the New*. De escaso valor, por excesivamente apologética, es, en cambio, la biografía de W. T. Walsh: *Felipe II* (Madrid, 1943), que en la década de los cuarenta gozó, sin embargo, de gran difusión. Y algo similar habría que decir del voluminoso estudio del padre Fernández y Fernández de Retana: *España en tiempo de Felipe II* (Madrid, 1958, 2 vols.).

Entre los pocos estudiosos españoles sobre el Rey Prudente, hay que recordar, al menos, al padre José María March, aunque para un tema inicial de los primeros veinte años, basándose eso sí en documentación inédita de la casa Requesens: *Niñez y juventud de Felipe II. Documentos inéditos sobre su educación civil, literaria y religiosa y su iniciación al gobierno (1527-1547)* (Madrid, 1941-1942, 2 vols.). Asimismo, el gran historiador español Rafael Altamira, entonces en el exilio, publica en México su ensayo: *Felipe II, hombre de Estado,* obra felizmente reeditada con estudio preliminar de José Martínez Millán (Alicante, 1997).

En 1957, como un recordatorio del IV Centenario del reinado de Felipe II, el hispanista francés Henri Lapeyre publicó su artículo «Autour de Philippe II» (en *Bulletin Hispanique,* núm. 59-2, abril-junio 1957, págs. 152-175), que viene a ser una puesta a punto del estado de la cuestión, en particular por su análisis de las biografías de Walsh y Pfandl, y de los estudios ya citados del padre March, de González de Amezúa y de Marañón.

Juan Reglá Campistol, el más destacado de los discípulos de Jaime Vicens Vives, tiene un apreciable estudio sobre *Felipe II y Catalunya* (Barcelona, 1956), con su sugestiva tesis de la amenaza hugonote y el peligro del bandolerismo catalán afectando a la vía del Imperio Madrid-Barcelona, en dirección a Italia, para buscar el camino español. En cuanto a biografías, recordemos la de Valentín Vázquez de Prada: *Felipe II* (Bassum, 1975; ed. española, Barcelona, Ed. Juventud, 1978). Valentín Vázquez de Prada es uno de los más destacados especialistas españoles del reinado de Felipe II, sobre el cual versó su tesis doctoral, en torno a sus relaciones con Francia, leída hace casi medio siglo. Citemos también a Ernesto Belenguer Cebriá *(Felipe II. En sus dominios jamás se ponía el sol,* Madrid, 1988). Diremos que ambos libros son a modo de primeros intentos de estudios de más aliento que a buen seguro preparan sus autores.

No deben olvidarse los últimos esfuerzos de los modernistas por aportar estudios puntuales sobre Felipe II y su reinado, reflejados en diversas revistas, como los que nos ha ofrecido la *Torre de los Lujanes* en 1996, con artículos de Antonio Domínguez Ortiz («Felipe II: balance de un reinado»), Henry Kamen («El secreto de Felipe II: las mujeres que influyeron en su vida»), Jaime Contreras («Espacios y escenarios; pecados y delitos»), Fernando Bouza Álvarez («El Rey y los cortesanos»), Alfredo Alvar Ezquerra («Sobre historiografía castellana en tiempos de Felipe II») y Juan Ignacio Gutiérrez Nieto («Formas de oposición a Felipe II. Críticas de un sistema político»); y en 1997, con otra serie de estudios de C. Lirón Tolosana («El cronotopo ritual de Felipe II»), Alfredo Alvar Ezquerra («Una historia de vidas paralelas. El Imperio, Madrid y la pintora Sofonisba»), Glyn Redworth («Felipe II y las soberanas inglesas»), Friedrich Edelmayer («La red clientelar de Felipe II en el Sacro Imperio Romano Germánico»), Rafael Valladares («Felipe II y Luis XIV») y Santiago Martínez Hernández («La nobleza cortesana en el reinado de Felipe II. Don Gómez Dávila y Toledo»). En la misma revista, dos de nuestros mejores conocedores del Quinientos han publicado recientemente sendos trabajos de su especialidad: Magdalena de Pazzis Pi Corrales («El mundo marítimo de Felipe II») y Enrique Martínez Ruiz («Los intereses estratégicos de Felipe») (en *Torre de los Lujanes,* núm. 34, octubre 1997, págs. 31-62 y 85-104, respectivamente).

En este sentido, hay que destacar la existencia de la *Cátedra Felipe II,* de la Universidad de Valladolid, por donde han pasado algunos de los mejores especialistas, reflejándose en preciosos estudios: Henry Lapeyre: «Las etapas de la política exterior de Felipe II»; John H. Elliott: «El conde-duque de Olivares y la herencia de Felipe II»; Henry Kamen y Joseph Pérez: «La imagen internacional de la España de Felipe II»; Antonio Domínguez Ortiz: «Notas para una periodización del reinado de Felipe II»; Pere Molas Ribalta: «Consejos y Audiencias durante el reinado de Felipe II»; Emilia Salvador Esteban: «Felipe II y los moriscos valencianos. Las repercusiones de la revuelta granadina (1568-1570)»; Ernesto Belenguer Cebriá: «La Corona de Aragón en la época de Felipe II»; Luis Miguel Enciso y otros: «Revueltas y alzamientos en la España de Felipe II», y Rosario Villari, Geoffrey Parker y Luis Miguel Enciso: «La política exterior de Felipe II» (Valladolid, Universidad, 1996).

Nos quedan por citar las últimas biografías aparecidas, todas en el ámbito anglosajón, debidas a las plumas de Peter Pierson, Geoffrey Parker y Henry Kamen.

De las tres, la más completa sigue siendo la del profesor norteamericano Peter Pierson: *Philip II of Spain* (Londres, Thames and Hudson, 1975). Ya en 1979 señalaba yo, en mi libro *España y los españoles en la Edad Moderna* (Salamanca, Universidad, 1979), el valor de esta biografía y la importancia de que fuese traducida al español, como así ocurrió *(Felipe II de España,* México, Fondo de Cultura Económica, 1984). En cinco grandes apartados, Pierson no sólo examina la política interior y exterior del Rey, sino también su formación («la educación de un príncipe cristiano»), siendo uno de los primeros en destacar su importante papel en relación con las artes y las ciencias de su tiempo. Por otra parte, Pierson no desdeña lo que en los diversos temas aportó la historiografía, empezando por la española. Es, a mi juicio, una obra ejemplar en su género.

En cuanto a la biografía de Geoffrey Parker: *Felipe II* (Madrid, Alianza Editorial, 1984), su lectura es siempre provechosa. Ya hemos señalado la preparación de Parker y su conocimiento de la España del Quinientos. En este caso, y trabajando directamente sobre fuentes documentales, en ocasiones inéditas, como los papeles de la Colección Altamira, logra páginas muy sugestivas, que apagan algunos errores de bulto, como el situar la prisión del príncipe don Carlos en el castillo de Arévalo. Más discutible es que renunciara, casi por completo, a la apoyatura de estudios anteriores, en particular los de buena parte de la historiografía española de la posguerra.

Algo parecido puede señalarse para la última biografía aparecida sobre el Rey Prudente, la de Henry Kamen: *Felipe de España* (Madrid, Siglo XXI, 1997). El profesor de investigación del CSIC es bien conocido del lector español por sus estudios sobre la Inquisición española y sobre Carlos II. Con un admirable interés por darnos algo más que una historia política del reinado, Kamen bucea en la documentación del tiempo, entresacando con fortuna los pasajes más esclarecedores. Lástima que no indique, sin embargo, con cuánta frecuencia esos pasajes ya habían sido destacados por otros historiadores. Y acaso, curiosamente, que tienda a presentarnos un Felipe II más en la línea de la leyenda rosa, con el resultado de que más que una buena biografía sobre Felipe II haya conseguido una biografía sobre el *buen* Rey Prudente. Por lo demás, algunos de sus errores más comentados (como confundir a la princesa María de Portugal, la prometida de Felipe II en 1553, con su sobrina, la esposa de Alejandro Farnesio, o ignorar que Carlos V convocó las Cortes castellanas de 1538 con ánimo de emprender la cruzada contra el Turco) sólo merecen ser señalados para su posible rectificación.

En todo caso, hay que valorar muy positivamente los esfuerzos del hispanismo, en particular los del área anglosajona, en donde seguiría destacando como más completa y con mejor base historiográfica la ya citada de Peter Pierson.

En esta exposición sobre los estudios filipinos aparecidos, principalmente en este siglo, ¿cuál ha sido mi colaboración personal? En el otoño de 1942 iniciaba mi tesis doctoral sobre Felipe II e Inglaterra, y en el pasado año de 1997 publicaba mi edición crítica del Codicilo del Rey. Más de medio siglo, por lo tanto, no dedicado en exclusiva a nuestro personaje, pero sí teniéndolo en cuenta año tras año, ya en función de aspectos generales de aquel siglo o del reinado, bien para fijarme en cuestiones concretas de un cierto relieve. Fueron apareciendo así unas dos docenas de publicaciones, entre libros y artículos, y fui acumulando un material pensando en escribir algún día la biografía del Rey.

Y ahora ha llegado ese momento.

En esa preparación, en esa acumulación de material cabría recordar, en primer lugar, algunas publicaciones documentales. Así, el *Corpus documental de Carlos V* (Salamanca, 1973-1981, 5 vols.), que a partir del volumen II bien podría llamarse también Corpus documental de Felipe II, pues lo más importante es, a partir de 1543, la serie de cartas cruzadas entre el Emperador y su hijo, cartas en su mayoría inéditas, casi todas transcritas, comentadas y anotadas por mí mismo y que son imprescindibles a la hora de estudiar la formación del futuro soberano de la Monarquía católica hispana. En conjunto son algo más de 500 documentos, que llenan en torno a las 1.700 páginas del *Corpus* citado. Añádase la edición crítica del Testamento filipino *(Testamento de Felipe II,* Madrid, Editora Nacional, 1982), estudio completado recientemente en el libro *Codicilo y última voluntad de Felipe II* (Madrid, Ediciones Grial, 1997).

Otro documento de singular valor para conocer la situación de España, al comienzo de aquel reinado, es el *Memorial* de Luis de Ortiz de 1558, que publiqué por primera vez hace cuarenta años en la revista *Anales de Economía* (Madrid, núm. de enero de 1957, págs. 101-200), con largo comentario; todo ello reimpreso después en mi libro: *Economía, Sociedad y Corona* (Madrid, 1963, págs. 375-462).

Aparte de varias síntesis del reinado, publicadas en obras generales, como en mi libro *España y los españoles en los tiempos modernos* (Salamanca, Universidad, 1979), o en la *Historia de España* de la Editorial Gredos (tomo 8: *Los Austrias mayores,* Madrid, 1987, págs. 171-322), podría destacarse el tomo XIX de la *Historia de España Menéndez Pidal* (Madrid, 1989), en el que desarrollo ampliamente todo lo que podría denominarse historia interna del reinado (Economía, Sociedad, Instituciones). En este orden de cosas, debo citar también mis estudios sobre sociedad y cultura: *La sociedad española del Renacimiento* (Salamanca, 1970), y, sobre todo, el libro que mereció el premio Nacional de Historia de España en 1985: *La sociedad española en el Siglo de Oro* (Madrid, Editora Nacional, 1984; 2.ª ed., Madrid, Gredos, 1989, 2 vols.).

En tres libros he estudiado a los dos Austrias mayores, bien las figuras, bien diversos aspectos de sus reinados: en la ya citada obra *Economía, Sociedad y Corona (Ensayos históricos sobre el siglo XVI),* en *Política mundial de Carlos V y Felipe II* (Madrid, CSIC, 1966), y más recientemente en *Poder y sociedad en la España del Quinientos* (Madrid, Alianza Editorial, 1995).

Los sucesos principales vinculados a la figura del Rey están examinados en una serie de estudios, empezando por lo que fue mi tesis doctoral, leída con Premio Extraordinario en 1947, que abarca la primera década del reinado: *Tres embajadores de Felipe II en Inglaterra* (Madrid, CSIC, 1951).

Citaré, entre los estudios más destacados: «La paz de Cateau-Cambrésis» *(Hispania,* 1959, núm. LXXVII); «El Madrid de Felipe II (En torno a una teoría de la capitalidad)» (Discurso de ingreso en la Real Academia de la Historia, Madrid, 1987); «La cuestión de Flandes» (en *Colloquia Europalia,* Lovaina, 1988); «El Milanesado: la época de Felipe II» (en mi libro citado: *Poder y sociedad en la España del Quinientos,* págs. 51-64); «Felipe II e Isabel de Inglaterra. Una paz imposible» (en torno a la *Armada Invencible,* en *Revista de Historia Naval,* Madrid, 1988, núm. 23, págs. 19-36); *Felipe II, Isabel de Inglaterra y Marruecos* (Madrid, CSIC, 1951).

Los principales personajes de la dinastía fueron objeto de otras tantas biografías mías: la abuela *(Juana la Loca,* Palencia, 1994; pronto a aparecer traducida al japonés), el padre *(Carlos V. Un hombre para Europa,* Madrid, 1975; traducida al inglés por la editorial Thames and Hudson, Londres, 1975, y al alemán, Stuttgart, 1977) y, finalmente, el hijo *(El Príncipe rebelde. Novela histórica,* Salamanca, 1996).

A la cuestión de la defensa del Imperio contra los ataques de los corsarios ingleses dediqué un capítulo, inserto en mi citada obra *Economía, Sociedad y Corona* (págs. 305-371). Los aspectos culturales, sin los cuales no puede comprenderse aquella sociedad ni, por tanto, sus personajes, incluido el propio Rey, fueron objeto de una particular investigación que centré en la Universidad de Salamanca en el siglo XVI y en su figura más representativa, un contemporáneo riguroso además de Felipe II, como lo fue fray Luis de León. A ese respecto cabe recordar la *Historia de la Universidad de Salamanca,* dirigida por mí, con la colaboración de los profesores Laureano Robles Carcedo y Luis Enrique Rodríguez-San Pedro Bezares (Salamanca, 1989, 2 vols.), en cuya obra escribí el capítulo dedicado al siglo XVI («La etapa renacentista», vol. I, págs. 59-101). Y en cuanto a la figura de fray Luis de León y sus avatares universitarios, incluido su célebre proceso inquisitorial, fue el tema de mis diálogos luisianos, que fueron nominados para el premio Nacional de Ensayo de 1992 *(Fray Luis de León. La poda florecida,* Madrid, Espasa Calpe, 1991). A los místicos españoles y a la protección dispensada por el Rey a santa Teresa dediqué un capítulo, inserto en mi obra citada *Poder y sociedad en la España del Quinientos* (págs. 301 y sigs.).

Curiosamente, sobre la propia personalidad de Felipe II versó mi primer artículo, publicado hace ahora más de medio siglo: «Felipe II y la España de su tiempo» (en *Boletín de la Biblioteca Menéndez Pelayo,* 1946, págs. 257-269). Y sobre él escribí un estudio en torno a su figura como Rey y como hombre: *Felipe II. Semblanza del Rey Prudente* (Madrid, 1956; recogida después en mi citado libro *Economía, Sociedad y Corona,* págs. 171-234).

Todo ese material acumulado, todas esas reflexiones realizadas a lo largo de tantos años, es lo que me ha permitido afrontar la tarea, a partir de 1994, de escribir esta obra sobre Felipe II y su tiempo. Con ello creo cumplir un deber para mi país, que tiene derecho a esperar de los historiadores españoles que se incorporen también a la tarea que tan brillantemente han realizado los hispanistas del mundo entero. Y vaya por delante mi reconocimiento a esa fecunda labor, que ha rellenado tantas lagunas —a veces, en verdad, bien penosas—, y que tanto nos ha ayudado a comprender mejor nuestro pasado. Pues curiosamente se ha producido en la historiografía extranjera un vuelco espectacular en nuestro siglo. Antes, esos historiadores, anclados en sus países, veían en Felipe II la encarnación de todos los males, al hombre de las crueles justicias, al que era capaz de encerrar a su hijo y de condenar a muerte a sus antiguos servidores, al representante más radical de la Inquisición. Ahora, no sólo viniendo a España, sino viviendo en ella y hasta nacionalizándose, han encontrado en su especialidad de hispanistas un protagonismo en España, donde se ven admirados y festejados, reflejándose todo ello en sus trabajos, de tal forma que se han convertido más de una vez en los actuales acérrimos defensores de la obra del discutido monarca, hasta tal punto como no sería capaz de realizar un español, si es que no quería que se le acusase de estar componiendo una leyenda rosa, con la que desplazar a la antigua leyenda negra.

Ya se puede entender que mi propósito ha ido más allá. En mi libro he tratado de ver al Rey en su tiempo, dejando que hablen los propios documentos. He querido hacer una obra para el buen pueblo español, y no sólo para la minoría de los eruditos. E incluso más: para la sociedad occidental, porque Felipe II es pieza importante de la historia de esa sociedad, a caballo entre el viejo y el nuevo mundo. He huido, por ello, de un estrecho nacionalismo, de un falso sentido patriotero, por el cual señalar los graves errores del Rey era tanto como un delito de lesa patria. He tratado de hacer una obra para la historia de Europa, que puedan leer por igual españoles y holandeses, italianos y alemanes, franceses e ingleses... Y, por supuesto, desde los mexicanos a los chilenos y argentinos, de las inmensas Américas.

Dicho todo esto, aún falta algo por añadir, y algo importante: la expresión de mis agradecimientos.

Agradecimientos en plural, y en primer lugar al Colegio Libre de Eméritos que tan generosamente patrocinó esta obra, y muy en especial a su presidente, don José Ángel Sánchez Asiaín, que apostó tan abiertamente por mi proyecto, cuando se lo presenté en el verano de 1994. Y a su gerente, don Antonio de Juan Abad, que, junto con doña Mayang Sáez Pombo, secretaria de la Comisión Cultural, fue dando el visto bueno a mis sucesivas entregas, a partir de los principios de 1995.

Mi agradecimiento, asimismo, a mi querido amigo y tan eminente colega, el profesor don José María Jover Zamora, que una vez más confió en mí, con la vista puesta en ese reto de que la historiografía española estuviese presente, con dignidad, en el IV Centenario de la muerte del Rey Prudente. Y a la Editorial Espasa, y en particular a mi buen amigo don Ricardo López de Uralde, que nunca abandonó la idea de hacer realidad nuestro primer proyecto de una biografía sobre Felipe II, que databa nada menos que de 1991.

No puedo, ni quiero, silenciar todo lo que este esfuerzo ha supuesto para mi familia, en especial para Marichún, mi mujer, con estos tres años encerrado a cal y canto, sin tregua alguna, ni siquiera los días festivos. Y no voy a decir ahora que todos los días fueran laborales. No, en verdad; antes bien eran festivos, porque era una fiesta ver cómo iba avanzando y cómo iba creciendo mi tarea, con la satisfacción de cumplir así con mi responsabilidad de historiador especializado en el siglo XVI, para estar presente en ese IV Centenario de la muerte del Rey Prudente. Lo había estado en 1958, cuando lo que se evocaba era la figura del Emperador, y Dios me había dado aliento suficiente para hacerlo cuarenta años más tarde.

Todo lo cual lo expreso con sencillez y con orgullo, con ambos sentimientos compartidos y entremezclados. Porque bien sé que soy un hombre sencillo, poco importante si se quiere (de ahí tantos olvidos). Pero mi pluma, no. Mi pluma no lo es. Mi pluma no es sencilla ni insignificante.

Y ahí reside mi orgullo.

PARTE PRIMERA

LA ÉPOCA

1
LA MONARQUÍA CATÓLICA

Cómo hemos de titular aquel Estado? Porque el título es lo primero para entendernos. ¿Monarquía hispana? Eso parecería lo más adecuado, pues, a fin de cuentas, de la historia de España se trata. Pero dado que estamos en unos tiempos en que se produce el gran despegue de aquella Monarquía, con un cuerpo principal en la Península, pero con otras partes importantes fuera de ella, parece oportuno aplicarle el nombre que le daban ya los contemporáneos, que tiene un signo ideológico, más que nacional: Monarquía católica; si se quiere, Monarquía católica hispana.

Con lo cual, ese título lleva ya implícitos tres aspectos que la caracterizaban: su nota confesional, su condición supranacional y el hecho de que España constituía, en todo caso, su fundamento, su zona nuclear, el asiento de su corte.

La nota confesional es una de las que primero han de destacarse. La vinculación de la Monarquía al catolicismo más acendrado venía ya marcado desde los fundadores de aquel Imperio naciente, a los que por algo conocemos como los Reyes Católicos por antonomasia: Isabel y Fernando. Lo cual ya marcará unos particulares destinos a la Monarquía, tanto en el interior como en el exterior, y ello precisamente en un tiempo de fuertes pugnas religiosas, en la época de Lutero, de Calvino y de san Ignacio de Loyola, la era de la Reforma y del Concilio de Trento, en la que no cabían neutralidades, sino tomas de postura bien diferenciadas y hasta radicales. Lo cual traería consigo la puesta en funcionamiento de un duro aparato represivo en el interior (la Inquisición) y un despliegue ofensivo en el exterior, para combatir a los considerados enemigos de la verdadera fe, tanto los de dentro como los de fuera; de todo lo cual tendremos ocasión de tratar ampliamente.

Una confesionalidad de la Monarquía que marcará unos objetivos a sus reyes, que les impondrá unos deberes, comprendidos y aun exigidos por sus súbditos, y que estará presente tanto en su quehacer diario del gobierno de sus pueblos como en el de sus relaciones con los otros Estados de su tiempo.

Asimismo, un signo muy particular de aquella Monarquía era su carácter supranacional, lo cual llama todavía más la atención por cuanto que las corrientes políticas del Renacimiento iban ya hacia la constitución, el fortalecimiento y el despegue de las monarquías nacionales.

Es más, ese aspecto supranacional, que podría considerarse patente en la unión de las dos Coronas de Castilla y Aragón, lo es más por desbordar los límites peninsulares; es una nota que salta de la misma España, por la vinculación de la Monarquía católica con diversos reinos extrapeninsulares, y eso desde el primer momento. Y esto es así hasta el punto de que las conexiones políticas a ese nivel de reinos españoles e italianos se produce con anterioridad a la formación de la dualidad castellano-aragonesa.

En efecto, suele pasarse por alto que cuando Fernando el Católico es todavía el príncipe aragonés que entra en Castilla para desposarse con la princesa Isabel, lo hace con un título regio en el bolsillo, por cuanto su padre, Juan II, le ha transferido ya el reino de Sicilia. Por lo tanto, la vinculación de castellanos y sicilianos, en aquella Monarquía de nuevo cuño y de tanto alcance, se produce antes que la de castellanos y aragoneses; poco antes, cuatro o cinco años sólo, pues en 1480 la muerte de Juan II ya convierte a Fernando en rey de la Corona de Aragón, pero en todo caso dando esa peculiaridad, marcando esa condición de una Monarquía supranacional hispano-italiana.

Supranacional, pero con su núcleo en España y, dentro de España, en Castilla. Es algo también establecido desde el reinado de los Reyes Católicos, que pudo ponerse en duda cuando se introduce en España la dinastía de los Austrias con Carlos V, por su condición de Emperador de la Cristiandad, pero que volvería a quedar patente con Felipe II, aquel *Philippus Hispaniarum Princeps* que en España pondría su corte y que, a partir de 1559, ya no saldría de ella, salvo para la empresa de Portugal, que, a fin de cuentas, también se podría entender como parte de España.

Ahora bien, esa Monarquía católica, supranacional e hispana, ¿cómo se gobierna?

Partamos de un hecho cierto: la Monarquía hispana en el siglo XVI es una Monarquía autoritaria, con tendencia al absolutismo; un absolutismo que en determinadas —y solemnes— ocasiones sus reyes anuncian que ejercen como algo a lo que tienen derecho, e incluso a lo que se ven obligados.

Es cierto, un absolutismo muy particular, a cuyo derecho no quieren renunciar los reyes, para aplicarlo cuando lo creyesen necesario, pero proferido en tales términos que ya reconocen que su uso debía ser limitado.

No de otro modo creo que puede entenderse aquella declaración de Isabel la Católica en su Testamento, cuando revoca algunas de las mercedes hechas por sus antecesores, como las de Enrique IV a la ciudad de Ávila.

Entonces la Reina se expresaría con estas firmes razones:

E de mi proprio motu e çierta sçiençia e poderío real absoluto...

Y al punto añade, como advirtiendo que sólo camina por ese sendero en casos contados y buscando el bien común:

> ... de que en esta parte quiero usar e uso... [1]

Expresiones que Carlos V hará suyas, como cuando en 1529 ordena que se tenga a su mujer por gobernadora del reino:

> Nos, por la presente, de nuestra cierta ciencia e proprio motu e poderío real e absoluto...

Y añade, también autolimitándose:

> ... en cuanto a esto toca e atañe... [2]

Ahora bien, eso, ese uso de prácticas absolutas, no es general, ni en el tiempo ni en todos los campos del quehacer del Rey. Existen cuestiones políticas para las que el Rey requiere la asistencia de las Cortes, tanto en Castilla como en Aragón; así el problema de la sucesión, o bien el de la imposición de los servicios. Y de tal modo, que las Cortes castellanas reunidas en Valladolid en 1518 le recordarán valientemente al rey Carlos V que él era su mercenario, que existía un contrato callado que obligaba a las dos partes: al Rey, a gobernar bien, administrando buena justicia; a los súbditos, ayudando al Rey con el dinero de sus servicios.

Por recordar las palabras de aquellos procuradores castellanos, formuladas a través de su portavoz, Zúmel, el procurador por Burgos, al recordar al rey Carlos su estricta obligación de ser un buen rey y administrarles buena justicia:

> ... pues en verdad, nuestro mercenario es, e por esta causa asaz sus súbditos le dan parte de sus frutos e ganancias suyas e le sirven con sus personas todas las veces que son llamados...

De ahí sacaba Zúmel la oportuna conclusión:

> ... pues mire Vuestra Alteza si es obligado, por contrato callado, a los tener e guardar justicia... [3]

Ahora bien, debe tenerse en cuenta que la Monarquía católica estaba inmersa en la Europa occidental, donde en aquellos años se desarrollan dos corrientes políticas de muy distinto signo, encabezadas por dos pensadores

---

[1] *Testamento de Isabel la Católica,* Valladolid, 1944, pág. 17.
[2] *Corpus documental de Carlos V,* Salamanca, 1973-1981, 5 vols.; I, pág. 147.
[3] *Cortes de los antiguos reinos de León y de Castilla,* Madrid, 1882, IV, pág. 261.

excepcionales: Maquiavelo y Erasmo, ambos encontrando un eco en los autores españoles del Quinientos, como no podía ser menos, dadas las estrechas relaciones de todo tipo —políticas, culturales, económicas y hasta militares— de España, tanto con Italia como con los Países Bajos.

Dos pensamientos políticos esencialmente opuestos: por un lado, la concepción maquiavélica de que la política tiene sus propias normas, al margen de la moral, y que al Príncipe todo le es permitido, si le sirve para afianzarse en el poder, resumido en su frase sobre el trato que debía tener con sus súbditos:

> Se plantea aquí la cuestión de saber si vale más ser temido que amado. Se responde que sería menester ser uno y otro juntamente.

Y tras ese planteamiento, concluye con lo que sin duda le dicta su experiencia:

> ... pero como es difícil serlo a un mismo tiempo, el partido más seguro es ser temido primero que amado... [4]

A su vez, Erasmo dejaría expreso su pensamiento político en aquel pequeño tratado que dedicó precisamente a Carlos V, como su señor natural, como un compendio de las normas a que debía sujetarse el buen príncipe cristiano, precisamente con motivo de su salida de los Países Bajos para hacerse cargo del gobierno de España; sería su famosa *Institutio principis christiani,* con la que Erasmo correspondería por su nombramiento de consejero real que le había otorgado el nuevo rey de España. Y mientras Maquiavelo exhortaba a los príncipes a que se adiestrasen en las armas para estar prestos siempre para la guerra, Erasmo le daría a su señor el consejo terminante de que huyese de las guerras como del fuego.

De suyo se entiende que la tradición senequista, tan fuerte en la cultura española, la hacía más receptible al mensaje erasmista que al de Maquiavelo. Y eso se refleja en la obra de Alfonso de Valdés, el secretario de cartas latinas de Carlos V, donde encontramos un eco notorio del pensamiento de Maquiavelo antes mencionado, para su palmario rechazo. Y así, hace aconsejar al buen rey Polidoro en su lecho de muerte a su hijo:

> Procura ser antes amado que temido, porque con miedo nunca se sostuvo mucho tiempo el señorío...

El temor creaba enemigos; el amor, fieles guardianes:

> Mientras fueres solamente temido, tantos enemigos como súbdi-

---

[4] Maquiavelo, *El Príncipe,* Col. Austral, Madrid, 1967, pág. 82.

tos ternás; si amado, ninguna necesidad tienes de guarda, pues cada vasallo te será un alabardero[5].

Es cierto que la evidente afición a las armas de Carlos V nos hace dudar de que fuera un discípulo fiel del pensamiento erasmista, aunque sí lo encontramos con esa carga ética que anima sus acciones de gobierno. Hasta qué punto eso influyó en Felipe II es algo que hemos de ver. En todo caso, encontramos entre los pensadores españoles una tercera vía, entre la utópica postura erasmista de repudio absoluto de la guerra, y la maquiavélica, con la descarnada razón de Estado de que cualquier guerra era lícita si con ello se favorecía el poder del Príncipe. Y esa vía intermedia sería la representada por la neoescolástica propugnada por los profesores del Estudio salmantino, como Vitoria y Soto: reconociendo la realidad insoslayable de la guerra, intentan someterla a un control ético, con su distinción entre guerras justas e injustas y con la fijación de las condiciones a que debían ajustarse las guerras justas.

Como señala el padre Vitoria:

> ... ad bellum iustum requiritur causa iusta, ut scilicet illi qui impugnantur, propter aliquam culpam impugnationem mereantur[6].

Pero la guerra justa no venía fijada solamente en cuanto a sus requisitos para desencadenarla (entre los cuales estaba, además, el que sólo podía hacerlo la autoridad competente), sino a los medios que se empleaban en la guerra y, sobre todo, en cuanto al objetivo que se fijaba. Puesto que se requería una causa justa (el quebrantamiento de la justicia, por ejemplo), los medios a emplear estarían en relación al restablecimiento de esa justicia, que sería el fin exclusivo, ya que el Príncipe, obligado a desencadenar la guerra justa, se convertía así en juez de su enemigo, y debía imponerle, en el momento de la victoria, una paz justa, sin aprovecharse de su triunfo para el aniquilamiento de su adversario. Nada, pues, de guerras totales, porque el exterminio del enemigo nunca podría ser una paz justa.

Como indicaría fray Luis de León, la guerra había que acometerla con el menor daño posible; esto es, todo lo contrario de la guerra total:

> Et quod bellum debet administrari quam minimo detrimento...[7]

Cabe preguntarse en qué medida todo este quehacer de los teóricos políticos afectaba a los monarcas; esto es, en qué medida aquellos reyes, con tan

---

[5] Alfonso de Valdés, *Diálogo de Mercurio y Carón,* ed. de J. F. Montesinos, Madrid, Clásicos Castellanos, 1954, pág. 178.

[6] «... para la guerra justa es precisa una causa justa, esto es, que los que son atacados hayan merecido el ataque por alguna culpa.» (Vitoria, *De Indis,* ed. de Pereña y Pérez-Prendes, Madrid, CSIC, 1967, pág. 63.)

[7] Fray Luis de León, *De Legibus,* ed. Luciano Pereña, Madrid, 1963, pág. 84.

pocas trabas en el ejercicio de sus funciones, tenían en cuenta los consejos morales que venían a limitar su poder.

Y en ese sentido, cuando se examina el proceder de Carlos V al concluir paces con sus adversarios —piénsese en el Tratado de Madrid de 1526 con Francisco I, o en el acuerdo con Clemente VII, tras el *saco de Roma* de 1527—, resulta evidente que el Emperador se ajustó a los principios jurídicos marcados por la Escuela de Salamanca, o porque los conociera y los aceptara, o porque su sentido ético de la existencia —que es lo más probable— le llevara a coincidir con los frailes del viejo Estudio salmantino. Y eso se comprueba en las advertencias que hace a su hijo Felipe en sus Instrucciones de 1548, cuando le dice que debe respetar las treguas que había firmado con el Turco[8].

Pero tanto o más importante es afrontar la cuestión de cómo la teoría política del Quinientos presentaba las relaciones entre el poder del Rey y sus súbditos. En ese sentido, apreciamos que la actuación del soberano debía tener siempre por norte el bien común. No existía un poder de la Corona por la gracia divina, sino que esa base del poder, de origen divino, residía en el pueblo, y era éste el que lo entregaba al Rey, con la obligación de que gobernase bien. Porque el Rey debía reinar y gobernar, no dejar el poder en manos de otros, dado que se le consideraba el primer juez del reino, y por lo tanto no podía descansar dejando su oficio en otras cabezas. Y ya hemos visto que de esa manera se expresaban las Cortes castellanas de 1518 ante Carlos V.

Ahora bien, ¿quién podía protestar cuando el Rey no cumplía sus obligaciones? Y, sobre todo, ¿qué sistema se podía poner en marcha para aplicar el oportuno remedio?

Se contestaría, en cuanto a lo primero, que para ello estaban las Cortes, que aunque no representaran del todo más que a un sector del país, podían alzarse con la representación moral del mismo, como de hecho lo harían en más de una ocasión. De ahí la importancia de su operatividad y de ahí también las pocas ocasiones en que las convocaron los Reyes Católicos, a partir de 1480, y del esfuerzo de Carlos V por someterlas a sus dictados, en cuanto el fracaso de las Comunidades de Castilla le dio mayor libertad de acción.

Hay que tener en cuenta, por tanto, el grado de eficacia de las reclamaciones de las Cortes, aquellos cuadernos de peticiones presentados a la Corona, con sus quejas, señalando los fallos advertidos y planteando los posibles remedios; unos remedios que quedaban al arbitrio del Rey, si recibía en primer lugar los servicios que debían votar los procuradores.

Y ese sería el forcejeo de las primeras Cortes carolinas: los procuradores castellanos exigiendo que primero se atendiese al remedio de sus quejas; el Rey, que ante todo las Cortes concediesen los servicios para las arcas regias, de forma que el Rey actuase después como un generoso soberano y no obligado por sus súbditos.

---

[8] *Corpus documental de Carlos V,* ed. de Manuel Fernández Álvarez, Salamanca, 1973-1981, 5 vols.; II, pág. 574 (v. *infra,* pág. 83).

Por recordar al propio Carlos V, en una de sus primeras intervenciones personales de que tenemos constancia ante las Cortes de Castilla, y no a través de un tercero (el presidente de las Cortes), como solía ser la costumbre.

En efecto, en las Cortes castellanas de 1523, ante la rotunda oposición de sus procuradores a conceder el servicio antes de que fueran atendidas sus quejas, Carlos V les habló en estos términos:

> ¿Cuál [cosa] os parece que sería mijor, que me otorgásedes luego el servicio, pues como yo ayer os lo prometí e agora de nuevo os lo prometo, yo no alzaré las Cortes hasta haber respondido e proveído todas las cosas que me pidiéredes como sea justo e más cumpla al bien destos Reinos, y que parezca que lo que proveo y las mercedes que hiciere lo hago de mi buena voluntad, o que primero os respondiese a los capítulos que traéis, y se dixese que lo hacía porque me otorgásedes el servicio?

Apelando a que tal era lo que se había hecho con sus antepasados, concluía:

> Y pues las necesidades que a esto me mueven fueron por causa de muchos males, vosotros, que sois buenos y leales, los remediad, haciendo lo que debéis, como yo de vosotros espero[9].

Aun así, dado aquel inevitable forcejeo, la Corona acudió sistemáticamente al soborno de los procuradores, práctica bien asumida por Felipe II desde sus primeras Cortes, como pude demostrar en mi edición del *Corpus documental de Carlos V*[10].

Por lo tanto, habría que plantearse cuál era el *idearium* de los Reyes, puesto que su actuación personal resultó a la postre tan decisiva; aspecto tan revelador, dada la realidad de su gobierno autoritario, con clara tendencia al absolutismo. A ese respecto diríamos que Felipe II recibe unas normas con una fuerte carga ética (y tan importantes, que en su momento será preciso comentarlas con todo detalle). Y también que en él, como en sus antecesores, obrará la conciencia de la importancia de su cargo regio, de unas tareas nimbadas de providencialismo, con la inevitable tentación de creerse, por ello, sólo responsable ante Dios.

Sería aquello que formularía Felipe II, al declarar la detención de su hijo don Carlos, que lo había hecho, sobre todo:

> ... para satisfacer yo a las dichas obligaciones que tengo a Dios...

---

[9] Véase el discurso en mi libro *La España de Carlos V* (en *Historia de España Menéndez Pidal*, t. XX, 6.ª ed., Madrid, 1993, pág. 309).

[10] *Corpus documental de Carlos V*, Salamanca, 1973-1981, 5 vols.; IV, págs. 372 y sigs.

El Rey solo frente a Dios. Eso era tanto como poner al Rey por encima de la ley. Y en qué medida eso se llevaría a cabo durante el gobierno de Felipe II, será ocasión de ver y de comentar. Pero añadamos que si parte de la opinión pública daba por bueno ese comportamiento regio, había también algunas voces que discrepaban de ello.

Y así es preciso recordar otra vez a fray Luis de León cuando advertía que, si tal ocurría, se vulneraba el justo y buen gobierno de los pueblos, como lo hizo en su curso dictado en la Universidad de Salamanca sobre las leyes (*De Legibus*), al proclamar:

> Aliis legibus, quae ex aequo ad omnes pertinent, principes et legumlatores, quamvis summi, obligantur in concientia.

O lo que es lo mismo:

> Los príncipes y legisladores, aunque soberanos, están obligados en conciencia por las leyes, que atañen a todos por igual [11].

Que otra cosa era tiranía.

Y tal denuncia bien pudo costarle al poeta y profesor del viejo Estudio salmantino el acoso inquisitorial. Su curso *De Legibus* lo daría en 1571, acaso como un eco de la reclusión y muerte en prisión del príncipe don Carlos, sin que se le conociera ninguna vía de proceso. Y al año siguiente, la Inquisición echaría mano a fray Luis de León.

Algo para meditar.

Por lo tanto, estamos ante una Monarquía autoritaria, con clara tendencia al absolutismo. Una Monarquía confesional —la Monarquía católica—, en unos tiempos de duros enfrentamientos religiosos. Una Monarquía supranacional, en franca expansión.

Era la España imperial.

Todo ello unido daría un particular significado a su trayectoria histórica. Aquella Monarquía católica en su momento cenital aunaría lo religioso y lo político hasta un grado extremo. Y para su buen funcionamiento se articularía en un sistema de Consejos —el sistema polisinodial—, ya iniciado por los Reyes Católicos, cuando en 1480 reorganizaron el Consejo Real, del que pronto se desgajarían otra serie de ellos.

Serían los instrumentos del nuevo Estado, cuya importancia es tanta que preciso es detallarlos en capítulo aparte.

---

[11] Fray Luis de León, *De Legibus,* ed. cit. de L. Pereña, pág. 121.

2
LOS INSTRUMENTOS DEL ESTADO

La clave del gobierno de la Monarquía católica bajo los Austrias mayores está en el sistema polisinodial que arranca de la reorganización hecha por los Reyes Católicos con el realce del Consejo Real, en el que han sido borradas las pretensiones de la alta nobleza, convirtiéndolo en un fiel instrumento de la Corona. Pero ese Consejo Real era el de Castilla *(Consejo Real de la Corona de Castilla),* lo que obligaría a una proliferación de Consejos de acuerdo con el despliegue de la Monarquía a lo largo de la centuria.

Ya entrado el reinado de Carlos V, la Monarquía está asistida por cinco Consejos principales y otros varios de menor entidad. Los cinco mayores estaban en relación con otras tantas materias de gobierno de primera magnitud: Consejo Real, Consejo de Estado, Consejo de Hacienda, Consejo de la Inquisición y Consejo de Indias.

Y algo que hay que destacar: el título de consejo, que nos señala su carácter de organismo asesor, o consultivo, que dejará las decisiones en manos de la Corona. O lo que es lo mismo, no debemos olvidar que estamos ante una Monarquía autoritaria, si bien en algunas ocasiones esa Corona delega su poder decisorio, como hemos de ver.

La importancia de esos cinco grandes Consejos (Real de Castilla, Estado, Hacienda, Inquisición e Indias) estribaba en que estaban vinculados a los principales aspectos de aquel reinado: Castilla, como núcleo de la Monarquía; Estado, llevando todo lo referente a la política exterior; Hacienda, responsable de los ingresos y del control del gasto público; Inquisición, que demostraba el carácter confesional de la Monarquía en su línea más intransigente, y, finalmente, Indias, que era el Consejo que controlaba el imperio de Ultramar, que era una de las características más destacadas, la que marcaba el rasgo imperial de la Monarquía.

El Consejo Real de Castilla era el más antiguo de todos y el origen de los demás, dado que de sus diversas funciones fueron surgiendo muchos otros, o dando la pauta para nuevos Consejos. Su antigüedad se remontaba a los tiempos bajomedievales.

En efecto, había sido el duro revés sufrido en Aljubarrota lo que obligó a Juan I de Castilla a crear el Consejo en 1385, como una especie de acto reparador, para indicar al reino que, en lo sucesivo, no tomaría medidas tan graves como aquella de su intervención armada en Portugal, sin contar con la asistencia de un Consejo, en el que hubiera representantes paritarios de la alta nobleza, del alto clero y de las ciudades (cuatro por cada uno de aquellos sectores sociales).

Organismo tan importante pronto fue de la atención de la alta nobleza, en dura pugna por hacerse con todo el poder. Y así, en 1442, bajo Juan II, consigue su reforma, aumentando con creces su número (de 12 a 60) y poniéndolo bajo su control; algo que intentó rectificar Enrique IV en 1459, pero que no se lograría hasta las Cortes castellanas de 1480, bajo los Reyes Católicos.

Era la ocasión, recién superada la guerra civil contra los partidarios de la Beltraneja. Entonces, con todo el prestigio de su triunfo, los Reyes pudieron obtener el apoyo de las Cortes y reformar a su favor el Consejo Real, dando la primacía a ocho o nueve letrados —esto es, al personal técnico en materia de justicia—, dejando limitada la presencia de la nobleza a dos o tres caballeros y dando la presidencia a un prelado. La primacía de los letrados era aún mayor, pues se disponía que los acuerdos del Consejo fueran válidos siempre que estuvieran presentes, aunque faltasen los caballeros y hasta el mismo presidente. De esa forma, las Universidades, donde se formaban los letrados, adquirieron una importancia mayor, creciendo a su compás el interés de la Corona por tenerlas también bajo su control.

Los Austrias mayores siguieron esa norma en cuanto a hacer muy suyo el Consejo Real. El presidente ya no tendrá necesariamente que ser un prelado y el número de consejeros letrados aumentaría hasta dieciséis, todos hechuras de la Corona, desapareciendo por completo la representación nobiliaria, salvo de forma honorífica, cuando el Consejo trataba algo que podía afectarla, y, aun así, con voz pero sin voto. Mas teniendo exquisito cuidado en apartar a la alta nobleza, conforme a la advertencia que Carlos V hacía a su hijo, el príncipe Felipe, en sus Instrucciones de 1543, al avisarle sobre las ambiciones del duque de Alba:

> El duque de Alba quisiera entrar con ellos [1]..., y por ser cosa del gobierno del Reino donde no es bien que entren Grandes, no lo quise admitir, de que no quedó poco agraviado...

Y le añadía, como norma que no podía olvidar:

> De ponerle a él ni a otros Grandes muy adentro en la goberna-

---

[1] Se refiere al cardenal Tavera y al secretario Francisco de los Cobos, personajes principales del Consejo Real.

ción os habéis de guardar, porque por todas vías que él y ellos pudieren, os ganarán la voluntad, que después os costará caro... [2]

Y como temía el Emperador, la alta nobleza lo intentó a mediados de siglo, durante el gobierno de Juana de Austria. En 1554, la princesa se presentó en el Consejo acompañada de un miembro de la alta nobleza, don García de Toledo, con escándalo de los consejeros. Su queja llegó hasta Felipe II, provocando su rápida réplica:

> No sé qué causa pudo motivar a mi hermana...

Pero, fuera la que fuese, no podía volver a repetirse:

> Es contra la instrucción que le quedó.

De forma que aquella pretensión de don García de Toledo había de cesar. Y Felipe II encarga al secretario Vázquez de Molina que hiciera presente a su hermana doña Juana cuál era su firme decisión:

> ... decirléis de mi parte que en ninguna manera conviene que aquello pase adelante, por ser cosa nueva y que podrá traer inconveniente para el bien de los negocios, y así le pido que lo mande remediar... [3]

Naturalmente, no se trata aquí de detallar por menudo las características de los diversos Consejos, incluido el Real de Castilla, sino de comprobar hasta qué punto se habían convertido en eficaces instrumentos en manos de la Corona; lo cual nos ha de llevar a las preguntas concretas de sus atribuciones, de la composición de sus miembros y de su inserción social.

En el Consejo Real de Castilla descansaba el Rey para la administración de la justicia en el ámbito castellano; ésa sería su principal función, aunque no la única. Y aunque el Rey siempre podía reservarse una última instancia, como lo haría expresamente Felipe II en su Codicilo, al referirse a los juicios vinculados a los caballeros de las Órdenes Militares [4], en general respetará sus decisiones, como Carlos V le ordenaría a la Emperatriz, su mujer, cuando la deja el gobierno del reino en 1528. La Emperatriz debía seguir el dictamen del Consejo:

> ... aquel siga e tenga por bueno...

---

[2] *Corpus documental de Carlos V,* ed. crítica de M. Fernández Álvarez, Salamanca, 1973-1981, 5 vols.; II, pág. 109.

[3] Felipe II a Juan Vázquez de Molina, Londres, 2 de septiembre de 1554 (Archivo de Simancas, Estado, leg. 103, fol. 212).

[4] Véase mi introducción al *Codicilo de Felipe II,* Valencia, Ediciones Grial, 1997.

Y eso, aunque fuera en asunto en el que la Emperatriz tuviera mucho interés o sobre el cual hubiera recibido muchas presiones.

Al llegar a ese punto, el Emperador apretará de tal manera a la Emperatriz, que no cabe dudar del poder que concede al Consejo Real:

> Y desea S.M. que por su amor esto haga V.M. cumplidamente, especialmente en los negocios tocantes a Justicia...

Carlos V sabía muy bien que sobre la Emperatriz iban a llover recomendaciones, y le encarece que no por ello forzara al Consejo en sus decisiones:

> ... aunque toquen a personas a quien V.A. desee hacer merced y aunque sobrellos le hayan hablado e suplicado otras personas e dado parecer, demás del que el Consejo le dixere e diere[5].

Se suele entender que el Consejo Real de Castilla funcionaba como un Tribunal Supremo de Justicia para el ámbito castellano, y eso era cierto en cuanto que podía recabar para sí aquellos asuntos particularmente graves, tanto civiles como criminales, pero no porque revocase los fallos de las Chancillerías, que eran ya firmes. También caían bajo su jurisdicción cuestiones tan importantes, y tan propias de aquel sistema, como eran los juicios de residencia a los corregidores, las visitas de inspección de Chancillerías, Audiencias y Universidades, la vigilancia sobre la justicia señorial y atender, en segunda instancia, sobre los juicios de los alcaldes de casa y corte, siempre y cuando éstos no estuvieran actuando sumarísimamente, por orden expresa del Rey, como cuando Carlos V mandó a Ronquillo para acelerar el juicio sobre el obispo Acuña, o cuando Felipe II ordenó una justicia severa contra los descontentos de Ávila, a finales de su reinado.

En general, pues, el Consejo Real recibía todo el apoyo regio, y eso es lo que hay que destacar; de forma que sus cartas debían ser obedecidas por todo el reino, incluidos grandes y prelados,

> ... tan cumplidamente como si fueran firmadas de nuestros nombres...

Así lo ordenaban los Reyes Católicos ante las Cortes castellanas de 1480.

Aunque su función principal fuera la de la justicia, y en ese orden de cosas tuvieran las atribuciones de proponer al Rey los nombres para cubrir las vacantes de magistrados y corregidores, lo cierto es que un examen de su funcionamiento a través de la documentación de Simancas permite comprobar que también funcionaba como una especie de Ministerio de Fomento y de la Cultura, pues tanto se interesaba en cuestiones como la economía y el abaste-

---

[5] Instrucciones de 1528 de Carlos V a Isabel la Emperatriz (*Corpus documental de Carlos V,* ed. cit., I, pág. 132).

cimiento del reino como de las Universidades. Se preocupa de las malas cosechas y de su remedio, o bien de la misma defensa del reino, ante la amenaza de ataques corsarios a sus costas o de la seguridad de las fronteras.

Su importancia era tan reconocida, que con frecuencia acudían a pedirle su parecer otros Consejos, sin duda de menor cuantía o filiales suyos, como el de las Órdenes Militares o el de la Cámara de Castilla.

En fin, para completar esta visión sobre su importancia, téngase en cuenta su conexión con dos órganos, uno político y otro económico, del calibre de las Cortes castellanas y de la Mesta; pues el presidente del Consejo solía tener la presidencia de las Cortes, y el consejero más antiguo, el puesto de alcalde entregador mayor de la Mesta.

Todo lo dicho nos hace ver el significado que tiene el que dicho Consejo fuera un instrumento fiel de la Corona, o bien si no era más que una extensión del poder de la clase dirigente, y por ende de la alta nobleza.

A ese respecto, nada como precisar su origen social. Ya indicamos que su composición, a lo largo del siglo XVI, es la de letrados, formados en las principales Universidades del reino, como Salamanca y Valladolid. Y es algo que se mantiene, como puede verse por las firmas de sus cartas, siempre de doctores y licenciados. Ello nos llevaría a la conclusión de un origen social «de mediana sangre», aunque en algunos casos de segundones de la alta nobleza, que buscaban por esa vía su ascenso social, que les negaba la primogenitura de sus casas, bajo el régimen del estricto mayorazgo. Y como no pocos procedían de colegios mayores, se podía entender que estarían también bajo el principio de la limpieza de sangre, que se exigía a los colegiales para su ingreso; si bien, en 1522, Galíndez de Carvajal denunciase a Carlos V algunos casos que creía sospechosos de ser de origen converso. Pero lo que no cabe duda es de que aquellos consejeros eran hechuras de la corte, «criados del Rey», y, como tales, fieles servidores suyos.

En cuanto al presidente, en la mayoría de los casos la Corona designa a un prelado; lo cual, dado el estricto control que tenía el Rey Católico sobre la Iglesia en España, con su regio patronato extendido de hecho a toda ella, venía a redondear así el dominio que la Corona intentaba respecto al Consejo Real de Castilla.

De todas formas, el Consejo no estuvo al margen, en la práctica, de la influencia de la alta nobleza. De entrada, los consejeros más poderosos se vieron seducidos por la alta nobleza, tratando de enlazar con ella, como sería el caso del doctor Talavera, bajo los Reyes Católicos (el que desposa a su hija con un Maldonado, y de regalo de bodas le ofrece la Casa de las Conchas, la joya arquitectónica salmantina), o como el mismo Francisco de los Cobos, casado con María de Mendoza Pimentel, hija de los condes de Ribadavia, y él mismo encumbrándose a la alta nobleza, como comendador mayor de León de la Orden de Santiago, adelantado de Cazorla y señor de las villas de Sabiote, Jimena y Torres, en Jaén; aparte de conseguir para su hijo Diego el título de marqués de Camarasa.

Por lo tanto, por esa vía la alta nobleza sí que entraba en el Consejo Real. No era que el Rey nombrase a miembros de la alta nobleza consejeros; era que esos consejeros acababan frecuentemente seducidos por la alta nobleza e incorporándose a sus filas.

De ahí que volvamos a preguntarnos: ¿estamos ante un organismo fiel a la Corona, o ante un instrumento de las clases dirigentes, y en particular de la alta nobleza? Sin duda, la respuesta no es sencilla. Los Reyes Católicos, al igual que los Austrias mayores, pretendieron crear un organismo independiente del poder de la alta nobleza, y en parte lo consiguieron; si bien hay que insistir en la fuerza de captación de los Grandes de Castilla, en esa capacidad de seducir que tenía entonces la alta nobleza, lo que le permitió, de una forma u otra, una relativa influencia sobre el Consejo Real; mitigada, eso sí, por la fuerte personalidad de aquellos soberanos, siempre prestos a poner un freno a las ambiciones nobiliarias, aunque se tratase del mismo duque de Alba, que tantos servicios le había prestado.

Aquí bien podría repetir mi juicio expresado en 1989:

> En suma, la Corona construyó un instrumento útil para su poder, desligado del que ostentaba la alta nobleza, tan poderosa en los tiempos bajomedievales; y sin duda que Carlos V y Felipe II lograron una acumulación de poder regio como hasta entonces no se había conocido. En eso, sus personalidades como hombres de Estado también contaron. Lo cual no quiere decir que la Alta Nobleza fuera derribada. Mantuvo prudentes contactos con los consejeros, obtuvo del poder establecido lo que pudo, se retiró a sus dominios señoriales, donde no fue inquietada, y se limitó a esperar [6].

Otro de los grandes consejos de aquel sistema polisinodial desarrollado por los Austrias mayores en el siglo XVI es, sin duda, el Consejo de Estado, como el que tenía por misión principal —aunque no fuese la única— el deliberar sobre la política exterior, y tal materia, en la época de la España imperial, ya se puede comprender que llegó a alcanzar una importancia excepcional.

Bajo los Reyes Católicos era algo ceñido a una de las cinco Salas en las que estaba estructurado el Consejo Real: Justicia, Santa Hermandad, Hacienda, Aragón y Estado. Y así, en las Ordenanzas dadas por aquellos Reyes para el Consejo Real en 1480 se indica que el Consejo podía entender también

... sobre fechos grandes de tratos e de embaxadores... [7]

Con Carlos V la política internacional alcanzaría tal vuelo, que el Emperador toma una decisión: transformar aquella Sala en un Consejo independiente,

---

[6] Véase mi estudio *El siglo XVI. Economía, Sociedad, Instituciones (op. cit.,* pág. 553).

[7] Cortes de 1480, punto 22; cf. mi est. cit. *La España del siglo XVI,* pág. 544.

al que ya se ve funcionar como tal en torno a la crisis europea de 1526, cuando Solimán el Magnífico invade Hungría y pone en peligro las mismas fronteras de Austria. Y como la política exterior la llevará Carlos V tan en las manos, hace de aquel Consejo algo muy personal. De ahí una diferencia sustancial con los demás Consejos: será el único que no tiene presidente, porque es el propio monarca, Carlos o Felipe, el que asume esas funciones. Y con Carlos tendrá un carácter más de acuerdo con su vasto Imperio, mientras que con Felipe II tenderá a castellanizarse; de hecho, los principales mentores de la política imperial serán todos de fuera de España: Chièvres, Gattinara, Nicolás Perrenot de Granvela y, por último, el hijo de éste, Antonio Perrenot de Granvela.

Ahora bien, la Corona comprende la importancia de vincular ambos consejos, de forma que siempre se verá al presidente del Consejo Real como uno de los consejeros de Estado.

Las particulares funciones del Consejo de Estado señalan también la condición de sus consejeros; esto es, marca su origen social, pues ya no será tan necesaria su formación de juristas como su experiencia en materias de tratos con otras naciones, y por lo tanto de negocios de diplomacia y de guerra. De ahí que su cantera sean los destacados en embajadas o en campañas militares, y que figuras emblemáticas sean un Nicolás Perrenot, antiguo embajador, o el duque de Alba. Pero como esa política internacional estaba tan transida de lo religioso, también precisará la presencia de figuras de la Iglesia. De forma que el Consejo de Estado se integrará básicamente con miembros de la alta nobleza y del alto clero, con predominio de la primera; así, en 1554 lo encontramos compuesto por seis miembros, de ellos dos prelados (el presidente del Consejo Real, obispo Fonseca, y el inquisidor general y arzobispo de Sevilla, Fernando de Valdés) y cuatro nobles: los marqueses de Mondéjar y Cortes, junto con don Antonio de Rojas y don García de Toledo, actuando como secretario Juan Vázquez de Molina.

Poco después, Felipe II introducirá una reforma: la incorporación de dos letrados, bien de Castilla, bien de Aragón, según los asuntos de Estado estuviesen relacionados con una u otra Corona.

Más importante fue el cambio que introdujo el llamado Rey Prudente en cuanto a su relación directa con el Consejo, dejándole con frecuencia deliberar sin su presencia sobre los asuntos que le planteaba a través del secretario de Estado; lo cual, aparte de responder a una manera muy particular de la personalidad de Felipe II, tendría sus consecuencias: el protagonismo de los secretarios de Estado crecería y, con ello, sus posibilidades de manipular los resultados. De hecho, en ese nuevo planteamiento se incubaría el desleal comportamiento posterior de Antonio Pérez.

En efecto, un hombre tan hábil no iba a desaprovechar tantas facilidades para cambiar o trastocar órdenes, documentos y pareceres que iban del Rey al Consejo y del Consejo al Rey, teniéndolo a él como intermediario.

Analizando la historia del Consejo de Estado, también sale a relucir la importancia de la Corona de Castilla, pues cuando el emperador Carlos V se ausenta de España —lo que ocurriría con tanta frecuencia—, se llevaría consigo parte del Consejo, pero dejaría siempre en Castilla a otra parte del mismo, para que asesorase al familiar que en España le representaba, ya fuese su mujer, la emperatriz Isabel, o cualquiera de sus hijos. Así, cuando en 1529 se dirige a Italia, donde había de ser coronado Emperador por el papa Clemente VII, Carlos V se haría acompañar, entre otros consejeros, por Gattinara, Nicolás Perrenot de Granvela y Francisco de los Cobos, dejando en España, al lado de su mujer, a otros cuatro consejeros de Estado: dos arzobispos (Fonseca, de Toledo, y Tavera, entonces presidente del Consejo Real de Castilla) y dos miembros de la alta nobleza: don Juan Manuel (el que había tenido tanto predicamento con su padre, Felipe el Hermoso) y don Juan de Zúñiga, conde de Miranda y ayo del príncipe Felipe, entonces tan niño, pues acababa de cumplir los dos años. Esto es, dejaba en España cuatro altas personalidades estrechamente vinculadas a la Corona, de cuya fidelidad y talento tenía abundantes pruebas [8]. En 1543, cuando emprende la incierta campaña del Norte, en que se enfrentaría sucesivamente con el duque de Clèves, con Francisco I de Francia y con los príncipes alemanes de la Liga de Schmalkalden, Carlos V deja aún mejor acompañado a su hijo, todavía tan joven: con siete consejeros, y entre ellos algunas de las mejores cabezas de la Monarquía, como Tavera, Cobos y el mismo duque de Alba (aunque éste acabaría saliendo también, para asistirle en las jornadas bélicas de Alemania, de 1546 y 1547), y con un importante crecimiento del brazo nobiliario, pues de esos siete consejeros cuatro eran miembros de la alta nobleza.

Siendo la principal función del Consejo de Estado asesorar al Rey en materias de política exterior, le incumbía el control de la red de embajadas de la época, que cubría Italia (con Roma, Venecia y Génova), Viena (cabeza de la otra rama alemana de la dinastía de los Austrias) y las tres principales monarquías de la Europa occidental: Francia, Inglaterra y Portugal. Al ocurrir una vacante, el Consejo presentaría los posibles candidatos, generalmente escogidos entre miembros de la alta nobleza, primogénitos o segundones. Era un paso para avanzar en el *cursus honorum* de los cortesanos, aunque no exento de peligros y de dificultades; en primer lugar, porque no estaba garantizada la inmunidad diplomática de los embajadores, que con frecuencia eran mal vistos y hasta perseguidos por la corte donde realizaban sus funciones (como cuando Nicolás Perrenot de Granvela se vio encarcelado por Francisco I de Francia); además, las asignaciones que tenían las embajadas no bastaban para cubrir sus gastos, en detrimento de la fortuna personal de los embajadores, que a duras penas lo soportaban con su fortuna propia, como le sucedió al conde de Feria durante su embajada en Londres; o simplemente acababan arruinados, como le ocurrió a don Álvaro de la Quadra, el sucesor de Feria en la embajada londinense. Lo que acontecía era que las embajadas se veían como un buen punto de arranque, de donde se podía saltar a un virreinato o

---

[8] *Corpus documental de Carlos V, op. cit.,* I, pág. 148.

al puesto de consejero en la misma España. Aceptar una embajada era una buena inversión en la carrera política del cortesano, un buen comienzo de su *cursus honorum*. El propio Consejo de Estado se nutría, en buena medida, de antiguos embajadores, como sucedió con Nicolás Perrenot de Granvela bajo Carlos V, o con el conde de Feria (después primer duque de Feria) con Felipe II.

Pero hay que insistir en el carácter siempre consultivo del Consejo de Estado, a diferencia de lo que ocurría con el Consejo Real. Y la razón estaba en la misma naturaleza de sus funciones y en lo que eso representaba para la Corona. Pues mientras en el Consejo Real se trataban asuntos de la justicia del reino, en donde los letrados-consejeros eran los más versados, en el Consejo de Estado era el Rey quien tenía la mejor preparación o, al menos, el que se creía que estaba en su propio terreno. En las sesiones de los viernes del Consejo Real, a las que solía asistir el soberano, oía los problemas suscitados y las soluciones dadas por sus consejeros y las apoyaba, siguiendo el parecer de la mayoría, y ya hemos visto que tal era el proceder que Carlos V señalaba a su mujer, la Emperatriz, cuando había de gobernar España en sus ausencias. Pero en las reuniones del Consejo de Estado es el propio Rey quien plantea las cuestiones a sus consejeros para oír su parecer, como en la famosa alternativa de 1544, cuando la paz con Francia parece depender de la boda de la infanta María con un príncipe de la Casa de Valois, y hay que decidir la dote que debía llevar la Infanta: si el ducado de Milán o los Países Bajos. Y en esas consultas, el Rey no se encontrará obligado a seguir el parecer de la mayoría, aparte del hecho de que deje traslucir su propio deseo, con la consiguiente presión sobre el voto del Consejo. ¿No fue eso lo que sucedió en 1545, cuando Carlos V pidió el parecer sobre una posible entrevista personal con Enrique VIII de Inglaterra? El propio Emperador se mostró contrario, y todos los consejeros le siguieron. Sólo su hermana María de Hungría se atrevió a discrepar de su opinión:

> ... que siempre estuvo en que serían buenas las vistas por no desabrir al rey de Inglaterra, siendo él tan cabezudo que quizás tomaría esto muy fuerte, y sería perdelle...[9]

Hemos de añadir que, si bien la política exterior era la función principal del Consejo de Estado, la documentación prueba que no era la única, actuando también como una especie de consejo privado, al tratar aspectos como la salvaguarda de la familia regia cuando surgía el peligro de la peste, tan agudo en aquella época, siendo ese uno de los encargos que deja Carlos V al Consejo de Estado cuando se ausenta en 1539. En aquella ocasión ordenaba Carlos V al cardenal Tavera, a quien dejaba como gobernador del reino:

---

[9] La referencia es del duque de Alba, que había sido uno de los convocados por el Rey (duque de Alba a Cobos, 4 de octubre de 1545, *Corpus documental de Carlos V, op. cit.,* II, pág. 42).

Habéis de tener cuidado de todo lo que se ofresciere y conviniere proveer para lo que toca a la Reina, mi señora [10], y a las ilmas. Infantas, mis hijas. Y en cualquier caso que se ofresca, subcediendo alguna pestilencia, por donde convenga mudarlas o hacer otra cosa, proveeréis, con parescer de los del Consejo de Estado, todo lo que conviniere [11].

Y no se trata de una orden aislada, pues en 1543 vuelve a reiterarla el César [12].

De igual manera, cuando se suscitan cuestiones de particular importancia, vuelve a ser convocado el Consejo de Estado: así, para tratar de la puesta en vigor de las nuevas leyes de Indias de 1542 o para debatir la licitud de los préstamos a interés, tan denostados por la Iglesia; de donde se echa de ver que los aspectos que rozaban la moral del gobernante también eran debatidos por el Consejo de Estado.

Lo referente al debate sobre las leyes nuevas de Indias lo sabemos por carta de Felipe II a su padre, Carlos V, de 30 de junio de 1545, en la que le decía:

Cuanto a las nuevas Ordenanzas de las Indias..., como el negocio es tan grande y de tanto peso e importancia, fue menester platicar mucho en él, y así se miró y tractó diversas veces por los del Consejo de las Indias y los del Consejo de Estado y otras personas que paresció convenir... [13]

También aquel otro caso de conciencia como los préstamos a interés, que da lugar a esta curiosa indicación del Emperador a su yerno Maximiliano y a su hija María, a los que dejaba por gobernadores de España en 1550:

Muchas y diversas veces he sido persuadido por mis confesores que resolutamente mande prohibir y quitar en nuestros Reinos y señoríos los intereses y cambios, encargándome la conciencia y haciendo instancia en ello, diciendo no ser permitido ni poderse en ninguna forma permitir...

Amonestación de sus confesores que no acaba de convencer del todo al Emperador, ya que estaba tan hecho a que las cosas fueran de otra manera en sus Países Bajos natales, pero que hace la suficiente mella en él (al fin, se cargaba sobre su conciencia) para pedir consejo sobre ello. Y añade:

Y porque entendemos que en algunos casos se pueden y deben permitir, con ciertas moderaciones, os encargamos mandéis que en

[10] La reina doña Juana.
[11] *Corpus documental de Carlos V, op. cit.,* II, pág. 49.
[12] *Ibídem,* pág. 89.
[13] *Ibídem,* pág. 398.

> vuestra presencia se mire y trate en este punto por los del Consejo de
> Estado y se vea y platique y adelgace entre ellos...[14]

No cabe duda: el Emperador tenía a sus consejeros de Estado como los verdaderamente capaces de «adelgazar» sutilmente para eludir la fastidiosa recomendación de sus confesores.

Y cosa notable: a la hora solemne de abrir el Testamento de Carlos V, también se hace en presencia del Consejo de Estado, como la princesa Juana informaba a su hermano Felipe II:

> Su Testamento ya se abrió aquí, en presencia del Consejo de Estado...[15]

Por lo tanto, estamos ante un instrumento de la Corona para que le ayude, sobre todo, en algo que es muy caro a los reyes de las monarquías autoritarias con tendencia al absolutismo, como lo era la Monarquía católica: la política exterior. Lo cual, dada la primacía que consigue aquella España imperial en la Europa del Quinientos, hace que su importancia sea algo más que un asunto nacional. El Consejo de Estado juega un papel de primer orden en la historia europea del siglo XVI. Y llegar a dicho Consejo, conseguir ese título de consejero de Estado, venía a ser como la culminación del *cursus honorum* del cortesano, en particular para la nobleza fiel a la Corona.

Sin embargo, la impresión que se saca tras el estudio de la documentación del tiempo es que la nobleza aspiraba más a dominar el Consejo Real que el de Estado; quizá porque viera a éste como un organismo demasiado dependiente del Rey, como en realidad venía a ser: es decir, una especie de consejo privado. Ciertamente, su grado de honra era elevadísimo, por cuanto que sus miembros venían a gozar al tiempo de la confianza del soberano y del prestigio de ser convocados a tratar sobre los más notables asuntos de alta política, que con razón vienen a llamarse cuestiones de Estado; lo mismo que a sus protagonistas podemos considerarlos, en la medida que allí demostraron su talento y su visión de los problemas, hombres de Estado.

Ahora bien, el Consejo Real tenía una influencia mayor sobre las cuestiones nacionales. De hecho, también daba más poder a sus miembros, puesto que las decisiones de sus consejeros eran aceptadas como buenas por la Corona.

Si se quiere, el Consejo de Estado estaba más cerca del Rey, sus consejeros eran los que verdaderamente gozaban de la confianza regia, eran —en términos cortesanos del tiempo— más «criados» del Rey que ningún otro; pero el Consejo Real tenía mayor capacidad decisoria, y al versar sus actos sobre los intereses de Castilla, incluidos los de la propia alta nobleza, resultaban más temibles y más envidiados y, sobre todo, más poderosos.

---

[14] *Corpus..., op. cit.,* III, págs. 177 y 178.
[15] Juana a Felipe II, Valladolid, 11 de octubre de 1558 (*Corpus..., op. cit.,* IV, pág. 451).

De todo lo cual se deduce hasta qué punto eran personajes importantes los que alcanzaban ambas distinciones, como le ocurrió al cardenal Tavera o a Francisco de los Cobos bajo Carlos V, o al cardenal Espinosa con Felipe II.

Por último, cabe indicar que, aunque la alta nobleza está tan bien representada en el Consejo de Estado, de forma que la mayoría de sus miembros pertenecían a ese estamento nobiliario, eso no debe interpretarse como un signo de la dependencia de la Corona. Ya hemos indicado que los Grandes y Títulos de Castilla hubieran preferido controlar el Consejo Real, y que encontraron en esa pretensión la más enérgica de las negativas del Rey.

Entrar en el Consejo de Estado no fue un triunfo de la alta nobleza, tomada como un bloque, porque la mayoría de esa nobleza se retiró a vivir en sus espléndidos retiros señoriales.

Sólo un puñado de esa alta nobleza, la nobleza cortesana, prefirió el halago de la corte. Y, en puridad, fue ella la que se plegó a la Corona, convirtiéndose en uno de sus instrumentos. Pusieron en la balanza vidas y haciendas a cambio de algo que hoy podría parecer muy poco, pero que para ellos lo era todo: la gracia del Rey.

De forma que, si llegaban a perder esa gracia regia, eso suponía para ellos como perder la misma vida. Realmente, eso sería lo que le ocurrió al cardenal Espinosa, que, a poco de perder la gracia real, le sobrevino la muerte.

Junto al Consejo Real y al Consejo de Estado hay que colocar a otro que, por sus especiales características, también alcanzó singular importancia: el Consejo de la Inquisición. Y ello se comprende bien, dado el tono confesional de aquella Monarquía católica, en un siglo tan preñado de conflictos religiosos a nivel europeo entre católicos, luteranos y calvinistas.

Por otra parte, hay que recordar que estamos ante un organismo de nuevo cuño, una institución creada por los Reyes Católicos y que pronto se singulariza por su eficacia para ayudar a la Corona en su control del reino, a través de lo ideológico; lo cual sería todavía más destacado cuando en 1517 se reanuda su carácter nacional, sobrevolando las Coronas de Castilla y Aragón, e incluso extendiendo su jurisdicción sobre Cerdeña y Sicilia.

Y ese hecho de haber sido una creación de los Reyes Católicos, con todo el prestigio de sus increíbles triunfos políticos, doblados por la sacralización de su lucha por la fe —los coronadores del proceso secular de la Reconquista, amparadores de la dilatación del Evangelio por el Nuevo Mundo—, será ya un seguro para la continuidad de la Inquisición.

Algo asumido por Carlos V, que muy pronto hará público su incondicional apoyo al Santo Oficio, y en unos términos que no dejarían lugar a dudas, como una consigna recibida de su abuelo Fernando:

> ... pues así nos lo dejó encomendado en su Testamento el Rey Católico, mi señor, que en gloria esté...

Apoyar a la nueva Inquisición era obra santa, y de tal modo, que los mismos cielos lo habían premiado concediéndole triunfar en todas sus empresas.

Aquí asoma de nuevo el providencialismo divino, la confianza en tener a Dios de su lado:

> ... atribuyendo por él a Dios Nuestro Señor todas las victorias y prósperos fines que tuvo en las cosas que comenzó...

Además, ¿acaso Carlos V no llevaba también aquel título con el que Roma había sacralizado a su abuelo? Pues eso también le animaba a seguir su misma política:

> ... el nombre y título que traemos de Católico nos obliga más a ello... [16]

Sin embargo, no pareció ser siempre así. De hecho, casi toda España suponía que el nuevo señor venido de Flandes, el señor de las tierras donde tan admirado y protegido vivía Erasmo, traería por fuerza no pocas novedades, no sólo políticas, sino también ideológicas, con un aperturismo en el terreno inquisitorial. Algo temido por muchos y anhelado al menos por los que habían sufrido tanto con el anterior rigor inquisitorial del reinado de los Reyes Católicos.

En efecto, esa minoría nutrida por los conversos, llevada de tal esperanza, trató de conseguir algunas mejoras en el sistema procesal de la Inquisición y poco más, lo que da idea de que ni por asomo se plantearon la supresión del Santo Oficio. Eso sí, su petición encontró eco en las Cortes castellanas de 1518: que, por lo menos, el sistema procesal inquisitorial tuviese ciertas garantías, como el de permitir que los acusados conocieran quiénes eran los que contra ellos testificaban. Y acaso lo más significativo: que la Inquisición se abstuviese de aplicar torturas inusitadas. No se rechazaba el tormento, que era práctica común del sistema judicial en aquella época.

En este sentido, la petición es harto reveladora:

> ... que no se use de ásperas y nuevas invenciones de tormentos que hasta aquí se han usado en este Oficio... [17]

Por lo tanto, un intento de reforma de la Inquisición, que se confía a uno de los ministros flamencos con más influencia en la corte de Carlos V: Sauvage. Pero la prematura muerte de éste en 1518 lo malogró. Por el contrario, la designación de otro flamenco para el puesto de gran inquisidor —caso único en la historia del Tribunal del Santo Oficio—, Adriano de Utrecht (el futuro papa Adriano VI), cambió totalmente las cosas [18].

---

[16] Publicado por J. A. Llorente, *Memoria histórica sobre la Inquisición,* Madrid, 1812, reed. 1967, pág. 161.

[17] Llorente, *op. cit.,* pág. 141.

[18] Véase mi estudio *La España del siglo XVI, op. cit.,* págs. 570 y sigs.

Aun así, en buena parte por el clima internacional y la gran tensión provocada por el *saco de Roma* de 1527, la década de los años veinte fue de gran moderación del anterior rigor inquisitorial. A su vez, la ruptura de las negociaciones religiosas con los luteranos en Augsburgo en 1530 llevó a la convicción al Emperador de que se imponía el uso de la fuerza. Era ya el abocamiento a las guerras religiosas en el exterior y al renovado rigor inquisitorial en el interior.

Hubo, pues, evolución. Pero, en definitiva, la Corona volvió a encontrar un objetivo importante para la Inquisición. Si en sus inicios el enemigo a combatir era el judío converso, sospechoso de judaizar, a partir de Carlos V acabaría siéndolo el luteranismo.

El enemigo interior era sustituido por el de fuera. Carlos V había sufrido la derrota en sus sueños por una Alemania católica, con el consiguiente desgarrón de la unidad espiritual de la Cristiandad, a manos de los príncipes luteranos. Y cuando le llegaron noticias, en su retiro de Yuste, de que ese luteranismo estaba infiltrándose en España, pediría a su hijo el máximo rigor y el más fuerte apoyo a la Inquisición. En sus últimas cartas, por supuesto, pero también, de una forma aún más solemne, en el codicilo a su Testamento otorgado doce días antes de su muerte («estando enfermo en su cama»)[19].

Prueba decisiva de que el rigor inquisitorial, con los terribles autos de fe de 1559 y 1560, no fueron tanto el resultado de un cambio en la cumbre, no que a Carlos V sustituyera Felipe II, sino a que el nuevo Rey de las Españas había recibido unas instrucciones muy duras a ese respecto, y se mantendría fiel a ellas.

Por lo tanto, estamos ante un Consejo cuya finalidad es mantener la más estricta ortodoxia y que se convierte en un instrumento poderosísimo en manos de la Corona. De hecho, cabe decir que no es el presidente del Consejo Real el primer personaje de la corte, sino el inquisidor general, como lo prueba el dato de que el paso de la presidencia del Consejo Real al cargo de inquisidor general fuera un verdadero ascenso. Y es lo que observamos con figuras como Tavera o Fernando de Valdés, que, tras ocupar la presidencia del Consejo, acaban siendo nombrados inquisidores generales.

Y un aspecto a tener en cuenta: en las cuatro ocasiones en las que se hace cargo del gobierno del reino alguien que no es de la familia real (Cisneros, Adriano de Utrecht, Tavera y Granvela), son otros tantos príncipes de la Iglesia, y los tres primeros, además, inquisidores generales.

Es la prueba más terminante de la estrecha conexión entre la Corona y la nueva Inquisición implantada por los Reyes Católicos[20].

Una conexión que es dependencia del Tribunal inquisitorial a la Corona, pero que presupone, a su vez, una supeditación de la Corona a los ideales de

---

[19] *Testamento de Carlos V,* ed. crítica de M. Fernández Álvarez, Madrid, Editora Nacional, 1982.

[20] Véase sobre esto mi estudio *La España del siglo XVI, op. cit.,* págs. 565 y sigs.

intransigencia religiosa propugnados por la nueva Inquisición. De ahí que la Corona apoye al límite a sus inquisidores, y no sólo frente a las posibles fricciones con otros tribunales eclesiásticos, sino también frente a los civiles, incluso en los casos extremos de actos de violencia perpetrados por alguno de sus miembros. Se tratará en todo momento de salvaguardar el prestigio de la institución inquisitorial, guardando sus preeminencias y protegiendo a sus ministros.

De todo lo cual existen abundante pruebas.

Escojamos algunas de ellas. En 1552, el arzobispo de Valencia quiso abocar para su jurisdicción episcopal, conforme al antiguo procedimiento de la Inquisición medieval, algunos casos de supuesta herejía. La reacción de la Corona fue inmediata: que abandonara semejantes pretensiones. Y nada menos que todo un arzobispo sería severamente advertido:

> De aquí adelante vos ni vuestro Vicario general y oficiales no os entremetáis...[21]

Eso, su abstención en materias de herejía, era lo que cumplía al verdadero servicio de Dios. Y la voluntad regia —en este caso de Felipe II, que gobernaba entonces España en ausencia de su padre, Carlos V— no dejaría lugar a dudas:

> Y a lo contrario, no se ha de dar lugar.

Con lo cual, el príncipe Felipe no innovaba nada, pues no de otra manera había procedido años antes, en 1534, Carlos V contra el arzobispo de Granada, por un intento similar de abocar para sí casos de herejía. En aquella ocasión, el Emperador tuvo este largo razonamiento:

> Muy reverendo in Christo, padre arzobispo de Granada, del nuestro Consejo: Ya sabéis que después que a suplicación e instancia de los Cathólicos Reyes, nuestros señores abuelos, que sancta gloria hayan, la Sede Apostólica proveyó e puso el Oficio de la Sancta Inquisición contra la herética pravedad e apostasía en nuestros Reinos e señoríos...

Siendo aquello así, el arzobispo no debía entrometerse en los casos de herejía, que correspondían a los inquisidores, los cuales además estaban ya convenientemente preparados para realizar su tarea con la máxima eficacia, pues tenían

> ... mejor aparejo de cárceles secretas y oficiales, con las calidades que se requieren y otras cosas necesarias y más acomodadas al exercicio y

---

[21] Véase mi estudio *La España del siglo XVI, op. cit.,* pág. 575.

buena expedición de los negocios del Oficio de la Sancta Inquisición...

Y de igual manera, el Emperador terminaba expresando su resuelta voluntad de apoyo a la Inquisición:

> E no fagáis otra cosa en manera alguna, porque no se ha de dar a ello lugar [22].

Lo cual era normal, pues para eso se había establecido el nuevo sistema inquisitorial. Más asombroso resulta que la protección de la Corona se extendiese hasta los casos delictivos cometidos por miembros de la Inquisición.

En 1547, es el virrey de Cataluña, marqués de Aguilar, el advertido por la Corona, pues a la Inquisición y a sus ministros debían guardarse

> ... sus privilegios y exemptiones, sin impedimento alguno... [23]

Y seis años después, lo que resulta asombroso: la propia Chancillería de Valladolid es la amonestada, por querer juzgar a un familiar de la Inquisición de Calahorra, ¡acusado de haber matado de una cuchillada a un soldado! La Chancillería había osado llamar a declarar a los inquisidores calagurritanos, lo que provoca la airada reacción de la Corona. Y en estos términos:

> Y porque en lo susodicho, si así pasó, se ha hecho mucho agravio y molestia a los dichos inquisidores y desacato al Santo Oficio de la Inquisición, sin tener vosotros comisión ni facultad...

Lo cual era tanto más grave porque se podía pensar que todo ello había sido hecho con conocimiento y apoyo de la Corona, lo que el príncipe Felipe decide aclarar:

> ... y no es justo que se piense que ha procedido de la voluntad de S.M. ni mía, que siempre habemos honrado y favorecido al Santo Oficio de la Inquisición e miembros dél... [24]

El Consejo de la Inquisición actúa como un Tribunal Supremo, con cinco consejeros y un presidente, que toma el nombre de inquisidor general, con jurisdicción sobre toda España, a partir de la muerte de Cisneros. El inquisi-

---

[22] Carlos V al arzobispo de Granada, Toledo, 3 de mayo de 1534 (Arch. Hist. Nac., Papeles de la Inquisición, leg. 245, fol. 16 v.; copia).
[23] Felipe II al marqués de Aguilar, Madrid, 15 de mayo de 1547 (*ibídem*).
[24] Felipe II al presidente y oidores de la Chancillería de Valladolid, 8 de marzo de 1553 (*ibídem*, fol. 74 v.; copia).

dor general es la figura decisiva; no estamos, ni remotamente, ante un *primus inter pares,* sino ante quien marca la línea represiva a seguir, con estrecho contacto con la Corona. Como tantas otras veces, también se aprecia aquí una reorganización bajo Felipe II, con especial cuidado a los Tribunales provinciales, trasladándose el de Calahorra a Logroño en 1570 y montando uno nuevo en Santiago de Compostela, en 1574. El de Logroño, con particular atención al control aduanero, frente a la posible entrada de libros sospechosos por la frontera vasca[25].

Dada su finalidad, podría parecer que ese Consejo debía estar constituido preferentemente por teólogos, que con su mayor conocimiento pudieran precisar qué personas o qué libros eran sospechosos de herejía. Sin embargo, no fue siempre así. De hecho, la conveniencia de que hubiera algún consejero que también lo fuera del Consejo Real apunta ya a otras preocupaciones de tipo de conflictos de competencias y a la participación de la Inquisición en otros problemas del país, como se ordena por Carlos V en 1548:

> ... por lo que importa que en la Inquisición se hallen algunos del Consejo Real, por los negocios que ocurren cada día que tocan a la gobernación del Reino...[26]

Aunque pueda parecer extraño, cuando Carlos V quiso cubrir las vacantes que había en 1554 con inquisidores teólogos, Fernando de Valdés le advirtió que los Reyes Católicos habían acordado que no se nombraran sino juristas, porque era lo que hacía falta para entender en las frecuentes causas civiles y criminales, mientras que los casos que habían de ver los teólogos era de tarde en tarde, y sólo para eso eran consultados[27].

La Inquisición no limitó su campo a la estricta vigilancia de la ortodoxia católica. Ya hemos visto cómo Carlos V le asigna otras tareas en relación con el gobierno del reino. Por su extremo poder y su alcance nacional, era inevitable que tuviera también funciones políticas, máxime en aquel Estado confesional en que lo religioso y lo político se hallaban tan entrelazados. ¿No fue acaso ésa la razón de que Fernando creara el cargo de inquisidor general de Aragón, al producirse su enfrentamiento con Felipe el Hermoso, a la muerte de Isabel la Católica?

Y aún habría más: una proyección social, fruto de la intervención en lo erótico. Pues la Inquisición acabó abocando para sí las causas relacionadas con el sexo, y no sólo la bigamia, sino también las prácticas prohibidas por la moral cristiana (homosexualidad, lesbianismo, bestialismo), viéndolo como un quebrantamiento del sacramento del matrimonio, y acaso como una inter-

---

[25] Iñaki Reguera, *La Inquisición española en el País Vasco,* San Sebastián, 1984, págs. 125 y sigs.

[26] Carlos V a Felipe II, Augsburgo, 11 de febrero de 1548 (*Corpus documental de Carlos V, op. cit.,* II, pág. 598).

[27] González Novalín, *El inquisidor general Fernando de Valdés, op. cit.,* II, pág. 155.

vención demoníaca, con lo que se rozaba ya con las creencias mágicas, tan propias de la época. Y ese tener a su cuidado la represión sexual daría un particular sesgo a la mentalidad de aquella sociedad, con tal fuerza que puede decirse que algo de todo aquello ha llegado hasta nuestros mismos días.

En definitiva, estamos ante uno de los órganos más poderosos de la Monarquía católica, hechura de los Reyes Católicos, que, tras algunas vacilaciones en los primeros años de Carlos V, acabaría siendo asumido por los Austrias mayores, convencidos de tener en sus manos un formidable instrumento para el control ideológico de aquella sociedad. Lo cual, en la época de la Reforma, se hacía cada vez más necesario, según el sentir de la Corona.

Como recomendaría Felipe II a sus sucesores, en el acto solemne de redactar su Testamento, en una cláusula que repite casi textualmente la dictada por su padre, el Emperador, en el suyo, pero añadiendo Felipe II estas significativas razones: que

> ... en estos tiempos peligrosos y llenos de tantos errores en la fe, conviene aun tener más cuidado y advertencia que en los pasados [28].

De ahí su encargo expreso y terminante a su hijo y heredero, Felipe III:

> ... particularmente le encargo que favorezca y mande siempre favorecer al Santo Oficio de la Inquisición... [29]

Hay que descartar la idea de que la Inquisición española del siglo XVI fuera una institución religiosa bajo el control de Roma. Es cierto que el Papa era quien confirmaba el cargo de inquisidor general, pero a propuesta siempre de la Corona. Y ello se tenía por tan supuesto que, cuando se producía la vacante, se planteaba la cuestión como un asunto a resolver por el Rey.

Véase, si no, cómo lo indicaba Felipe II a Carlos V, al ocurrir la muerte del cardenal Tavera, que había dejado vacante ese cargo de inquisidor general:

> V.M. lo debe mandar mirar mucho y proveerlo en persona que tenga las cualidades que se requieren.

Por lo tanto, era Carlos V quien, de hecho, designaba el nuevo inquisidor general [30].

Lo cual nos viene a demostrar que éste sí que es un organismo que está en manos de la Corona, sin que la alta nobleza intervenga para nada, como con cierta ligereza se indica en ocasiones.

---

[28] *Testamento de Felipe II,* ed. crítica de M. Fernández Álvarez, Madrid, Editora Nacional, 1982, pág. XVI.
[29] *Ibídem.*
[30] Felipe II a Carlos V, Valladolid, 13 de agosto de 1545 (*Corpus..., op. cit.,* II, pág. 408).

Cuando Carlos V decide que a Loaysa le sucediera Fernando de Valdés, se lo anunciaría como un hecho ya seguro, al que sólo le faltaría el requisito del breve pontificio, confirmador del nombramiento regio:

> Os habemos proveído del cargo de Inquisidor General que vaca por fallecimiento del muy Reverendo Cardenal de Sevilla...

Y como no tiene duda alguna de que Roma no hará sino confirmar su decisión, le añade:

> ... siendo cierto que lo administraréis con el cuidado y diligencia que conviene...

Faltaba, cierto, el correspondiente breve pontificio, pero eso sería ya un trámite a cumplir por el embajador imperial en Roma. Y así, el César añade a Valdés:

> También se ha escripto a Juan de Vega que haga despachar el Breve... y os le envíe luego...

En esos términos informa el Emperador a Valdés de su nombramiento como inquisidor general, desde Ratisbona, el 31 de julio de 1546[31].

En suma, la Inquisición no fue un instrumento religioso al servicio de la clase dirigente (léase alta nobleza), sino de aquella Monarquía católica que, haciendo bueno su título, era al tiempo confesional y autoritaria.

Los tres consejos citados, Real, de Estado e Inquisición, eran a todas luces los más destacados, los que daban más prestigio. Cada uno de ellos venía a ser la culminación del *cursus honorum* de uno de los sectores sociales pilares de aquella Monarquía, pues si para los letrados formados en la Universidad lo era el Consejo Real, para la alta nobleza lo era el Consejo de Estado y para los prelados el cargo de inquisidor general. El primero tenía más inserción en la sociedad de la Corona de Castilla; el segundo, en la corte, y el tercero, en la Iglesia. Cada uno tenía reservados sus ámbitos, aunque hubiese algunas correspondencias, pues se verá a letrados entrar en el Consejo de Estado, e incluso ser alguno de los inquisidores menores de la Inquisición. Y de todos ellos, los principales personajes serían los presidentes del Consejo Real y el inquisidor general, con la advertencia que ya hemos señalado: que cuando el presidente del Consejo Real era un prelado —que era lo más frecuente—, tenía grandes probabilidades de convertirse en el sucesor del inquisidor general. Otra cosa era que el temor que infundía su cargo le convirtiese en un personaje poco querido, aunque eso también estuviera en relación con la figura escogida: Tavera o Loaysa gozaron siempre de un prestigio que nunca alcanzaría Valdés, demasiado manchado por su vida de prelado corrupto.

---

[31] En González Novalín, *El inquisidor general Fernando de Valdés, op. cit.,* II, pág. 104.

En cuanto a los demás Consejos, podrían destacarse, aunque en un tono menor, los de Hacienda y de Indias. Ambos aparecen en 1524, como un intento carolino por reorganizar el Estado.

El Consejo de Hacienda responde a un deseo de Carlos V por poner orden en las finanzas regias, tan desbarajustadas desde la muerte de la reina Isabel la Católica.

El césar Carlos se quería poner un sano objetivo:

> ... mediar el gasto con la renta... [32]

Admirable consigna jamás cumplida.

Sin embargo, parece cierto que, en aquellos primeros años de su reinado, Carlos V confiaba en que con adecuadas medidas se podrían remediar los males de la economía, permitiendo incluso que sus vasallos fueran más descargados de los pesados impuestos que destruían sus haciendas.

Era un intento, hemos de creer que sincero, por aliviar a sus súbditos, que el Emperador expresaría con hermosas razones:

> ... por les dar causa a que más y más entrañablemente nos quieran y amen, como a sus reyes y señores naturales [33].

Cuán distinto iba a ocurrir todo, se reflejaría desde muy pronto.

Cuando se examina la primera composición del Consejo de Hacienda, en su fundación de 1524, se echa de ver que Carlos V recuerda sus orígenes, como señor de los Países Bajos, de tan próspera vida económica; como si quisiera, en suma, que Castilla se pareciese a su tierra natal. De forma que establece dicho Consejo según el modelo flamenco, y lo pondrá bajo las órdenes de un noble flamenco: el conde Enrique de Nassau. Es más, de los dos consejeros que habían de acompañarle, uno era también flamenco (Jacques Laurin) y el otro sería un castellano, pero precisamente el más vinculado a los Países Bajos, desde los tiempos de su padre, Felipe el Hermoso; esto es, el señor de Belmonte, don Juan Manuel.

Parecía claro que Carlos V no se fiaba demasiado de la competencia castellana para los negocios.

Y la verdad fue que el Consejo de Hacienda logró uno de los objetivos marcados por el Emperador: el de aumentar los ingresos de las arcas reales. Los servicios votados por las Cortes se triplicaron, pasando de los 50 a los 150 millones de maravedíes anuales. Se lograron recursos ocasionales, pero cuantiosos, como la dote de la Emperatriz (900.000 ducados, aunque de hecho se quedaran en algo más de 600.000, pues el Emperador tuvo que pagar con ella las viejas deudas que tenía con la Corona portuguesa), o el rescate de los prín-

---

[32] Biblioteca del Monasterio del Escorial, &, II, 7, fol. 122.
[33] *Ibídem*.

cipes franceses, los hijos de Francisco I canjeados por el rey galo prisionero tras la batalla de Pavía (dos millones de ducados). Las remesas de Indias también crecieron espectacularmente, desde la penetración de los conquistadores en Tierra Firme, con las conquistas de México por Hernán Cortés y, sobre todo, desde el domeñamiento del imperio de los Incas por Pizarro y Almagro. También la Iglesia se mostró generosa en la concesión de bulas de Cruzada, en el subsidio eclesiástico y con el permiso de desamortizar señoríos eclesiásticos.

Todo sería poco.

En efecto, las campañas de Carlos V, como las guerras que tuvo casi sin tregua con Francia, desde 1521, o las mantenidas en la frontera con el Turco, o las últimas de su reinado contra los príncipes alemanes; pero también otro tipo de empresas no menos costosas, como su fastuoso viaje a Italia en 1529, para ser coronado Emperador por el papa Clemente VII, o sus vistas con los soberanos de la Europa occidental, harían crecer en tal medida el gasto que nada llegaría para cubrirlo.

Añadiendo que tampoco se cumplió la promesa de austeridad en el seno de la corte, aquello de mediar el gasto con la renta. De esa forma, se vio cómo los gastos de la Casa Real, que en la última etapa de Isabel la Católica se habían mantenido en torno al millón y medio de maravedíes anuales, pasaría en 1544 a los 136 millones, superando con mucho el alza de los precios. En ello tuvo no poca culpa la instauración de la etiqueta borgoñona en la corte, impuesta por Carlos V en 1543, aunque la suntuosidad de la vida palaciega venía de atrás, pues la emperatriz Isabel, admirable en tantos de sus rasgos, jamás los tuvo en cuanto a la vida austera, viniendo como venía de la corte más rica de Europa[34].

Los ingresos ordinarios de la Corona eran de tres tipos: las rentas anuales, los servicios votados por las Cortes y las ayudas de gracia pontificia. Las reales a su vez eran, básicamente, las alcabalas y el quinto de las remesas de Indias; a lo que se añadían otras regalías de menor cuantía: salinas, seda de Granada, aduanas, minas, moneda forera, incluso licencias para enviar esclavos a Indias, verdadera trata negrera de la que se beneficia también el Rey. Ya hemos visto en qué consistían los servicios dados por las Cortes, que afectaban solamente a los pecheros, pese a que los votaban los procuradores en Cortes, todos ellos pertenecientes a la clase patricia urbana, nobleza media que estaba exenta de su pago; de ahí, como comprobó Carande, que no pusieran dificultades en que sufrieran un fuerte aumento, triplicando su cuantía, a cambio de que se congelaran las alcabalas, que, al versar sobre las compraventas, tocaban a todas las clases sociales.

Las rentas de gracia pontificia eran de dos tipos: las fijas, que consistían a su vez en dos (las rentas de los Maestrazgos, concedidas por Adriano VI de

---

[34] Sobre la suntuosidad de la corte de Isabel, véase la biografía de María del Carmen Mazarío Coleto, *Isabel de Portugal,* Madrid, 1951, págs. 75 y sigs.

forma ya permanente a la Corona de Castilla, y que convertían al Rey en el mayor señor de la Cristiandad), y las tercias, que en realidad eran los dos novenos de los diezmos eclesiásticos, y que el Consejo de Hacienda arrendaba junto con las alcabalas. Más aleatorias eran las otras dos, la bula de Cruzada y el subsidio eclesiástico, ambas precisando siempre de la previa autorización pontificia, y con una limitación, pues el Rey no podía aplicarlas más que a la guerra contra el infiel.

La segunda, el subsidio eclesiástico, era muy protestado por el clero, considerándolo atentatorio a sus tradicionales privilegios frente al fisco, de forma que costaba mucho trabajo hacerlo efectivo. Y en cuanto a la primera, la Cruzada, dependía del grado de aceptación de los pueblos, que, aunque muy sensibles a esa guerra divina, poco a poco iban mostrando menos voluntad en sobrellevar también aquella carga, tanto más que cada vez se veían más arruinados.

Algo bien reflejado en uno de los relatos que mejor nos permiten asomarnos a la sociedad del Quinientos: el *Lazarillo de Tormes*. En efecto, ¿acaso no tiene que acudir aquel quinto amo de Lázaro, el buldero, a la superchería de un supuesto milagro para conseguir que los reacios lugareños acabasen comprando la bula? Persuadidos, al fin, de que el demonio era el que trataba de impedir

> ... del bien que allí se hiciera en tomar la bula...

se precipitaron todos a tomarla, y aun los lugareños comarcanos irían a buscarla a la misma posada donde se alojaba el buldero,

> ... como si fueran peras que se dieran de balde.

Y el anónimo autor de aquel tan ingenioso y divertido relato, añade:

> ¡Cuántos déstas deben hacer estos burladores entre la inocente gente! [35]

En todo caso, esos ingresos relativamente fijos podían cubrir con creces los gastos de la Corona. En un presupuesto de mediados de siglo, cuando todavía vivía la reina Juana la Loca, se fijaba un superávit de algo más de un millón de ducados. Pero eso era para atender a los gastos normales de la corte y de los salarios de aquella incipiente administración, incluida la nómina de las embajadas y los gastos militares ordinarios, en época de paz. Ahora bien, eso siempre fue raro en el siglo XVI; apenas se vivieron diez años de paz bajo Carlos V, y menos todavía con Felipe II, aparte de que en esos años de paz también sobrevenían gastos extraordinarios, del calibre de la coronación de Car-

---

[35] *Lazarillo de Tormes,* ed. de Francisco Rico, Madrid, Cátedra, 1987, págs. 115 a 125.

los V en Bolonia, los años 1529 y 1530. Y si se tiene en cuenta que el costo de la guerra, poniendo en campaña un ejército de mercenarios en torno a los 50.000 soldados, con el resto de formaciones auxiliares, venía a suponer un gasto anual de tres millones de ducados, se comprende hasta qué punto se tenía que endeudar la Corona.

He ahí la razón de acudir a todo tipo de recursos para conseguir ingresos extraordinarios, porque todo era poco.

De cuando en cuando, se recibían algunas ayudas inusitadas que eran muy bien recibidas, como las fuertes cantidades llegadas del Perú en 1534, que tanto ayudaron a Carlos V a financiar la campaña de Túnez de 1535. Resulta evidente la relación entre la venta del derecho a traficar en las Molucas, cedido por el Emperador a Portugal en 1529, en 300.000 ducados, y su fastuoso viaje a Italia para ser coronado Emperador. Pero como todo era poco, ante tantas y tan costosas empresas, el Consejo de Hacienda recibió la orden de ingeniar nuevos ingresos. Fracasado el intento en 1538 de un nuevo impuesto general para toda la población, el de la sisa, ante la cerrada oposición de la alta nobleza, se fue acudiendo a diversos arbitrios, algunos como verdaderas regalías (así, la licencia para enviar esclavos negros a las Indias, con lo que vemos a la Corona entrar en el negocio de la trata negrera), otros como abusos muy protestados por las Cortes: venta de oficios y de hidalguías. La venta de oficios, por lo que suponía de caldo de cultivo de la corrupción de los funcionarios, y la venta de hidalguías, porque al disminuir el número de contribuyentes crecía la cuantía de lo que habían de pagar los restantes.

Se acudiría también a la desamortización de los señoríos eclesiásticos, mediante bulas pontificias, recurso puesto en uso por Carlos V en 1529, en 1548 y en 1551, y que también aplicaría Felipe II, no sin fuertes reparos de conciencia, bien patentes en su Codicilo de 1557.

Y así declara, apenado:

... porque como el venderlo fue contra mi voluntad...[36]

Se llega también a la búsqueda del ahorro familiar, a través de los juros, creando de ese modo una deuda flotante cada vez más cuantiosa y difícil de sostener, porque sus intereses, junto con los que se debían pagar a los banqueros alemanes e italianos por los adelantos recibidos, se comían las rentas, alcanzando situaciones de verdadera catástrofe.

También algo reflejado en los grandes préstamos solicitados a los poderosos de la Corona de Castilla: alta nobleza, alto clero y mercaderes. Unos préstamos concedidos al principio con generosidad, pero que dejaron de lograrse paulatinamente, escarmentados los prestamistas al no cumplir la Corona con frecuencia la obligación adquirida de devolución del capital en un tiempo determinado.

---

[36] *Testamento de Felipe II,* ed. crítica de M. Fernández Álvarez, *op. cit.,* pág. 77.

Y eso también lo reflejan los documentos. Así, en 1546 el obispo de Córdoba, Leopoldo de Austria (tío del Emperador), prestó 5.000 ducados para la campaña contra la Liga de Schmalkalden. Seis años después, en 1552, se le pidieron otros 15.000 para hacer frente a la crisis abierta con la traición de Mauricio de Sajonia. En esa ocasión, el obispo, sin duda receloso ante el Consejo de Hacienda, ni siquiera responde. Y el secretario anota:

> ... créese que no quería prestarlos, porque no se le han pagado los 5.000 ducados que prestó el año de 546, aunque los ha pedido, porque S.M. mandó que se disimulase la paga...[37]

Una situación de desconfianza que alcanza incluso a los principales ministros de la Monarquía, como ocurrió nada menos que con el arzobispo de Sevilla e inquisidor general, Fernando de Valdés. A Valdés se le suponía una auténtica fortuna, amasada a lo largo de sus muchos años al frente de la archidiócesis más rica de España, tras la de Toledo. En la crisis de 1552 había prestado 20.000 ducados; en 1557, cuando Felipe II tiene que declarar consolidada la deuda flotante y en plena guerra contra Enrique II de Francia, se le pide una fortísima cantidad: 150.000, aunque se resistió a darlos, provocando la cólera de Carlos V, pero, al fin, soltó 15.000[38].

De esa manera, el Consejo de Hacienda se veía cada vez en mayores dificultades, bien expresadas en el ruego del príncipe Felipe cuando en 1544 pedía a su padre que negociase la paz con Francia y que dejase las grandes empresas para mejores tiempos[39].

Al hilo de las continuas guerras carolinas crecen las dificultades de la Hacienda. Firmada la paz con Francia, se abre para Carlos V la perspectiva del Concilio de Trento y, con él, la alianza con Paulo III para lanzar la ofensiva sobre la Liga protestante alemana de Schmalkalden, lo que suponía olvidarse de los ruegos de su hijo y de sus consejeros castellanos, pidiendo en cambio nuevos esfuerzos a la agotada Castilla. Otra vez se acude al sistema de los préstamos de particulares, como una de las pocas vías que quedaban para conseguir algún dinero. Y no con ruegos, sino con odiosas presiones, llegando hasta encarcelar a los reacios.

Y de este modo, el Príncipe diría la verdad desnuda a su padre:

> Y de los empréstidos, con toda la diligencia que se usó y con hacer grandes vejaciones y tener presos muchos días a los que podían prestar, nunca se pudieron sacar más de treinta mil ducados...[40]

---

[37] *Corpus documental de Carlos V, op. cit.,* III, pág. 469.

[38] González Novalín, *El inquisidor general Fernando de Valdés, op. cit.,* I, pág. 291.

[39] Felipe II a Carlos V, Valladolid, 17 de septiembre de 1544 (*Corpus documental de Carlos V, op. cit.,* II, pág. 271; v. *infra,* págs. 101 y sigs.).

[40] Felipe II a Carlos V, Valladolid, 25 de marzo de 1545 (*ibídem,* pág. 357).

El Consejo de Hacienda ayudaría, por tanto, a la Corona, aumentando notoriamente sus ingresos, pero a costa del bienestar de los súbditos, particularmente en Castilla[41].

Era el mal que al principio del nuevo reinado denunciaría Luis de Ortiz en su famoso Memorial mandado a Felipe II en 1558:

> ... y todo lo vienen a pagar los labradores, que los más son pobres y desventurados...[42]

Por lo tanto, estamos ante otro instrumento de la Monarquía de los Austrias, el Consejo de Hacienda organizado por Carlos V en 1524 sobre un modelo de los Países Bajos, con un fin concreto: allegar más recursos para la Corona, pero no fomentando a la vez la riqueza del reino, sino precisamente a costa del reino.

Algo comprendido por Felipe II cuando era el Príncipe que gobernaba España en ausencia de su padre.

Entonces el Príncipe escucharía las quejas de sus súbditos castellanos. Estaría por ver si cuando alcanzase la Corona seguiría con el oído atento, o si se tornaría sordo, tal como había hecho su padre el Emperador.

Algo que por su importancia trataremos de plantearnos en el siguiente capítulo sobre la financiación del Imperio.

Pero antes de ello trataremos de ver el resto del entramado de aquel sistema polisinodial.

En efecto, si los Consejos Real de Castilla, Estado, Inquisición y Hacienda eran los principales, todavía faltan por mencionar otros que, aunque de menor cuantía, sirven para comprender el funcionamiento de la Monarquía e incluso algo muy interesante: su capacidad de absorber nuevos cuerpos, en un incesante aumento de su volumen a lo largo del Quinientos.

Tales Consejos podrían dividirse en dos grupos muy distintos: los que afectaban a una determinada materia de gobierno y los vinculados a grandes áreas de aquella Monarquía supranacional, como era la Monarquía católica.

Entre los primeros cabría citar a dos, filiales a su vez de otros tantos grandes Consejos: el de Guerra, que lo era del de Estado, y el de Cámara de Castilla, filial a su vez del Consejo Real.

El Consejo de Guerra aparece ya como tal por lo menos desde 1529, en cuyo año es citado por Carlos V en sus Instrucciones a Isabel, la Emperatriz, cuando la deja gobernando España al irse a Italia, para ser coronado por Clemente VII en Bolonia. Estaba compuesto por los consejeros de Estado pertenecientes al brazo nobiliario, cuyo secretario asumía también las mismas fun-

---

[41] Carta citada de Felipe II a Carlos V, de 25 de marzo de 1545 (*Corpus..., op. cit.,* II, pág. 357; v. *infra,* págs. 171 y 172).

[42] Véase mi edición crítica del *Memorial* de Luis de Ortiz, en *Economía, Sociedad y Corona (Ensayos históricos sobre el siglo XVI),* Madrid, 1963, pág. 387.

ciones en el Consejo de Guerra, con lo que se marcaba más estrechamente esa dependencia ya citada. En cuanto a sus atribuciones, eran sobre todo en torno al apercibimiento de la defensa de España y en la ayuda a las empresas militares del Imperio, y, en particular, las levas de nuevos soldados; con lo cual, entraba ya también en contacto con el Consejo Real.

El Consejo de Cámara era filial del Consejo Real, hasta el punto de tener el mismo presidente y el mismo secretario ambos Consejos, y siendo letrados sus dos únicos consejeros. Sus atribuciones eran las recompensas regias y las peticiones de mercedes; esto es, presentar al Rey los posibles candidatos a los beneficios dependientes de la Corona (por ejemplo, las encomiendas de las Órdenes Militares), por un lado, y dar su dictamen sobre los Memoriales elevados por los particulares a la Corona en los que se pedían diversas mercedes.

La Corona de Castilla contaba con otro Consejo: el de las Órdenes, que actuaba como un tribunal de justicia y de gobierno con atribuciones sobre las tres grandes Órdenes Militares castellanas: de Santiago, Alcántara y Calatrava. Dada la importancia de sus rentas y la fuerza de sus señoríos, estamos también ante uno de los Consejos más relevantes, dentro de los de tono menor, porque controlaba las vacantes que ocurrían en las diversas encomiendas de cada Orden, así como los mismos ingresos de los caballeros, tan deseados por la nobleza media y por los segundones de la alta nobleza. Era una de las claves de la Corona para recompensar a sus ministros y a los continuos de la corte y, en suma, a los que se habían mostrado eficaces servidores de la Monarquía. Que esto el propio Rey lo valoraba mucho, como símbolo de una de las características más acusadas del Reino —el espíritu caballeresco—, se echa de ver en el especial trato que tiene para sus cosas, cuando en el Codicilo de 1597 le dedica toda una cláusula (la 5), para estructurar mejor el sistema judicial que debía afectar a los caballeros de las tres Órdenes, con unos términos que prueban su interés personalísimo, acaso como en pocas otras ocasiones manifestado por Felipe II:

> ... declaro que aviéndolo mirado y hecho mirar muy de propósito, tengo pensada una buena forma...[43]

Y en aquel nuevo sistema judicial pensado por el Rey se establecía un medio de apelaciones para los caballeros de las Órdenes Militares, en cuyo último grado aparecía el propio soberano.

De suyo se comprende, pues, que un Consejo que entendía en algo que tanto interesaba al Rey tenía ya una especial importancia, dentro de aquel esquema de gobierno; diríamos, sobre todo, en torno a la vida de la corte y porque afectaba directamente a la nobleza castellana, de papel tan significativo en su estructura militar.

---

[43] *Testamento de Felipe II,* ed. cit., pág. 79.

El resto de los Consejos son ya de los llamados de competencia nacional, para las diversas piezas de aquella Monarquía supranacional: Aragón, Indias, Navarra, Flandes, Italia, Portugal. Pero a diferencia del Consejo Real de Castilla, que gobernaba directamente la Corona de Castilla, estos Consejos no lo hacían sobre sus respectivos territorios, dirigidos como estaban por virreyes y gobernadores, auxiliados por las instituciones regnícolas, como el Consiglio Collaterale napolitano o el Senado milanés. En suma, su sitio estaba en la corte, al lado del Rey, y sus atribuciones limitadas al asesoramiento del monarca, cuando sobrevenía algún conflicto entre las autoridades virreinales y sus instituciones. Sus consejeros eran letrados regnícolas, expertos por tanto en dictaminar si los privilegios de aquel reino habían sido hollados. De todos ellos, por supuesto, el más importante era el Consejo de Aragón, como el que asesoraba sobre la otra gran pieza hispana de la Monarquía. Su fundación arranca de 1493, y es el primero desgajado por los Reyes Católicos, con jurisdicción entonces sobre todos los reinos de aquella Corona, tanto españoles como italianos: Aragón (reino), Cataluña, Valencia, Mallorca, Cerdeña, Sicilia y Nápoles. Estaba presidido por el vicecanciller de la Corona de Aragón, asistido por dos letrados (denominados regentes) de cada uno de los reinos integrados en aquella Corona. Su importancia estribaba en que, al ser mucho más numerosos los privilegios de aquellos reinos, resultaba más conflictivo su gobierno y más dificultoso evitar el caer en casos de ilegalidad, muy protestados por los pueblos afectados; todo ello bien advertido por Carlos V en sus Instrucciones a su hijo Felipe de 1543:

> ... por ser los fueros y constituciones tales, como porque sus pasiones no son menores que las de otros y ósanlas más mostrar...

Y lo que acaso preocupaba más al César: que en aquella Corona era más difícil la acción de la justicia:

> ... tienen más desculpas y hay menos maneras de poderlas averiguar y castigar[44].

¿Quién debía ostentar el cargo tan destacado de vicecanciller de la Corona de Aragón? No basta con decir que debía ser natural de aquella Corona, dadas las pretensiones de sus diversos reinos, y en este caso los tres principales de Aragón, Cataluña y Valencia. El estudio documental permite comprobar que el Rey procura una elección rotatoria. Así, en 1554 el vicecanciller era un catalán (Pedro de Clariant y Sera), al que sucede en 1562 el aragonés Bernardo de Bolea y en 1585 el valenciano Simón Frigola[45]. Donde no había difi-

---

[44] Instrucciones de Carlos V a Felipe II, de 4 de mayo de 1543 (*Corpus documental de Carlos V, op. cit.,* II, pág. 97).

[45] Pere Molas Ribalta, *Consejos y Audiencias durante el reinado de Felipe II,* Valladolid, Cátedra Felipe II, 1984, pág. 88.

cultad alguna era en el nombramiento de los regentes, siempre regnícolas, si bien podría existirla para que aceptasen los cargos, mal retribuidos, hasta el punto de que se tratara de hacer recaer los nombramientos en los ricos, a los que se les presentaba como una oportunidad para crecer en el *cursus honorum,* tanto personal como del linaje. Y entre sus atribuciones, junto con las de dar su consulta sobre los conflictos que saltasen en sus reinos respectivos, estaba también el de intervenir en la provisión de oficios y, por supuesto, en tratar aquellos asuntos de mayor trascendencia, como las amenazas de invasiones o el futuro destino de aquellos territorios, como cuando Carlos V puso a debate qué dote debía llevarse su hija María, en caso de boda con un príncipe francés, si Flandes o el Milanesado.

Y ese sería el entramado del sistema polisinodial que permitió a los Austrias gobernar el primer Imperio de los tiempos modernos, consiguiendo un máximo de control sobre la pieza nuclear de la Monarquía —a la que se le daban las mayores preferencias, pero a la que también se le exigían los mayores sacrificios— y un mínimo de presión sobre las otras piezas, a fin de que se sintiesen asociadas en una empresa común, respetadas en sus derechos y tradiciones y no oprimidas por aquel Rey de las Españas, que para ellos se trataba de presentar siempre como «el Rey católico», defensor de su religión, respetuoso con sus sistemas propios de gobierno, administrador de la justicia y, en los casos de las piezas del sur de Italia, además con el argumento poderosísimo de ser el escudo frente a la amenaza turca, como en los Países Bajos —en especial, en los meridionales—, a su vez, el escudo frente a las ambiciones francesas.

Y aquí podría recordar lo que ya indiqué en 1989:

> Lo importante a destacar ahora es esta postrera consideración: que tanto Carlos V como Felipe II heredaron y ampliaron un sistema de gobierno, el polisinodial, que se mostró muy eficaz para gobernar una Monarquía en expansión, en aquellos albores de los tiempos modernos [46].

A lo que podríamos añadir que ello fue posible porque aquellos reyes supieron emplear la fuerza, mezclada con halagos, en la zona nuclear castellana, y el tacto y la negociación en las zonas más controvertidas y celosas de sus privilegios, como eran los reinos dependientes de la antigua Corona de Aragón.

Con una excepción, entrado el reinado de Felipe II: el gobierno de los Países Bajos.

Algo que se acabaría pagando muy caro, como veremos más adelante, y que se convertiría en el conflicto más grave de la Monarquía católica: la cuestión de Flandes.

---

[46] *La España del siglo XVI, op. cit.,* pág. 595.

3
DIPLOMACIA Y EJÉRCITO

Ese Estado que estamos analizando, la Monarquía católica, si cuenta con un dispositivo interior que le permite controlar, dirigir e incluso aumentar todo su cuerpo supranacional, también ha logrado montar los dos instrumentos básicos de una proyección eficaz en el exterior: un sagaz cuerpo diplomático y una acerada fuerza militar que tan poderosa se va a mostrar a la hora de mantener el Imperio contra sus enemigos del viejo y nuevo mundo.

Pero previamente debiéramos tener en cuenta algo sumamente importante en cualquier Estado: el problema de la información.

Pues la cuestión de la información, de una adecuada, pronta y precisa información, es una de las exigencias más radicales del Estado moderno; en la medida en que ese Estado la consigue, estará en condiciones de afrontar las amenazas que le asalten en el exterior, o que le broten en el interior.

Ahora trataremos la información que precisaba aquel Estado del exterior, la que obtiene a través del cuerpo diplomático, pero advirtiendo que con ello no se agota, evidentemente, el tema.

En efecto, hay que partir de la idea de que el Estado moderno trata de mostrarse con una fuerza competitiva en el exterior y con un poder incontenible en el interior; de hecho, ese poder irresistible sobre el cuerpo del país es condición previa para el éxito en el exterior, de igual manera que los éxitos externos darán prestigio a la Monarquía y la permitirán dominar el panorama interior con mayor facilidad. Pero eso quiere decir que igual que tendrá que vigilar en el campo internacional a las potencias vecinas y rivales que puedan poner en peligro sus fronteras, del mismo modo tendrá que estar pendiente de los conflictos que puedan estallar en el seno del país, que pueden ser el fruto de diversas fuerzas que le son contrarias.

Esto es, tiene que estar atento también a la agresividad de la oposición, siempre latente en cualquier Estado, por poderoso que sea.

Con lo cual queremos decir que incluso en una Monarquía como la de Felipe II, que se tiende a presentar como la de un soberano temible y respetado, con una fuerza sin fisuras, esa oposición existió, como lo prueban los grandes procesos del reinado, y no contra personajes de menor cuantía, sino contra algunos de los más destacados: el arzobispo Carranza, el príncipe don Carlos, el secretario de Estado Antonio Pérez.

Por lo tanto, nada menos que contra la primera figura de la Iglesia española, contra la principal figura de la corte, tras el Rey, y contra el primer personaje del Gobierno, el secretario del Consejo de Estado.

Sin olvidar que el Estado requiere también otra información que no es exclusivamente política, si bien puede ser necesaria con fines políticos, pues precisa asimismo indagar sobre la sociedad que gobierna y sobre su entramado, su cuantía y su riqueza, para poder extraer con mayor eficacia los impuestos que le ayuden a financiar la corte y el mismo Imperio.

Por otra parte, nunca debe olvidarse el carácter confesional de aquella Monarquía, por sobrenombre la católica; eso le forzaba a intentar un control religioso de la población. En suma, otro tipo de información, para lo que tan eficaz se mostraba el Consejo de la Inquisición, como ya hemos visto.

Ahora bien, no debe olvidarse que el problema de la información tiene dos vertientes: por una parte, la necesidad del Estado de estar bien advertido y, por otra, la de enlazar adecuadamente con la sociedad en la que se asienta. Lo primero lleva a la acumulación de la información; lo segundo, a devolver la información recibida al cuerpo social, del que no puede estar disociado. Pues el Estado no puede vivir aislado, tiene que contar siempre, ayer como hoy, con la opinión pública, y para ello ha de hacerle partícipe de al menos parte de esa información que acumula. No de un modo completo, por supuesto. Será una versión tamizada, con la que tratará de justificar sus medidas políticas o económicas, en particular las tomadas sobre temas de singular trascendencia: guerras, cuestiones sucesorias, bodas principescas, subida de impuestos...

No dirá todo lo que sabe, e incluso a veces tergiversará la información recibida: agrandará los éxitos, hablará siempre de victorias en el campo de batalla —aunque en ocasiones sean dudosas— y disimulará o incluso silenciará los reveses.

En suma, todo lo que pueda hacerle ganar en prestigio, o en «reputación», por emplear el término del tiempo, lo cuidará al máximo.

Y en ese sentido aprovechará sus dos instrumentos para su proyección en el exterior: el diplomático y el bélico. La diplomacia le proporcionará esa información que necesita para tomar decisiones y el ejército le permitirá tratar de imponerlas. Y ya veremos que en ambos casos con su respectivo costo, del que ahora no trataremos, sino preferentemente de sus estructuras.

En cuanto al cuerpo diplomático, la Monarquía católica extenderá su red de embajadas por la mayor parte de la Europa central y occidental, con especial atención a Italia, donde poseía tantos intereses y tantos dominios; de forma que además de tener un embajador en Roma, al frente de la embajada más valorada de todas, también los tenía en las dos repúblicas más importantes:

en Venecia y en Génova. Asimismo en Viena, para mantener lo más firme posible la alianza «familiar» con la otra rama de la dinastía, y por último en las tres principales monarquías de la Europa occidental: en las cortes de París, Londres y Lisboa. La portuguesa con un tono también familiar, casi al nivel de la vienesa, por los múltiples enlaces con la casa Avis realizados a lo largo del siglo. De forma que las más conflictivas resultarían las de París y Londres, si bien con la diferencia de que bajo Carlos V el forcejeo constante lo sería con la Francia de Francisco I, mientras que bajo Felipe II, y desde muy pronto, lo sería con la Inglaterra de Isabel.

Para esas misiones la Monarquía católica se servirá generalmente de españoles, y dentro de España, de castellanos, siguiendo su norma de señalar a la Corona de Castilla como el principal fundamento del Estado, y hasta el punto de que, cuando en los primeros años del reinado de Carlos V se nombre desde Flandes a un aragonés como embajador en Roma, se tome en Castilla como una verdadera ofensa.

Véase cómo reacciona el secretario del cardenal Cisneros, Varacaldo, cuando tiene noticia de que en la corte de Carlos V de Flandes se piensa en el aragonés Pedro de Urrea como embajador en Roma:

> En esto de don Pedro de Urrea, que dicen que quieren enviar a Roma por embajador, hinque v.m. la mano, conforme a lo que el Cardenal escribe...

¿Cuál era el problema? Que en Flandes se empezase a quitar protagonismo a Castilla:

> ... porque sin duda sería gran perdición —continúa Varacaldo— que habiendo tantos castellanos, hombres señalados para ello, nos quisiesen poner los negocios debajo del poderío de Pharaón...

Para el círculo que rodeaba al Cardenal, y quizá para él mismo, aquello era un gran riesgo, una posible mudanza en los negocios, que había que tomar como fatal para Castilla; lo que el secretario de Cisneros resume de este modo:

> ... que más valdría y mejor sería para el Reino encomendar los negocios al más puro francés del mundo, que no a aragonés ninguno [1].

Aquí, como en tantos aspectos de aquellos reinados, se aprecia un mayor cosmopolitismo en tiempos del Emperador, y una tendencia a esa castellanización pedida por Varacaldo en 1517, en los de Felipe II.

---

[1] Varacaldo a López de Ayala, 27 de septiembre de 1516 (publ. por Vicente de la Fuente, *Cartas de los secretarios del Cardenal... durante su regencia en los años de 1516 y 1517,* Madrid, 1875, pág. 29).

Así, figuras destacadas de la diplomacia carolina serían Nicolás Perrenot de Granvela, embajador en el París de Francisco I, o Simón Renard, en el Londres de María Tudor, si bien emplearía también a castellanos como Lope de Soria, embajador en la década de los años veinte en Génova, o el famoso Diego Hurtado de Mendoza, embajador en Venecia y después gobernador de Siena. A su vez, Felipe II no empleó exclusivamente castellanos, como el conde de Feria o don Bernardino de Mendoza, sino también a catalanes, como Requesens, embajador en Roma; Chantonay, en París, y Gerau de Spés —otro catalán—, en Londres; sin olvidar a don Álvaro de la Quadra, un napolitano, embajador cerca de Isabel de Inglaterra en 1559.

Esas embajadas eran muy dispares, pues frente a las que podrían llamarse familiares, como las de Viena y Lisboa, donde los conflictos eran menores, estaban las de las naciones rivales y con frecuencia enemigas, donde el riesgo era grande, por la dudosa eficacia de la inmunidad parlamentaria. Los embajadores podían ser tratados como enemigos, que se dedicaban al espionaje a favor de sus soberanos —cosa evidente—, y exponerse, cuando menos, a la cárcel —como le ocurriría a Nicolás Perrenot de Granvela en la corte de Francisco I—, o a la expulsión, tras un verdadero asedio en la embajada, como le sucedería a Quadra en el Londres de 1563. Y como era lo cierto que se enviaba información hostil, era obligado cifrar los despachos en clave, para asumir menores riesgos [2].

Puede decirse que Felipe II recibió el doble legado de un Consejo de Estado competente y un plantel de diplomáticos repartidos en esas siete embajadas que servían para orientarle en su política exterior. Pero también algo más: la experiencia de tantos años acumulada por su padre, el Emperador, que se la dejó compendiada en sus Instrucciones de 1548, considerado como el verdadero Testamento político del César. Carlos V, encontrándose entonces en peligro de muerte, quiso que su hijo pudiera beneficiarse de aquel importante legado.

¿Qué es lo primero que le destaca, lo que antes le hace presente, como una consigna que jamás debe olvidar? La alianza familiar con la otra rama de la dinastía, la unión con la corte de Viena. De forma que entre los dos soberanos debía reinar siempre la más perfecta concordia, sin recelos ni envidias:

... la grandeza del uno favorecerá y reputará al otro...

Era el trato que debía existir con la casa imperial de Viena, con la otra rama de la dinastía de los Austrias. Y como si al tratar del Imperio le viniese a la memoria que existía otro emperador, aunque no fuese cristiano, el señor de Constantinopla, Carlos V alude inmediatamente al Turco, con el que recientemente había concertado treguas.

El César, olvidados ya los juveniles sueños de cruzado, comprendiendo que ya no era posible encabezar una cruzada contra aquel gran enemigo de la

---

[2] Véase sobre esto mi trabajo *Tres embajadores de Felipe II en Inglaterra,* Madrid, 1951.

Cristiandad, aconseja al hijo que mantenga las treguas por él concertadas. Así, al menos, evitaría nuevas invasiones de aquel poderosísimo Solimán el Magnífico:

> Cuanto a la dicha tregua que he por mí ratificado, miraréis que ella se observe enteramente de la vuestra...

Y ello lo justifica como uno de sus principios más respetados: que era el de la palabra dada; algo que ya tocaba a la esencia del espíritu caballeresco, esa nota tan cara al que siempre tenía presente que era el gran maestre de la Orden del Toisón de Oro.

A esa norma debía sujetarse el Príncipe en su política exterior:

> ... porque es razón que lo que he tratado y tratéis se guarde de buena fe con todos, sean infieles o otros...

Se trataba de un principio inviolable, tan caro a quien quería sujetar su quehacer de estadista a los principios éticos.

Y así le añade, como ya hemos indicado:

> ... y es lo que conviene a los que reinan y a todos los buenos...

La corte de Viena le hace pensar, a continuación, en el cuerpo de la nación alemana (la Germania, en el texto carolino, como si se estuviera recordando a Tácito).

Estamos, no lo olvidemos, en 1548, un año después de la victoria de Mühlberg, cuando nada hacía presagiar la difícil crisis que sobrevendría cuatro años más tarde. Y Carlos V pasea su mirada por aquella Germania con tantos príncipes independientes y destaca lo importante de mantener buenas relaciones con ellos, tanto más que son vecinos de dos territorios de la Monarquía: los Países Bajos y el Milanesado. Pero también recuerda, como Tácito, que Germania era tierra de guerreros, donde el Príncipe, su hijo, podría reclutar los mejores mercenarios, junto con Suiza. Y eso había que mimarlo:

> ... mostralles buena voluntad y afección y hacelles bien tratar y bien pagar a sus plazos...

El informe del Emperador —pues como tal pueden entenderse esas Instrucciones o Testamento político de 1548— nos permite comprobar el grado de eficiencia del servicio diplomático de la Monarquía católica a mediados de siglo.

No escapaba al César la importancia de distinguir, en el caso de Roma, de un Papa como cabeza de la Cristiandad con el que señoreaba uno de los principales Estados de Italia. Así no deja de advertir a su hijo que Paulo III le había hecho muy malos tiros, pero no por ello se debía menos respeto al Papado, por su significado religioso:

> Y cuanto al Papa presente, Paulo III, ya sabéis cómo se halla conmigo, y señaladamente cuán mal ha cumplido lo capitulado por esta última guerra...[3]

No silencia, por tanto, las quejas que contra el Papa tenía; pero a continuación añade:

> Mas con todo esto que ha pasado, os ruego que, teniendo más respeto al lugar y a la dignidad que el dicho Papa tiene que a sus obras, le hagáis todo el tiempo que viviere el debido acatamiento...

También aquí va a recibir el Príncipe una consigna de honestidad política: cuando se produjese la vacante en la Silla de san Pedro (se sabía que Paulo III estaba tocado de muerte), Felipe II debía volcarse para que el sucesor fuera tal como la Iglesia lo necesitase. Nada de ventajas personales; lo que importaba era el bien de la comunidad cristiana. Dios sobre todo y sobre todos:

> ... y en éstas y en otras cuestiones similares debéis hacer siempre lo semejante, confiando en Dios, que con esto Él mirará y aceptará vuestra sancta intención...

El informe de Carlos V permite apreciar el grado de eficacia de la maquinaria diplomática imperial. Así, Italia estaba en paz y la Monarquía mantenía buenas relaciones con el resto de sus Estados:

> Con los otros potentados de Italia —señala el césar Carlos— no tenéis querella ni pretensión alguna, ni pienso habelles dado ocasión della...

Es algo digno de destacarse: el Emperador, manteniéndose fiel a sus promesas hechas ante las Cortes castellanas de 1520, respeta la independencia de los pequeños Estados italianos. Nada de amenazas ni de intentos dominadores sobre las principales ciudades-Estado de Italia, a las que va enumerando: Venecia, Florencia, Mantua, Génova...

Más conflictiva se presentaba la relación con Francia, la eterna enemiga de los planes europeos de Carlos V, la nación con la que el Emperador había estado en guerra casi continua.

Pero no por su culpa. E importa destacar la declaración de principios de Carlos V. Él había buscado siempre la paz:

---

[3] Se refiere a la guerra contra la Liga protestante de Schmalkalden.

> ... yo he hecho siempre todo lo que se ha podido por vivir en paz con el rey Francisco, difunto, ... y pasados muchos tratados de paz y treguas, los cuales nunca ha guardado, como es notorio, sino por el tiempo que no ha podido renovar guerra, o ha querido esperar de hallar la oportunidad de dañarme con disimulación...

Tal era el mal recuerdo que Carlos V tenía de su antiguo rival por el predominio de Europa. ¿Qué se podía esperar de su hijo? No había que engañarse; con Enrique II todo seguiría igual de difícil:

> ... está puesto en seguir las pisadas y heredar la dañada voluntad de su padre...

Acaso era algo más fuerte que los hombres, algo marcado por la historia. Pues eso era lo que siempre había hecho Francia, a juicio de Carlos V, acordándose posiblemente más de lo que había sufrido su antepasado Carlos el Temerario que de las argucias y habilidades de su abuelo Fernando el Católico. Pero, aunque desorbitando el pasado, lo que importa ahora es anotar que el Emperador sigue apostando por la paz, también con aquella Francia de la que tanto recelaba, como la mejor vía de esforzarse por el bien de la Cristiandad.

Eso sí, sin aflojar la guardia y sin hacer inútiles concesiones, porque lo más seguro era que la guerra acabaría estallando, por lo que sería preferible, cuando tal ocurriera, luchar por el todo y no por las partes, y de esa manera aconsejaría a su hijo:

> ... será mucho mejor y lo que conviene sostenerse con todo, que dar ocasión a ser forzado después a defender el resto, y ponerlo en aventura de perderse...

De esa forma, una y otra vez se marca la consigna imperial: la defensa de sus reinos y señoríos, no apoderarse de los ajenos; por tanto, nada de guerras de conquistas.

Un Imperio como el carolino no podía olvidar al resto de los pueblos de la Europa occidental, en particular por sus relaciones con los Países Bajos: Dinamarca (de la que recordaría los antiguos lazos familiares con la boda de su hermana Isabel), Escocia, Inglaterra...

El sentido realista de la política internacional que tenía Carlos V se pondrá aquí de manifiesto: que su hijo se olvidase de las posibles pretensiones de sus primas, las hijas de la reina Isabel, al trono de Dinamarca. En cuanto a los escoceses, el único litigio era el de sus navegaciones por la ruta de las Indias occidentales.

Y quedaba Inglaterra. Una Inglaterra con la que la Monarquía había mantenido tradicionalmente muy buenas relaciones, estrechadas por los Reyes Católicos con la boda de su hija Catalina con el príncipe Arturo, y después desposada con Enrique VIII. Bien era cierto que al producirse el repudio del Rey y su rebeldía frente a Roma aquella alianza se había debilitado. En 1548 Enrique VIII ya había muerto y era un enigma lo que ocurriría con el rey tan mozo Eduardo VI. De todas formas, y sobre la base de la rivalidad existente entre Inglaterra y Francia, el Emperador no intuyó ninguna amenaza grave que pudiera venir por parte de Inglaterra.

Contra todo pronóstico, la Monarquía católica no tendría su mayor enemigo en Francia, sino en Inglaterra. Pero para que se produjera eso sería preciso que una dudosa princesa, de nombre Isabel, acabase heredando el trono, tras la muerte de sus hermanos Eduardo y María.

Algo que Carlos V no podía suponer.

Aun así, en 1548 Carlos V podía presentar a su hijo un panorama tranquilizador sobre aquella Europa en la que pronto sería él uno de los principales protagonistas[4].

Y en ello había tenido no poca parte aquella buena maquinaria diplomática, con una excelente trama de embajadas bien servidas por embajadores extraídos de todas las partes de la Monarquía católica y teniendo al frente a un eficaz Consejo de Estado.

La cantera preferida de futuros embajadores era, sin duda, la alta nobleza criada en la corte, bien como salida a sus segundones, bien en las figuras de los propios titulares, y ello porque se les consideraba, por su cuna y por su educación, como los más indicados para servir en aquellos delicados cargos, con la arrogancia y la cortesanía propia de los caballeros, tal como se indicaría en un libro que hizo fortuna a finales de siglo en toda Europa: *El Embajador,* del conde de Roca. Pero, ciertamente, eso sólo podía darse en la alta nobleza cortesana, no en la que prefería vivir en sus señoríos, y no sólo por ser más criaturas del Rey, sino también porque era donde adquirían la cultura necesaria y el trato social, que eran requisitos imprescindibles para desempeñar airosamente su cometido. Curiosamente, sin embargo, aquí también Felipe II mostraría nuevas maneras, al elegir miembros del clero, como el obispo napolitano Quadra o el canónigo Diego Guzmán de Silva, y ambos para representarle en la corte más difícil: en la de Isabel de Inglaterra.

Las embajadas no cubrían todo el entramado diplomático. Por una parte, ya hemos visto que estaban concentradas en la Europa occidental y central. Para obtener información del otro Imperio, de la corte del gran Turco, la Monarquía católica se servía de los «avisos» que le mandaban sus embajadores desde Venecia. Y en cuanto a las relaciones internacionales, también hay que recordar otro vínculo: las ligas.

El modelo lo había dado Italia a mediados del siglo XV con la notabilísima Liga de Lodi, que durante medio siglo mantuvo Italia libre de extranjeros. Carlos V la utilizó con los potentados del norte de Italia y con carácter defen-

---

[4] Instrucciones de Carlos V a Felipe II, Augsburgo, 18 de enero de 1548 (*Corpus documental de Carlos V, op. cit.,* II, págs. 569-592).

sivo, en 1536, apareciendo en ella como un príncipe italiano más, y con tal éxito que le permitió recogerse a Italia con toda seguridad, evitando males mayores después de la desastrosa campaña de Provenza contra la Francia de Francisco I.

Y con más ambición todavía montó la diplomacia imperial la Santa Liga con Roma, Venecia y Viena, como punto de partida de la cruzada soñada por Carlos V contra Solimán el Magnífico en 1538; Liga que obtuvo pocos resultados, pero que serviría de modelo a la que treinta años después pondría en marcha Felipe II, casi con los mismos componentes y desde luego con mayor fruto.

En lo alto de ese entramado diplomático se hallaba el Consejo de Estado, que era el que deliberaba fundamentalmente sobre la política internacional (aunque ya hemos visto que no sería ese su único cometido) y el que debatía los posibles candidatos para las vacantes de embajadas y virreinatos. Si bien todo con carácter consultivo, pues en definitiva era el Rey quien llevaba muy en la mano todo lo concerniente a la política internacional.

No acaba aquí el entramado diplomático. Aún es preciso referirse a la misma dinastía, puesta al servicio del Estado, ya que era necesario cubrir los huecos inevitables en una Monarquía de tal despliegue. Los continuos viajes de Carlos V le obligan a dejar un representante suyo en dos zonas preferentes de sus dominios: en España y en los Países Bajos. Para España contaba con su propia familia: su esposa, Isabel de Portugal, en primer lugar, y, a la muerte de la Emperatriz, con sus propios hijos, Felipe, María o Juana; y en los Países Bajos, acudiendo a llenar el vacío dejado por la muerte de su tía Margarita, con su hermana María, la reina viuda de Hungría, que pronto se demostraría como la cabeza más lúcida de toda la familia.

También en esta estrategia de una dinastía al servicio del poder se observan principios éticos. Carlos V era el cabeza indiscutible del linaje, pero debía dar un trato especial a su hermano, el que, habiendo nacido en España, había sido apartado de su tierra natal y llevado a la lejana Austria. En compensación, se le brindaría un matrimonio con Ana Jagellón, que le abriría la posibilidad de establecer su propio Estado en el centro de Europa, sobre el Danubio medio. Y es más, Carlos V haría de él su *alter ego* en el Imperio, consiguiendo para él muy pronto —en 1531— el título de rey de Romanos y, por tanto, de heredero al cargo imperial.

En aquella época de monarquías autoritarias resultaba decisivo conseguir una buena relación con los príncipes reinantes. Para ello Carlos V dispondrá de dos mecanismos: el de las alianzas matrimoniales y el de las entrevistas en la cumbre. Todo ello llevado de modo muy personal, hasta el punto que así como se indica que fue el primer capitán de sus ejércitos, asimismo podría decirse de él que fue el primer embajador de su Monarquía.

En cuanto a las alianzas matrimoniales, el Emperador se lo plantea a lo largo de su vida y lo particulariza también en sus Instrucciones de 1548.

Dos normas debían regir esas alianzas matrimoniales: servir a los intereses del Estado, contribuyendo a asegurar unas buenas relaciones con los países vecinos, y hacerlo sin desdoro del prestigio del linaje; lo que quería decir que debían hacerse con príncipes de casas reinantes.

Eso suponía algo cada vez más difícil, porque al estar la gran política internacional centrada en la Europa occidental, no había mucho donde elegir. Dividida Italia en pequeños Estados, dominada la Europa balcánica por el Turco, demasiado apartadas tanto la Europa eslava como la nórdica, sólo se podían intentar enlaces satisfactorios con Francia, Inglaterra y Portugal. Y en último término, aunque los lazos familiares eran ya tan estrechos que no podía hacerse sin el consentimiento de Roma, podía acudirse a los matrimonios con la corte de Viena.

Todo esto será puesto en práctica por Carlos V, dando la pauta a su hijo. Su hermana mayor, Leonor de Austria, desposará sucesivamente con el rey de Portugal, Manuel el Afortunado, y con Francisco I de Francia. Olvidadas ya las posibles relaciones con Dinamarca y con Hungría —lo que había llevado a los desafortunados enlaces de sus hermanas Isabel y María—, quedaba el flanco portugués, otra vez descubierto a la muerte de Manuel el Afortunado, y la operación inglesa. Y en esa línea irían las bodas de su hermana menor, Catalina —la hija póstuma de Felipe el Hermoso—, con el rey Juan III de Portugal, así como la de sus propios hijos, el príncipe Felipe con la princesa portuguesa María Manuela, y la infanta Juana con el príncipe Juan Manuel.

Sin que sea necesario llegar al detalle, que no sería lo adecuado en esta visión general de la época, sí podemos señalar que la política matrimonial consiguió dos objetivos: el bloque ibérico, manteniendo dormida la frontera portuguesa y preparando la posible unión total de las Españas, y el eje Madrid-Viena, que era uno de los principios carolinos para conseguir el predominio sobre la Europa occidental; y en cuanto a Inglaterra y Francia, siempre más esquivas y más rebeldes a admitir ese predominio, sólo quedaba la oportunidad de aprovechar la antigua rivalidad de aquellos países, que parecía que aún tenían abiertas las heridas de la guerra de los Cien Años, para apoyarse ora en uno, ora en otro, con resultado, eso sí, no siempre satisfactorio.

Sería un campo de maniobras cada vez más reducido, desde que en Inglaterra se entronizó una Isabel que rechazó el matrimonio, acaso por ver en él un dogal a su libertad de acción, y desde que en Portugal ocurrió un proceso similar con un rey joven, don Sebastián de Portugal, que moriría asimismo soltero.

Algo a tener en cuenta, cuando veamos las dificultades que pasa en ese terreno Felipe II y cuando, vulnerando el principio del prestigio, le veamos desposar a su hija pequeña no con un rey o un príncipe heredero de una gran monarquía, sino simplemente con el duque de Saboya.

No podía dejar Carlos V de aconsejar a su hijo sobre esa materia de las alianzas matrimoniales, dado que en 1548, cuando le envía sus Instrucciones que hemos comentado, Felipe ya había enviudado y estaba en condiciones de realizar un nuevo matrimonio.

Desde el primer momento plantea Carlos V la nueva boda de su hijo como una operación de Estado:

> ... la cosa que más entretiene a los vasallos y súbditos de cualquier nación que sea en la fidelidad de sus señores es de ver que tienen hijos, en que consiste la firmeza y estabilidad de los Estados, con esperanza de haber cada uno de ellos señores de quien puedan ser gobernados...

Por lo tanto, y como el Príncipe había enviudado teniendo un solo hijo, cumplía un nuevo matrimonio, y así expresamente se lo indica el Emperador a su hijo:

> Y por eso me parece no sólo conveniente, mas necesario, que os tornéis a casar y... con el ayuda de Dios, podáis haber hijos... Y ansí, por el amor paternal que os tengo y lo que quiero a los dichos Estados, os aconsejo y ruego que lo hagáis.

¿Qué partidos se ofrecían al Príncipe? Como en 1548 la situación en Inglaterra era tan incierta, Carlos V no piensa más que en las cortes de París, Viena y Portugal, a las que añade la princesa de la casa de Albret, que podía resolver la vieja reivindicación de Navarra, que coleaba desde los principios del reinado de Carlos V.

Ahora bien, si lo que se pretendía era un buen efecto diplomático, la candidata no podía ser otra que una princesa de Francia, dado que tanto con Viena como con Lisboa el parentesco y la amistad ya estaban bien logrados:

> Y como estos partidos —el de Viena y el de Lisboa— no son menester para estrechar la amistad y deudo, lo que más converná sería aquietar y juntar otra amistad...

Un consejo que, tras no pocos vaivenes en la política internacional, volvería a parecer como el más adecuado en las negociaciones de Cateau-Cambrésis, como es tan notorio.

Restaban los matrimonios de las dos hijas del Emperador, María y Juana, ambas solteras en aquellas fechas de enero de 1548. Para ellas tenía ya previsto Carlos V que habían de servir para esa amistad y ese estrecho parentesco y deudo con las casas de Viena y de Lisboa:

> Y cuanto al matrimonio de mis hijas, vuestras hermanas, y señaladamente la mayor, después de examinado y pensado todo lo que en ello se ofrece, no veo para ella partido más a propósito... como el del archiduque Maximiliano, mi sobrino...

En cambio, Juana sería la prenda para asegurar la alianza y el parentesco con Portugal, y aun para obtener ese objetivo ya marcado por los Reyes Católicos: el de la unión de las Coronas de España:

Y cuanto a mi segunda hija, vuestra hermana, debéis efectuar en su tiempo[5] el matrimonio de ella con el Príncipe de Portugal, como está concertado, por guardar buena fe y ser lo que conviene a la corona de España y al deudo y amistad que se debe a Portugal, a la observación de la cual tendréis siempre buena advertencia...[6]

Por lo tanto, una consigna clara: la dinastía al servicio de la Monarquía, al servicio del Estado. Pero con tan marcada interconexión, que a veces no se distinguirá bien si lo que está ocurriendo es que se invierten los papeles, siendo el Estado el que se pone al servicio de la dinastía.

Pero es claro que no sería todavía, no, cuando a Felipe II se le propone la boda con su tía María Tudor. Allí, el sacrificio del Príncipe sería evidente.

El mismo sacrificio que, andando el tiempo, impondrá él a su hija Catalina Micaela.

La dinastía, pues, como un argumento poderoso a emplear en la dialéctica de las relaciones internacionales; un arma, si se quiere, en manos del Rey-Emperador, que llevará todo este juego muy personalmente. Un arma que no sería la única, pues también se emplearía, y a veces con eficacia, otra que podría parecer muy de nuestros días: las entrevistas en la cumbre.

Y eso desde muy pronto, y no sólo con los líderes políticos, sino también con los ideológicos, pues, en cierto sentido, eso fue lo que ocurrió cuando Carlos V convocó a Lutero a la Dieta imperial de Worms. Fue un intento de negociación, de llegar a un acuerdo pacífico en el delicado tema religioso. Ahora bien, sería una excepción, y además con adverso resultado. Las verdaderas entrevistas en la cumbre serían las que tendría Carlos V con los otros poderosos de su tiempo: Enrique VIII como Francisco I, Clemente VII como Paulo III. Entrevistas en la cumbre con las que se tratará bien de cerrar una alianza, bien de vencer viejos recelos, bien de asegurar la paz.

Y en toda esa política internacional, aunque llevada muy en la mano por el césar Carlos, éste tendrá siempre a su lado un hombre de su confianza, un estadista que le aconseje, un ministro de valía probada: al principio sería Chièvres; más tarde, hasta su muerte en 1530, Mercurino de Gattinara; después, Nicolás Perrenot de Granvela, y, finalmente, a partir de 1550, año en el que fallece Nicolás Perrenot, el hijo de éste, Antonio Perrenot de Granvela, la figura que heredará Felipe II. De todos ellos cabría destacar a Nicolás Perrenot de Granvela, que parece ser el verdadero mentor de las Instrucciones de 1548[7].

Este era, en suma, el instrumento diplomático, tal como lo hereda Felipe II a mediados del Quinientos.

---

[5] En enero de 1548 la princesa Juana contaba sólo doce años.

[6] Instrucciones citadas de Carlos V a Felipe II, de 18 de enero de 1548 (*Corpus documental de Carlos V, op. cit.*, II, págs. 589-592).

[7] *Ibídem*, págs. 569-592, y en particular la nota 638.

Pero también hereda, y es una herencia no menos importante, el aparato armado, un ejército probado en mil batallas y lleno de prestigio; un ejército no muy numeroso —en torno a los 50.000 ó 60.000 soldados, de ellos unos 12.000 a 15.000 españoles de los temibles tercios viejos—, pero que está imponiendo su ley en Europa, sea en las guerras contra los franceses, sea en su pugna con el Turco o en sus enfrentamientos con los soldados del duque de Clèves, e incluso con la fiera y aguerrida Germania de la Liga de Schmalkalden.

Como todo imperio, también el español del siglo XVI está estrechamente vinculado a la suerte de su ejército; aquí, la comparación con las legiones romanas resulta adecuada y hasta casi inevitable. Por lo tanto, importa conocer bien su estructura, su reclutamiento, su armamento y algo de lo que más tarde trataremos: su financiación.

Y aún quedaría por comentar acaso lo más importante: su moral de combate.

Todavía a mediados de siglo el ejército de la Monarquía católica —el que combate, por ejemplo, en San Quintín— está integrado como el carolino que lucha en los campos de Mühlberg: una mayoría de mercenarios alemanes, italianos y flamencos, y una fuerza de choque minoritaria, formada por los tercios viejos; era la infantería, a la que se sumaban formaciones menores de caballería, artillería e intendencia.

Ahora bien, lo que daba una nota particular a ese ejército imperial, y a lo que debía la mayor parte de las veces sus victorias, era esa minoría compuesta por los tercios viejos.

Es esa temible fuerza de choque la que importa, pues, examinar con más cuidado.

* * *

Los tercios viejos marcan su superioridad en el campo de batalla por una serie de factores aunados: extrema movilidad de maniobra, que tanto les permite actuar en pequeñas unidades como en grandes bloques; una potencia de fuego hasta entonces desconocida, merced a la notable proporción de arcabuces, después sustituidos por los más modernos y eficaces mosquetes; una cantera de duros soldados, hechos a las marchas y contramarchas y a todas las fatigas de la guerra de campaña, que encontraban en los pastores trashumantes de las dos Castillas y Extremadura su antecedente natural; un espléndido cuadro de oficiales, con una experiencia bélica que arranca de las mismas campañas de Granada, bajo los Reyes Católicos, y completada en tierras de Italia, bajo las banderas del Gran Capitán; un principio de sentimiento nacional, dado que, a diferencia de alemanes y suizos, sólo servirán al Rey de España (o, en algunos casos, al señor de Viena), y una moral de victoria que les forzaba a los mayores extremos de heroísmo; moral de victoria basada tanto en los increíbles éxitos conseguidos como en la confianza de estar dirigidos por los mejores soldados de su tiempo y, sin duda, por estar convencidos de luchar por un principio superior (aunque, cierto, ese principio no siempre estuviera muy claro): la guerra justa.

La movilidad se conseguía por la hábil articulación de sus cuadros. Cada tercio viejo constaba de doce compañías de 250 soldados, cada una de ellas al mando de un capitán, asistido por un alférez y un sargento. El tercio viejo, pues, constaba de 3.000 soldados, mandados por un maestre de campo. Dos tercios viejos constituían una coronelía, y dos coronelías ya la división de combate, mandada por un capitán general. Ese era el máximo que se ve operando como fuerza de choque, tal como el empleado por Carlos V en las campañas de Alemania contra la Liga de Schmalkalden [8]. Pero un solo tercio viejo ya suponía una fuerza de combate importante, que podía servir de guarnición en Nápoles o en Milán —y de hecho llevarían esos nombres de tercio de Nápoles y tercio de Lombardía—, o defender enclaves tan señalados como Herzeg Novi, en la costa dálmata. Y hasta una misma compañía podía operar como unidad independiente, aunque con más frecuencia, con meras funciones exploratorias, en vanguardia de todo el ejército en campaña.

La superioridad de fuego, tan a destacar por todos los estrategas como uno de los principios básicos del arte de la guerra, se conseguía por el notable número de los arcabuces, que si en un principio y bajo el Gran Capitán estaban en la proporción de un tercio respecto a las picas, con el duque de Alba se llegaría hasta la mitad, cuando en otros ejércitos esa proporción era mucho más baja (una sexta parte, e incluso una décima parte).

Una nación como la española, que en aquel siglo parecía hecha para la guerra, no podía estar al margen de los avances en el armamento; es lo que lleva al duque de Alba a introducir una novedad en los tercios viejos, durante sus campañas de los Países Bajos, a partir de 1567, sustituyendo el arcabuz por el mosquete, para conseguir un mayor alcance de tiro, pues el arcabuz sólo llegaba a los 50 metros. Lo que obligaría, dado el mayor peso del mosquete, a llevar una horquilla sobre la que afianzar el arma a la hora del disparo y también a escoger a los mosqueteros por su corpulencia, lo que un veterano de aquellas guerras, el capitán Martín de Eguiluz, describiría como «un soldado rehecho, doblado y gallardo». En todo caso, la habilidad y la presteza de los arcabuceros —y, más tarde, de los mosqueteros— de los tercios viejos se hizo famosa, hasta el punto de que Carlos V las reconociese como las que le habían dado tantas victorias.

Un armamento de los tercios viejos que podía conseguirse en la propia España, y esa es una cuestión a tener en cuenta. Tanto para las armas de fuego de la infantería como para las llamadas armas blancas —espadas, picas—, España tenía entonces una industria de guerra que le permitía cubrir esas necesidades, sin tener que importar armamento del extranjero; insistimos, en

---

[8] Sobre los tercios viejos en la guerra contra la Liga de Schmalkalden, véase mi edición crítica de las *Memorias del Emperador (Corpus documental de Carlos V,* IV, pág. 535, nota 158).

cuanto al armamento de la infantería. Otra cosa sería respecto a la artillería, como ya indicaremos.

Para la infantería, la industria de guerra española se concentraba en el País Vasco, y concretamente en Guipúzcoa, en una zona muy reducida, con sus enclaves más importantes en Éibar, Elgóibar y Placencia (precisamente llamada hasta hace poco Placencia de las Armas). Sin duda, eran talleres artesanales, que se apoyaban en la existencia de buenas ferrerías en la región. Pero es digno de destacarse, porque además de los muchos y buenos capitanes que el País Vasco dio a la España imperial, está ese soporte bélico nada despreciable. Sabemos, por ejemplo, que en diciembre de 1535, cuando el Emperador preparaba su tercera guerra contra Francia, un hombre de empresa vasco, de nombre Antón de Urguizu, tenía a punto nada menos que 2.000 arcabuces, por lo tanto, lo suficiente para armar a toda una coronelía, y preparaba otros 4.000, amén de 6.000 picas.

Tal informaba la emperatriz Isabel a Carlos V desde Madrid, el 4 de diciembre de 1535:

> En lo de los arcabuces y picas, scrive Antón de Urguiçu que tiene hechos dos mil arcabuzes, con sus adereços, del asiento de Barcelona; y los otros dos mil medio hechos y las picas acabadas, y que para el tiempo que es obligado, y antes, los porná en Málaga. Y también acabará este ivierno el otro asiento que aquí mandé tomar con él de otros dos mil arcabuzes y seis mil picas...[9]

Estamos ante una muestra de las muchas referencias documentales de la época que custodia el Archivo de Simancas. Lo que quiere decir que para el tipo de ejército del Quinientos, el español se encontraba suficientemente pertrechado con la industria nacional. Y ello porque todavía no era necesaria una industria pesada como soporte de la guerra.

Ahora bien, hay que insistir en que los ejércitos de la Monarquía católica estaban integrados por soldados de muy diversas nacionalidades, pues junto a los españoles encontramos a italianos, alemanes y valones. También hay que insistir en que los tercios viejos no suponían sino una cuarta o quinta parte del total. En mis viejos estudios en torno a las *Memorias* de Carlos V pude precisar la composición de su ejército en las campañas de la guerra contra la Liga de Schmalkalden. Pues bien, para un total de 51.000 infantes, sólo 10.000 eran españoles (eso sí, prácticamente dos coronelías, lo que equivalía a una división), siendo ligeramente superados por los italianos y triplicados por los alemanes[10].

Escasos efectivos, pues, pero que estaban bien compensados por su valía. A ese respecto, todos los testimonios son unánimes. Fernando de Austria pe-

---

[9] Isabel a Carlos V, Madrid, 4 de diciembre de 1535 (en Carmen Mazarío, *Isabel de Portugal, emperatriz y reina de España, op. cit.,* pág. 424).

[10] Carlos V, *Memorias,* ed. crítica de Manuel Fernández Álvarez, Madrid, ed. Cultura Hispánica, 1960, págs. 145 y 146, nota 59.

dirá continuamente a su hermano, el Emperador, que le envíe aunque sólo fueran unos pocos españoles, para que le ayudaran en la defensa de la peligrosa frontera turca. Y el mismo Carlos consideraría que eran indispensables para mantener el dominio sobre Italia, como se lo recomienda a su hijo Felipe II en sus Instrucciones de 1548:

... tener siempre alguna gente española en Italia... [11]

Y es que las limitaciones técnicas de la época daban tal oportunidad todavía a esas pequeñas formaciones de infantería militar, cuando ya había pasado la hora de la caballería y cuando aún no hacía sentir verdaderamente su peso la artillería.

¿Dónde se reclutaban los tercios viejos? ¿Cuál era su cantera? En principio, en la Corona de Castilla. Hemos podido comprobar en la documentación de Simancas que el tambor del sargento reclutador resonaba sobre todo en las dos mesetas, en Extremadura y en la alta Andalucía, aunque también mandaba contingentes de cuando en cuando la Asturias campesina. Pero sobre todo era la tierra de los pastores trashumantes la que nutría mayoritariamente a los tercios viejos, de igual modo que era la tierra por excelencia de los conquistadores. Como anotó certeramente Carande, aquellos pastores eran los que más fácilmente se convertían en fieros soldados y en duros conquistadores.

Veamos algunos ejemplos. En 1548 se ordena un reclutamiento a cargo de cuatro capitanes, cuyos nombres conocemos: Francisco de Zapata Osorio, Álvaro de Grijalba, Diego Alvarado y Andrés Palomo. Se les asignaban zonas concretas y número de las levas, que eran

Guadalajara, Madrid y Alcalá	250
Salamanca y Plasencia	450
Marquesado de Villena	450
Ávila, Villacastín, El Espinar	150
Cuenca y Huete	250
Grado, Pravia, Salas, Valdés, Tineo, Cangas de Tineo, Somiedo y Miranda, «que son el Principado de Asturias»	300
Total	**1.850**

Y la documentación nos da otra pista, pues en el caso de Asturias nos señala que los reclutas debían ser pagados por las villas del Principado, lo que nos da un modelo de ejército a mitad de camino entre el medieval y el moder-

---

[11] *Corpus documental de Carlos V, op. cit.,* II, pág. 581.

no, pues si aquellos bisoños se integran en los tercios viejos, su paga no corría siempre a cargo de la Corona[12].

Esos eran los soldados nuevos, los que en Italia llamaban «bisoños» *(bisognos)*[13], que el Consejo de Guerra tenía buen cuidado de darles un período de integración, intercalándolos con los veteranos de los tercios viejos en Italia; la tierra que venía a ser, para ellos, como la escuela del arte militar.

Los tercios viejos cobraban también su paga, pero no tan crecida como los mercenarios alemanes (los *landsquenets)* o suizos, de los que, además, les distinguía aquello que ya hemos señalado: que ellos sólo servían al Rey de España, y, también, su patriotismo, como cuando en la campaña napolitana de 1528 renunciaron a exigir su inmediata paga, para que les fuese abonada a los otros mercenarios extranjeros.

Y hemos dejado aparte, porque su importancia era menor, las otras formaciones militares, como la caballería y la artillería.

En cuanto a la caballería se tenía, sin embargo, cierto cuidado con ella, como lo demuestra el hecho de que en tiempos de guerra se prohibía la exportación de caballos, en especial los andaluces, que eran muy apreciados. De todas formas, la caballería española del Quinientos no podía medirse con la francesa, de gran tradición bajomedieval, la caballería pesada francesa, cuyo modelo era el llamado «hombre de armas» o «gente de armas» (el «gendarme» citado en la documentación de la época). Era la verdadera fuerza del ejército francés, cuya primera acometida tanto temía Carlos V.

> Y si os quiere mover guerra en la parte de Italia —advertía a su hijo en 1548— ternéis el dicho Estado de Milán fortificado..., y se podrá defender del primer ímpetu, que es lo que más se debe temer del francés...[14]

Aunque Carlos V alude a una primera fase de la guerra, también podría decir algo similar respecto al comienzo de una batalla, donde la carga de la caballería pesada francesa era lo más temible. Frente a ella, la caballería pesada del ejército imperial estaba integrada casi exclusivamente por flamencos y alemanes. De hecho, en el recuento de la caballería pesada que entró en guerra en aquella ocasión nos encontramos con estos efectivos: 7.000 flamencos y 3.000 alemanes, y ningún español[15].

Tampoco poseía la Monarquía católica caballería ligera española, acudiendo por ello a reclutar húngaros y croatas, como ocurrió en la citada guerra contra la Liga de Schmalkalden; siendo claramente distintas las funciones de la una y de la otra, pues si la pesada era la empleada en el pleno del combate,

---

[12] Archivo de Simancas, Estado, Castilla, leg. 135, fols. 196, 197, 216, 217, 221, 240 y 246.

[13] Porque era la palabra más usada por el nuevo soldado cuando se veía en Italia, la primera que aprendía *(bisogno,* esto es, necesito).

[14] *Corpus documental de Carlos V, op. cit.,* II, pág. 580.

[15] Carlos V, *Memorias,* ed. cit., pág. 146, nota 59.

la segunda tenía por misiones, ya la exploración en las marchas del ejército, ya perseguir al enemigo y consumar la victoria.

Ahora bien, esa caballería imperial también estaba atenta a las novedades bélicas. Pues fue la primera que modernizó su armamento, dotándola de armas de fuego, que además resultaron decisivas en su primer combate, sorprendiendo al enemigo. Tal ocurrió en la campaña de 1544, cuando Carlos V emprendió una ofensiva sobre París, lo que el Emperador recordaría en sus *Memorias,* y de esta forma:

> Y así, pasando por Vitry, S.M. se asentó junto a Châlons en la Champagne, donde tuvo algunas buenas escaramuzas, en las que los franceses no ganaron nada ni quedaron muy contentos de los pistoletes o pequeños arcabuces de los alemanes [imperiales] a caballo... [16]

Tampoco era fuerte la artillería propiamente española, teniendo que acudir en este terreno a la industria alemana. Precisamente, una de las partes más apreciadas del botín conseguido en la guerra contra la Liga de Schmalkalden fue la artillería tomada a los príncipes luteranos alemanes, enviada en buena parte a España para fortalecer la frontera con Francia, y el resto, al Milanesado, con igual propósito [17].

Evidentemente, las fundiciones de artillería hispanas, como las existentes en San Sebastián, Burgos, Sevilla y Barcelona, eran muy inferiores a las alemanas. Sin embargo, conviene señalar que también en el campo de la artillería se estuvo al tanto de las posibles novedades bélicas, como lo prueba el que fueron los artilleros españoles los primeros en emplear en esta época un nuevo proyectil, la bomba, cuya invención se atribuye al fundidor español Simón, y que ya empezaría a emplear Alejandro Farnesio en sus campañas de los Países Bajos; como también sería la artillería de la Monarquía católica hispana la primera en disparar la llamada «bala de iluminación», un sencillo dispositivo que consistía en una bala envuelta en estopa que, al incendiarse, iluminaba el campo enemigo, permitiendo conocer su disposición y sus posibles intentos nocturnos.

Y debiérase añadir que fue un español, Pedro Navarro, el primero y más destacado en el arte de las minas y contraminas, que sería también una verdadera novedad de aquel siglo.

Al igual que en la caballería, también cabe distinguir en la artillería de la

---

[16] *Memorias, op. cit.,* insertas también en el *Corpus documental de Carlos V,* ed. cit., IV, pág. 521; la historiografía francesa recoge la sorpresa de la nueva arma en aquellos combates: «Leur fusil —de la caballería imperial—, arme toute nouvelle, fut fatal aux français qui n'en avaient pas encore...» (Rozet y Lembey, *L'invasion de la France et le siège de Saint-Dizier par Charles Quint en 1544,* París, 1910, pág. 171).

[17] Recordemos la advertencia de Carlos V a su hijo Felipe II: «... ternéis el dicho Estado de Milán fortificado y será bien proveído de artillería, la que envío allí de la conquista de Saxa...» (Instrucciones de 1548, en *Corpus documental de Carlos V, op. cit.,* II, pág. 580).

época dos tipos distintos: la pesada, buena para batir las murallas enemigas, y la ligera o de campaña. De ellas, la única verdaderamente eficaz era la primera, pues la artillería ligera todavía no había alcanzado un grado de eficiencia que le hiciera ser un factor importante en las batallas. Incluso la pesada, empleada en campaña, tenía entonces escaso valor, de modo que Carlos V nos recuerda en sus *Memorias* cómo aguantó en la campaña de 1546 el fuego artillero enemigo a campo abierto, recibiendo 900 tiros «de artillería gruesa», y sin contar con abrigo alguno. Y comenta:

> ... y por la gracia de Dios, la dicha artillería no hizo gran daño... [18]

En conjunto, puede afirmarse que, en lo que se refería al ejército de tierra, la Monarquía católica estaba a la cabeza de su tiempo, y de ahí la fama de invencible que adquirió, en particular por la fiereza de sus tercios viejos, que parecían vencer cualquier obstáculo; lo que les daba aquella particular arrogancia (tan aborrecida, por otra parte, por sus adversarios), como cuando a Álvaro de Sande, al atravesar el norte de Italia, se le advirtió que no se le toleraría su paso por ciertos lugares del ducado de Urbino. «Reíme...» Tal fue su réplica.

Por lo tanto, un instrumento armado que permite a la Monarquía católica imponer su ley en Europa. Y la Corona comprende que no puede abandonar a su suerte a los veteranos que, viejos e impedidos, regresaban a España, tras haber servido largos años en la guerra. Desde mediados de la centuria existía ya una ayuda de la Hacienda Real para los tales, como lo demuestra la cédula regia de 9 de septiembre de 1555 a favor de los soldados que hubieren servido más de diez años y siendo pobres, con unos bienes raíces no superiores a los 400 ducados y estuvieran viejos o impedidos, cobrasen la tercera parte de sus pagas [19].

En más de una ocasión hemos aludido a la importancia del ejército de la Monarquía católica como el verdadero sostén de aquel imperio. Habría que añadir que sus frecuentes victorias podían llevar con exceso al Rey, y de hecho le llevaron, a emplear el argumento militar, cuando en ocasiones debieran haber sido otros los manejados; baste recordar la crisis de 1567 en los Países Bajos, con la decisión, tan discutible, de mandar al duque de Alba al frente de los tercios viejos.

Por otra parte, añadiría que se observan ciertas diferencias entre los tiempos de Carlos V y los de Felipe II; como si se apreciara una mayor euforia en la época carolina. Y la razón estaría tanto por los objetivos que se fijan como por la forma en que se acometen.

---

[18] *Memorias,* ed. cit., en *Corpus...,* IV, pág. 541.

[19] Tal era el caso del soldado Hernando Ordóñez, que había servido más de quince años en la compañía de gente de armas del conde de Alba de Liste, con su lanza y sueldo de 40.000 maravedíes anuales, y al que se le reconocían 13.333 maravedíes anuales. (Archivo de Simancas, Estado, leg. 138, fol. 298; minuta.)

Carlos V es el Emperador de la cristiandad, por cuya circunstancia se entiende que ha de asumir ciertas responsabilidades. Como tal, se le ve una y otra vez acometer empresas con caracteres de auténticas cruzadas, como las que lleva a cabo contra el Turco; y eso, en la España que tenía tan cercanos los tiempos del final de la Reconquista contra el reino musulmán de Granada, no podía menos de encontrar un eco favorable. Pero además se le ve asumir los riesgos de aquellas guerras, convirtiéndose en el primer soldado de sus tropas. Es el rey-soldado, en lo que venía a imitar a Fernando el Católico en la etapa inicial de su reinado, a quien se le reconocía el gran mérito de la toma de Granada. Y esa presencia del rey-emperador en las campañas era una de las cosas por las que tan alta se mostraba la moral de su ejército, como cuando los tercios viejos, enardecidos por la vista del Emperador, tomaron al asalto y en unas horas unas fortalezas que la gente tenía por inexpugnables, en la campaña del verano de 1543 contra el duque de Clèves; o cuando, cuatro años más tarde, esos mismos soldados de los tercios viejos fueron capaces de lanzarse en abril a las aguas semiheladas del Elba, con las espadas en la boca, para sorprender al enemigo apostado en la otra orilla, consiguiendo así la victoria de Mühlberg.

Nada de eso iba a verse bajo Felipe II, que tenía otra concepción de cómo debían afrontarse las guerras: para eso estaban sus generales, como veremos que, a fines de su reinado, aconsejaría a su yerno el duque de Saboya.

Una actitud que podría parecer muy moderna, pero que en realidad venía a desvirtuar lo que suponía el estilo de las monarquías autoritarias, como era la católica, donde el pueblo admitía ese absolutismo del Rey siempre que asumiera personalmente sus deberes como gobernante, viendo en él al mejor alcalde para impartir en última instancia justicia y al gran capitán de sus ejércitos para defender mejor al reino de sus enemigos.

* * *

Hemos dado preferencia al ejército, y dentro de él a los tercios viejos, porque los consideramos el verdadero instrumento armado de la Monarquía católica en su proyección al exterior, que la hace tan poderosa, y que, en un momento de emergencia, también podría serlo en el interior, para demostrar que nadie podía retar a la Corona sin un severo correctivo.

Evidentemente, la maquinaria bélica no se limitaba al ejército, por lo que habría que hacer referencia también a la marina. Ahora bien, la marina de guerra estaba en el siglo XVI en un período de germinación. La Monarquía católica en un principio sólo sentía necesidad, a ese respecto, de defender sus costas mediterráneas de los asaltos de los corsarios berberiscos, y en particular de la enemiga de Barbarroja, desde su enclave de Argel, y, por supuesto, de mantener abiertas las rutas marítimas con sus dominios de Italia. Existirá, por tanto, un constante forcejeo por el control del Mediterráneo occidental, donde la Monarquía no sólo tendrá que luchar con Barbarroja, sino también con la Francia de Francisco I.

Para esa necesidad, la Monarquía tendrá en servicio un cierto número de galeras, que vigilaban sobre todo el Levante español o que servían de protección a las naves que pasaban de España hombres o dinero con destino a Italia. Y lo cierto es que las partidas de Hacienda constatan la atención prestada a esas galeras de España, mandadas por un general de la Mar (un cargo importante, sin duda; en su día, lo desempeñaría nada menos que don Juan de Austria). Pero su coste era muy elevado, como veremos en el capítulo siguiente dedicado a la financiación del Imperio; de forma que apenas si se llegaba a las dos docenas de galeras, cifra muy inferior a la que podía poner en el mar la marina turca. De ahí que Carlos V se valga del auxilio de la marina genovesa de los Doria y que se limite generalmente a una acción defensiva. De modo que, cuando proyecta una ofensiva, negocie una alianza con otras potencias cristianas, como lo haría con la llamada Santa Liga de 1538, con Venecia y el Papa.

Ahora bien, ese acuerdo con la marina genovesa, que a mediados de siglo recibía 129.000 ducados anuales para el mantenimiento de una flota de 21 galeras, si ayudó a mantener Italia bajo el predominio de España, también tuvo sus efectos negativos, al renunciar la Monarquía a un esfuerzo propio, promoviendo más enérgicamente a la marina catalana, que tan brillante papel había tenido en la Baja Edad Media.

En ese sentido, no cabe duda de que Barcelona fue postergada frente a Génova y que se perdió una buena ocasión para interesar a Cataluña en las empresas generales de la Monarquía.

Estaba también la marina de guerra del Océano, pero tan en sus inicios, que era frecuente acudir al embargo de naves particulares de mercaderes para completar la armada.

En todo caso, esa marina estaba servida por galeones con dos misiones: proteger la ruta de las Indias Occidentales y combatir a los corsarios de las naciones rivales de la Europa occidental, preferentemente franceses e ingleses. Y en ese sentido, puede afirmarse que el sistema funcionó razonablemente bien, en cuanto a la protección de las flotas de Indias, y con altibajos en cuanto a la lucha con las potencias marítimas, porque se descuidó un aspecto tan importante como la modernización de las naves, de acuerdo con los avances de la técnica náutica bélica en los dos aspectos básicos: la velocidad y la potencia de fuego.

Sería un proceso lento, pero muy grave. Todavía, en la década de los sesenta, las naves de Pedro Menéndez de Avilés se impondrían a las francesas en su lucha por el control de la Florida; veinte años después, nada se podría hacer contra la armada inglesa de la reina Isabel.

Por lo tanto, la Monarquía tendría formidablemente dispuesto su ejército de tierra, y al poder mantener los cuadros de soldados y oficiales de sus tercios viejos y armarlos con la industria de guerra nacional, demostraría lo que en verdad era: una primera potencia terrestre, al modo de la antigua Roma. Y dentro de esa potencia, Castilla, la Castilla meseteña, sería el alma de ese

Imperio. Pero la Monarquía no sería capaz de hacer algo similar en el mar, y lo acabaría pagando.

También aquí Castilla, la Castilla de pastores trashumantes, soldados de los tercios viejos y conquistadores de Ultramar, daría su estampa, mostrando sus ventajas y sus carencias, que serían las del Imperio que forjó a su imagen y semejanza.

4
LA FINANCIACIÓN DEL IMPERIO

He aquí una de las cuestiones más difíciles, uno de los problemas más graves que tuvo que afrontar el Imperio español desde sus principios en el siglo XVI: su financiación. Y, sobre todo, porque, pese a las enormes riquezas que le llegaban de las Indias Occidentales, varios factores jugarían en su contra.

En primer lugar estaba el hecho, incuestionable, de que Castilla, que era su núcleo básico, tenía escasos recursos, en comparación con el resto de la Europa occidental, donde estaban precisamente sus grandes competidores.

El segundo factor negativo era que en esa Castilla estaba escasamente desarrollado su sistema económico, también aquí en clara desventaja con sus vecinos continentales.

Y el tercer punto, cuando menos, es que sus hombres de Estado, empezando por sus reyes —y no es preciso recordar que estamos en una época de monarquías autoritarias, donde el rey reina y gobierna—, afrontan las mayores empresas, aunque ello les suponga endeudarse y endeudar, arruinando increíblemente, a sus pueblos, en particular a la tantas veces mencionada Castilla.

En este sentido, bien puede afirmarse que pocas veces el cargo —o, si se quiere, el destino, tomado aquí en su doble acepción— condicionó tanto la mentalidad del gobernante. Pues Felipe II, cuando era el príncipe gobernador de España, en ausencia de su padre, el emperador Carlos V, procura defender a sus súbditos de Castilla de la constante presión tributaria del Emperador, le señala sin ambages su extrema penuria e incluso le advierte que lo mejor sería que limitase sus ambiciones, acomodándose a la dificultad de los tiempos.

Sería aquello que expresaría con un deje de amonestación, pese a que se dirigía al padre y al rey-emperador. Pues se atreve a decirle:

> Y de dónde se haya de proveer lo que no se puede excusar, no se puede alcanzar. V.M. que lo sabe y entiende mejor todo, lo puede

considerar, si fuere servido; que de acá no paresce que se puede dexar de acordárselo...

Es entonces, tras ese preámbulo preparatorio, cuando el príncipe añade,
con tono grave:

> ... para que, desengañado de lo de adelante, pueda medir las cosas se-
> gún lo que se podrá y no según sus grandes pensamientos...

Así hablaba Felipe II en 1544, cuando tenía diecisiete años y era el *alter
ego* de su padre, para el gobierno de España. Medio siglo después, al final ya
de su propio reinado, actuará de modo bien distinto, aplicando a su pueblo
medidas económicas aún más duras que las impuestas por su padre.

Y, sin embargo, no cabe duda de que Felipe II intentó poner orden en la
Hacienda regia desde los principios de su reinado, pues tal hay que considerar las nuevas Ordenanzas del Consejo de Hacienda de 1554, cuando ya de
hecho era el que gobernaba España. Y parece claro que precisamente por ese
intento de ordenar su Hacienda, tan quebrantada, es por lo que apoya la paz
con Francia de 1559, que pone fin a las interminables guerras que había protagonizado su padre, Carlos V, y de las que tan cansada estaba España entera,
como lo muestra el alborozo con que se acoge a la nueva reina, aquella Isabel
de Valois, a la que el pueblo titularía precisamente como Isabel de la Paz.

En lo que sí se mostró verdaderamente eficaz la Hacienda Real, para mal
de sus pueblos, fue en arbitrar nuevos procedimientos para conseguir más y
más dinero de Castilla. Y esa mentalidad será la que lleve a la Corona a escuchar las proposiciones de Luis de Ortiz para que el patrimonio del Rey fuera
«acreçentado», prometiéndole el 3 por 100 de todo lo que por su diligencia
resultare para la Corona[1].

Las nuevas Ordenanzas de 1554 trataban de poner remedio en un abuso
de aquella incipiente burocracia: el absentismo. Y eso llevado a cabo por los
principales ministros. Así se ordenaba a los contadores mayores que sirviesen
en sus cargos, y no representados por tenientes. Pero, sobre todo, tratando de
poner en práctica arbitrios con que allegar nuevos recursos. Y, entre ellos, la
venta de términos concejiles. Y también aumentando los ya existentes, como
en torno al estanco de la sal, las aduanas de los puertos secos y las cargas sobre la exportación de paños.

Algo muy protestado por las Cortes de Castilla, aunque con poca fortuna, obteniendo en la mayoría de los casos del Rey respuestas evasivas, como
cuando las de 1563 protestaron contra la venta de lugares de realengo[2]. Tres

---

[1] *Memorial* de Luis de Ortiz, ed. crítica publicada en mi libro *Economía, Sociedad, Corona*,
Madrid, 1963, págs. 375 y sigs.; la promesa regia, en la pág. 458: «Primeramente que de todo lo
que sacare que descubriéredes, así en dinero como en renta perpetua o de otra manera, para hacer el dicho desempeño, se os dé e gozéis de tres por ciento de todo ello...»

[2] *Actas de las Cortes de Castilla*, Madrid, 1861, I, pág. 306.

años más tarde, al mantenerse la misma queja, el Rey prometería que en adelante consultaría con las Cortes[3].

Era como un indicio de buena voluntad regia para un control más eficaz del gasto, si no fuera porque no lo hacía en lo que tenía más en la mano: los gastos de palacio. Algo denunciado por las Cortes castellanas:

> ... los gastos de vuestro real estado y mesa son muy crescidos...

Y los procuradores le piden al Rey que pusiera remedio en ello, aunque sólo fuera para dar ejemplo; a lo que Felipe II respondió con una evasiva: que se vería lo más conveniente[4]. Y ante la protesta por la venta de lugares de realengo, daría una respuesta similar a la empleada anteriormente por su padre Carlos V:

> ... las necessidades que se nos han ofrecido han sido tan grandes y tan urgentes, de cuya provisión y remedio dependía tanto el sustentamiento de nuestros Estados, que no habemos podido excusar de hazer las dichas enajenaciones...[5]

Y añadía, prometiendo algo que es dudoso que creyera que podía cumplir:

> Y en lo de adelante está ya puesto el remedio y habemos prometido de lo así hazer, y que aquello guardaremos y cumpliremos.

Y es que existía una diferencia básica entre los dos planteamientos: el de los procuradores en Cortes y el del Rey. Para los procuradores la cosa era sencilla: acomodar los gastos a los ingresos. Como pudiera hacerse en una economía familiar, partían del principio de hacer recuento de los ingresos y a ellos sujetarse en los gastos, conforme a la máxima: si ganas cien y gastas noventa, hombre feliz; pero si ganas noventa y gastas cien, hombre desgraciado.

Pero Felipe II, que, cuando príncipe y gobernando la nación en ausencia de su padre, parecía ir por esa vereda, una vez en el trono volvió al planteamiento usual de la Corona, que posiblemente es el de muchos Estados: marcarse primero los gastos y sobre ellos ver la manera de allegar los recursos necesarios.

Sigamos sus pasos. Veamos cuáles eran las partidas más importantes de aquella Monarquía, a mediados de siglo: los gastos de la Casa Real, del sistema polisinodial, junto con la justicia, de la diplomacia y del ejército.

Primero, la Casa Real, aunque mejor sería decirlo en plural, pues a lo largo de todo el siglo se anotan varias en cada presupuesto, como hemos de ver.

---

[3] *Actas de las Cortes de Castilla,* Madrid, 1861, II, pág. 416.
[4] *Cortes de los antiguos reinos de León y Castilla,* Madrid, 1903, V, pág. 809.
[5] *Ibídem,* pág. 810.

En esas casas reales, aparte de los personajes de la familia regia, nos encontramos con todos los cargos palaciegos, desde los más altos (camarero mayor, maestresala, etc.) hasta los porteros, sin olvidar los llamados continos del Rey, las damas de la Reina, la capilla real (frondosísima, con un capellán mayor y más de doscientos capellanes), la capilla musical, el personal de las caballerizas regias, el vinculado a la caza (acaso la distracción favorita de los Austrias mayores) y el que cuidaba del mantenimiento de los sitios reales (alcázares de Segovia, Madrid, Toledo y Sevilla; sitios reales de Ávila, Valsaín, El Pardo y Aranjuez).

En este sentido, si no cabe hablar de un ahorro, sí de que Felipe II apenas si cambia el presupuesto de las casas reales, como puede verse comparando el de 1544 con el de 1562:

PRESUPUESTO DE 1544 [6]

	Ducados
Casa de Carlos V	250.000
Casa de la reina Juana	38.000
Casa del príncipe Felipe	32.000
De la princesa María Manuela	22.000
De las infantas María y Juana	20.000
Total	**362.000**

PRESUPUESTO DE 1562 [7]

	Ducados
Casa del Rey	250.000
Casa de la Reina	80.000
Casa del príncipe don Carlos	50.000
Casa de don Juan de Austria	15.000
Casa de la princesa Juana	15.000
Total	**410.000**

Por lo tanto, Felipe II mantiene para su casa la misma cantidad que había asignado el Emperador para la suya. No cabe comparar aquí las casas de las

---

[6] Archivo de Simancas, Estado, leg. 59, fol. 185.

[7] En Modesto Ulloa, *La Hacienda Real de Castilla en el reinado de Felipe II*, Madrid, 1986, pág. 94.

dos reinas, Juana la Loca, la madre de Carlos V, e Isabel de Valois, la tercera esposa de Felipe II, pues la primera, aunque manteniendo todos sus títulos, en realidad era una regia cautiva (la cautiva de Tordesillas), y la segunda era una reina reinante, con todo el aparato de una corte regia. En cambio, sí asombra que el Rey asigne para su hijo don Carlos una cifra mucho más alta que la que él disfrutaba cuando también era príncipe, en 1544. Y no deja de llamar también la atención el que don Juan de Austria, al que se le niegan los títulos que tanto ansiaba, sí tuviera una partida económica idéntica a la princesa Juana.

Por supuesto, las partidas tendrán modificaciones en función de las altas y bajas de la familia real, pero el monto total apenas si varía, manteniéndose en los últimos años del reinado:

PRESUPUESTO DE LAS CASAS REALES [8]

	1588 (ducados)	1591 (ducados)
Casa del Rey	274.000	274.000
Casa de «Sus Altezas»	100.000	100.000
Casa de la Emperatriz	20.000	20.000
Casa del archiduque Alberto	24.000	24.000
Total	**418.000**	**418.000**

¿Qué gastos se afrontaban en esas partidas? Ya lo hemos indicado: en primer lugar, los gastos propios del Rey (mesa, vestuario, desplazamientos); después, los salarios del personal palatino (lo que podríamos denominar «la corte»). Y también los gastos vinculados a la caza (78 personas aparecen adscritas a ese capítulo en 1555), a la caballeriza y a la capilla musical. Y todo con el boato que había marcado el Emperador, desde que fija para la Casa Real española la etiqueta borgoñona, en 1548, y que Felipe II mantiene, al igual que sus sucesores. Pues en ese sentido se llamaría a engaño el que creyese, bajo la idea de un Felipe II personalmente austero —el de las monásticas habitaciones de El Escorial—, que también lo era su corte.

Como con razón nos dice Modesto Ulloa, se podía ser austero, personalmente, y sumamente gastador en todo lo que afectase al aparato regio [9].

En cuanto a justicia y gobierno del reino (Corona de Castilla), nos encontramos con partidas notoriamente exiguas.

Resulta evidente: los gastos ocasionados por el Gobierno central de la Monarquía y por la justicia en la Corona de Castilla eran verdaderamente reducidos. A mediados de siglo, bajo Carlos V, eran los siguientes:

[8] Modesto Ulloa, *op. cit.*, pág. 94.
[9] *Ibídem*, págs. 94 y 95.

PRESUPUESTO DE 1544

	Ducados
Consejos y oficiales de la Corte	38.000
Tenencias, continos, corregidores y acostamientos de caballeros	60.000 ·
Total	**98.000**

Esa cantidad, dentro de un presupuesto global de 1.790.000 ducados, sólo venía a suponer un 6 por 100 del total. Eso se explica por el parco personal de los diversos Consejos, porque la justicia estaba servida por los pocos alcaldes de casa y corte, el reducido número de magistrados de las dos Chancillerías y las tres Audiencias, y porque el salario de muchos corregidores corría a cargo de las respectivas ciudades cabezas de Corregimientos.

Al final del reinado esos gastos han aumentado, pues sólo los Consejos y las Chancillerías y Audiencias alcanzaban casi los 128.000 ducados, repartidos de esta forma:

	Ducados
Consejos	106.178
Chancillerías y Audiencias	21.750
Total	**127.928**

Tampoco eran elevados los gastos que ocasionaba la diplomacia, tal como vemos lo que tenían asignado las diversas embajadas a mediados de siglo:

	Ducados
Embajada de Roma	12.000
» » Venecia	4.000
» » Génova	4.000
» » Viena	8.000
» » París	6.000
» » Londres	4.000
» » Lisboa	4.000
Total	**42.000**

Ahora bien, en el presupuesto de 1555 que custodia Simancas se consignan 50.000 ducados anuales para los gastos de las embajadas; sin duda, porque se dedicaban los 8.000 ducados restantes para gastos de correos y alguna otra eventualidad [10]. Diez años después, la partida diplomática aumenta en otros 10.000 ducados, consignándose que eran «para embajadores y mercedes»; por lo tanto, para las pensiones que pagaba la Monarquía católica a grandes personajes de otras cortes, lo que significaba, en realidad, verdaderos sobornos. Y habría que incluir también el pago a los espías. En cuanto a otros gastos extraordinarios, iban a otras partidas [11].

Como puede verse, casi la mitad del presupuesto diplomático se lo llevaba Italia, en parte por el papel predominante que jugaba Roma y también por la proliferación de ciudades-Estado, algunos de la importancia de Venecia y de Génova. Y, por supuesto, por el valor que representaba para la Monarquía católica su presencia en Italia, teniendo como uno de sus más destacados objetivos el mantener sus posesiones de los reinos de Nápoles, Sicilia y Cerdeña y del ducado de Milán. Además, era el paso obligado de los tercios viejos cuando habían de operar en el mundo germánico, bajo Carlos V, o en los Países Bajos, bajo Felipe II.

El segundo rango en las embajadas lo tenía Viena, una embajada «familiar», que está de acuerdo con la importancia que desde los tiempos de Carlos V se daba a mantener unas buenas relaciones con la otra rama de la dinastía.

En todo caso, las cantidades eran inferiores a las necesidades, siendo frecuente que los embajadores se endeudasen, para hacer frente a sus compromisos y para mantener el rango de ser el representante del Rey más poderoso de la Cristiandad. Cuando eran miembros de la alta nobleza lo podían tomar como una inversión, para acrecentar en su *cursus honorum,* que le permitieran en el futuro cargos mejor remunerados, como lo eran los virreinatos, o más descansados, como lo eran los de consejeros de cualquiera de los grandes Consejos de la Monarquía. En otro caso, las deudas podían acabar ahogando al embajador, como le ocurrió al obispo Quadra, el sucesor del duque de Feria en la embajada de Londres en 1559. Simancas guarda la relación de sus deudas contraídas en sus cuatro años al frente de aquella embajada, lo que nos permite también conocer el personal de la misma: dos capellanes, un secretario, un camarero, un maestresala, dos gentileshombres, un criado de cámara, un portero, un barbero, un cocinero, dos despenseros, un comprador, un botiller, un repostero, un cantinero, dos lacayos, dos

---

[10] Véase mi estudio *España y los españoles en los tiempos modernos,* Salamanca, 1979, pág. 175.

[11] Modesto Ulloa, *op. cit.,* pág. 102. Por supuesto, en momentos especiales esas pensiones se disparaban y se atendía a ellas con presupuestos extraordinarios; así ocurrió cuando Felipe II emprendió su viaje a la corte de Londres para su boda con María Tudor, en 1554 (*Corpus documental de Carlos V, op. cit.,* IV, pág. 53).

mozos de caballos, un barquero (atención, estamos en Londres), un sastre, seis pajes y dos lavanderas, una de ellas exclusivamente para la ropa del obispo-embajador. En total, 31 personas al servicio de la embajada de España en Londres, que entonces no era de las más destacadas [12]. Eso hacía que las asignaciones se quedasen muy cortas.

Mucho más crecidos eran los gastos del ejército y la marina. En cuanto al ejército, los gastos que podrían llamarse fijos, a mediados del Quinientos, estaban consignados de esta forma:

GASTOS FIJOS DEL EJÉRCITO HACIA 1555

	Ducados
Guardia real..	180.125
Guarniciones (frontera pirenaica, Baleares, presidios norteafricanos)..	231.740
Artillería..	30.000
Fortificaciones	67.000
Total..	**508.865**

A esas cifras habría que añadir el coste de las galeras del Mediterráneo, que en un presupuesto de 1544 se fijaba de esta manera:

	Ducados
Galeras de España	90.000
Galeras de Génova	130.000
Total..	**220.000** [13]

---

[12] «Memoria de los criados que tenía el Obispo Quadra y de lo que se le debía en 1563» (Archivo de Simancas, Estado, Inglaterra, leg. 817, fol. 133; original). Véase mi estudio *Tres embajadores de Felipe II en Inglaterra, op. cit.,* págs. 234 y sigs.

[13] Véase mi estudio *La España del siglo XVI, op. cit.,* pág. 600. En cuanto a la guarnición de las plazas pirenaicas o de los presidios norteafricanos, solía ser de sólo 1.000 soldados, salvo el caso de Orán, acaso por su valor histórico y geopolítico, que estaba protegida con 1.500 soldados y 200 caballos. En conjunto, apenas 8.000 soldados, desparramados por diez presidios. *(Ibídem,* pág. 714.)

Suma que habría que aumentar con lo que suponía para la Hacienda regia el coste de los galeones de la ruta de las Indias, lo que explica que en 1555 los gastos fijados para la marina fueran de 455.000 ducados.

En todo caso, algo era cierto: que los gastos del ejército y de la marina se llevaban la parte del león del presupuesto de la Monarquía católica, destacando los de la marina (a fin de cuentas, estamos ante un Imperio que se extiende por los dos mundos). En contraste, la partida más pequeña, y casi irrisoria, era la de la artillería, que indica el pequeño papel que jugaba entonces. Pero, en su conjunto, cifras muy altas. Y eso en época de paz.

Pronto veremos que esas cifras se disparaban en tiempos de guerra. Pero antes hemos de comparar en un cuadro conjunto las cantidades globales que hemos ido reseñando.

GASTOS FIJOS DE LA MONARQUÍA CATÓLICA
A MEDIADOS DEL SIGLO XVI

	Ducados
Casas reales..	362.000
Gobierno (Consejos) y Justicia	98.000
Diplomacia	50.000
Ejército	508.865
Marina...	455.500
Total	**1.474.365**

Por lo tanto, las fuerzas armadas se llevaban en torno a las dos terceras partes del presupuesto en tiempos de paz. No cabe duda: la parte del león. Y la cosa era aún más grave en períodos de guerra, porque levantar un ejército de unos 45.000 soldados de las tres armas (12.000 españoles de cuatro tercios viejos, 18.000 mercenarios alemanes e italianos, 10.000 jinetes, un tren de artillería de 74 piezas y la oficialidad correspondiente), para toda una campaña, superaba ya los tres millones de ducados, desbordando las posibilidades hacendísticas normales de la Corona y obligándola, como veremos, a buscar recursos extraordinarios. Y aunque aquí encontremos un tanto elevado de culpa en el derroche de los ministros de Carlos V, que heredaban la corrupción generalizada por el poderoso Francisco de los Cobos, todavía treinta años después el marqués de Santa Cruz, aquilatando al máximo sus cuentas y aumentando la proporción de la infantería española, como más segura y más barata, obtenía cifras similares, con arreglo a este cálculo:

EJÉRCITO PARA LA CAMPAÑA DE INGLATERRA EN 1586
(Propuesto por el marqués de Santa Cruz)

	Ducados
Infantería española (28.000 soldados).......	973.600
» italiana (15.000 »).......	426.406
» alemana (12.000 »).......	652.322
Total	**2.052.328** [14]

Apréciese que Santa Cruz sólo apunta los gastos de la infantería. Su ahorro consiste, pues, en que, pese al alza de los precios —una constante en el siglo XVI—, mantiene las cifras respecto a las de mediados del siglo.

Como se ve, el reclutamiento de mercenarios alemanes era lo más costoso. De ahí que cuando se trate de pacificar el reino de Aragón, tras los tumultos provocados por Antonio Pérez en 1591, las cifras sean relativamente módicas, porque el ejército de Vargas está reclutado exclusivamente en Castilla, según los detalladísimos presupuestos que custodia Simancas:

EJÉRCITO PARA LA CAMPAÑA DE ARAGÓN EN 1591
(Presupuesto mensual)

	Ducados
Salarios de la oficialidad	2.657
15.000 infantes	69.764
1.100 lanzas de la guarda	10.897
800 caballos (tipo mesnada)	9.040
200 arcabuceros a caballo	2.186
Artillería..	30.000
Hospital	1.000
Proveeduría e Intendencia.........................	88.400
Correos, espías y extraordinarios	1.500
Total	**215.444** [15]

Eso supuso, para los cuatro meses de la campaña aragonesa, un total de 861.776 ducados. A ese precio, relativamente módico, y usando exclusivamente infantería española, logró Felipe II pacificar el reino de Aragón en la década final de su reinado.

---

[14] Véase mi estudio *La España del siglo XVI, op. cit.,* pág. 716.
[15] *Ibídem,* pág. 717.

¿Qué costo tenía la industria de guerra? Los arcabuces ya hemos visto que se fabricaban en el País Vasco y las armas blancas preferentemente en Toledo. Estaba a cargo de hombres de empresa particulares, con los que la Monarquía cerraba sus asientos cada cierto tiempo, a fin de armar los nuevos reclutamientos, y su costo era relativamente reducido. Las lujosas armaduras que usaba la corte, incluido el Rey, procedían de Milán. Sólo la artillería estaba bajo el control de la Corona (fundiciones de Burgos, Málaga, Sevilla y Barcelona), pero no de forma satisfactoria, como lo prueba el hecho de que Carlos V se apresure a distribuir por las principales fortalezas de España la que había logrado apresar a los príncipes alemanes en sus campañas de 1546 y 1547. Proveer de caballos a la caballería era relativamente fácil, por la buena e importante cría caballar existente (hasta el punto de que una de las primeras medidas, cuando estallaba la guerra con Francia, era prohibir su exportación al país vecino), aunque su precio variase bastante de un año para otro. Sobre esto se poseen algunos datos; así, sabemos que en 1536 un caballo valía 60 ducados. De ahí el elevado costo de la caballería. En un presupuesto de 1555, donde se anota el gasto de la infantería y de la caballería, esto se aprecia claramente [16]:

	Ducados
4 tercios viejos (12.000 soldados)	600.000
10.000 jinetes (sin su oficialidad)	1.066.666

Pero, además, el caballo era también imprescindible como tiro del tren de artillería. Los documentos de Simancas en torno a la campaña de Carlos V sobre Provenza en 1536 nos revelan que la artillería imperial (70 cañones, entre grandes y chicos) requirió ser arrastrada por 2.588 caballos, con un costo de 155.000 ducados, siendo precisos todavía otros 1.500 caballos para los 300 carros de munición (9.900 «pelotas» de hierro y 600 de piedra) [17]. Pero el mayor coste lo suponía el botar galeras, cuya construcción se hacía en las atarazanas de Barcelona, y los galeones de la carrera de las Indias, si bien su mantenimiento corría en este caso a cargo del impuesto especial de la avería, montado por Carlos V hacia 1537, que cargaba básicamente sobre el comercio de las Indias, con un menor coste para la Hacienda Real.

Por lo tanto, los gastos extraordinarios, en caso de guerra, sobrepasaban con creces a los ingresos fijos, que, como hemos de ver, se cifraban en algo menos de tres millones de ducados anuales. Y como la guerra era lo más frecuente, hasta el punto de que a partir del comienzo de las luchas con Francisco I de Francia, en 1521, apenas si se conoce otra cosa, se puede comprender

---

[16] Véase mi estudio *La España del siglo XVI, op. cit.,* pág. 716.
[17] *La España del emperador Carlos V, op. cit.,* págs. 580 y 581.

que pronto la Corona empezase a endeudarse, con lo que hubo que añadir otro gasto extraordinario: el pago de los intereses de la deuda de la Monarquía. En el presupuesto de 1555 esos intereses aparecen así reflejados:

	Ducados
Situados en rentas de los maestrazgos	50.000
Situados y juros a cargo de la Contaduría Mayor	1.342.266
Descargos del Emperador..	100.000
Total...	**1.492.266**

En aquellas fechas de mediados de siglo, pues, cuando se iba a producir el relevo en la cumbre, la deuda que dejaba el Emperador era tal que el pago de sus intereses devoraba en torno al 50 por 100 de los ingresos fijos de la Corona, valorados entonces en 2.865.818 ducados. Pese a sus buenos deseos, que hace comprender que escuchara con interés la oferta del contador Luis de Ortiz de sus arbitrios «para desempeñar la Real Hacienda», Felipe II no logró librarse de tan agobiante situación, ni lo conseguiría jamás a lo largo de su reinado. De ahí que se vea obligado a la conversión forzosa de 1557 y a las dos suspensiones de pagos de 1575 y 1596.

La situación era tan difícil que, cuando el Rey emprende su vuelta a España en 1559, el monto de toda la deuda de la Monarquía ascendía a cerca de veinticinco millones de ducados [18]. «Todo está consumido», sería el gemido constante de los responsables de la Hacienda Real.

La paz de Cateau-Cambrésis, que liquidaba las sempiternas luchas con Francia, abrió el horizonte. Se pudo pensar en medidas de reajuste económico.

Pero había otra alternativa, más engañosa y, sobre todo, más gravosa para el sufrido pechero: buscar otros ingresos.

Y ésa fue la que se siguió. Y sería una constante a lo largo del reinado: ver la forma de aumentar lo que se recaudaba por los impuestos existentes o cargar a la Corona de Castilla con otros nuevos, lo que acabaría siendo muy dañoso para la economía castellana.

---

[18] Modesto Ulloa, *op. cit.,* pág. 150.

5
LOS INGRESOS DE LA MONARQUÍA

Este capítulo también podría haberse titulado «A la búsqueda de nuevos recursos», pues, como hemos de ver, los que existían en 1556, cuando Felipe II recibe la Corona, eran tan insuficientes que desde el primer momento se tratará por el Consejo de Hacienda de aumentarlos, bien consiguiendo elevar su volumen en cada uno de ellos, bien aplicando otros nuevos.

En ese sentido, y para aplicarlos a las necesidades de la guerra, la Monarquía se basará preferentemente en lo que percibía en la Corona de Castilla. A ellos nos referiremos.

Esos ingresos procedían, básicamente, de estas fuentes: las llamadas rentas ordinarias (alcabalas, tercias, aduanas y otras menores, que pertenecían directamente al Rey); los servicios votados por las Cortes; las ayudas de gracia pontificia (bula de Cruzada, subsidio eclesiástico, rentas de los maestrazgos de las Órdenes Militares), y, en cuarto lugar, las remesas indianas. Las dos primeras eran, en principio, fijas, mientras que las dos últimas, muy variables.

Veremos cuál era su cuantía a mediados de siglo y cómo aumentaron bajo el reinado de Felipe II.

HACIENDA REAL DE CASTILLA: INGRESOS EN 1554

	Ducados
Rentas ordinarias	1.365.550
Servicios votados en Cortes	400.000
Rentas de gracia pontificia:	
— bula de Cruzada	324.155
— subsidio eclesiástico	147.000
— rentas de los Maestrazgos	279.113
Remesas de Indias	360.000 [1]
Total	**2.875.818**

[1] Cifra más baja de la media del reinado; lo comentaremos.

Por lo tanto, por debajo ya de los gastos fijos de la Corona, al tener que incluir los altísimos intereses de la deuda regia, que por entonces rondaba ya el millón y medio de ducados. Y como en esa relación de gastos no se incluyen los muy crecidos que exigían las empresas exteriores, cada año el desfase era mayor y la deuda más crecida. Como la Monarquía mantendría esa política imperial, trató de encontrar nuevos recursos.

Las rentas ordinarias de mayor importancia eran las alcabalas y las tercias, a las que se sumaban otras de menor cuantía, como aduanas, salinas, etc. Las alcabalas era un impuesto de origen medieval que gravaba las compraventas, que se agrupaban en tres sectores: bienes raíces, paños y productos alimenticios.

Las tercias (que, en su origen, habría que tenerlas como rentas de gracia pontificia, concedidas a perpetuidad por Roma desde fines del siglo XV) procedían del diezmo eclesiástico, que se dividía en tres partes: la del episcopado, la del clero y la de la fábrica de los templos. Era de ese tercio destinado a los templos de donde se beneficiaba la Corona, obteniendo dos tercios (y de ahí el nombre del impuesto), lo que venía a suponer dos novenos del diezmo.

Las alcabalas y tercias se cobraban conjuntamente en régimen de arrendamiento a hombres de empresa, tras la correspondiente puja, pues la rudimentaria máquina de la Hacienda regia no tenía otro sistema; era el modo de asegurar su cobro puntual, aunque con la merma del beneficio que percibía el arrendador (pero que se hubiera gastado, posiblemente con creces, si se hubiera tenido que aumentar la incipiente burocracia estatal para cobrarlo directamente). A efectos del pago por las poblaciones, el sistema era complicado, porque no eran raras las exenciones, como las que disfrutaba la ciudad de Sevilla respecto a las alcabalas de los cereales [2]. Sobre ellas gravaban no poco los intereses de la deuda (los «situados» de los documentos de Hacienda). Las Cortes carolinas habían conseguido su congelación, a cambio de aumentar el valor de los servicios; la razón era clara, pues las alcabalas afectaban a todos, mientras los servicios sólo a los pecheros (y no hay que insistir en que los procuradores de las Cortes castellanas pertenecían al patriciado urbano y, por tanto, a la nobleza media, exenta del pago de los citados servicios). De ese modo las alcabalas se pagaban por el sistema del encabezamiento, que se fijaban para los distintos lugares, con el reparto de las cantidades a pagar.

Más complejo era el sistema de las aduanas, pues no sólo existían en la frontera, sino también en el interior. Los documentos hablan de puertos secos, de almojarifazgos, de diezmos de la mar y además del impuesto llamado del servicio y montazgo.

Los puertos secos gravaban el paso de mercaderías entre las Coronas de Castilla y Aragón y entre Castilla y Navarra. A las aduanas marítimas correspondían los diezmos de la mar (para Galicia y cornisa cantábrica), almojari-

---

[2] Modesto Ulloa, *op. cit.*, pág. 219.

fazgo de Sevilla (para la costa andaluza) y de Indias, para el tráfico de América, controlado por la famosa Casa de Contratación sita en Sevilla. En cuanto al servicio y montazgo, gravaba la circulación de los grandes rebaños de la Mesta.

Con tanta traba al comercio y a la industria se aprecia que la obsesión de la Corona era obtener las mayores sumas posibles, aunque fuera a costa de la economía del país, sin caer en la cuenta de que, a la larga, no podía sobrevivir un rey enriquecido a costa de un país arruinado.

Sin entrar en detalles, diremos que la política de Felipe II fue intensificar aquellos impuestos. Así se pasó de 39 puertos secos, que había a principios de su reinado, a 47, poniéndolos también en la frontera con Portugal en 1559, y si los suprime en 1580, sin duda como una medida política para congraciarse con sus nuevos súbditos, los repone en 1592, cuando la crisis económica le agobia por todas partes[3]. Mantiene, por supuesto, almojarifazgos y diezmos de la mar y aumenta las cargas sobre la exportación de la lana, la principal materia prima que salía entonces de Castilla, tan apreciada en los telares de toda la Europa occidental, desde los Países Bajos hasta el norte de Italia.

En efecto, desde muy pronto, en 1558 (el año del *Memorial* de Luis de Ortiz, y hay para pensar en una posible relación) se proclamaría la pragmática del nuevo derecho sobre las lanas que salían del reino, poniendo como excusa

... las necesidades tan urgentes y tan grandes...

Se trataba de un impuesto nuevo que no venía a sustituir los antiguos, sino a incrementarlos. Eso el decreto lo dejaba bien claro:

... demás y allende de los derechos de almojarifazgo y puertos y diezmos y otros cualesquiera que las dichas lanas pagan...[4]

El decreto fijaba cuidadosamente el peso de las sacas de lana, recortando el trato de favor que antes el gobierno de Carlos V había establecido con los Países Bajos: las sacas habían de ser de ocho arrobas y media de veinticinco libras castellanas, si iban a Flandes, y de diez arrobas si iban a los demás países extranjeros.

Grave medida que pronto hizo sentir a los Países Bajos que con la abdicación de Carlos V habían perdido a su verdadero señor natural. De todas formas, aún seguía siendo el país más favorecido, pues los aranceles se fijaban en un ducado por cada saca, si iban a los Países Bajos, y en dos si se dirigían al resto de la Europa occidental, incluida la Corona de Aragón. Y eso si el mercader exportador era castellano, pues en caso contrario el impuesto se doblaba. Pero como esta última norma era tan fácil de vulnerar, por hombres de

---

[3] Ulloa, *op. cit.,* págs. 237, 238, 253 y 259.
[4] *Ibídem.,* pág. 327.

paja castellanos, se modificó en 1563, al tiempo que se incrementaban las tasas: un ducado y medio para las sacas que iban a los Países Bajos y tres para el resto del extranjero, fuere cual fuere el mercader que las exportase.

Finalmente, en 1566 se establecerían las tasas que regirían para el resto del reinado, manteniéndose las fijadas para los Países Bajos (sin duda, para no agudizar aún más la tensión que entonces empezaba a notarse en Flandes), pero aumentando a cuatro ducados para el resto de la Europa occidental, sin que sirvieran de nada las protestas de las Cortes de Castilla[5].

¿Y los resultados? Veamos las cifras más destacadas a lo largo del reinado:

IMPUESTO SOBRE LAS SACAS DE LANA

Años	Ingresos (en maravedíes)
1558	32.671.124
1564	22.578.091
1566	39.246.923
1577	47.954.189
1582	35.368.049
1592	26.301.643
1598	36.436.000[6]

Se comprende que la bajada que sufre el impuesto en 1564 obligue a la subida de 1566, con ese notorio incremento que se mantendría hasta 1577. El descenso en 1582 se explica por la supresión de las aduanas con Portugal, y la brusca caída de 1592, por la crisis general producida por el desastre de la *Armada Invencible*.

Ahora bien, esto nos da una media anual en torno a los 34.500.000 maravedíes, lo que en ducados suponían 92.000, cantidad no despreciable, dado que, como recordamos, era casi la que se asignaba para los Consejos y la administración de la justicia.

También se consiguió aumentar lo recaudado por otros impuestos: el del servicio y montazgo, que con una media de 53.000 ducados, entre 1557 y 1592, se pasó a 74.000 en los últimos seis del reinado; el de la seda de Granada, que de unos 60.000 ducados a principios del reinado pasó a 90.000 en 1598. Cifras relativamente importantes[7].

Cantidades menores eran las que se obtenían por otros pequeños impuestos, como el que cargaba sobre la sal, pero muy significativos de la vora-

[5] Ulloa, *op. cit.*, pág. 327.
[6] *Ibídem*, pág. 334.
[7] *Ibídem*, págs. 357 y 372.

cidad de la Hacienda Real y de su afán de encontrar nuevos ingresos, ante las presiones de la Corona. Se proyectó hacer un estanco de la sal, dada la importancia de su exportación al norte de Europa, por la necesidad que tenía la industria pesquera para la conservación del pescado. Por supuesto, era también un medio de presionar a países como Francia o como los mismos Países Bajos, pues la sal, como el trigo, podía ser utilizada como medio de presión, tal como se hace ahora con el petróleo.

Igualmente significativas del grado de agobio de la Hacienda Real, sobre todo tras el desastre de la *Armada Invencible* y de la necesidad de encontrar nuevos medios para reponer la escuadra, son las medidas tomadas a costa de los moriscos, en especial de los granadinos, a los que se les impone una carga especial de 200.000 ducados, con el eufemismo de anunciarlos como voluntarios. Así, en unas cuentas de 1593 se hace referencia a los

> ... doscientos mil ducados con que los naturales del dicho reino [de Granada] se obligaron a servir a S.M. graciosamente... [8]

También consiguió la Hacienda Real diversas cantidades procedentes de la venta de los bienes confiscados a los moriscos granadinos sublevados en 1568, que a lo largo de la década de los setenta supusieron una media de 90.000 ducados anuales, invertidos prácticamente en la gente de guerra allí emplazada para la defensa de aquel reino, tan amenazado por las incursiones musulmanas.

En cuanto a las minas, que tan sustanciosas rentas proporcionaban a la Corona las indianas, como hemos de ver, eran prácticamente insignificantes las obtenidas de las castellanas, salvo las del azogue de Almadén —tan necesario para el tratamiento de las argentíferas— y, durante algunos años, la de la plata de Guadalcanal.

Esos años buenos de Guadalcanal fueron los del primer lustro del reinado de Felipe II, con una media anual de 110.000.000 de maravedíes, lo que venía a igualar lo que daban a las Órdenes Militares y sus yerbas; pero, a partir de 1561, Guadalcanal dejaría de ser rentable, y lo mismo puede decirse de las otras explotaciones mineras de la Corona [9].

Más segura resultaba para la Corona la regalía de la trata de esclavos con las Indias, práctica heredada de los tiempos de Fernando el Católico. Sabemos que ése fue uno de los arbitrios buscados para remediar la crisis de 1552, dando licencia a un negrero para pasar a América 23.000 esclavos en siete años, mediante el pago inmediato de 184.000 ducados; operación fallida en última instancia por la oposición de la Junta de teólogos nombrada al

---

[8] Ulloa, *op. cit.*, pág. 532.
[9] Véase sobre esto el notable estudio de Julio Sánchez Gómez, *De minería, metalurgia y comercio de metales,* Salamanca, 1989, II, págs. 609 y sigs.; obra en la que también pueden encontrarse importantes noticias sobre la situación de los esclavos asignados a su explotación.

efecto [10], pero que nos pone en la pista de lo que suponía la trata negrera como fuente de recursos para la Corona. En un memorial de 1560 se estimaba que se podrían sacar 50.000 ducados por las licencias, aunque no dejaran de existir dudas («no es cosa cierta»), pues las fluctuaciones de un año para otro eran muy fuertes. Se conocen, sí, algunos asientos, como el hecho por la Corona en 1595 con el mercader sevillano Pedro Gómez Reinel, que se comprometía a pagar 900.000 ducados en nueve años [11].

Mayores y más seguros eran otros ingresos, como el de gracia pontificia de la Cruzada. Podría resultar asombroso que existiera tal ingreso en pleno siglo XVI, pero, en realidad, ello se corresponde perfectamente con el carácter de confesionalidad propio de la Monarquía católica. Su ciclo era trienal, de acuerdo con los beneficios que se concedían a los compradores de la bula, en la que se recordaba a los fieles que de ese modo mantenían vigentes las gracias concedidas en la bula anterior, produciendo así el efecto psicológico del coleccionista, que cuando adquiere un número tiende ya a conseguir la serie.

Pero los predicadores no se limitaban a suaves incitaciones piadosas. Las quejas de las Cortes prueban que no dudaban en practicar otros medios de persuasión, inclusive la grave amenaza de la excomunión. Y de sus argucias es buen ejemplo la que recoge el anónimo autor del *Lazarillo,* a la que ya hemos aludido, que puede resumirse en su comentario a las tretas del buldero, su quinto amo:

> Cuando por bien no le tomaban las bulas, buscaba por mal se las tomasen...

¿Qué cuantía suponía la bula de Cruzada para la Hacienda Real? Ya hemos visto que en 1555 se cifraba en 325.000 ducados. Para el trienio siguiente se esperaban cifras similares, pero la enemiga del papa Paulo IV lo puso todo en entredicho, y aunque mejoraran después las relaciones con Roma, la predicación de la bula de Cruzada siguió encontrando dificultades, porque el Concilio de Trento, que terminaría por aquellos años, se manifestaba contrario a conceder tales facultades a los reyes, por estar ligadas a la cuestión tan debatida de las indulgencias.

Aun así, y pese a los altibajos que de cuando en cuando tenían las relaciones con Roma, la media anual de lo recaudado en la década de los setenta ascendió a los 500.000 ducados [12]. Sin duda, la auténtica cruzada librada contra el Turco en los años 1570 y 1571 vino a consolidar sus resultados. Gregorio XIII la concedió para los períodos 1577-1583 y 1583-1587, y siguieron su ejemplo Sixto V y Clemente VIII para los últimos años del reinado.

Mucho más conflictivo resultó obtener el llamado subsidio eclesiástico, por la oposición de la Iglesia de Castilla, quejosa ya de que se mantuvieran las

---

[10] Véase mi libro *La sociedad española del Renacimiento,* págs. 182 y 183.
[11] Ulloa, *op. cit.,* pág. 420.
[12] J. Goñi, *Historia de la bula de Cruzada en España,* Vitoria, 1958.

tercias, concedidas a la Corona con motivo de la guerra de Granada, años después de que terminara la Reconquista. Y aunque acabó asumiendo aquel sacrificio, que venía en merma del dinero a emplear en los templos, llevó peor que se le pidiera el subsidio en los tiempos de Carlos V. En 1555, aprovechando la coronación en Roma de un Papa nada amigo del Emperador —Paulo IV—, la Congregación castellana del clero, reunida en Valladolid, mandó un memorial al Papa muy hostil a la política imperial, y en el que se denunciaba el despojo de que estaban siendo víctimas:

... somos expoliados...

Pero, pasada esa crisis frente a Roma, de nuevo el Pontífice reinante fue concediendo licencia para sucesivos subsidios durante todo el reinado de Felipe II: para 1560-64, 1569-74, 1575-80, 1582-88 y 1592-98; con tan sólo, pues, las lagunas entre 1565-68, 1581 y 1589-91. De forma que, contra lo que pudiera creerse, el Papa que más contrario se mostró fue san Pío V, pese a que mientras fue cardenal había estado gozando de una pensión de la Monarquía católica de 800 ducados.

Las cantidades fijadas en el subsidio eran de 350.000 ducados anuales; se puede comprender que el clero se resistiera a tan fuerte pago, que entre otras cosas viene a demostrarnos que frente al fisco no se respetaron sus privilegios; un subsidio que afectó también a otras piezas de la Monarquía, además de a Castilla, aunque en menor cuantía, como puede verse en el reparto de maravedíes a pagar en 1565:

	Maravedíes
Corona de Castilla	114.933.357
Corona de Aragón	13.622.210
Reino de Navarra	1.362.221
Reino de Cerdeña	1.362.211
Total	**131.279.999**

En 1566 se obtiene una nueva contribución del clero: el excusado. En principio, gracias al apoyo de Roma, en atención al anunciado viaje de Felipe II a los Países Bajos para remediar la grave situación provocada por las alteraciones calvinistas. Luis de Requesens, entonces embajador en Roma, lo presentaba al Rey como una buena compensación a la fallida bula de Cruzada:

> ... no pudiéndola haber [la bula de Cruzada] saqué la gracia que
> V.M. habrá entendido, que no es de menos importancia... [13]

Pero su cobro no se inició hasta 1572 y su monto vino a suponer el 80 por 100 de lo obtenido por el subsidio. En todo caso, en su conjunto las diversas cantidades conseguidas por gracia pontificia, pagaderas por el clero o por los fieles, nos encontramos con cifras altísimas, que en los últimos años del reinado alcanzaron hasta 1.400.000 ducados, e incluso 1.700.000, si les añadimos las rentas de los maestrazgos de las Órdenes Militares.

Es más: habría que añadir también las pensiones pagadas a diversos personajes y que cargaban sobre las mitras episcopales. Cada vez que se producía una vacante, el Rey presentaba en Roma un candidato, señalando las pensiones que tenía de antiguo asignadas y las nuevas que le imponía; algo que venía autorizado por el Papa, con tal que las cargas no excedieran de la tercera parte del valor de las rentas de los episcopados afectados [14].

Se trataba, en el fondo, de una nueva renta de gracia pontificia, pues de ese modo la Corona recompensaba a sus ministros, o a aquellos que le habían prestado algún servicio —o que se lo podían prestar—, aliviando a la Hacienda regia de un pago directo más cuantioso. Y de su importancia baste con señalar algunos ejemplos: en 1568, el arzobispo de Sevilla pagó 25.000 ducados por las pensiones que tenía asignadas por el Rey y, en 1577, el de Toledo, nada menos que 60.000 ducados.

¿Quiénes eran los beneficiados? En primer lugar, los grandes personajes de la familia real, como el cardenal-archiduque Alberto de Austria —el sobrino de Felipe II que acabaría casando con Isabel Clara Eugenia—, quien en 1577 gozaba de una pensión de 20.000 ducados sobre las rentas del arzobispado de Toledo; pero también los altos ministros de la Monarquía, como el cardenal Granvela o los sucesivos presidentes del Consejo Real. Asimismo, altas personalidades de la época, en particular de la Iglesia de Roma, como el nuncio del Papa o determinados cardenales, vinculados así a la clientela de la Monarquía católica.

Tal práctica ya se aprecia desde los tiempos en los que Felipe II gobernaba España en nombre de su padre. Así, en un documento de 1554 se recogen diez cardenales italianos a los que debía asignárseles pensión, de ellos, cinco («los viejos») que ya la gozaban, y otros cinco («los nuevos»), a los que en el documento se indica:

> Estos cinco son muy pobres y se podría ganar en hazerles merced...

---

[13] Modesto Ulloa, *La Hacienda Real de Castilla en el reinado de Felipe II, op. cit.,* pág. 623.
[14] *Ibídem,* pág. 641.

Añadiendo después:

> Y Su Santidad muestra que recibirá gran contentamiento dello...[15]

Evidentemente, tal práctica estaba en relación con la política de sobornos para tener propicio al Colegio cardenalicio, tanto a la hora de que fuera elegido un nuevo Pontífice como para resolver favorablemente la multitud de cuestiones que se dilucidaban en Roma en relación con la Iglesia de la Monarquía católica.

En 1558, Felipe II, todavía en Bruselas, ordena el reparto de 47 pensiones, cargadas sobre las rentas de los arzobispados de Toledo, Tarragona y Santiago, y sobre los obispados de Córdoba, Segovia, Ávila y Mondoñedo, con un monto de 20.800 ducados. Entre los beneficiados encontramos de todo: príncipes de la Iglesia (entre ellos, cuatro cardenales italianos), miembros de la alta nobleza y altos magistrados, pero también otros personajes menores, como cronistas (el doctor Páez), capellanes de la corte y frailes[16].

Hemos tratado diversas veces de las rentas de las tres Órdenes Militares castellanas: de Santiago, Alcántara y Calatrava, que ya gozaban los Reyes Católicos. Adriano VI, en 1523, se las vino conceder a Carlos V a perpetuidad, con el título, vinculado ya a la Corona de Castilla, de maestre de las mismas, lo que le vino a convertir en el mayor señor de España, por las rentas que las tales Órdenes conseguían. Estaban cifradas en torno a los 100 millones de maravedíes anuales, con un ligero aumento a lo largo del reinado, como puede comprobarse en el siguiente cuadro:

Años	Maravedíes
1558	94.000.000
1572	93.000.000
1582	98.000.000
1594	108.500.000
1598	110.500.000

Esto es, entre los 250.000 y los 293.000 ducados, que eran las rentas que conseguía el mayor señorío de España, como era el arzobispado de Toledo.

Una renta que acabó perdiendo la Corona, pues se vio forzada a cederla a la casa alemana de los Fugger, para aliviar su deuda con ella.

En cuanto a los servicios votados por las Cortes de Castilla, que gravaban sobre los pecheros, habían sido triplicados por Carlos V, pasándose de 150

---

[15] Archivo de Simancas, Estado, Castilla, leg. 135, fol. 18; minuta.
[16] *Ibídem,* fol. 21.

millones de maravedíes a los 450 millones. Dado que se votaban por tres años, obligaba a la Corona a convocar las Cortes en esos plazos, cosa que Felipe II cumpliría bastante fielmente, con ligeras variaciones: adelantándolas en 1560 y 1588 y aplazándolas en 1567, 1583 y 1592. En dos ocasiones, en 1560 y en 1570, se recabaron sendas ayudas especiales de las Cortes, en relación con las dos bodas del Rey con Isabel de Valois y con Ana de Austria. En total, a lo largo del reinado, Felipe II logró por ese concepto 6.150 millones de maravedíes, lo que —dejando aparte las ayudas especiales por sus últimas bodas— supuso 400.000 ducados anuales.

Y surge la pregunta: ¿cómo es que en este terreno, donde Carlos V había conseguido triplicar lo que se recaudaba con los Reyes Católicos, Felipe II mantuvo las cosas tal como las había recibido al principio del reinado? Quizá porque se entendió que era lo más que se le podía exigir al sufrido pechero castellano. De todas formas, la crisis de 1588 obligó al Rey a un nuevo impuesto: el servicio de los millones. Y eso planteándolo en las Cortes, aunque afectase ya a toda la sociedad, y no sólo a los pecheros.

En efecto, a poco de conocido el desastre de la *Armada Invencible,* Felipe II empezaría a tantear a las Cortes de Castilla para que aprobasen aquel impuesto extraordinario. Su cuantía se fijaba en ocho millones de ducados, a pagar en seis años y recayendo sobre todo el cuerpo social. De ahí que la burocracia filipina procediese al censo general de 1591, recogiendo tanto a los pecheros como a los hidalgos y al clero. Para su cobro se hizo un reparto por provincias, «conforme a su sustancia».

Citaremos algunas de las más destacadas:

Provincias	Cuotas anuales (en maravedíes)
Sevilla	52.560.199
Trujillo	34.265.552
Salamanca	30.706.761
Burgos	23.615.586
Granada	22.000.000 (aprox.)
Córdoba	22.300.476 [17]

No puede menos de sorprender la importancia que entonces se concedía a provincias como Trujillo o Salamanca. En todo caso, el nuevo servicio de los millones se convertía en la mayor renta de la Corona, triplicando el de los tradicionales pagados por las Cortes castellanas.

En 1596, el Rey trató de renovarlo, pero sus forcejeos con las Cortes fueron largos, sorprendiéndole la muerte antes de que pudiera lograrlo. Y en su

---

[17] Ulloa, *op. cit.,* pág. 524.

conjunto, aunque la operación desde el punto de vista de la Hacienda regia fuera un éxito, reflejándose en una recuperación del tono bélico de la Monarquía, no puede silenciarse, como ya hemos indicado, que ello se consiguió a costa de la miseria que se apoderó en adelante del campo castellano, que fue el más sacrificado. Eso sí, se pudieron destinar fuertes cantidades para la Marina, fijadas en 1590 en 1.717.306 ducados [18], o financiar debidamente el pequeño ejército con el que Vargas pudo sofocar en 1591 las alteraciones de Aragón promovidas por Antonio Pérez.

Quedaría ya sólo el referirnos a la última partida de grandes ingresos de la Corona: las remesas de las Indias.

En efecto, todavía faltaría lo más importante: los envíos de metales preciosos de las Indias, procedentes primero de los tesoros acumulados por los antiguos imperios prehispánicos y, después, por las explotaciones de las ricas minas de oro y plata encontradas en los virreinatos de Nueva España y del Perú; remesas que inundaron literalmente a Castilla, desparramándose después por toda la Europa occidental, provocando múltiples consecuencias. Unos metales preciosos que parecen manchados con la sangre de los indios obligados a trabajar en las minas. En principio, y en los tiempos de Carlos V, predominando el oro; después, bajo Felipe II, cada vez más la plata, pero siempre con aquel sacrificio:

> No es plata lo que se envía a España; es sudor y sangre de los indios...

Así lo comentaba un piadoso español del Quinientos, poco escuchado y poco conocido: fray Domingo de Santo Tomás. «Robada la color» por el duro esfuerzo, sacaban los indios la plata del seno de las minas, añade el texto del fraile dominicano [19].

Conocemos las cantidades mínimas que llegaron a España, gracias al estudio de Hamilton, hecho sobre la documentación de la Casa de Contratación de Sevilla; cantidades que bajo Carlos V alcanzaron su máximo en el último lustro del reinado, y llegando a un total de casi diez millones de pesos de 450 maravedíes, de ellos, 3.628.506 para la Corona.

Bajo Felipe II, salvado un bache producido en el primer lustro del reinado, esas cifras irían en constante aumento, hasta rondar los siete millones anuales en la última década.

En números redondos, estas serían las cifras, en pesos, recogidas por lustros:

---

[18] Ulloa, *op. cit.,* pág. 528.
[19] Pierre Vilar, *Oro y moneda en la Historia,* Barcelona, 1969, págs. 141 y 142.

Lustros	Corona	Particulares	Total
1556-60.............	1.500.000	6.500.000	8.000.000
1561-65.............	1.800.000	9.400.000	11.200.000
1566-70.............	3.800.000	10.300.000	14.100.000
1571-75.............	3.300.000	8.600.000	11.900.000
1576-80.............	6.600.000	10.600.000	17.200.000
1581-85.............	7.500.000	21.800.000	29.300.000
1586-90.............	8.000.000	15.700.000	23.700.000
1591-95.............	10.000.000	25.100.000	35.100.000
1596-600.............	10.900.000	23.500.000	34.400.000
Totales...	**53.400.000**	**131.500.000**	**184.900.000**

Cantidades mínimas que habría que elevar en cuanto a las que recibían al menos los particulares, pues fueron no pocas las evasiones al control de la Casa de Contratación de Sevilla, para evitar lo que con frecuencia ocurría: que la Corona, ante los apremios económicos que sufría, se incautase de las remesas que llegaban para los particulares.

En todo caso, cifras lo suficientemente importantes como para ayudarnos a comprender el milagro de la supremacía de la Monarquía católica sobre la Europa del Quinientos. Mal que bien, con mermas importantes por la acumulación de intereses insufribles, lo cierto es que la Monarquía de Felipe II pudo levantar ejércitos y armadas y mantener la guerra con media Europa a lo largo de aquel reinado.

Eso sí, como todo parecía poco, acudiendo a los más diversos arbitrios para hacer frente a las quiebras que la afligieron, e ir parcheando su maltrecha situación; arbitrios como la venta de cargos concejiles, que tan mal llevarían los pueblos (y con razón, porque por adelantado se suponía la poca limpieza con que iban a ejercerlos sus compradores, ansiosos de recuperar lo invertido). Se supo acudir al ahorro de las pequeñas fortunas, poniendo en circulación los *juros,* especie de deuda pública que en principio tuvo cierta aceptación.

Entre los arbitrios, y como uno de los más utilizados, estaría el de la venta de lugares de la Iglesia; esto es, de aquel señorío eclesiástico, en especial de las tres Órdenes Militares y del señorío episcopal. En ocasiones, algunas villas de señorío eclesiástico lograron de ese modo su paso a villas de realengo [20], pero lo más frecuente fue el incremento del señorío civil, por ser los grandes señores —a fin de cuentas, los poderosos de la época— los que se aprovecharon de aquella situación planteada por la Corona. Un incremento del señorío

---

[20] Salvador de Moxó, «Las desamortizaciones eclesiásticas del siglo XVI», en *Anuario Hist. Derecho esp.,* Madrid, 1961, pág. 353.

civil producido también por nuevos señores, porque entre los compradores estuvieron algunos de los que, por una vía o por otra, se habían enriquecido y querían de ese modo incorporarse al envidiado *status* de la media y alta nobleza, como le ocurrió a don Álvaro de Bazán, convertido en marqués de Santa Cruz, o a Francisco de Eraso, el heredero del poderoso ministro de Carlos V, que en 1564 estaba en condiciones de comprar la encomienda de Mohernando. Los compradores, por tanto, serían sobre todo los miembros de la alta nobleza, los príncipes de la milicia y los grandes ministros de la Monarquía; aunque también surgirían señoríos colectivos, dependientes de ciudades, como el caso de Oviedo, que compró buena parte de los lugares de la antigua obispalía ovetense; o, en fin, sería también cuando algunas villas de señorío lograran comprar su libertad, pasando a realengo, como sabemos que ocurrió entonces a las villas asturianas de Castropol, Tineo y Cangas de Tineo (hoy, Cangas del Narcea).

Ya hemos indicado que Felipe II procedió por esa vía, y tras las oportunas licencias pontificias, a la venta de hasta un 20 por 100 de las encomiendas de las Órdenes de Santiago y Calatrava [21].

Y todavía se emplearía otro sistema, para allegar recursos en un plazo breve y de un modo casi desesperado, cuando la situación apremiaba de tal manera que no había modo de esperar: y sería el de acudir al préstamo de particulares; algo que éstos temían, y con razón, porque con gran frecuencia era decir adiós a lo prestado, como le ocurrió al obispo de Córdoba en 1552, que se negaría a prestar lo que le pedía entonces la Corona, dando lugar a esta sospecha de la administración carolina, y que ya hemos comentado: que no quería dar nada porque no se le había pagado todavía un préstamo anterior, aunque lo había pedido,

> ... porque S.M. mandó que se disimulase la paga... [22]

Y no tenía más esperanzas, posiblemente, la Universidad de Salamanca, que a mediados de siglo había prestado a la Corona 4.000 ducados, y que en 1599 (acaso por creer que con el nuevo rey Felipe III las cosas iban a cambiar y tenía más oportunidades) todavía pugnaba por recobrarlos [23].

Con todos estos incrementos, los ingresos anuales de la Corona a fines del reinado filipino podían cifrarse en estos términos:

---

[21] Manuel Fernández Álvarez, *La España del siglo XVI, op. cit.,* págs. 166 y sigs.

[22] *Ibídem,* pág. 589; v. *infra,* pág. 72.

[23] Manuel Fernández Álvarez (dir.), *La Universidad de Salamanca, I: Historia y proyecciones,* Salamanca, 1989, pág. 66.

	Maravedíes
Rentas ordinarias:	
— Alcabalas y tercias	1.000.000.000
— Maestrazgos	110.000.000
— Aduanas	350.000.000
Otras regalías (licencias de esclavos, minas, etcétera)	150.000.000
Servicio de las Cortes	150.000.000
Servicio de millones	600.000.000
Ayudas de gracia pontificia:	
— Cruzada	187.000.000
— Subsidio eclesiástico	110.000.000
— Excusado	80.000.000
Remesas de Indias	900.000.000
Total	**3.637.000.000**

Una cifra alta de miles de millones de maravedíes que equivalían a unos diez millones de ducados, lo que había supuesto triplicar las cantidades que percibía la Corona a principios del reinado.

Un incremento verdaderamente importante, incluso teniendo en cuenta el descenso del poder adquisitivo de la moneda, con la constante subida de los precios a lo largo de todo el reinado.

De ese modo afrontó Felipe II el financiamiento de sus empresas, el costo de su Imperio, aunque sin poder evitar el endeudamiento de la Hacienda Real y el precio: el sufrimiento del indio en las minas americanas, el trágico incremento de la trata negrera y el hundimiento en la miseria del campesino en las dos Castillas.

Y así, a la muerte del Rey los informes del Consejo de Hacienda no podían ser más alarmantes: la deuda de la Monarquía crecía imparablemente de año en año, absorbiendo el pago de sus intereses la mayor parte de los ingresos. Y como el déficit se iba disparando, sólo se podía atender a los pagos más imprescindibles, dejando otros sin cubrir, entre ellos —y es bien significativo y, hasta en cierto sentido, simbólico— parte de los ocasionados por los lutos ordenados por la muerte del propio Felipe II.

Una gravísima situación bien reflejada en la frase del presidente del Consejo Real, que lo era entonces Rodrigo Vázquez de Arce, quien se expresaría así:

> Podemos en verdad decir que cuando S.M. falleció, acabó su real persona y justamente su patrimonio real todo... [24]

---

[24] Ulloa, *op. cit.*, pág. 831.

Porque la cuestión se había fijado en algo así como en un duro forcejeo entre el Rey y el reino, o, dicho de otro modo: hasta qué punto podría soportar el país la tremenda presión a que le estaba sometiendo el anciano monarca en sus últimos momentos, pese a que su mano ya no podía firmar los papeles. De forma que se estaba produciendo una doble agonía: la del Rey y la del pueblo.

Algo que el pueblo, haciendo un juego de palabras, y como riéndose de su propia desventura, recogería en esta dramática frase:

Si el Rey no muere, el reino muere.

Y eso era acaso lo más penoso: que aquella Castilla, que había recibido medio siglo antes tan esperanzadamente a su Príncipe tan español, acabara anhelando el verle muerto.

6
FRENTE AL REY, EL REINO

Y frente al Rey, el reino. En parte, como un poder asociado a la Corona; en parte, entrando en el juego entre el poder y la oposición.

Frente al Rey, el reino, entendiendo por tal a las Cortes, tanto en Castilla como Aragón.

No se dieron en el Quinientos unas Cortes generales para toda España; sin duda, el proceso unificador iniciado por los Reyes Católicos y continuado por los Austrias mayores quedó inconcluso. Las diferencias entre las castellanas y las aragonesas eran muy marcadas, y se mantuvieron a lo largo del siglo, siendo la más notoria que a las Cortes de Castilla sólo acudían los procuradores de las principales ciudades, pero no los de los estamentos privilegiados. Por supuesto, las diferencias con la actualidad también eran muy grandes, por cuanto los procuradores sólo representaban a un sector muy restringido del mundo urbano —el patriciado urbano—, quedando al margen los demás sectores de la ciudad, que constituían precisamente la población activa, y todo el mundo rural.

Aun así, aunque sus procuradores y diputados eran elegidos por los grupos de poder minoritarios, lo cierto es que, conforme a una tendencia que opera en tales casos, no pocas veces se consideraron verdaderos representantes del reino frente al Rey, por encima del origen partidista que hubiera debido marcarles.

En cuanto a las Cortes castellanas, siguieron la tradición bajomedieval de convocar a los representantes de las 17 principales ciudades y villas meseteñas y meridionales, a las que se unieron los de Granada, a partir de su conquista. Esas 18 ciudades y villas estaban repartidas de esta forma: nueve, por la meseta superior (León, Toro, Zamora, Salamanca, Valladolid, Burgos, Soria, Segovia y Ávila); cuatro, por la meseta inferior (Toledo, Madrid, Guadalajara y Cuenca), y cinco, por el sur murciano y andaluz (Murcia, Jaén, Córdoba, Sevilla y Granada). Tal mapa viene a indicar el peso histórico de la meseta superior, donde se hallaba aquella Burgos que se llamaba la *Caput Castellae;* sin embargo, no existía ningún privilegio a favor de ciudad alguna, manteniéndose sólo un forcejeo (que venía a ser como un rito) entre los procuradores de Burgos y los de Toledo en cuanto a quién le correspondía el cargo honorífico de contestar al discurso de la Corona, con que se abrían las Cortes, así como el derecho a ocupar el primer banco marcado por el protocolo. Por lo demás, los mismos votos tenía Soria que Sevilla, Burgos que Toledo. Cada una de las ciudades enviaba dos procuradores, marcándose en ese terreno una paridad absoluta.

En ese mapa de las regiones representadas en Cortes se aprecian grandes lagunas: Galicia, las dos Asturias y Extremadura. Para el caso del Norte, se puede comprender por la urgencia, en ocasiones, de convocar Cortes y la dificultad de que acudieran los representantes de más allá de los puertos norteños. El aislamiento en que vivían gallegos y asturianos, mal comunicados con la meseta, donde solía residir la corte, podría explicarlo; pero tal razonamiento no vale para el caso de los extremeños, que se vieron igualmente marginados. De esa marginación eran conscientes las Cortes, de forma que se trataba de paliar con una ficción: los procuradores de Zamora representaban a Galicia, los de León al Principado asturiano, los de Burgos a Santander y los de Salamanca a Extremadura; si bien los documentos testimonian que de hecho esa representación no se daba. En todo caso, sí nos ayuda ese mapa político a comprender la distinta importancia que tenían algunas regiones, y sus respectivos núcleos urbanos, si las comparamos con la actualidad; la marginación de Asturias, por ejemplo, podría comprenderse por la mortecina vida de su capital, Oviedo, cuya población apenas si era la tercera parte de la que albergaba entonces Toro.

¿Cuál era la extracción social de los 36 procuradores de las Cortes castellanas? Un examen de las listas de esos procuradores permite confirmar una antigua tesis: el origen noble —de una mediana nobleza, los caballeros «de media talla»— de los procuradores designados por el poder municipal de sus burgos respectivos, entonces en manos del patriciado urbano. En ellas son frecuentes los apellidos linajudos: los Quiñones, de León; los Ulloa, de Toro; los Dávila, de Ávila; los Manrique, de Burgos; los Rojas, de Toledo; los Vargas, de Madrid; los Carrillo de Albornoz, de Cuenca; los Biedma, de Jaén; los Pacheco, de Córdoba; los Guzmán, de Sevilla, o los Venegas, de Granada, por no citar sino algunos de los más significativos.

Tres eran las atribuciones más importantes de las Cortes castellanas: velar por la legítima sucesión del trono, votar los servicios o impuestos que debía pagar el estamento pechero a la Corona, y presentar las quejas o agravios que el reino tenía del Gobierno, indicando sus oportunas soluciones. Las Cortes eran las que juraban al príncipe heredero, marcando con ese acto la legitimidad de la línea sucesoria; hecho trascendental para preservar la paz política y la sucesión sin graves trastornos, pero excepcional, que normalmente se realizaba una sola vez en cada reinado, a no ser que la prematura muerte del príncipe heredero obligase a repetir la ceremonia (como ocurrió en el reinado de Felipe II, tras la muerte del príncipe don Carlos). Las principales funciones de las Cortes ordinarias se reducían, por tanto, a las otras dos, de voto de los servicios y de presentación de reclamaciones para el mejor gobierno; con ellas marcaban su papel político en nombre de todo el reino, puesto que esos servicios los pagaban los pecheros de toda la Corona y sobre todo porque los agravios por el abuso del poder o por la desidia del Gobierno afectaban a todo el reino. Y en ese terreno, la lectura de sus quejas, si permite rastrear la mentalidad del sector social al que pertenecían los procuradores (la del patriciado urbano) —como cuando pactan con la Corona la congelación de las alcabalas a cambio del notorio aumento de los servicios—, también prueba que en otras ocasiones actúan de acuerdo con las auténticas necesidades de ese reino al que consideraban que estaban representando, como cuando denuncian la ruina del campo producida por la desorbitada política exterior de la Monarquía.

Las Cortes eran convocadas por el Rey. Dado que los servicios que en ellas se votaban eran pagados en tres años, se consideraba un abuso de la Corona convocarlas antes de que pasase ese plazo, norma que generalmente se respetó por los Austrias mayores. Carlos V las convocó catorce veces en su reinado; esto es, con notoria frecuencia, en contraste con las pocas que lo hicieron los Reyes Católicos. Que lo efectuara para obtener los recursos que esperaba de las Cortes castellanas para afrontar las costosas empresas exteriores en que constantemente se hallaba metido, parece fuera de toda duda. En cinco ocasiones infringió la norma, adelantando la fecha de la convocatoria: en 1520, 1525, 1534, 1538 y 1544. Más respetuoso con la tradición, Felipe II sólo adelantó dos veces la convocatoria de las Cortes, de las doce que las reunió a lo largo de su reinado: la primera, en 1559, justificada por su vuelta a Castilla, de la que había salido en 1554 como príncipe heredero, regresando ya como Rey, y la segunda en 1588, el año en que se decide a afrontar la empresa de invadir Inglaterra con la *Armada Invencible.*

En las dos atribuciones constantes, de votar los servicios y de presentar sus quejas, estaría el origen de la fricción más fuerte que tendrían las Cortes castellanas con la Corona. En efecto, según el sistema tradicional, lo primero que se llevaba a cabo era la concesión de los servicios; pero el mal gobierno carolino, a principios de aquel reinado, puso ya a las Cortes en el disparadero de exigir primero que se atendiesen sus reclamaciones, dejando para más tarde la votación de los servicios, como el único medio que tenían a su alcance para obtener una satisfacción a sus agravios por los abusos del poder. Fracasaron, volviendo a votar lo primero los servicios.

En ese sistema de Cortes sometidas y dóciles al poder de la Corona hay que situar el papel de los respectivos corregidores de las ciudades con voz y voto en Cortes, con tareas políticas —las de vigilar las instrucciones de los cabildos municipales a sus procuradores—, que eran como un valor añadido a sus otras funciones de jueces y gobernadores de sus Corregimientos.

Al final del reinado de Felipe II, las Cortes ya se muestran más reticentes, provocando la más larga duración de toda su historia (desde 1592 hasta 1598), período que bien puede titularse el de las Cortes largas del Quinientos castellano.

En definitiva, las Cortes castellanas en el siglo XVI suponen un intento por intervenir en el poder regio, cambiando las directrices de la Monarquía autoritaria de los Austrias mayores, y aunque no lo consiguiesen plenamente, tampoco puede afirmarse que no tuvieran ninguna importancia en el juego entre el poder y la oposición.

En cuanto a las Cortes de la Corona de Aragón, mantuvieron sus rasgos medievales —reunión de las aragonesas, catalanas y valencianas por separado, con la convocatoria de los tres brazos (nobleza, clero y ciudades), que en el caso de Aragón serían cuatro—, pero sus atribuciones eran muy similares a las castellanas: velar por la pureza de la sucesión al trono, aprobar ayudas económicas al Rey y presentar sus quejas o agravios. La diferencia mayor es que las Cortes castellanas acaban incorporándose a la política regia apoyando generalmente sus directrices en política exterior, pasado el bache del enfrentamiento comunero; mientras que las aragonesas ponen mayores dificultades para conceder dinero que no fuera a emplearse en la defensa del reino respectivo; de forma que con frecuencia la Corona sacó tan poco de aquellas Cortes y con tanto esfuerzo que apenas si pudo pagar los inevitables gastos del desplazamiento de la corte a Monzón, que era la villa adonde generalmente acudían los representantes de los tres reinos.

De todas formas, se podría recordar que las capitales respectivas (Zaragoza, Barcelona y Valencia) mantendrían su primacía en el brazo urbano de las Cortes, pues mientras las demás ciudades representadas mandaban un solo procurador, la capital enviaba varios (en ocasiones, hasta cuatro o cinco).

Posiblemente, ese hecho del escaso apoyo de la Corona de Aragón a la política internacional de los Austrias mayores sería el motivo del menor número de veces que son convocadas por la Corona; todavía Carlos V (que sabe despertar mayor eco a su política imperial en Barcelona) lo haría en nueve ocasiones, que menudearon sobre todo hasta 1537; en cambio, Felipe II lo haría ya muy rara vez, como para la obligada jura del príncipe heredero, en 1585, o con motivo de las graves alteraciones de Zaragoza (y sólo las aragonesas), en 1592. Las Cortes de Tarazona suponen un momento importante, porque en ellas, y bajo la presión de Felipe II, se acordaría una modificación de las normas por las que se regulaba el nombramiento del justicia mayor y de los miembros del Tribunal foral, que pasaban a ser controlados más estrechamente por el Rey. Por lo demás, se mantuvieron los Fueros aragoneses, de forma que ni siquiera tras su franca victoria sobre los rebeldes creyó necesario Felipe II cambiar la estructura política interna de Aragón. Esa línea «foralista» de los Austrias mayores es digna de ser recordada.

¿Influyeron las Cortes en la política exterior? Evidentemente, eso no entraba de lleno en sus atribuciones. Ahora bien, el discurso de la Corona, pronunciado en cada convocatoria, y como un punto de partida de sus jornadas, siempre hacía referencia expresa a la política internacional, como buscando su justificación ante las Cortes, y no era raro que las Cortes se hicieran eco de ello.

Los Reyes Católicos no tienen necesidad de una propaganda especial con las Cortes, porque en primer lugar su política tiene un marcado carácter nacional y porque además —y ello quizá sea aún más significativo— su política exterior tiene el mejor de los prestigios: el éxito. Y un éxito traducido en la incorporación de nuevos reinos: Granada, Nápoles, Navarra. Por otra parte, financian esas guerras de expansión sin tener que presionar excesivamente sobre el pechero castellano. Son guerras que dejan notorios beneficios económicos. Con Granada son varios cientos de miles de nuevos súbditos que pagarán su tributo a la Corona. Nápoles constituye una unidad económica con Sicilia, y su dominio revierte en la mutua seguridad de la zona, frente a la amenaza turca, y Navarra acaba de completar el mosaico de los reinos hispánicos, a falta sólo de lo que ocurra con Portugal. Lo único que se rastrea en las declaraciones de Fernando e Isabel ante las Cortes es algo relacionado con el profundo cambio político operado, pero más bien de forma indirecta, como cuando ante las Cortes de Toledo de 1480 legislan para suprimir aduanas entre Castilla y Aragón, decisión que justifican con estos términos:

> Pues por la gracia de Dios, los nuestros Reinos de Castilla, e de León e de Aragón son unidos, e tenemos esperanza que por su piedad de aquí en adelante estarán en unión e permanecerán en nuestra corona real, que ansí es razón que todos los naturales dellos se traten e comuniquen en sus tratos e fazimientos.
> Por ende... [1]

Es en esas mismas Cortes, y posiblemente como un planteamiento de la próxima guerra contra el reino nazarí de Granada, donde se prohíbe todo trato con los granadinos, en especial la exportación de armas, caballos y trigo, por una parte, y la fuga de mudéjares, de moros cautivos y de cristianos renegados; en este caso, bajo pena de muerte en la hoguera [2].

Pero no se aprecia ningún halago especial, ningún cortejo a la voluntad de los procuradores. Ni siquiera cuando se produce el hecho, en cierto modo sorprendente, de la incorporación de Navarra a la Corona de Castilla. En ese caso es Fernando el que hace saber a las Cortes castellanas reunidas en Burgos, en 1515, cómo el papa Julio II le había cedido a él personalmente el reino, arrebatándoselo a la dinastía reinante —Juan de Labrit y Catalina— como cismática por su alianza con el rey de Francia:

> ... para que fuese de S.A. el dicho reino [de Navarra] —reza el breve discurso de la Corona de 1515 ante las Cortes de Burgos— e pudiese disponer de él en vida y en muerte, a su voluntad de S.A. ...

---

[1] Cortes de 1480 (en *Cortes de los antiguos reinos de León y Castilla,* Madrid, 1861-1903, IV, pág. 185).

[2] *Ibídem,* punto 88 (*Cortes...,* IV, págs. 170 y 171).

En vista de lo cual, Fernando había decidido incorporarlos a la Corona de Castilla, porque su intención era acrecentar dicha Corona «de Castilla, León y Granada»[3].

Otro será el panorama y otro el lenguaje que inmediatamente se escucha con Carlos V. Otro el panorama, porque precisamente en 1517, el año en que Carlos V pasa a España, es también el mismo en que Selim II se apodera de Egipto, tras ocupar los Santos Lugares. Eso enciende en seguida las alocuciones de la Corona a las Cortes castellanas, en este caso a las primeras que tiene, las de Valladolid de 1518. A partir de ese momento, las Cortes recibirán una especie de parte de la situación internacional, o, si se quiere, de parte de guerra; aún no lo es en 1518, pero sí el informe de una situación internacional que se anuncia como altamente amenazadora. Se dará cuenta de la victoria que el gran enemigo de la Cristiandad había tenido sobre «el Soldán de Egipto»; era, como si dijéramos, la noticia del día. Y ya Carlos V considera que él tenía que salir al paso de aquella amenaza, porque a ello le obligaba su ejecutoria; que no en vano era rey:

> ... y rey cristiano y tener nombre de católico, y venir y descender de reyes, que tantas y tan gloriosas victorias han habido contra los infieles...

Ya la complicación que supone para Castilla la nueva dinastía se anuncia rotundamente, porque su nuevo rey tenía la mayor frontera con el Islam, añadiéndose a las viejas fronteras marítimas de Nápoles y sur español las que ahora se tenían hacia Constantinopla. Se daban ya como propias las fronteras austriacas, y a ellas se alude directamente:

> ... porque ancha parte del patrimonio del Emperador confina con el Turco, por parte de Constantinopla...[4]

El Emperador, esto es, Maximiliano I, el abuelo de Carlos V, que ya tenía la amenaza turca por su frontera oriental. Era como augurar las correrías turcas sobre Austria, de 1529 y 1532, y lo que es más notable, como si el título imperial lo tuviese Carlos V en la mano. Y tanto esfuerzo en pro de Europa, que se va a solicitar de inmediato a las Cortes castellanas, obliga ya al halago. Se proclamará que el Rey tiene a Castilla como:

> ... la fuerza de todas sus fuerzas, con el cual [Reino] se conquistan y defienden los otros...

---

[3] Cortes de 1515 (*Cortes...*, IV, págs. 249 y 250).
[4] Cortes de 1518, discurso de la Corona, en F. de Laiglesia, *Estudios históricos*, Madrid, 1918, I, pág. 336.

En 1520, y precisamente para contrastar un estado de opinión pública que cada vez era más hostil, esas loas a Castilla serán más encendidas, adquiriendo tonos de poema oriental. Se comienza por una declaración sobre la grandeza de Carlos V, que ya ha alcanzado la cumbre política, pues había sido elegido Emperador. Nadie en la tierra como el Rey de las Españas:

> Siendo, pues, el Rey nuestro Señor más rey que otro; más rey, porque él sólo en la tierra es rey de reyes; más rey porque es más natural rey, pues es no sólo rey hijo de reyes, mas nieto y sucesor de setenta y tantos reyes... [5]

En efecto, en la época exaltadora del linaje, ¿quién podía compararse con Carlos V, sucesor y heredero de los reyes de Castilla y Aragón, de los condes de Flandes, de los señores de Austria y de los emperadores del Sacro Imperio Romano Germánico? ¿Cuándo se había visto acumulada tanta grandeza? Hasta el Nuevo Mundo, un mundo prodigioso todo «hecho de oro», se parece como un regalo impresionante que hay que añadir, un nuevo mundo que ha sido como hecho para el Emperador, ya que antes de él no se había conocido. Y se dirá con esos asombrosos términos:

> ... otro nuevo mundo de oro hecho para él, pues antes de nuestros días nunca fue nacido... [6]

Grandeza, pues, del Emperador, pero no por ello soberbia. Tan gran rey ama a su pueblo; declaración de amor que envuelve, claro está, una sutil propaganda. Y tras ella, otra loa a Castilla, más encendida que nunca; se trata de la tierra cuya fama corría por toda Europa, y a la que Carlos V ansiaba conocer:

> Este Reino es el fundamento, y el amparo y la fuerza de todos los otros, a éste ha amado y ama más que a todos, y así lo deseaba ver. Y para satisfacer a este deseo, con tierna edad, con tiempo sospechoso, dejó la tierra donde nació y se crió (tierra tal que no se puede asaz loar) y pasó la mar. Y cuando [llegó] a Valladolid, como quien deseaba ver lo que amaba, hubo placer en veros. Y tuvo razón, porque vuestra presencia no disminuyó nada de vuestra fama...

Adviértase cómo se encarece en el discurso de la Corona el riesgo asumido por el Emperador al cruzar el mar, «con tiempo sospechoso»; era una alusión al mes en que Carlos V y su cortejo habían estado esperando en Flessinga, hasta que los vientos habían permitido su embarque. Todo ello cuando tenía

---

[5] Discurso de la Corona ante las Cortes de 1520; se trata de la célebre habla del obispo Mota (en la *op. cit.* de Laiglesia, I, pág. 338).

[6] *Ibídem*, pág. 339.

diecisiete años, edad que vista ya desde los veinte aparecía como muy juvenil, con la petulancia propia del que acaba de entrar en la edad viril: era «la tierna edad», poético término, sin duda, para la adolescencia.

En esa labor de propaganda, el obispo Mota —que es el que pronunció el discurso de la Corona ante las Cortes en 1520— llega a decir que, con el apoyo de Castilla, Carlos, al recibir la Corona imperial, alcanzaría la cumbre de toda buena fortuna («le hacían el más glorioso príncipe del mundo»). Y su lenguaje poético alcanza los tonos más elevados, para cautivar a los procuradores que le están escuchando. Asegura en nombre de su señor que su ausencia sólo había de durar tres años, y añade:

> Después de estos tres años, el huerto de sus placeres, la fortaleza para defensa, la fuerza para ofender, su tesoro, su espada, su caballo y su silla de reposo y asiento ha de ser España[7].

En definitiva, Carlos quería partir con reputación, y sólo había un medio: que todo el mundo supiera que estaba apoyado por sus vasallos españoles.

> ... porque sólo España es aquella que puede impedir o adelantar la ventura de su Magestad[8].

Hay aquí, en esta parte del discurso de Mota, un elemento importante que creo debe destacarse: ese de hablar ante las Cortes castellanas de España, no de Castilla, como si Castilla fuese la esencia misma de España.

Cuando Carlos V regresa a España en 1522, ya vencidas las Comunidades, podría parecer que se iba a encontrar con unas Cortes sumisas, a las que se podía tratar de cualquier manera. Nada más lejos de la realidad. Las Cortes se muestran hostiles a la política imperial. Seguramente por tener esa información es por lo que se monta un larguísimo discurso de la Corona —posiblemente el más extenso de los que jamás se pronunciaron ante las Cortes castellanas— que duraría cerca de dos horas, y en el que se daba cuenta pormenorizada de todos los acontecimientos producidos en el ámbito internacional. Se presenta una y otra vez la amenaza turca, cada vez más agobiante, como quien se había apoderado de Belgrado y de Rodas, proyectando su preocupante sombra lo mismo sobre el Danubio medio que sobre el Mediterráneo. Se habla ya de las «malicias» del rey francés. Se alude al alzamiento de las Comunidades, pero como algo superado, que se había producido

> ... por persuasiones y supersticiones diabólicas y falsas de algunas personas particulares y con dañados ánimos...

---

[7] Laiglesia, *op. cit.,* I, pág. 341.
[8] *Ibídem,* pág. 342.

Eran «yerros pasados», sobre los que el Emperador había hecho perdón general, prometiendo un completo olvido:

> ... jamás nunca se acordará de ellos... [9]

Todo en vano. Las Cortes se resistieron una y otra vez a conceder el servicio, antes de que el Emperador no diese debida respuesta a sus quejas y reclamaciones sobre el gobierno del reino, lo que obligó a Carlos V a una intervención directa, caso sorprendente y quizá único en todo este período. Se trata probablemente del primer discurso público de Carlos V en España y el segundo de trascendencia en su reinado, tras el que pronunció ante la Dieta de Worms para condenar a Lutero. En este caso, Carlos V trata de romper la oposición de las Cortes castellanas. Se trata de una breve intervención personal, en la que se adivina una cierta cólera ante la resistencia castellana. Carlos hablará en un tono directo, casi coloquial. Empieza por una declaración de sentimiento personal de amor a Castilla:

> Yo amo y quiero tanto estos mis reinos y los súbditos y vasallos dellos como a mí mismo...

Rara vez con tanto detalle se había dado cuenta de su actividad como gobernante, «que creo que nunca jamás se dijeron en ningunas Cortes tan específicamente». Se recuerda de nuevo la rebelión comunera, como causa de tantos gastos; rebelión que había sido provocada «por inducimientos de algunos malos». Y se encara con el punto principal de la cuestión, que ya guarda relación directa con la política exterior, por el desprestigio que podía caer sobre la Corona, en su trato con los otros soberanos; pues la costumbre de Castilla era que las Cortes concediesen primero el servicio y planteasen después sus reclamaciones. Pretender cambiar ese orden parecía novedad sospechosa que Carlos, con un estilo llano y casi coloquial, rechaza:

> ¿Por qué se hará conmigo tan gran novedad? A mí no me va nada en que otorgaseis el servicio de aquí a tres u ocho días, pero por las causas que os he dicho y porque no hay ninguna cosa que todos no lo sepan, viniendo esto a noticia de los príncipes, así del Turco como de cristianos, para mi reputación parecería muy mal... y los malos se holgarían... [10]

---

[9] Discurso de la Corona ante las Cortes de Valladolid de 1523, en la *op. cit.* de Laiglesia, I, pág. 356.

[10] Laiglesia, *op. cit.,* I, págs. 361 y 362. Generalmente, el discurso de la Corona era pronunciado por el presidente de las Cortes, que lo solía ser también el del Consejo Real; bajo Felipe II tiende a encargarse su lectura al secretario del Congreso. Ante las Cortes de Aragón vemos cómo Carlos V se dirige a ellas en tono directo, pero no es de creer que fuera él mismo quien lo pronunciara; de hecho, en las de Zaragoza de 1518 no lo pudo hacer por no saber todavía el idioma. (Véanse los textos en la *op. cit.* de Laiglesia, I, págs. 435 y sigs.)

Sin duda, tan apretada intervención personal del César acabó por vencer la resistencia de las Cortes, desbaratando aquel intento de reforma, que era más revolucionario de lo que pudiera parecer en un principio. En 1523, Carlos V ganó la batalla a las Cortes, imponiendo un modelo de monarquía autoritaria, que tendría su reflejo —como no podría ser de otro modo— en la manera de conducir la política exterior. Lo cual no quiere decir que dejara de informar detenidamente sobre sus pasos de gobierno y sobre todos los vaivenes de la política internacional, desde las últimas Cortes convocadas. En las de 1523 se hará relación de una cosa «tan grande y de tan maravillosa importancia...»; se trataba de la traición del duque de Borbón, que se había pasado al bando imperial [11]. En las de Toledo de 1525 hará relación de la victoria de Pavía, con la esperanza de una «paz perpetua», que presenta, en nombre de su señor, Francisco de los Cobos, que se afianzaba ya como el hombre de confianza de Carlos V [12]. En las de 1527 se hará una estremecedora crónica de los estragos del Turco, al ganar Hungría: la ciudad de Buda arrasada, sus habitantes muertos o cautivos, los niños prisioneros, para hacerles renegar del cristianismo y formar con ellos a los futuros temidos jenízaros, las mujeres violadas primero y descabezadas después, la tierra quemada; la estampa, en fin, de la guerra más cruel, hecha por un «tirano», que quería hacerse con «la monarquía de todo el mundo». Alguien, por tanto, contra el que era preciso combatir antes de que fuese tarde. No se podía dejar aquella guerra, pues si Germania, Italia y Francia caían bajo su dominio, ya nada podría hacer España sola [13]. A la inversa, si el Turco era derrotado —lo cual no era tan difícil, pues su única fuerza eran 40.000 jenízaros—, podrían liberarse Grecia y los Santos Lugares, y hasta podría ganarse Egipto, nación de «gente flaca e inútil para la guerra». Por lo tanto, del mayor de los desastres a la mayor de las grandezas sólo había una batalla bien librada:

> ... con sola una batalla ganaría S.M. —se decía en el discurso de la Corona— todas las provincias que, como dicho es, el Turco posee, y entre ellas, aquella Tierra Santa...

Esto es, con el señuelo de la guerra divinal modélica —la lucha por la Tierra Santa—, se alienta a Castilla a una política belicista, que permitiera ganar «inmortal fama y honra»; esa era la empresa que aguardaba a España. Y de nuevo la propaganda imperial se extrema para conseguir ese apoyo de la opinión pública castellana, a través de la caja de resonancia que eran las Cortes: sólo España era capaz de intentar aquella empresa [14].

---

[11] Laiglesia, *op. cit.,* I, pág. 364.
[12] *Ibídem,* pág. 370.
[13] «... claro está que España sola no bastaría a resistir tan grand potencia...» (Discurso de la Corona ante las Cortes de 1527, en Laiglesia, *op. cit.,* I, pág. 377.)
[14] *Ibídem,* pág. 378.

Y obsérvese que de nuevo se habla de España, en este discurso regio dirigido a las Cortes castellanas. Estamos ante una nota constante de la propaganda imperial, que no deja de llamar la atención. En las Cortes de 1534, celebradas en Madrid, donde se dará cuenta de la feliz operación militar que había liberado a Viena en 1532 de la segunda amenaza de Solimán el Magnífico, se destacaría también la participación de la nación española; pues, aunque el ejército imperial estaba formado por soldados de muchas naciones, la fuerza de choque hispana era la que le daba prestigio:

> ... porque aunque el número de la gente de los ejércitos que S.M. juntó para resistir y ofender al dicho enemigo, como se hizo, fuese grande —señala el discurso imperial—, la que tenía de la nación española daba mucha reputación y ánimo a toda la demás y ponía temor a los enemigos, y fue de las primeras en seguir y alcanzar lo que de ellos fueron muertos, desbaratados y perdidos por tierra... [15]

Diez años más tarde lo que aquella propaganda imperial tendría que explicar sería el revés ante Argel, sobre el pretexto de que había que acatar la voluntad divina, sin dejar de hacer hincapié en dos cuestiones: la primera, que al gasto de aquella malograda empresa habían acudido generosamente Nápoles y Sicilia; la segunda, que el César había empleado en ello su real persona, como escudo del reino [16].

Pero a partir de 1543 las guerras en que se mete Carlos V ya no son contra el común enemigo de la Cristiandad, pues se ha abandonado la idea de la Cruzada; son contra el duque de Clèves, contra la frontera norte de Francia —en un intento de alcanzar directamente París— y contra los príncipes protestantes alemanes. ¿Cómo se podían justificar aquellas guerras, tan alejadas, ante Castilla? Será preciso olvidar los argumentos santos —sólo valdrían, en todo caso, al tratar de la guerra contra los príncipes luteranos— y acudir a las «ventajas» que podían derivarse de guerras en tan lejanas tierras. «Ventajas», porque de ese modo se alejaba la guerra de España: era preciso inquietar en tan distintas comarcas al enemigo para estorbarle a que entrase combatiendo en la misma España. Y así se concluye con un simple razonamiento, descalificador de quien pensase lo contrario:

> De lo cual, si se ha seguido provecho y beneficio a estos Reinos, cada uno de vosotros lo puede considerar... [17]

De todas formas, para los tardos de entendimiento se añadía:

> ... porque si S.M. no diera tanto que entender al dicho rey de Francia

---

[15] Laiglesia, *op. cit.*, I, pág. 388.

[16] *Ibídem,* págs. 413 y 414.

[17] *Ibídem,* pág. 419.

y trabajara, como lo hizo, en divertir sus fuerzas, él pudiera enviar su ejército a estas partes...

Era cierto que la ausencia del César de España había sido aprovechada por Barbarroja para mandar una fuerte escuadra a las costas del Levante español, resultando de ello la devastación de aquel litoral, con ruina de no pocos lugares, tomados al asalto y saqueados por los argelinos: Cadaqués, Rosas, Palamós, en la costa catalana; Villajoyosa, en la costa valenciana, e incluso la isla de Ibiza. Pero todo ello sería tomado por Fernando de Valdés (que, como presidente del Consejo Real, lo era de las Cortes, y el portavoz del Rey en su seno) como el argumento mayor para defender su idea: si Carlos V no hubiera obrado como lo había hecho, incluso se habría podido perder la costa sur de España, a partir de Cartagena, y además, para atraerse el ánimo de los procuradores castellanos, se recordaban las hazañas de los tercios viejos, como la tan famosa de haber cruzado en abril el Elba a nado, para sorprender y vencer al enemigo [18].

¿Se dejaron impresionar las Cortes castellanas por ese lenguaje imperial? En un principio se las nota reacias; sin embargo, lo cierto es que en las de 1555, que son las últimas convocadas por Carlos, son las que más rendidas se muestran, elogiando «los altos pensamientos imperiales», e incluso disculpando su ausencia, puesto que había sido para intentar

> ... la pacificación de la mayor parte de Europa... [y] la reducción a la santa madre Iglesia de aquellas provincias que por su miserable ceguedad están fuera della... [19]

Curiosamente, ese bombardeo de propaganda halagadora sobre los procuradores castellanos cesará con Felipe II. Por supuesto que en los discursos de la Corona se seguirá justificando la política internacional del Rey, pero ya no se verterán aquellas continuas loas a lo que podía dar de sí la nación española. La presencia casi constante de Felipe II en España, a partir de 1559, le permitirá presidir la inauguración de las numerosas Cortes tenidas en su reinado. Los discursos de la Corona, después de unas breves palabras del Rey, nunca serán tan largos como el de 1523, pero sí lo suficientemente extensos como para dar cuenta de los principales acontecimientos de la política internacional que habían afectado a España, así como de los trastornos que hu-

---

[18] Laiglesia, *op. cit.,* I, págs. 420 y 424.

[19] El texto cit. por J. Martínez Cardós en su valioso estudio «La política carolina ante las Cortes de Castilla» (en *Revista de Indias,* XVIII, jul.-dic. 1958, págs. 357-395; cf. también su otro estudio, «Las Cortes de Castilla en el siglo XVI», en *Revista Universal de Madrid,* núm. 24, 1957, así como su estudio *Las Indias y las Cortes de Castilla durante los siglos XVI y XVII,* Madrid, 1956). Volvemos a insistir en lo ya dicho al principio de esta obra: el tiempo de Felipe II, como hombre, abarca casi todo el siglo; de ahí que las referencias al reinado de Carlos V sean, por fuerza, tan numerosas.

bieran ocurrido en el seno de la Monarquía. Las intervenciones personales del monarca se reducían exclusivamente a la brevísima locución inicial, de la que puede servir de ejemplo la que pronunció ante las Cortes de Madrid de 1563:

> Procuradores de Cortes destos reinos de Castilla: Yo os he mandado venir aquí para daros cuenta del estado de mis negocios. Y porque son de calidad que requieren que los entendáis particularmente, he mandado que se os digan por escrito.

Tras lo cual, les mandó cubrir, rezan las Actas de las Cortes (pues los procuradores debían escuchar al Rey en pie y con las gorras en la mano), dando a continuación lectura el secretario (que lo era entonces Francisco de Eraso) al discurso de la Corona [20]. Jamás se producirá otra intervención de Felipe II. En aquellas de 1563, el Rey propone a las Cortes nada menos que la conquista de Argel, y ante la resistencia que ofrecen se mostrará «muy deservido», pero no intervendrá personalmente de nuevo ante ellas, como lo había hecho Carlos V en 1523. Felipe II usará otros mecanismos del poder para presionar sobre las Cortes, cuando las encuentra recalcitrantes, en particular actuando sobre las ciudades, bien a través del Consejo Real, bien a través de los corregidores. Su modo de gobernar, más apartado de los hombres y más en contacto con los papeles, le llevaba a ello.

Se ha dicho con frecuencia que las Cortes castellanas, en especial tras la derrota de Villalar, no tienen papel político alguno, estando completamente sometidas al poder regio, pero yo diría que ésta es una verdad a medias. Es cierto que las Cortes no tienen poder decisorio sobre la política internacional que despliega la Corona, que es la que asume todo el protagonismo; pero otra cosa es que las Cortes asientan siempre dócilmente a lo que se les indica por el monarca. Al contrario, no faltan las tensiones, tanto bajo Carlos V como bajo Felipe II. Particularmente significativas resultan, a este respecto, las Cortes de Valladolid de 1523, las de Toledo de 1538, bajo Carlos V, y las de Madrid de 1592, que se prolongarían hasta 1598, bajo Felipe II.

En todo caso entiendo que aquí importa también dilucidar hasta qué punto las Cortes castellanas tuvieron una política internacional propia, como reflejo de la opinión pública del reino de Castilla al que representaban, y si esas ideas influyeron alguna vez en el ánimo del monarca; pues el hecho de que Carlos V trate de halagar tanto el amor patrio de los procuradores es indicio —a mi entender— de que valoraba el papel de las Cortes. Si Felipe II se muestra más parco en esas loas, así como en sus afirmaciones de amor a Castilla, quizá fuera debido a que era algo obvio que no había por qué tratar de probar, sin olvidar algo que parece evidente: que la propaganda imperial se muestra más eficaz que la filipina.

---

[20] *Actas de las Cortes de Castilla,* Madrid, 1860 y sigs. (Cortes de 1563, I, pág. 20).

En el período de los Reyes Católicos no se aprecian discrepancias entre las Cortes y la Corona. Evidentemente, afianzar la paz con Portugal o acometer la empresa de Granada era algo que sintonizaba con el sentir nacional y, por ende, con el de las Cortes; de igual manera que ocurría con la expansión por Ultramar, hacia las islas Canarias o hacia el Nuevo Mundo. Más problemático podría parecer el competir con Francia por Nápoles, objetivo tradicional de la Corona de Aragón, no de Castilla, y que llevaba a una guerra azarosa con la potencia más poderosa de la Cristiandad; pero el éxito tan espectacular obtenido por el Gran Capitán dejó bien resuelta la posible cuestión. Y finalmente Fernando, al ordenar tan brillantemente una serie de campañas sobre el norte de África, siguiendo lo iniciado por Cisneros, y al terminar en los últimos años de su reinado con la incorporación de Navarra (que él cedería, con un gesto personal, a la Corona de Castilla) acabaría por culminar esa aureola de prestigio con la que desde entonces se tendría a los Reyes Católicos, y que alcanzaría tanto a sus sucesores como a la oposición; pues todos querrían, a lo menos a lo largo del Quinientos, vincularse a la memoria de aquellos soberanos, bien para justificar una determinada política, bien para exigir un determinado cambio. En ese sentido, la culminación de la Reconquista había hecho sacrosantos a Fernando e Isabel, cuatro años antes de que el papa Alejandro VI les concediera el título de Católicos.

Esa situación de armonía entre los Reyes y el reino va a cambiar sustancialmente bajo Carlos V, especialmente en los primeros años de su reinado. Las Cortes de 1518 se mostrarán arrogantes; las de 1520, amenazadoras, y las de 1523, recelosas. Sólo a partir de 1525 empieza a cambiar el panorama, sin duda bajo la influencia de la increíble victoria de Pavía y de la noticia de que estaba a punto de llegar a España, como prisionero, el rey Francisco I de Francia; hecho inaudito que no podía menos de tener su influencia sobre las Cortes. Convocadas para el 11 de junio de 1525 en la ciudad de Toledo, oyeron el discurso de la Corona en que se les daba cuenta de toda la problemática internacional que había desembocado en la batalla de Pavía, y en el plazo —muy breve— de quince días concedían el servicio que se les pedía, de forma que el 28 de junio se autorizaba la impresión del cuaderno de peticiones de las Cortes, con las respuestas imperiales, y el 7 de agosto se pregonaban ya por las calles de Toledo[21]. Sin duda, los procuradores quedaron seducidos por la noticia de la pronta llegada a Madrid del regio prisionero francés y satisfechos por la perspectiva que les ofreció Francisco de los Cobos, en el discurso de la Corona, de una «paz perpetua» con Francia, de forma que conceden el servicio que se les pedía, pese a que no se había cumplido el plazo tradicional de tres años desde las Cortes de 1523.

Otra cosa ocurrió en 1538. En aquella ocasión serían convocados, como es sabido, además de las ciudades, los otros dos brazos de la nobleza y el

---

[21] *Cortes...*, IV, pág. 446.

clero, si bien no autorizándoles a asambleas conjuntas. Carlos buscaba en aquella ocasión una fuerte ayuda castellana para el proyecto que más anhelaba: la cruzada contra el Turco. Después de firmada la Santa Liga con el Papa y Venecia, y contando también con el apoyo de su hermano Fernando, creía que las recientes treguas con Francia le abrían el camino para aquella ambiciosa empresa; de hecho, ya se había iniciado con la penetración en el cuerpo del Imperio otomano de un enclave español en Herzeg Novi (en la costa dálmata), bajo la custodia del tercio viejo que mandaba Francisco Sarmiento. Era una empresa muy deseada por el Emperador; así le oyó decir el embajador veneciano Tiépolo cuando todavía estaba en Italia: que pasaría aquel mismo año —1538— a España, para obtener el apoyo de Castilla y acometer al siguiente de 1539 la cruzada contra Constantinopla, empleando en ello su propia persona,

> ... en lo cual demuestra tanto deseo que más no se puede decir...[22]

Conocemos bastante bien lo que pasó en aquella ocasión en Toledo, donde las Cortes se reunían en un ambiente de expectación inusitado ante la presencia de casi toda la nobleza, del alto clero y de los procuradores de las ciudades. En ella entraba el Emperador, el 23 de octubre de 1538. Pronto pudo comprobar su viva oposición. En vez de apoyo a la cruzada oiría de la alta nobleza que los males del país eran muchos, y debidos fundamentalmente

> ... a los dieciocho años que V.M. está en armas por mar y tierra...

Y oyó más, que el remedio lo tenía en la mano: buscar la paz, pues hasta con los infieles se podía guardar. También se le pediría que Carlos viviera de una vez por todas en sus reinos de Castilla, «acomodando sus gastos a lo que fuere moderación». Y caso de que la guerra fuera inevitable, que mandara a sus generales, con lo que podría residir en España (he ahí un consejo que suscribiría después su hijo Felipe II). Y que, en suma, imponer el servicio de la sisa que pretendía era provocar tal ruina y atentar de tal forma las costumbres y privilegios de Castilla, que de temer sería que se provocase otro alzamiento tan fuerte como el pasado de las Comunidades, a sentir del Condestable:

> ... que fue tan grande como liviana ocasión, que estuvo S.M. en punto de perder estos Reinos, y los que les servimos, las vidas y haciendas...[23]

Tal fue el enfrentamiento que hubo entre la alta nobleza y el Emperador. ¿Es la actitud de las Cortes? Si consideramos las de 1538 como Cortes Generales, habría que entenderlo así, por lo que hace al brazo nobiliario; en todo

---

[22] Véase mi estudio «La gesta de Castelnuovo», en *Historia 16,* núm. 111, pág. 38.
[23] Sandoval, *Historia de Carlos V,* ed. de Carlos Seco Serrano, Madrid, 1956, III, pág. 66.

caso, las ciudades también ofrecieron resistencia a Carlos V. Tres de las más destacadas de Castilla la Vieja y León, Burgos, Valladolid y Salamanca, votaron en contra. Otras se mostraron reacias: Segovia, Madrid y Granada. Por lo tanto, estamos ante unas Cortes especialmente movidas, como no se recordaban otras desde los tiempos de las Comunidades, y quedaría el recuerdo de ellas, como nos lo refleja el cronista posterior Prudencio de Sandoval.:

> Las Cortes del año 1538 fueron tan célebres por el llamamiento general que el Emperador hizo de todos los Grandes y señores de título... [24]

¿Qué directrices encontramos en estas Cortes carolinas respecto a la política exterior? En primer lugar, la oposición clara a las continuas guerras que se tenían con Francia y con el norte de Europa, a partir de 1542; segundo, el rechazo a la figura del rey-soldado, y en tercer lugar, a las ausencias del monarca. En ese sentido, el relevo de Carlos V por Felipe II sería mirado con satisfacción: Felipe regresa a España en 1559 portando la paz con Francia, huirá de estar en el campo de batalla y, finalmente, sólo se le verá contento en Castilla. De todas formas, hay que recordar lo que ya hemos indicado antes: que sorprendentemente las Cortes de 1555 se muestran rendidas a Carlos V, reconociendo y valorando «sus altos pensamientos», y que incluso justifican sus ausencias porque habían sido para intentar la pacificación de Europa; como si dijéramos, las Cortes han perdido su xenofobia y se han dejado ganar por el impulso imperial, europeizando su lenguaje.

Los comienzos con Felipe II serían muy distintos a los de su padre, y más a tono con esa reconciliación final a la que hemos asistido. No en vano, como hemos señalado, Felipe II suponía la vuelta de un rey castellano a Castilla, portador de la buena nueva de la paz de Cateau-Cambrésis con Francia, que durante muchos años marcaría unas relaciones amistosas con los franceses, bajo el símbolo de la nueva esposa del Rey: Isabel de Valois, por algo llamada también Isabel de la Paz.

Sin embargo, lo cual no deja de sorprender, cuando Felipe II propone a las Cortes de Madrid de 1563 nada menos que la conquista de Argel, aquello por lo que había suspirado la España de Carlos V, se encuentra con unas Cortes vacilantes, que alargan sus sesiones, sin ser capaces de llegar a un acuerdo, hasta el punto de que el Rey declare mostrarse «muy deservido», disolviéndolas finalmente en el mes de agosto [25]. ¿Cómo explicarse esa atonía? ¿Estaba demasiado reciente el desastre sufrido en las Djelbes en 1560? En ese año, en efecto, una flota mandada por don Juan de Mendoza, que había salido de Sicilia para la conquista de la isla africana, había sido severamente derrotada

---

[24] Sandoval, *op. cit.,* III, pág. 60.
[25] *Actas de las Cortes de Castilla,* Cortes de 1563, I, págs. 185, 197, 206, 213 y 230.

por Dragut, muriendo la mayoría de los expedicionarios españoles. Dos años después, en 1562, un fuerte temporal había destruido 22 galeras españolas en la bahía de La Herreruela, en la costa granadina, dejando más indefensas las costas del Mediterráneo español. Por todo ello, se temían ataques de corsarios y no sólo sobre las costas de Levante, juzgando los enemigos que tenían «muy buena ocasión y disposición por las dichas pérdidas que han sucedido», como se indica en el seno de las Cortes [26]. Eso podría explicar que estuvieran los ánimos alicaídos y que las Cortes no acogieran con entusiasmo la propuesta del Rey. Quizá influyera también que se recordara que el más duro revés que había sufrido Carlos V había acaecido ante los muros argelinos. En suma, la empresa de Argel sería abandonada, sin que los lamentos de los cautivos, como los recogidos en el famoso poema de Cervantes, encontrasen eco.

Más fortuna tuvo Felipe II ante las Cortes castellanas de 1566, reunidas en diciembre de aquel año, cuando ya habían llegado las noticias de los graves desórdenes ocurridos en Flandes a cargo de los iconoclastas calvinistas; de forma que las Cortes se abren el 18 de diciembre de 1566 y el 9 de enero de 1567 los procuradores dan cuenta al Rey de haber concedido el servicio requerido de 304 millones de maravedíes [27]. En compensación, las Cortes ruegan al Rey que no se ausente del reino, petición en principio rechazada por Felipe II en estos firmes términos:

> Como quiera que nuestro asiento y continua residencia ha de ser en ellos [los reinos de Castilla], por ser, como son, la silla y principal parte de nuestros Estados, y por el mor que Nos les tenemos; mas no podemos asimismo excusar de visitar algunos de los otros Reinos y Estados, principalmente los de Flandes, donde (como habéis entendido) es tan importante y tan necesaria de presente nuestra presencia para el asiento de las cosas dellos. Y ansí por importar, como esto tanto importa, a nuestro servicio, habemos determinado nuestra partida a los dichos Estados con toda brevedad... [28]

Ahora bien, dado que en definitiva el Rey no saldría de España, hay para pensar si en su última decisión no influiría el ruego de las Cortes castellanas.

En 1570, la alarmante situación creada por la rebelión de los moriscos granadinos en Las Alpujarras lleva a Felipe II a convocar Cortes en Córdoba, siendo la única vez que lo hace fuera de Madrid desde que trasladara a la villa del Manzanares su corte. Diríase que también en esta ocasión sintoniza el Rey con las Cortes. El discurso de la Corona ante las Cortes, leído por el secretario Eraso en el palacio episcopal, donde se alojaba el Rey, detallaría los esfuerzos regios por la defensa del reino y por asumir dignamente su papel de

---

[26] *Actas de las Cortes de Castilla, op. cit.,* I, págs. 26 y sigs.

[27] *Ibídem,* Cortes de 1566, II, págs. 104 y 105.

[28] *Ibídem,* pág. 413.

primera potencia de la Cristiandad; particular efecto debieron tener, entre los asistentes, las referencias a las contundentes victorias del duque de Alba en Flandes, que parecían haber resuelto aquel difícil problema por la vía de la fuerza; también, por supuesto, aquello que entonces tocaba más de cerca al reino: la rebelión de Las Alpujarras, «que de pequeños principios ha venido a ser tan grande y de tanta consideración», y de forma que había movido al Rey a convocar las Cortes en Córdoba «... para dar calor en este negocio...», pues había el temor de que el Turco acudiese en ayuda de los rebeldes. Se añadía además la información de que el Rey se casaba de nuevo, habiendo elegido como esposa a su sobrina Ana de Austria. En la respuesta de las Cortes hecha por Burgos se aprecia la profunda compenetración existente en esos momentos entre Rey y reino. Se aludirá «a la grandeza de ánimo» con que el soberano había acudido a todas las necesidades del reino y aun de la Cristiandad. Se tenía por muy públicos y notorios los muchos gastos que por ella había soportado; por todo lo cual se concluía:

> Ansí es muy justo y muy debido que ellos —los reinos de Castilla— extiendan sus fuerzas para servir a V.M. en todo lo que pudieren... [29]

En cuanto a la boda con la princesa Ana de Austria, sería acogida con gran contento «por la naturaleza que tiene en estos Reinos» [30]. No hay duda: los procuradores de las Cortes sabían muy bien que doña Ana de Austria, su nueva reina, había nacido en el pequeño lugar de Cigales, cercano a Valladolid. Por lo tanto, se cumplía el perfecto ideal: que tanto el Rey como la Reina fueran castellanos; sería la única vez en toda la Edad Moderna.

En 1579, las perspectivas de incorporación de Portugal no dejan indiferentes a las Cortes castellanas. La muerte del cardenal don Enrique les hace lamentar que se hubiera producido cuando se esperaba de un momento para otro que declarase a Felipe II como heredero. Se plantea que el reino debía asistir al Rey en su justa pretensión. El licenciado Pacheco, procurador por Ávila, recordará que Portugal había sido «miembro y cosa apartada deste reino de Castilla», y que así se juntaría con su cabeza [31]. En fin, en la sesión del 11 de agosto de 1581, cuando ya Felipe II estaba en Portugal, se declara solemnemente que el reino «estaba muy dispuesto a acudir a todo lo que en este caso debe y puede...» [32]. Y como el esfuerzo económico se suponía grande, se idean diversos arbitrios, entre otros un empréstito general, en proporción con las fortunas, que debía cobrarse mediante censo, en que entrasen todos, pecheros y privilegiados, salvo los pobres y los oficiales de los gremios artesanos [33].

---

[29] *Actas de las Cortes de Castilla*, Cortes de 1570, III, pág. 25.
[30] *Ibídem*, pág. 355.
[31] *Ibídem*, Cortes de 1579-1582, VI, págs. 56 y 60.
[32] *Ibídem*, pág. 336.
[33] *Ibídem*, pág. 339.

Por lo tanto, lo mismo frente a las alteraciones de la periferia como en las internas, y de igual modo ante la lucha contra el Islam que ante la anexión del reino portugués, la unidad no se rompe entre Rey y reino. Tendrá que suceder el desastre de la *Armada Invencible,* acumulándose las guerras en el exterior y los males en el interior sobre una población agotada y hambrienta, para que se oigan voces de protesta en el seno de las Cortes, tal como habían sonado bajo Carlos V en las de Toledo de 1538. El Rey las había convocado para el mes de mayo de 1592. En el discurso de la Corona se aludirá, sin embargo, más que al desastre naval y a la necesidad de recuperar el prestigio en el mar, a Francia y a Flandes; a Francia, donde aún seguía encendida la guerra civil entre católicos y hugonotes, y a Flandes, donde la rebelión seguía siendo tan fuerte, pese al buen gobierno de Alejandro Farnesio (que moriría precisamente en diciembre de aquel año). Para hacer frente a toda esta situación se pedía la oportuna ayuda del reino; recuérdese que Felipe II aún no había desistido de su proyecto de ver a su hija Isabel Clara Eugenia reina de Francia. Pero en la respuesta de las Cortes al discurso de la Corona se echó de ver que la cosa no se presentaba fácil. Por supuesto, se proclamaría como siempre que se darían vidas y haciendas, pero se añadiría en seguida cuán alcanzado estaba el reino, de forma que las Cortes

> ... tratarán del remedio de tantas y tan notorias necesidades, con sumo dolor y sentimiento de que la calamidad de los tiempos tenga a estos reinos tan adelgazados y enflaquecidos, que sea necesario que V.M., como rey natural y verdadero señor, nos vaya a la mano y de tal manera mida nuestra posibilidad que, no agotándose, podamos ir cobrando fuerzas para servir en las ocasiones que se ofrecieren...[34]

¿No sería el momento de abandonar las guerras divinales y de buscar con ahínco la paz? Este sería el criterio del procurador por Madrid Francisco de Monzón: era ya hora de olvidarse de aventuras imposibles, viene a decir el procurador madrileño, para cuidar de la propia casa tan maltratada, de forma que si los pueblos de otras naciones se querían perder, que se perdieran[35].

---

[34] Recogido en mi libro *Política mundial de Carlos V y Felipe II,* Madrid, CSIC, 1966, pág. 262.

[35] *Política mundial..., op. cit.,* pág. 263: Que se quitasen los ejércitos que luchaban en Flandes y Francia, aun reconociendo las obligaciones de Felipe II como Rey católico de defender el catolicismo, dada la falta de caudal y lo desmesurado de la empresa para las fuerzas de la nación; con lo cual quedarían bien y rigurosamente castigados los rebeldes que no querían seguir la fe santa, y que «pues ellos se quieren perder, que se pierdan...» (*Actas...,* XII, pág. 473). Fue notable también la intervención del procurador sevillano don Pedro Tallo, antiguo soldado, quien pediría el abandono de las guerras de Europa del Norte, para sostenerse en Italia, España y carrera de las Indias (*ibídem,* págs. 454 y sigs.). Nada saldría por mayoría, y el presidente acaba ordenando que se aplazase la votación, posiblemente a la vista de la oposición que manifestaban muchos procuradores contra la política belicista de Felipe II (*ibídem,* pág. 485).

Es cierto que ése no sería el unánime sentir, pues un procurador por Murcia, don Ginés de Rocamora, abogó en un brioso discurso por continuar defendiendo «la causa de Dios», como habían hecho en su tiempo los Reyes Católicos, con la ciega confianza de que Dios abriría su mano regalando a España con nuevas Indias y mejores tesoros, para que se pudiera reducir toda Europa bajo el signo de Roma (incluidas Alemania, Polonia y Moscovia). Y así «... volverán a florecer en cristiandad las naciones desta nuestra Europa...» [36].

En todo caso se trataría de unas largas Cortes de seis años —cosa que jamás había ocurrido en Castilla—, que se prolongarían hasta el final del reinado de Felipe II, y que se verían sometidas a fuertes presiones por el Rey, como pudo demostrar ampliamente Echevarría Bacigalupe [37].

Si recapitulamos un poco sobre todo lo que hemos ido señalando sobre la política internacional de las Cortes de Castilla, encontraremos que algunos de sus principios parecen asumidos por los reyes de la Casa de Austria, al menos en el Quinientos. Entre esos principios yo destacaría, en primer lugar, el de la castellanización de la dinastía, llevada a tales extremos que se pediría a Felipe II que el príncipe don Carlos se casara con su tía doña Juana, de forma que, si así se realizaba, sería «gran merced y contentamiento del Reino» [38]. Por eso se recibirá con tanta alegría la cuarta boda de Felipe II con doña Ana de Austria, destacándose en seguida de la nueva reina «su naturaleza» castellana. De ahí que, en general, las relaciones fueran mejores con Felipe II que con Carlos V, por el hecho mismo de que el Emperador aparecía en un principio como extranjero (Carlos de Gante), mientras que Felipe II no sólo había nacido en Castilla, sino que además se sabía que en cualquier otra parte se encontraba como desterrado. Sin embargo, curiosamente, Carlos V se verá apoyado por las últimas Cortes que convoca (las de 1555, y quizá porque ya se sabe que ha decidido retirarse a Yuste), mientras que Felipe II se verá con dificultades con las postreras suyas.

Las Cortes pedirían que la vasta Monarquía católica se gobernase desde Castilla y rechazan el modelo del rey-soldado; en ese sentido, ya hemos indicado hasta qué punto se sentían más cerca de Felipe II que de su padre, el Emperador. Ahora bien, en cambio reprocharán a Felipe su modo de dirigir la política exterior sin acudir a las consultas del Consejo de Estado, ni al de Guerra. Así, a poco de empezar su reinado, el Rey oirá a las Cortes de 1563:

> Otrosí: suplicamos a V.M. mande que en su real presencia se hagan algunos Consejos de Estado y Guerra para que particularmente V.M. vea y entienda lo que se trata y resuelve, y las causas que para ello hay [39].

---

[36] *Política mundial...*, *op. cit.*, págs. 262 y 263.
[37] Miguel Ángel Echevarría Bacigalupe, «Las últimas Cortes del reinado de Felipe II (1592-1598)», en *Estudios de Deusto*, XXXI, jul.-dic. 1983, págs. 329-360.
[38] *Actas...*, I, pág. 97.
[39] *Ibídem*, pág. 328.

Petición que el Rey rechazaría, como una intromisión en su sistema de gobierno. Y así contestará:

> A esto vos respondemos que en el tractar de los negocios se tiene la orden que más a nuestro servicio conviene...[40]

También comulgan las Cortes con la idea de que la Monarquía era un Estado confesional, de forma que a las obligaciones de defensa del catolicismo en el exterior añadiesen la recomendación de que los alcaldes y corregidores de plazas fronterizas o marítimas —la otra frontera, la del mar— fueran cristianos viejos,

> ... porque es negocio que va en ello lo que V.M. entiende...[41]

Digamos, en fin, que tanto las Cortes carolinas como las filipinas mostraron su personalidad, sobre todo entre 1518 y 1523, las primeras, y después de 1588, las segundas. Otra cosa es que tuvieran poder decisorio para modificar la política regia en cualquier aspecto de la vida nacional y concretamente en la política exterior, posibilidad que perdieron, evidentemente, después de Villalar; aunque en ocasiones parece cierto que su resistencia pasiva obliga al Rey a renunciar a determinados proyectos. Ese sería un factor a tener en cuenta cuando se considera el abandono de empresas como la cruzada de 1538 o la conquista de Argel de 1563.

Aparte de eso, parece notorio que no daba más de sí el juego de aquellas Cortes, dentro de una monarquía de tipo autoritario, como la de los Austrias mayores[42].

---

[40] *Actas...*, I, pág. 328.

[41] *Ibídem.*

[42] Echevarría Bacigalupe refutará la tesis del conde de Atarés de que Felipe II había respetado la libertad de las Cortes de Castilla (véase su estudio cit., pág. 359).

7
LA TIERRA Y EL HOMBRE

Al trazar la biografía de un gran personaje se tiende a entrar de inmediato en los avatares de su vida, tanto la familiar y privada como la pública y política; olvidando así algo fundamental: que para comprender su personalidad hay que empezar teniendo en cuenta la época en que vive. Y una de las notas básicas, uno de los condicionantes decisivos es, sin duda, el que se refiere al propio territorio, tanto por lo que permanece como por lo que cambia.

En efecto, acudir a la tierra es el modo más seguro, más directo y más inmediato de evocar un pasado. La tierra es el gran testigo, que ha visto nacer y morir a grandes y menudos y el ir y venir de los viajeros: estudiantes y clérigos, comerciantes y diplomáticos, cortesanos y soldados. Y también, claro, de los propios reyes. Aunque también, en su caso, la quietud traiga otras reflexiones, pues de igual modo que solemos decir que el silencio habla, también podríamos señalar que hay lugares que evocan la inmovilidad, y de ellos uno de los más significativos es precisamente El Escorial.

La tierra como el gran testigo, cierto. Pero con una importante salvedad: el hombre del Quinientos, incluido el propio rey Felipe II, no tiene con esa tierra la misma relación que existe hoy en día. En primer lugar, por la distinta densidad. Para una España de siete millones de habitantes, ese territorio está, en muchas zonas, semidesértico, con todo lo que eso supone: un alto riesgo para el viajero, máxime cuando ese viajero tarda tanto en franquearlo. Las dos mesetas castellanas, con sus 200.000 kilómetros cuadrados (aproximadamente) y con sus 350.000 hogares, concentrados en pueblos, dejando grandes espacios vacíos, nos da ya una nota de cuán majestuosa e imponente podía presentarse la naturaleza ante el hombre que se decidía a franquearla, teniendo en cuenta, además, que las distancias a recorrer había que medirlas por jornadas. Hoy pensamos que Salamanca y Zamora están prácticamente unidas con sus 60 kilómetros que las separan, o, lo que es igual, a menos de una hora; entonces se medía por leguas y esas cinco leguas venían a suponer dos días de marcha. Había que hacer un alto en el camino, como lo hizo aquel cortejo en el que iba doña Berenguela, la madre de Fernando III el Santo, en el mes de junio de 1201, refugiándose en el monasterio que había entonces en los montes de Valparaíso, donde nacería el futuro conquistador de Córdoba y Sevilla. La dificultad en franquear las distancias, con una técnica que en tierra no había variado desde los tiempos más remotos, en cuanto a la velocidad (sí en cuanto a la comodidad; recuérdese la carroza con ballestas en que se desplazó Felipe II en su viaje a Lisboa), suponía que el viajero tuviese que pensar en algo más que en el punto de destino. Valladolid estaba separado de Madrid por unas treinta leguas, lo cual quería decir unas siete jornadas, y una de ellas muy penosa, en especial en invierno, pues había que pasar el puerto de Guadarrama.

Las velocidades máximas en tierra eran las conseguidas por el correo del Rey: el servicio de postas, que permitía alcanzar hasta 135 kilómetros sobre la base del relevo del caballo y del jinete en las rutas preparadas para ello, la de las grandes rutas internacionales europeas, como el servicio entre Milán y Bruselas. Pero, por lo demás, y es otro dato a tener en cuenta, un hombre podía escapar fácilmente de sus perseguidores, siempre y cuando les llevara algunas horas de ventaja, porque no había forma de avisar a las autoridades intermedias para que establecieran controles: de ahí la importancia de ese tiempo que Juana Coello supo obtener cuando montó la fuga de su marido Antonio Pérez y por qué el famoso desleal secretario pudo alcanzar, sin dificultad, el reino de Aragón y refugiarse en Zaragoza, pese a las 50 leguas que separaban Madrid de la capital del Ebro, lo que, al menos, llevaría entre seis y siete jornadas.

No sólo debía tenerse en cuenta el punto de destino, sino que había que contar con el trayecto, con esa naturaleza que acompaña al viajero que parece inmutable y que puede esconder tantos riesgos. De ahí las oraciones cotidianas con que las gentes temerosas de Dios que no solían salir de sus hogares pedían por el caminante.

Y eso no era nada, si se comparaba con los riesgos que se afrontaban cuando era preciso embarcarse en aquellas naves, verdaderas cáscaras de nuez, si se quería ir a Italia o a los Países Bajos. Entonces era preciso hacer testamento, porque el peligro de la vida era cierto. Y no digamos si el viajero había de ir a las Indias, eso era ya cosa para los aventureros o para los que estaban obligados por sus funciones; en todo caso, que el virrey del Perú tuviese un sueldo que doblaba al que gozaban los virreyes de Italia ya indica algo; también el Estado reconocía lo que suponía la distancia.

La tierra tiene también otra lectura: su dudosa seguridad. En una época de continuas luchas, en unos tiempos en los que el derecho de gentes era apenas un tanteo de los teóricos, como hacían los frailes de Salamanca, la realidad constante era la inseguridad, sobre todo en ese ámbito donde chocaban las civilizaciones contrapuestas y rivales (la cristiana y la musulmana), como ocurría en el Mediterráneo. Dado que el hombre era una de las posibles riquezas, los golpes de mano eran constantes. Los audaces argelinos, desembarcando en cualquier punto del Levante español, se hacían con un preciado botín: los cautivos cristianos. Y contra esas agresiones cabían pocos remedios. También las costas del Norte sufrían las incursiones de franceses e ingleses, los seculares rivales de España en la Edad Moderna. Y también sus costas sufrían esos resultados que trataban de combatir, en ocasiones con excesos, como aquellos luarqueses que en 1543 cogieron prisioneros a varios de los franceses que les habían atacado y, enrabietados, los desorejaron; de lo que Fernando de Valdés, el inquisidor, entonces presidente del Consejo Real, daría cuenta a Carlos V, en estos términos:

> ... me han dicho que en un puerto de Asturias, que se dice Luarca, llegaron unas galeras de la armada francesa a combatir y los del lugar se defendieron y echaron al fondo la una dellas y tomaron nueve franceses, y dízenme que los açotaron y desorejaron...

Y Fernando de Valdés, el terrible inquisidor, comenta, en esta ocasión, compasivo:

> ... que a mi paresçer fue mal hecho... [1]

Por lo tanto, la costa era una zona insegura, particularmente en Levante o Mediodía, donde sus habitantes nunca tenían cierto si despertaban como habían anochecido, si en cualquier momento pasaban de libres a cautivos y de sus hogares a las mazmorras de cualquier punto de la costa norteafricana; riesgos que, aunque menores, también afectaban, como hemos visto, a los que vivían en la cornisa cantábrica.

Sólo había una tierra segura por excelencia: la meseta. Castilla era a modo de un impresionante castillo, era la altiplanicie rodeada de elevadas montañas, al resguardo de cualquier golpe enemigo. Circunstancia que hay que tener en cuenta como la que condicionó la decisión de Felipe II para poner su corte en Madrid, convirtiendo a la Villa en capital de la Monarquía.

Madrid era el centro casi exacto de la Península y esto también había que tenerlo en cuenta en una Monarquía disparada a los cuatro vientos; pero, sobre todo, era segura.

Y de ese modo, como hemos de ver, Madrid, con su prolongación de El Escorial, se convirtió en el refugio del Rey. Además, los aires serranos la limpiaban cuando había amagos de peste, o, al menos, esa era la creencia. Jerónimo de Quintana, en sus loas a Madrid, no se cansaría de repetirlo: esa Villa de aires limpios y saludables era donde Carlos V había recobrado la salud y Villa ya preferida por el Emperador.

Algo había, sin embargo, que marcaba que aquella España estaba perdiendo el tren de la modernidad, en ese aspecto de las comunicaciones, pues

---

[1] Véase mi estudio «Valdés y el gobierno de Castilla a mediados del siglo XVI», en *Simposio «Valdés Salas»*, Oviedo, 1968, pág. 110.

en tierra había una posibilidad de mejorarlas, haciéndolas más confortables y baratas, cosa muy importante. Pero ¿cómo?: utilizando y limpiando sus vías fluviales. Carlos V recordaba siempre en sus últimos años —y es preciso referirse otra vez al Emperador— su experiencia cuando en junio de 1550 se trasladó por el Rin, tan grata y cómodamente, que pudo aprovechar para dictar sus célebres memorias a su secretario Van Male:

> Esta historia es la que yo hice en romance, quando venimos por el Rhin... [2]

Sí, la Europa occidental y central estaban surcadas por grandes ríos navegables, bien aprovechados por aquellos hombres. ¿Y cómo estaba España? La España del Quinientos tenía un sistema de comunicaciones que buscaba las costas del Norte o las del Este, pero siempre a contrapelo de sus grandes ríos, que en las dos mesetas se lanzan hacia Poniente; de ahí el nulo aprovechamiento de la navegación fluvial, salvo en el Guadalquivir, sobre todo entre Córdoba y Sevilla.

Algo observado por los contemporáneos y de lo que Luis de Ortiz se lamentaría amargamente en su *Memorial* enviado al Rey —a Felipe II, por supuesto— en 1558, en el que le advierte:

> En Flandes, Italia y otras partes extrañas destos Reinos tienen por grande negocio facer los ríos navegables... para que con poca costa se traigan de unas partes a otras las cosas necesarias a la república...

Y en España, ¿se tenía tal precaución? ¿Se procuraba también tener esas ventajas? ¡En absoluto! Y Luis de Ortiz se quejaría por ello, porque comprendía la gravedad de ese desinterés:

> ... lo cual en España es al contrario, *que todo se hace sin ingenio,* en bestias y carretas, a poder de dineros y costas... [3]

Y ésa sí que era grave acusación formulada por un hombre de mediados del Quinientos —un técnico en las cuestiones económicas, pues Luis de Ortiz era contador— a Felipe II: en España todo se hacía sin ingenio.

Veamos ahora los factores que han de tenerse en cuenta de aquella España del Quinientos, uno inmutable, el otro relacionado con la época: la extensión y la densidad.

En cuanto a la extensión, los datos son bien reveladores: la Corona de

---

[2] Carlos V, *Memorias,* ed. crítica de Manuel Fernández Álvarez, Madrid, 1960 (están también incluidas en el tomo IV del *Corpus documental de Carlos V,* Salamanca, 1979, págs. 461 y sigs.).
[3] La edición crítica del *Memorial* de Luis de Ortiz, en mi libro *Economía, Sociedad y Corona (Ensayos históricos sobre el siglo XVI),* Madrid, 1963, págs. 375 a 462; la cita, en la pág. 411.

Castilla contaba con unos 355.000 kilómetros cuadrados, en números redondos, mientras que la Corona de Aragón andaba por los 110.000. Y esto es importante señalarlo, sobre todo cuando estaba tan reciente la unión de las dos Coronas con los Reyes Católicos: apenas veinticinco años —Fernando el Católico sucede a su padre Juan II como Rey de Aragón en 1479—, cuando accede al trono de Castilla Juana la Loca y cuando el propio Fernando el Católico pone en peligro aquella unión con su segunda boda con Germana de Foix, enlace que llevaba inserta en los capítulos matrimoniales la cláusula de que si había descendencia ésa heredaría los reinos aragoneses (Aragón, Cataluña, Valencia y Mallorca). Quiero decir que la desproporción entre ambas masas territoriales y el hecho de triplicar la Corona de Castilla a la de Aragón tenía que sentirse a la hora de las decisiones finales: el peso del castellano era claro y terminante. De igual modo, habría que señalar algo similar dentro de la Corona de Castilla, donde las dos mesetas, con Extremadura, suponían 211.000 kilómetros cuadrados. Es la altiplanicie la que hace sentir su protagonismo, con la añadidura, cierto, de Andalucía, por ser tan opulenta y por tener la gran fachada marítima tanto hacia las rutas oceánicas como hacia las mediterráneas y más concretamente hacia las costas norteafricanas.

Y a ello había que añadir otro factor importante: la altiplanicie, la meseta, no era fértil, pero era segura. Y aunque no era fértil, sí que producía en abundancia algunos de los productos básicos en aquella economía preindustrial: trigo, vino, lana. Se defendía con el trigo, tenía excedentes de vino y era primera potencia en cuanto a lo que se refería a la producción de la famosa lana de la oveja merina, lana que se disputaban los telares del norte de Italia y de los Países Bajos, y que no tenía rival, ni en calidad ni en cantidad, en el resto de la Europa occidental. He ahí uno de los fundamentos de la importancia internacional de las famosas ferias castellanas de Medina del Campo y de Medina de Rioseco, así como del Consulado de Burgos, que controlaba el comercio de aquella lana castellana.

Tenemos, pues, a una Corona de Castilla que superaba con mucho, por su territorio, a la Corona de Aragón. También lo hacía en cuanto a población, como puede verse en el cuadro de la página siguiente.

Por tanto, también aquí la población de la Corona de Castilla superaba con creces a la de la Corona de Aragón, hasta el punto de quintuplicarla. Son datos que explican sobradamente que la unión de las dos Coronas no se hiciera a un nivel de igualdad. Cierto que los Fueros aragoneses bien defendidos por las Cortes de cada uno de sus reinos amparaban a sus habitantes de los abusos del Rey, pero las grandes decisiones de la Monarquía en el ámbito de la política internacional tendrán un signo marcadamente castellano, aumentado por el hecho de la castellanización de la dinastía, operada con el paso de Carlos V a Felipe II. Carlos V sería más cosmopolita que su hijo y eso le haría más cercano a las otras partes de su Imperio (sabido es el alborozo con que los catalanes acogen su reinado). Felipe II era ya un castellano viejo nacido en Valladolid que pondría su corte en Madrid y su refugio en

POBLACIÓN DE LA MONARQUÍA CATÓLICA
(finales del siglo XVI)

Coronas y reinos	Vecinos	Porcentaje	Territorio (km²)	Porcentaje
Corona de Castilla:				
Galicia	125.491	6,38	29.435	4,91
Las dos Asturias	69.353	3,54	15.853	2,65
País Vasco	52.830	2,69	7.261	1,21
Meseta superior......................	426.661	21,72	99.013	16,53
Meseta inferior	394.713	20,09	113.965	19,03
Murcia y Andalucía...................	315.164	16,03	113.443	18,94
Islas Canarias..........................	7.741	0,37	7.273	1,23
Total	1.391.953	70,82	386.243	64,49
Reino de Navarra	30.833	1,57	10.421	1,74
Corona de Aragón:				
Reino de Aragón	70.984	3,61	47.669	7,96
Principado de Cataluña	(80.000)	4,07	34.000	5,67
Reino de Valencia	97.372	4,95	23.505	3,93
Reino de Mallorca	22.000	1,12	5.014	0,84
Total	270.356	13,75	110.188	18,40
Reino de Portugal	272.438	15,43	92.072	17,11
Total general......................	1.965.580	100,00	598.924	100,00

El Escorial, de cuya zona apenas si saldría a partir de 1561, y eso también acabaría notándose.

Pero territorio y población es un tema que obliga a otros planteamientos complementarios, tales como con qué tipo de población nos encontramos (urbana o rural; ambas, por supuesto, pero en qué proporciones), así como la cuestión capital del reparto de la tierra, lo que lleva consigo la referencia a la diferencia básica de aquella España del Antiguo Régimen: la existencia del señorío.

No es fácil dilucidar con precisión ese aspecto del tipo de población urbana o rural; yo lo intenté para la Corona de Castilla, encontrándome con estos datos provisionales (y, sin duda, sujetos a revisiones); para establecerlos me atuve a los siguientes criterios: monumentalidad del lugar y profesiones primordiales de sus vecinos.

¿Con qué me encontré?

Veámoslo región por región.

REINO DE GALICIA[4]

Población	Vecinos	Porcentaje
Urbana	20.552	16,38
Rural...	104.939	83,62
Total del Reino	**125.491**	

Y su composición social:

Clase social	Vecinos	Porcentaje
Pecheros..	115.139	92,54
Privilegiados:		
Hidalgos 6.272 (5,00)		
Clero secular............ 3.080 (2,46)		
Total privilegiados..........................	10.352	7,46
Total vecinos	**125.491**	

PRINCIPADO DE ASTURIAS

Población	Vecinos	Porcentaje
Urbana	6.326	14,30
Rural...	39.410	85,70
Total..	**45.736**	

Y su composición social:

Clase social	Vecinos	Porcentaje
Pecheros..	9.229	24,47
Privilegiados:		
Hidalgos 27.624 (73,25)		
Clero secular............ 859 (2,28)		
Total privilegiados..........................	28.483	75,53
Total vecinos	**37.712**	

[4] Véase mi estudio *La España del siglo XVI, op. cit.*, págs. 91-95.

TRASMIERA (SANTANDER)

Población	Vecinos	Porcentaje
Urbana...	4.393	17,49
Rural..	20.724	82,51
Total...	**25.117**	

Y su composición social:

Clase social	Vecinos	Porcentaje
Pecheros....................................	3.874	15,42
Privilegiados:		
Hidalgos 20.999 (83,60)		
Clero secular........... 244 (0,98)		
Total privilegiados...........................	21.243	84,58
Total vecinos	**25.117**	

REINO DE LEÓN

Población	Vecinos	Porcentaje
Urbana.......................................	27.789	13,62
Rural..	176.258	86,38
Total...	**204.047**	

Y su composición social:

Clase social	Vecinos	Porcentaje
Pecheros....................................	171.933	84,26
Privilegiados:		
Hidalgos 26.495 (12,98)		
Clero secular........... 5.619 (2,76)		
Total privilegiados...........................	32.114	15,74
Total vecinos	**204.047**	

CASTILLA LA VIEJA (ZONA MESETEÑA)

Población	Vecinos	Porcentaje
Urbana	47.981	21,55
Rural	174.633	78,45
Total	**222.614**	

Y su composición social:

Clase social	Vecinos	Porcentaje
Pecheros	192.308	86,39
Privilegiados:		
Hidalgos 22.977 (10,32)		
Clero secular 7.329 (3,29)		
Total privilegiados	30.306	13,61
Total vecinos	**222.614**	

CASTILLA LA NUEVA

Población	Vecinos	Porcentaje
Urbana	64.040	22,68
Rural	218.380	77,32
Total	**282.420**	

Y su composición social:

Clase social	Vecinos	Porcentaje
Pecheros	251.684	89.12
Privilegiados:		
Hidalgos 24.578 (8,70)		
Clero secular 6.158 (2,18)		
Total privilegiados	30.736	10,88
Total vecinos	**282.420**	

EXTREMADURA

Población	Vecinos	Porcentaje
Urbana	26.700	23,78
Rural	85.593	76,22
Total	**112.293**	

Y su composición social:

Clase social	Vecinos	Porcentaje
Pecheros	106.058	94,45
Privilegiados:		
Hidalgos 2.406 (2,14)		
Clero secular 3.829 (3,41)		
Total privilegiados	6.235	5,55
Total vecinos	**112.293**	

REINO DE MURCIA

Población	Vecinos	Porcentaje
Urbana	13.911	49,00
Rural	14.476	51,00
Total	**28.387**	

Y su composición social:

Clase social	Vecinos	Porcentaje
Pecheros	26.846	94,57
Privilegiados:		
Hidalgos 940 (3,31)		
Clero secular 601 (2,12)		
Total privilegiados	1.541	5,43
Total vecinos	**28.387**	

ANDALUCÍA OCCIDENTAL

Población	Vecinos	Porcentaje
Urbana	109.306	50,87
Rural	105.583	49,13
Total	**214.889**	

Y su composición social:

Clase social		Vecinos	Porcentaje
Pecheros		203.392	94,65
Privilegiados:			
Hidalgos	6.392 (2,97)		
Clero secular	5.105 (2,38)		
Total privilegiados		11.497	5,35
Total vecinos		**214.889**	

Por lo tanto, cuando franqueamos de Norte a Sur esa Corona de Castilla en el Quinientos nos encontramos con dos variantes en marcado contraste: el mundo urbano frente al rural y los sectores privilegiados frente a la masa pechera. Una sola ciudad como Toledo albergaba tanta población —de claro signo urbano— como la que daban con ese tono las dos Asturias; otra, como Sevilla, venía a contener casi tanta como el reino de Galicia. Y las diferencias se van incrementando de Norte a Mediodía: en torno a un 15 por 100 de población urbana en el Norte (incluido el reino de León), un 20 por 100 en las dos Castillas y Extremadura, un 40 por 100 en el reino de Murcia y alcanzando un 50 por 100 en Andalucía occidental.

También aumenta el número de pecheros de Norte a Sur. Si en las dos Asturias apenas si alcanza el 25 por 100, en la meseta norte ya es sobre el 85 por 100, el 89 en Castilla la Nueva y más del 94 por 100 en el resto, desde Extremadura hasta Andalucía occidental.

Es asimismo interesante confrontar el comportamiento del hidalgo, que si en la cornisa norte (incluido León) es de tipo rural, llega al 33 por 100 en Castilla la Vieja. Pero es al sur del Sistema Central donde se invierten claramente las proporciones: en Castilla la Nueva los hidalgos «rurales» —entre ellos, Don Quijote— ya no son más que la cuarta parte de los urbanos, y en Andalucía occidental, prácticamente desaparecen: 53 «rurales» frente a más de 6.000 urbanos.

¿Estamos ante una deserción de ese sector social de sus raíces agrarias? Pues también la podemos apreciar en el clero, en ese ir de Norte a Sur.

En efecto, si el clero secular rural triplica al urbano en la meseta superior, ya no es más que el doble en la inferior, siendo superados en los reinos del Sur por los urbanos.

Esto bien merece alguna reflexión: el hidalgo y el cura rural (tal como los que aparecen en la inmortal obra cervantina), al verse tentados por la ciudad, con ese absentismo del campo producen un vacío. El campo empieza a perder sus grupos dirigentes, quedando más a merced de los abusos de los grandes señores, en especial, claro, en los territorios de señorío, incluyendo a los de las Órdenes Militares. ¿Quién se enfrenta con el comendador de Ocaña? ¿Quién con el de Fuenteovejuna? Un pueblo desesperado, un pueblo descabezado, que encontrará su mejor defensa en el agrupamiento colectivo, en ese grito: «¡Todos a una, Fuenteovejuna!»

Mas, frente a los heroísmos aislados, ¡cuántas afrentas, cuántos atropellos, cuántos desmanes!

El campo *versus* la ciudad, un campo donde habita la mayoría de la población, lo que quiere decir que también esa población es mayoritariamente analfabeta, con todo lo que eso supone. Ahora bien, aquí las cifras deben matizarse. Los pocos habitantes que tenían la mayoría de las urbes —salvo el caso de Sevilla, Granada y Toledo, en la Corona de Castilla, y de Valencia y Barcelona, en la de Aragón— se compensaban por su importante función política y cultural. Así, Zamora, como Toro, tenían voz y voto en Cortes, junto a otras dieciséis ciudades y villas. Valladolid será cabeza de la Chancillería, Supremo Tribunal de Justicia al norte del Tajo —como Granada lo era para el sur—, y Salamanca ejercía un a modo de primacía cultural.

Y luego estaba el *modus vivendi*. ¡Qué contraste entre el mundo rural, tan tosco, tan deprimido, con tan nulos horizontes, y el urbano! Hay otro nivel, otra cultura —algo bien reflejado en el lenguaje, en ese trabucar constante de los vocablos que con tanta gracia recoge nuestro teatro clásico—, otro espíritu de libertad.

Quizá fuera sobre todo eso: el aire de libertad que se respira en la urbe, frente a la servidumbre del campesino, y no sólo el de las zonas señoriales, porque la tierra, sea cual fuese su signo social, también se convertía en opresora del que la trabajaba, con la pobre técnica del tiempo.

Con lo cual no queremos eludir esa grave cuestión: la de quién poseía la tierra. Algo que afectaba en torno al 80 por 100 de la población del Quinientos. Porque incluso con lo mucho que agobiaba al campesino el trabajo de su parcela, está claro que las cosas cambiaban sustancialmente cuando al menos tenía la ilusión de trabajar algo que era suyo, y no como siervo de la gleba.

Ciertamente, estamos ante un problema en primer lugar socioeconómico, pero que también roza lo político. Y no podía ser de otro modo. Dado que la economía hispana del Quinientos es fundamentalmente una economía que hunde sus raíces en lo agropecuario, y dado que su población está tan abrumadoramente vinculada a la tierra, su propia envergadura hace que traspase lo meramente socioeconómico y que repercuta con fuerza en lo político. Porque quien poseía la tierra, cuando eran grandes dominios, solía detentar también el control de la justicia; ésa era la característica del señorío pleno, como tendremos ocasión de ver.

Un poder formidable. Y quien tanto poder alcanza aspira, insoslayablemente, a intervenir con fuerza en la cosa pública, anhela también el poder político. De ahí las pugnas de la alta nobleza con el poder central, con el propio Rey.

Y todo sobre esa base: el dominio de la tierra.

De ahí que volvamos a nuestra primera pregunta: ¿quién poseía la tierra?

Aquí la presencia de la alta nobleza es de un calibre tal, que para un clásico de nuestra historia económica, Vicens Vives, podía cifrarse en estos términos: el 1,5 por 100 de la población poseía el 97 por 100 del territorio.

Lo cual apunta al gravísimo tema de nuestra economía: el latifundio.

Aun así, y con toda la prepotencia de los grandes señores, como detentadores de formidables señoríos, hoy estamos en condiciones de dar otras cifras que presentan un panorama del agro castellano menos sombrío.

Fue algo estudiado a través de los años cuarenta por un historiador, hoy más olvidado de lo que mereciera, Carmelo Viñas, en su libro *El problema de la tierra en la España de los siglos XVI y XVII* [5]. Años después, el importante material aportado por las *Relaciones topográficas* mandadas hacer por Felipe II permitió obrar con solidez al hispanista francés Noël Salomon. Y así surgió una obra maestra en su género: *La vida rural castellana en tiempos de Felipe II* [6], un libro en el que se estudia en profundidad el modelo rural de Castilla la Nueva. Añadamos, entre otros estudios posteriores, los de Ángel García Sanz para la provincia de Segovia [7], el de otro hispanista francés, Brumont, para Castilla la Vieja [8], y el de Alfredo Alvar para Madrid [9].

Tenemos la fortuna, como puede verse, de que tres de estos importantes estudios están centrados en el reinado de Felipe II. ¿Con qué nos encontramos? Brumont lo deja claro para la meseta superior: al menos el 50 por 100 de sus campesinos son propietarios. Algo que ya había constatado García Sanz para el caso de Segovia, incluso en mayor proporción, alcanzando el 65 por 100. Ahora bien, esas cifras descienden notoriamente al sur del Sistema Central: entre el 25 y el 30 por 100. Y todo hace pensar que la situación se agravaría en la zona andaluza. En contraste, la importancia del hidalgo rural en las dos Asturias permite apreciar aquí que el mapa agrario de la Corona de Castilla cambia notoriamente de Norte a Sur y que cuanto más avanzamos

[5] Carmelo Viñas, *El problema de la tierra en la España de los siglos XVI y XVII*, Madrid, 1941.

[6] Noël Salomon, *La vida rural castellana en tiempos de Felipe II*, Barcelona, 1973.

[7] Ángel García Sanz, *Economía y Sociedad en tierras de Segovia (1500-1814)*, Madrid, 1977.

[8] Francis Brumont, *Campo y campesinos de Castilla la Vieja en tiempos de Felipe II*, Madrid, 1984.

[9] Alfredo Alvar, *Hacienda Real y mundo campesino con Felipe II*, Madrid, 1990; y del mismo autor, *Relaciones topográficas de Felipe II: Madrid*, Madrid, 1993, 3 vols.

hacia el Mediodía más nos encontramos con un campesinado sujeto al señorío, bien de los grandes miembros de la alta nobleza —piénsese en el conde de Benavente en la meseta superior, en el duque del Infantado en la inferior, o en el duque de Medina-Sidonia para Andalucía occidental—, bien del alto clero —ejemplo más marcado, la Mesa arzobispal de Toledo—, bien de las Órdenes Militares, que extendían sus grandes dominios por Extremadura y por La Mancha.

A efectos fiscales, vemos Castilla dividida en 18 circunscripciones, que se corresponden con las 18 ciudades que tenían voz y voto en Cortes: las 13 principales ciudades meseteñas, a las que se sumaban las cabezas de los cinco reinos meridionales. Por el reino de León y Castilla la Vieja estaban: León, Burgos, Valladolid, Soria, Segovia, Ávila, Toro, Zamora y Salamanca. Por Castilla la Nueva: Toledo, Madrid, Guadalajara y Cuenca. En fin, por el Sur: Murcia, Jaén, Córdoba, Sevilla y Granada.

Se aprecia aquí que grandes zonas de la Corona castellana quedaban al margen, como todo el reino de Galicia o el principado de Asturias. Se entendía que la representación gallega la llevaba Zamora, como la de Asturias correspondía a León; pero en el orden gubernamental esa unión era ficticia, de forma que el corregidor de Asturias no dependía para nada del leonés, sino —claro está— directamente del Consejo Real. Aún más palmario era el caso en cuanto a Galicia, reino que contaba entonces con las seis provincias de Santiago, La Coruña-Betanzos, Lugo, Mondoñedo, Orense y Tuy, y a cuyo frente estaba un gobernador, de categoría superior, por tanto, al corregidor zamorano. En realidad, en Castilla lo que contaban eran sus 37 provincias, pues a las seis gallegas antes citadas hay que añadir Asturias y Trasmiera, en el Norte; Ponferrada, León, Benavente, Zamora, Toro, Salamanca, Burgos, Tierras del Condestable [10], Palencia, Valladolid, Soria, Segovia y Ávila, en la meseta superior; Madrid, Guadalajara, Cuenca, Huete, Toledo, Mesa arzobispal de Toledo, provincia de Castilla de la Orden de Santiago [11], La Mancha [12], Extremadura y provincia de León de la Orden de Santiago [13], en la meseta inferior; mientras en el Sur estaban: Murcia, Jaén, Córdoba, Sevilla, Calatrava de Andalucía y Granada. Estos eran los 40 partidos que citan los documentos del tiempo.

Como puede verse, no pocas de esas provincias han perpetuado hasta hoy sus nombres, como en el caso de Asturias, León, Burgos, Salamanca, Madrid, Toledo, Cuenca y las cinco del Sur. En cambio, otras han desaparecido,

---

[10] De Briviesca a Villalpando, con Medina de Pomar, Haro, Salas de los Infantes y Frías, entre sus lugares principales.

[11] Su capital: Ocaña.

[12] Subdividida en los cuatro partidos de Ciudad Real, Campo de Montiel, Campo de Calatrava y Alcázar.

[13] Con Mérida, Hornachos, Jerez de los Caballeros, Llerena y Guadalcanal, entre los principales.

como Toro, Huete y Calatrava de Andalucía. Casi todas tenían límites muy distintos, en todo caso, a las actuales, quizá con la única excepción de las Asturias de Oviedo, cuyos límites, por coincidir prácticamente con los accidentes geográficos (la ría del Eo, al Oeste; los puertos montañosos, al Sur), se han mantenido. Pero eso constituye, repito, la excepción. Así, el norte de la actual provincia de Madrid correspondía antes a Guadalajara, mientras Peñaranda y el Puente del Congosto eran abulenses. En contrapartida, El Barco no tenía entonces el sobrenombre de Ávila, puesto que pertenecía a Salamanca, lo mismo que Coria y Granadilla; esto es, Salamanca se extendía antes ampliamente por tierras actualmente cacereñas.

Teniendo todo esto en cuenta, se comprende el error de quienes, al hablar de la población castellana en el Quinientos, dan las cifras globales en mapas donde se recogen las actuales circunscripciones, producto de nuestra burocracia decimonónica, con lo cual se atreven incluso a marcar la densidad de cada provincia, sin tener en cuenta que esas cifras hay que referirlas a territorios muy distintos de los actuales.

Espacio y hombre. Para una España peninsular sensiblemente igual a la de nuestros días, tan sólo unos seis millones y medio a siete, en sus momentos de auge demográfico, que bajan a unos cuatro y medio en la época de la crisis del barroco, tras tantos desastres —crisis económica, pestes, derrotas militares—. Pocos hombres, diríamos, Y, sin embargo, esa escasa población trata de enseñorear media América y se debate en los campos de Europa y de África. Milagro humano llevado hasta límites inconcebibles que acabó agotando a la nación. De ahí, su paso brusco de primerísima potencia mundial a otra de tercer orden.

Pero eso es en el terreno político, porque en lo cultural, aun contra tantas adversidades, España dejará un legado espiritual, una especie de imperio del espíritu que aún perdura. Del imperio político nada queda, salvo el recuerdo; del ideológico y cultural, una cosecha espléndida que todavía alimenta nuestros espíritus.

Y de ello tendremos harta ocasión de hablar.

En todo caso, una tierra parca en hombres, que en las dos mesetas y Extremadura se caracteriza por poblaciones concentradas —frente a la dispersión del hábitat rural de la cornisa cantábrica—, con grandes espacios semidesérticos.

Es una imagen que hay que tener en cuenta para comprender un fenómeno muy singular de la época, con notorias repercusiones en lo social y en lo económico: la existencia de la Mesta.

El «Honrado Concejo de la Mesta de los pastores de Castilla» nos trae de inmediato a la vista la estampa de inmensos rebaños de ovejas merinas recorriendo de Norte a Sur —o a la inversa— las dos mesetas, según lo imponía el girar de las estaciones, buscando así los frescos pastos de las montañas en verano, o los soleados del sur extremeño en el invierno. Una vida dura, que recuerda la advertencia del ama a Don Quijote:

¿Y podría vuestra merced pasar en el campo las siestas del verano, los serenos del invierno, el aullido de los lobos? No, por cierto; que éste es ejercicio y oficio de hombres robustos, curtidos y criados para tal ministerio casi desde las fajas y mantillas [14].

La importancia de la Mesta castellana estribaba por supuesto en la que tenía entonces la producción de lana, como materia prima insustituible para la confección de prendas de abrigo, tanto trajes como mantas. En ese terreno, ningún país de la Europa occidental podía competir con Castilla, por sus características climatológicas y por su gran extensión semidesértica que permitía la cría de varios millones de cabezas de oveja merina (la oveja que daba la lana más apreciada); para que tan impresionantes rebaños, divididos en varias cabañas, pudieran realizar ese nomadismo dos veces al año, en travesías que venían a durar en torno al mes, era preciso usar amplias cañadas, sólo pensables en territorios semidesérticos, como los que ofrecía esa Castilla en su banda occidental, entre los montes de León y las tierras bajas de Badajoz. O al Este, entre la serranía de Cuenca y los refugios soleados al pie de Sierra Morena. En 1563, por lo tanto en pleno reinado de Felipe II, las cifras de las ovejas merinas trashumantes se calculaban en torno a los dos millones y medio de cabezas, no siendo inferiores las de los rebaños estantes, afincados en los lugares meseteños; esto da idea de la importancia del sector, que alimentaba además la notable industria textil tan floreciente en Segovia y Cuenca, y el comercio de exportación de la lana, preferentemente por el Norte, a través del eje Burgos-Bilbao; Burgos, sede del Consulado de la lana, y Bilbao, como principal puerto por donde salía esa lana que demandaban los telares franceses y flamencos. Otra ruta era la que buscaba los puertos del Mediterráneo, en particular Cartagena, para llevar aquella preciada mercancía a los telares italianos, entre los que destacaban los florentinos.

Esa importancia no se escapaba a la atención de la Corona; de ahí que el principal cargo del Concejo de la Mesta, el alcalde entregador mayor, que en los tiempos bajomedievales había estado vinculado a un miembro de la alta nobleza —los condes de Buendía—, pasase bajo los Reyes Católicos al Consejo Real y detentado por el consejero más antiguo; todo un signo revelador del avance de la Monarquía autoritaria en la España del Quinientos.

Y una última reflexión: que un personaje como Carlos V fuese al tiempo rey de Castilla y conde de Flandes, no hacía sino confirmar en la cúpula lo que estaba ocurriendo en la base: la estrecha conexión entre los súbditos de ambos países. Y de ello se beneficiarían los pañeros flamencos, al obtener, como hemos visto, un trato de favor al comprar la lana castellana.

---

[14] *Don Quijote,* II, ed. cit. de Martín de Riquer, pág. 1181.

8

EL PANORAMA ECONÓMICO: EL MEMORIAL DE LUIS DE ORTIZ

Cuando se piensa en el siglo XVI, al punto vienen a la memoria las imágenes del Renacimiento y de la Reforma. En seguida se recuerdan estos nombres: Rafael, Leonardo da Vinci, Miguel Ángel, que campean en Italia, o los de Berruguete, Juni y Siloé, que lo hacen en España. Y también se piensa en las guerras religiosas que sacuden Europa, fruto de aquella Reforma que protagonizaron Lutero y Calvino.

Renacimiento y Reforma, como señales diferenciadoras del Quinientos, en los ámbitos culturales y religiosos, marcando, por tanto, la línea ideológica; pero también capitalismo, en el económico.

Capitalismo inicial, por supuesto, en lid con otras formas socioeconómicas, lo que es también un signo muy marcado de la época, pues si los descubrimientos geográficos y los nuevos instrumentos crediticios, como la letra de cambio, dan ya la nota de una economía que desborda los ámbitos regionales y nacionales, ese capitalismo inicial —que apunta sobre todo en el comercio— no ha excluido en el campo a una economía de tipo feudal, marcada por los grandes señoríos. Y a los dos, al capitalismo y al feudalismo, hay que añadir precisamente en el XVI un esclavismo, que toma un auge fortísimo, a favor de los dominios coloniales. El aumento de la trata negrera, sobre todo en Portugal y Castilla, supone poco en el sector económico peninsular (donde se trata, casi exclusivamente, de una esclavitud limitada al ámbito doméstico), pero sí, y de forma decisiva, en el mundo colonial. Y no olvidemos que es bajo Felipe II cuando en el imperio de Ultramar se pasa de la fase de la conquista a la época colonial, y cuando la mano de obra esclava africana sustituye a la indígena en la región antillana, penetrando también en las costas atlánticas de Colombia y Venezuela.

Era algo ya iniciado en tiempos de la regencia de Fernando el Católico, con la curiosa contradicción de la defensa de la libertad del indio y la admisión, sin discusión, de la esclavitud del negro. De ello podría ser testimonio aquella carta del rey Fernando a Diego Colón, el hijo del almirante —escrita en 1510—, en la que le da instrucciones para el mejor trabajo en los yacimientos auríferos:

> Vi vuestra letra —le escribe entonces el Rey— que enviastes con vuestro hermano Fernando, y vi todo lo que él me dijo de vuestra parte. Ahora sólo respondo a lo que me decís de las minas, de do se saca mucho oro. Y pues el Señor lo da y yo no lo quiero sino para su servicio en esta guerra de África, no quede por descuido el sacar lo que se pudiera.

Hasta aquí, un texto repetido mil veces: el oro, el ansia de oro, y esa ansia se encubre con una justificación religiosa: la guerra santa, la cruzada rediviva, al calor de la guerra de Granada y de la explotación en África de aquella victoria.

Es el resto de la carta el que adquiere particular valor para nuestro tema: la economía esclavista, otra vez reanudada. Y así continúa el Rey:

> Y porque los indios son floxos para romper piedras, métanse todos los esclavos en las minas, que ya mando a los oficiales de Sevilla que os envíen los cincuenta esclavos... [1]

Cincuenta esclavos negros, sacados de África para ir a trabajar en las explotaciones mineras americanas. Sólo cincuenta, pero no era más que el comienzo. Pronto serían enviados a centenares, a miles, año tras año.

En 1559, al comienzo del reinado de Felipe II, Pedro Menéndez de Avilés avisaría sobre el riesgo que suponía aquel trasplante humano, sobre todo en unas Antillas donde había desaparecido la población indígena, incapaz de superar la prueba del contacto con los invasores castellanos; unas Antillas donde la población era ya mayoritariamente de negros esclavos.

Pedro Menéndez de Avilés, el gran marino español de mediados de siglo, advertía a Felipe II en 1558:

> ... en la isla española de Santo Domingo hay pasados de cincuenta mil negros y negras y no hay cuatro mil españoles...

Y añadía en su información cómo aumentaba esa población esclava y no sólo por los nuevos cargamentos llegados desde África, sino también por lo mucho que se multiplicaban en aquellas tierras tropicales:

> ... porque como es tierra cálida, clima de su naturaleza, dellos multiplican mucho...

---

[1] Real Academia de la Historia, Col. Muñoz, XC, fol. 26.

La amenaza negra, pues, provocada por una población esclava en aumento. Y tan cierta, a juicio del marino asturiano, que sólo encontraba un remedio: tenerla atemorizada con la crueldad:

> Y a los negros, si estuvieren de mala suerte, se usará con ellos toda crueldad...

Y todavía, machacón, obsesionado con aquel peligro, insistirá ante el Rey:

> Y para el temor de delante —el alzamiento de los esclavos negros— se use con ellos la crueldad que a Vuestra Magestad le parezca...[2]

Por lo tanto, coexistiendo en extraño ensamblaje, vemos a un capitalismo inicial, a un feudalismo reverdecido y un esclavismo —en la zona colonial— en auge. Y todo eso dando un colorido singular a la España de mediados del Quinientos, la España donde iniciaba su reinado Felipe II, en la que afloraba una grave crisis económica, provocada por una política carolina en la que no se habían tenido debidamente en cuenta los intereses de España y donde afloraban una serie de fallos que era preciso remediar, para evitar una catástrofe.

Tal era el juicio de un hombre que había seguido, con ojo atento, la evolución económica de la Monarquía: Luis de Ortiz.

Veamos, pues, el *Memorial* que presentó Luis de Ortiz al Rey en 1558.

He aquí uno de los testimonios más lúcidos del Quinientos, sobre la situación de España a mediados del siglo. Luis de Ortiz era un contador de Burgos, un economista si se quiere, que con ojo atento había seguido el caos económico en que estaba cayendo el imperio de Carlos V, y en 1558 presenta su memorial a Felipe II, al nuevo soberano, que, como tal, se podía esperar que remediase las cosas. Por eso Luis de Ortiz marca los fallos de la Monarquía, ya veremos que no sólo los económicos, y propone las debidas soluciones; en algunos casos, ciertamente, evadiéndose de la realidad social y de su menosprecio del trabajo.

Pero lo que sí vio certeramente Luis de Ortiz fue que los males de España, en el terreno económico, no podían desligarse de sus relaciones con el imperio de Ultramar.

Algo que sabemos muy bien por los estudios de Carande y de Pierre Vilar: el oro y la plata llegados de las Indias, y siempre en línea ascendente, no bastaban para cubrir los gastos de las desorbitadas empresas exteriores de la Corona. En otras palabras: la supremacía imperial carolina sobre Europa resultaba cada vez más cara, de forma que, al no bastar los caudales propios ni las remesas de Indias, el Emperador tuvo que acudir constantemente a los crédi-

---

[2] Pedro Menéndez de Avilés a Felipe II, en su nao *Capitana,* 15 de junio de 1558 (*Corpus documental de Carlos V,* págs. 429 y sigs.).

tos de los banqueros —en particular, de los alemanes—, cada vez más exigentes; de forma que si en los primeros años de su reinado, en los años veinte, esos adelantos le cuestan en torno al 17 por 100, en los finales (los «años conflictivos», en la terminología de Carande) rondará ya el 49 por 100; dicho de otro modo, para obtener nueve mil ducados, ha de pagar catorce mil.

Ese pago, al no ser cubierto por las remesas indianas, caía sobre el pechero castellano.

Y la ruina amenazaba al país.

Felipe II, siendo príncipe y gobernando España en ausencia del padre, entre 1543 y 1554, es el primero en denunciarlo. En septiembre de 1544, pide a Carlos V que apresure la paz con Francia.

La paz. Era cuando las tropas imperiales acosaban a la Monarquía de Francisco I, llegando hasta las inmediaciones de París. Pero el país, particularmente Castilla, estaba al borde de sus fuerzas.

Oigamos al Príncipe:

> V.M. mire que agora cumpliría más con Dios y con el mundo, pues no se podría decir que V.M. lo hacía forzado, sino teniendo las armas en la mano...

Era el prestigio imperial, algo que había que dejar a salvo. Pero si esto era así, la paz se imponía.

Y así continúa el Príncipe:

> ... y que le sería de mayor reputación hacerlo así, que esperar a que paresciera que la necesidad y falta del dinero le hacía venir en ella.

Por lo tanto, la paz:

> La cual importa tanto para el bien y remedio de la Cristiandad, y aun destos Reinos, que están tan necesitados y exhaustos, que no sé con qué manera de palabras se lo pueda encarescer...

¿Era tan inminente la ruina? Así lo señalaba el príncipe Felipe:

> Todos los medios, formas y expedientes, son acabados; los dineros del servicio, así ordinario como extraordinario, consignados; las otras consignaciones, del todo consumidas. Y de dónde se haya de proveer lo que no se pueda excusar, no se puede alcanzar...

Era, por tanto, preciso amainar. Era necesario, por todo punto, ceder, dejar a un lado la política de prepotencia. Es cuando el Príncipe —o sus consejeros, que así le hacen hablar— dice a su padre, el Emperador, aquellas palabras tan reveladoras, la ruina que amenazaba a Castilla, y que nunca comentaremos bastante:

> V.M., que lo sabe y entiende mejor todo, lo puede considerar si fuere servido, que de acá no paresce que se pueda dexar de acordárselo, para que desengañado de lo de adelante, pueda medir las cosas según lo que se podrá y no según sus grandes pensamientos...[3]

Está claro que no es el príncipe Felipe el que habla. Él no hace más que firmar lo que sus consejeros le ponen ante los ojos. Estamos en 1544, y sus diecisiete años no dan para más. Es, evidentemente, la voz de Castilla, no del heredero de la Corona. Pero la frase resulta impresionante, por lo certera:

> ... para que, desengañado de lo de adelante, pueda medir las cosas según lo que se podrá y no según sus grandes pensamientos...

¡Y estamos en 1544! Todavía faltarían otros diez años de guerras en Alemania y en Flandes. Porque, en efecto, se hizo la paz con Francia —la paz de Crépy— y, al punto, en 1545, se inició el Concilio de Trento y con él la perspectiva de dominar el protestantismo alemán por la fuerza de las armas. Con lo cual nuevas imposiciones sobre el humilde pechero castellano. Pero ¿lo podría sufrir? Es cuando Felipe II informa a Carlos V y le dice toda la verdad: la situación en Castilla no podía ser más desesperada y no venía a cuento que se recordara lo que Francia había dado a su Rey para que afrontase su política exterior:

> ... porque demás que la fertilidad de aquel Reino es tan grande que lo puede sufrir y llevar, la esterilidad destos Reinos es la que V.M. sabe, y de un año contrario queda la gente pobre de manera que no pueden alzar cabeza en otros muchos.

El Príncipe defiende a Castilla, sus usos, sus costumbres y privilegios:

> Cada reino tiene su uso y en aquél es la costumbre servir de aquella manera, y en éstos no se sufriría usar de la misma, porque también se ha de tener respeto a las naciones...

En todo caso, la miseria en que había caído Castilla era algo que encogía el ánimo, pues todo amenazaba perderse. El pueblo, la sufrida gente de Castilla, no podía más. Pocas veces unos consejeros —a través de su Príncipe— hablaron tan valientemente al Emperador:

> ... la gente común, a quien toca pagar los servicios, está reducida a tan extrema calamidad y miseria que muchos andan desnudos sin tener con qué se cubrir. Y es tan universal el daño que no sólo se extiende esta pobreza a los Vasallos de V.M., pero aún es mayor los de los señores, que ni les pueden pagar sus rentas, ni tienen con qué.

---

[3] *Corpus...*, II, pág. 271; véase *supra*, pág. 101.

Una general miseria se extendía por el país. Los jueces no daban abasto a perseguir a los deudores, todo amenazaba ruina:

Y las cárceles están llenas y todos se van a perder[4].

Carlos V, en su ansia de conseguir dineros de donde fuese, había llegado incluso a la idea de hacerse con los que venían de Indias para particulares, lo cual era un abuso tan notorio que Felipe II protesta. Eso hubiera sido

... en grandísimo daño destos Reinos y [la] total destructión y perdición de los mercaderes y de muchos particulares pobres y viudas, cuyos dineros traen [los galeones]...[5]

¿No estamos ante la Castilla que alumbró al *Lazarillo de Tormes?* Es también la que se refleja en el *Memorial* de Luis de Ortiz.

¡Cuántas veces he estudiado su texto, desde que decidí publicarlo allá hacia 1956, hace por lo tanto más de cuarenta años! Porque lo cierto es que mucha gente hablaba ya de él, pero la mayoría —como ocurre con tanta frecuencia— sólo de oídas, pues aún permanecía inédito. Se sabía, eso sí, que había varias copias, dos de ellas en la Biblioteca Nacional (sección de manuscritos). Y una mañana de enero yo trasladé mi máquina portátil a la Biblioteca Nacional, donde un buen amigo, don Ramón Paz, me ayudaría poniendo a mi disposición una mesa en un rincón aislado. Y asombroso: pese a que se publicó en 1957 en la revista *Anales de Economía,* pese a que seis años más tarde lo recogería en el Apéndice documental inserto en mi libro *Economía, Sociedad y Corona,* para muchos pasaría desapercibido[6].

Ahora bien, en algo fue útil mi trabajo, pues serviría de base para los estudios que entonces estaba haciendo Pierre Vilar sobre la España del Quinientos[7].

El *Memorial,* presentado al Rey por aquel contador de Burgos en 1558 —como si esperara del nuevo monarca la solución de los problemas que estaban dañando a la Monarquía—, parte de un hecho evidente: que los paños extranjeros podían competir con los nacionales, tanto en precio como en calidad, pese a que empleaban la lana de la oveja merina castellana. Es más, afanados por sacar un rendimiento inmediato a esa lana, el mercader castellano la vendía al mejor postor, que siempre era un extranjero, para comprar después los paños manufacturados; esto es, se vendía por uno y se compraba

---

[4] *Corpus...,* II, pág. 357.

[5] *Ibídem,* pág. 318.

[6] Pese a todo ello, un equipo dirigido por un poderoso del régimen franquista sacó años más tarde otra edición del *Memorial,* sin ningún aparato crítico, y silenciando, por supuesto, la tarea que yo había realizado.

[7] Pierre Vilar, *Crecimiento y desarrollo,* Barcelona, Ed. Ariel, 1965; y también en *Oro y moneda en la Historia,* Barcelona, 1969, págs. 183 y sigs.

por diez, con un desequilibrio de la balanza de pagos que hacía que se fuera al extranjero buena parte del oro que llegaba de las Indias; un oro —nervio de la guerra— que así servía para que ese extranjero hiciese la guerra a España.

Luis de Ortiz es un testigo de la hora histórica de su patria. Conforme a una reflexión sacada de la tradicional historiografía, los imperios del mundo habían ido pasando empujados por la rueda del tiempo hacia Occidente: Persia, Grecia, Roma. Ahora —el ahora del hombre del Quinientos— le tocaba a España. Pero, en ese mismo sentirse imperiales, sentirse testigos y personajes con protagonismo activo de tal imperio, estaba por lo mismo ya la semilla de la duda, de que el girar de la rueda haría, acaso en poco tiempo, que ese imperio se escapase de España. Y ése sería el afán de Luis de Ortiz, encontrar la fórmula que pudiese bloquear la rueda del tiempo, manteniendo a España en la cima del poder:

> ... España es la que falta en el mundo por tener el supremo mando e ymperio, y que desde que comenzó a reinar la magestad del Emperador Carlos Quinto deste nombre, se comenzó. Y para que éste no sólo se conserve en estos Reinos, mas dure perpetuamente, he dado principio a ello... [8]

Luis de Ortiz es un patriota, es un gran enamorado de España. Y tanto, que le lleva a unas loas, acaso por encima de las conocidas *Hispaniae laudes* medievales. De entrada, juzga a su tierra más fértil que la de Francia, cosa tan lejos de la verdad, y tan en contra del sentir general, como ya hemos visto en las cartas de Felipe II a Carlos V de 1544. Y hasta tal punto, nos dice, que simientes que en otras alejadas tierras eran malignas y aun venenosas, en España se acomodaban y se convertían en benignas: así los duraznos. Sus aires eran «buenos y sanos por todas partes». Y si así era la tierra, ¿qué decir de los hombres? Es cierto que los más de ellos vivían ociosos.

> ... sin letras ni oficios mecánicos...

Pero ¡cuán sufridos y templados! ¡Cuán hechos para la guerra! ¡Cuán secretos!

> ... los ánimos aparejados para morir por su ley y por su Rey...

Y a partir de ese momento, Luis de Ortiz nos presenta su plan. Básicamente el largo memorial, cuya copia de 73 folios se conserva en la sección de manuscritos de la Biblioteca Nacional de Madrid, está centrado en tres gran-

---

[8] Luis de Ortiz, *Memorial* (véase mi ed. crítica en *Economía, Sociedad y Corona, op. cit.,* pág. 379).

des cuestiones: cómo mejorar la balanza de pagos, con una adecuada política aduanera; cómo desarrollar la economía —llevando pareja una reforma social, acaso el punto más interesante—, la mejora del comercio exterior, el impulso a la economía interior y la confirmación del predominio en la zona del mundo que, a juicio de Luis de Ortiz —y no era el único de su tiempo que así pensaba—, afectaba más a España: el Mediterráneo.

En cuanto a la balanza de pagos, el razonamiento de Luis de Ortiz era claro: había una fuerte descompensación porque se exportaban materias primas de gran valor —lana, seda, hierro— y se importaban después los productos manufacturados, que los artesanos de otras naciones hacían precisamente con esas mismas materias primas, y con tal desventaja, que lo que se vendía por uno, se compraba después por valor de diez, de veinte y hasta de ciento.

> Entendido está —señalaba Luis de Ortiz— que de una arroba de lana que a los extranjeros les cuesta quince reales, hacen obraje y tapicerías y cosas labradas fuera de España, de que vuelven dello mismo a ella, valor de más de quince ducados...

Y tal ocurría lo mismo con la seda y con el hierro. Y así salía el dinero del reino, lo que llevaba a Luis de Ortiz al triste comentario:

> ... que, cierto, en esto y en otras cosas, nos tratan peor que a indios... [9]

¿Cómo remediarlo? El Rey lo tenía en la mano: con un estricto control aduanero:

> Y el remedio para esto es vedar que no salgan del Reino mercaderías por labrar, ni entren en él mercaderías labradas... [10]

¿Tan sencillo como eso? No, porque ello obligaba a una profunda transformación social e incluso mental.

Desterrar el ocio, convertir al español, fuere cual fuere su condición social, en un laborioso artesano. Lo que a su vez obligaba a una reforma legislativa, ya que los oficios mecánicos estaban menospreciados por las leyes del reino.

Luis de Ortiz llega tan lejos, en sus afanes reformadores de la sociedad, que pretende que los oficios mecánicos fueran aprendidos y ejercitados por toda la juventud, por la España del mañana, sin excluir ni siquiera a la alta nobleza. ¡Pura quimera!

> Se ha de mandar que todos los que al presente son nacidos en estos años, de 10 años abajo, y los otros que nacieren de aquí adelante

---

[9] *Memorial* de Luis Ortiz, ed. cit., pág. 332.
[10] *Ibídem.*

> para siempre jamás, aprendan letras, artes o oficios mecánicos, aun-
> que sean hijos de Grandes y de caballeros y de todas suertes y esta-
> dos de personas... [11]

Sin duda, Luis de Ortiz se dejaba llevar aquí de su afán por mejorar la riqueza nacional, sobre la base que el primer factor a tener en cuenta es el mismo hombre. Quiere trabajadores para la industria —en especial, la textil, que
era con mucho la más importante de aquellos tiempos—. ¡Fuera la gente
ociosa! Y tan fuera, que los que a los dieciocho años no hubieran aprendido
un oficio deberían ser desnaturalizados:

> ... sean habidos por extraños destos Reinos y se executen en ellos
> otras graves penas [12].

Naturalmente, tan fuertes medidas no rezaban con los labradores ni pastores. Como si recordara los versos de Jorge Manrique, hablará de «los que
trabajaren con sus manos». Pero se quejará de la multitud de sastres, jubete-
ros y calceteros, por mor de tanto afán de vestir suntuosamente, en contraste
con la gente principal de Roma o de Génova, que andaba toda vestida hones-
tamente; es decir, sin tales suntuosidades.

Y otra ventaja: al desterrar el ocio también se desterrarían los infinitos
pleitos a que tan dados eran los españoles, sin olvidarse de los que se margi-
naban de la ley:

> Lo otro, que estanto la gente toda ocupada en sus oficios, no ha-
> brá los ladrones, salteadores, vagabundos y perdidos que hay en el
> Reino... [13]

Había privilegios, ¿no es cierto? Tanto la nobleza como el clero estaban
excusados de pagar los servicios. Pues bien, Luis de Ortiz quiere redondear
su reforma social trastocando aquella base tan inconmovible del Antiguo Régimen: privilegios, sí; pero sólo para los que trabajaren por sus manos:

> Para remedio desto se puede ordenar que todos los oficiales (de
> oficios mecánicos, se entiende) sean libres de servicios ordinarios
> y extraordinarios, y lo mesmo los labradores, pastores, traxineros y
> carreteros y los demás que vivieren del trabajo de sus manos... [14]

Lo que Luis de Ortiz pedía, por tanto, era una profunda reforma del sistema fiscal. ¿Cómo se entendía que ciudades como Toledo, Valladolid, Bur-

---

[11] *Memorial* de Luis de Ortiz, ed. cit., pág. 383.
[12] *Ibídem.*
[13] *Ibídem,* pág. 387.
[14] *Ibídem.*

gos y otras de Castilla estuviesen exentas del pago de impuestos? Aquellas exenciones tenían como consecuencia que pagaban más y más los labradores comarcanos. Igualmente ocurría con los privilegios de hidalgos y clérigos, tanto secular como regular, con grave daño de la república.

> ... y todo lo vienen a pagar los labradores, que son los más pobres y desventurados, en lo cual se recibe gran escrúpulo de conciencia... [15]

Esa actitud tan nueva, tan moderna —tan actual, si se quiere—, enlaza con la que mantiene en lo que se refiere al problema de la limpieza de sangre. Luis de Ortiz no pedirá que se quitaran los estatutos de limpieza de sangre, que había renovado a mediados del siglo XVI el cardenal Silíceo, con los implantados para el cabildo catedralicio toledano; pero sí que se moderasen.

Esa sería su expresión, con referencia expresa al impuesto por Silíceo:

> Que el estatuto que hixo el Cardenal de Toledo y otro de Alcaraz y otros que hay en el Reino, se moderen con limitación de limpieza de padres y abuelos, sin buscar limpieza de más ascendencia, pues es cosa justa... [16]

En cuanto a la producción, ya estaba en marcha un apunte de maquinismo, frente a la labor artesana tradicional. También en este caso vemos a Luis de Ortiz clamar por que el país se pusiera a la altura de los tiempos:

> Que ninguna mujer pueda hilar al pulgar sino en carro de los que vienen de Flandes...

Y la razón era clara:

> ... porque se averigua hilar más una mujer en un día en carro y con menos trabajo que las que hilan al pulgar en cuatro [17].

No se olvida Luis de Ortiz del libro impreso que venía a España en tal cantidad que, aparte del riesgo de sus sospechosas doctrinas —no olvidemos que el Quinientos es también el siglo de Lutero y de Calvino; en suma, de la Reforma—, se escapaban por esa vía más de 200.000 ducados al año. Aún mayor era el gasto por la cera, que Luis de Ortiz lo calculaba en otros 500.000 ducados; el consumo de velas, tanto en la liturgia religiosa como en el alumbramiento nocturno de las viviendas, explica algo que en nuestros tiempos resulta difícil de comprender.

El aumento de los molinos de viento —otra novedad de la época—, la

---

[15] *Memorial* de Luis de Ortiz, ed. cit., pág. 387.
[16] *Ibídem,* pág. 428.
[17] *Ibídem,* pág. 392.

forestación del país y hacer los ríos navegables eran otras de las medidas planteadas por Luis de Ortiz para mejorar la economía nacional.

Esparcidos aquí y allá en el *Memorial* se encuentran no pocas referencias a los males de la Monarquía: la escalada de los precios, el poder abusivo del patriciado urbano, el temor al enemigo musulmán, el paso a las Indias de tantos maleantes, provocadores de alzamientos y sediciones...

La veda de exportación de la lana traería como compensación, además, que los artesanos extranjeros tuvieran que venir a España a seguir su oficio (ya hemos dicho que la lana merina castellana no tenía igual), con lo cual se lograba otro resultado: que se casaran no pocas doncellas pobres:

> ... de que hay multitud, y se pierden y son malas, por no tener con qué se casar... [18]

La denuncia contra los abusos del patriciado urbano, que se conoce por la documentación existente, tiene aquí una notoria referencia. Los regidores de las principales ciudades —los actuales concejales— tenían sus cargos vitalicios y se beneficiaban con el abastecimiento de sus ciudades, cada uno en un sector: carne, pescado, lana, aceite, etc., de forma que lo encarecían para aumentar su ganancia. De ahí otro motivo de la carestía de la vida:

> ... se tiene entendido que los más de los regidores de los pueblos grandes, por ser perpetuos, son interesados unos en las carnes, otros en las lanas, otros en los aceros, otros en sebo y otros en el pescado y aceite; y, finalmente, en todo lo necesario a la sustentación humana; los cuales, con sus industrias [con sus manejos], encarecen las cosas en los excesivos precios que al presente están... [19]

¿Remedio? Que fueran cadañeros y no vitalicios, y sujetos a estrechos juicios de residencia, a cargo de íntegros magistrados (los oidores de la época).

Es sorprendente la voz de alarma que da contra el peligro norteafricano, por su densidad de población; al leer esta parte del *Memorial,* uno piensa inevitablemente en el peligro chino de nuestros días:

> Hase de considerar que, a causa de casarse el moro con siete mujeres..., es tan grande su multiplicación que se averigua que hay en Argel algunos moros, y en otros muchos pueblos de África, que tienen a sesenta y a setenta hijos varones y algunos más, sin las hijas, por lo cual fácilmente pueden conquistar el mundo, si Nuestro Señor no lo remedia...

¿Qué se podía hacer? Una guerra sin cuartel. Que las galeras del Rey piratearan, año tras año, arrasando la tierra. Con lo cual, aparte del botín, se despoblaría la tierra y sería más fácilmente presa de España:

---

[18] *Memorial* de Luis de Ortiz, ed. cit., pág. 428.
[19] *Ibídem,* pág. 405.

... con estrozarles la tierra cada año se la asolarán y harán despoblar y dejar, y con tiempo Su Magestad será señor de todo...[20]

La crueldad otra vez, como había pedido también Pedro Menéndez de Avilés, al servicio de una política de dominio, ahora en el Mediterráneo.

Luis de Ortiz buscaba con su planteamiento el enriquecimiento del país —que no saliera dinero del reino— y el del propio Rey, pues no podía haber rey rico reinando sobre vasallos, más que pobres, hundidos en la miseria. Sería además la mejor forma de que se respetase la ley, la ley que protegía al humilde.

Otra cosa sería abocarse a la desesperación. En ese sentido, Luis de Ortiz no se hacía ilusiones: de un rey acosado por las deudas cualquier mal se podía temer:

> Las necesidades de los Reyes... hacen quebrar y derogar las leyes buenas...

Para concluir, escéptico:

> ... pues a necesidad no hay ley y *menos en los Príncipes*...[21]

El *Memorial* de Luis de Ortiz nos interesa tanto por lo que propone como —o acaso más— por lo que refleja. Es muy dudoso que se pudiera tomar en serio por el Consejo Real su propuesta de que toda la juventud tuviese que aprender un oficio mecánico, incluidos los hijos de la alta nobleza, y que contra los que así no lo hiciesen se procediera marginándolos de la ley («sean habidos por extraños destos Reinos...»); pero nos deja la constancia del grave problema laboral, de ese absentismo del trabajo fomentado por una sociedad con mentalidad nobiliaria. De igual modo es dudoso que se admitiera por el Consejo Real la sugerencia de hacer a los regidores de los ayuntamientos cadañeros, dado el poder que tenía el patriciado urbano; pero podemos apreciar de qué modo se enriquecía ese patriciado explotando el abastecimiento de sus ciudades.

Estaba claro que de poco servía el gran caudal de oro y plata que llegaba de las Indias; la escasa capacidad competitiva de la industria castellana traía consigo el fuerte desnivel de la balanza de pagos en el comercio exterior, con la consiguiente fuga de dinero al extranjero. En ese sentido, la visión de Luis de Ortiz era clara: se vendía materia prima de gran estima por valor de uno y se compraban productos manufacturados —hechos precisamente con esa materia prima— por valor de diez, de veinte e incluso de más. El remedio podía parecer sencillo: un estricto control aduanero, prohibiendo a la vez la salida de esas materias primas —fueran lana, seda o hierro— y la entrada de los productos extranjeros. Pero, para lograrlo, era preciso producir más y más, cosa

---

[20] *Memorial* de Luis de Ortiz, ed. cit., págs. 418 y sigs.
[21] *Ibídem*, pág. 422.

harto difícil, por no decir imposible, si antes no se cambiaba esa mentalidad nobiliaria, por la cual los oficios mecánicos estaban tan menospreciados.

Un escollo que no era fácil de salvar mediante una legislación, por bien ordenada que fuese, y faltaba además que existiese la voluntad del legislador para proclamarla.

El *Memorial* también nos señala otros graves problemas: la deforestación, la escasez de cera —ojo, algo mucho más importante de lo que ahora podría pensarse— y la pobre infraestructura de las rutas interiores, con la escasez de los ríos navegables. Aquí, el juicio de Luis de Ortiz es una denuncia de una actitud secular del pueblo español, que llega hasta nuestros mismos días:

> ... que todo se hace sin ingenio..., a poder de dinero y costes...

Advertimos también —y la reflexión es inquietante— que ya existía un problema vasco, en particular en Guipúzcoa, porque aquella tierra se proveía preferentemente de Francia, con lo cual quedaba a su merced:

> Lo primero que proveyéndose de bastimentos la dicha tierra e comarca de los señoríos de Castilla o de otros de S.M., y teniendo entendido que no ha de estar aquella comarca a disposición y albedrío de los enemigos, cesarán las malicias dellos, los quales han descubierto que tienen platicado entre ellos que quando su Rey quisiere ser señor de la mayor parte de aquella tierra lo sería, pues está en su mano vedarles o darles el mantenimiento. Y que si lo deja de conquistar es porque la tierra no rendiría cosa ninguna... [22]

Luis de Ortiz, diríamos para terminar de enjuiciar su *Memorial,* era algo más que un modesto contador burgalés. Por su escrito se aprecia al viajero de ojo atento, que ha recorrido buena parte de Europa, en especial los Países Bajos y el norte de Italia, que ha visto, que ha anotado y que ha comparado lo de fuera con lo de dentro, sacando así las oportunas conclusiones.

Inquietante situación, sin duda, tal como la veía aquel súbdito de Felipe II; quien tan seguro estaba de haber hallado la fórmula salvadora que pediría al Rey una recompensa, no directamente, sino sobre la base de que se le diera el 3 por 100 de lo que aplicando su sistema se obtuviese.

Y, por último, una reflexión: ¿estamos ante una crítica del reinado de Carlos V? El panorama interior era desolador. De nada valía a la Monarquía hispánica su control de los tesoros indianos, si después de su llegada a España se producía esa masiva fuga a las arcas de los hombres de empresa del resto de Europa occidental. Se imponía un reajuste de la política laboral, lo que suponía una acusación: el abandono de la situación interna, obsesionado como estaba Carlos V por la política internacional (aquellos «altos pensamientos»,

---

[22] *Memorial* de Luis de Ortiz, ed. cit., págs. 403 y 404.

según el texto filipino). Pero también cabría ver una censura a la política internacional carolina, que a partir de 1543 se había centrado en la Europa del Norte: los Países Bajos, Francia —la campaña sobre París de 1544— y Alemania. A la contra, Luis de Ortiz planteará una política «para asegurar el mar Mediterráneo», que era de donde le venía el verdadero peligro a España.

Y en eso Luis de Ortiz coincidía con otras relevantes figuras hispanas, para las cuales hasta lo de Italia era aventurado. Hacia 1529, el arzobispo Fonseca ponía a disposición de Carlos V todos los tesoros de su mitra toledana, con tal de que acometiese la empresa de Argel. Y Tavera, entonces arzobispo de Santiago y posiblemente la mejor cabeza de España, escribía a Cobos, el prepotente ministro carolino, para instarle a que sacase a Carlos V de Italia y le volviese a España.

A España, donde Carlos V podía emplear mejor

> ... sus grandes pensamientos y la magnanimidad de su corazón real en conquistar eso de África, donde puede emplear mejor su juventud y poder y con mejor gloria, que en otras cosas de lo de allá.

Y añadía el buen prelado:

> ... y reniegue de toda la Italia y de Francia, que al cabo esto es lo que ha de durar y quedar a sus sucesores, y lo de allá es gloria transitoria y de aire... [23]

---

[23] Citado en mi obra *La España del emperador Carlos V* (en *Historia de España Menéndez Pidal*, t. XX, 6.ª ed., 1993, pág. 455).

9
LA ESTRUCTURA SOCIAL

Ya hemos visto que Luis de Ortiz pedía una gran reforma social que favoreciese al mundo laboral, descargando de impuestos a la humilde clase trabajadora: los pecheros, en los términos del tiempo. Pero la realidad era muy otra. La realidad era que aquella sociedad estaba dividida por los privilegios que favorecían a los grupos dominantes, ociosos en su mayoría, o al margen de la productividad económica: la nobleza y el clero.

Unos privilegios que, como es bien sabido, no afectaban sólo al bolsillo, sino también a la justicia, dado el desigual trato que sufría el pechero ante el fisco y ante la ley.

El privilegio, pues, marcaba fuertemente a la sociedad del Antiguo Régimen, pero no hemos de creer que era aceptado con general satisfacción. Bastaría recordar el eco antiseñorial que tienen las Comunidades de Castilla al principio de los años veinte. Y junto con el privilegio, otras dos notas a tener en cuenta, también sumamente diferenciadoras: la extrema desigualdad socioeconómica —con la existencia de una nube de pobres— y el incremento de los esclavos.

La existencia del privilegio —o, si se quiere, la persistencia— es difícilmente comprensible. ¿Cómo se podía sustentar que dos sectores de la sociedad, los nobles y los clérigos, tuviesen un trato de favor frente al fisco? No cabe duda de que el planteamiento arrancaba desde la más remota antigüedad, desde aquella división de la sociedad en los tres grupos: los magistrados, los guardianes y los labradores. Entonces sí se comprendía que los grupos minoritarios, a cuyo cargo quedaba el gobierno y la defensa de la república, fuesen sostenidos por la masa productora, que necesariamente era la que tenía que soportar las cargas que hacían viable la máquina del Estado. A lo largo de la Edad Media el clero y la nobleza habían asumido, en gran medida, las obligaciones y los beneficios inherentes a esos magistrados y a esos guardianes que encontramos en los *Diálogos* platónicos. Ahora bien, en la Edad Moderna, la Iglesia —en aquella sociedad con tan fuerte carga religiosa— sigue actuando conforme al viejo esquema de rectora moral de la sociedad; no así la nobleza, cada vez más apartada del ejercicio de las armas.

Además, la Iglesia estaba abierta, en principio, a cualquiera, fuese cual fuere su origen social; bastaba con que mostrase alguna aptitud para los estudios. Los ejemplos son abundantes. Escojamos dos, del tiempo mismo de Felipe II: fray Luis de Granada —hijo de una humilde lavandera, eso sí, vinculada a la casa del conde de Tendilla— y san Juan de la Cruz, cuyo entorno familiar era tan humilde (era hijo de una tejedora) que vería a su propio padre morir de inanición. Por otra parte, la Iglesia estaba más estrechamente conectada con el pueblo, a través de sus órdenes mendicantes —dominicos, franciscanos—, y no es sorprendente que en no pocas conmociones populares aparezcan frailes, como en el caso del alzamiento de las Comunidades de Castilla. Cuando san Juan de Sahagún predicó en la corte del duque de Alba, clamó tanto contra los atropellos que sufría aquel pueblo, que el duque le amenazó con recio castigo [1]. Por lo tanto, una Iglesia que no pocas veces hacía de la causa de los pobres su propia causa, frenando a los poderosos.

Estaban, además, las tareas sociales a cargo de la Iglesia, que le llevaban a devolver, a favor del pueblo, parte al menos de las rentas que recibía: hospitales, casas de expósitos, escuelas de la doctrina, colegios mayores. El cardenal Mendoza fundará el Hospital de la Santa Cruz en Toledo, y Tavera, el que llevaría su nombre en la misma ciudad. La Cofradía de San José, a favor de los niños abandonados, que aparece en la Salamanca de fines del Quinientos, estaría amparada por el cabildo catedralicio. Y, en fin, en cuanto a los colegios mayores, los seis que surgen en este tiempo como amparo de los estudiantes pobres son todos fundaciones episcopales, generosamente dotadas por prelados como el obispo Anaya, el arzobispo Fonseca o los obispos de Cuenca y Oviedo. Sin olvidar que Cisneros y Valdés, dos arzobispos, fundarían sendas Universidades. Por ello, así como por el respeto que se sentía al ministerio sacerdotal, el pueblo —la masa pechera— llevaría mejor el privilegio de que gozaba la Iglesia, tanto en cuanto a que estuviese exenta de pagar los *servicios* votados por las Cortes, como en cuanto a que tuviese derecho a cobrar los diezmos procedentes de sus ingresos, sin que faltasen, por supuesto, quejas puntuales en determinados momentos. Y tampoco se puede silenciar que el celibato de la Iglesia evitaba generalmente que su *status* social pasase de padres a hijos. Hubo excepciones, cierto, como cuando el viejo arzobispo Fonseca consiguió ver a su hijo nombrado arzobispo de Santiago. Pero en la misma presión ejercida por Fernando el Católico sobre Roma, para que tal consiguiese, se echa de ver cuán raro era el caso:

> ... bien conozco —reconocía el Rey a sus embajadores en Roma— que este es caso muy raro... [2]

---

[1] Gil González Dávila, «Vida de san Juan de Sahagún», en *Antigüedades de la ciudad de Salamanca,* ed. 1973, págs. 15 y sigs.

[2] Terrateig, *Política en Italia del Rey Católico,* Madrid, 1963, II, pág. 30.

Pero ¿qué hacer? Se trataba de contentar a quien tanto había servido a la Corona, gobernando gran parte del reino de Galicia, tan áspero y difícil:

> ... la gente de aquella tierra es feroce...[3]

Mas, en general, aquellas dignidades no estaban vinculadas a linajes nobiliarios, cambiando de manos a la muerte de sus beneficiados.

Otra cosa era lo que ocurría en el sector nobiliario. De entrada, al desvincularse en su mayoría del servicio de armas, al quedar el oficio de la guerra a cargo de la propia Corona, decaía aquel argumento del porqué de sus privilegios. Para el noble ya otra sería la razón a tener en cuenta: la cuna. Y la cuna como algo sagrado, porque se entendía que venía impuesta por Dios.

Esa fue la altiva afirmación de la alta nobleza reunida en Toledo, cuando fue convocada por Carlos V en 1538, para que aprobase el nuevo impuesto de la sisa:

> Que aunque S.M. pueda hacer con favores y mercedes ricos a los hombres, *al que nos hizo Dios caballero de linaje,* no le puede hacer S.M. hijodalgo...[4]

El Rey no podía degradar al caballero, que debía su linaje a quien estaba por encima: al mismo Dios.

Era Dios quien, por sus secretos designios, ponía a cada cual en un determinado sector social, lo que recogería la sentencia popular «cuna y mortaja, del cielo baja».

Es más, la nobleza aspiraba a que ese linaje suyo fuera reconocido también en el cielo, superando así el concepto de que la muerte igualaba a los hombres. Los visitaba a todos, a su capricho, pero no por ello los igualaba. ¿De qué otro modo puede, si no, explicarse el epitafio de los Monroy, tal como puede leerse en la Capilla Anaya de la catedral vieja de Salamanca?:

> Aquí yacen los señores Gutiérrez de Monroy y doña Constanza de Anaya, su mujer, a los cuales dé Dios tanta parte del cielo como por sus personas y linajes merecían de la tierra.

Estaba además el hecho de que la nobleza se mostraba harto más insolidaria. No se contentaba con lo heredado; trataba de aumentarlo, entre otros motivos, porque, ante el súbito acelerón de los precios, veía disminuir el poder adquisitivo de sus rentas, y trataba de aumentarlas, aunque fuese por procedimientos abusivos. En general, no producía ni negociaba con sus caudales, limitándose a gastar sus grandiosas rentas, conforme al juicio de la época, bien exteriorizado por el obispo de Mondoñedo, fray Antonio de Guevara:

---

[3] Terrateig, *op. cit.,* II, pág. 30.
[4] Sandoval, *Historia del emperador Carlos V,* ed. Carlos Seco Serrano, III, pág. 68.

El oficio... del caballero es dar, porque el día que el caballero comienza a atesorar hacienda, aquel día pone en pregones su fama [5].

Es cierto que en ese apartado nobiliario hay una escala apreciable y que el término *nobleza* puede llamar a engaño, ya que hoy en día nos valemos sólo de él para aludir a cualquiera que posee un título, como conde, marqués o duque; mientras que en el Antiguo Régimen eso constituía un apartado que podríamos definir como alta nobleza, encontrándonos además con otros escalones, como caballeros e hidalgos. Los hidalgos en principio no tenían derecho al honroso distintivo del *don,* pudiendo reprocharse a Cervantes que tal diera a Quijano antes de ser armado caballero. Pero lo sustancial era la enorme diferencia existente entre el poderío socioeconómico de la alta nobleza —unos pocos, como veremos— y los miles de hidalgos cada vez más pobres, desventurados y famélicos.

Ya los documentos medievales distinguían esa alta nobleza de forma gráfica: los *ricos homes.* Carlos V, en un claro intento de controlar a gente tan poderosa, los clasificaría en *Grandes* y *Títulos,* especificando cuántos y cuáles eran unos y otros: 25 Grandes y 35 Títulos. Entre los primeros estaban los más destacados de aquella alta nobleza, como los duques de Alba, Infantado, Medinaceli o Medina-Sidonia; entre los segundos, la mayoría de los marqueses y condes, salvo que por una gracia especial el Rey los hubiera aupado a la categoría de Grandes (tal, el conde de Benavente). En todo caso, 60 linajes en la cumbre, dominando inmensos territorios, con pleno señorío, donde gobiernan, cobran rentas y administran justicia como si fueran reyezuelos. Con Felipe II incrementarán sus cifras hasta cerca de un centenar.

Podíamos entrar en las minucias que protocolariamente los diferenciaban: unos eran «los primos del Rey»; los otros, los «parientes»; por lo tanto, gozando de esos grados de la gran familia con que desde la corte se trataba de gobernar la Monarquía, y está claro que el nombre de hermano quedaba reservado para los otros soberanos de la Cristiandad, lo cual, además, con frecuencia era cierto, por los enlaces realizados entre las diversas cortes: Leonor y Catalina, las hermanas de Carlos V, desposando con los reyes de Francia y de Portugal, respectivamente, eran ejemplo de ello.

Una primera consideración: esos Grandes y Títulos, esos magnates (esos *ricos homes)* son poseedores de inmensas fortunas que heredan por el principio del mayorazgo; de ahí la diferencia entre el primogénito y los demás hijos del mismo tronco familiar, los *segundones;* el primero lo heredaba todo, los otros tenían que buscarse la vida por diversas vías, como la Iglesia o el servicio a la Corona. Aquí sí que acudir al testimonio de aquel singular personaje de la época, fray Antonio de Guevara, es verdaderamente aleccionador. Con ocasión de que un segundón de los condes de Buendía, a la muerte de su hermano primogénito, pasó a representar su linaje, le advertiría:

---

[5] En *Epístolas familiares,* ed. J. M.ª Cossío, 1950, I, pág. 186.

Acordaros, señor, que os sacó Dios de enojos a descanso, de pobre a rico, de pedir a dar, de servir a mandar, de miseria a opulencia, de ser don Pedro a llamaros conde de Buendía; por manera que debéis a Dios, no sólo el estado que os dio, mas aun la miseria de que os sacó... [6]

La cosa estaba clara: el segundón, a verlas venir; el primogénito, en la cumbre de toda fortuna. Era la diferencia entre la miseria y la opulencia. Sin duda, Guevara exageraba sobre la miseria del segundón —eso no podía permitirlo la misma honra del linaje—, pero estaba en lo cierto en cuanto a la opulencia del jefe de la casa. Y también acertaba en cuanto a ponerlo todo en manos de Dios. Esa era la interesada consigna —por otra parte, sentida y compartida— de la Iglesia, que venía a justificar el porqué de sus privilegios, ya que nadie podía discutir los secretos designios divinos; antes bien, éstos por todos debían ser acatados.

Inmensas fortunas las de aquel puñado de poderosos: en torno a los cien mil ducados de renta se les suponían a fines de siglo, un año con otro (dependía de las cosechas), a los titulares de los ducados de Alba o del Infantado; aún mayores, al duque de Medina-Sidonia. Cifras que nada dicen si no las vertemos a la moneda común en que se pagaban los salarios de los trabajadores: en torno a los cuarenta millones de maravedíes. Ahora bien, cuando el Ayuntamiento de Madrid ha de poner tasa a los jornales de los obreros de la construcción en aquellos años de los sesenta que contemplan el despliegue de la Villa como corte de la Monarquía, marca estas cifras:

	Maravedíes
Maestro de albañilería, carpintería o yesería	102
Trastejador	68
Peones	51
Aprendices	34
Peones del campo (cavadores)	60 [7]
Peones de las eras	40 [8]

Dado que esos jornales eran por días trabajados (por las jornadas) y teniendo en cuenta las numerosas fiestas religiosas, un maestro de obras no ganaría al año más de 30.000 maravedíes, y el peón, sobre los 15.000 maravedíes. Ahí sí que se nota ya la enorme diferencia con los 40 millones de renta de los grandes linajes.

---

[6] Fray Antonio de Guevara, *Epístolas familiares,* ed. cit., I, pág. 186.
[7] Y un azumbre de vino.
[8] Y comida.

Tengamos en cuenta otros salarios, tales como los que se derramaban en el ámbito de la administración de la justicia: sabemos que el presidente de la Chancillería de Valladolid —uno de los cargos más altos, sólo superado por los consejeros de los grandes Consejos— cobraba 600.000 maravedíes en 1554; un regente de Audiencia (en 1570), 200.000 maravedíes, mientras que el portero tenía asignada la cuantía de 20.000 maravedíes; por lo tanto, en las grandes diferencias de los sueldos se establecían también las desigualdades de las personas. Era la norma de marcar los contrastes, de imponer por todas las vías las prepotencias de las jerarquías.

De ahí el despliegue de su poderío que hace la alta nobleza, de su lujo escandaloso, de su boato y poderío, cuando la ocasión se lo deparaba, como cuando el duque de Béjar acudió en 1526 a la raya de Portugal a recibir a la emperatriz Isabel, o cuando el duque de Alba festejó en Salamanca a los príncipes Felipe y María Manuela, recién desposados; un alarde de riqueza que nos describen los cronistas, que debía dejar estupefactos a los contemporáneos y que venía a ser como una muestra de aquel invencible poderío. ¿Quién podía atreverse con tan poderosos señores?

> Las colgaduras riquísimas de oro y seda... y otras cosas de supremo precio —cuenta Sandoval del aparato con que Medina-Sidonia había acudido en 1543 a recibir a la princesa María Manuela de Portugal— que si bien pudiera contarlas por menudo, las dejo por no cansar ni cargar la historia...

Pero, aun así, no se resiste a detallar cómo llegó el Duque:

> ... el cual venía en una riquísima litera, y los frenos y clavazón de los machos que la traían eran de oro... [9]

Formidable poderío económico, doblado con el social del gobierno de tan amplios señoríos como los que tenían aquellos Grandes. Un poderío que se incrementaba con el desempeño, por parte de muchos de ellos, de altos cargos de la Monarquía. No pocos eran consejeros, si no del Consejo Real, donde regía la consigna imperial de no meter a los Grandes —en realidad, algo impuesto ya por los Reyes Católicos—, sí del Consejo de Estado. Los virreinatos les estaban generalmente reservados. Y sus sueldos eran, no hay que insistir en ello, verdaderamente cuantiosos, sobre todo los vinculados a las Indias. Así, el virrey del Perú gozaba de 32.000 ducados anuales, y todavía Felipe II, cuando propone a Carlos V que nombre en 1554 al marqués de Cañete, le pide que incremente sus ingresos hasta los 40.000 ducados; por tanto, nada menos que quince millones de maravedíes (mil veces más que lo que venía a ganar en Castilla un humilde peón de albañil).

---

[9] Sandoval, *Historia del emperador Carlos V,* ed. cit., III, pág. 168.

Aun así, esa alta nobleza no tiene escrúpulos en apretar las tuercas a sus vasallos, para obtener más y más ingresos. Algo que sabemos por la valiente denuncia de algunos hombres del tiempo, verdaderamente casi temerarios al atreverse a enfrentarse con ellos, como cuando san Juan de Sahagún lo hizo nada menos que con el duque de Alba, a finales del siglo XV, como ya hemos señalado, y ello fue tomado justamente como claro indicio de cuán santo era el fraile, pues, habiendo sido llamado a la villa ducal de Alba para predicar, se atrevió a reprochar al Duque —que estaba presente en la iglesia— los pesados impuestos que ponía a sus vasallos:

> ... diziendo contra los señores que tenían vasallos, del modo que los molestaban con empréstidos, imposiciones y servicios, cosa que no se podía ni sustentar ni sufrir y que eran causa de que los bandos estuviesen en pie, dando amparo a gente suelta y de mala vida, defendiendo y sustentando a la sin razón del mundo.

¡No lo hubiera dicho! Que el Duque estaba presente en la iglesia, y así le llamó al punto cuando acabó el acto religioso y, con voz amenazadora, le dijo:

> Padre, bien habéis hoy empleado vuestra lengua, pues habéis hablado descortésmente...

Y, cargado de ira, añadió:

> Pues no tenéis rienda en vuestro hablar, no sería mucho que os castiguen, cuando menos penséis, en un camino... [10]

En este punto y hora, nada como seguir el relato de la crónica:

> Respondió el Santo con mansedumbre:
> —Señor, ¿yo, para qué me subo al púlpito? ¿Para qué me pongo a predicar? ¿Para decir verdad o para decir lisonjas? Vuestra Merced sepa que al predicador evangélico le conviene decir verdad y morir por ella...
> Añadiendo a éstas otras muchas en favor del predicador evangélico (No lo entiende así el mundo que pensara que la predicación es entretenimiento y no más) [11].

No estamos ante una excepción. Los grandes señores, como los medianos, no se contentaban con sus rentas y señoríos; antes trataban de aumentarlos aunque fuera por las bravas. Si hemos de creer a Juan de Arguijo —y quizá debamos hacerlo, pues lo refiere no como una denuncia, sino celebrando el

---

[10] Gil González Dávila, «Vida de san Juan de Sahagún», en *op. cit.,* Salamanca, 1973, pág. 16.
[11] *Ibídem,* págs. 16 y 17.

hecho—, el duque de Nájera había redondeado sus dominios con unos luga-
rejos de una pobre señora. Apretado en su lecho de muerte por el confesor
para que los restituyera, llamó a su hijo y heredero y le dijo:

> Hijo mío, el padre me encarga la conciencia que restituyas los ta-
> les lugares. Yo te lo ordeno, y te pido la palabra de que harás este
> bien por mi alma. Esto es lo que debo hacer como cristiano...

No quedó allí la exhortación del padre al hijo, en la que el Duque reconocía su falta. Después de eso, haciendo rebrotar su temple dominador, o lo
que él entendía en cuanto a lo que debía a su linaje, le añadió a su hijo:

> ... pero si fuese que tú yo, juro a Dios que antes me dejase rayar que
> los restituyese. Ahora haz tú lo mejor que te estuviese, que yo he
> cumplido con lo que estoy obligado [12].

Y a ese tenor, tantos otros grandes y medianos de cuyos abusos tenemos
noticia por otras vías documentales, como la que nos da el Archivo de Simancas sobre los vecinos de Altarejos (un pequeño lugar del corregimiento de
Huete), huidos de su villa en 1495:

> ... por los muchos agravios e injusticias, fuerças robos e injurias que
> diz que les tienen fechas e faze Diego del Castillo, cuyo es el lugar...
> tomándoles sus bienes, apaleándoles e descalabrándoles... [13]

Por esas fechas, en el reinado de los Reyes Católicos, era frecuente que
señores grandes y medianos tratasen de aumentar sus dominios con toda clase
de extorsiones. Como si se tratara de las secuencias de un filme del Oeste, trasladado a los campos y los montes de la España contemporánea de Colón, asistimos a la violencia desatada por el «malo» de turno, que consigue espantar a
los lugareños, ahuyentándolos de sus lugares. Con un plan astutamente elaborado, lo primero era conseguir que las aldeas se despoblasen, para incorpo-
rarlas más fácilmente a su señorío; al tiempo que se incrementaba la población de la capital del señorío, a cuya «protección» acudía aquel aldeanaje
aterrorizado; tal ocurría, por ejemplo, en el campo de Salamanca a finales del
siglo XV [14].

¿Cambió el panorama en el Quinientos? No demasiado, si hemos de creer
a la denuncia que nos hace Alfonso de Valdés, cuando pone en boca de un
gran señor cuál era su modo de vivir:

---

[12] Citado en mi libro *La sociedad española en el Siglo de Oro,* Madrid, 1984, págs. 108 y 109.
[13] Archivo de Simancas, Registro General del Sello, I, 1495, fol. 238.
[14] Nicolás Cabrillana, «Salamanca en el siglo XV: nobles y campesinos», en *Cuadernos de Historia,* Madrid, 1969, núm. 3, págs. 261 y sigs. «Esta concentración de términos, previamente des-
poblados en torno a la Villa señorial, a la par que permitía a su Señor aumentar sus rebaños, en-
grandecían la capital del señorío dándole más fuerza y prestigio» (pág. 267).

Como los otros: comer y beber largamente y aun a ratos no me contentaba con mi mujer, y todo mi cuidado era de acrecentar mi señorío y sacar dinero de mis vasallos [15].

Las arbitrariedades de estos grandes señores, tanto más absurdas y más vacías de sentido cuanto mayor era su poderío, eran tan numerosas que llenan las páginas de los narradores de la época, como Timoneda, Zapata, Juan de Arguijo y tantos otros; el que quiera conocerlas, que se asome a esos relatos de la vieja España [16]. Yo destacaría solamente una, que da la medida de lo que era la mentalidad de aquellos poderosos. En este caso, la del conde de Benavente, que vivió bajo Carlos V: estando enfermo de tercianas y obligado a guardar cama, ideó matar el tiempo haciendo una particular cacería. La ballesta bien armada, cuando algún paje le enojaba hacía que le atasen una almohada de seda al trasero y allá le asestaba sus tiros de ballesta, haciéndole saltar de lo lindo, para su diversión, y como alguno quedaba lisiado, la condesa, compadecida, cambió la seda por lana, para que el golpe no fuese tan recio. Aun así, ante tamaños ballestazos, el paje afectado debía saltar de un lado a otro de la estancia, como si se tratara de un gamo acosado en el bosque. Y el doctor López de Villalobos, que nos transmite este lance, comenta:

> Desto había tan gran placer el Conde, que deseaba que hubiese muchos delincuentes [17].

Puede pensarse en exageraciones de los cronistas, ávidos de contar cosas sorprendentes y raras. Pero que es el reflejo de aquella realidad, lo prueba el que se contaban no para recriminar, sino para divertir, más como donaires que hicieran reír que como majaderías que había que vituperar, como si los propios autores de aquellas hazañas estuviesen orgullosos de ellas y que a nadie causaba desasosiego ni pesadumbre que se rememorasen, hasta el punto de que fuesen atribuidas a personajes concretos, sin temor a sus represalias (de ellos o de sus deudos y allegados).

Y eso era, acaso, lo más sorprendente y penoso: que se estuviera creando un ambiente general de complicidad con tamaños desafueros.

Ahora bien, para darnos cuenta de su impacto, conviene que nos hagamos idea del alcance que tenía la España señorial. No olvidemos que eso no afectaba sólo a los territorios dominados por la alta nobleza; también al llamado señorío eclesiástico y al de las cuatro Órdenes Militares de Santiago, Alcántara, Calatrava y Montesa. Sin pretender una absoluta precisión, digamos que, a grandes rasgos, en Galicia y en el Tajo medio predominaba el señorío eclesiástico (los dominios de los arzobispos de Santiago y de Toledo eran verdaderamente

---

[15] Alfonso de Valdés, *Diálogo de Mercurio y Carón,* ed. Montesinos, Madrid, 1954, pág. 58.
[16] *Cuentos viejos de la vieja España,* ed. por Sainz de Robles, Madrid, Aguilar, 1949.
[17] *Ibídem,* pág. 280.

formidables), mientras que las Órdenes Militares castellanas de Santiago, Alcántara y Calatrava dominaban la Extremadura meridional y La Mancha. Las provincias de Benavente y Salamanca, en el antiguo reino de León, Guadalajara, Murcia y la Baja Andalucía, caían bajo el dominio de los grandes señores: conde de Benavente, duques de Alba, Béjar e Infantado, y linajes de los Fajardo y de los Medina-Sidonia, respectivamente. Bajo los Austrias mayores se procederá a una evolución de esos señoríos, con la venta de lugares de dominios eclesiásticos y de las Órdenes Militares, afianzándose, en cambio, y aun aumentando, los señoríos civiles. Las investigaciones para estos casos son muy precisas; ya hemos indicado que en el siglo XVI en torno a un 20 por 100 de las encomiendas de Santiago y Calatrava pasaron a soberanía civil; fueron ventas promovidas por la Corona, tan agobiada y tan endeudada por sus grandes empresas exteriores. Teniendo para ello que obtener el permiso pontificio, puede rastrearse dicho movimiento de rentas a tenor de las bulas extendidas por los Papas en 1529 y 1536, a petición de Carlos V, y en 1570 y 1574, a ruegos de Felipe II. Las fechas son bien indicativas: la de 1529 precede al viaje de Carlos V para su coronación imperial en Bolonia, mientras que la de 1570 antecede a la lucha contra el Imperio turco, que culminaría en la victoria de Lepanto.

¿Concitaban los señoríos la animadversión de la población? Si hemos de creer a Domínguez Ortiz, en el siglo XVII, no; antes bien se alzan como un refugio, dado el desbarajuste en que cae la Monarquía y la asfixiante opresión del fisco regio; pero no así en el Quinientos, al menos hasta bien entrado el siglo, como parecen probarlo varios testimonios: así, cuando el padre Las Casas trata de reclutar labriegos en Castilla para llevárselos a las Indias, se le ofrecen en su alojamiento vasallos de señorío, proclamando que querían seguirle para que sus hijos viviesen libres.

Y tampoco hay que olvidar el testimonio literario. ¿Qué, si no, nos está indicando el drama lopesco de Fuenteovejuna? Se refiere a algo sucedido a fines del XV, sí, pero celebrado a principios del XVII, con gran eco en el público de ese tiempo.

Y Fuenteovejuna no puede negarse que es todo un símbolo.

En relación con nuestro intento de presentar la España regida por Felipe II, uno de los aspectos principales de esa alta nobleza que tratamos de tipificar es el de sus relaciones con el Estado. Ya hemos visto que el Condestable reclamaba su independencia de la Corona porque nada debía al Rey; el Rey no le había hecho Condestable. Eso se lo debía a su cuna; en último término, a Dios:

> ... Dios nos hizo caballeros de linaje...

Eso no era del todo cierto. Porque era olvidar el proceso histórico y que en esa creación de los linajes o en su mejora había intervenido la mano del Rey, y a veces no en tan remotos tiempos; así, la casa de Alba había saltado de condado a ducado en el siglo XV.

Lo que sí es fácil de apreciar es el distinto comportamiento de los grandes linajes ante la Corona. En ese sentido, la alta nobleza podría dividirse en dos grupos: el de la cortesana, muy vinculada al Rey y colaborando con él en las empresas exteriores —ocupando altos cargos en la corte, en la milicia o en la diplomacia—, y el de la apartada de la corte, encerrada altivamente en sus enormes posesiones. Prototipos del primer grupo serían, en el Quinientos, el III duque de Alba, del Consejo de Estado, partícipe en tantas acciones bélicas bajo Carlos V y Felipe II, y gobernador de los Países Bajos, o Juan de Zúñiga, conde de Miranda y ayo de Felipe II.

Serían una minoría. La mayoría de aquellos Grandes y Títulos vivían apartados de la corte, incluidos el Condestable y el Almirante. Es posible que en su altivo retiro hubiese influido lo ocurrido en 1522, a raíz de la derrota de las Comunidades. La alta nobleza de Castilla tenía conciencia de que en aquella ocasión había sacado las castañas del fuego a Carlos V, y que a la hora de la paz no había sido debidamente recompensada. Esperando mantenerse en el poder, se encontraron que iban a ser desplazados por un rey joven —entonces Carlos V tenía veintidós años— que quería gobernar en solitario. El Consejo Real les iba a resultar inaccesible, y lo único que obtendrían los más favorecidos serían cargos palaciegos, puestos en el Consejo de Estado y en las Órdenes Militares, o el gobierno de las piezas periféricas. Allí sí sería lo normal ver a titulares de la alta nobleza, como virreyes de Cataluña (tal el marqués de Aguilar) con Carlos V, de Valencia (el duque de Calabria), de Nápoles (el duque de Alba), a mediados del Quinientos, etc. En algún caso de extrema relevancia, también se les podía ver en embajadas, aunque en general esos puestos quedaban a cargo de segundones de la alta nobleza; una excepción fue cuando el conde de Feria representó a Felipe II ante la corte de María Tudor, continuando después en los primeros meses del reinado de Isabel.

Independientemente de que fuese cortesana o enriscada, poseemos una tabla de la valoración que la Corona hacía de aquellos magnates, y es su vinculación con la preciada Orden del Toisón de Oro que Carlos V —dando muestras de su mentalidad caballeresca— realzó en su reinado. Así vemos que fueron nombrados, en sucesivos capítulos de la Orden, junto con otros altos personajes de toda Europa, los siguientes magnates españoles: en 1518, el almirante de Castilla, el condestable, los duques de Escalona, Alba, Infantado, Béjar y Nájera, el conde de Cardona y el marqués de Astorga; en 1531, los duques de Frías y de Alburquerque y el conde de Miranda, y en 1545, el conde de Feria y los nuevos duques del Infantado, Alba y Nájera.

Se aprecian notables ausencias. Una de las más destacadas fue la del conde de Benavente, que la rechazó por extraña a su patria:

> ... diciendo —al Emperador— que él era muy castellano y que no quería insignias de borgoñones, que Castilla las tenía tan antiguas y tan honradas y más provechosas; que la diera S.M. a quien quería

más el collar de oro que las cruces coloradas y verdes con que sus abuelos habían espantado tantos infieles... [18]

En ese reparto de tan alta distinción se aprecia el intento de Carlos V por atraerse a la alta nobleza de esa forma, pero sin involucrarla en el poder, y las resistencias que encontró. Todavía, medio siglo más tarde de su muerte, Sandoval criticaría aquella Orden extranjera, con la que se venían a menospreciar las antiguas y veneradas Órdenes Militares españolas, que además tantas rentas daban a la Corona [19]. Y lo que no cabe duda es que en el forcejeo por el control del poder en Castilla, centrado en el Consejo Real, la Corona apartó a la alta nobleza. No puede afirmarse, como lo hacen algunos, por otra parte notables historiadores —acaso cegados por su línea ideológica—, que la Corona estuviese al servicio de la clase dominante, como parecía ser la alta nobleza. La Corona, sea con Carlos V sea con Felipe II, marca las diferencias. Y su consigna, mantenida a lo largo del siglo, quedará reflejada en el conocido consejo de Carlos V a Felipe II en sus Instrucciones de 1543, respecto al deseo del duque de Alba de entrar en el Consejo Real: que jamás lo permitiera [20].

Esa es la mayor diferencia que encontramos con el alto clero, porque éste sí que formaba una piña con la Corona. Tenía, frente a la alta nobleza, el hándicap de que sus cargos eran, a lo más, vitalicios; pero, en cambio, la aventajaba en cuanto que a su notable poderío socioeconómico —como detentadores también de grandes señoríos— aunaban un gran poderío político y un mayor predicamento ante la opinión pública.

Sin olvidarnos de los que presidían las principales Órdenes religiosas, ese alto clero estaba sobre todo constituido por los prelados, en sus dos escalones de arzobispos y obispos. Sus cifras son bastante parejas a las de la alta nobleza: ocho arzobispos y 47 obispos. También aquí se puede apreciar el desnivel entre las Coronas de Castilla y de Aragón; así, frente a los cinco arzobispados castellanos (Toledo, Sevilla, Granada, Burgos y Santiago), sólo tres aragoneses (Zaragoza, Tarragona y Valencia), y frente a los 30 obispos castellanos, 17 aragoneses.

Diferencias que se reducían bajo Felipe II, pues creó sólo un nuevo obispado en Castilla (el de Valladolid, en 1595), mientras propuso y obtuvo de la Santa Sede la de seis nuevos en la Corona de Aragón: el de Orihuela, en 1563; los de Jaca y Barbastro, en 1571; el de Elna, en 1573; el de Teruel, en 1577, y, finalmente, el de Solsona, en 1591, siendo posiblemente causa de ello querer la evangelización de la importante población morisca y el de vigilar con mayor eficacia la frontera pirenaica frente a las penetraciones de los hugonotes franceses, muy vivas en este reinado, si hemos de creer a Juan Reglá. Era seguir las instrucciones marcadas por el Concilio tridentino en 1563.

---

[18] Sandoval, *Historia del emperador Carlos V*, ed. cit., III, págs. 171 y 172.
[19] *Ibídem*, pág. 172.
[20] *Corpus documental de Carlos V, op. cit.*, II, pág. 109 (v. *supra*, pág. 50).

No insistiremos en el capítulo de las rentas, salvo que aquí se observan mayores diferencias que entre la alta nobleza, pues si el arzobispo de Toledo solía tener unos ingresos tan altos que algunos años superaban los 250.000 ducados (en torno a los 94 millones de maravedíes), cifra muy por encima de la que alcanzaban los más ricos magnates (al duque de Medina-Sidonia, que era el más acaudalado, se le atribuían 170.000 ducados), en cambio, había los obispados llamados «de entrada», con ingresos tan parcos que no llegaban a los 4.000 ducados, como era el caso del obispado de Tuy.

Lo que sí importa destacar es que la Iglesia, poseedora de tanta riqueza, devolvía más a la sociedad; en la memoria de todos estaban las generosas fundaciones de hospitales y de colegios mayores.

La estrecha vinculación del alto clero con la Corona se basaba en dos fundamentos: el primero, que era el Rey, por su patronato regio, reconocido por Roma para la archidiócesis de Granada y para las Indias, pero, de hecho, ejercido para el resto de la Monarquía, el que decidía acerca de los nuevos obispos, cuando vacaba una diócesis. Por lo tanto, los obispos se consideraban *hechuras* del Rey, en términos de la época. Multitud de anécdotas podrían contarse a este respecto, como la de aquel cura rural metido en unas apartadas montañas, a cuya humilde casa rectoral llegó a pernoctar por un azar Felipe II, al que le pidió, seguro del poder de quien le oía, que no le dejara tal cual le había encontrado, y que pensara en la diócesis vacante para la que podía proponerle.

Hechuras del Rey, pues, y, al mismo tiempo, sus más fieles, seguros y eficaces colaboradores. A fin de cuentas, la Iglesia era entonces la depositaria de la cultura, en unas proporciones casi exclusivas. Los representantes de los más destacados linajes apenas si sabían garrapatear sus nombres al pie de los documentos que debían llevar sus firmas. De ahí el consejo de fray Antonio de Guevara a uno de ellos, tras intentar leer infructuosamente sus malvados renglones:

> Si como os hizo Dios caballero os hiciera escribano, mejor maña os diérades a entintar cordobanes que no a escribir procesos.

Y así, le aconseja:

> Siempre trabajad, señor, en que si escribiéredes alguna carta mensajera, que los renglones sean derechos, las letras juntas, las razones apartadas, la letra buena, el papel limpio...

Y al condestable don Íñigo de Velasco le asegura, burlonamente, que su carta la hubiera reconocido como suya, aunque no la firmare,

> ... porque traía pocos renglones y muchos borrones...[21]

---

[21] Antonio de Guevara, *Epístolas familiares,* ed. cit., I, pág. 48.

Para las cosas de gobierno y de justicia —que entonces era todo uno— el Rey necesitaba de hombres de letras que le fueran fieles, y ésos donde más fácilmente los encontraba era en la Iglesia. La historia del Quinientos recuerda no pocos nombres de la alta nobleza, pero casi siempre en relación con hechos de armas, de que tanta profusión tuvo la Monarquía en aquella centuria; pero, en relación con el Estado, son los prelados los que se suceden, y al más alto nivel: Cisneros, cubriendo el hueco dejado a la muerte tanto de Felipe el Hermoso, en 1506, como del rey Fernando, en 1516; el también cardenal Tavera, que gobernaría Castilla durante la ausencia de Carlos V, en 1540; Fernando de Valdés, como presidente del Consejo Real y, después, como gran inquisidor, a mediados de siglo; el cardenal Espinosa, entrado ya el reinado de Felipe II, y así tantos otros. Lo normal sería que el Consejo Real, el instrumento más importante para el gobierno de la Monarquía, por el control que ejercía sobre toda Castilla, estuviese presidido por un prelado, que además pasaba a ser uno de los consejeros del Consejo de Estado, que afrontaba entonces la política exterior.

Y esto sin contar con que el formidable Tribunal de la Inquisición estaba en manos de la Iglesia, servido sobre todo por padres dominicos y presidido por un prelado. Y el presidente del Consejo Real y el gran inquisidor venían a ser las figuras más relevantes de la Monarquía, detrás del Rey. Que no en vano estamos ante una Monarquía confesional.

Un prelado era entonces una potencia formidable, con un peso que podía resultar asfixiante cuando la diócesis era pequeña. En lo cual el hecho de que aquella sociedad estuviese tan impregnada de lo religioso tenía no poco que ver.

Ahí radicaba el porqué la época sobrellevaba mejor los privilegios del clero que los de la nobleza. Los del clero respondían a necesidades todavía operantes, mientras que los de la nobleza eran como reliquias de otros tiempos, que cada vez se sufrían peor.

10
EL MUNDO URBANO

A continuación de la alta nobleza y del alto clero el poder más sobresaliente es el del patriciado urbano. Porque la ciudad ya de por sí detenta un poderío económico y cultural, como el lugar donde están los principales centros que dirigen el comercio, la industria y la cultura. Además, las 18 principales están unidas, por su vinculación a las Cortes de Castilla, alcanzando también un importante poder político, acaso no tan grande como las circunstancias parecía que se lo permitían, pero, desde luego, mayor de lo que algunos historiadores —obsesionados por la idea de una Monarquía absoluta y prepotente— le habían asignado. Y también hay que recordar que esas ciudades tienen un poder señorial, pues dominan amplios territorios comarcanos. Véase en el siguiente cuadro, donde se recogen las grandes ciudades y villas de la Corona de Castilla —entre ellas, las 18 que tenían voz y voto en Cortes—, con la tierra que señoreaban:

CORONA DE CASTILLA

Lugares principales	Vecinos	Vecinos de su tierra
León	903	2.478
Ponferrada	418	737
Benavente	709	4.029
Zamora	1.647	10.147
Toro	2.285	3.464
Salamanca	4.316	9.336
Burgos	2.591	(sin detallar)
Palencia	3.040	(sin detallar)
Valladolid	8.008	2.093
Medina del Campo	2.718	3.724
Soria	1.314	5.235
Segovia	5.496	(sin detallar)

Lugares principales	Vecinos	Vecinos de su tierra
Ávila..	2.781	16.389
Madrid.................................	**7.500**	**6.357**
Guadalajara............................	1.871	4.455
Cuenca...................................	3.070	8.388
Huete......................................	1.323	11.828
Toledo....................................	10.739	12.961
Alcalá de Henares..................	2.291	5.005
Trujillo	1.560	6.188
Cáceres...................................	1.659	1.917
Badajoz	2.783	2.202
Murcia....................................	3.321	671
Jaén	5.549	2.728
Córdoba..................................	6.118	14.461
Sevilla.....................................	18.000	(sin detallar)
Granada..................................	13.757	(sin detallar)

Aunque nos faltan algunos datos sobre los señoríos de algunas importantes ciudades (Burgos, Segovia, Palencia, Sevilla y Granada), la relación nos permite ya algunas valiosas consideraciones. En primer lugar, que poblaciones que hoy se nos antojan de escasa cuantía tuvieron entonces cierta importancia, hasta ser cabezas de Corregimiento: tal es el caso de Huete, con no demasiados vecinos (1.123), pero señoreando una amplia tierra nada menos que con 11.828 vecinos, la más importante de Castilla la Nueva detrás de Toledo. Algo similar podríamos decir de Ávila, en la meseta norte, que no podía competir con Segovia, centro pañero de primer orden, ni con Valladolid, con Universidad y sede de la Chancillería, pero sí por la fuerza que le daba señorear una tierra de más de 16.000 vecinos, la más importante en toda la Corona de Castilla. Por lo demás, las funciones acumuladas al más alto nivel marcan las diferencias.

CORONA DE CASTILLA [1]

Ciudades principales	Funciones mayores
Reino de Galicia	
Santiago de Compostela	Arzobispado. Meta de los santiagueros. Corregimiento.
La Coruña	Gobierno del reino. Puerto. Corregimiento.
Lugo	Obispado.

[1] Los señalados como *Corregimiento principal* tenían voz y voto en las Cortes de Castilla, con el consiguiente poder político.

Ciudades principales	*Funciones mayores*
Orense..	Obispado.
Mondoñedo	Obispado.
Tuy	Obispado.
Betanzos	Corregimiento.
Bayona.....................................	Corregimiento. Presidio militar. Puerto.

Principado de Asturias

Oviedo.....................................	Gobierno del Principado. Obispado.
Avilés.......................................	Principal puerto del Principado.

Merindad de Trasmiera

Santander	Puerto.
San Vicente de la Barquera	Corregimiento. Puerto.
Laredo	Puerto principal de Trasmiera.

Reino de León

León	Corregimiento principal. Obispado.
Ponferrada	Corregimiento.
Astorga....................................	Obispado.
Toro...	Corregimiento principal.
Zamora	Corregimiento principal. Obispado.
Salamanca................................	Corregimiento principal. Obispado. Universidad.
Ciudad Rodrigo	Obispado. Corregimiento.

Castilla la Vieja

Burgos	Arzobispado. Corregimiento principal. Consulado.
Valladolid................................	Chancillería. Corregimiento principal. Obispado. Universidad.
Palencia	Obispado. Corregimiento.
Calahorra.................................	Obispado. Corregimiento. Tribunal Inquisición.
Soria	Corregimiento principal.
Segovia	Corregimiento principal. Obispado. Paños.
Medina del Campo	Corregimiento. Ferias.
Ávila	Corregimiento principal. Obispado.
Burgo de Osma	Obispado.
Logroño...................................	Corregimiento.

Castilla la Nueva

Toledo	Arzobispado primado de España. Corregimiento principal. Universidad.
Madrid	Corte de la Monarquía. Corregimiento principal.
Sigüenza	Obispado.
Cuenca	Corregimiento principal. Obispado. Paños.
Alcalá de Henares....................	Universidad. Corregimiento.
Guadalajara..............................	Corregimiento principal.

Ciudades principales	*Funciones mayores*
Reino de Murcia	
Murcia.....................................	Obispado. Corregimiento principal.
Cartagena	Obispado. Puerto principal del reino.
Extremadura	
Plasencia.................................	Obispado. Corregimiento.
Cáceres....................................	Corregimiento.
Trujillo....................................	Corregimiento.
Coria.......................................	Obispado.
Badajoz...................................	Corregimiento.
Andalucía occidental	
Jaén...	Corregimiento principal. Obispado.
Córdoba	Corregimiento principal. Obispado.
Sevilla	Arzobispado. Audiencia. Corregimiento principal. Universidad. Casa de Contratación (Indias).
Cádiz	Obispado. Corregimiento. Puerto.
Gibraltar.................................	Puerto. Presidio militar.
Reino de Granada	
Granada	Arzobispado. Gobierno del reino granadino. Corregimiento principal. Chancillería. Universidad.
Málaga.....................................	Obispado. Corregimiento. Puerto.
Almería....................................	Obispado. Corregimiento. Puerto.
Guadix	Obispado. Corregimiento.
Canarias	
Las Palmas de Gran Canaria ..	Obispado. Corregimiento. Puerto.
Tenerife...................................	Corregimiento. Puerto.
País Vasco	
San Sebastián	Corregimiento. Puerto. Presidio militar.
Fuenterrabía............................	Presidio militar.
Bilbao	Corregimiento. Puerto principal. Consulado.
Vitoria	Cabeza de Álava.
Éibar..	Fábrica de armas.
Placencia	Fábrica de armas.
Reino de Navarra	
Pamplona	Virreinato. Obispado. Presidio militar.

CORONA DE ARAGÓN

Ciudades principales	Funciones mayores
Reino de Aragón	
Zaragoza	Virreinato. Arzobispado. Cortes. Universidad.
Jaca	Obispado. Presidio militar.
Huesca	Obispado. Cortes.
Tarazona	Obispado. Cortes.
Barbastro	Obispado.
Albarracín	Obispado. Cortes.
Teruel	Obispado. Cortes.
Principado de Cataluña	
Barcelona	Virreinato. Obispado. Puerto principal. Universidad. Cortes.
Tarragona	Arzobispado. Cortes. Puerto.
Gerona	Obispado. Cortes.
Lérida	Obispado. Universidad. Cortes.
Urgel	Obispado. Cortes.
Elna	Obispado.
Tortosa	Obispado. Cortes.
Rosas	Puerto. Presidio militar.
Reino de Valencia	
Valencia	Virreinato. Arzobispado. Cortes. Universidad.
Segorbe	Obispado. Cortes.
Orihuela	Obispado. Cortes.
Játiva	Presidio militar. Cortes.
Alicante	Puerto. Cortes.
Reino de Mallorca	
Palma de Mallorca	Gobierno. Obispado. Puerto.
Ibiza	Puerto. Presidio militar.

Cabría destacar, pues, en el reino de Galicia, a Santiago como arzobispado y centro de peregrinación para toda la Cristiandad «con el Sepulcro de Santiago Apóstol», y La Coruña, como principal Corregimiento y asiento del gobernador del reino y puerto de primer orden. En la adormecida Asturias, todavía Oviedo no tenía Universidad (la fundación del arzobispo Valdés no abriría sus puertas hasta el siglo XVII), pero era la que enseñoreaba el Principado, con su Corregimiento, el único de la provincia; en todo caso, de sus puertos, el principal era Avilés (con las cercanas salinas), por encima de Gijón. En Trasmiera (o las Asturias de Santillana) destacaban las villas marineras (San Vicente, Santander, Castro-Urdiales y Laredo), siendo Laredo el principal puerto buscado por los pilotos que querían enlazar con Castilla. Por supuesto, del País Vasco sobresalen las tres cabezas (Bilbao, San Sebastián y Vitoria), lo mismo que en Navarra vemos a Pamplona. En la meseta superior, la acumulación de funciones hace sobresalir a Valladolid, con su Chancillería, o principal Tribunal de Justicia al norte del Tajo, con su asiento en las Cortes y con su Universidad, siendo además frecuentemente sede de la corte bajo los Reyes Católicos y Carlos V (no en vano nace allí Felipe II), de forma que se comprende que el Rey Prudente, que no emplazó allí su capital de la Monarquía, al menos consiguiera para ella un obispado en 1595. Del resto, a destacar las ciudades que tenían voz y voto en Cortes (León, Toro, Zamora, Salamanca, Burgos, Soria, Segovia y Ávila) y, entre ellas, a Burgos, que se consideraba la *Caput Castellae,* con arzobispado (uno de los cinco de la Corona de Castilla) y el Consulado de la lana, que controlaba el comercio de las lanas castellanas con el norte de Europa; también habría que citar a Salamanca (cuya Universidad era no sólo la más antigua, sino también la más famosa y concurrida) y a Segovia, por ser tan importante centro pañero.

En la meseta inferior, dos destacaban sobre todas: Toledo, cuyo arzobispo era el primado de España, y Madrid, tras convertirse en capital de la Monarquía.

En los cinco reinos del Sur, las cinco capitales de cada reino (Murcia, Jaén, Córdoba, Sevilla y Granada) y, entre ellas, evidentemente, Sevilla (que era una de las más importantes no ya de España, sino incluso de Europa). Sevilla reunía las condiciones de tener Audiencia independiente (a nivel judicial, por tanto, de las dos Chancillerías), Arzobispado —riquísimo, por otra parte—, Universidad, Corregimiento con sede en Cortes y, sobre todo, la Casa de Contratación, que la permitía controlar el comercio con las Indias Occidentales. Y después de Sevilla, Granada, por su valor estratégico, ya que tenía que vigilar un reino tan poblado de moriscos, que constituían una fuerte carga explosiva en constante alteración. Granada era, además, asiento de la otra Chancillería, que estaba gobernada por un capitán general —lo que daba idea del valor militar que le concedía la Monarquía—, y, en el orden religioso, por un arzobispo, de forma que tenía las mayores autoridades en cada sector de la vida. Añádase que gozaba de asiento en Cortes y que estaba orgullosa de su Universidad, fundada por Carlos V. Y es más, podemos afirmar que el incipiente turismo de la época ya tenía a Granada como una obligada visita de todo viajero que llegaba entonces a España.

En cuanto al reino de Navarra y la Corona de Aragón, era tal la diferencia que existía entre las cabezas de los reinos y el resto de las poblaciones, que a Pamplona, Zaragoza, Barcelona, Valencia y Palma de Mallorca sólo cabría añadir Tarragona, cabeza del arzobispado más antiguo de España.

Esas eran las principales ciudades de la España del Quinientos; no las que albergaban la mayor población —el país era fundamentalmente rural—, pero sí la más activa, el auténtico motor económico y cultural de aquella época.

¿Cómo era la vida en esos lugares? ¿Cuáles sus problemas y sus soluciones? Para ello nada como asomarse a una de ellas, a través de los censos de calle hita y los libros de acuerdos municipales.

Cojamos el mismo ejemplo de la capital de la Monarquía, el del Madrid de Felipe II.

Y una de las primeras notas que aparecen es el carácter semirrural que tenía entonces la Villa del Manzanares, que a mediados del siglo no tendría pasados los 5.000 vecinos (en torno a los 20.000 habitantes), con la mayoría de las rúas sin empedrar, convertidas en barrizales en el invierno y asaz polvorientas en el verano, donde no era raro que apareciera cualquier tipo de animal doméstico, incluidos los de la vista baja, en términos clarinescos, de forma que los regidores de la Villa ordenarían que se mataran

> ... los puercos que estuvieren por las plazas e calles desta dicha Villa... [2]

¿Cuáles eran los principales problemas urbanos en la España del Quinientos? A través de la historia de Madrid son siempre los mismos: abastecimiento, limpieza, urbanismo, orden. Naturalmente, problemas agrandados cuando esa ciudad crece de pronto de modo desmesurado, como le ocurrió a Madrid al pasar a ser la corte de la Monarquía.

Los dos artículos que más preocupaban a los regidores, para el debido abastecimiento de la Villa, eran el trigo y la carne, y en especial el primero. Era norma general de las urbes bien gobernadas tener silos donde guardar el trigo para los años de escasez. No por otra razón un autor de aquel siglo, Pedro de Medina, nos ensalzará las bondades de Bilbao, en su libro de *Grandezas de España,* diciendo:

> Hay en ella continuo gran depósito de trigo, en tal manera que nunca siente hambre... [3]

En Madrid, el rápido incremento de la población, al convertirse en corte a partir de 1561, obligó a una intervención del Consejo Real, para regularizar el suministro a los panaderos de 100 fanegas diarias de trigo a partir del 14 de mayo de 1562, cuando no hacía el año que la corte se había instalado en la Villa del Manzanares [4]. Evidentemente, la importancia cerealista de Castilla la Nueva facilitaba aquel mayor abastecimiento.

Otra cosa era lo que ocurría con la carne, que los asentistas tenían que comprar en las ferias extremeñas de Medellín y Trujillo, e incluso en Galicia [5].

Más fácil era la provisión del agua, porque Madrid, aunque el Manzanares solía llevar escaso caudal, se aliviaba entonces con una herencia de la época musulmana: los «viajes de agua», que eran capaces de aprovechar el agua

---

[2] Madrid, Archivo de la Villa, Libros de Acuerdos, leg. 13, fol. 316.
[3] Pedro de Medina, *Obras,* 1548, ed. de Ángel González Palencia, Madrid, 1944, pág. 173.
[4] Véase mi trabajo *Economía, Sociedad y Corona (Ensayos históricos sobre el siglo XVI),* Madrid, 1963, pág. 267.
[5] *Ibídem,* págs. 267 y 268.

de lluvia de zonas muy apartadas de Madrid; era el Madrid fundado sobre agua, según Gonzalo Fernández de Oviedo[6].

Si el abastecimiento del trigo y de la carne podía garantizarse con relativa eficacia, otra cosa era lo referente al pescado, en particular en los meses del estío, tan fuertes en Madrid, debido a la lejanía de los puertos de Galicia y a la pobre técnica de la época para conservar en buen estado la pesca durante tanto tiempo.

Y quizá también por ello en la dieta alimenticia de la España interior fuera tan raro el pescado, salvo en los tiempos de vigilia; o también el que los relatos literarios den tantas referencias a pescados en malas condiciones, comida de desecho para los pobres, con tanto peligro para su salud, luchando entre el hambre y la intoxicación.

En todo caso, aquí sí que es conveniente destacar que las ciudades más importantes señoreaban un territorio, lo que viene reflejado en los documentos del tiempo como la ciudad «y su tierra». Será de esa tierra de donde la población obtendrá la mayor parte de su abastecimiento en carne, trigo, leche y verduras, sin olvidar algo básico para afrontar el invierno: la leña con que encender los hogares y caldear las viviendas, cuando no para construirlas.

El problema de la limpieza no era pequeño en un Madrid que carecía de alcantarillado y que no podía fiarse del Manzanares para que le aliviara de sus inmundicias. Sospecho que la toponimia nos da una de las claves en ese lugar cercano a la capital de nombre tan expresivo: Vaciamadrid. Lo cierto es que los viajeros alababan una ciudad como Barcelona por su alcantarillado, o a Valladolid, bordeada por un gran río —el Pisuerga— y con otro exiguo, el Esgueva, que, al cruzarla, sería el aliviadero para que las aguas sucias acabasen en el Pisuerga. Agustín de Rojas, en su libro *El viaje entretenido,* comentará de Valladolid:

> ... podréis gozar algunos ratos del Pisuerga, que es un famoso río, aunque, sin éste, hay otro riachuelo que se llama Esgueva, que es el que tiene a su cargo la limpieza de la ciudad...[7]

Hoy, el Esgueva ha sido canalizado y desviado, pero las calles que bordean su antiguo cauce siguen llevando nombres tan populares y tan ilustrativos como Cantarranas y Cantarranillas.

En definitiva, era muy conveniente el asentamiento urbano sobre la confluencia de dos ríos, y en ese sentido hay que considerar privilegiadas a ciudades como León, con el Bernesga y el Torío, o como Cuenca, con el Júcar y el Huécar. Y aun así, deshacerse de la basura era un arduo problema, resuelto malamente arrojándola fuera de las murallas que entonces defendían las urbes; basura que podría acumularse de modo increíble, como lo demuestra el cono-

---

[6] *Economía, Sociedad y Corona, op. cit.,* pág. 263.
[7] Agustín de Rojas, *El viaje entretenido,* ed. García Morales, Madrid, 1945, pág. 404.

cido hecho histórico de que a esa circunstancia —feliz para ellos— debiesen la vida aquellos personajes de Praga defenestrados por sus adversarios en los inicios de la guerra de los Treinta Años. La basura doméstica era sacada a las puertas, para ser recogida por los carros de limpieza municipales —conocemos hasta los salarios de los operarios y hasta su picaresca, al valerse de los carros para el transporte de mercancías—, antecedente clarísimo del actual sistema motorizado; pero, en cuanto a las aguas sucias, las dificultades eran mayores; de ahí el temido grito de «¡agua va!» y de las ordenanzas que prohibían hacerlo en las horas diurnas, por riesgo para los sufridos viandantes. También aquí la gran historia nos trae el eco de estas peripecias de la vida cotidiana, como cuando el príncipe don Carlos mandó que fuera incendiada una casa de donde había recibido aquel obsequio en una de sus aventuras nocturnas. Por ello se explica la necesidad de los soportales, preferentemente en las plazas mayores, y no sólo en la España húmeda, dado que servían para el seguro paseo de los vecinos.

Agua, limpieza, higiene, salud; todo esto se hallaba muy condicionado y más aún en aquella sociedad tan afligida por la periódica visita de la peste. De ahí el que los hombres de la época lo subrayasen, como aquel regidor de Madrid en 1561 —el año en el que Felipe II traslada su corte—, quien diría públicamente:

> ... una de las cosas que más importa para la salud y ornato público desta Villa es tener las calles limpias...

¿Y con qué se encontraba? Con albañales de orina arrojados a la rúa:

> ... de tan malos olores que no se puede andar por las calles...[8]

Un mal para el que no se encontraba remedio adecuado. La situación se agravaba al caer la noche. ¡Cuidado con lo que podía venir entonces por los aires!

> Después de las diez de la noche no es divertido pasearse por la ciudad —nos dirá Lamberto Wyts hacia 1572—, tanto que después de esa hora oís volar orinales y vaciar la porquería por todas partes...[9]

En efecto, las Ordenanzas municipales lo marcaban así para aquellos desahogos domésticos. A partir de esa hora nocturna, la ciudad se convertía de repente en un continuo batir de balcones y ventanas por donde se arrojaban las aguas sucias, todo un espectáculo sin luz, pero con sonido y, sobre todo, con olor.

---

[8] Véase mi estudio *Economía, Sociedad y Corona, op. cit.,* pág. 259.
[9] *Ibídem,* pág. 278, nota 62.

Veinte años después la situación había empeorado, si hemos de creer al nuncio Camilo Borghese. He aquí cómo nos describe el corazón de la Villa:

> Hay la calle larga —sin duda, la calle Mayor—, la cual sería hermosa si no fuese por el fango y las porquerías que tiene...

Y añade, para aclararlo, si es que eso era preciso:

> Entre otras imperfecciones, no tiene aceras ni letrinas, por lo que todos hacen sus necesidades en los orinales, los cuales tiran después a la calle...

¿Cuál era el resultado? No podía ser otro:

> ... cosa que produce un hedor insoportable... [10]

En cuanto a urbanismo, parece claro que empieza ya a tenerse conciencia de que había que racionalizar el crecimiento urbano. Eso se pondría de manifiesto cuando el pavoroso incendio de 1561 arrasó Valladolid. Su reconstrucción se hizo teniendo en cuenta las necesidades de una gran urbe: abundante número de soportales en la parte más céntrica y sobre todo la construcción de una gran plaza Mayor, que serviría de modelo para la urbanística posterior, tanto en España como en Ultramar. Herederos de Valladolid serían, andando el tiempo, Madrid y Salamanca. En su día, la plaza Mayor de Valladolid produjo la admiración del viajero, y es lástima que apenas si se conservan vestigios de las casas alzadas con el favor del Rey.

> Mañana —nos dice uno de los personajes de *El viaje entretenido*— pienso ver su Plaza con el favor de Dios...

Y otro, de nombre Ríos, le comenta:

> Esa es la mejor que yo he visto en España...

Bien merecía la pena admirarla:

> Es tan grande y está tan hecha con tanto nivel, que no discrepa una casa de otra cosa ninguna... [11]

La urbanística en el Quinientos pedía más espacios abiertos para las grandes concentraciones ciudadanas: las religiosas (procesiones, autos de fe inquisitoriales), las civiles (entradas de príncipes, proclamaciones de solemni-

---

[10] *Economía, Sociedad y Corona, op. cit.,* pág. 278, nota 63.
[11] Agustín de Rojas, *El viaje entretenido,* ed. cit., pág. 397.

dades) y las festivas, entre las que destacaban las corridas de toros. El aumento de la población obliga a romper el estrecho corsé de las antiguas murallas. Madrid, el Madrid viejo de los Austrias que a Poniente tenía el brusco desnivel sobre el Manzanares, tenderá a derramarse hacia Levante; la Puerta de Guadalajara quedará pronto rebasada por la Puerta del Sol, y el avance sigue hacia Atocha. De ahí el asombro de Guzmán de Alfarache cuando la visita a fines de la centuria:

> ... hallé poblados los campos..., las plazas calles y las calles de otra manera, con mucha mejoría en todo [12].

Una novedad obligará a ensanchar las calles y adoquinarlas: el coche, que hace su aparición en España bien entrado el siglo. La corte tendrá sus carruajes, que irán cambiando y mejorando sus modelos. La carroza que lleva a Felipe II a Lisboa en 1580 es ya una maravilla para la época; tiene amortiguadores y la caja de la carroza va prácticamente al aire, para evitar las bruscas sacudidas. Con justicia puede admirarse todavía en el Museo de Carrozas de Lisboa.

Todo ello obliga a corregir el desordenado crecimiento anterior. Cada vecino tendrá que sujetarse a unas normas mínimas en la estructura de su vivienda de cara al exterior. Así, el Ayuntamiento madrileño pedirá al Consejo Real, en su sesión del 16 de diciembre de 1561, que intervenga para prohibir las rejas bajas voladizas de menos de ocho pies de alto:

> ... porque se han descalabrado y muerto muchas personas, topando de noche en las dichas rejas... [13]

Abastecimiento, limpieza, urbanismo..., pero también, y no uno de los menores, el problema del orden. Algo particularmente serio, donde residía el Rey, por las implicaciones que tenía. De ahí la existencia de los alcaldes de Casa y Corte, que, acompañando al monarca y residiendo ya en Madrid cuando Felipe II establece allí su corte, pueden aplicar una justicia ejemplar y sobre la marcha, sin necesidad de juicios dilatorios, contra los delincuentes cogidos *in fraganti.*

La cuestión no era fácil de resolver, ni aun en la corte, porque, en cuanto caía la noche, la urbe sumida en tinieblas quedaba a merced del hampa; un hampa organizada, que tenía su propio sistema, con su estructura, sus normas y su propia disciplina, y que actuaba como un auténtico contrapoder; es más, hay para pensar que el Estado jamás se planteó eliminarla radicalmente, entre otras cosas porque las relaciones entre el poder legal y el hampa no eran raras, y aún mayores las del patriciado urbano; baste recordar el tur-

---

[12] Mateo Alemán, *Guzmán de Alfarache,* ed. Gil y Gaya, Madrid, Clásicos Castellanos, 1963, IV, pág. 205.

[13] Archivo de la Villa de Madrid, Libros de Acuerdos, XV, fol. 94 v.

bio asunto de la muerte de Escobedo. El hampa tenía su tabla de operaciones, siendo una de sus fuentes de ingresos las «recompensas» que recibía por los servicios prestados: un susto, una paliza, una cuchillada, una muerte. Rememoremos al caballero sevillano que reclama ante Monipodio, porque había dado ya una señal —30 ducados— y aún no se había efectuado el encargo solicitado: una cuchillada a un comerciante, sin duda poco respetuoso con las jerarquías sociales. Si hemos de creer a Cervantes, Monipodio y su cuadrilla actuaban como una contrajusticia al servicio del patriciado urbano contra comerciantes y artesanos[14].

La noche era para el hampa. En cuanto oscurecía, los vecinos se atrincheraban en sus viviendas, que eran cerradas a cal y canto, y dejaban las calles para el aventurero que se atreviese. Una vez más, el testimonio literario resulta precioso:

> ... en esta ciudad [de Toledo] —leemos en el *Lazarillo*— andan muchos ladrones que siendo de noche capean...

Capean, esto es, roban capas y todo lo que pueden. De forma que el escudero afincado en Toledo concluye:

> ... pasemos como podamos y mañana, venido el día, Dios hará merced...

Y no es menos gráfica la forma con que nos cuenta Tirso de Molina las tribulaciones de un honrado vecino cuando, caída la noche, ha de afrontar el lanzarse a la calle para encontrar asistencia para su mujer, repentinamente enferma, yendo desde el barrio de Lavapiés hasta la Puerta de Fuencarral:

> ... la noche como boca de lobo...[15]

A la calle metida en las tinieblas nocturnas sólo osaban asomarse los que iban a sus aventuras o los poderosos, bien acompañados y con grandes hachones que les alumbraban el camino.

Una inseguridad que no era siempre fruto del hampa, sino también de la rivalidad entre los bandos nobiliarios que con sus continuos enfrentamientos armados salpicaban de sangre la urbe, dentro y fuera de España, como un mal general de la época: que de Montescos y Capuletos estaban llenas las historias de las ciudades del tiempo, en cualquiera de sus naciones. Cuentan de la Salamanca de fines del XV que sólo un santo podía pacificarla, y que por tal se tuvo a san Juan de Sahagún cuando puso en ella algo de sosiego.

---

[14] Cervantes, *Rinconete y Cortadillo*, ed. Avalle-Arce, Clásicos Castalia, Madrid, 1982, pág. 272.
[15] Tirso de Molina, *Los tres maridos burlados*, en *Cuentos viejos de la vieja España*, ed. cit., pág. 899.

Lo cual nos lleva a tratar de ese otro sector social que tanto poder alcanzó en la España del Antiguo Régimen: el patriciado urbano. Si la alta nobleza señoreaba sus grandes dominios rurales, el patriciado urbano lo hacía en la ciudad —cierto, donde también los Grandes imponían su presencia, como los Monterrey en Salamanca, los Alba de Liste en Zamora o los Infantado en Guadalajara—; una ciudad donde ese patriciado urbano se encarama no tanto sobre labriegos —aunque también lo padezcan los que pueblan «la tierra»—, sino sobre las fuerzas productivas urbanas, como artesanos y mercaderes, explotados a través de los impuestos municipales de los que buena parte van a sus arcas, sin olvidar los beneficios que dejaba el abastecimiento de la ciudad. Un patriciado castellano que al controlar las Cortes, a través de los dos procuradores nombrados por las 18 ciudades y villas con voz y voto, pueden atreverse a jugar un papel en la gran política nacional, y no sólo a escala local, en clara competencia con la alta nobleza y con la propia Corona; testigo de ello, sus intentos de dominio de la cosa pública en el enfrentamiento armado de las Comunidades de Castilla. Y aunque la derrota de Villalar frenó sus ambiciones, no anuló por completo su poderío, como lo prueba que Felipe II convocara periódicamente esas Cortes castellanas, si bien dándoles interesado cobijo en su propio palacio, como ya hemos visto.

Es cierto que la Corona hacía tiempo que había tratado de imponer su ley en el marco urbano a través de su representante, el corregidor, órgano de suma importancia que los Reyes Católicos establecieron de modo permanente para el medio centenar de las principales ciudades de la Corona de Castilla. Aun así, aquellas ciudades se gobernaban por un cabildo municipal de dos docenas de regidores —los 24, pertenecientes al patriciado urbano y que por ello adquieren carta de nobleza—, cabildo municipal presidido por el corregidor. Pero aunque el corregidor sea la máxima autoridad —el juez de la ciudad—, sin embargo es pasajero (era renovado anualmente o, a lo más, cada dos o tres años), mientras que los regidores están vinculados a los grandes linajes urbanos, y ésos permanecían; de ahí su fuerza, difícil de contrarrestar.

El cargo de regidor, que podía incluso convertirse en hereditario, reportaba influencia y riqueza inmediatas, sin olvidar los «bocados», como recuerda Calderón de la Barca en *El alcalde de Zalamea*. Se refiere a la casa de un regidor:

> ... donde todo sobra, pues
> al mes mil regalos vienen;
> que hay regidores que tienen
> mesa franca con el mes.

Ese patriciado urbano controlará todas las fuentes de ingresos de la urbe, sin desdeñar la del propio prostíbulo. «La casa de la mancebía —señalaba yo en mis estudios sobre la sociedad en el Siglo de Oro— era mirada como un negocio, no sólo lícito, sino (lo que es más asombroso) sin merma de la honra del que lo disfrutaba, y con sus ribetes de regalía. En efecto, es nada menos que el príncipe don Juan, el malogrado heredero de los Reyes Católicos, como señor y gobernador de Salamanca, el que otorga a su servidor de la corte García de Albarrátegui el solar donde se habría de poner la casa de la mancebía. El tal García de Albarrátegui era mozo de ballesta de los Reyes, y hay que suponer que, agradecido a sus servicios, el Príncipe le hace esa donación. Eso ocurría en 1497, poco antes de morir el Príncipe. Y es cuando la operación se complica, pues el Ayuntamiento se llama a la parte. El resultado es que saca a puja la casa de la mancebía, con la condición de que el que la explotase había de pagar 10.000 maravedíes anuales de censo perpetuo al tal García de Albarrátegui y 1.500 a la ciudad. Pregonada la concesión, fue adjudicada, pero no a un cualquiera, sino a un apellido ilustre, al regidor don Juan Arias Maldonado, quien en regateo con el Ayuntamiento consiguió que le rebajasen el censo perpetuo a 1.000 maravedíes anuales. A su vez, dicho don Juan Arias nombra a quien le lleva directamente el negocio, que es una figura institucionalizada: el padre de la mancebía, nombramiento que en principio correspondía al cabildo, pero que transfiere así sus derechos a don Juan Arias Maldonado. De esa forma —y es de suponer que el caso no fuera único— un personaje distinguido de la ciudad no tenía inconveniente en redondear sus rentas con lo que le diese aquel sucio negocio. Don Juan Arias Maldonado invierte su dinero. Es, en cierto modo, "un hombre de empresa", ya que ha de hacer frente a un censo de 11.000 maravedíes anuales (10.000 para el paniaguado del príncipe don Juan y 1.000 para el Ayuntamiento) y a lo que cobraba el padre de la mancebía. ¡Penosa caricatura de un hombre de empresa! ¿Era mal vista esa actividad por el resto de la sociedad? No lo sabemos, y sería interesante contestar a esa pregunta. Pero tiene su título de don con el que se le consigna respetuosamente en los documentos. Era, a todas luces, uno de los principales señores de Salamanca, regidor de la misma y posiblemente descendiente del que había sido consejero del rey Juan II» [16].

En esa urbe lo que llama la atención es la escasa población activa. A este respecto, los estudios hechos sobre los censos de calle hita, tan abundantes en la época, no dejan lugar a dudas.

Veamos el ejemplo de la Salamanca de fray Luis, que es —no lo olvidemos— la Salamanca de Felipe II.

En primer lugar, la evolución de su vecindario a lo largo del Quinientos:

Años	1504	1561	1598
Vecinos	4.513	4.936	4.023

[16] Manuel Fernández Álvarez, *La sociedad española en el Siglo de Oro,* Madrid, 1984, I, págs. 207 y 208.

Por lo tanto, con un máximo de casi cinco mil vecinos a mediados de siglo —1561, el año en que Felipe II lleva su corte a Madrid—, la población de Salamanca desciende a fines de la centuria —como todo el país— bastante por bajo de las cifras que tenía ya a principios de siglo. Y curiosamente hemos podido confrontar que esa crisis demográfica es simultánea, sin embargo, con un espectacular aumento de los niños ilegítimos, con todo lo que eso suponía en la España del Antiguo Régimen; como si a la crisis demográfica y, por ende, económica hubiera que añadir una crisis moral. En el recuento que pude hacer en los libros sacramentales de la iglesia mayor, de un mero goteo hacia 1534 —que es donde aparecen las primeras referencias— se salta a ocho veces más a partir de 1580, y a más de quince en 1590 [17]. Lo cual se corresponde además (y eso es muy significativo) con el aumento de los niños abandonados a fines de siglo, tal como se refleja en la siguiente tabla:

Años	Niños abandonados
1590	43
1591	74
1592	75
1593	70
1594	81
1595	102
1596	61 [18]

Salvo la excepción del último año, el aumento se mantiene, con un notorio incremento en el bienio 1594-1595.

También es importante constatar el reparto de la población activa y de su evolución, conforme aparece en el siguiente cuadro:

POBLACIÓN ACTIVA DE SALAMANCA
EN LA SEGUNDA CENTURIA DEL SIGLO XVI

	1561	%	1598	%
Sector primario	75	1,52	33	0,82
Sector secundario	1.264	25,60	724	18,00
Sector terciario	1.061	21,50	429	10,66
Sin profesión	2.536	51,38	2.837	70,52
Total vecinos....	**4.936**		**4.023**	

---

[17] Véase mi estudio *La Salamanca de fray Luis de León,* Salamanca, 1993, pág. 15.

[18] *Ibídem,* pág. 16.

Destaca, a ojos vistas, la caída de la población activa a finales de la centuria, cuyas cifras, si ya eran preocupantes a mediados del siglo, se convierten en verdaderamente alarmantes medio siglo más tarde. ¡Nada menos que el 70 por 100 de esa Salamanca vive sin profesión fija! Descontando los miembros del patriciado urbano y los hidalgos y escuderos, posiblemente integrantes del sector de los pobres vergonzantes, eso quiere decir que la cifra de pobres debía de ser impresionante. La miseria estaba alcanzando en Salamanca cotas dramáticas, como ocurría en el resto de Castilla.

Un mundo laboral lánguido, dañado aún más por el hecho de que en su mayoría se trataba de zapateros remendones, tundidores, pellejeros, hiladores y otra serie de humildes artesanos que apenas si ganaban para malvivir.

Pero no un mundo encorsetado. La confrontación de los dos vecindarios, con nombres, apellidos y profesiones, nos desvela que son pocas las profesiones que se perpetúan dentro de las familias.

En efecto, en el barrio catedralicio y universitario de Salamanca nos encontramos que en 1598 apenas si media docena de artesanos continúan la profesión que sus antepasados tenían cuarenta años antes, según el censo de 1561 [19].

Pero insistimos: unos artesanos ganando unos salarios míseros. Eran aquellos que, al morir, no testaban, como señalaban sus párrocos, por no tener qué testar.

Por lo tanto, estamos ante el umbral de la pobreza, el último escalón social, si hacemos caso omiso de los esclavos. Aunque habría que hacer ya una advertencia inicial: también aquí encontraremos diferencias.

---

[19] *La Salamanca de fray Luis de León, op. cit.,* págs. 20-31.

11
LOS MARGINADOS

Los marginados. Y el primero de ellos, el pobre. Un pobre que en el caso español daba una nota singular, y no sólo por su altísimo porcentaje, sino y sobre todo por la actitud de aquella sociedad, tan condicionada por su mentalidad nobiliaria, lo que le haría rechazar, como despreciable, el trabajo manual, lo que se traduciría en un sinfín de pobres vergonzantes. Estaba, además, su planteamiento religioso, que lejos de despreciar al pobre lo consideraba como necesario para ayudar a salvar al rico. Se estimaba, en efecto, que la oración del pobre era aceptada más favorablemente por el cielo, y de ahí su protagonismo. ¿Cómo negar limosna al que pedía por Dios, al pordiosero? Siempre y cuando, naturalmente, fuera cierta su pobreza y ciertos sus achaques que le impedían trabajar. Por lo tanto, lo primero que cumplía averiguar era la autenticidad del pobre. Y como el hecho era suficientemente grave, dada su abundancia —y sobre esto volveremos más adelante—, el propio Consejo Real legislará sobre la materia. Será el mismo Felipe II quien, en 1565, promulgará las ordenanzas por las cuales debía regirse la mendicidad. Era, por tanto, una medicidad regulada pero no prohibida.

Se trasladaba el problema a las autoridades locales. Y como se teñía de ese tono religioso, se hace intervenir a los párrocos. Por un lado, una comisión de vecinos debía indagar qué mendigos eran necesitados:

... los que verdaderamente son pobres...

A ésos se les daría una cédula personal, con su nombre y sus señas físicas para facilitar su identificación; dichas cédulas debían ir acompañadas del visto bueno del párroco, acreditando un buen comportamiento religioso y que habían realizado su cumplimiento pascual. Por consiguiente, eran documentos personales e intransferibles que tenían validez por un año, con esa obligación religiosa:

... porque si se tiene cuidado de mantener los cuerpos de los pobres, es más justo que se tenga de sus ánimas... [1]

Y para que el control fuese mayor, se prohibía al pobre pedir fuera de su parroquia.

De esa forma, la pragmática filipina de 7 de agosto de 1565 venía a cerrar el debate de la época carolina sobre si había que perseguir o si convenía permitir (regulándola, eso sí) la mendicidad.

No cabe duda de que el enfoque religioso dado a la mendicidad estaba vinculado al hecho de existir aquellas respetadas —y poderosas— Órdenes religiosas que tenían entre sus principios básicos el subsistir mediante la limosna. Esto es, no podemos olvidar que tanto los franciscanos como los dominicos eran Órdenes mendicantes.

Hay que insistir en ello: para aquella sociedad el ser pobre era un oficio, dado que el pobre tenía algo que ofrecer: la oración, y no de forma general, sino particularizada. Y al ejercer ese oficio podía mostrar mejor o peor forma: en suma, ser un buen o un mediocre profesional. Maestro en su género lo era el ciego del relato del *Lazarillo*, donde leemos:

> En su oficio era un águila. Ciento y tantas oraciones sabía de coro... [2]

Y no sólo bastaba eso; también eran importantes el tono y el rostro para que fueran más convincentes.

> Un tono bajo, reposado y sonado... Un rostro humilde y devoto... sin hacer gestos ni visajes con boca ni ojos...

Aquel «águila en su oficio» tenía una amplia mercancía que ofrecer a su clientela: oraciones de todo tipo:

> ... para mujeres que no parían, para las que estaban de parto, para las que eran mal casadas...

Igualmente era un poco curandero o brujo, pues también sabía aconsejar en las dolencias:

> Haced esto, haréis esto otro, coced tal hierba, tomad tal raíz... [3]

Un oficio, pues, que como tal está en gran número de textos, y como de los primeros en el prestigioso de fray Antonio de Guevara, que lo inserta entre los diversos —y no muchos— que podían darse:

---

[1] Véase mi libro *La sociedad española del Renacimiento*, Salamanca, 1970, págs. 154 y sigs.
[2] *Lazarillo de Tormes*, ed. Francisco Rico, Madrid, Cátedra, 1987, pág. 26.
[3] *Ibídem.*

> El oficio del labrador es cavar; el del monje, contemplar; el del ciego, rezar; el del oficial, trabajar; el del mercader, trampear; el del usurero, guardar; el del pobre, pedir...[4]

Por consiguiente, era un oficio que tenía sus derechos, aunque también, y dado sus notorios abusos y el impacto social provocado por su aumento espectacular, con la degradación que en el entramado social suponía, traería consigo muy pronto un fuerte debate. Dado el sinnúmero de quienes simulando enfermedad y pobreza se acogían a tal oficio para vivir sin trabajar, ¿no había que defenderse de ellos? La cuestión estaba planteada por toda Europa; la diferencia estribaba en que la Europa central y nórdica valoraba más el trabajo y menos a los ociosos conforme la sentencia paulina: el que no trabaje no tendrá derecho a comer; en conclusión, la ociosidad era un mal social y debía ser combatida. Postura potenciada por la supresión de las Órdenes religiosas en la Europa de la Reforma que se apoyaban —y algunas de las principales de forma expresa— en la caridad del devoto para subsistir, aunque también para medrar.

De esa idea participaba Luis Vives en sus escritos sobre la pobreza, de los que encontramos un eco en la misma España. En 1540 se crearía, bajo Carlos V, el padre de pobres, con una finalidad bien concreta: asegurarse de cuáles lo eran verdaderamente, para combatir a los falsos. Y aunque Domingo de Soto, con su gran autoridad, defendiera al máximo la libertad de los pobres a pedir, como algo tan necesario para que el rico se salvara, estaba claro que la picaresca obligaría a tomar severas medidas, como las de Felipe II en 1565, que ya hemos comentado. Y es en esa misma línea en la que se mueve Cristóbal Pérez de Herrera con su importante obra *Amparo de pobres,* lo cual queda más de manifiesto si nos fijamos en el verdadero y más amplio título, tal como aparece en su primera edición de 1598, el año de la muerte del Rey Prudente: *Discursos del amparo de los legítimos pobres y reducción de los fingidos...*

Algo que expresaba muy bien un contemporáneo de Pérez de Herrera, en unos versos de mayor valor social que estético:

> Pues Dios cargó pensión sobre la hacienda
> del rico, y quiso que la goce el pobre...[5]

Es evidente que la cuestión se convirtió en grave por su fuerte crecimiento a lo largo del siglo XVI. Algo bien reflejado en los censos de calle hita. Bennassar precisa «ese primer lujo de la ciudad» en un 9,54 por 100 para el Valladolid del Siglo de Oro; en el Ávila de 1561 hemos anotado un 8 por 100,

---

[4] Fray Antonio de Guevara, *Libro primero de las epístolas familiares,* Madrid, ed. 1950, I, pág. 186.

[5] Cristóbal Pérez de Herrera, *Amparo de pobres,* ed. de Michel Cavilhac, Madrid, 1975, pág. 18.

pero para el Oviedo de 1586, el 46 por 100. Bien es verdad que Oviedo suponía entonces un caso aparte. Naturalmente, también aquí la risa o el llanto iba por barrios; tal podemos comprobar en la Salamanca de 1598, donde el que hace el recuento del vecindario de la parroquia de San Blas anota esta impresionante declaración, transida de sentimiento compasivo:

> ... con juramento a Dios, que de las seis partes de las personas que aquí van enpadronadas, que las cuatro partes no tienen qué comer si no se lo dan... [6]

La pobreza entrañaba una grave cuestión social, pues no hacía sino aumentar, y porque iba unida a una concepción de la vida: la valoración de la ociosidad y el desprecio al trabajo; lo cual no hacía sino agrandar el problema. De ahí los intentos por cambiar la mentalidad de aquella sociedad, como Luis de Ortiz en su *Memorial,* ya estudiado, cuando pedía al nuevo rey Felipe II, en 1558, que no sólo se dignificase a los que trabajaban, sino que se hiciese trabajar a los que detentaban la honra. De ahí que se atreviera:

> ... dar orden cómo se quite de España toda ociosidad e introducir el trabajo...

Y es que ya a esos mediados de siglo, como comenta Cavilhac, el desbarajuste económico amenazaba con convertirse en ruina total [7].

Propósitos bien intencionados, tanto los oficiales desde Carlos V hasta Felipe II, como los de los teóricos desde Luis de Ortiz a Cristóbal Pérez de Herrera, pero de poca eficacia, pues de lo que se trataba era nada menos que de transformar la sociedad. Y eso se echa de ver cuando tipificamos el fenómeno de la pobreza, con sus variantes, de tanta raigambre en la España del Quinientos. Estaban, en primer lugar, los pobres vergonzantes, que suscitaban la compasión de la propia Corona. ¿No los recuerda el mismo Carlos V? En su testamento dejaría una manda de 10.000 ducados, que era una bonita suma:

> ... para pobres envergonzantes que más necesitados serán... [8]

Manda que desaparece en el testamento de Felipe II, cosa que no sé cómo interpretar, siendo sustituida por otra más imprecisa de mucha menor cuantía, la cláusula número 5, que reza:

---

[6] Véase mi libro *El siglo XVI. Economía, Sociedad, Instituciones, op. cit.,* pág. 375.

[7] Véase su estudio en la ed. crítica de *Amparo de pobres,* ed. cit., pág. CXI.

[8] Carlos V, *Testamento,* Madrid, ed. Editora Nacional, 1982, pág. XIV. Luis Vives hablaría de los «que soportan como pueden sus necesidades vergonzosamente en sus casas», en su escrito *De subventione pauperum,* en *Obras completas,* ed. cit., I, pág. 1393.

> Item, mando que se vistan cien pobres y el vestido sea cual a mis testamentarios paresciese.

Pues por mucho que se gastara en vestir a cada pobre, no pasaría, evidentemente, del ducado, lo que suponía reducir aquella cifra de 10.000 ducados en otra puramente simbólica.

Siguiendo con los pobres, y dejando a un lado los vergonzantes, nos encontramos con estos otros cuatro grupos reconocidos legalmente: los religiosos (tales los de las Órdenes llamadas por eso mendicantes, como las influyentes de dominicos y franciscanos, tan vinculadas a los estudios; pero también las que lo hacían para redimir cautivos, como los mercedarios y los trinitarios); los peregrinos, en su camino hacia Roma o en el jacobeo de Santiago de Compostela; los estudiantes, para costearse su viaje hacia su Universidad, y los familiares de los cautivos, para redimirlos del cautiverio; estos tres últimos, ocasionales, pues dejaban de poder pedir limosna al conseguir su objetivo. Eran, por tanto, mendigos accidentales, mientras los religiosos lo eran perpetuos, afirmando su vocación vitalicia de serlo.

Y no hemos tratado todavía de los dos grandes sectores de la mendicidad. Lo dicho hasta ahora es para dejar bien claro la complejidad que había tomado el problema y hasta qué punto la tarea de los reformadores sociales, como Luis Vives o Luis de Ortiz, resultaba de hecho imposible.

Los otros dos grandes grupos de la mendicidad: los pobres auténticos, sin medio alguno de fortuna e incapaces de ganarse la vida por sus circunstancias personales (los ciegos, los primeros, pero también los tullidos, los niños y ancianos menesterosos y los veteranos mutilados, licenciados de las armas), y los fingidos, que, enamorados de la holganza, simulaban cualquier mal para vivir limosneando, de los que no había pocos. Como diría uno de ellos a quien le censuraban su proceder:

> Señores, no hay que cansarme: yo ando de tierra en tierra, sin cuidado, a mi gusto, y nunca me faltan dineros para holgarme [9].

De esa forma todos los moralistas coincidían en ello: la clave estaba en distinguir a los verdaderos pobres de los fingidos y en desenmascarar a éstos para que los verdaderos pudiesen gozar enteramente de la caridad a la que tenían todo derecho. De ese modo, Felipe II ordenaría a las autoridades locales que librasen las oportunas licencias para que los pobres verdaderos:

> ... sean sustentados y proveídos en su necesidad con la caridad y la limosna que a los tales se debe... [10].

---

[9] Citado por Cristóbal Pérez de Herrera, *Amparo de pobres,* ed. cit., pág. 33.
[10] Véase mi libro *La sociedad española del Renacimiento, op. cit.,* pág. 155.

Pobres gentes para las cuales la limosna era tan necesaria como el aire para respirar. Pero como su crecimiento era tan alarmante y se alzasen voces para reprimirlos, Domingo de Soto alzaría la suya propia:

> ... al pobre —diría—, quien le quita el poder de pedir limosna, le quita no menos de la vida, porque no le queda otro agujero donde se meta, sino la sepoltura [11].

Mas, en cuanto a los fingidos, eran tantas las injurias que las buenas costumbres recibían de ellos, que bien podía asegurarse que constituían la antesala del hampa, si no es que formaban una misma cosa, cambiando según el correr de las horas: pobres de día y malhechores de noche. De ahí la sentencia de Luis Vives:

> ... del hurto no les faltaba nada...

Con lo que entramos en el capítulo de los marginados, de los que el hampa constituía parte principal.

El hampa, esto es, una parte de la delincuencia organizada, una parte solamente —la urbana—, pues dejaba fuera la que se instalaba en los descampados, el bandolerismo rural.

Sobre todo esto sólo indicaremos lo más sustancial, para que nos ayude más a conectar con la época en que vivió y reinó Felipe II.

A diferencia con el hampa actual, la de entonces únicamente estaba organizada a nivel urbano, ni siquiera al nacional, y menos al internacional; ahora bien, en ese ámbito podía establecer contactos con el mismo poder. Esto no debe parecernos tan asombroso, pues, como conocen bien todos los estudiosos del tema, el poder constituido jamás ha considerado que el hampa pueda hacerle sombra, jamás la ha visto como un enemigo implacable, sino más bien como un huésped incómodo al que es imposible eliminar, cosa que ni siquiera se plantea. Y entre otras razones porque tampoco el hampa pretende transformar y menos destruir la sociedad a cuya costa vive; eso sería, como suele decirse, tan necio como matar la gallina de los huevos de oro.

Curiosamente, el hampa imita a la sociedad, aunque la desprecia; su desprecio forma parte de su propia justificación, pero también la envidia, de forma que no es raro (y eso constituye un ejemplo de sus notorias contradicciones) que quiera para sus herederos una integración en esa misma honorable sociedad que combate.

En todo caso, y eso nos lleva ya al modelo filipino, los «favores» menudean entre las dos partes; la justicia disimula no pocas fechorías y el hampa corresponde con sus propios servicios: esa guerra sucia que el Estado no puede llevar a cabo directamente. Y como si fuera un asunto de nuestros días, vemos

---

[11] Cavilhac, estudio cit., pág. XCVIII.

al hampa poner precio a las tareas que se le encomiendan, desde pequeños sustos hasta mortales cuchilladas, como en el patio del sevillano Monipodio de la novela cervantina *Rinconete y Cortadillo.* Un relato de ficción, cierto, pero también puede recordarse la muerte nada menos que de Escobedo, «encargada» por Antonio Pérez en la corte madrileña, con el visto bueno del propio soberano.

En el Quinientos, tres urbes sobresalen, y en ellas tres reductos del hampa: Sevilla, de cara al Océano; Valencia, de cara al Mediterráneo, y Madrid, desde el punto y hora en que Felipe II la convierte en capital de la Monarquía. A ese mundo, sórdido y tenebroso, pero también que se sale de la norma y por ello que excita a la aventura, se asoman aquellos espíritus inquietos, ávidos de aventuras. Eso lo recoge muy bien la pluma cervantina, que sin duda había sufrido tal tentación y, por ello, sabe bien a qué atenerse, cuando nos cuenta cómo se desgarró Carriazo por su inclinación hacia la picaresca:

> ... sin forzarle a ello algún mal tratamiento que sus padres le hiciesen...

Carriazo, llevado de ese espíritu aventurero, abandona la casa paterna.

> ... y se fue por ese mundo adelante, tan contento de la vida libre...

Vida libre, se entiende, de las rígidas normas que conllevaba la sociedad jerarquizada —y excesivamente encorsetada— del Quinientos. El ente de ficción devuelve bien aquí la imagen de no pocos muchachos del tiempo, como el capitán Contreras en su juventud, o como el propio Lope, que a los dieciséis años abandona el hogar familiar y no regresa hasta que, acabados sus dineros, termina siendo cogido por la justicia. Y Contreras, en sus *Memorias,* al relatarnos su salida de casa a los catorce años, nos cuenta su primera noche, cuando se acerca a la lumbre de la tropa («que ya resfriaba»), y comenta:

> Pasé entre otros pícaros... [12]

No menudearé aquí en otros detalles que nos hablan de cómo el hampa tiene su propio código de conducta, su personal habla, sus particulares leyes y sus mismos castigos, remedando no poco a la sociedad de la que se nutre. La más generalizada de esas leyes, ayer como hoy, era la del silencio, y su infracción tan despreciada que conlleva el castigo de la muerte. Su mejor negocio, servir un flanco mal cubierto por aquella sociedad: lo erótico, que, al ser excluido de la vida familiar, debía refugiarse las más de las veces en la putería, de cuyas rameras se alzan como guardianes —y también como explotadores— los rufianes, flor y nata del hampa urbana. Era uno de los sectores del hampa

---

[12] Alonso de Contreras, *Memorias,* ed. Criado del Val, Madrid, Taurus, 1965, pág. 21.

donde confluían rufianes y caballeros (aquí tomando este nombre con su valor nobiliario meramente): en la putería; pues si el rufián era el que explotaba a una u otra ramera, la casa de la mancebía en su conjunto era un negocio más del mundo urbano, y como tal controlado por su patriciado. Ya hemos visto que eso fue lo que ocurrió en el caso de Salamanca en 1497, cuando se alzó con la mancebía don Juan Arias de Maldonado, miembro de uno de los principales linajes salmantinos [13].

Si la prosperidad de las mancebías era fruto, en buena medida, del orillamiento de lo erótico de la vida matrimonial y como una solución práctica a la condena por la sociedad a las relaciones sexuales de la mujer soltera, cabe recordar también que ese enrarecido ambiente provocaría el aumento de los hijos ilegítimos, con la inevitable secuela del incremento de los expósitos. Pues dado que las clases medias tenían dificultades para dotar a las hijas, requisito indispensable para su boda, éstas no tenían más alternativa que el convento o la soltería; las destinadas a los conventos iban las más de las veces sin vocación alguna, eran «las monjas desesperadas» que denunciaría Alfonso de Valdés, provocando un sinfín de lances y la aparición de un personaje curioso: el galanteador de monjas. Las solteras eran, a su vez, fácil presa del tenorio de turno, viviendo entre la disyuntiva de caer en la infamia, precipitando a toda la familia en la deshonra —lo cual suponía un infierno—, o renunciar a la vida amorosa; con lo que, si se producía un desliz y ello provocaba el nacimiento de un hijo ilegítimo, lo más frecuente es que ese hijo fuera abandonado a su suerte. Esa sería la dura realidad para los por eso llamados niños expósitos, los cuales apenas si sobrevivían unas horas, las más de las veces, a ese abandono, realizado siempre a altas horas de la noche, pues el secreto del lance era obligado. Y ya se puede imaginar lo que eso suponía, en especial en las noches del largo invierno meseteño: que, muy frecuentemente, el campanero encargado de abrir la iglesia mayor —que era el sitio acostumbrado para aquellos abandonos— en las primeras horas de la mañana se encontraba con una o varias cestas con niños muertos. Y quizá era el mejor destino posible para aquellas infelices criaturas, dado el cúmulo de males que habían de sufrir los que lograban sobrevivir.

Aquello haría exclamar a un moralista del siglo XVIII, Antonio de Bilbao:

> Mueren de hambre a racimos, no lo ocultemos, como se estrujan las uvas en el lagar, yo lo he visto. Mueren cubiertos de costras y lepra, a los ocho días de nacer limpios, yo lo he palpado. Mueren abandonados hechos cadáveres antes de serlo, yo lo he llorado delante de Dios y ahora lo lloro delante de los hombres. ¡Espectáculo funesto! [14]

---

[13] Véase mi estudio *El siglo XVI. Economía, Sociedad, Instituciones, op. cit.,* pág. 388.

[14] Citado por María Fernández Ugarte en su espléndido libro *Expósitos en Salamanca a comienzos del siglo XVIII,* Salamanca, 1988, pág. 120.

En todo caso, esto estaba en relación con el sentido familiar y el de la vida amorosa en el Quinientos español. Cierto que afectaba menos a las clases elevadas, que solían educar a sus hijos ilegítimos, aunque los dedicasen a la vida religiosa, para que de ese modo ayudasen a expiar el supuesto pecado de los padres. Algo que en la cumbre social tenía variantes, aunque el propio Carlos V hiciera entrar a su primera hija —o quizá la segunda, si es cierto que tuvo otra con Germana de Foix— en el convento de Madrigal de las Altas Torres.

Y también aquí Felipe II mantuvo sus reservas: sus indudables amoríos fuera del matrimonio no podrían menos de tener algún fruto ilegítimo, como aquel Melchor de los Reyes, abandonado por su madre a las puertas del monasterio escurialense y mandado recoger y educar por el Rey, lo que nos da alguna pista, pero al margen de una declaración oficial. Lo que nos hace pensar que también en este terreno las diferencias entre Carlos V y Felipe II son notables.

Si el hampa nos habla de las tenebrosidades del mundo urbano, el bandolerismo nos lleva a una dura realidad del mundo rural, de los grandes descampados y de las fragosas sierras, máxime que esas partidas de bandoleros tenían con frecuencia su apoyo en determinadas aldeas, como ocurriría después con el bandolerismo del siglo XIX.

El bandolerismo vive a costa del viajero. Esa es su principal fuente de ingresos, aunque no falta su participación como bandas armadas en los enfrentamientos de los bandos nobiliarios. De igual modo que el hampa mantiene relaciones con el patriciado urbano, también nos encontramos con esa ligazón entre la nobleza señorial y el bandolerismo. No tan clara aparece la que algún estudioso ha tratado de destacar con las infiltraciones de hugonotes o con el asalto a los envíos de metales preciosos, que más parece como algo raro y de tipo eventual. En cambio, la intervención en las luchas de los clanes nobiliarios (como las que protagonizaron nyerros y cadells en Cataluña) es cuestión que puede documentarse ya en pleno reinado de Carlos V[15].

Cierto, bajo Felipe II la situación se mantiene, si es que no se agrava. Y la cita cervantina resulta obligada, con la alusión a aquel Roque Guinart, que tan hidalgamente trató a Don Quijote.

Hemos establecido un paralelismo entre hampa y patriciado urbano, por un lado, y bandolerismo y nobleza territorial, por otro. También cabría marcar las diferencias. El hampa es la representación de una clara degradación social cuya figura central, el rufián, es el antihéroe por naturaleza; mientras que el bandolero, lanzado al campo frecuentemente por vengar una ofensa y para combatir la opresión señorial, se alza como un héroe para el pueblo; no de otra forma nos lo presenta Cervantes en la cita anterior, que ahora es obligado repetir. Y es una nota que el bandolerismo mantendrá a lo largo de los tiempos, hasta nuestros mismos días.

---

[15] Manuel Fernández Álvarez (ed.), *Corpus documental de Carlos V*, II, págs. 123 y 335; IV, pág. 515.

Así mismo hay que tener en cuenta, en cuanto al fenómeno del bandolerismo, el antagonismo entre la montaña y el valle, con la sempiterna tendencia del montañés a lanzarse sobre el opulento valle; un bandolerismo potenciado en el reino de Aragón por la nota religiosa, con una montaña cristiana frente a los fértiles valles de la orilla izquierda del Ebro, masivamente poblados por moriscos. Es ése el escenario donde actúa un bandolero que se haría famoso en tiempos precisamente de Felipe II: Lupercio Lastras[16].

Si la historia había marcado en el Norte esa radical diferencia entre los cristianos montañeses y los musulmanes del valle, en el Sur (y concretamente en el antiguo reino nazarí de Granada) se invertía la situación, pero por idénticos motivos: era el musulmán el que se refugiaba en las fragosas Alpujarras, y era en ese ambiente donde se daba la réplica al bandolero cristiano del Norte, con los monfíes, que también aquí se alzan como los héroes ensalzados por una población oprimida por el cristiano vencedor. Y la difícil, larga y cruenta guerra de Las Alpujarras no es sino un tránsito de ese profundo malestar.

Por lo tanto, unas zonas donde se perfila ese bandolerismo que parece así marcado por fuertes tensiones sociales: pugnas nobiliarias, enfrentamientos entre montaña y valle, odios religiosos entre cristianos y musulmanes. De ahí también que las zonas preferentes del bandolerismo sean los bosques catalanes, la alta montaña aragonesa o Las Alpujarras.

Pero no eran las únicas; también las encontramos en Galicia y, por supuesto, en la que más tarde se alzaría como la tierra propia del bandolerismo español: Sierra Morena.

El bandolerismo nos lleva de la mano al mundo rural en el que se enclava. Un mundo que actualmente va siendo mejor conocido, gracias sobre todo a la labor de destacados hispanistas franceses, como Brumont, que estudió el campo de Castilla la Vieja[17], y como Noël Salomon, que lo hizo para Castilla la Nueva, con un trabajo ya clásico, centrado además en la época de Felipe II[18].

El campesino es un personaje silencioso, pero constituye en torno al 80 por 100 de la población. Aunque sólo fuera por eso, bien merecería que fijásemos en él nuestra atención. Es el que alimenta a la ciudad, el que le compra buena parte de sus excedentes, el que por lo tanto ayuda a su despegue, o le sepulta en el marasmo, sobre todo en la inmensa España interior.

Por lo tanto, veamos algunos de sus rasgos y también su evolución.

De entrada, habría que recordar algo que es obvio: España es muy diversa, sus regiones son muchas y muy distintas, y tal como ellas son, de varias y diversas, así es el mundo rural que las habita. Está el modelo norteño, como

---

[16] Armando Melón y Ruiz de Gordezuela, *Lupercio Lastras y la guerra de moriscos y montañeses en Aragón a fines del siglo XVI*, Zaragoza, 1917.

[17] Francis Brumont, *Campo y campesinos de Castilla la Vieja en tiempos de Felipe II*, Madrid, Siglo XXI, 1984.

[18] Noël Salomon, *La vida rural castellana en tiempos de Felipe II*, Barcelona, Planeta, 1973.

tenemos el meseteño y el mediterráneo. Existe el contraste entre el Norte húmedo, el centro estepario y el Levante y el Mediodía de veranos ardientes e inviernos templados. Igualmente está la división primaria entre valle y montaña, entre la zona costera y la de tierra adentro. Y todo ello repercute en su conformación y en el tipo humano que lo habita: pescadores y ganaderos en el Norte húmedo, con un hábitat disperso por los valles y montes del interior; montañeses en los riscos, que perpetúan sus ritos y costumbres, sin apenas comunicación con el exterior, como en las brañas asturianas; grandes poblachos de adobe en la meseta, en torno a la iglesia de piedra, de Tierra de Campos, como de Campos de Montiel; pueblos serranos, colgados de las montañas pirenaicas como de Las Alpujarras; los osasis de Murcia y de Valencia o Alicante; pueblos marineros de la costa catalana entre Rosas y Tarragona, y de la costa balear, mallorquines o ibicencos.

En general, para este mundo rural, tenemos la mejor apoyatura en su conocimiento directo, pues hasta hace poco, hasta mediados de este siglo, sus cambios habían sido más en las formas que en el fondo. En todo caso, es de las dos mesetas de donde poseemos los mejores estudios: la monografía de García Sanz para Segovia [19], la visión general sobre Castilla la Vieja de Brumont [20] y, sobre todo, el espléndido libro de Noël Salomon para Castilla la Nueva bajo Felipe II [21]. Yo mismo he procurado asomarme a esa España, en especial a los modelos astur y meseteño [22].

Y una de las notas que llama más la atención es la diferencia Norte-Sur, en cuanto a la presencia o ausencia de los representantes de los grupos dirigentes, a ese nivel rural; si se quiere, del absentismo que se produce tanto del hidalgo como del clérigo rural, más acentuado conforme avanzamos hacia el Sur. Un absentismo que es acompañado también del proceso de la pérdida de la propiedad territorial.

A grandes rasgos, diríamos que en el Norte (salvo Galicia) el campesino está más vinculado a la pequeña nobleza y a la pequeña propiedad, mientras que en el Sur la nota predominante es el bracero, que el único bien que tiene son sus brazos, frente al gran latifundio en manos de la alta nobleza. Y mientras el pequeño hidalgo persiste en el Norte, casi desaparece en el mundo rural al sur de Sierra Morena.

¿Existen tensiones en el campo tales como las hemos visto en la ciudad entre el patriciado urbano y las clases productoras? Por supuesto que sí. Y la primera, entre los hidalgos y los villanos ricos. La tendencia es que el hidalgo rural se vaya empobreciendo, siendo desplazado de la dirección de la pequeña comunidad por el campesino rico. La razón es clara: teniendo congeladas

---

[19] Ángel García Sanz, *Desarrollo y crisis del Antiguo Régimen en Castilla la Vieja. Economía y sociedad en tierras de Segovia de 1500 a 1814,* Madrid, 1977.

[20] Francis Brumont, *Campo y campesinos de Castilla la Vieja..., op. cit.,* Madrid, 1984.

[21] Noël Salomon, *La vida rural castellana..., op. cit.,* Barcelona, 1973.

[22] Manuel Fernández Álvarez, *El siglo XVI, op. cit.,* págs. 129 y sigs.

sus pequeñas rentas, ese hidalgo se ve cada vez más arruinado por la interminable escalada de los precios. Eso provoca o el absentismo, para esconder en la gran ciudad su mísera condición (como aquel escudero del relato del *Lazarillo,* que de las afueras de Valladolid emigra a Toledo), o bien la caída en el desprestigio. Una de las figuras sociales más ridiculizadas por el teatro será el hidalgo pomposo y raído, como aparece tanto en las comedias de Lope como en las de Calderón. El mismo Don Quijote tiene tan sólo una pequeña hacienda, puesta en quiebra cuando se lanza a comprar unas docenas de libros de caballerías. Todavía es la figura central de la tertulia local, donde comparte juicios sobre las novedades de cada día con el cura y el barbero, pero pronto pierde ese hidalgo su puesto de privilegio, en seguida los lugareños preferirán por alcalde al villano rico, como lo hacen los de Zalamea la Real eligiendo a Pedro Crespo.

Mas el que aparece como el peso pesado de los núcleos rurales es, sobre todo, el párroco del lugar. Es el dirigente moral de la aldea y el que transmite a ese nivel las consignas que le llegan de los órganos rectores de la Monarquía. No olvidemos que estamos ante una Monarquía confesional. Es el señor del púlpito, desde el cual todos los domingos adoctrina a sus fieles, lo que le da un poder formidable sobre la aldea. Puede convertirse en el escudo de sus feligreses, frente a las presiones señoriales, y en su consejero ante los problemas de cada día, pero también en el que abusa de su poder, provocando la queja del campesinado, que era lo que ocurría con más frecuencia, si hemos de creer el texto cervantino, ya citado, y que aquí conviene recordar otra vez:

> ... tened para vos —dice un cabrero a Don Quijote—, como yo tengo para mí, que debía ser demasiadamente bueno el clérigo que obliga a sus feligreses a que digan bien de él, especialmente en las aldeas [23].

Vivir en el mundo rural supone ya una especie de marginación. Es un mundo de analfabetos, de gente tosca, desharrapada, sumida en la suciedad, que farfulla más que habla, blanco de las risas del burgués ilustrado, que ríe a su costa, donde el que posee algunos conocimientos ya es alguien. Y no digamos el que simplemente ha estado como estudiante algún tiempo en Salamanca, aunque haya regresado sin título alguno. Ese ya tiene un nivel superior, alcanzando el primer título que le da el pueblo: estudiante por Salamanca.

¿No era ese el caso de Crisóstomo, el estudiante del relato cervantino, el que se había matado, desesperado por no conseguir los amores de Marcela? De él nos cuenta un su vecino que había vuelto «muy sabio y muy leído»:

> Y tanto, que aconsejaba muy bien a sus parientes y amigos de cómo y qué debían sembrar, según venía el año, y los que le hacían caso se hacían muy ricos [24].

---

[23] *Don Quijote,* I, 12, ed. de Martín de Riquer, pág. 123.
[24] *Ibídem,* pág. 120.

Pero había otros marginados, además de los rústicos labriegos, y en condiciones peores: así los que lo eran por motivos religiosos, en una sociedad tan confesional, dirigida por la mayoría de cristianos viejos; eran los cristianos nuevos, tanto los de origen judío —los conversos— como los de ascendencia musulmana —los moriscos—. Y estaban los inasimilables, los que procedían de tierras extranjeras, con extrañas costumbres, que no cesaban de ir de un lado para otro, levantando sospechas por todas partes: los gitanos. Igualmente, había otros que carecían de los derechos más elementales, los privados de libertad, los que eran tenidos por cosas más que por personas, y eso en una sociedad que se decía cristiana: los esclavos. Y es preciso referirse a todos, para comprender las tensiones, los conflictos y las complejidades de aquella sociedad y de aquel tiempo en el que, pese a todo, España se convirtió en la primera potencia mundial.

En cuanto a los cristianos nuevos (conversos de origen judío y moriscos) y a los esclavos, tienen en común que nos dan la nota diferenciadora de la época como algo propio de ella, algo ahora inexistente y que, quizá por ello, resulte más difícil de comprender; mientras que con los gitanos tocamos algo que ha salvado los siglos, hasta alcanzar a nuestra propia sociedad actual.

Conversos, moriscos, esclavos, gitanos, ese será nuestro recorrido.

Respecto a los conversos, la situación era desigual. En ocasiones, da la impresión de que la gente se había olvidado de sus antecedentes, que podían falsificar unos orígenes cristianoviejos prácticamente a la luz del día y que prosperaban en su comunidad. ¿Es posible creer que en una ciudad de alrededor de tres mil vecinos, como era el Ávila de santa Teresa, no se supiera que el abuelo de la Santa había sido un judío perseguido por la Inquisición en Toledo? ¿Es que no era un secreto a voces que había fabricado unos antepasados cristianoviejos, sobornando a toda una pequeña comunidad rural para que testificaran en falso? ¿Era ese un caso excepcional? Todo parece indicar que, antes bien, era lo frecuente. Sin duda, había que guardar las apariencias, y eso ya era un reconocimiento de que había que satisfacer a la opinión pública, a esa mayoría cristianovieja. Además, era evidente que la Inquisición siempre podía poner su máquina en marcha, con resultados pavorosos. La Inquisición era implacable, y contra ella y su poderío sólo se habían atrevido los conversos a principios del reinado de Carlos V, cuando lo vieron desembarcar en España rodeado de consejeros flamencos; son notorias las gestiones de los conversos con alguno de los más destacados ministros carolinos, como Sauvege. Pero, desde mediados de siglo, ese panorama va cambiando. En realidad, en los últimos años del Emperador la Inquisición ha vuelto por sus fueros, con el apoyo carolino. Es cierto que en los autos de fe de 1559 la mayoría de los condenados lo habían sido como herejes luteranos, de modo que en la relación hecha por la Inquisición de los errores observados en los castigados no hay referencias a judaizantes [25], pero sí la sospecha de que los conversos eran más proclives a la herejía luterana.

---

[25] González Novalín, *El Inquisidor General Fernando de Valdés, op. cit.,* II, págs. 249 y 250.

Es esa sospecha hacia el converso y el poderío otorgado a la Inquisición lo que cuenta. Cuando la Inquisición de Valladolid decide investigar en Salamanca las denuncias formuladas por algunos profesores del viejo Estudio contra fray Luis de León —por cierto, un contemporáneo de Felipe II—, el familiar enviado para las primeras pesquisas suponía que era sólo un pleito entre frailes de distintas Órdenes; mas, cuando comprueba el origen converso del gran poeta, cambia de actitud y ordena el encarcelamiento riguroso en las prisiones inquisitoriales de Valladolid.

¿Acaso los conversos mostraban más sensibilidad hacia nuevos planteamientos religiosos, huyendo de la rigidez del cristianoviejo? Ese es el juicio de Bataillon, y aquí bien cabe recordarlo:

> Desarraigados del judaísmo, estos hombres constituyen en el seno del cristianismo un elemento mal asimilado, un fermento de inquietud religiosa[26].

Sería interesante poder cuantificar el número de conversos en la España filipina. Tenemos un punto de partida: los judíos que permanecieron tras la expulsión ordenada por los Reyes Católicos en 1492. Para Caro Baroja, uno de los máximos estudiosos del tema, sus cifras rondarían los 240.000, lo que, para una población de unos 6.500.000 habitantes, venía a ser un 4 por 100. Una minoría, pues, pero más importante por su alto nivel cultural, que le daba un fuerte protagonismo social. Y eso sí que provocará los recelos y las envidias, de forma que la comunidad cristianovieja tratará de combatirlos. ¿De qué forma? Con los Estatutos de limpieza de sangre, que trataban de poner «las cosas en su sitio». Iniciados en Toledo, a mediados del siglo XV, se propagarán un siglo después, como la forma de cerrar el paso a los conversos a los puestos clave en la Iglesia, en las Órdenes Militares, en los Consejos y en los Colegios mayores; por lo tanto, en los órganos rectores de aquella sociedad. Por supuesto, con sus resistencias, como la que ofreció el cabildo catedralicio de Toledo al Estatuto impuesto por el cardenal Silíceo[27]. Estarían en pugna los dos planteamientos: los que combatían al Estatuto, porque era tanto como apartar del cabildo a los más letrados, y los que lo defendían, porque los cristianos viejos eran más seguros. Y ése sería el argumento de Silíceo, el poderoso arzobispo de Toledo, el antiguo preceptor del príncipe Felipe[28].

En todo caso, la fuerte presión social acabará absorbiendo los residuos de conversos, de modo que ya no existía temor a que judaizasen; pero sí a que se inclinasen por otras desviaciones heréticas, dentro del cristianismo.

Marginado, por supuesto, vigilado siempre, mirado con recelo, pero no expulsado. Esa sería la gran diferencia del converso frente al morisco. Es una

---

[26] Marcel Bataillon, *Erasmo y España*, México, 1950, I, pág. 211.
[27] Véase mi estudio *La sociedad española del Renacimiento, op. cit.*, págs. 224 y 225.
[28] V. *infra*, pág. 269.

minoría que sufre una fuerte presión social, de la que no le libra ni siquiera su sincera profesión de ortodoxia, que tiene que combatir, a trancas y barrancas, contra la persecución inquisitorial, tan fuerte a principios del reinado de Felipe II —atención, como una consigna impuesta por Carlos V [29]—, y que poco a poco va remitiendo. Esa será la distancia entre Carranza y fray Luis de León. Tanto el dominico como el agustino son tachados de heterodoxos, pero así como Carranza muere en el exilio y siempre combatido por Felipe II, fray Luis puede volver a su cátedra y acabar sus días como profesor del viejo Estudio salmantino.

Esa es la mayor diferencia entre conversos y moriscos. Mientras el problema converso tiende a disminuir, el morisco no hace sino aumentar. Y no es la única diferencia, aunque sí la más importante; también habría que recordar que los conversos son fundamentalmente urbanos, manteniendo un tono homogéneo en toda España, porque su cualificación social así se lo permite, mientras que los moriscos tienen distinto *modus vivendi* en la Corona de Castilla que en la de Aragón. En Castilla se dedican a humildes profesiones urbanas, salvo en el antiguo reino nazarí de Granada, donde trabajan en el campo; en cambio, en la Corona de Aragón básicamente son agricultores, de la zona media del Ebro y de sus afluentes de la derecha —Jalón, Jiloca—, así como en el reino de Valencia, aunque no en la España húmeda ni en Cataluña, donde son prácticamente inexistentes.

Así mismo cabría hablar de cambio en Castilla, tras la dura guerra de Las Alpujarras, no sólo porque la orden de Felipe II de dispersión despuebla prácticamente Granada de moriscos —reemplazados por colonos, en parte procedentes de la España húmeda—, sino también porque esos alpujarreños, esos moriscos granadinos, con la vitola ya de fieros y rebeldes, al esparcirse por las dos mesetas y por Extremadura y Andalucía occidental, llevaron ese aire inquieto a los antiguos mudéjares castellanos, que estaban resignados a su suerte. De ese modo, al extinguir el problema morisco granadino, Felipe II lo que consiguió fue generalizarlo en el resto de buena parte de Castilla. Esto es, fue creciendo la sensación en toda la comunidad cristianovieja que el problema morisco era de muy difícil solución, por cuanto se mostraban irreductibles y en ellos no avanzaba el proselitismo cristiano. No es que se recelara de su cristianismo, proclive a las novedades heréticas; es que se tenía por cierto que seguían siendo musulmanes.

También se daba otra circunstancia que hacía al morisco más peligroso y que se le acabara viendo como una amenaza: que todo el problema había que encuadrarlo en el mundo mediterráneo. El converso no tenía ninguna potencia que le respaldase, pero detrás del morisco está todo el norte del África musulmana, con la potencia marítima de Argel, y al fondo del Mediterráneo el mismo imperio turco. Y esa sí que era una realidad que había que tener en cuenta.

---

[29] *La sociedad española del Renacimiento, op. cit.,* págs. 218 y sigs.

De hecho, la guerra de Las Alpujarras, entre 1568 y 1570, hay que enclavar-la en el forcejeo de la Monarquía filipina y el imperio turco. Antes y después de Las Alpujarras se producen hechos de la magnitud del sitio de Malta, en 1565, y de la batalla de Lepanto, en 1571. Como hemos de ver, no faltaron los apoyos turcos a los alpujarreños. Y en la lucha constante contra los piratas argelinos —los más temibles, pero no los únicos del norte de África— era bien sabido que encontraban en los moriscos valencianos o andaluces los mejores guías para realizar sus atrevidas incursiones en las costas mediterráneas españolas, con el botín humano que convertía a tantos españoles en cautivos de la noche a la mañana.

Un relato de 1528, hecho por un fraile de las Órdenes dedicadas a la redención de cautivos, refiere a lo vivo lo que eran esas llegadas de los saqueadores, cuando volvían cargados de botín a sus bases norteafricanas; en este caso, a Vélez de la Gomera. La incursión la habían realizado en la costa murciana, cayendo sobre el pueblo de Rojales, al que habían vaciado prácticamente, cogiendo a su indefensa población en pleno sueño. Frente a la alegría desbordante del pueblo moro, que recibe a sus coterráneos en triunfo,

> ... como si aquel día tuvieran la mayor victoria del mundo...,

la estampa del cautivo:

> ... cuando yo... vi entrar la cabalgata —relata el fraile—, e vi los tristes cautivos, e todos con los pescuezos e las manos atadas, e las mujeres con los hijos a las tetas e con otros hijos asidos a las haldas, ya vuestra reverencia puede pensar lo que mi ánima sentiría...

Máxime cuando, al verle, los míseros cautivos descargaron su pena:

> ... alzaron todos tan gran grito e alarido de lloro cuando en tal caso ni se puede pensar...[30]

¿Cuál era el número de esos moriscos? Cuantificar aquí es también precisar y no poco la magnitud del problema. Tenemos valiosos estudios para la Corona de Aragón y para Granada, menos precisos para el resto de España[31]. En buena medida se pueden colegir por los expulsados en el reinado siguiente de Felipe III: en torno a los 250.000, de ellos, 175.000 de Valencia y Aragón, y unos 75.000 de las dos mesetas y Murcia, Extremadura y Andalucía. Su nota de irreductibles y de enemigos ciertos de la comunidad cristianovieja se veía incrementada por la presión internacional. Como hemos de ver,

---

[30] Este relato de 1528 procede del Archivo de Simancas; véase mi estudio *España y los españoles en los tiempos modernos,* Salamanca, 1979, págs. 82 y 83.

[31] J. Caro Baroja, *Los moriscos del reino de Granada,* Madrid, 1976; H. Lapeyre, *Géographie de l'Espagne morisque,* París, 1959; J. Reglá, *Estudios sobre los moriscos,* Valencia, 1971. También para el modelo de Ávila, Serafín de Tapia, *La comunidad morisca de Ávila,* Ávila, 1991.

Felipe II tuvo que afrontar el peligro de una invasión marroquí en Andalucía, que buscaba el apoyo del morisco andaluz, muy soliviantado desde la llegada de los moriscos del reino de Granada; en este caso, los procedentes de Almería. En 1587 se descubrió una conjura en Sevilla. En torno a 1588, la Inglaterra de Isabel tratará de frenar la ofensiva hispana con un desembarco en Andalucía, en el que Inglaterra pondría los barcos y el sultán Al-Mansur de Marruecos las fuerzas de choque.

De ese modo, el problema morisco era algo más que una cuestión social; era también un problema de Estado. La derrota de la *Armada Invencible* en 1588 llevó un aire de inseguridad por toda España. Y la alarma ante el morisco no dejaba de crecer.

Aquí sí que el testimonio cervantino, tal como lo reflejó en el *Coloquio de los perros,* es clara muestra de ese recelo suscitado por el morisco; un testimonio de principios del reinado de Felipe III, pero que bien podía aplicarse a la España de finales del reinado de Felipe II.

Oigamos, pues, a Berganza. De entrada, todos los moriscos eran falsos cristianos:

> Por maravilla se hallará entre tantos moriscos uno que crea la sagrada ley cristiana...

Estaban cargados de vicios, empezando por ser codiciosos y avaros:

> Todo su intento es acuñar... de modo que ganando siempre y gastando nunca, llegan a amontonar la mayor cantidad de dinero que hay en España. Ellos son su hucha, su polilla, sus picazas y sus comadrejas; todo lo llegan, todo lo esconden y todo lo tragan...

Y además estaba su número, de día en día creciendo, lo que era más de notar en una España donde la crisis demográfica estaba mostrándose tan fuerte:

> Entre ellos no hay castidad, ni entran en religión... Todos se casan, todos se multiplican.

Todo lo cual hace al otro perro, Cipión, concluir:

> España cría y tiene en su seno tantas víboras como moriscos...[32]

Si así opinaba un hombre de juicio tan sereno como Cervantes, bien se puede comprender cuál era el sentir de aquella sociedad: el morisco era un enemigo cierto al que había que combatir.

---

[32] Cervantes, *Novelas ejemplares,* ed. J. B. Avalle-Arce, Madrid, Castalia, 1985, págs. 309 y 310.

Otra realidad a tener en cuenta, al estudiar la época de Felipe II y al enjuiciar los actos y las dificultades del Rey al gobernar aquella España de la segunda mitad del Quinientos.

Y tras los moriscos, los esclavos.

Un tema doloroso, sombrío y sobrecogedor, el de los esclavos, que rezuma crueldad, y sin embargo aceptado por la inmensa mayoría. Acaso el más absurdo y el más cruel, junto con el abandono de los niños expósitos.

El primer problema que se nos plantea es la contradicción de una sociedad que se considera cristiana y que, pese a ello, admitía la esclavitud. Algo que no es privativo de España, pero que aquí (junto con Portugal) adquiere un auge muy fuerte en el Quinientos, al calor de la conquista de América.

Pero la cuestión de la sinrazón de la esclavitud no es la única. Aquí importa también, y acaso más que en ningún otro tema, la cuantificación del fenómeno y su evolución, con las consecuencias que ese incremento de la esclavitud tuvo sobre la mentalidad de aquella sociedad.

Las razones-sinrazones de la esclavitud: parece claro que, en teoría, la licitud de la esclavitud es un principio heredado de la Edad Media y que se remonta a la más remota Antigüedad. En el mundo clásico había tenido un defensor de excepción: nada menos que Aristóteles. Eran conocidos sus argumentos, basados en la desigualdad de los hombres. Para el filósofo griego, la Naturaleza había dotado a unos hombres con singulares cualidades, mientras que a otros les había dado tan sólo fuerza física; de ahí que unos debieran dedicarse a gobernar y otros a ejecutar sus órdenes.

Elocuentes son sus palabras:

> Es pues manifiesto que unos son libres y otros esclavos por naturaleza y que para estos últimos la esclavitud es a la vez conveniente y justa[33].

Estaba, además, el hecho de que, en las primitivas sociedades, la esclavitud era el resultado de la guerra: el vencedor se consideraba con derecho a matar al vencido, de forma que si, en vez de matarlo, lo hacía su esclavo, aún le daba un trato de favor. Claro es que entonces se podía producir el fenómeno inverso, desmintiendo el argumento aristotélico, puesto que bien podía ser que el más fuerte tiranizase al mejor dotado espiritualmente, algo ya denunciado por el propio filósofo griego.

En todo caso, lo que contaba era el resultado: la esclavitud, como una herencia del pasado y legitimada por la autoridad de Aristóteles, según el principio *magister dixit*. Cierto que la Cristiandad había matizado la cuestión, no tolerando esclavos como resultado de guerras entre príncipes cristianos, y sólo con los pueblos infieles; de ahí que, a principios de la Edad Moderna, el fenómeno de la esclavitud fuera raro en la Europa occidental, salvo en la península Ibéri-

---

[33] Aristóteles, *Política*, ed. J. Marías y M.ª Araujo, Madrid, 1951, pág. 9.

ca, que por sus navegaciones en Ultramar entró muy pronto en contacto con el África negra, con el resultado de un incremento espectacular de la esclavitud.

Tanto Lisboa como Sevilla se convirtieron en los puertos negreros por excelencia. El caso de Sevilla, con características muy particulares, como el puerto que controlaba —al menos legalmente— el tráfico negrero hacia las Indias Occidentales; ahora bien, con el resultado de que no pocos de esos esclavos remansaban ya en España, preferentemente en Andalucía occidental. En ese orden de cosas, las islas Canarias jugaban también un papel importante, en especial el puerto de Las Palmas de Gran Canaria, que pronto se orientó hacia el tráfico negrero. Y como también aquí la ley de la oferta y la demanda siguió rigiendo, ocurría que adquirir en las propias Canarias esclavos negros resultaba más barato que en Sevilla, de forma que quienes por su *status* podían hacerlo no lo dudaban[34].

Lo asombroso fue que los mismos teóricos de la categoría del padre Vitoria, que abogaban por la libertad del indio, aceptaban sin discusión la esclavitud del negro africano; es conocida la respuesta de Vitoria a un mercader que sentía escrúpulos por haber comprado esclavos en Lisboa: no había problema alguno, le contestaría, puesto que se presuponía que un rey tan cristiano como el portugués no permitiría cosa injusta, y en cuanto a los que eran vendidos como esclavos por los reyezuelos africanos, era lícito adquirirlos sin entrar en disquisiciones sobre si las guerras que hacían entre ellos eran justas o injustas:

> ... basta que éste es esclavo, sea de hecho o de derecho y yo lo compro llanamente...[35]

Uno de los pocos españoles que se enfrentó con la esclavitud del negro, al menos en cuanto al cruel trato que recibía del negrero, y poniendo en duda la licitud de las supuestas guerras justas con que se adquirían, fue fray Tomás de Mercado, que en su *Suma de tratos y contratos de mercaderes,* aparecida por primera vez en Sevilla en 1571, nos dio escalofriantes testimonios de lo que él mismo había visto.

> Después espantámonos de la crueldad que usan los turcos con los cristianos cautivos, poniéndolos de noche en las mazmorras; cierto, muy peor tratan estos mercaderes cristianos a los negros...

Otros negros que además eran ya cristianos, *velis nolis,* pues antes de embarcarlos los bautizaban en la misma playa africana, de golpe, a carga cerrada, con un hisopo. Y con razón el buen fraile comentaba:

> ... que es otra barbaridad grandísima...[36]

---

[34] M. Lobo Cabreras, *La esclavitud en las Canarias Orientales,* Santa Cruz, 1982, págs. 200 y sigs.

[35] Véase mi trabajo *El siglo XVI. Economía, Sociedad, Instituciones,* Madrid, 1989, pág. 398.

[36] Fray Tomás de Mercado, *Suma de tratos y contratos de mercaderes, op. cit.,* fol. 104.

¿Número de esclavos? En Ultramar, y no sólo por las cargas mandadas, sino por su propio crecimiento demográfico, pudieron llegar, a fines del XVI, a los 100.000; medio siglo más tarde, hacia 1650, ya pasaban de 700.000, según los cómputos de Ángel Rosemblat[37]. Más difícil resulta computar los esclavos que había en España, aunque no haya duda del aumento que se produce a lo largo de la centuria. Sí sabemos dónde abundaban más: en Andalucía, en la Corte y, de cara al Mediterráneo, en Valencia[38].

Pero no eran raros en la meseta superior, como en el caso de Salamanca, donde Clara Isabel López Benito ha podido comprobar que lo más frecuente era que el patriciado urbano tuviera uno o más esclavos, y los más poderosos, doce y hasta veinte[39].

Pero una diferencia notable existía entre los esclavos de las Indias y los de España, porque en Indias estaban en función de una economía, de poner el negro al trabajo de las haciendas o de las minas, dado que los indios «eran floxos», dando lugar de ese modo a una economía esclavista, mientras que en España la esclavitud era básicamente doméstica y como un tributo pagado al prestigio social, del que pocos poderosos sabían librarse, como el raro caso —contado como tal por la Santa— del padre de santa Teresa, que no podía sufrir tenerlos en casa, por lástima que le daba ver a quien carecía de libertad.

Por decirlo con las propias palabras de la Santa:

> Era mi padre hombre de mucha caridad con los pobres y piedad con los enfermos, y aun con los criados; tanta que jamás se pudo acabar con él tuviese esclavos, porque los había gran piedad. Y estando una vez en casa una —de un su hermano— la regalaba como a sus hijos; decía que, de que no era libre, no lo podía sufrir de piedad...[40]

En general, como hemos indicado, el esclavo en España está incorporado al servicio doméstico, aunque no faltasen casos en que sus dueños los pusieran en el mercado laboral para obtener recursos[41].

¿Y las consecuencias? Porque parece claro que algo tenía que notarse en una sociedad que tomaba por buena la esclavitud y que aceptaba, como algo natural, la existencia de esclavos en el seno familiar. Ya nos dicen los contemporáneos que uno de los rasgos del carácter de Juana la Loca, que la distinguían en los Países Bajos, era el estar habituada a tratar con esclavos[42]. Aquí

---

[37] Citado por Richard Konetzke, *América latina: la época colonial,* Madrid, Siglo XXI, 1971, pág. 92.

[38] Véase mi estudio *La sociedad española en el Siglo de Oro,* Madrid, 1989, I, pág. 146.

[39] Clara Isabel López Benito, *La nobleza salmantina ante la vida y la muerte (1476-1535),* Salamanca, 1992, págs. 110 y 111.

[40] Santa Teresa de Jesús, *Libro de la vida,* en *Obras completas,* ed. Efraín de la Madre de Dios y Otger Steggink, Madrid, 1979, pág. 29.

[41] Así lo pudo comprobar José Ignacio Fortea para la Córdoba del Quinientos. Véase su obra *Córdoba en el siglo XVI,* Córdoba, 1981.

[42] Manuel Fernández Álvarez, *Juana la Loca,* Palencia, 1994, pág. 101.

se toca, en el fondo, con algo muy grave: la tendencia a despreciar la libertad, la inclinación también a dar por bueno el gobierno autoritario, e incluso las muestras de absolutismo puro y duro, del que no fueron ajenos los monarcas del Quinientos, en particular Felipe II.

Además nos encontramos con que la misma Corona estaba implicada en la trata negrera. De hecho, era considerada una regalía de la Corona, con la única limitación de no hacer estanco de ella. Eso es lo que cabe deducir de lo que ocurrió en 1552, cuando la crisis política provocada por la rebelión de Mauricio de Sajonia llevó a Carlos V a solicitar el mayor respaldo económico de Castilla, para poder restablecer el poderío perdido. Y el Consejo Real buscó, entre las posibles soluciones, el cerrar un trato con un negrero, de nombre Ochoa, el cual se comprometería a pagar la fuerte suma de 184.000 ducados, si se le daba licencia para llevar a las Indias 23.000 esclavos, en exclusiva, durante siete años; trato al fin rechazado porque la Junta de teólogos consultada lo consideró injusto, pero no por la trata en sí, sino porque atentaba a los derechos de los demás negreros [43]. Siendo un signo de riqueza, componían el escalón inferior del servicio familiar; sólo en algún caso estaban vinculados al trabajo artesano o industrial. Tratados como cosas, sin derecho alguno, su «calidad de vida» está claro que dependía del capricho de sus amos. Si eran fieles, podían ganarse el afecto del señor; pero, a la inversa, un amo cruel daba los más penosos resultados, que podían provocar la fuga del esclavo, con el consiguiente duro castigo si eran cogidos, empezando por la cruel marca de ser herrados.

Tal ocurrió con un esclavo negro, propiedad de Pedro Maldonado, que, pese a llevar una argolla al cuello, logró fugarse, llegando hasta Málaga, posiblemente confiado en poder escapar hasta África; pero, para su desgracia, en Málaga fue apresado y, al tener noticia de ello su dueño, mandó que lo prendieran, con orden de que

> ... le podades herrar en el rostro, [e] en las partes que os paresciere, aprisionalle... [44]

Y eso resume ya la perversidad del sistema y la irracionalidad de los hombres. ¡Que el defensor del indio, como el padre Vitoria, tomase como buena la esclavitud del negro!

Enfrente de esa estampa, tan penosa, la de los gitanos, aun siendo, por supuesto, otros marginados, tiene otro aire; incluso, si se quiere, otra dignidad.

De entrada, este pueblo de vida tan libre, tan nómada, no duda en escoger España como una de sus tierras preferidas.

---

[43] Veáse mi estudio *La sociedad española del Renacimiento*, Salamanca, 1970, págs. 182 y sigs.
[44] Clara Isabel López Benito, *La nobleza salmantina ante la vida y la muerte (1476-1535)*, *op. cit.*, pág. 116.

Suele argüirse: España es un país de tierra caliente, que de algún modo les recordaba la suya de origen y buena para su vida nómada. Pero eso no es del todo cierto. Esa es sólo una parte de España: el Levante, Andalucía..., pero tal no puede decirse de las vastas mesetas castellanas, donde en el invierno la temperatura puede descender a cuatro o cinco grados bajo cero, e incluso menos, a diez o doce, y eso durante el largo tiempo invernal, que puede durar cuatro y cinco meses.

El fenómeno histórico de la entrada de los gitanos en España es relativamente reciente; era casi una novedad para la época de los Reyes Católicos. En seguida despertaron recelos en los poderes públicos y pronto llovieron leyes contra ellos. Se les acusaba de embaucadores, de falsos en sus tratos y, sobre todo, de ladrones. Era gente violenta, insolidaria con el resto de la sociedad —no ciertamente entre ellos—, siempre vagando de un lado para otro. Y una cosa era más grave aún en una España confesional: que no practicaban la religión cristiana y sus mujeres eran acusadas de hechiceras.

Ladrones y embaucadores: eso eran para los Reyes Católicos, que contra ellos legislaban en 1499:

... porque roban los campos...

Si tal hacían en descampado, no menos en los lugares:

... en los poblados hurtan y engañan a los que con ellos tratan...

Sin embargo, a pesar de que contra ellos las Ordenanzas regias se disparan, pese a la hostilidad de los pueblos y a los recelos de las autoridades, lo cierto es que los gitanos sobreviven (a trancas y barrancas, eso sí) a lo largo de los siglos, de forma que su presencia actual nos sirve de punto de referencia para comprender sus dificultades de antaño. En 1594 se alzan voces en las Cortes de Castilla pidiendo un procedimiento enérgico contra ellos. ¿Cuáles son ahora las acusaciones? Las de siempre. De entrada, estaban fuera del orden de la república cristiana:

... son gente sin ley...

Ladrones, por supuesto, pero también con sus ribetes de hechiceros, especialmente por practicar la quiromancia:

... echando juicios por las manos, haciendo comprender a la gente ignorante que por allí alcanzan y entienden lo que ha de suceder...

Y surge una nueva acusación, ahora en torno a la vida amorosa: sus bodas se realizaban siguiendo sus ritos, al margen de la Iglesia, y lo que era más grave:

... y aun sin matrimonio se mezclan unos con otros...

¿No nos encontramos ante un precursor, en cuanto a la vida amorosa, de lo que practica la sociedad de nuestros días? Algo que reflejaría Cervantes, yo pienso que admirado, en su célebre novela *La gitanilla;* como diría el gitano viejo al payo Andrés al entregarle a Preciosa:

> Esta muchacha, que es la flor y nata de toda la hermosura de las gitanas que sabemos que viven en España, te la entregamos, ya por esposa, o ya por amiga; que en esto puedes hacer lo que fuere más de tu gusto...

Para terminar con la proclamación orgullosa del tipo de vida del gitano:

> ... porque la libre y ancha vida nuestra no está sujeta a melindres ni a muchas ceremonias...[45]

Pero lo que el talante liberal de Cervantes podía tolerar, resultaba insufrible para el patriciado urbano castellano, mayormente porque el gitano vivía al margen de la ley cristiana. Algo denunciado por aquel procurador de las Cortes de Castilla en 1594:

> Jamás se verá a ninguno confesar, ni recibir el Santo Sacramento, ni oír misa, ni conocer parroquia ni cura...[46]

Despreciando, pues, las leyes humanas y divinas, el gitano se convertía en una ofensa perpetua, y el tolerarlos, el consentir su presencia y su sacrílega forma de vivir era tanto como suscitar el castigo divino. Y eso, contemplado y dicho en 1594, cuando aún se estaba bajo los efectos del desastre de la *Armada Invencible* enviada contra Inglaterra, no podía provocar más que esta reflexión:

> ... plegue a Dios que el consentir pecados tan públicos no sea causa de parte de nuestros castigos...

Había que buscar, y pronto, una solución, que a juicio de los procuradores burgaleses que la plantearon (don Jerónimo de Salamanca y don Martín de Porral) no tenía por qué ser la expulsión o el exterminio, pero sí el evitar su procreación, separándolos por sexos y llevándolos a provincias apartadas y distantes, para conseguir de ese modo que la sociedad acabase de integrarlos. Y a tono con ese sentir del patriciado urbano castellano estaba el de la Corona, como puede verse en la abundante legislación promulgada contra los gitanos y su forma de vida. Concretamente se les conminaría al abandono del

---

[45] Cervantes, *La gitanilla,* ed. crítica de Avalle-Arce, *op. cit.,* Madrid, 1982, págs. 117 y 118.
[46] *Actas de las antiguas Cortes de Castilla,* vol. XIII, pág. 220.

vagabundeo y a insertarse en los poblados, practicando cualquier oficio, so pena de recibir cien azotes, la primera vez; de ser desorejados, la segunda, y de caer en la esclavitud, caso de que reincidiesen. La pragmática de los Reyes Católicos de 1499 será reiterada por Carlos V en cuatro ocasiones: en 1524, en 1525, en 1534 y en 1539. Felipe II también la recordará en otras dos: a principios de su reinado, en 1560, y cuando ya está preparando la ofensiva contra la «diabólica» Isabel de Inglaterra, en 1586, como si de ese modo tratase de atraerse el favor divino.

Ordenanzas antigitanas tan poco eficaces como aquel absurdo intento en 1572 de convertir a los gitanos en galeotes, para suplir la carencia de remeros y poder aprovechar la victoria de Lepanto contra los turcos del año anterior, y así poner en el mar el cuantioso botín que en forma de galeras se había logrado.

De ese modo el problema gitano nos lleva a otro personaje de la época: el galeote, otro marginado, si se quiere, pero vinculado a la suerte del poderío naval de la Monarquía de cara al Mediterráneo.

En este caso, tratar del galeote parece tanto más interesante por cuanto que estamos ante una de las más señaladas lagunas de Braudel en su magna obra *El Mediterráneo y el mundo mediterráneo en tiempos de Felipe II*[47]; cuestión singular, dado que con el tema de la galera tocamos uno de los principales personajes del Mediterráneo en el Quinientos. Es en ese siglo cuando se alzan, a Oriente y a Poniente, las dos mayores potencias, la Turquía de Solimán el Magnífico y la Monarquía católica de los Austrias mayores, que entrarán en pugna por alzarse con el dominio del Mediterráneo, un dominio que pasa necesariamente por el despliegue de una fuerza naval cuya base es la galera. Se calculaba que para alcanzar esa dominación era preciso botar en el mar alrededor de las 200 galeras. Ahora bien, dado que cada galera era impulsada por 50 remos (25 en cada lado), a los que iban encadenados tres galeotes, eso suponía una fuerza de 30.000 galeotes, y ello sin tener en cuenta que cada galera solía llevar otros 10 a 15 de reserva.

Incluso el número que pedían los marinos era de cinco galeotes por cada remo, que se denominaban según su puesto: boga adelante (el situado al extremo del remo), apostis, tercerol, cuarterol y quinterol[48]. Las galeras así provistas llevaban, pues, 250 galeotes, a los que había que sumar los 15 ó 20 de reserva; cifras que, para una armada como la conjunta de España y Génova (en torno a las 50 galeras), resultaban excesivas para las posibilidades de la Monarquía católica. De ahí que el almirante genovés Juan Andrea Doria indicase en 1564 al Consejo de Guerra de Felipe II que se conformaría con tres galeotes por cada remo. La Monarquía católica jamás contó con una marina

---

[47] México, ed. Fondo de Cultura Económica, 1953; una carencia por nadie señalada, sin duda como un homenaje al prestigio del gran historiador francés.

[48] José Luis de las Heras, *La Justicia penal de los Austrias en la Corona de Castilla,* Salamanca, 1991, págs. 314 y 315.

tan poderosa. A mediados del siglo, alrededor de 1555, la documentación que poseemos nos da este cuadro:

	Costo (en ducados)
21 galeras de Andrea Doria...	129.000
16 galeras de España	99.000
4 galeras de particulares (al servicio de la Monarquía)..	24.000
4 galeras de la Orden de Santiago	13.000
Total 45 galeras...	**265.000**

Como puede verse, las 24 galeras propias de España suponían una fuerza muy por debajo de cualquier pretensión de dominio, sólo válidas para custodiar algún transporte valioso (en hombres o en dinero) a Italia, o para una vigilancia (a todas luces insuficiente) sobre la costa mediterránea española. Las 24 galeras necesitaban como mínimo unos 4.000 galeotes. Por supuesto, incrementar esa fuerza naval para alcanzar las 200 galeras hubiera implicado un esfuerzo muy por encima de las posibilidades de los astilleros españoles, de los cuales el más notable era el de Barcelona. Para cumplir el reto de Lepanto, la Monarquía católica llegó a la cifra de 80 galeras, juntando las de Génova; por lo tanto, dobló los efectivos de 1555. Y a la hora del triunfo se encontró con lo inesperado: un impresionante botín en forma de 130 galeras capturadas a la marina turca, que en relación con lo aportado a la Liga podrían suponer unas 60 galeras para España. Pero como se daba la paradoja de que las galeras turcas estaban servidas por cautivos cristianos, la hora del triunfo supuso también el momento de la liberación para aquellos infelices, y así lo ordenó Juan de Austria. Esto significó que las galeras se quedasen sin galeotes y que, para echar al agua aquellas 60 galeras, había que encontrar unos 10.000 galeotes nuevos.

Un arduo problema por resolver. Y aquí es necesario tener en cuenta el sistema para conseguir galeotes. Había tres vías: los cautivos musulmanes, los condenados por la justicia y los que se enrolaban voluntarios (los llamados galeotes de buena boya). Siendo estos últimos escasísimos y raros los cautivos conseguidos en tierras musulmanas, quedaba como cantera principal la que ofrecía la justicia, que estaba muy presionada para que castigara a los delincuentes a severas penas de galeras, aun por delitos mínimos. Y eso era tan del dominio común, que cuando Felipe II comienza su reinado lo hace constar como uno de los abusos del poder que había que evitar.

De ese tenor es lo que señala en sus instrucciones al virrey de Nápoles: los condenados por la justicia a galeras debían cumplir su condena:

Porque nuestras galeras anden bien proveídas de remeros, tendréis la mano en que todos los delincuentes cuyos delitos fueren de calidad que el ponellos en la galera sea suficiente pena y castigo, sean condenados a las dichas galeras...

Ahora bien, existía el peligro de que, ante la ausencia de galeotes, éstos no fueran liberados una vez cumplida su condena, una dura realidad, sobre la que no queda duda en el texto filipino:

Y tendréis cuidado que los que fueren condenados por tiempo limitado, cumplido aquél, se les dé libertad, porque entendemos que los capitanes usan en esto de más libertad y soltura de la que conviene, y es muy gran cárico de conciencia[49].

¿No fue acaso esa imperiosa necesidad de contar con galeotes lo que obligó a Carlos V a dar por bueno que cautivos cristianos recién liberados pasasen a tan triste condición? Tal fue la sorprendente medida tomada en 1530, cuando la armada de su aliado genovés, Andrea Doria, tras una afortunada incursión en la costa norteafricana (en Cherchell), liberó a los cristianos cautivos y se apoderó al tiempo de dos galeras, dos galeotas y cinco fustas. Pero no todo eran buenas noticias, porque para que la victoria fuese completa le hacían falta galeotes para poner en las galeras apresadas. ¿Qué hacer? Por una parte, galeras sin remeros y, por otra, cientos de cautivos liberados de las mazmorras argelinas. ¡Qué tentación! El desenlace sería tan inevitable, que el propio Carlos V lo daría por bueno y así se lo contaría a la Emperatriz, su mujer:

Así mismo dice [Andrea Doria] que los cristianos que estaban cautivos en Zerçelly, los cuales quedaron libres, podrán servir en las galeras y fustas que tomó a los turcos, en esta necesidad de agora...

«En esta necesidad de agora.» Y conforme a la vieja máxima popular («la necesidad no conoce ley»), el Emperador lo da por bueno, como se lo dice a la Emperatriz:

... lo cual nos ha pareçido bien...

Eso sí, siempre que fueren tratados como galeotes de buena boya y, por tanto, se les pagasen sus servicios. Concluye el Emperador:

Pero conviene, como él escribe, que sean pagados por el tiempo que sirvieren, que de otra manera sería cosa injusta e inhumana...[50]

---

[49] Biblioteca Nacional, s. Manuscritos, leg. 6.722, fols. 106 y 107.
[50] Carlos V a la emperatriz Isabel, Augsburgo, 8 de julio de 1530 (*Corpus documental de Carlos V, op. cit.,* I, pág. 219).

Un documento que cuando lo publiqué en 1973 ya merecía de mí este comentario: «Obsérvese hasta qué punto llegaba la increíble escasez de galeotes, que el Emperador se ve obligado a dar por buena esa medida de Andrea Doria, por la que convertía en forzados a los antiguos cautivos cristianos. Cabría preguntarse si aquellos desgraciados no hubieran preferido continuar en su cautiverio, a recibir "los beneficios'... tal liberación...»[51]

Y esa necesidad que forzó al E... dar por buena la dura medida de Andrea Doria es la misma que ... Felipe II a raíz del triunfo sobre el Turco en Lepanto. Las ... s de Castilla recibirían entonces la orden apremian... juicios penales en marcha, a fin de hacerse p... de galeotes. Pero todos los esfuerzo... los que escasamente se cubrían... ticamente nada, de cara a...

Resta por decir, co... aquello que nos cuent...

... q...

En ese sent... al remo de las g... aje, tan del Quinien... s del Rey Católico, cuando ... tan pequeños como el de robar ... vantino:

> ... quise tanto a una ca... olanca —tal dice un galeote a Don Quijo... go tan fuertemente, que a no quitármela la jus... hasta agora no la hubiera dejado de mi voluntad. Fue e... io hubo lugar de tormento; concluyóse la causa, acomodáronm... espaldas por ciento, y por añadidura tres precisos de gurapas, y acabóse la obra[53].

Y ese era el galeote: uno de los más desventurados personajes de aquellos tiempos, a quien, si la condena era por diez años, ya se consideraba que lo era de por vida, pues apenas si se conocía a quien hubiera superado tanta agonía. Él era quien contribuía con su esfuerzo agónico, *velis nolis,* bien a las audaces incursiones de turcos y argelinos contra su propia España, bien a la precaria defensa de las costas hispanas, bogando en este caso en las galeras del Rey Católico.

---

[51] *Corpus..., op. cit.,* I, pág. 219, nota 88.

[52] Baltasar Cuart, *El galeote. Un aspecto de la historia social del Barroco,* memoria de licenciatura (inéd.), Salamanca, 1972.

[53] *Don Quijote,* ed. Martín de Riquer, pág. 222.

12
LA VIDA COTIDIANA

La vida cotidiana también nos da la clave de no pocas cosas, de no pocas actitudes. Por ejemplo, la vida familiar, reproduciendo a ese nivel la vida política, a modo de mil reinos dentro de un reino, donde la Monarquía autoritaria que ejerce el *pater familiae* es aún más fuerte, más sin freno alguno que el que pueda tener el Rey dentro del reino. Lo cual hace comprender lo que sería para un hijo que el padre fuera padre y rey a un tiempo, un poder sobre otro, un doble monarca, con un peso insufrible, como el que padeció Juana la Loca con Fernando el Católico. Cierto que con Carlos V esa pesadumbre se alivió con las ausencias del Emperador, pero volvió otra vez con Felipe II. ¿Influyó eso en el sentido de ansia de libertad del joven Príncipe, el príncipe don Carlos, el príncipe rebelde que murió en prisión? Será algo que hay que tener en cuenta.

También será importante ver en esa estructura familiar y, en general, en la vida de aquella sociedad, la función de la mujer, un papel siempre de segundo orden, como si se tratara de una menor de edad. Y eso también tendría su repercusión en la vida pública, en el mismo gobierno de la Monarquía. Porque ese invencible recelo hacia la mujer haría que Felipe II intentase una y otra vez tener hijos varones, pese a que la sucesión de la Corona estaba asegurada con sus dos hijas, Isabel Clara Eugenia y Catalina Micaela, ambas mujeres de gran valía, con el resultado de que, al final, España quedara bajo el gobierno del mediocre Felipe III y que saliera para los Países Bajos, para gobernar lo que quedaba de leal a la Monarquía, aquella Bélgica donde Isabel Clara Eugenia demostraría con creces que tenía un gran talento político.

Pero antes de entrar en la vida familiar y en el papel de la mujer, hay que plantearse los rasgos diferenciales de aquella época que más la distinguían de la nuestra. En primer lugar, la carencia de megalópolis, aunque ese término sea relativo. Las casas eran normalmente de una o dos plantas, como máximo de cuatro. No había contaminación urbana, pero tampoco luces nocturnas, de forma que el hombre estaba más inmerso en la Naturaleza, disfrutando —o padeciendo— sus aires limpios y sus tinieblas, los rigores estivales y los crudos inviernos. La dificultad y la lentitud en las comunicaciones hacía muy problemático el remediar los años de malas cosechas, con las necesarias importaciones; de ahí que con tanta frecuencia hiciese acto de presencia el hambre. El atraso en la medicina traía consigo que las enfermedades hiciesen verdaderos estragos, sobre todo en los niños, de forma que la mortandad infantil era altísima, y de eso no se libraban ni las más altas familias; el propio Felipe II vería morir a cuatro hijos suyos en tierna edad: Fernando, a los siete años; Carlos Lorenzo y María, a los dos, y Diego, a los seis.

Estaba, además, el dolor físico, del que no se libraba nadie, por el desconocimiento de eficaces anestesias; de ahí el terror a los sacamuelas, que operaban en vivo, cosa de la que, a lo largo de la vida, nadie se libraba. A ese respecto, los pintores costumbristas nos dan un testimonio de un valor inapreciable. Valga como muestra el cuadro *El cirujano,* pintado en pleno momento de la extirpación de una especie de tumor en la frente de un paciente que se retuerce desesperado, esa pequeña obra maestra de Van Hemessen que posee el Museo del Prado; un sufrimiento que salpica a los familiares y que, en este caso, supone la conmoción del padre del paciente. Una obra pintada hacia 1555, esto es, el mismo año en el que Carlos V abdica en su hijo Felipe II. ¿Y cómo olvidar que el príncipe don Carlos hubo de sufrir una operación aún más dolorosa? La trepanación que le realizó Vesalio en 1563, tras aquella caída que sufrió en Alcalá, cuando se golpeó tan bruscamente en la cabeza al bajar rodando por una mala escalera de servicio.

Dichas estas generalidades, veamos algo sobre la familia.

* * *

Lo primero, y contra lo que pudiera creerse, las familias numerosas eran una excepción, y no porque los matrimonios procurasen el control de la natalidad, sino porque la terrible mortandad infantil se encargaba de ello. Piénsese en el mismo modelo de los Austrias mayores, que no pasan, ni el padre ni el hijo, de los tres hijos logrados. Esos son los que tiene Isabel, la Emperatriz: Felipe, María y Juana. Y los mismos Felipe II: Isabel Clara Eugenia, Catalina Micaela y Felipe III.

El matrimonio es una acción que realizan a su gusto los padres de los futuros contrayentes, que podían no conocerse. Se daba por sentado que la hija de familia, la doncella, era totalmente ignorante en materia de sexo y que aceptaba por bueno lo que sus padres le ofrecieran.

Aquello que decía la madre de Melibea respecto a los deseos de la hija en cuanto a cuál debía ser su marido:

> ... si alto o baxo de sangre, o feo o gentil de gesto le mandaremos tomar, aquello será su placer, aquello habrá por bueno... [1]

---

[1] Fernando de Rojas, *La Celestina,* ed. Cejador y Franca, Madrid, 1955, II, pág. 151.

Algo que se trataba de justificar por aquello de que el amor era ciego y en los jóvenes podía ser un deslumbramiento engañoso. Y dado que nadie quería más a los contrayentes que sus padres, éstos eran los que mejor podían escoger la adecuada pareja para sus hijos; un planteamiento que en el fondo escondía intereses familiares, viendo en el matrimonio de los hijos una operación socioeconómica que mantuviera las cosas en su sitio.

¿Y las consecuencias? Que lo amoroso, incluido lo erótico, quedara orillado. Con lo cual, la vida amorosa podía brotar en el matrimonio, como le ocurrió a Carlos V, pero lo más fácil era que brotase fuera, con un sinnúmero de infidelidades; las del varón, por supuesto, mas también las de la mujer, en particular cuando la negra suerte le deparaba un marido ya cascado, como en el novelado caso de *El celoso extremeño,* y aquí la referencia literaria a Cervantes resulta obligada.

Separación, por tanto, las más de las veces, entre vida amorosa y vida matrimonial.

Pleberio, el padre de Melibea, divide su vida en dos etapas: la primera, la de la juventud, dedicada al amor; la segunda, ya entrados los cuarenta, en que se conforma con el matrimonio. Por lo tanto, una vez más vemos ese distingo, esa separación, ese cambio: la vida amorosa por un lado, los lazos familiares por el otro:

> ¡Oh amor, amor!... Herida fue de ti mi juventud, por medio de tus brasas pasé... Bien pensé que de tus lazos me había librado, cuando los cuarenta años toqué, cuando fui contento con mi conyugal compañera... [2]

Pues bien, ése era el modelo obligado que debía dar la Corona, donde los matrimonios son auténticas acciones de Estado, como el de Felipe II con María Tudor. Como víctima que sabe el sacrificio al que va, el Rey encarga a Tiziano, con destino a su nuevo hogar de Londres, un cuadro erótico: *Venus y Adonis,* que hoy podemos admirar en el Prado. Venus trata de sujetar amorosamente a Adonis, que se zafa, bien a su pesar, del amoroso abrazo, en busca de su amargo destino. El escorzo desnudo de la diosa es un espléndido regalo para la vista; sin duda, lo fue para el afligido Rey, camino de su destino, y no es difícil reconocer en el rostro de Adonis el del propio Felipe II, entonces en la flor de la edad, a sus veintisiete años, dejando en Castilla a su amada, Isabel de Osorio, para encaminarse a su destierro londinense.

Es evidente, y nadie lo duda, que Felipe II había aceptado su matrimonio con María Tudor como un penoso deber. Tan así era el ambiente, que san Francisco de Borja lo pudo emplear como un argumento ante la pobre Juana la Loca, que por entonces en su cautiverio de Tordesillas daba en no querer practicar vida religiosa alguna: que pensara bien que su nieto había tomado

---

[2] *La Celestina,* ed. cit., II, pág. 209.

sobre sí la misión de Inglaterra para ayudar a la conversión de aquella tierra, y que de poco serviría su sacrificio si los ingleses tenían noticia de que la Reina, su abuela, tampoco vivía muy cristianamente[3].

O sea que era del común sentir que Felipe II se casaba cumpliendo un deber. Era repetir el caso de Pleberio. De ese modo, el modelo literario —Pleberio— se anteponía al histórico: el padre de Melibea, al hijo del César; el personaje de ficción, al de carne y hueso.

También era eso lo que sucedía en otras escalas. Garcilaso de la Vega, nuestro altísimo poeta del Renacimiento, el que cantó como nadie las penas del amor (aquello de «Salid sin duelo, lágrimas corriendo»), es el que desposa por mandato regio (a fin de cuentas, él era un contino, esto es, un noble palaciego) no con el gran amor de su vida, sino con una dama de la reina doña Leonor de Austria, de nombre Elena de Zúñiga, que le llevaría una notable dote y que sería la madre de sus hijos. Así cumplió Garcilaso sus deberes de cortesano, aunque sus amores serían otros, los dirigidos hacia aquella portuguesa de la corte, que había acompañado a la emperatriz Isabel y que rivalizaba con ella en belleza, de nombre Isabel de Freire:

> Salid sin duelo, lágrimas corriendo.

Porque se tenía por vergonzoso e inmoral que el hombre buscara placer en el matrimonio. Eso lo habían sentenciado ya los moralistas más sesudos, como lo haría nada menos que Luis Vives, nuestro pensador más destacado de la época imperial, respondiendo al sentir de aquella sociedad:

> A través de la esposa, ¿qué es lo que se busca?

Eso se cuestionaba el valenciano universal, y al punto añadía su reflexión, que parecía dictada por el sentido común:

> No creo yo que sea un placer feo o fugaz...

Claro que el matrimonio también deparaba sus sorpresas, y entre ellas, acaso la mayor, la del enamoramiento. Aquí de nuevo hay que acudir a las cumbres, por ser donde encontramos testimonios irrecusables. La diplomacia española negoció la boda de Carlos V con la princesa de Portugal buscando afianzar la paz y con el señuelo de una cuantiosa dote, como sólo podía otorgarla entonces la corte de Lisboa; sin embargo, tan prosaicos principios desembocaron en un matrimonio enamorado desde el primer momento. En otros casos, el juego amoroso fue tan ardiente, que destruyó la parte más débil, que —no hay que dudarlo— lo era el varón, como le ocurrió al príncipe don Juan, el hijo de los Reyes Católicos. El propio Felipe II se

---

[3] Véase mi *Juana la Loca,* Palencia, 1994, pág. 235.

inició en el amor con su primera esposa, María Manuela de Portugal, y la danza de aquella joven pareja en Tordesillas, a petición de su abuela la reina Juana, fue una de las pocas alegrías de aquella desventurada mujer. Y sabemos que el Rey acabó subyugado por la gracia exquisita de su tercera esposa, Isabel de Valois, la flor de París, que también enamoró al desdichado príncipe don Carlos.

En todo caso, el matrimonio se concertaba de acuerdo con normas precisas, siendo tres las más imperiosas: primera, la de «cada oveja con su pareja»; después, ya señalada, la de que era algo tan serio que debía quedar a cargo de los padres o, en su caso, de los representantes de la anterior generación, y la tercera, que había que tener en cuenta los intereses económicos; de ahí que tantos segundones, que se adornaban con sus ilustres apellidos, buscasen esposas con sustanciosas dotes. Algo que, a otra escala, también regía en el mundo rural, cuando se procuraba que los nuevos matrimonios reportasen la unión de tierras próximas. Y cuando las cosas no iban así, al punto los transgresores sufrían las consecuencias. Que Garcilaso de la Vega se atreviese a ser el padrino de la boda secreta de su sobrino homónimo con una dama de la alta nobleza le valdría el duro castigo del destierro en una isla del Danubio. Que Gonzalo Yepes, el padre de san Juan de la Cruz, se enamorase en Fontiveros de una hermosa pero humildísima mujer, de oficio tejedora, hasta el extremo de casarse con ella, provocaría el repudio familiar y que se quedara sin recursos, hasta el punto de que el hambre entrase en el nuevo hogar, acabando él mismo por ser la primera víctima de una vida llena de penurias.

Esa estructura familiar, montada en principio como un negocio, con su contrato estipulado en términos muy precisos, se constituía como un pequeño reino en el que los padres se convertían en reyes absolutos. En líneas generales, se repartían las funciones: el mundo exterior quedaba para el varón, para el *pater familiae,* donde proyectaba sus empresas, llevaba a cabo sus tratos o, simplemente, volcaba sus ocios; mientras que el hogar era el dominio de la esposa, como administradora de aquel territorio, que debía gobernar en ausencia del marido, quedando bajo su mandato hijos, criados y esclavos, aunque guardando las distancias. No se permitían familiaridades ni con los mismos hijos. El idioma lo reflejaba. Los padres tuteaban a los hijos, pero ese trato no era recíproco: éstos debían tratar respetuosamente a los padres. Incluso en un hogar que se nos antoja tan abierto como el del Caballero del Verde Gabán, el hijo tratará al padre con el mayor respeto:

> ¿Quién diremos, señor, que es este caballero que vuestra merced nos ha traído a casa?

Ante cuya pregunta, el padre le contestará:

> No sé lo que te diga, hijo…; háblale tú…

Ahora bien, el *pater familiae* también tratará ceremoniosamente a su esposa:

> Recibid, señora, con vuestro sólito agrado, al señor don Quijote de la Mancha[4].

Un doble lenguaje, marcando las jerarquías, que también encontramos entre el ciego y su lazarillo. Recordemos el divertido lance de las uvas:

> —Lázaro —dice el ciego—, engañado me has. Juraré yo a Dios que has tú comido las uvas tres a tres.
> —No comí —dije yo—; mas ¿por qué sospecháis eso?
> Respondió el sagacísimo ciego:
> —¿Sabes en qué veo que las comiste tres a tres? En que comía yo dos a dos y callabas...[5]

Por lo tanto, un doble lenguaje, ceremonioso hacia arriba —o en la misma cumbre—, confianzudo hacia abajo, hijos incluidos. Es cierto —y acaso sea una característica de la sociedad hispana— que los criados viejos también pueden tomarse semejantes familiaridades con sus amos, secuela sin duda de los años en que los tuvieron, cuando eran niños, bajo su cuidado. Pero, en general, no cabe duda de que nos encontramos con el idioma al servicio de una sociedad fuertemente jerarquizada, empezando por la misma vida familiar.

En esa sociedad, ¿cuál era el papel de las mujeres? El de una menor de edad. Según una tradición milenaria, que no se ha desvanecido hasta nuestros días, la mujer era un ser inferior al que no había que dar demasiadas funciones, porque sería incapaz de acometerlas. Las propias, las tareas del hogar, o desempeñándolas o dirigiéndolas; entonces ya estaba atareada. Los problemas empezarán cuando esas tareas terminaban. Seguramente se dedicaría a cháchares con poco fundamento; así al menos pensaba Luis Vives, quien se pregunta:

> ¿De qué cosas hablará? ¿Hablará siempre? ¿No se callará nunca?

Porque si se dedicara a pensar, acaso fuera peor, pues:

> Veloz es el pensamiento de la mujer y tornadizo por lo común y vagoroso y andariego y no sé bien a dónde la trae su propia lubricada ligereza...[6]

Interminables serían las citas en cuanto al mal concepto que se tenía de la mujer; baste recordar que el anónimo autor del *Viaje de Turquía* una de las

---

[4] *Don Quijote,* II, cap. 18, ed. Martín de Riquer, pág. 708.
[5] *Lazarillo de Tormes,* ed. cit. de Francisco Rico, pág. 37.
[6] Luis Vives, *Institutio faeminae Christianae* (en *Obras completas,* ed. cit., I, pág. 993).

pocas cosas por las que alababa a la sociedad turca era porque la mujer estaba tan orillada y marginada como a su juicio debía estarlo; o bien al propio fray Luis de León, que en su obrita *La perfecta casada* llegará a decir que la mujer era de su naturaleza

> ... flaca y deleznable más que otro animal y de su costumbre y ingenio una cosa quebradiza y melindrosa...[7]

No es de extrañar que santa Teresa tuviera este desahogo en su *Camino de perfección,* un desahogo, por cierto, censurado por la Inquisición:

> ... que no hagamos cosa que no valga nada en público ni osemos hablar algunas verdades que lloramos en secreto...

Y añade la Santa en su queja a Dios:

> ... no lo creo yo, Señor, de vuestra bondad y justicia, que sois justo juez y no como los jueces del mundo, que como son hijos de Adán y, en fin, todos varones, no hay virtud de mujer que no tengan por sospechosa...[8]

Aunque quizá lo refleje aún mejor esa degradada posición de la mujer la brutal anécdota que nos refiere Esteban de Garillay y Zamalloa —otro contemporáneo de Felipe II, que muere en 1599—, al relatar la reacción del condestable de Castilla ante un correo que le llevó la noticia de que su hija había parido dos niñas, una viva y la otra muerta. El correo, conforme la costumbre, pidió albricias al Condestable, que mandó darle 50 ducados (lo que era una bonita suma), pero advirtiéndole:

> Mirad que estos 50 ducados no os los doy por la viva, sino por la muerta[9].

Eso tenía su correspondencia en el mundo laboral, al que la mujer no accedía más que a los trabajos más humildes: lavandera, hilandera y, por supuesto, criada, en un servicio doméstico del que normalmente no recibía más que techo y comida, y la promesa de algo para su dote si salía para casarse, aunque, las más de las veces, para donde iba era para la mancebía, después de ser seducida por el hombre de la casa (el padre o los hijos varones), con el añadido de verse vituperada por ello por el ama de la casa; otra realidad coti-

---

[7] Fray Luis de León, *La perfecta casada,* ed. Astrana Marín, Madrid, 1950, pág. 53.

[8] El texto, en el ms. de la Biblioteca del monasterio de El Escorial. Véase mi estudio, *El siglo XVI...,* op. cit., págs. 445 y 485.

[9] Texto comentado ya en mi obra *La sociedad española del Renacimiento,* Salamanca, 1970, pág. 172.

diana que llegó hasta la España de ayer mismo, y bien reflejada por la literatura de la época.

> ... con una saya rota de las que ellas —las dueñas— desechan, pagan servicio de diez años.

Es Areusa, una antigua criada que «había mejorado», dejando aquel oficio por el de ramera, la cual sigue recordando a su vieja ama:

> E cuando creen cerca el tiempo de la obligación de casallas, levántales un caramillo que se echan con el moço o con el hijo o pídenlas celos del marido o que meten hombres en casa o que hurtó la taça o perdió el anillo...

Lo que da pretexto al ama para echar a la calle a la criada, deshonrándola:

> ... danles un ciento de açotes e échanlas la puerta afuera, las haldas en la cabeça, diziendo: allá irás, ladrona, puta, no destruirás mi casa e honra... [10]

La estructura familiar tiene su reflejo en la comida y en la vivienda; en la comida, donde hay dos platos, el de los señores y sus hijos y el de los criados, y aun en el seno familiar, el amo será el amo: «cuando seas padre —según el dicho popular—, comerás sopas». Cierto, el servicio hará trampas en esto como en la paga, cobrando su propio impuesto, si de ese modo queremos titularlo, con la sisa. Y cosa notable: la Iglesia lo tomará como un pecadillo. Unas diferencias que también se verán en las habitaciones, generalmente en la zona noble de la casa para la familia, mientras que las guardillas, mal aireadas —y, sobre todo, mal caldeadas—, serán para el servicio, donde se hielan en el invierno y se abrasan en verano.

La casa y la familia. La casa, reflejando la estructura familiar de este modo: las habitaciones de los hijos son de paso, están bajo control del *pater familiae;* la de los padres es la última del fondo, el sanctasanctórum, lo más sagrado de la casa familiar.

Una casa donde impera la jerarquización, el principio de autoridad, con un horario que sujeta a la juventud masculina, que a hora temprana debe hallarse en casa, puesto que las jóvenes apenas si salen, y de mañana, para el oficio religioso o para acompañar a la madre en las compras que tenga que realizar. La frase «a las diez en casa» no es de nuestros padres; pertenece al más remoto pasado. Se corresponde con la hora que se cierra el portal, pues la morada familiar ha de quedar cerrada a cal y canto durante la noche, y eso varía

---

[10] Así recuerda la ramera Areusa sus tiempos de criada (Fernando de Rojas, *La Celestina,* ed. cit., II, págs. 41 y 42).

del invierno al verano; en general, a las seis la mayoría del año y a las nueve en los meses estivales.

Era el mismo horario que se seguía en las casas de pupilaje en las ciudades universitarias, y eso lo sabemos muy bien. Así, dichas casas tenían por norma cerrar la puerta a las seis de la tarde entre San Lucas (el 17 de octubre) y el 1 de mayo, y a las nueve el resto del año [11].

De este modo se mantenía, aparentemente al menos, la disciplina familiar y el buen nombre de la casa. Otra cosa suponía dar motivo a peligrosos comentarios del vecindario.

No trataremos pormenorizadamente todo lo referente a la vida cotidiana, sino aquello que más condicionaba la época. En ese sentido, es imprescindible la referencia a la higiene, algo que preocupaba a los pensadores, y aquí de nuevo es preciso aludir a Luis Vives. En la *Surrectio matutina,* Beatriz, la criada, coge al vuelo a los muchachos que se iban a la escuela sin ver el agua:

> Beatriz: ¿Cómo, sin lavaros manos y cara?

Tanto exceso provoca la protesta de los chicos:

> Manuel: ... Paréceme que no vistes a un muchacho, sino que acicalas a una novia.

Otra norma era lavarse las manos para sentarse a la mesa; tal lo querían los humanistas. Pero poco más. Los baños entre los ciudadanos de las repúblicas cristianas eran raros, en contadas ocasiones y muy sonadas. Algunos diarios de la época, hechos con preocupaciones económicas más que literarias, y por eso más fiables, nos dan una pobre estampa. Así, Girolamo da Sommaia, el estudiante florentino que vive en Salamanca a principios del siglo XVII, sólo anota en su *Diario* algún que otro lavado de pies y un baño particularmente cuidadoso, el día de su santo [12].

Por supuesto, eso en relación al área urbana, pues en el campo la situación era mucho más penosa. El campesino se ensuciaba con las tareas del campo y, harto fatigado con la dura jornada de cada día, sucio iba del trabajo a la mesa y así se acostaba. El mismo estiércol le manchaba manos y ropas, que para las tareas campesinas eran puros andrajos, guardando sólo cuidadosamente otras mejores para los días festivos. Eso lo hemos visto hasta en fechas recientes. No hay que olvidar que el abono de sus tierras, con el que mejoraba sus cosechas, era básicamente el conseguido con la cama vegetal de su ganado, beneficiada con las defecaciones de las bestias, particularmente del ga-

---

[11] Luis Enrique Rodríguez-San Pedro Bezares, *La Universidad salmantina del Barroco,* Salamanca, 1986, III, pág. 371.

[12] *Diario de un estudiante de Salamanca,* ed. de George Haley, Salamanca, 1977; cf. mi comentario en *La sociedad española en el Siglo de Oro, op. cit.,* II, págs. 818 y sigs.

nado mayor. Incluso también con el humano, pues sus viviendas podían ser de dos plantas —eso era ya un signo de prosperidad—, y en la segunda, sobre el establo, estaba el dormitorio familiar, con un hueco y su tapadera, por el que los hombres, mujeres y niños hacían sus necesidades, contribuyendo así al abono generado en la cuadra, al tiempo que lo hacían a resguardo de la intemperie. Peor era, ciertamente, cuando toda la familia compartía la misma habitación que los animales, de cuyo calor se beneficiaban en el invierno, tan largo y duro en la meseta castellana; pero, claro, también compartiendo sus olores y, en suma, la suciedad que generaban.

Una suciedad que quedaba bien de manifiesto en las partes del cuerpo, como el detalle tan significativo de un Sancho Panza que cuando quiere arrimarse a su señor Don Quijote, en la temerosa jornada nocturna de los batanes, nos dirá Cervantes que no se separaba del buen hidalgo ni la luna de una uña; luna que, cierto, era de color dudoso. Y así leemos en el texto cervantino:

> ... mas era tanto el miedo que había entrado en su corazón, que no osaba apartarse un negro de uña de su amo... [13]

Porque, y eso es lo que parece claro, lo suyo es que las gentes, al menos el común de ellas, llevaran las uñas «teñidas» de ese color.

Suciedad, pues, y vivir con ella era algo habitual. Por consiguiente, chinches y pulgas eran las compañeras inevitables en el lecho, como los piojos lo eran en el cuerpo. Ya Luis Vives advertía de lo arriesgado que era llevar camisas con muchos dobladillos, porque en ellos se alojaban más fácilmente los bichejos:

> ... no quiero esta camisa del cuello colchado —nos dice—, sino aquella otra del cuello llano, porque estas arrugas en este tiempo, ¿qué otra cosa son sino nidos y cobijos de piojos y de pulgas? [14]

De nuevo bien vale el testimonio cervantino, en este caso en la aventura de la navegación en barca por el Ebro, cuando Don Quijote supone que ya han recorrido tanto trecho que bien podría ser que hubieran franqueado la raya equinoccial, y para cerciorarse no había como comprobar si aún quedaban piojos, porque tenía por cierta la leyenda de que los tales sucumbían en aquel instante; así que pide a Sancho Panza que lo averigüe en su persona:

> —Y tórnote a decir que te tientes y pesques —urge Don Quijote a su escudero—, que yo para mí tengo que estás más limpio que un pliego de papel liso y blanco.
> Tentóse Sancho —continúa el relato— y llegando con la mano bonitamente y con tiento hacia la corva izquierda, alzó la cabeza y miró a su amo, y dijo:

[13] *Don Quijote,* I, 20; ed. Martín de Riquer, pág. 201.
[14] Luis Vives, *Obras completas,* ed. cit., Madrid, 1947, II, pág. 913.

—O la experiencia es falsa, o no hemos llegado adonde vuestra merced dice, ni con muchas leguas.

—¿Pues qué? —preguntó Don Quijote—. ¿Has topado algo?

—¡Y aun algos! —respondió Sancho... [15]

Si bien este mismo relato nos está diciendo que también aquí, en la higiene del cuerpo, se aprecian dos niveles. No es Don Quijote el que puede comprobar si habían pasado la línea equinoccial. Ha de acudir a su escudero Sancho Panza. Era el pueblo el hundido en la suciedad.

Ahora bien, mayor suciedad supone también mayor propensión a coger enfermedades, y eso es algo que hay que tener en cuenta.

¿Mejora o empeora la higiene? ¿Aumenta o no la preocupación por la limpieza? Si nos atenemos a la evolución de la moda, antes da la impresión de un retroceso. El Renacimiento es más abierto a la hora de mostrar el cuerpo, o de resaltar sus formas, con generosos escotes en el vestido femenino, que dejan al aire brazos y cuello, mientras que, conforme avanza la segunda mitad del siglo, el traje lo oculta casi todo, dejando ver tan sólo manos y rostros, con faldas acampanadas y con los cuellos de las camisas —las complicadas gorgueras— que suben desde la nuca hasta las orejas, como las que lucen las infantas reales Isabel Clara Eugenia y Catalina Micaela en los cuadros que nos ha dejado de ellas Sánchez Coello, que pueden admirarse en el Museo del Prado y que fueron pintados a principios de los años ochenta. Pero eso era en las clases privilegiadas, en la corte, la alta nobleza o el patriciado urbano. El pueblo vestía pobremente. El aldeano, con andrajos que apenas le resguardaban de las inclemencias del tiempo; el menestral de la ciudad, con ropa vieja. No deja de ser revelador el texto del *Lazarillo,* aun con toda su posible exageración, cuando nos cuenta su anónimo autor que Lázaro, tras cuatro años puesto en el oficio de aguador, pudo ahorrar

> ... para me vestir muy honradamente de la ropa vieja, de la cual compré un jubón de fustán viejo y un sayo raído de manga tranzada y puesta y una capa que había sido frisada y una espada de las viejas primeras de Cuéllar... [16]

Sí, exageración; pero lo cierto es que entonces existía la profesión de ropavejero.

La casa, la higiene, la moda. También hemos de tratar de la comida, de la salud y la enfermedad, el trabajo, el ocio.

* * *

La comida, ese aspecto de la vida que hoy preocupa tanto, el de una cuidada dieta alimenticia, como una de las premisas de una vida sana. Lo que se

---

[15] *Don Quijote,* II, 29; ed. Martín de Riquer, pág. 804.

[16] *Lazarillo de Tormes,* ed. cit. de Francisco Rico, pág. 127.

observa entonces es el contraste entre la obligada frugalidad del pueblo, día tras día, y los atracones que se daba cuando la oportunidad lo permitía; algo bien reflejado en nuestro refranero popular.

Se oye la voz del caporal:

¿Cuál es la ley del pobre?

Y la asamblea, unánime:

¡Reventar, antes que sobre!

Cuando el pan cae al suelo, es recogido amorosamente y besado, con la consiguiente exclamación que ha llegado hasta nuestros días: «¡Es el pan de Dios!»

El pan sagrado, porque es el que puede quitar el hambre, en tiempos en los que Europa aún no conocía ni la patata ni el maíz, los dos grandes regalos de América, que no llegarán hasta el siglo XVII y que no se popularizarían hasta el XVIII. Y de ese modo, tras la comida se recogen cuidadosamente todos los trozos de pan sobrantes, los mendrugos que acaban llenando la bolsa familiar destinada a ese fin, que pueden servir para que el ama de casa haga un plato con pan y leche, o para entregar a los más necesitados que una vez a la semana suelen llamar a la puerta para pedir limosna.

Cuatro eran las comidas del escolar, según Luis Vives: almuerzo, comida, merienda y cena, y todo parcamente, donde la base la constituía el pan. Y así dice en su relato:

Pan, todo el que queramos; de las viandas, cuanto basta no para hartar, sino para alimentar [17].

El pan: algo que nos recuerda «el paraíso panal», tan añorado por Lázaro, cuando malvive bajo las garras del clérigo de Maqueda. Un pan al que anhela añadir algo de carne, al menos en la comida, pues el pescado es mirado con recelo, acaso por lo difícil que era conseguirlo fresco en la España del interior. A lo que añadir, en ocasiones, fruta, lechuga, en suma algo de huerta.

Veamos dos testimonios dispares: las comidas en las casas de pupilaje y las que Cervantes nos señala para el hidalgo de La Mancha.

La comida de los pupilos salmantinos, ¿de qué constaba?: «La olla es constante.» ¿En qué consistía? Carnero cocido, a veces algo de vaca, tocino y alguna verdura o nabo. Pero las quejas abundan: el pan podía ser duro, la olla con más tocino que carne, el pescado dudoso y la fruta podrida [18].

---

[17] Luis Vives, *Obras completas,* ed. cit., II, pág. 892.
[18] L. E. Rodríguez-Sampedro, *La Universidad salmantina...,* op. cit., III, pág. 384.

También en la dieta de Don Quijote la olla podía tener más de vaca que de carnero y en todo caso la carne era lo preferido, pues a la vaca la sustituía el salpicón «las más noches» (esto es, carne picada, siempre más barata, aprovechando restos de las comidas) y algún palomino para los días de fiesta. De legumbres, lentejas, pero sin asomo de fruta. Y los cuadros costumbristas nos dan también vistas de parcas comidas: huevos (*La vieja friendo huevos* que pintó Velázquez), cebollas, queso y pan.

¿Qué impresión sacamos? Que la penuria también se aprecia, y acaso más que en ninguna otra cosa —salvo en la ropa—, en la frugal comida del pueblo; de ahí que, cuando puedan, saquen las tripas del mal año, como en los banquetes rurales, del tipo de las bodas de Camacho, o cuando el clérigo de Maqueda se hartaba en las comidas de funerales:

> ... en cofradías y mortuorios que rezamos, a costa ajena comía como lobo...[19]

Y cuerpos mal alimentados son cuerpos desmedrados, con pocas defensas y propensos a las enfermedades.

* * *

La enfermedad que sorprende siempre, porque no se conocen bien sus causas ni sus efectos y a la que se combate un poco a tontas y a locas, con remedios crueles que antes aceleran el final del enfermo que le ayudan a curarse: purgas y sangrías están a la orden del día con resultados catastróficos. A los médicos se les temía por ineficaces y por bárbaros maltratadores del género humano. Y así Luis Vives se preguntaba qué abundaban más, si los médicos o los tontos[20]. Aunque en algo empieza a destacar la medicina de la época: en el mejor conocimiento del cuerpo humano, gracias sobre todo a Vesalio, el médico belga de la corte imperial, y a su obra: *De humani corporis fabrica,* impresa en 1543.

El cuerpo debía aguantarlo todo, a la enfermedad y a los medicamentos, sin nada que aliviase el dolor; la asistencia al enfermo pobre era deficiente. Se organizaba a través de hospitales, cuyos recursos procedían de las mandas de almas caritativas y las más de las veces tan en precario que a duras penas subsistían. De forma que cuando el pobre superaba ligeramente su mal, al punto debía dejar su cama al siguiente, yéndose a la rúa en plena convalecencia, con lo que las recaídas eran muy frecuentes y con final mortífero. Esa sería una situación que se prolongaría por siglos. Todavía en el siglo XVIII, en el año 1788, el regidor salmantino Santocildes denunciaría el hecho. En el pleno municipal celebrado el 20 de septiembre de aquel año diría:

---

[19] *Lazarillo de Tormes,* ed. cit. de Francisco Rico, Madrid, 1987, pág. 52.
[20] Luis Vives, *Obras completas,* ed. cit., II, pág. 926.

... se ven con horror de humanidad, arrojando esos enfermos babaza por las calles, tirados en los suelos...[21]

Sin embargo, se habían producido avances. Los Reyes Católicos habían establecido a fines del siglo XV el Tribunal de Protomedicato de Castilla, para controlar a los médicos que podían ejercer como tales. Lo que ocurre es que tal medida, aun con toda su importancia, sólo era eficaz para el mundo urbano, quedando el rural —que era con mucho el mayoritario— abandonado a curanderos, saludadores y ensalmadores.

Tampoco puede silenciarse el esfuerzo de san Juan de Dios en la creación de hospitales, con nuevas trazas, y apuntando ya a la separación por salas y no sólo por sexos, sino sobre todo por enfermedades, para aislar a los muy contagiosos. Ya existían lazaretos, para el temible mal antiguo de la lepra, entonces en regresión, y apuntan los dedicados a la enfermedad de la época, contagiada por los indígenas del Nuevo Mundo, la sífilis, conocida popularmente como mal de las bubas. Y también se va teniendo más atención al cuidado específico de los enfermos mentales, con las casas de los locos, como las que existían en las principales ciudades[22].

Entre los hospitales, modélicos serían el de los Reyes Católicos, en Santiago, y el de la Santa Cruz de Toledo; el primero bajo el patronato regio, el segundo la fundación del cardenal Mendoza.

Referencias magníficas en su detalle, obras maestras de la arquitectura renacentista, pero que dejaban un amplísimo sector de la sociedad escasamente atendido.

De ahí que la sociedad acudiese con frecuencia no sólo al médico, sino también al curandero. Y eso a todos los niveles. Cuando el príncipe Carlos sufrió la aparatosa caída por una escalera de su vivienda de Alcalá, golpeándose la cabeza, antes de que le interviniera el médico —y nada menos que el propio Vesalio—, lo haría un oscuro curandero valenciano: el morisco Pinterete; experiencia que a punto estuvo de costarle la vida al Príncipe. Tampoco debe olvidarse que también se acudiría entonces al recurso milagrero, metiendo en el lecho del paciente, cuando estaba entre la vida y la muerte, la momia de fray Diego de Alcalá, lo que hace sospechar que el propio susto de verse en tal compañía animaría a don Carlos a dejar la cama.

En el horizonte del pobre, fruto de su mísera y famélica vida, estaban el hambre y el hospital, si caía enfermo, y también la cárcel, si entraba en la delincuencia, porque también la delincuencia le era vecina. Por lo tanto, la cárcel en el horizonte, y con ella, o en ella, el tormento.

---

[21] Véase mi estudio «1788: Un año significativo en la Salamanca de la Ilustración», en *Miscellania Ramón d'Abadal,* Barcelona, 1994, pág. 194.

[22] Sobre esto, véase el estudio de Luis Sánchez Granjel, «Medicina y sociedad en la España renacentista», en *Historia Universal de la Medicina,* dir. por Pedro Laín Entralgo, Madrid, 1973, vol. IV, págs. 181 y sigs.

Aquí una cosa debe aclararse: las grandes diferencias con el sistema penitenciario actual.

De entrada, no existía unidad. Las múltiples jurisdicciones en materia de justicia daban por resultado distintos regímenes penitenciarios. Aunque la cárcel estuviera en principio bajo el control regio, dos terceras partes de España (la España señorial) tenían por delegación su propio sistema, bajo el mandato señorial. Y estaba, además, la cárcel inquisitorial, con unos fines y un régimen totalmente distintos a la cárcel ordinaria.

Y no eran las únicas cárceles. La Audiencia escolástica tenía la suya propia, bajo el mandato del maestrescuela del Estudio, con jurisdicción tanto sobre los estudiantes universitarios como sobre los profesores. Finalmente, había que recordar que los conventos tenían también su celda carcelaria, como aquella del convento de los carmelitas calzados de Toledo, donde estuvo preso san Juan de la Cruz.

Algo que podría sorprender y hasta ser puesto en duda, pero de lo que existen pruebas evidentes, como las que nos da santa Teresa en sus *Constituciones* de los conventos de carmelitas descalzas:

> Haya cárcel diputada adonde éstas tales están...[23]

Las «tales» eran, por supuesto, las monjas que incurrían en gravísima culpa.

En cuanto a la cárcel inquisitorial, tenía su propia peculiaridad: una férrea soledad del inculpado. Los efectos psicológicos sobre el reo podían ser mayores que en las cárceles regias, por el riesgo no tanto del tormento (el tormento era algo propio del sistema procesal de la época), sino por la temible posibilidad de que el final fuese la hoguera; pero, en el aspecto del régimen interno, la cárcel inquisitorial era superior a la regia, en cuanto a comida (que corría a cargo de la institución) y a la propia celda.

Pero veamos lo que ocurría en la cárcel ordinaria o, si se quiere, en la cárcel real. La primera característica a reseñar es que la alimentación del preso no corre a cargo de la Hacienda Real. La cárcel no supone ningún gasto prácticamente para la Monarquía, que sólo ha de facilitar el local —y no siempre— y el material que asegurase el control del preso: esposas, grilletes, cadenas... Ni siquiera la cama la ponía la justicia regia. Y como el preso había de pagarse comida y lecho, y eso lo controlaba el alcaide de la cárcel, otra vez se imponían las diferencias marcadas por el privilegio: los que tenían posibilidades, de entrada sobornaban al carcelero, recibían la comida que le llevaba la familia y metían su propia cama en la cárcel. Igual sucedía con el régimen de visitas, e incluso con las salidas, viviendo en un régimen abierto.

Cuando el reo era pobre, la cosa cambiaba, pues tenía que vivir de la caridad pública. Y lo mismo sucedía con el lecho. Si no podía allegar el propio,

---

[23] Santa Teresa de Jesús, *Constituciones,* cap. 15, 3, en *Obras completas,* ed. 1979, pág. 649.

tenía que alquilarlo al alcaide, con los consiguientes abusos. Felipe II trató de poner coto, estableciendo un curioso arancel: el alquiler de la cama individual a diez maravedíes y seis si compartía lecho con otro reo. ¡Pero aún había otra posibilidad para los más míseros!, un lecho para tres, abonando cuatro maravedíes[24]. Por lo tanto, el lecho marcaba también las diferencias sociales, como ocurría en ventas y posadas.

Con lo dicho queda claro que la cárcel, como la mancebía, era un negocio, y que el alcaide, que conseguía su cargo o por compra directa al Rey o por arriendo del que hubiese adquirido el cargo, se constituía en un hombre de empresa, que había invertido un capital y que le sacaba el máximo beneficio. Y como había que estimular a los remisos, la crueldad era su arma de presión, de la que usaban inmisericordemente, conforme al planteamiento de que cuanto más desesperada se hiciese la vida al preso sin recursos, más desearía el resto llegar a un acuerdo con su prepotente carcelero.

¿Quiénes estaban en la cárcel? Aquí habría que precisar el tipo de cárcel, pues si en las inquisitoriales podía encontrarse hasta un prelado —el caso del arzobispo Carranza lo pone de manifiesto— y en las universitarias cualquier profesor —aunque lo más frecuente es que fuesen estudiantes—, en las ordinarias —regias o señoriales—, los delincuentes mientras durase su proceso, pues lo usual era que la condena cumplida (castigos corporales o multas) ponía en libertad al preso, salvo en el caso de que lo fuese por deudas. Otras penas eran el destierro (preferentemente para los miembros de los sectores privilegiados) y, por supuesto, la terrible de las galeras; terrible, pero que contribuía a que la población carcelaria fuese escasa. Naturalmente, también la pena de muerte.

Era algo ya implantado por Alfonso X el Sabio, en cuyas *Partidas* se declaraba que el juez no debía sentenciar a cárcel al condenado, sino que se aplicara la pena corporal que le correspondiera:

> Non le debe el judgador mandar meter en la prisión después [de la sentencia], mas mandar que fagan de él aquella justicia que la ley manda...[25]

Puesto que el pobre debía malvivir en la cárcel de la caridad pública, el hecho se agudizaba cuando sucedían años malos, y cuando a las pertinaces sequías sobrevenían catastróficas inundaciones; en suma, cuando el hambre afligía a la población. Entonces los reclusos sin recursos finaban de hambre; así lo recoge la documentación de la época, como la que encontró José Luis Martín del hospital de Cuenca sobre los años cuarenta del siglo XVI.

---

[24] José Luis de las Heras, *La Justicia penal de los Austrias en la Corona de Castilla,* Salamanca, 1991, págs. 281 y sigs.

[25] *Ibídem,* pág. 266.

Las penas más frecuentes de cárcel eran las que sufrían los deudores insolventes. Al punto nos viene a la memoria que esa fue la que afligió al padre de Cervantes e incluso al propio autor del *Quijote*. Naturalmente, aumentaban peligrosamente en los años de carestía, como el propio rey Felipe II señalaba a su padre, el Emperador, en aquel texto ya comentado de 1545: los vasallos de señorío habían llegado a tal penuria que no podían pagar las rentas a sus señores. En conclusión, eran en su inmensa mayoría deudores y estaban dando con sus huesos en la cárcel:

> Y las cárceles están llenas —testimonia el Príncipe— y todos se van a perder[26].

Las condenas más frecuentes, aun por robos de escasa cuantía, eran las de varios años a galeras. En las cifras manejadas por José Luis de las Heras, el mejor conocedor del tema, las condenas a galeras suponían el 80 por 100 del total. Eso tiene una explicación, como en su momento comentamos: la imperiosa necesidad de suministrar galeotes a las galeras del Rey.

También José Luis de las Heras nos da un dato verdaderamente importante: el número de galeotes de las galeras de España en la época de Lepanto rondaba los 4.500, de ellos, 3.300 enviados por la justicia castellana.

En todo caso, algo hay que tener presente: la pobre gente acababa con frecuencia en la cárcel, ora por verse agobiada de deudas, ora porque su malaventura le llevase a atentar contra la propiedad ajena, en cuyo caso lo que podría esperarle era la galera.

Lo indicado podría dar una falsa visión: la cárcel sólo para la gente pobre y desvalida. Y eso porque nos falta tener en cuenta el preso que hoy llamaríamos político, el incurso en delitos de lesa majestad, de rebelión frente a la autoridad regia; un delito sacrílego, en cuanto que el Rey era la cúspide de una Monarquía sacralizada, la Monarquía católica. El principio de autoridad exigía el máximo rigor contra el que se atreviera a rebelarse contra el Rey.

Evidentemente, y por la propia ideología de aquella sociedad, ese tipo de rebeldes a la Corona era *rara avis;* aun así, no podemos olvidar ni a los comuneros, que conmocionaron los primeros años de Carlos V, ni a los aforados aragoneses, alborotados y soliviantados por Antonio Pérez, bajo Felipe II. De ese modo, nos encontramos con presos políticos que conocieron la cárcel como prisioneros de Estado; una cárcel particularmente vigilada, como puede suponerse, que los Austrias situaron en el castillo de Simancas. Allí fueron encerrados tanto el famoso Acuña, el obispo comunero, como el barón de Montigny, al que la justicia filipina sospechó implicado en el alzamiento de los nobles calvinistas de los Países Bajos, y ambos acabarían

---

[26] Felipe II a Carlos V, Valladolid, 25 de marzo de 1545 (*Corpus documental de Carlos V, op. cit.,* II, pág. 357; v. *supra,* pág. 171).

recibiendo la pena de muerte: Acuña, ahorcado en 1524, y Montigny, por medio del garrote en 1570.

Sin duda, el prototipo de presos de alto relieve, por motivos confesionales o políticos, lo darían el arzobispo de Toledo Carranza, apresado por la Inquisición en 1559, y el secretario de Estado Antonio Pérez, detenido veinte años después, y que vería prolongado su proceso año tras año, hasta que la crisis de 1588 precipitara su resolución. No debe olvidarse el caso especialísimo del príncipe don Carlos, muerto en prisión en 1568.

Casos todos ellos de tal envergadura y con tales resonancias sociales y políticas que nos obligarán a tratarlos con más detenimiento a lo largo de esta historia.

Podría decirse, para resumir este apartado sobre la cárcel en el horizonte de la sociedad del Quinientos, que la nobleza y el clero también aquí notaban sus privilegios, siendo la pena más frecuente la del destierro, incluso para aquellos que se atrevían a tomarse la justicia por su mano, como aquel señor de Peñafiel que hizo colgar de una almena de su castillo a su secretario, al que el Consejo Real carolino condenó a secuestro del castillo y pena de destierro, pena conmutada antes del año por otra pecuniaria a favor de la familia de la víctima, eso sí, teniendo en cuenta también a sus hijos naturales[27].

Cuando el condenado lo era por delito de lesa majestad, la pena de muerte era por degüello, si eran nobles (tal fue el caso de Lanuza), y no por ahorcamiento, que era considerada como infamante. La cárcel por deudas era la que esperaba a los que iban sorteando, mal que bien, cada mes del año, abocados por sus muchas necesidades a endeudamientos que les resultaba imposible de pagar; mientras que a la gente del pueblo, la gente llana, bordeando la pobreza, cuando no sumidos en ella, ante la tentación de hurtos o robos, lo que les aguardaba eran años en galeras.

* * *

¿Y el trabajo? ¿Y el ocio?

El trabajo es la principal base de la riqueza de los pueblos; he ahí un concepto formulado por Adam Smith en 1776, plenamente asumido por la España de nuestros días. Pero no lo era así en el Quinientos. Entonces se consideraba que era el allegar tesoros de oro y plata lo que daba esa riqueza, aunque ya algunos teóricos, como Luis de Ortiz, advirtieran que de nada serviría esa acumulación de numerario si un trabajo debidamente regulado y en competencia con el de las otras naciones no ayudaba a establecer una ventajosa balanza de pagos en el comercio con el exterior.

Pero eso era una excepción. La mentalidad nobiliaria era la que imperaba. Y esa manera de pensar tenía por cosa vil el ganarse la vida con el trabajo

---

[27] Véase mi estudio *La España del siglo XVI, op. cit.*, pág. 160.

de las manos; de ahí el tratamiento despectivo hacia la población productiva, hacia artesanos y menestrales. De forma que la nobleza, aun la de los grados elementales de hidalgos y escuderos, pese a su escasez de recursos, antes preferían finar de hambre que desprestigiarse con un trabajo manual, y los pecheros anhelaban salir de su situación traicionando a su clase, cosa que sólo podían hacer, claro está, los que como los mercaderes o algún que otro villano rico —como aquel labriego de la obra de Lope *El villano en su rincón*— tenían recursos para ello, comprando un título de hidalguía, de los que la Corona —siempre escasa de recursos— ponía a la venta a lo largo del siglo.

Por lo tanto, era una mentalidad nociva al desarrollo económico que ponía a España en desventaja con el resto de la Europa occidental; algo ya señalado en nuestro comentario al *Memorial* de Luis de Ortiz, pues aquel arbitrista había comprendido bien la raíz del mal, pidiendo una nueva legislación que valorase el trabajo de los que vivían por sus manos:

> ... como se hace en Flandes y en los otros Reinos, donde hay ordenadas Repúblicas con estas libertades... [28]

También lo había pedido treinta años antes Alfonso de Valdés en su *Diálogo de Mercurio y Carón,* pero nada se conseguiría. Aquí sale cierto que cada pueblo tiene las leyes que desea, y el pueblo español estaba en otra línea de conducta. Algo que el ojo certero de Guicciardini, el famoso humanista y diplomático florentino de principios de siglo, había captado claramente, al enjuiciar al *homo hispanicus* de su tiempo: «... todos tienen en la cabeza ciertos humos de hidalgos...» [29]

Los artesanos trabajaban cuando eran apretados por la necesidad, pero después: «... descansan mientras les duran las ganancias...»

Con lo que su conclusión no podía ser otra: «... la nación en general, es opuesta al trabajo...».

Añadiendo, además, un juicio certero, adelantándose medio siglo al *Memorial* de Luis de Ortiz:

> Prefieren enviar a otras naciones las primeras materias que su reino produce, para comprarlas después bajo otras formas, como se observa en la lana y en la seda, que venden a extraños, para comprarles después sus paños y sus telas... [30]

De ahí tres consecuencias: que el trabajo fuera caro, que hubiera un vacío laboral y que acudieran de Francia y de otras naciones europeas, al olor de las fáciles ganancias, a llenar aquel vacío.

---

[28] Véase mi comentario en *El siglo XVI. Economía, Sociedad, Instituciones, op. cit.,* pág. 458.
[29] F. Guicciardini, *Relación de España, op. cit.,* pág. 614.
[30] *Ibídem,* en García de Mercadal, *Viajes de extranjeros por España y Portugal,* Madrid, Aguilar, 1952, 3 vols., I, pág. 614.

Frente al trabajo, el ocio. Y el ocio hay que llenarlo con algo. ¿Cuáles eran las diversiones del español medio del Quinientos? No serían iguales las del hombre de la ciudad que las del campesino, ni las de las clases altas que las del pueblo. También se encontrarían diferencias entre las diversas regiones. Pero no dejaría de haber rasgos comunes.

En la ciudad, ya ha empezado la afición por el teatro, que en el siglo XVII haría furor, y que calaría tanto en el pueblo como en la nobleza y hasta en el clero, si es que el hecho de que Tirso de Molina fuera mercedario quiere decir algo. También eran generales juegos como los de las cartas. Después estaba la caza, que era la gran pasión de los reyes[31], pero que atraía igualmente a grandes y menudos. Tampoco podían faltar, cuando se celebraban las fiestas del santo patrón o cualquier acontecimiento, los toros, aunque fuera con unos lances bastante diferentes a los de las actuales corridas; de ahí la impopularidad de la medida del papa san Pío V, que trató de prohibirlos.

Tampoco la Iglesia veía con muy buenos ojos las fiestas de carnaval, pero de igual manera le fue imposible hacerlas desaparecer. Sabemos, por ejemplo, que en 1586 Madrid se aprestó a festejarlas por todo lo alto, y que el mismo Ayuntamiento pediría licencia al Consejo Real

> ... para que estas Carnestolendas se hagan algunas máscaras, para regocijar el lugar...[32]

Máscaras por carnaval y toros por San Juan y por Santiago, era lo tradicional en la corte, donde también abundaban los saraos que montaba la nobleza, mientras el pueblo tenía sus propias danzas, tan distintas según las regiones.

Pero una cosa era la diversión popular, de los días sonados del año, y otra la del noble cortesano.

¿Cómo se divertiría un caballero ocioso, que debía llenar sus horas, todos los días del año, sin un trabajo que le tuviese atareado? Guevara nos lo dirá en sus *Epístolas familiares:*

> Acá, señor —le recuerda a don Pedro Girón—, érades muy bien afamado y nombrado de montero famoso, de volar una garza, matar un puerco, jugar a la primera, servir a una dama, escribir requiebros, hacer banquetes, frecuentar palacios, regocijar la Corte, acostaros a la una y levantaros a la once...[33]

---

[31] Y muy en particular de Carlos V y Felipe II, de que tantas pruebas tenemos en sus propias cartas, en su preferencia por lugares como El Pardo, y hasta en cuadros, como los pintados por Lucas Cranach de cacerías celebradas en Alemania en honor del Emperador, y que pueden verse en el Museo del Prado.

[32] Archivo de la Villa, Madrid, Libros de Acuerdos, t. 22, fol. 123.

[33] Fray Antonio de Guevara, *Epístolas familiares,* I, pág. 426; véase mi estudio *La sociedad española del Renacimiento,* Salamanca, 1970, págs. 245 y sigs.

Por supuesto, estaban las tertulias, y eso hasta en los más pequeños lugares, bastando que se juntasen tres o cuatro personas con una mediana cultura; tertulias como la que Don Quijote tenía con el cura y el barbero de su lugar.

Pero ningún festejo tan vivo y con tanto colorido como el de los toros, que ya llamaba la atención de los extranjeros, como le ocurrió a Tetzel, un viajero checo que llega a Salamanca a mediados del siglo XV y cuenta cómo vio en la plaza toros bravos, contra los que combatían a caballo la nobleza del lugar[34].

Habría que referirse, asimismo, a la lectura, con la siguiente advertencia: no se crea que era tan sólo para la gente culta, pues la abundancia de analfabetos hacía que el que sabía leer no escondiera su habilidad, sino que organizase lecturas colectivas, como las que describe aquel ventero que acogió a Don Quijote:

> ... cuando es tiempo de la siega, se recogen aquí, las fiestas, muchos segadores, y siempre hay algunos que saben leer, el cual coge uno destos libros en las manos y rodeámonos dél más de treinta y estámosle escuchando con tanto gusto, que nos quita mil canas...[35]

Pero la diferencia mayor con los tiempos actuales —aparte de la carencia de diversiones al estilo de las facilitadas por la técnica moderna, como cine, radio, televisión, etc.— estaría en los viajes y en algunos extremos de los festejos religiosos.

En los viajes, por supuesto, porque entonces cualquier desplazamiento de más de diez leguas obligaba ya a uno o varios altos en el camino, con el consiguiente alojamiento en míseras ventas con dudosas comidas y más dudosos lechos, sin hablar de los riesgos y las fatigas del mismo viaje, con bandoleros acechando en tierra y con la amenaza cierta del cautiverio que acabase en mazmorra turca o argelina, cuando había que arrostrar un viaje por el mar Mediterráneo. Y aunque esos riesgos se sorteasen, estaban los que afectaban a la propia vida, por los hielos del invierno o los ardores del verano, que hacían a tantos tratar de evitarlos.

Tan grandes eran los peligros que afrontaban los viajeros, que les vemos hacer antes testamento, como lo haría Garcilaso de la Vega antes de salir para Italia en 1529[36].

De ahí los temores de Gonzalo Pérez cuando tiene que acompañar al príncipe Felipe en su viaje por Italia, Alemania y los Países Bajos en 1548; un viaje que duraría tres años largos y que le hace exclamar, antes de embarcar en Cataluña:

---

[34] *La sociedad española del Renacimiento, op. cit.,* pág. 247.
[35] *Don Quijote,* I, 32; ed. Martín de Riquer, pág. 347.
[36] Antonio Gallego Morell, *Garcilaso: documentos completos,* Barcelona, 1976, pág. 93.

> Dentro de cuatro o cinco días estaremos a punto para esperar lo
> que el Cielo dispone de nosotros. Dios nos lleve con bien... [37]

En ese ambiente, se comprenden las oraciones por el caminante, entonces tan usuales, cuando arreciaban las inclemencias del tiempo, poniendo
compasión en el corazón de las buenas gentes. Y también, claro, que no se
viajara por placer, como se hace hoy en día, sino sólo por necesidades del propio oficio. De ahí que los tipos de viajeros fueran siempre los mismos: mercaderes, en busca de ventajas para sus tratos; arrieros, que eran los transportis-
tas de la época; diplomáticos y soldados, en ruta a sus destinos; estudiantes,
camino de sus Universidades; peregrinos, fueran romeros o jacobeos; algún
que otro fraile, de los que el autor del *Lazarillo* llamaría trotones, y, por supuesto, los pobres a la búsqueda de nuevos sitios donde allegar limosnas,
como el ciego y amo de Lázaro, cuando se traslada de Salamanca a Toledo.

Ahora bien, los alojamientos que podían encontrar en el camino eran tan
malos que obligaban a conformarse con cualquier cosa a los menesterosos, o
bien a llevar su propia impedimenta a los poderosos, como lo haría el oidor
del relato cervantino:

> Señor —dirá la ventera para justificar su primera negativa—, lo
> que en ello hay, es que no tengo camas; si es que su merced del señor
> oidor la trae, que sí debe de traer, entre en buena hora... [38]

Y ésta sí es una nota diferenciadora de aquella época, en la que hasta el
lecho podía ser un bien escaso y, por ende, que llevara a situaciones para nosotros impensables.

El dormir, la obligación del descanso nocturno, la necesidad, por tanto,
del lecho. También aquí nos encontramos con penurias asombrosas. No es
posible rastrearlas en la vida familiar, porque los que testaban eran gentes poderosas que estaban por encima de tales miserias, y los que las sufrían, no tenían qué testar, y no dejaban tras de sí esas referencias. Pero podemos alcan-
zarlas por las que padecían los viajeros que acudían a alojarse a las ventas y
posadas, sobre lo cual legislan las Ordenanzas de la época.

Tres tipos de viajeros valoran las Ordenanzas: la «gente honrada», que
llegaba cabalgando, acaso sobre buena mula frailera, los caminantes y los re-
cueros (los que conducían recuas de mulas y, por tanto, se dedicaban al
transporte) o arrieros, nombre con el que se les conocía más popularmente.
Como es natural, cada uno tenía un trato diferente, con un pago proporcio-
nado. Y aquí se aprecia que también la cama puede convertirse en un artículo de lujo o, al menos, en un bien escaso que es preciso compartir. Está claro

---

[37] Gonzalo Pérez a Granvela, Castellón de Ampurias, 22 de octubre de 1548 (Biblioteca de
Palacio de Madrid, núm. 2.281, s.f.); véase mi libro *La sociedad española del Renacimiento*,
op. cit., pág. 257.

[38] *Don Quijote*, I, 42; ed. Martín de Riquer, pág. 467.

que si a una venta o a un mesón llega un grupo de arrieros y se junta con otros trajinantes, con volatineros, con algún estudiante, o incluso con algún fraile, siempre yendo y viniendo de un convento a otro de su Orden, y si en ese momento llega también un golpe de «gente honrada», está claro, insisto, que los inquilinos pueden desbordar el número de camas con que cuenta la venta o el mesón.

Deséchese la idea de habitaciones individuales. En su mayoría se tratará de amplios espacios, destartalados, por supuesto, camaranchones con frecuencia, con varios camastros donde se echan rendidos los fatigados viajeros, como en la venta cervantina que acoge a Don Quijote. Los más afortunados, cuando lo pueden pagar, dormirán en su propio lecho; la mayoría, de dos en dos, y cada cual pagando su precio justo, cual marcaban las Ordenanzas salmantinas:

> Yten, que cualquiera mesonero e persona que acoxiere pueda llevar por una persona honrada, que venga cabalgando e duerma sólo en una cama, diez e ocho maravedís por sí e su mula...[39]

Se suponía, pues, que los poderosos que llegaban cabalgando en mula podían pagarse su propio lecho. En cuanto a los caminantes, eso ya era más problemático:

> Yten, que por un hombre caminante que va a pie, si durmiere sólo, doce maravedís; e si durmiere con compañía, ocho maravedís[40].

En fin, los arrieros tenían otras tarifas: ocho maravedíes si dormían solos, «sea en cama o en cabezales», y cuatro si lo hacían acompañados. También hay que suponer que en la mayoría de las ocasiones sería sobre un puro banco, donde se ajustaba ese cabezal que, como nuestra Real Academia nos advierte, en una de sus acepciones, se trataba de un «colchoncillo estrecho para dormir en los escaños». Quizá fuera lo mejor, que los colchones o colchoncillos descansasen sobre duro tablón, para que así el viajero no se hundiese demasiado, encontrándose en el centro con un compañero de fatigas. Cierto que en el invierno podían darse calor, aunque en el verano sería insufrible tamaña proximidad, pues puede que no mantuviesen mucha conversación, pero a buen seguro que sí compartirían las chinches, las pulgas y los piojos, que irían placenteramente de uno a otro en las largas horas nocturnas. Porque entonces los piojos acompañaban al mísero caminante como la sombra al cuerpo.

Y en cuanto a los festejos religiosos, al lado de los que se mantienen año tras año y siglo tras siglo, como las procesiones de Semana Santa, estaban otros ahora ya orillados o suprimidos. Entre éstos, los que tenían por protago-

---

[39] José Luis Martín Rodríguez, *Ordenanzas del Comercio y de los artesanos salmantinos,* Salamanca, 1992, pág. 98.
[40] *Ibídem.*

nistas a los grandes oradores sagrados, que eran las estrellas de la época, que podían convocar a multitudes para escucharlos, como aquel fray Luis de Granada, tan famoso, instalado en sus últimos años en Lisboa, y que haría decir a Felipe II, aunque apremiado de tiempo, cuando desde Lisboa escribía a sus hijas:

> Por ser tarde no tengo tiempo de deciros más, sino que ayer predicó Fray Luis de Granada y muy bien, aunque es muy viejo y sin dientes... [41]

Claro que la gran diferencia estaba en otro acto, entre punitivo y religioso: los autos de fe. Esos sí que atraían a grandes multitudes, superando, por supuesto, lo que podían hacer los más destacados predicadores. Unas multitudes ávidas de contemplar el suplicio de los condenados por la Inquisición, máxime cuando entre ellos estaban poderosos personajes, caídos así desde la cumbre de todo favor a la más mísera de las suertes, que podía llevar acompañada la sentencia de la hoguera.

Tal lo que ocurrió en el auto de fe celebrado en Valladolid el 20 de mayo de 1559, presidido por el príncipe don Carlos y por la princesa doña Juana. Un testigo, que relata lo entonces acaecido, nos dice:

> Fue tanta la gente que vino de fuera que, dos días antes, no se podía andar por las calles... [42]

Algo que el propio inquisidor general, Fernando de Valdés, confirmaría a Felipe II:

> ... [fue] tanto número de gente que aquí concurrió a ver este acto, de diversos lugares del Reino, que no hay memoria de que en un día se haya juntado tanta... [43]

Claro que autos de fe como aquel de mayo de 1559 eran raros, tanto por la importancia de los reos —entre ellos, el doctor Cazalla, que había sido predicador de la corte, y varios miembros de la alta nobleza— como por la dureza de las penas impuestas, siendo no pocos entregados a la hoguera, aunque sólo uno —el bachiller Herrezuelo— fuese quemado vivo.

Lo cual era harto espectáculo, a todo color, e incluso con el hedor de la carne quemada.

---

[41] *Cartas de Felipe II a sus hijas,* ed. Fernando J. Bouzá Álvarez, Madrid, 1988, pág. 63.
[42] José Luis González Novalín, *El inquisidor general Fernando de Valdés,* t. II: *Cartas y documentos,* Oviedo, 1971, pág. 239.
[43] *Ibídem,* pág. 231.

13
EL MOMENTO CULTURAL

A toda esta amplia visión de la época filipina faltaba algo muy relevante, aunque no poco fuese diciéndose aquí y allá: el momento cultural; la cultura de una sociedad enmarcada por una Monarquía confesional, de donde se deduce pronto que una de sus notas más destacadas es la de su profunda religiosidad, pero conllevando una intolerancia extrema, que sería su aspecto más negativo. No en vano a principios del reinado se encendían los autos de fe con sus hogueras bien calientes, para disuadir a los dudosos y para aniquilar a los disidentes. En ese ambiente religioso a lo romano, los decretos del Concilio de Trento calan muy pronto, gracias también a la decidida participación de la Corona para que se aplicaran en todo su rigor.

Y es en esa España donde brota el fenómeno del misticismo, y de tal calidad, que por fuerza ha de atraer nuestra atención. No olvidemos que tanto santa Teresa como san Juan de la Cruz realizan su obra reformadora y escriben sus admirables creaciones literarias a lo largo del reinado de Felipe II, y que la admiración del Rey hacia la Santa es un rasgo de su personalidad.

En contraste con ello, nos encontramos con un pobre desarrollo del humanismo, con escasos estudiosos de la Antigüedad romana y rarísimos de la griega. Veremos que la corriente erasmista, que tanto prometía en la década de los años veinte, con figuras como Luis Vives (cierto, viviendo en los Países Bajos) y de Alfonso de Valdés, se adelgaza de tal punto que casi desaparece.

También nos ha de interesar, por supuesto, el eco de los avances científicos, ya que tampoco en este terreno podemos referirnos a personalidades hispanas de notorio relieve, aunque sí a curiosos intentos de recepción de los logros del siglo, tanto en el campo del conocimiento del hombre como de la Tierra y del cosmos.

Una nota muy particular de la época es el auge universitario. Hay que añadir en seguida que respondiendo sobre todo a la necesidad de aquel Imperio en expansión por contar con más letrados y más teólogos, cosa propia de una Monarquía confesional. En este caso, un auge universitario donde se alza un modelo incuestionable: la Universidad de Salamanca.

Finalmente, es en ese ambiente donde se forman y crean su obra una serie de artistas y de escritores que ya están anunciando el Siglo de Oro de las letras y de las artes hispanas. Hemos citado el caso de los místicos, de santa Teresa y de san Juan de la Cruz. Tendremos que decir algo también de artistas como Juan de Juni y de El Greco o de Juan de Herrera —el que dará nombre al estilo arquitectónico que campea en la época—; pero también de músicos como Cabezón o como Tomás Luis de Victoria. Y, sobre todo, de un escritor, poeta esencialmente, pero también profesor del viejo Estudio salmantino, donde y como tal tendría una importante lección sobre las leyes, en notable contraste con la política absolutista cada vez más ostensible que emanaba de la corte, y acaso por ello acabando en aquel ignominioso proceso inquisitorial, del que forzosamente hemos de dar cuenta.

De ese modo terminaremos con la referencia al personaje que mejor sirve de contrapunto al propio Rey, a quien, por lo cual, prestaremos mayor atención. Porque fray Luis de León es uno de los máximos exponentes de la España sobre la que reinó Felipe II.

LO RELIGIOSO: ESPÍRITU TRIDENTINO Y MISTICISMO

Lo religioso es, sin duda, lo que más caracteriza a la sociedad española, incluso hasta nuestros mismos días; no digamos en el siglo XVI. La Iglesia es la institución mejor organizada, mejor dirigida, más nutrida y mejor desarrollada por todo el ámbito nacional. Los obispos eran una auténtica potencia, como lo eran a escala menor los párrocos en su parroquia, en especial en el ámbito rural, donde no encontraban obstáculos mayores a su influencia. El púlpito era un instrumento de control ideológico de primer orden, donde con precisión y rapidez se daba semanalmente a un público atento y respetuoso las consignas emanadas de las sedes episcopales. Añádase la acción de las grandes Órdenes religiosas, con sus predicadores, que atraían al público como pueden hacerlo ahora los cantantes más populares.

Y detrás de todo ello, la temible Inquisición.

Lo religioso impregnaba aquella sociedad, no ya sólo en los grandes acontecimientos personales: nacimiento, boda, muerte; o en los sociales: Navidad, Semana Santa, fiestas patronales. Es que, jornada a jornada, desde el primer toque de las campanas parroquiales llamando a misa, hasta la retirada al descanso, pasando por el ángelus del mediodía, la vida entera estaba impregnada por lo religioso. De tal forma, que cualquier cosa que hoy veríamos como privativo de una comunidad determinada se tomaba entonces como algo que afectaba a todos.

Un ejemplo: cuando santa Teresa funda su primer convento reformado de carmelitas descalzas, ello provoca las iras de la antigua Orden, y el conflicto salta al punto a las autoridades municipales.

Es algo que sabemos por la propia Santa, cuyo testimonio aquí resulta imprescindible:

> Desde a dos a tres días, juntáronse algunos de los regidores y corregidores y de el Cabildo, y todos juntos dijeron que en ninguna manera se había de consentir, que venía conocido daño a la república... [1]

De todo lo cual pronto se hizo eco el pueblo, no hablándose de otra cosa por toda la ciudad, si hemos de creer a la Santa, que aquí vuelve a darnos su testimonio:

> Era tanto el alboroto de el pueblo que no se hablaba de otra cosa, y todos a condenarme... [2]

Una sociedad así constituida tenía que seguir con la mayor atención el magno Concilio de la Iglesia celebrado a mediados del siglo, entre 1545 y 1563: el Concilio de Trento. Y al obedecer sus decretos, puede afirmarse que un espíritu tridentino acabaría campeando por todo el ámbito nacional, bien orquestado desde la corte por el Rey y sus principales colaboradores en lo religioso, como los inquisidores Fernando de Valdés y Espinosa, o como los confesores regios —verdaderas potencias en aquel reinado—, como fray Bernardo de Fresneda o fray Diego de Chaves.

Espíritu tridentino: esto es, depuración de la vida en vida y estudios, pero también incremento de la intolerancia.

Eso venía a corresponderse con el papel ejercido por la Iglesia española en el Concilio, un papel bien doblado por la acción de la Monarquía, tanto por Carlos V como por Felipe II. No olvidemos que si la presión de Carlos V, tras la paz de Crépy de 1544, había sido decisiva, propiciando la inauguración del Concilio en 1545, la de Felipe II no fue menos importante para que el Concilio reanudase sus sesiones en la tercera y última etapa de los años sesenta, tras la paz de Cateau-Cambrésis. Y al interés de los reyes correspondieron tanto los obispos como los teólogos españoles. Puede decirse que en la primera etapa sólo pudo echarse en falta a fray Francisco de Vitoria, y bien a su pesar, por la grave enfermedad que le tenía postrado en el lecho y que le acarrearía la muerte; lamentable situación de la que se dolería ante el príncipe Felipe en una notable carta que en su día publicamos, cuando la encontramos en el Archivo de Simancas:

> ... pero, bendito Nuestro Señor por todo —escribía Vitoria al Príncipe—, yo estoy más para caminar para el otro mundo que para ninguna parte déste... [3]

---

[1] Santa Teresa, *Libro de la vida,* en *Obras completas,* ed. 1979, pág. 164.

[2] *Ibídem.*

[3] Vitoria a Felipe II, Salamanca, 1545 (*Corpus documental de Carlos V, op. cit.,* II, pág. 322).

Ciertamente, en la segunda etapa de 1551 la resistencia del episcopado español fue mayor, en parte por el conflicto abierto entre Carlos V y Roma, de forma que no pocos obispos alegarían pretextos diversos para esquivar una situación que era tan embarazosa para ellos. Fue algo que investigué directamente en el Archivo de Simancas, encontrando estos resultados de dieciséis respuestas: el arzobispo de Toledo y los obispos de Coria, Plasencia y Zamora se negaron, otros diez opusieron dificultades, alegando falta de salud y hasta penuria económica que les impedía afrontar el viaje, mientras otros dos pedían un aplazamiento; mejor respondieron los teólogos, hasta el punto de suponer casi el 50 por 100 de los que llegaron a Trento. Y en la tercera etapa, ya bajo el signo filipino, la presencia española fue impresionante: más de cien figuras, entre obispos y teólogos, y de la talla de Laínez, Salmerón, Vázquez de Menchaca, Arias Montano, Pedro Guerrero y Covarrubias.

Es en ese ambiente donde poco a poco se va incubando la gran corriente mística representada por santa Teresa de Jesús y por san Juan de la Cruz.

Aquí la teología y la literatura al más alto nivel se dan la mano. En pleno reinado de Felipe II, en 1567, se produce uno de los hechos más importantes de la historia del Quinientos español: el encuentro entre santa Teresa y san Juan de la Cruz, de donde saldría la rama masculina de los carmelitas descalzos. Empieza también una serie de persecuciones, alentadas, cuando no promovidas directamente, por la antigua Orden de los Carmelitas (los calzados), con lances tan duros como el rapto de san Juan de la Cruz, llevado prisionero desde Ávila hasta Toledo, donde sufrió rigurosa cárcel en el convento de los carmelitas calzados.

Esto merece nuestra atención, porque nos pone en relación con el propio Rey.

En efecto, la Santa, en su afán de salvar a san Juan, se dirige al mismo Felipe II. Es cuando el *Epistolario* de santa Teresa se convierte en una fuente histórica de primer orden, probando, por un lado, la entereza de la Santa y, por otro, la vinculación de la nueva Orden con el Rey.

Eso ocurría a finales de 1577, cuando los sucesos más graves afectaban a la Monarquía, con Flandes en plena rebelión, donde don Juan de Austria era incapaz de sujetar las provincias levantadas contra Felipe II, cuando las acciones de los corsarios en el mar se mostraban más peligrosas y cuando la Hacienda regia se las veía y se las deseaba para atender a tantas necesidades.

El 2 de diciembre de 1577 se producía el rapto de san Juan de la Cruz. A los dos días, la Santa, no sabiendo a quién pedir auxilio, decide hacerlo al propio Rey.

Es una carta que merece ser glosada. Que una monja se dirigiera personalmente al Rey podía parecer falta de respeto, y la Santa lo reconoce desde el principio:

> Por amor de Nuestro Señor, suplico a V.M. perdone tanto atrevimiento.

Pero pone por excusa algo que sabe que sonará bien en los oídos regios: que, a su entender, la misma Madre de Dios lo había tomado como amparo de la Orden, con lo cual era claro que a él se debía acudir en los momentos difíciles. Por otra parte, se trataba nada menos que de la prisión y malos tratos que los calzados hacían contra un hombre de Dios:

> ... un santo, y en mi opinión lo es y ha sido toda su vida.

Atropello de la más elemental justicia, y gran desacato, por haberse hecho además con la agravante de estar tan cerca la corte del Rey: «... que ni parece temen que hay Justicia ni a Dios.»

Con lo cual, otra nota alarmante: ¿qué podía opinar la gente? «... dase escándalo al pueblo...»

Así que la Santa acudía al Rey como último recurso:

> Si V.M. no manda poner remedio, no sé en qué se ha de parar, porque ninguno otro tenemos en la tierra.

Y una suprema apelación: la cuestión de la honra. La honra de todo lo divino, cuya protección Dios había puesto en manos del Rey[4].

La liberación del Santo no vino, sin embargo, por orden del Rey, sino gracias a su propia fuga de la cárcel conventual toledana en que los calzados le tenían preso[5]. Pero el interés del Rey por santa Teresa es un aspecto bien conocido de su personalidad, como lo mostraría la veneración con que ordenó que el original de su *Libro de la vida* se custodiase en la Biblioteca del monasterio de San Lorenzo de El Escorial, y su apoyo a que se hiciera una edición completa de su obra, que el Consejo Real encomendaría a fray Luis de León, a poco de morir la Santa.

ATONÍA DEL HUMANISMO

Misticismo, por tanto, y de la máxima calidad, no sólo espiritual, sino también literario; pero no olvidemos que con frecuencia bajo sospecha por el celo de los inquisidores de turno, con los que más de una vez hubo de vérselas santa Teresa.

Quizá por ello, a tono con ese rigor inquisitorial, quepa hablar del argollamiento sufrido también por los humanistas del Quinientos, lo que puede explicar la atonía en que cae un humanismo que tanto prometía bajo los pri-

---

[4] «Yo espero en Él —terminaba la Santa— nos hará esta merced, pues se ve tan solo de quien mire por su honra. Continuamente se lo suplicamos todas estas siervas de V.M. y yo.» (Santa Teresa a Felipe II, Ávila, 4 de diciembre de 1577, *Epistolario,* en *Obras completas,* ed. 1979, págs. 884 y 885.)

[5] Véase con más detalle en mi libro *La sociedad española en el Siglo de Oro,* Madrid, Gredos, 1989, 2 vols., I, págs. 552 y 553.

meros años de Carlos V. ¿Estamos ante una gran frustración, como señala Luis Gil? [6] Por su estudio del estado de la cuestión se puede llegar a la conclusión de que el cultivo del latín era escaso, incluso en las aulas universitarias, pese a la obligación —frecuentemente incumplida— de que los profesores explicaran en latín.

Sólo estaban exentos, pudiendo explicar «en romance», los profesores de las cátedras de astrología, música y gramática; pero, de hecho, era el medio habitual en todas, empleando a lo sumo una «jerga macarrónica», como la denomina Rodríguez-San Pedro [7]. Y tan era así, que hasta los que acudían a examinarse para ordenarse sacerdotes estaban «... tan faltos de latín que no entienden cosa dél» [8].

Y si eso era lo que ocurría con el latín, y con los disparates que en ese campo se cometían, provocando la hilaridad de Nebrija, en las mismas sesiones universitarias [9], mucho peor era lo que sucedía con el griego. «Menester es ahora recuperar alientos —indica Luis Gil— antes de adentrarse en un campo aún más yermo, todavía más desolado: el de nuestro helenismo» [10].

Que la Inquisición y el espíritu inquisitorial de la cúpula directiva de aquella Monarquía influyó en la atonía del humanismo, parece evidente. Era algo que trascendía de las fronteras, haciendo decir a Erasmo: «Non placet Hispaniam.» Por la misma razón, vemos a Luis Vives residiendo ya en Inglaterra, ya en los Países Bajos, pero sin regresar a España, pese a lo que añoraba su tierra natal valenciana [11]. Quizá lo habría hecho si hubiese podido contar con la protección del duque de Alba, pues dejó constancia de lo mal que le supo perder la oportunidad de educar al futuro tercer duque —el que la historia conoce ya como el Gran Duque de Alba— [12]; aunque eso mismo resulta dudoso, pues por esas fechas la Inquisición procesaba a su familia y procedía incluso contra su madre, pese a que ya había fallecido [13].

También influyó la batalla librada a mediados de siglo en torno a la imposición del Estatuto de limpieza de sangre, auspiciado por el arzobispo de

---

[6] Luis Gil, «El humanismo español del siglo XVI», est. cit., pág. 215.

[7] Luis Enrique Rodríguez-San Pedro Bezares, *La Universidad salmantina del Barroco (1598-1625)*, Salamanca, 1986, 3 vols., II, pág. 305.

[8] *Ibídem.*

[9] «Yo solo me reí y di del codo a los que cerca de mí estaban oyendo...», comentaba Nebrija de una sesión del Claustro universitario, en carta a Cisneros escrita en 1515 (Luis Gil, est. cit., pág. 219).

[10] *Ibídem,* pág. 246. V. del mismo autor su notable libro *Panorama social del humanismo español (1500-1800),* Madrid, 1981.

[11] Bien presente en su diálogo *Leges ludi,* donde deja escapar sus sentimientos: «... tengo un deseo irresistible de ver la patria que no he visto tanto tiempo ha» (en la ed. de sus *Obras completas* de Lorenzo Riber, Madrid, Aguilar, 1948, II, pág. 959).

[12] En carta a Erasmo desde Brujas, 1 de abril de 1522 (*Obras completas,* ed. cit., II, págs. 1694 y 1695).

[13] Sobre Luis Vives, véase mi comentario en *La sociedad española en el Siglo de Oro,* Madrid, Gredos, 1985, I, págs. 463 a 484. Asimismo, a Carlos G. Noreña, *Juan Luis Vives,* Madrid, 1978.

Toledo Silíceo en los años cuarenta. Curiosamente, en un principio no consiguió el apoyo de su antiguo pupilo, el príncipe Felipe. La batalla se libraba en el cabildo catedralicio toledano entre los canónigos vinculados a los linajes de conversos y los llamados cristianos viejos. Como pudo demostrar Sicroff, Silíceo no dudó en acusar a los conversos de falsas maquinaciones con los judíos sitos en Constantinopla, mientras sus contrarios daban la voz de alarma contra la ignorancia de la mayoría de los cristianos viejos. La réplica de Silíceo nos da idea de su bajo nivel cultural, de lo que por otra parte se mostraría orgulloso:

> Que se admitan cristianos viejos [14], aunque no sean ilustres nobles ni letrados —replicaría— es mucho mejor que admitir los que descienden de herejes quemados, reconciliados, penitenciados y abjurados, teniendo la calidad de ilustres nobles, letrados, como los hay en esta santa Iglesia...

¿Y eso por qué? Por lo que podía ocurrir, si intervenía la Inquisición. El argumento de Silíceo, en aquellos mediados del Quinientos, resultaba decisivo:

> ... porque de los ilustres cristianos viejos está muy segura esta Santa Iglesia que no será afrentada llevándoles la Inquisición, como se suele hacer de los que no son cristianos viejos [15].

Fue una batalla larga, que Silíceo acabó ganando, tras acudir a Roma (Paulo III lo apoyaría por un breve de 1548, ratificado por Paulo IV en 1555) y después de conseguir en la corte el apoyo de los poderosos ministros Granvela, padre e hijo [16]. Finalmente, Felipe II lo confirmaría desde Bruselas, en 1556 [17]. Y a partir de ese momento se fue extendiendo por toda España, no sólo en el ámbito eclesiástico, sino también en las Órdenes Militares y en los principales cargos de la Administración, tanto a nivel nacional como regional y local.

Con una salvedad, como hemos de ver: la de la Universidad de Salamanca.

En efecto, en el Claustro del Estudio salmantino se puso a debate si, al modo como lo había hecho ya la Universidad de Alcalá de Henares, se imponía también un Estatuto similar de limpieza de sangre:

---

[14] En el cabildo catedralicio.

[15] Citado por Albert S. Sicroff, *Les controverses des Status de «pureté de sang» en Espagne du XVe an XVIIe siècle,* París, 1960, págs. 95-106. Está claro que Silíceo se refería al canónigo Vergara, procesado por la Inquisición en 1534.

[16] Silíceo a Antonio Perrenot de Granvela, Toledo, 17 de enero de 1549: agradeciendo, tanto a él como a su padre, su ayuda para la imposición del Estatuto de limpieza de sangre en la catedral de Toledo. (Bibl. de Palacio, Ms., leg. 2280, s.f.)

[17] Sicroff, *op. cit.,* pág. 137.

Atento a que en la Universidad de Alcalá se había hecho un Estatuto, que era muy santo y digno de guardar, que en esta Universidad se hiciese lo mismo: que ninguno que viniese de raza de judío se pudiese graduar de Teología, atento que en estos tiempos presentes había tanta necesidad que los que oyesen y se graduaren en dicha Facultad, fueren cristianos viejos...

Eso ocurría en 1561, el año en que se imponían los severos Estatutos dictados por Covarrubias. Pero, en este caso, aquella medida restrictiva no prosperó:

... el dicho Claustro, oído y entendido, la dicha Universidad y Claustro se resolvió y concluyó en que por agora el dicho Estatuto no se hiciese... [18]

Pero estaba claro que la manía de la limpieza de sangre no hacía sino enrarecer el ambiente intelectual, con perjuicio del desarrollo del humanismo, como lo era forzosamente todo crecimiento de la intolerancia. Estaba a la par con el apoyo que continuamente daba la Corona a la Inquisición y a sus representantes, no sólo frente a las autoridades civiles, sino incluso también ante las más altas jerarquías de la Iglesia española, cuando se producía algún conflicto de jurisdicción. En tales casos, la voluntad regia se manifestaba de forma clara y ostensible, como cuando el príncipe Felipe escribía al capitán general de Cataluña en 1547:

Y porque la voluntad de S.M. y mía es que el dicho Santo Oficio sea honrado y favorecido, pues dél se siguen tantos servicios a Dios Nuestro Señor y utilidad de nuestra religión cristiana... vos mandamos que de aquí adelante no os entrometáis a conocer ni conozcáis de las causas tocantes a los dichos oficiales, ministros y familiares de la Inquisición... [19]

Rapapolvos semejantes reciben la Chancillería de Valladolid o el arzobispo de Valencia, a tono con el incremento del rigor inquisitorial de mediados de siglo, que desembocaría en los duros autos de fe de 1559, celebrados en Valladolid y Sevilla.

Y no eran los únicos signos de cuán difíciles eran los tiempos. Enumeremos algunos otros de los más significativos: la pragmática regia de 1557, prohibiendo a los estudiantes salir a estudiar en universidades extranjeras, con la excepción, claro, de las pontificias de Roma y Bolonia y de la de Nápoles (ésta como propia), con la excusa de que se corría el peligro de que adelgazasen las nacionales, pero advirtiendo a la princesa Juana, gobernadora

---

[18] Citado por Beltrán de Heredia, *Cartulario...*, *op. cit.*, II, pág. 330; cf. mi *Fray Luis de León, op. cit.*, pág. 167.

[19] Véase mi libro *La sociedad española del Renacimiento*, Salamanca, 1970, pág. 222. Para más detalles, v. *supra*, págs. 63 y sigs.

entonces de España en ausencia de su hermano, que se hacía para evitar posibles contagios heréticos [20]. Y eso precisamente cuando los españoles refugiados en Ginebra abrigaban la ilusoria esperanza de algún cambio, por la guerra desatada aquel año entre el Rey y el papa Paulo IV [21]. Estaba también la publicación de los Índices de libros entre 1551 y 1559 [22], el control aduanero sobre la entrada de libros y, en especial, sobre la actuación de los profesores en sus cátedras universitarias, con las visitas periódicas impuestas a partir de 1561, como tendremos ocasión de ver.

Pésimo ambiente, por lo tanto, para que se desarrollaran libremente los estudios humanistas, tanto más que nunca habían sido nada lucidos. En 1538, Luis Vives dudaba que fuera muy conocido en España, con estos desolados términos:

> ... mis obras son pocos los que ahí las leen, más pocos los que las entienden y poquísimos los que las compran; tan fríos están en el estudio de las letras nuestros hombres [23].

Además, pues, del desvío general de aquella sociedad hacia las letras profanas, estaba el riesgo en que se podía caer, ante la mirada recelosa del inquisidor de turno, como aquel —cuyo nombre desconocemos— que al censurar un texto de fray Luis de León anotaría al margen de un pasaje que le resultaba oscuro: «No lo entiendo qué quiso dezir esta bestia» [24].

De ese modo aquel «iluminado» trataba al gran poeta.

De hecho, estaba siempre presente el escollo que denunciaba un sufrido humanista, el helenista Pedro Juan Núñez, en carta al cronista Jerónimo Zurita en 1556:

> La aprobación que v. m. ha hecho de mis estudios me da muy grande ánimo para passarlos adelante, porque si esso no fuesse, desesperaría, no teniendo aquí persona con quien poder comunicar una buena corrección o explicación, no porque no haya en esta ciudad [25] personas doctas, pero siguen muy diferentes estudios...

---

[20] «Porque de salir a estudiar fuera de estos Reinos se ha visto por experiencia los daños que se han seguido y siguen en lo de la religión y costumbres» (Simancas, Estado, Castilla, leg. 137, fol. 124).

[21] Bataillon, *Erasmo y España,* México, 1950, II, pág. 318.

[22] I. L. González Novalín, *El inquisidor general Fernando de Valdés,* Oviedo, 1968-1971, 2 vols., II, págs. 245 y sigs.

[23] Luis Vives a Juan Maldonado, Breda, 16 de diciembre de 1530 (*Epistolario,* en *Obras completas,* ed. cit., II, pág. 1733).

[24] Anotación del inquisidor al original de fray Luis de León de sus glosas al *Cantar de los Cantares,* cuyo códice posee la Real Academia de la Historia. Fue una de las piezas más singulares llevadas a la Exposición que sobre fray Luis organizó la Universidad de Salamanca en 1991. Se recoge en preciosa fotografía en los diálogos que dediqué al poeta aquel año (Manuel Fernández Álvarez, *Fray Luis de León. La poda florecida,* Madrid, Espasa Calpe, 1991, lám. 12, pág. 156).

[25] Valencia.

Y añade más, declarando ya sus temores:

> ... y lo peor desto, que querrían que nadie se aficionase a estas letras
> humanas, por los peligros, como ellos pretenden, que en ellas hay, de
> cómo enmienda el humanista un lugar de Cicerón, assí enmendar
> uno de la Escritura, y diziendo mal de comentadores de Aristóteles,
> que hará lo mismo de los Doctores de la Iglesia...

Ante tamaña estolidez, ¿no era para desesperarse? Así lo sentía aquel sufrido helenista:

> Estas y otras semejantes necedades me tienen tan desatinado, que
> me quitan muchas vezes las ganas de passar adelante...[26]

Así pude escribir yo hace más de veinte años en otro estudio mío, al encararme con una cuestión de tanta actualidad, como es la inquietante situación que con tanta frecuencia vive el intelectual en España:

> Se controla con mayor rigor todo lo que está en torno al quehacer del intelectual, personaje siempre mirado con recelo por el hombre autoritario lanzado a la política, pero ahora mucho más desde que se sospechan posibles desviaciones de la fe. Porque la ortodoxia no es sólo una cuestión religiosa, sino que se entiende que afecta también a la política, en parte por la tradicional obligación de que la espada del príncipe defienda los principios religiosos, en parte porque toda alteración religiosa se considera que trastorna gravemente el cuerpo social de la república, y, por ende, socava también las mismas estructuras políticas. Por ello, y dado que los conversos son tenidos a la par como gente aguda y como sospechosos en su fe —amigos, en suma, de novedades—, todo alarde de talento puede resultar peligroso. El doctor Villalobos, médico de la corte imperial, no se atreverá a disentir públicamente del dictamen que emiten sus colegas en la última enfermedad de la emperatriz, y en carta privada lamentará el que pueda ser tachado de agudo y, en consecuencia, insultando a su abuelo; esto es, teme que sea recordado su linaje, y eso le cohíbe a la hora de mostrar su disparidad en momento tan crítico. Tan arriesgada se convierte la tarea del intelectual, que fray Luis de León temerá que de entre sus alumnos salga un posible delator. Y el hombre del pueblo se mostrará orgulloso de su analfabetismo, que lo ponía a cubierto del brasero inquisitorial, como aquel aspirante al oficio de alcalde que nos evoca Cervantes en su entremés *La elección de los alcaldes de Daganzo,* lo cual se hallaba en plena correspondencia con los afanes del arzobispo de Toledo Silíceo, cuando quiere imponer los estatutos de limpieza de sangre para el acceso al cabildo de aquella catedral, razonando que más prefería cristianos viejos menos doctos,

---

[26] Citado por Luis Gil, est. cit., pág. 263.

que otros nuevos más preclaros por sus letras y aun por sus parentescos (eran frecuentes los enlaces entre linajes nobiliarios y conversos), pero más inciertos en la firmeza de su fe. La Inquisición penetra en la Universidad española, escudriña sus bibliotecas, vigila la actuación de su profesorado y advierte repetidas veces a sus Rectores que la tengan al tanto de cualquier novedad sospechosa.

De esta manera, limitados los contactos renovadores con el exterior y enrarecido el ambiente interior, el despliegue de nuestro humanismo tenía que ser por fuerza de pobre cuantía. El que tenía conocimientos e ingenio para criticar a los clásicos también podía hacerlo de los libros sagrados o de los textos de los Santos Padres, y sobre él se cernía una sombra de sospecha. En suma, demostrar profundidad de conocimientos e independencia de carácter era altamente comprometido.

Este fue el drama de la intelectualidad española del siglo XVI. Así se comprende el exilio voluntario de Juan Luis Vives, las inhibiciones del doctor Villalobos y el heroísmo desplegado en su cátedra por fray Luis de León. Así se comprende, también, el desmedrado desarrollo de nuestras imprentas, en muchos casos en manos de extranjeros, como los Hutz y los Gieser, impresores alemanes que se ven sucedidos en Salamanca por otros italianos, como los Giunta y los Portonari. En Valladolid —que era uno de los centros culturales de mayor tradición— no llegan a cuatrocientos los libros impresos en el siglo XVI. En Madrid hay que esperar al traslado de la corte para que surja la primera imprenta, que no empezará a funcionar hasta 1566. El panorama será más sombrío en otras zonas más apartadas: así, en Oviedo, pese a que su Universidad —el legado del inquisidor Valdés— abre sus puertas a principios del siglo XVII, serán precisos más de cincuenta años para que se instale la primera imprenta, que no hay que decir que es la primera del Principado. No existían imprentas con caracteres adecuados para imprimir textos griegos, salvo en Alcalá de Henares, gracias al amparo de Cisneros, y aun aquel material tipográfico se perdió a poco de la muerte del Cardenal, de forma que cuando Felipe II ordene que se haga una nueva edición mejorada de la *Biblia políglota,* habrá que intentarlo en Amberes, no en España. Añádase la general penuria de libros. Es cierto que el mecenazgo de Felipe II crea en España una de las más importantes bibliotecas de Europa, con miles de ejemplares (impresos o manuscritos) de extraordinario valor; pero en lugar de vivificar un centro universitario (bien necesitado de ellos, pues la pública de Salamanca sólo tenía unos cientos de obras) enterró aquel tesoro en un lugar tan apartado como lo era entonces El Escorial, fuera del alcance de la mayoría de los estudiosos de su tiempo [27].

---

[27] Manuel Fernández Álvarez, *Edad Moderna,* en *Historia de España,* Barcelona, Carroggio, S. A., 1976, III, págs. 36 y 37. Quiero agradecer a la Editorial Carroggio no sólo que realizara entonces tan espléndida edición de mi estudio sobre la Edad Moderna, sino que me autorizara para publicarlo como libro independiente para uso de los estudiantes universitarios, apareciendo con el título *España y los españoles en la Edad Moderna* (Salamanca, 1979).

El eco de la ciencia

Partamos de la siguiente base: el siglo XVI está lejos de alcanzar en la ciencia resultados tan sorprendentes como los que lograría en el siglo XVII, por algo llamado como el de la revolución científica. Sin embargo, tanto en el mejor conocimiento del hombre como de la Tierra, así como en un atisbo del verdadero ordenamiento del cosmos, sí hubo avances notables, como puede comprenderse con sólo citar figuras como Vesalio y Copérnico. De ahí que sea necesario plantearse en qué medida la España del Quinientos participó en esas tareas, o, al menos, si se hizo eco de lo conseguido por los hombres de ciencia de la Europa occidental.

Lo primero a constatar es que un mayor sentido crítico empieza ya a notarse en los hombres del tardío Renacimiento. A este respecto, suele considerarse a Descartes como el primer hombre moderno, porque rechaza totalmente el principio del *magister dixit,* elevando la duda a la base de su sistema filosófico, para encontrar una roca firme donde asentar su pensamiento. Pero lo cierto es que ese talante intelectual (sin llegar, por supuesto, a un verdadero planteamiento filosófico, y ese sería el mérito de Descartes) lo encontramos ya en figuras del siglo XVI. Así, Cristóbal de Villalón —o quienquiera que fuese el autor del *Viaje de Turquía*— hará expresarse de este modo a un personaje de su obra:

> ¿Por qué tengo yo de creer cosa que primero no la examine en mi entendimiento? ¿Qué se me da a mí que los otros lo digan, si no lleva camino?

Y para remachar más su espíritu crítico, añade:

> ¿So yo obligado, porque mi padre y mi abuelo fueron necios, a sello? [28]

Pues bien, en el mejor conocimiento de la naturaleza física del hombre se puede recordar el nombre de un español: el médico Miguel Servet, descubridor de la pequeña circulación, o circulación pulmonar. Sin duda, la gran figura del siglo lo fue el belga Vesalio (1514-1564), muy vinculado a la Casa de Austria, como médico de Carlos V y de Felipe II, y, como tal, el autor de la difícil trepanación que hubo de realizar al príncipe don Carlos para salvarle la vida, después de su aparatosa caída por una escalera de su mansión en Alcalá de Henares en 1562.

La fama, y bien merecida, de Vesalio radica en su obra: *De humani corporis fabrica,* publicada en 1543; está basada sobre su propia experiencia, con el

---

[28] Cristóbal de Villalón (?), *Viaje de Turquía,* ed. de Solalinde, Buenos Aires, Col. Austral, 1946, pág. 49. Sobre el racionalismo del autor de esta obra, Marcel Bataillon, *Erasmo y España, op. cit.,* II, págs. 298 y sigs.

estudio directo del cuerpo humano, hecho sobre numerosas disecciones de cadáveres. Como eco de lo que supuso ese avance científico, nos encontramos en España con la obra de un discípulo de Vesalio, el palentino Juan Valverde de Amusco, que escribió el libro *Historia de la composición del cuerpo humano.*

Yo pude encontrar otra huella en la documentación de la Universidad de Salamanca, pues en sus claustros se aprueba en 1550 la creación de una nueva cátedra de anatomía, razonándose que para que los futuros médicos supiesen curar tenían que estudiar no sólo en los libros, sino también «ver con los ojos»[29]. Sin duda, era una nueva mentalidad que trataba de superar la vieja rutina de los estudios médicos, hasta entonces basada en la máxima del *magister dixit,* tal como lo prescribían las antiguas obras de Hipócrates y Galeno. Y lo cierto es que a mediados de siglo, pocos años por tanto después de que apareciese el tratado de Vesalio, las principales Universidades hispanas crean la cátedra de anatomía: Valencia en 1549, Valladolid en 1550, Salamanca en 1551 y Alcalá de Henares hacia 1560[30].

Por lo tanto, en el campo de la medicina el papel de España es meritorio, con figuras como el segoviano Andrés Laguna, otro anatomista al que vemos trabajar en París, que con su *Anatomica methodes seu de sectiones humani corporis,* aparecido en 1535, ya empieza a basarse en las observaciones empíricas obtenidas en la disección de cadáveres; algo reconocido también por otro médico español de la época, Luis Lobera de Ávila, al que vemos como médico de Carlos V. Notable también fue el converso Francisco López de Villalobos (1479-1549), médico de la corte de Carlos V, que asistió impotente a los últimos momentos de la emperatriz Isabel, que prestó su atención a la nueva enfermedad que afligía a aquella sociedad: las «pestíferas bubas» o sífilis. A fines de siglo, el médico más destacado es Luis Mercado, destacado cirujano y autor también de un tratado sobre la peste *(De natura pestis),* aparecido en Madrid en 1598, cuando la temible enfermedad empezaba a extenderse por toda España.

Si en el conocimiento del cuerpo humano apreciamos como un eco —eso sí, importante— de los avances logrados por los hombres de ciencia europeos de la talla de Vesalio, en el conocimiento de la Tierra es donde España se muestra pionera, como no podía ser menos, siguiendo la estela de los navegantes y descubridores que proliferan después de Cristóbal Colón. Aquí sí

---

[29] Archivo Universidad de Salamanca, Libros de Claustros, XIX, fols. 5 v. y 6. Dos años después se plantea en el Claustro la construcción de un edificio para la cátedra de anatomía y se pide al Consejo Real que ordenase a la justicia la entrega de los cadáveres de los que fuesen ajusticiados y al hospital los de los pobres que allí muriesen «para que en ellos se pudiese hacer e hiciese la anatomía...» (véase mi estudio cit. «La Universidad de Salamanca: Etapa renacentista», I, pág. 78).

[30] C. D. O'Malley, «Los saberes morfológicos en el Renacimiento: la Anatomía», en *Historia Universal de la Medicina,* dir. por Pedro Laín Entralgo, IV, Barcelona, 1973, pág. 69.

que los avances, sobre la Antigüedad, eran tan impresionantes como indiscutibles. Como diría Jean Fernel hacia 1530:

> Nuestra época no necesita en modo alguno despreciarse a sí misma y contemplar el saber de los antiguos...

Y podría añadir, con razón:

> En nuestra época se realizan proezas que la Antigüedad ni siquiera soñó... Si alguno [Platón, Aristóteles y Tolomeo] resucitara hoy, encontraría la geografía tan cambiada que no podría reconocerla. Los navegantes de nuestra época nos han dado un nuevo globo terrestre [31].

Pues bien, evidentemente, en la mayoría de los casos esos navegantes eran españoles, desde los que acompañaron a Colón y Magallanes, como Juan de la Cosa y Juan Sebastián Elcano, hasta Urdaneta. Si Elcano fue el primer hombre que dio la vuelta al mundo (mereciendo el escudo concedido por Carlos V, con una imagen del globo y la leyenda: *Primus circundidisti me),* Urdaneta fue el primero que, adentrándose en el Pacífico Norte, encontró la corriente marina que permitiría hacer el tornaviaje entre Filipinas y México, asegurando así el enclave español en aquella parte de Asia.

A lo largo del siglo, la Casa de Contratación de Sevilla, fundada en 1503, mantendría una auténtica escuela náutica, con el cargo de piloto mayor, estando al día de los avances cosmográficos y cartográficos, acogiendo a nacionales y extranjeros (entre éstos, a Américo Vespucio) y realizando notables descripciones geográficas de América.

Todo ello se reflejaría en el orgullo con el que los españoles del Quinientos aludían a esas hazañas, en las que se notaban tan superiores a la Antigüedad, como cuando Pedro Lagasca, el pacificador del Perú, describía al rey Fernando (después emperador) lo que había visto en aquellas tierras, y comentaba:

> ... las diversidades de temples en aquellas tierras, y especialmente en el Perú hay. Y cuán, contra lo que todos los antiguos escribieron de las zonas, especialmente de la Tórrida... [32]

Eso tenía que apreciarse en la obra de los estudiosos, y desde muy pronto. Así en 1519, el mismo año en que Carlos V es elegido emperador, se publica en Sevilla la *Summa de Geografía,* escrita por uno de los más activos descubridores de aquellas fechas, Martín Fernández de Enciso, que participa en la

---

[31] Citado por J. D. Bernal, *Historia social de la Ciencia,* Barcelona, 1968, 2 vols., I, pág. 309.
[32] Lagasca a Fernando I, Villamuriel, 2 de febrero de 1554 (*Corpus documental de Carlos V, op. cit.,* III, pág. 646).

exploración desde las Antillas hasta Tierra Firme. En la portada de su libro, Fernández de Enciso proclamaba que trataba

> ... de todas las partidas et provincias del mundo, en especial de las Indias...

Pero también discurría sobre el arte de marear en pleno Océano, lejos ya de la vista de la tierra y, por tanto, cuando no se podía seguir la técnica tradicional del cabotaje, sino orientándose por las estrellas.

Más fama alcanzaría un cuarto de siglo después la obra de Pedro de Medina *Arte de navegar,* hasta el punto de que tendría numerosas reediciones, siendo traducida a los principales idiomas de la Europa occidental: francés, italiano, inglés, alemán e incluso holandés. Una obra que la Casa de Contratación de Sevilla no acogió con agrado, acaso porque temiera que con su difusión perdiera España el monopolio de la ruta indiana, pues, como Pedro de Medina anunciaba, su libro contenía:

> ... todas las reglas, declaraciones, secretos y avisos que a la buena navegación son necesarios...

Y cosa importante para nuestro intento de presentar la España de Felipe II, Pedro de Medina dedicaba su obra

> ... al muy serenísimo y muy esclarecido señor don Phelipe, príncipe de España... [33]

En ese orden de cosas fueron apareciendo, a lo largo del siglo, otros diversos tratados en los que los españoles ponían su contribución al mejor conocimiento de la Tierra, dado que no en vano eran ellos, junto con los portugueses, los pioneros en la era de los descubrimientos geográficos. Y eso desde ambas orillas del Atlántico, de forma que es a finales del reinado de Felipe II cuando se publica en México la obra de Juan de Cárdenas *Problemas y secretos maravillosos de las Indias,* donde, entre otras cosas, pone a discusión las teorías de los antiguos sobre las causas de fenómenos como los terremotos, contrastándolas con las experiencias vividas en las Indias [34].

En cambio, poco añadiría de nuevo, salvo la ya confirmación —tan evidente— de la esfericidad de la Tierra, Fernán Pérez de Oliva con su *Cosmografía nueva,* correspondiente a su curso en la Universidad salmantina de 1526 ó 1527 [35].

---

[33] Véase el libro *El siglo de Fray Luis de León* (Salamanca, 1991) y los precisos comentarios que dedica a estas obras Jacobo Sanz Hermida (págs. 192 y 193).

[34] Juan de Cárdenas, *Problemas y secretos maravillosos de las Indias,* México, 1591, ed. facsímil; Madrid, Instituto de Cultura Hispánica, 1945, fols. 64 y sigs.

[35] Fernán Pérez de Oliva, *Cosmografía nueva,* Salamanca, ed. bilingüe, con estudios introductorios de Cirilo Flórez Miguel, José Luis Fuertes Herreros y Pablo García Castillo, 1985.

Pero es en el estudio del cosmos donde el Quinientos llevaría a cabo el avance más significativo, y tan revolucionario, que provocaría el gran escándalo, siendo aceptado por muy pocos. Ese sería el caso de la teoría heliocéntrica de Copérnico, expuesta en su libro *De revolutionibus orbium coelestium,* aparecido el mismo año de su muerte, en 1543, y del que un alumno suyo, el alemán Rhetius, había dado un anticipo en su *Narratio prima,* publicada en 1540.

Sostener que la Tierra era la que se movía en torno al Sol, y no a la inversa, tan en contra de lo que los sentidos parecían evidenciar y, sobre todo, tan distinto a lo que se desprendía de las enseñanzas de la Biblia, parecía más que escandaloso: sacrílego. Y como tal lo consideraron la mayoría de las Universidades católicas, empezando por la Sorbona parisina. Y del mismo criterio fueron los más destacados heresiarcas. Para Lutero, en su *Tischreden,* Copérnico no era sino un pobre mentecato que quería trastornar toda la astronomía. Tampoco salió mejor parado con Calvino, que criticó duramente a quienes ponían tales teorías por encima de las Sagradas Escrituras.

En ese orden de cosas, resulta notable que los Estatutos de la Universidad de Salamanca de 1561 propiciaran la lectura del libro de Copérnico, en estos términos:

> *Título XVIII. Cátedra de Astrología*
>
> En la Cátedra de Astrología el primer año se lea en los 8 meses Esphera y Theóricas de planetas, y unas Tablas; en la substitución, Astrolabio.
>
> El segundo año, seis libros de Euclides y Aritmética hasta las raíces cuadradas y cúbicas y el Almagesto de Ptolomeo, o su Epítome de Monte Regio o Geber o Copérnico, al voto de los oyentes; en la substitución, la Esphera.
>
> En el tercer año, Cosmographía o Geographía, un introductorio de iudiciaria y perspectiva, o un instrumento, al voto de los oyentes; en la substitución, lo que paresciere al Cathedrático, comunicado con el Rector.

Por lo tanto, en la cátedra de Astrología se deja al alumnado la elección de si había de estudiarse a Copérnico, en terna con el clásico Ptolomeo y con Geber, un alquimista árabe del siglo VIII.

A finales de siglo, en 1594, los nuevos Estatutos serían todavía más precisos, no dejando la lectura de Copérnico a juicio del alumno, a escoger en terna con Ptolomeo o con Geber, sino haciéndola obligatoria:

> El segundo cuatrienio léase a Nicolás Copérnico y las Tablas Plutérnicas, en la forma dada [36].

---

[36] Véase mi estudio *Copérnico y su huella en la Universidad de Salamanca del Barroco,* Salamanca, 1974, pág. 18.

Esto plantea la cuestión de si la Universidad de Salamanca fue la primera, y acaso la única, que en el siglo XVI se adscribió a la tesis copernicana. Un tema de tal envergadura, por lo que supondría de novedoso, que me pareció obligado investigar directamente en el archivo del viejo Estudio salmantino.

A ese respecto hay que tener en cuenta lo siguiente: en Copérnico, la mayoría de sus lectores veían dos aspectos; por un lado, el autor de la extravagante teoría de que era la Tierra la que se movía alrededor del Sol —algo ya sostenido en la Antigüedad por Aristarco de Samos, pero en la que nadie creía, aparte de que se consideraba como una blasfemia, por ir en contra de la letra de las Sagradas Escrituras— y, también, el autor de unas tablas astronómicas más perfectas que las de Alfonso X el Sabio, útiles, por lo tanto, para los horóscopos de los astrólogos. Y había que recordar que en las Universidades no había cátedra de astronomía, sino de astrología, ciencia que se consideraba indispensable para la medicina, para que los médicos supieran curar bien a sus enfermos, según el signo del zodíaco bajo el que hubieran nacido. Lo cierto es que en los Libros de Visitas del Estudio de Salamanca no existe ningún indicio de que se debatiera, en la cátedra de astrología, la tesis heliocéntrica. Es preciso entrar en el siglo XVII para que a finales de 1616 —el año en que Roma lanza su anatema contra Copérnico— se indique del maestro Roales, catedrático de astrología:

> Va leyendo la Cosmografía de Ptolomeo y la comenzó ha un mes, por haber estado enfermo. Y va en la cuestion *si la tierra se mueve*[37].

La permanencia del maestro Roales en su cátedra, al menos hasta el curso 1620-1621, permite asegurar que no se había enfrentado con la decisión romana, sino que la había seguido, excluyendo la tesis heliocéntrica de Copérnico.

Sin embargo, no es poco que hasta ese momento en Salamanca se leyese sin escándalo a Copérnico, demostrando que en el siglo XVI su Universidad seguía abierta a las novedades científicas de la época. Es imposible precisar en qué medida sus alumnos fueron más allá de sus Tablas astronómicas, pero se puede conjeturar que algunos sí lo hicieron, como aquel Diego de Zúñiga, alumno de Salamanca y profesor después de Toledo, acaso el más entusiasta seguidor de Copérnico, hasta el punto de que Roma lo colocaría a su lado, en su condena de 1616[38].

---

[37] Véase mi estudio *Copérnico...*, pág. 20. El subrayado es nuestro.

[38] «Habiendo llegado a conocimiento de esta Congregación que la falsa doctrina de los pitagóricos, completamente contraria a las Sagradas Escrituras, sobre el movimiento de la Tierra y la inmovilidad del Sol, que proclaman Nicolás Copérnico en *De revolutionibus orbium coelestium* y Diego de Zúñiga en *Job,* logró ser aceptada por muchos, se acuerda como imprescindible suspender las obras que se citan hasta que no se corrijan» (cf. mi *Copérnico...*, págs. 20 y 21).

Auge universitario: el modelo de Salamanca

Todos los estudiosos del tema lo señalan: el siglo XVI asiste a un notable despliegue universitario, no sólo porque aumenten los llamados Estudios, sino también porque incrementan su matrícula y ganan en importancia las viejas Escuelas, de las que destacan en la Corona de Castilla las de Salamanca, Valladolid y Alcalá de Henares (ésta fundada por Cisneros a principios del siglo), mientras en la Corona de Aragón lo hace la de Valencia[39].

En el espacio de medio siglo se crean las andaluzas de Sevilla y Granada (1526), mientras en el Norte van surgiendo las de Santiago de Compostela (1501), bajo el amparo del arzobispo Fonseca, y la de Oñate (1542), fundada por Rodrigo de Mercado. Y no son las únicas, pues aparecen también otras en Sigüenza, Toledo, Burgo de Osma (ésta bajo el patrocinio del obispo Acosta), e incluso una con patronato nobiliario, la de Osuna, vinculada a esa casa ducal. En la Corona de Aragón, junto a la ya citada de Valencia, vemos otras en Barcelona, Zaragoza, Huesca y Lérida.

Tal auge universitario es evidente que está al compás de una Monarquía en expansión, que necesita más y más letrados, pero también teólogos, dado que es una Monarquía confesional. Estamos, pues, ante una Universidad prioritariamente al servicio del Estado, aunque también depare médicos, abogados y profesores para la sociedad. Por eso, la Corona vigilaría con cuidado su control doctrinal, aunque no pudiera evitar, por fortuna, que en el momento de su mayor esplendor se plantearan en su seno los más candentes problemas derivados del mismo despliegue del Imperio, como lo haría la Universidad de Salamanca con su puesta al día del tema de la guerra justa, o incluso sobre la licitud de convertir en esclavo al indio americano, dando lugar a la doctrina del derecho de gentes, tan admirablemente defendida por el dominico Francisco de Vitoria[40].

---

[39] Para la Universidad de Salamanca, además de la obra general dirigida por mí (*La Universidad de Salamanca,* Salamanca, 1989, 2 vols.), tenemos el buen estudio monográfico de Pilar Valero García, *La Universidad de Salamanca en la época de Carlos V* (Salamanca, 1988). Y, aunque referido al período siguiente del barroco, a tener en cuenta asimismo la obra de Luis Enrique Rodríguez-San Pedro Bezares, *La Universidad salmantina del Barroco (1598-1625),* Salamanca, 1986, 3 vols.

En cuanto a Valencia, la reciente y notable monografía de Amparo Felipo, *La Universidad de Valencia durante el siglo XVI (1499-1611)* (Valencia, 1993).

Un precioso estudio para la vida estudiantil, en el marco de Alcalá de Henares, el escrito por José Luis Peset y Elena Hernández Sandoica, *Estudiantes de Alcalá* (Alcalá de Henares, 1983).

[40] De la numerosísima bibliografía a destacar, el estudio del máximo especialista sobre ese tema: Luciano Pereña, *La Universidad de Salamanca, forja del pensamiento político español en el siglo XVI* (Salamanca, Universidad, 1954), y, sobre todo, del mismo autor, *La Escuela de Salamanca. Proceso a la conquista de América* (Salamanca, 1986). A recordar también a Teodoro Andrés Marcos, *Vitoria y Carlos V en la soberanía hispanoamericana* (Salamanca, 1946), con exhaustivo análisis de los textos del dominico. Pero por supuesto nada como acudir a la famosa *Relectio de Indis,* de la que contamos con la espléndida edición crítica a cargo de Luciano Pereña y J. M. Pérez Prendes (Madrid, CSIC, 1967).

Pero empecemos por el principio, para conocer en qué medida el nivel cultural, en sus diversos grados, afectaba a la sociedad. Debiéramos preguntarnos quiénes estudiaban y qué estudiaban.

En principio, la cuestión parece clara: la cultura, la alta cultura, es un privilegio de las clases dirigentes. Estaríamos ante aquella división social en los grandes apartados (magistrados, guardianes y labradores) marcado por Platón. En ese caso, la cultura, a un cierto nivel, quedaría como privativa de los primeros, junto con esa alta nobleza, que es el trasunto moderno de los guardianes, así como la capa alta de los vinculados al sector económico, los enriquecidos en el mundo del trabajo. Pronto veremos que ese cuadro se complica bastante, pero tiene una base: que se suponga que el pueblo bajo en la ciudad, y más aún en el campo, bastante tiene que hacer para lograr sobrevivir con su trabajo, míseramente remunerado. «De éstos no hay que hablar —leemos en el franciscano del siglo XIV Francesc Eiximenis—, puesto que por fuerza tienen que trabajar si quieren vivir»[41].

En el mundo rural —que constituía, no lo olvidemos, la gran mayoría de la población— el analfabetismo era abrumador. Y ello porque el labriego estaba inmerso en las faenas del campo, sin resquicio para plantearse otra cosa. Y no porque no tuviera sus horas de ocio, como ocurría en el largo invierno[42], sino por absoluta imposibilidad de escapar al cerco en que vivía, por carencia de maestros o —en el caso de que los hubiera— por imposibilidad de pagar sus enseñanzas. Incluso en el área urbana, el analfabetismo del pueblo era abrumador; eso es lo que encuentran los estudiosos del tema para ciudades como Valladolid[43] o Murcia[44], y todo hace sospechar que ocurría igual por todas partes.

Sin embargo, en una cierta proporción la gente humilde llegaba a los estudios. Tenemos ya la prueba de que en las Universidades la inmensa mayoría de los estudiantes pertenecían al grupo de los manteístas, que vivían de lo que cayese, incluida la llamada sopa boba de los conventos. Los alojados en régimen de pupilaje no eran más que una exigua minoría. Por lo tanto, ese estudiantado paupérrimo procedía de las capas humildes de la sociedad y en algún sitio habían recibido las primeras letras.

Pues descontando los ayos de los hijos de las casas nobiliarias, o los maestros particulares que contrataban para sus casas los enriquecidos en el

---

[41] Citado por José Luis Martín, «El niño en la Edad Media hispánica», en *Stvdia Paedagogica*, Salamanca, 1980, núm. 6, pág. 474.

[42] Sin embargo, para Kagan, el labrador consideraba que «las horas pasadas en la escuela significaban horas perdidas en las labores del campo» (*Universidad y sociedad en la España moderna*, Madrid, 1981, pág. 68).

[43] B. Bennassar, *Valladolid en el Siglo de Oro*, Valladolid, 1983, págs. 468 y sigs.

[44] En la Murcia del siglo XVII, Francisco Chacón se encuentra con una minoría vinculada a la cultura y con una gran mayoría analfabeta. Y comenta: «Bastantes problemas les planteaba el cotidiano vivir, como para preocuparse además del espíritu» (*Murcia en la centuria del Quinientos*, Murcia, 1979, pág. 422).

comercio o en las profesiones liberales, empiezan a extenderse en el siglo XVI escuelas en las ciudades y villas de cierta importancia; eso sí, pagando una cierta cantidad. Así, a principios de siglo el bachiller Diego de Herrera cobraba en Murcia por cada alumno dos ducados anuales[45], que debía de ser la cifra más generalizada, si bien para los rudimentos de la enseñanza, que en otros niveles ya triplicaba o cuadruplicaba esas cifras[46].

¿Quién atendía a los hijos de las familias más menesterosas? Era un problema mal resuelto. En algunos casos, estaban los párrocos, que por pura caridad realizaban esa labor. En ocasiones, también surgía el patronazgo de un poderoso, que costeaba los gastos de un centro primario. Pero lo que empezaron a generalizarse fueron los Colegios de Niños de la Doctrina, como el que hacia 1551 acogió en Medina del Campo a Juan de Yepes, el futuro san Juan de la Cruz; un colegio fundado por don Rodrigo de Dueñas[47].

Esos maestros, tanto los particulares como los que impartían clase en los Colegios de Niños de la Doctrina, enseñaban lo más elemental: a leer, a escribir, las cuatro reglas y el catecismo cristiano. Su sistema, no hay que insistir en ello, era el memorístico y su base la disciplina más severa, incluyendo, por supuesto, los castigos físicos, conforme al lema: «la letra con sangre entra». Lo cual no era una mera frase, como es notorio.

Entre esa enseñanza primaria y los estudios universitarios quedaba una laguna, que debía ser tan manifiesta como para que los jesuitas trataran de salvarla, con sus centros esparcidos aquí y allá desde mediados de siglo. Y otra vez podríamos recordar el caso de san Juan de la Cruz, que acude al que tenía la Compañía en Medina, entre 1559 y 1563, donde aprendería ya el latín, con alguna otra disciplina de humanidades[48].

Ahora bien, que faltaba aún mucho por hacer, para que los hijos de los pobres pudieran ir gratis a la escuela, se echa de ver en que esa fuera la tarea que se impondría, a principios del siglo XVII, san José de Calasanz, creando ya sus populares «escuelas pías» (de donde el nombre de escolapios que recibirían los padres que las regentaban).

Todo lo dicho vale exclusivamente para el hombre. La mujer tenía mucho más difícil el acceso a la cultura. Salvo los casos de la alta nobleza, que cuidaba de que tuvieran sus propios preceptores o secretarios (algo recogido por la literatura, como lo hace Tirso de Molina en *El vergonzoso en palacio),* las hijas de las familias acomodadas solían aprender lo más elemental, como a leer y escribir, de manos de su propia madre; tal es lo que representó, de modo admirable, Juan de Juni, con su hermosísima escultura de *Santa Ana y la Virgen niña,* que puede verse en el coro de la catedral nueva de Salamanca; allí, santa Ana enseña a leer, con un libro en la mano, a la Virgen niña recostada

---

[45] Francisco Chacón, *op. cit.,* pág. 421.
[46] R. L. Kagan, *op. cit.,* págs. 55 y 56.
[47] Crisógono de Jesús, *Vida y obras de san Juan de la Cruz,* Madrid, 1946, págs. 34 y sigs.
[48] «En pocos años salió buen latino y retórico» *(ibídem,* pág. 44).

en su regazo. Pero, por lo demás, la mujer quedaba al margen de la cultura y sumida en el mayor de los analfabetismos, ya que ni acudía a las escuelas primarias, ni a los Colegios de Niños de la Doctrina, que eran, como rezaban, para niños y no para niñas, ni a los centros de enseñanza inaugurados por los jesuitas desde mediados de siglo, ni por supuesto a las Universidades, salvo contadísimas excepciones.

Y vayamos ahora al centro mayor donde se impartía cultura: la Universidad. Ya hemos visto cómo proliferan en el siglo XVI. Interesa comprobar ahora su gobierno, su régimen docente, su alumnado y, finalmente, su proyección en la sociedad. Para ello tomemos como modelo la Universidad más antigua y de más prestigio, sobre la que, además, hemos investigado directamente en su archivo. Por otra parte, ese fue el Estudio con el que Felipe II tuvo mayor vinculación, desde que residió en Salamanca durante un mes, en el año de sus esponsales con la princesa María de Portugal, en 1543. Sabemos que en esa ocasión el joven Príncipe asistió a las clases de varios de sus maestros, entre ellos a las del doctor Becerra, cuyo padre había sido médico de la corte. Y la Universidad mostraría su agradecimiento con el arco triunfal dedicado al Príncipe, con motivo de su boda, como en otra parte de esta obra se indica más detalladamente. A su vez, la Corona tendría muy presente a la Universidad y a lo que en ella se impartía, no sólo por lo que redundaba en beneficio de la sociedad, sino también por el temor a que en su seno se produjeran disidencias religiosas.

En cuanto al gobierno de la Universidad, asombra el que tanto el rector como el Claustro de ocho consiliarios fueran estudiantes y elegidos por estudiantes. Lo cual, dicho en esos términos, podría hacer pensar que existiera en el corazón del Antiguo Régimen una institución verdaderamente importante que se rigiera democráticamente, a contrapelo del sistema político vigente, donde la impronta estaba marcada por un rígido sistema monárquico-señorial. ¿Cómo podía explicarse eso? ¿Dónde estaba la clave de esa contradicción?

Para empezar, hay que tener en cuenta la particular estructura del estudiantado universitario, cuya primera condición es que era muy heterogéneo y donde también encontramos la nota del privilegio, tan característica precisamente del Antiguo Régimen.

Ese estudiantado se componía de cuatro grupos muy distintos, tanto por su condición social como por su número. Eran los «generosos» —y ya veremos qué se entendía por los tales—, los religiosos, los colegiales y los manteístas. Los generosos venían anotados en el momento de la matrícula; se correspondían con los segundones pertenecientes a familias de la alta nobleza. Eran, en principio, los mejores, según el sentir de la época, aquellos entre los cuales había que elegir al rector, tal como ordenaban las *Constituciones* de Martín V de 1422: entre los que fuesen

... dignioribus, melioribus et magis illarum nationum...

El Archivo de la Universidad de Salamanca custodia las listas de esos estudiantes de alto linaje, casi año por año, precisamente para el reinado de Felipe II, listas publicadas por el padre Vicente Beltrán de Heredia en 1972[49].

Naturalmente, son siempre cifras reducidas, que sólo llegan a los 63 en su caso máximo, en el curso 1552-1553. Por lo tanto, no alcanzan al 1 por 100 del alumnado. Pues bien, es de esa minoría vinculada a la alta nobleza de donde las *Constituciones* martiniegas ordenaban que se eligiera año tras año al nuevo rector.

Y si el cuerpo de candidatos era reducido, el electoral lo era todavía más, puesto que era el antiguo equipo rectoral (el rector más sus ocho consiliarios) el que elegía al que le había de suceder. Por tanto, estamos ante un gobierno estudiantil adscrito a un grupo reducidísimo, plenamente integrado en la alta nobleza. Y esa norma electoral se cumplía, como pude apreciar yo mismo confrontando la serie de rectores de ese período y las listas de generosos correspondientes a cada mandato.

Las listas permiten comprobar 39 elecciones. Pues bien, 35 de esos rectores aparecen en las relaciones de generosos[50].

Y es fácil de recordar algunos de ellos: así, aparecen seguidores de la casa ducal de Béjar, del Almirante, del contestable de Castilla y de los condes de Benavente, Monterrey y Buendía. Por lo tanto, era esa cúpula estudiantil la que detentaba el poder rectoral, no siempre ambicionado, pues sabemos de varios casos en los que los elegidos trataron de zafarse de su compromiso[51].

Ahora bien, su poder estaba bastante limitado, en primer lugar, por la existencia del maestrescuela, que controlaba la Audiencia del Claustro Universitario, haciendo así de contrapeso al poder rectoral. Y también por la existencia de una serie de claustros, que eran los que tenían a su cargo la buena dirección de la vida universitaria, como el de consiliarios, ya citado, y sobre todo el de diputados, donde eran los catedráticos los que hacían sentir su peso.

De todas formas, y aun con esas limitaciones, competía al rector una función muy relevante, dentro de aquella sociedad confesional, a partir de la reforma universitaria impuesta por Diego de Covarrubias con los Estatutos de 1561: el control de la enseñanza que impartían los diversos catedráticos, pues tenía la obligación de realizar cinco visitas a sus aulas y tomar testimonio ante notario de cómo iba el curso, qué materia explicaba el profesor y qué autoridades comentaba y seguía; un auténtico control ideológico del profesorado, puesto en práctica desde esos principios del reinado de Felipe II y que hay

---

[49] Vicente Beltrán de Heredia, *Cartulario de la Universidad de Salamanca,* Salamanca, 1970-1972, 6 vols., V, págs. 33-81.

[50] Manuel Fernández Álvarez, «Etapa renacentista: 1475-1598», en *La Universidad de Salamanca, op. cit.,* I, pág. 93.

[51] *Ibídem,* pág. 84.

que situar al lado de las demás medidas inquisitoriales adoptadas por aquellas fechas, y a las que ya hemos aludido.

Hemos tratado de precisar en qué medida el hecho de que el rector fuera un estudiante no hay que considerarlo como un reto provocativo de una corporación que trataba de regirse democráticamente, pues no fue así. De todas formas, seguía siendo realidad esa condición suya de estudiante, lo cual debe admirarnos. Y la verdad es que también sorprendía y hasta indignaba en aquel siglo. Sabemos que Ramírez de Villaescusa, el obispo de Cuenca tan vinculado a la Universidad, trató de cambiar aquel estado de cosas en la visita de inspección que realizó en 1512 al viejo Estudio salmantino, por orden de Fernando el Católico [52]. Y sesenta años después, el maestro Sancho —que era entonces el primicerio del Estudio, como figura principal de su profesorado— señalaba indignado:

> ... que era y es cosa muy recia que la cabeza de tan insigne Universidad sea regida por ocho o nueve estudiantes mancebos, sin experiencia ninguna, lo cual no se hace ni hizo jamás en república ninguna bien ordenada... [53]

Por lo tanto, estamos ante una presencia del estudiantado en los órganos del poder universitario, pero con esas restricciones que hemos señalado. Incluso podría decirse que era más general y más efectiva su influencia en la designación del profesorado, pues las cátedras se cubrían, tras oposición, por el voto de los estudiantes vinculados al curso; aunque no mediante la fórmula, según la mentalidad actual («un alumno, un voto»), sino asignando a cada uno cierto número de votos conforme a los años que estuvieran matriculados en aquella facultad, sistema de provisión de las cátedras que se denominaba «al voto de los oyentes» [54]. Y a insistir también que la parcela de autoridad del rector y del Claustro de consiliarios se limitaba preferentemente al control de la tarea del profesorado, incluyendo la convocatoria de las cátedras vacantes y su provisión, por el sistema señalado del voto de los estudiantes con derecho a ello.

---

[52] Manuel Fernández Álvarez, «La reforma universitaria de 1512», en *Stvdia Historica,* II, 1984, págs. 21 y sigs.

[53] Citado por V. Beltrán de Heredia, *Cartulario..., op. cit.,* IV, pág. 277. El hecho de que el cargo, además, fuera cadañero lo hacía más difícil, como se lamentaba uno de ellos, que al terminar su mandato en 1575 pidió perdón ante el Claustro universitario por las faltas que hubiese cometido, imposible de evitar «porque los Rectores, cuando nuevamente entran, ignoran los Estatutos y uso y costumbre de esta Universidad, y cuando los van entendiendo se acaba el año» (citado por Daniel Sánchez, *La Universidad de Salamanca a través de sus Claustros: 1555-1575,* tesis doctoral (inéd.), Salamanca, 1980, I, fol. 159).

[54] Por supuesto, con ciertos requisitos y guardando la Universidad determinadas precauciones para evitar los fraudes, que aun así no debieron de escasear (véase a este respecto el libro de Luis Enrique Rodríguez-San Pedro, *La Universidad salmantina del Barroco, op. cit.,* II, págs. 42 y sigs.).

Otro aspecto a tener en cuenta, verdaderamente importante, es el de la proyección universitaria en la sociedad. Localmente, en el ámbito urbano, parecían dos mundos separados, distintos y distantes, e incluso hostiles. Los conflictos entre vecinos y estudiantes saltaban cada dos por tres, complicados por la exención del estudiantado frente a la justicia del corregidor; cierto que eso sólo tenía vigencia en el ámbito universitario, simbolizado en las cadenas que lo defendían, pero, de hecho, eran frecuentes las transgresiones de ambas partes y los enfrentamientos entre el maestrescuela, como juez mayor del Estudio, y del corregidor, como cabeza de la justicia urbana [55].

Otra cuestión importa destacar: en qué medida se beneficiaba la sociedad de la labor universitaria. Por supuesto que la Universidad, aparte de proveer de letrados y de teólogos al Estado y a la Iglesia, formaba a los médicos y abogados que demandaba la sociedad. No en gran medida, ciertamente; Rodríguez-San Pedro nos da estas cifras, para la Universidad de Salamanca, entre siglo y siglo: unos diez licenciados de media anual y sobre tres doctores y maestros [56]. Más numerosos eran, por supuesto, los bachilleres. De todas formas, las pequeñas cifras de licenciados y doctores hay que ponerlas en relación con el alto coste de los títulos, que los hacían inasequibles para la mayoría de aquel estudiantado [57].

Ahora bien, la carencia de ese preciado título no dejaba indefenso al estudiante, porque aquella sociedad ya le había otorgado el suyo. En efecto, proclamar a su regreso, en el pequeño lugar de origen, que se había sido estudiante en Valladolid o Alcalá, en Lérida o en Valencia, y, sobre todo, en Salamanca, era como un seguro de vida, como la posibilidad de ganarse el prestigio y la confianza de sus convecinos; de lo cual han quedado no pocos testimonios, como los literarios, y entre ellos el relato cervantino del *Quijote*, ya citado, al decir de Grisóstomo:

> ... el cual había sido estudiante muchos años en Salamanca, al cabo de los cuales había vuelto a su lugar, con opinión de muy sabio y muy leído.

---

[55] Y ese conflicto saltaba al Consejo Real, como ocurrió en 1535, año en que el Consejo pidió explicaciones al corregidor de Salamanca de por qué impedía al alguacil del Estudio rondar de noche para vigilar la vida de los estudiantes (véase fotocopia del curioso documento en mi estudio cit. «Etapa renacentista...», pág. 61).

[56] Luis Enrique Rodríguez-San Pedro, *op. cit.,* II, págs. 760 y 798.

[57] Así sabemos que fray Luis de León, pese a que contaba con el apoyo de su Orden, hubo de pedir ayuda a su padre, entonces oidor de la Chancillería de Granada, que le envió la fuerte suma de 500 ducados. Esto es, 187.500 maravedíes. Y recuérdese que por entonces el salario anual de un barrendero en la corte era en torno a los 20.000 maravedíes. (Véanse mis estudios *Fray Luis de León, op. cit.,* pág. 131, y *Economía, Sociedad y Corona,* Madrid, 1963, págs. 288 y 289.) De forma que un hijo de ese barrendero tendría que pedir a su padre lo que ganaba casi en diez años de trabajo. Algo totalmente inasequible.

De forma que todos sus convecinos le consultaban, incluso sobre cómo habían de sembrar sus campos [58].

Otra cuestión debiéramos de plantearnos: la influencia de la Universidad en el mundo de la cultura. Suele decirse que la Universidad del Antiguo Régimen no hacía ciencia, limitándose a transmitir el saber tradicional. Pero eso debería ser matizado. Ya hemos visto cómo la Universidad del Quinientos supo hacerse eco de los avances científicos en la medicina y, de alguna forma, incluso en la astronomía, ordenando la lectura de Copérnico. Pero además también hizo ciencia poniendo a discusión los temas más controvertidos a que daba lugar la expansión del Imperio, tal como lo hizo el padre Vitoria, justamente considerado como uno de los fundadores del moderno derecho de gentes. A su vez, en la época de Felipe II otro profesor del Estudio salmantino puso a crítica los abusos del poder político, de marcada tendencia absolutista, con todo lo que eso suponía.

Esa sería la labor de fray Luis de León en su curso *De Legibus,* al que, por su alto significado, nos referiremos posteriormente con más detalle.

LOS CREADORES

Por supuesto, no trataremos aquí de hacer una síntesis de la historia de las artes y de las letras, sino que trataremos de recordar lo más significativo, como panorámica de esa importante faceta de la cultura.

El reinado de Felipe II es, a este respecto, un buen anuncio del gran Siglo de Oro, incluso superándolo en dos campos —el de la arquitectura y el de la música— y con figuras de primer orden, sobre todo en la pintura, con El Greco, y en las letras, con fray Luis de León.

No insistiremos sobre lo que supone la obra de Juan de Herrera, culminada en el monasterio de San Lorenzo de El Escorial, porque lo trataremos con más detalle en otra parte de este libro. Nos centraremos, sobre todo, en el creador más representativo del reinado: fray Luis de León. Pero antes diremos algo de algunas otras figuras que no pueden olvidarse, como Juan de Juni, que tanto destaca en la escultura, o como Cabezón y Tomás Luis de Victoria, que tan alto ponen el nivel musical español a lo largo del reinado, y por supuesto, como El Greco, o santa Teresa, por otra parte tan vinculados al Rey y a la sociedad española de aquel reinado.

En cuanto a Juan de Juni, estamos ante el caso de un artista extranjero que acaba afincándose en España, donde hace su mejor obra, identificándose plenamente con la sociedad que le acoge, hasta el punto de que su imaginería se nos alza como uno de los mejores testimonios de la Castilla del Quinientos, en torno a la década de los setenta. A partir de 1540, es un vecino más de

---

[58] *Don Quijote,* I, cap. 12: «De lo que contó un cabrero a los que estaban con Don Quijote» (ed. cit. Martín de Riquer, pág. 123).

Valladolid, donde muere en 1577; por lo tanto, bien entrado el reinado de Felipe II.

Pero si Juni vive y deja su principal legado en Valladolid, también queda otro de notable interés disperso por el resto de la meseta superior, como hemos de ver: en Medina de Rioseco, en Ávila, en León, en Burgo de Osma. Sus clientes son la Iglesia, sobre todo, y algunos poderosos de la nobleza y de la burguesía. Baste recordar sus retablos para la Antigua de Valladolid o para la catedral de Burgo de Osma, en cuanto a la Iglesia, y por sólo citar ahora dos de sus obras más significativas. En cuanto a la nobleza, se podría recordar el encargo que le hace el almirante Fadrique Enríquez para la iglesia de San Francisco de Medina de Rioseco. Más valiosa sería la obra que Juni realiza, en la misma Medina, para un rico mercader local: Álvaro de Benavente, que se concreta en la famosa capilla de la Purísima (en la iglesia de Santa María), una de las obras maestras de la escultura del Quinientos, a escala de la Europa occidental.

¿Qué suponen la vida y la obra de este notabilísimo artista, nuestro Greco de la escultura del XVI? ¿Qué viene a decirnos, como testimonio de ese Renacimiento tardío?

En primer lugar, su captación por esa España, de tan poderosa personalidad. Una captación que es obra, sin duda, de la mujer española, pues no olvidemos que Juan de Juni se casa ¡tres veces!, y siempre con españolas. Y su hispanización, más fuerte que la del propio Carlos V, se aprecia en que él mismo jamás señala en sus contratos laborales su origen francés [59]. Y eso que, por lo que indican sus biógrafos, su inserción en el mundo hispano se realiza cuando andaba ya muy cerca de la treintena.

La obra que le abre a la alta sociedad española y le asegura fama y clientes opulentos es la que ejecuta para fray Antonio de Guevara, el famoso escritor y cronista del reinado de Carlos V, el autor de *Menosprecio de corte y alabanza de aldea*, de *Relox de príncipes* y de tantas otras tan celebradas en su tiempo. Para su capilla del monasterio vallisoletano de San Francisco, compone Juan de Juni un enterramiento, que hoy puede admirarse en el Museo Nacional de Escultura de la villa; todavía tosco y demasiado gesticulante en muchos de sus componentes, pero con el sello de la raza de escultor que había en Juni, como en el bellísimo rostro de Magdalena. De todas formas, la confrontación de estos enterramientos, que Juni repetirá a lo largo de su obra, no deja de ser interesante. Así, la *Piedad* que compone para el arcediano Gutiérrez de Castro, sita en el claustro de la catedral vieja de Salamanca, y el enterramiento que ejecuta en los últimos años de su vida para la catedral de Segovia, donde la técnica del artista ha logrado su máxima depuración, creando un verdadero *capolavoro*.

Es natural o, si se quiere, inevitable que los poderosos de la tierra sean los clientes de este hispanizado escultor. Sin embargo, hay que añadir que una

---

[59] Juan José Martín González, *Juan de Juni,* Madrid, 1954, págs. 8 y sigs.

de sus obras más logradas la hace, al parecer, para una cofradía de la que era miembro. Se trata de su famosa *Virgen de las Angustias,* una de las imágenes más populares de Valladolid.

En cuanto a su temática, y esto es bien significativo, es exclusivamente religiosa, superando en esto a los otros escultores de su tiempo. Y es, sobre todo, en su imaginería mariana donde logra sus mayores aciertos. Ya hemos citado la patética *Virgen de las Angustias.* Habría que recordar también la deliciosa representación de la Virgen niña aprendiendo a leer, recostada en el regazo de su madre, santa Ana (sita en el coro de la catedral nueva de Salamanca), y la *Purísima* de la capilla de Benavente, en la iglesia de Santa María de Medina de Rioseco, acaso su *capolavoro,* su obra maestra, que nos viene a recordar los primeros años del reinado de Felipe II, todavía esperanzados y bonancibles.

Más representativo, si cabe, de esa capacidad de captación que tiene la España del Quinientos es la figura de El Greco, el genial pintor cretense que viene a España entrada la década de los setenta. En 1577 tiene ya su taller puesto en Toledo. Allí pinta en 1580 una de sus obras maestras: *El Expolio,* que custodia la catedral de Toledo; un cuadro que le deparó grandes admiradores, aunque también no pocos detractores, por las «novedades» que introducía.

Y, a poco, recibe el encargo de pintar para el monasterio de San Lorenzo de El Escorial su célebre lienzo *El martirio de san Mauricio y de la legión tebana;* cuadro admirable que, sin embargo, como comentaremos después con más detalle, no agradó a Felipe II. Y así, El Greco tornó a Toledo.

Acaso una suerte, porque a su genio renovador le venía mejor un ambiente más abierto, lejos de la rígida censura escurialense.

Así tendrían lugar la serie de pinturas que mejor nos introducen en aquella sociedad, como *El caballero de la mano en el pecho* o como —y muy especialmente— *El entierro del conde de Orgaz,* donde nos parece escuchar, como en un susurro, a los hidalgos que conocieron a san Juan de la Cruz o a santa Teresa de Jesús; no olvidemos que el mural de la pequeña iglesia toledana de Santo Tomé se pinta en 1586, cuando hacía sólo cuatro años que había muerto santa Teresa en Alba de Tormes y cuando todavía vivía san Juan de la Cruz.

Muy alto es el nivel que alcanza la música española en el siglo XVI, hecho que no se destaca suficientemente, ni está bastante divulgado, pese a los esfuerzos de especialistas de la talla de Higinio Anglés [60].

Pues no olvidemos que el siglo de Willaert y de Palestrina lo es también de Francisco de Soto, Antonio de Cabezón *el Ciego,* de Salinas y de Tomás Luis de Victoria. Evidentemente, el renacimiento musical se abre bajo el doble magisterio de Italia y de los Países Bajos, manteniéndose aún viva la polémica de a cuál de los dos países corresponde darle el primer puesto en el

---

[60] Higinio Anglés, *La música en la corte de Carlos V,* Barcelona, 1944.

reparto de papeles. En todo caso, las conexiones y las influencias son muchas entre las dos naciones. Sirva de ejemplo el caso de Willaert, el flamenco llamado en 1527 —esto es, el año del *saco de Roma*— a Venecia, para ocupar allí el puesto de maestro de capilla de la iglesia de San Marcos. La segunda mitad del siglo está presidida por Palestrina, desde Roma, y por Orlando Laso (cuyo nombre italianizado no debe engañarnos, pues nació en Mons), desde la corte de los Wittelsbach en Baviera; un italiano y un flamenco, si bien el hecho de que Orlando Laso italianice su nombre es de suyo harto significativo. Pues bien, también aquí apreciamos cuán breve es nuestro Renacimiento, quizá porque cuando empieza a manifestarse llegan muy pronto las noticias del desgarramiento espiritual de la Cristiandad, fruto de la Reforma. Sabido es que la furia iconoclasta de los reformados dejó la vía libre para la expansión de la música sacra, revitalizada con transfusiones de música popular, tal como vemos hacer a Lutero. Todo el norte de Europa empieza a salir del canto gregoriano, fenómeno que ciertamente apuntaba en la misma España, hasta que el Concilio de Trento volvió a entroncar fuertemente con la tradición musical.

Con Cabezón nuestra música toma ya ese aire grave propio de nuestro primer barroco. Y es Cabezón un buen exponente de la asimilación de la doble influencia ítalo-flamenca que en este terreno (como en el de las artes) venía recibiéndose en España. Mientras Carlos V sigue con su capilla musical flamenca (una de las más renovadoras de su tiempo), Antonio de Cabezón, el organista ciego, pasaba de la capilla musical de la Emperatriz a la de su hijo, el príncipe Felipe. Bien conocida es la influencia que Cabezón ejercía con su música sobre el que sería Rey Prudente; tanta que, según Rastuer, es la muerte de Cabezón lo que provoca en Felipe aquella aguda crisis taciturna de la que ya no saldría. Lo cierto es que Cabezón, por deseo expreso del Príncipe, no le abandona nunca, acompañándole en sus largos desplazamientos por Europa, como cuando casa con María Tudor en Inglaterra o cuando acude a los Países Bajos para presenciar, como primer testigo, la abdicación de su padre, el Emperador. Y el Rey tenía en su palacio el retrato de su músico ciego, como se complace en recordárnoslo el hijo, Hernando de Cabezón.

Mas Cabezón pone el sello hispano sobre el legado que recibe, sea de Italia o de Flandes. Óigase, si no, su canción *Ultimi mei suspiri,* en la que glosa una canción profana del flamenco Verdeloth; canción que en él se torna profundamente grave, se concentra hasta la máxima espiritualidad. No cabe duda: también con el lenguaje musical España está entrando de lleno por la vereda mística que se corresponde con la fase manierista o de un primer barroco. Quizá podría decirse que también aquí Carlos V agrupa las formas renacentistas europeas, mientras que en España Felipe II marca la evolución hacia el barroco. Por algo —y volvemos ahora al terreno del arte— casi todos los monumentos de nuestro Renacimiento se ponen bajo la simbólica protección de las alas del águila bicéfala de Carlos V, y eso en Salamanca como en Úbeda o en Ciudad Rodrigo. Su capilla musical era tan valorada que, cuando abandona el poder, Maximiliano —el futuro emperador— la pide con suma instancia, obteniendo de su primo y cuñado la respuesta de que accedería a todo lo que le pidiera menos a eso, por lo mucho que para él representaba, como puede verse por la correspondencia que guarda el Archivo Imperial de Viena (el famoso Haus, Hof und Staats Archiv) y que tuve la suerte de encontrar y de estudiar en aquella capital.

Estamos, por tanto, ante una música cortesana y palaciega, como la que podía ejecutarse también en la corte de los virreyes de Valencia, Germana de Foix y Fernando, duque de Calabria; como la que podía sostener también, por supuesto, cualquiera de los Grandes de España por aquellas fechas.

Pero será el abulense Tomás Luis de Victoria (1535-1611) el que mejor capte el ambiente religioso que campeaba en la corte madrileña, donde se instala en 1596, como capellán de la emperatriz María. El genial compositor, a la altura de Palestrina, y sin duda uno de los grandes creadores de la música hispana de todos los tiempos, compondría entonces su *Officium defunctorum*, considerada como su obra maestra. Se trata de una misa de réquiem a seis voces, en homenaje a la memoria de la emperatriz María, su protectora.

Fray Luis de León

Fray Luis de León, el riguroso contemporáneo de Felipe II [61], que nace en Belmonte (Cuenca) hacia 1527 y muere en Madrigal en 1591, tiene su máximo interés como altísimo poeta; eso es obvio. Pero también pueden destacarse otras facetas de su personalidad, y muy particularmente la de teórico del Estado, por lo que eso supone para comprender el panorama político de la España del Rey Prudente.

También es sumamente revelador todo lo que concierne a su famoso proceso incoado por la Inquisición. Todo ello como profesor insigne de la vieja Universidad de Salamanca, donde había iniciado sus estudios en 1542 y donde aparece inscrito como alumno de la Facultad de Teología en el curso 1546-1547.

Era una Universidad pronto marcada por el rigor inquisitorial desatado para combatir algunos brotes literarios surgidos en Castilla y en Andalucía.

Algo que se refleja muy pronto en la Universidad de Salamanca. El 9 de octubre de 1558 la princesa gobernadora doña Juana de Austria escribía apremiando al rector para que visitara las librerías de la Universidad y para que inquiriese

> ... si hay algunos libros reprobados y sospechosos en poder de algunas personas dessa Universidad. Y, con el citado cuidado que el caso requiere, entenderéis y procuréis de saber si algunos estudiantes tienen y enseñan errores lutheranos y doctrinas que no sean cathólicas.

---

[61] De ahí que lo escojamos como gran testimonio de aquel tiempo.

Y de lo que halláredes y cerca desto supiéredes daréis luego aviso a los inquisidores dese partido, para que provean lo que convenga...

De acuerdo con ese rigor se procede a la nueva ordenación universitaria implantada por Covarrubias en Salamanca. Y es ahora cuando conviene tener en cuenta que el obispo de Ciudad Rodrigo, además de notable jurista, había sido también uno de los dos auxiliares más cercanos y más eficaces del inquisidor general Fernando de Valdés, y como tal recomendado por éste a la gracia del Rey.

Por lo tanto, hemos de ver en los Estatutos de 1561 algo más que un mero deseo de implantar una mayor disciplina académica, como se ha dicho con frecuencia. Pues es entonces cuando se imponen las cinco visitas anuales a las cátedras, a cargo del rector, quien, entrando de improviso en el aula, acompañado del escribano para que hiciese de notario, interrogaba a dos estudiantes sobre la forma de explicar del profesor y acerca de su puntualidad y demás aspectos disciplinarios; pero también sobre la materia que explicaba y los libros que seguía y cuáles eran sus comentarios. Por lo tanto, estamos ante otro de los aspectos de aquel rígido control ideológico que impone el gobierno de Felipe II a mediados del siglo XVI.

Y eso importa, y mucho, tenerlo en cuenta, porque es en esa Universidad donde fray Luis iniciará sus tareas como catedrático, el 24 de diciembre de 1561, cuando gana la cátedra de santo Tomás de Aquino. Un mes más tarde, día por día, sufriría fray Luis la primera de las visitas rectorales, recogida en el Libro de Visitas.

No seguiremos detallando la vida profesoral de fray Luis de León, a quien tantas páginas hemos dedicado en otros libros nuestros [62], sino solamente los aspectos más vinculados con el Rey, como sus argumentaciones políticas en su curso *De Legibus,* el eco de algunos sucesos de la corte y, claro, su conocido proceso inquisitorial.

El curso 1570-1571 trae su novedad en la vida académica de fray Luis de León; fue entonces cuando, siguiendo una gloriosa tradición de los maestros del Estudio salmantino —piénsese en Francisco de Vitoria o en Domingo de Soto—, fray Luis impartiría su lección sobre un tema de alto porte político, con un título que volvía a demostrar su vinculación con los clásicos: *De Legibus* [63]. Un curso dedicado, pues, al Estado, a los problemas éticos derivados del quehacer del gobernante y de las relaciones, tanto de gobernantes como de gobernados, con la ley. Aunque por el título podía pensarse en la influencia mayor de Platón, lo cierto es que en el escrito se evidencia la de Aristóteles, en menor

---

[62] Manuel Fernández Álvarez, *Fray Luis de León. La poda florecida,* Madrid, Espasa Calpe, 1991, y también, *La sociedad española en el Siglo de Oro,* Madrid, Gredos, 1989, 2 vols., I, págs. 521 y sigs.

[63] Fray Luis de León, *De Legibus,* ed. crítica bilingüe de Luciano Pereña, Madrid, CSIC, 1963.

medida la de Cicerón y, por supuesto, entre los pensadores medievales, la de santo Tomás. Entre los modernos, fray Luis demuestra conocer mejor a Soto que a Vitoria, lo cual no es sorprendente, dada la admiración que sentía por quien había apadrinado su licenciatura. En todo caso, la multitud de citas que salpican su texto nos demuestra que fray Luis acomete aquel curso tras una sólida preparación y una cuidadosa meditación.

¿Qué resaltaríamos del pensamiento político de fray Luis de León? Súbdito como lo era de la Monarquía autoritaria más poderosa de su tiempo, que había dado tan ostensibles muestras de arbitrariedad, hasta el punto de detener sin acusación pública y sin proceso nada menos que al príncipe heredero, o de mandar ejecutar en prisión a personajes como el barón Montigny, nos interesa averiguar si cuestiones como la base legítima del poder o los límites de ese poder, a la luz moral, son planteados por fray Luis de León.

En primer lugar, la base legítima del poder, pero no de un poder abstracto, sino del que disfrutaban —o padecían— los españoles del Quinientos, y más concretamente los súbditos de Felipe II. Lo que era tanto como poner a discusión si, por el origen legítimo de su poder, los reyes lo eran por la gracia de Dios, entroncando de ese modo directamente su quehacer político con la divinidad, o bien si lo eran por el consentimiento del pueblo que gobernaban, planteando así el grado de participación de aquella sociedad. Para fray Luis de León el problema se resolvía, sin duda alguna, a favor del factor popular. Fray Luis tendrá duras palabras contra la tiranía, subrayando los límites que debían tener los reyes en el ejercicio de su poder, añadiendo rotundamente en su latín escolástico:

> Item sic: reges, si vere reges sunt, omnem suam potestatem et omne ius dominandi habent a republica, nam reges non habent a natura ut imperent aliis, sed consensu populi vel expresso vel tacito factum est ut unus caeteris praesset et illis ius diceret.

Por lo tanto, rotunda negación del origen divino del poder regio, algo que evidentemente tenía sus claros antecedentes medievales y que aparece recogido entre los pensadores políticos de la llamada Escuela de Salamanca. Lo que importa subrayar aquí es que se volviera a proclamar en pleno reinado de Felipe II. Fray Luis añadiría, además, que los reyes debían ejercer su poder sobre hombres libres, no sobre esclavos, y, por lo tanto, con los límites que el respeto a tal libertad exigía. Por decirlo con sus propias palabras:

> Itaque, reges sunt domini dominatione politica, non tamen dominatione despotica, quae in servos exercetur.

De igual modo se expresaría sobre la ley y su puesta en vigor. Aquí fray Luis tomaría el ejemplo de la Roma republicana, «cuando era libre», subrayando el papel del pueblo: los magistrados —el Senado— eran los que discutían las nuevas leyes, pero después debían proponerlas al pueblo, pues sólo cuando el pueblo las aprobaba era cuando se convertían en verdaderas leyes. En consecuencia, nadie quedaba al margen de la ley, ni con potestad para desligarse de su cumplimiento, y menos que ninguno el mismo Príncipe, pues si él la quebrantaba, su pecado era mayor, por la agravante del escándalo que suponía.

De cara a sus propias relaciones con el poder, hay motivos para considerar que la valiente actitud de fray Luis de León, denunciando la ilegitimidad del poder ejercido arbitraria y despóticamente, pudo acarrearle la animadversión del gobierno de la época. ¿Arranca de aquí el inicio de la actuación inquisitorial? ¿Sería ésa la razón de su proceso, y no los conflictos religiosos? De hecho, una cosa es cierta, aparte de que sería pocos meses después de su curso sobre *De Legibus* cuando se iniciaría la actuación inquisitorial; y es que entre esos documentos reclamados por la Inquisición, para proceder contra fray Luis, estaban los relacionados con su curso *De Legibus,* como puede comprobarse por los que posee la Real Academia de la Historia: «Los papeles pertenecientes a la causa del maestro fray Luis de León», que en su día localizó el notable investigador padre Vega, en la Biblioteca de la Academia.

Añadamos un suceso de particular gravedad ocurrido en la corte por aquellos años: la muerte en prisión del príncipe don Carlos; un acontecimiento sonado que llenó de estupefacción a los contemporáneos. Para situarlo en su debida proporción, baste recordar lo que el cronista Cabrera de Córdoba nos dice en torno a ello: que cualquier ruido callejero llenaba de alarma al propio Rey, que se asomaba a las ventanas del alcázar madrileño, temeroso de que fuera el inicio de un motín popular. Lo cual nos trae a la memoria los versos del epitafio dedicado al desdichado Príncipe, precisamente atribuidos a fray Luis de León, y que rezan así:

Aquí yacen de Carlos los despojos:
la parte principal volvióse al cielo,
con ella fue el valor; quedóle al suelo
miedo en el corazón, llanto en los ojos.

Es de notar la clara condena del poeta contra aquella oscura muerte. Por una parte estaba el hecho de la afición popular hacia su Príncipe, viendo en él la esperanza de una renovación de la Monarquía, acaso por carecer de información en cuanto a sus muchos extremos de locura, y, por otra, el evidente gesto de un monarca autoritario, que ponía en prisión sin proceso a su propio hijo, cuya muerte a los pocos meses cabía atribuir al exagerado rigor paterno. De ahí ese reproche del poeta: aquello del «miedo en el corazón, llanto en los ojos».

Tratemos ahora lo más destacado de aquel proceso inquisitorial que tanto afligió al poeta.

Estamos ante el acontecimiento más grave —y más famoso— de la vida de fray Luis de León: su proceso y encarcelamiento por el Tribunal inquisitorial de Valladolid. Todo se inició, al menos de un modo formal, por las denuncias puestas contra el maestro agustino en las que se le acusaba de delito de herejía, por las declaraciones públicas que había hecho desde su cátedra contra la validez de la versión latina de la Biblia debida a san Jerónimo, conocida por la *Vulgata,* y que el Concilio de Trento había declarado como la mejor para el creyente. También se denunciaba su atrevimiento al poner en romance el *Cantar de los Cantares,* del Antiguo Testamento, contra la expresa prohibición del mismo Concilio. En aquellas denuncias habían intervenido dos profesores del Estudio: León de Castro y fray Bartolomé de Medina; éste, un dominico que parecía personificar entonces la rivalidad que existía en el Estudio entre la Orden de Predicadores y la agustina, a la que pertenecía fray Luis. Todo hacía pensar, pues, que aquello no pasaría de ser unas meras rencillas entre claustrales, agudizadas por las tensiones existentes entre las Órdenes religiosas rivales; todo ello incrementado por el apoyo que encontraban los frailes más radicales en bandas de estudiantes, en particular las que se denominaban a sí mismas como «del bando de Jesucristo».

Ante aquellas denuncias, el Tribunal inquisitorial de Valladolid envió un comisario con amplias facultades, para hacer las oportunas averiguaciones y proceder en consecuencia, si lo creía necesario, incluso con la prisión del supuesto culpable. En cuanto dicho comisario, el inquisidor Diego González, comprobó los antecedentes conversos de fray Luis de León, dio por supuesto que todas aquellas acusaciones tenían visos de verosimilitud y, sin más preámbulos, decidió encarcelarlo y enviarlo a Valladolid, para que se iniciara su proceso.

Tal ocurría el 26 de marzo de 1572. Diez días después, el 5 de abril, fray Luis de León sufría el primer interrogatorio inquisitorial, y el 18 de aquel mismo mes redactaba su primera defensa. No cabe duda de que su talento y su amplia formación le ayudarían en aquellos difíciles momentos, como años antes le había ocurrido a Carranza. El 5 de mayo sabía ya a qué atenerse, al notificársele una acusación con ocho puntos, con referencia precisa a su ascendencia judía, a su atrevimiento al poner en romance el *Cantar de los Cantares* y al afirmar que la *Vulgata* tenía mucho que mejorar. Pero, de momento, nada más que sospechas, en cuanto al posible delito de herejía.

Pese a ello, pasarían cerca de dos años hasta que, en el mes de marzo de 1574, se le planteasen 17 proposiciones en latín y 30 en romance, extraídas de sus escritos, para concretar la inculpación expresa de herejía, que tanto tardó la acusación inquisitorial para tratar de acorralar a fray Luis, dispuesta a *sostenello* antes que a *enmendallo.* ¿Es entonces cuando el inquisidor que rastrea en sus papeles anota su desprecio? Me refiero al manuscrito que posee la Real Academia de la Historia. Como ya hemos visto, en un apartado en el que fray Luis trata del amor divino, que pide su correspondencia con el amor del hombre, el fiero inquisidor, poco propicio a tales especulaciones, anota al margen, como un escupitajo: «No lo entiendo qué quiso dezir esta bestia.» ¿Está furioso también porque no acaba de encontrar la prueba acusatoria que le demandan sus superiores? Pues ni él ni los otros inquisidores pueden encontrar más que minucias, no siendo capaces de añadir nada nuevo a los primeros indicios que señalaban a fray Luis como sospechoso de herejía. Así que pasan otros dos años largos. Cada vez parece más insostenible la postura de los inquisidores de Valladolid, de tal forma que en septiembre de 1576 —cuando fray Luis lleva más de cuatro años en prisión— dos de ellos plantean la conveniencia de poner a tormento al irreductible fraile agustino; otros, en cambio, convencidos sin duda de su inocencia, pero temerosos del descrédito que les acarrearía su puesta en libertad (pues si era inocente, ¿cómo justificar su larga prisión?), proponen una sentencia moderadamente condenatoria, limitándose a pedir la privación de la cátedra y una pública represión del acusado.

En cualquiera de los dos casos, aquello hubiera supuesto un mal resultado para fray Luis. Pero la solución vendría de más arriba. En efecto, el 7 de diciembre de 1576 el Tribunal Supremo de la Inquisición —que ya en marzo de 1576 había recomendado abreviar el proceso—, presidido por el cardenal Quiroga, anulaba los últimos acuerdos del Tribunal provincial de Valladolid, fallaba de una vez por todas absolviendo plenamente al reo y ordenaba su inmediata puesta en libertad. La única condición que se le ponía a fray Luis —y sólo en el terreno disciplinario— era que debía ser retirada del mercado su traducción del *Cantar de los Cantares,* de acuerdo con lo que disponían los decretos tridentinos. Eso sí, se advertía severamente a fray Luis que debía guardar secreto sobre todo lo que se había tratado en el proceso, so pena de ser castigado con el máximo rigor.

Es difícil pronunciarse sobre cuáles fueron las razones que movieron a la Suprema de Madrid a desautorizar tan radicalmente al Tribunal de Valladolid. Podía pensarse en la intervención de un poderoso personaje, gran amigo y admirador del fraile agustino: el arzobispo Portocarrero, que había sido estudiante en Salamanca y rector del Estudio en dos ocasiones: en 1556 y 1566; quizá en 1556 sólo coincidieran unos meses en Salamanca —recordemos que fue el año en el que el agustino se matriculó en la Universidad de Alcalá de Henares—, pero la segunda vez sí coincidirían plenamente y en un período brillante de la vida de fray Luis, cuando regentaba la cátedra Durando y era administrador del colegio San Guillermo, siendo además la cabeza indiscutible de aquella escuela poética de Salamanca, sin duda celebrada en el ambiente estudiantil salmantino.

También pudo acaecer la directa intervención del propio monarca. Recuérdese que en aquel mismo año de 1576 moría en Roma otra víctima de la Inquisición española, aquel Carranza que había sido nada menos que arzobispo de Toledo. También entonces había quedado de manifiesto el rigor inquisitorial. Acaso Felipe II no quiso que ocurriera algo semejante, incurriendo en otro grave error judicial contra fray Luis de León.

Estaba la cuestión del escándalo, tan temido por los inquisidores. De ello se hace eco el propio fray Luis, quien ya en 1575 había denunciado aquel planteamiento:

> Me han tenido tres años preso sin razón alguna, y no sólo no merezco pena, antes se me debe premio y agradecimiento, como es notorio.

Y todavía, con marcada arrogancia, añadiría:

> ... y si de todo este escándalo que se ha dado y prisiones que se han hecho queda en los ánimos de vuestras mercedes algún enojo, vuélvanlo vuestras mercedes, no contra mí, que he padecido y padezco sin culpa, sino contra los malos cristianos que, engañando a vuestras mercedes, los hicieron sus verdugos y escandalizaron la Iglesia y profanaron la autoridad del Santo Oficio...

El 30 de diciembre de 1576, «con gran acopio de gente», fray Luis de León hacía su entrada en Salamanca. Regresaba a la ciudad de su destino, después de haber sufrido casi cinco años de prisión en las cárceles inquisitoriales de Valladolid. Algunos de sus biógrafos dan en decir, como descargo a lo actuado por la Inquisición, que no padeció en demasía durante su encierro, puesto que no fue sometido a tormento y no se le negaron los libros que solicitó. Sin embargo, lo que no se puede negar es que sufrió por la pérdida de libertad, durante tanto tiempo padecida. Y de ello dejaría expresa confesión en algunos pasajes de su gran obra en prosa, *De los nombres de Cristo,* como cuando al tratar de la pasión del Señor habla del morir y del temor de morir, y añade:

> ¿Qué tormento tan desigual que éste con que se quiso atormentar de antemano? ¿Qué hambre, o digamos mejor, qué codicia de padecer? No se contentó con sentir el morir, sino que quiso probar también la imaginación y el temor de morir lo que puede doler.

Eso sería probar, hasta el fondo del vaso, el sabor de la muerte:

> ... probar hasta el cabo cuánto duele la muerte, esto es, el morir y el temor de morir...

Se podía suponer que fray Luis de León denunciaría al cruel Tribunal que tan mal le había parado, y eso parece que nos da a entender en varios pasajes de su obra en prosa, como cuando en *De los nombres de Cristo* escribe:

> ... la forma de juicio y el hecho de cruel tiranía; el color de religión adonde era todo impiedad y blasfemia; el aborrescimiento de Dios, disimulado por defuera con apariencias falsas de su amor y su honra...

Al escribir así, fray Luis vulneró aquella prohibición de la Suprema de no tratar nada sobre su proceso, ni directa ni indirectamente, so pena de sufrir todo el rigor de la Inquisición, pero fray Luis afrontó el peligro. Nadie era capaz de hacerle callar. Es más, bien podría ser que uno de los motivos profundos que le impulsaron a escribir su obra magna en prosa *(De los nombres de Cristo)* fuera ese deseo de volcar en sus páginas toda la amarga experiencia sufrida en las cárceles inquisitoriales. Téngase en cuenta que se imprime por primera vez en Salamanca, en 1583, y que obra tan cuidada no se escribió en unos meses; es, sin duda, el primer gran fruto después de la libertad de fray Luis, y con toda la carga de los años pasados en las cárceles inquisitoriales de Valladolid.

Más cuidadoso de las formas fue cuando reanudó sus clases en el Estudio salmantino, en el momento en el que, según la tradición, pronunció su célebre frase: *Dicebamus hesterna die...* («Decíamos ayer...»). No hay pruebas concluyentes de que lo hiciese así, siendo la frase recogida por primera vez en un texto de bien entrado el siglo XVII, pero pudo ser fruto de una transmisión oral, aunque tampoco puede rechazarse de plano que pronunciara esa frase u otra muy similar, pues fray Luis sabía que todo el Estudio, incluso toda Salamanca, estaba pendiente de cuál sería su primera intervención, una vez recuperada su cátedra. Y lo cierto es que aquella frase expresaba muy bien su estado de ánimo, aunque con ella defraudara al principio a sus amigos y admiradores. Pronto empezarían todos a comprenderla, en su verdadero significado. ¿Había victoria mayor sobre la terrible Inquisición y sobre sus enemigos? Toda aquella saña con que había sido maltratado no era nada; un espíritu estoico encuentra en su interior la fuerza que le hace indestructible. ¿Es ese el secreto de que la frase se hiciera tan popular, que corriera por toda España, que se comentara en todos los círculos, que resonara en la corte, que se cuchicheara en el interior de los conventos, que corriera por calles y plazas y que llegara hasta los más recónditos lugares? Podría decirse que pocas veces una frase como esa hizo tan famoso a su supuesto autor para el pueblo ignaro, tanto o más que su fabuloso legado poético.

Tenemos, pues, a fray Luis de nuevo como profesor del Estudio salmantino. Y como su cátedra antigua era cuatrienal, pronto oposita de nuevo a una perpetua, la de Filosofía Moral, que había quedado vacante en 1578. Manteniendo todo su espíritu de lucha, fray Luis libra de nuevo su batalla opositoril, teniendo en esa ocasión como único rival a un fraile mercedario, fray Francisco Zúmel. Pese a ello, fueron unas oposiciones muy reñidas, y aun enconadas, por las descalificaciones que ambos opositores se arrojaron mutuamente: fray Luis acusó a Zúmel de sobornar a los estudiantes con derecho a voto, y Zúmel a fray Luis nada menos que de tramar su muerte violenta, valiéndose de un matón. Al fin, fray Luis ganó aquellas oposiciones por 301 votos personales frente a los 122 conseguidos por su rival.

A pesar de que desde entonces ya gozaba de una cátedra perpetua, fray Luis no duda en oposîtar de nuevo cuando en 1579 quedó vacante la cátedra de Biblia; era, sin duda, la plaza más anhelada para un teólogo. En aquella ocasión tuvo por rival a fray Domingo de Guzmán, figura conocida en la época, como hijo que era del famoso poeta Garcilaso de la Vega. Fray Luis volvió a vencer, pero esta vez por tan estrecho margen de votos, y aun con dudas respecto a la validez de algunos de los emitidos, que hubo pleito, ganado al fin por fray Luis. De ese modo comenzó su última etapa como profesor del Estudio.

No fueron años tranquilos. En 1582, con motivo de unas denuncias en el Claustro contra un jesuita (Prudencio del Monte), sobre el tema de la predestinación, fray Luis salió en su defensa, lo que le valió el ser de nuevo procesado por la Inquisición, aunque aquella vez todo quedara en una reprensión.

En 1590, no andando demasiado bien de salud, fray Luis fue enviado por el Estudio a Madrid, para negociar cuestiones de la Universidad ante el Consejo Real. Contaba ya sesenta y tres años, no poca edad para aquellos tiempos. Su salud tampoco era buena, aquejado fray Luis de un mal grave, acaso el inicio de un proceso cancerígeno; los documentos hablan de una lupia, o tumor, posiblemente maligno, hasta el punto de que los médicos recomendaran a fray Luis el mayor reposo. Pero eso se lo impedía su propia fama. En el verano siguiente, corriendo el mes de agosto, la provincia castellana de su Orden agustina convocó capítulo en Madrigal, y allí acudió fray Luis. Su prestigio era ya tan grande, que sus hermanos en religión le eligieron padre provincial. Por poco tiempo. Su dolencia iría a más, y tanto, que a poco, el 23 de agosto de 1591, fray Luis de León moría en Madrigal de las Altas Torres.

Digamos, finalmente, que fray Luis de León fue uno de los personajes más representativos del reinado de Felipe II, en especial por todo lo que supuso su obra como crítica al poder establecido.

En ese sentido, su proceso inquisitorial nos prueba en qué situación debía realizarse la tarea de los creadores de aquel reinado.

De ese modo, nuestra visión de la cultura en la España de Felipe II es más completa. Podrían realizarse grandes obras, como lo prueba el propio monasterio de El Escorial, pero está claro que el rigor inquisitorial no resultaba el más propicio para el vuelo del pensamiento.

Como se lamentaría el humanista Pedro Juan Núñez:

> ... que querrían que nadie se aficionase a estas letras humanas, por los peligros, como ellos pretenden, que en ellas hay...

Y no hay que aclarar quiénes eran «ellos» para Pedro Juan Núñez.

PARTE SEGUNDA

EL FLUIR
DE LOS ACONTECIMIENTOS

1
UNA ESPAÑA EN EXPANSIÓN

Antes de plantearnos el reinado de Felipe II, tras el relevo en la cumbre realizado por la abdicación de Carlos V en Bruselas y en el año 1555, es preciso presentar el fluir de los acontecimientos que él contempla desde su niñez, en particular en el período que va desde 1527 —el año de su nacimiento— hasta 1543, que es el año de su boda y, sobre todo, de la primera vez que Carlos V le deja en España como su *alter ego,* gobernándola en su ausencia.

¿Con qué nos encontramos? ¿Cuál es la primera sugerencia que esas fechas nos deparan? ¿Cuál su aspecto más significativo? Sin duda, el de una España en expansión, y ése es el sentimiento que está invadiendo a aquella sociedad, el que parece animar a sus principales protagonistas, como aquel hidalgo castellano, aquel capitán Vargas Machuca, que nos recuerda Elliott, cuyo lema era:

> A la espada y el compás,
> y más, y más, y más, y más[1].

Es el perfecto lema de un conquistador, de cualquier hidalgo castellano, manchego, extremeño o andaluz por la conquista del horizonte; es el símbolo de la expansión que parece no tener límites, siempre queriendo surcar mares, franquear otras cordilleras, cruzar nuevos ríos. El español del Imperio siente el vértigo de la distancia, avanza con el ímpetu del que está seguro de sí mismo y que dondequiera que pone su planta impone su voluntad, la norma de su grupo, la ley de su pueblo.

Es la exigencia de todo imperio en gestación.

Porque, en efecto, esa gestación viene de atrás, arranca de la época que podíamos denominar fundacional, la era de los Reyes Católicos, cuando la unión en la cumbre de las Coronas de Castilla y Aragón y la superación de

---

[1] J. H. Elliott, *El Viejo Mundo y el Nuevo,* Madrid, Alianza Editorial, 1972, pág. 69.

la guerra de Portugal abría las mayores perspectivas a la España de fines del siglo XV.

Todo parecía posible para quienes habían tenido la energía de concluir la Reconquista y para los que habían tenido el sentido común de respetar al vecino luso transformando la frontera portuguesa en una raya tranquila, buena para franquear por comerciantes y diplomáticos, y es más, para las princesas que iban de una nación a otra, consolidando aquella fructífera alianza.

De ese modo, pronto se vieron los frutos. La proyección sobre Italia y la costa norteafricana se produjo así, como una imperiosa necesidad. La aventura de Colón fue ya como un regalo inesperado, como ese potencial de fortuna que parece ser siempre la recompensa de los más audaces. Y precisamente el superar la tentación de entrar en conflicto con la otra potencia descubridora, el vencer los recelos de unos y otros, de castellanos y portugueses, fue una de las más claras victorias de aquellos dos grandes estadistas de nombre Fernando e Isabel.

Un binomio de impresionante fuerza. En una época de monarquías autoritarias, con clara tendencia al absolutismo, cuando el destino de los pueblos se perfilaba conforme al talante político de sus soberanos, el hecho de que se asociaran en la cumbre dos estadistas de la talla de Isabel y Fernando iba a resultar decisivo.

Y así el tratado de Tordesillas (1494), refrendado por aquellos Reyes, en que generosamente se resolvían las diferencias con Portugal, abriría el camino de la expansión del Imperio y daría a los españoles las mayores posibilidades.

Todavía tan sólo una perspectiva: sería preciso una prueba de fuego para comprobar hasta qué grado esa España estaba a punto para ejercer su gran protagonismo en la historia.

Y esa prueba de fuego la constituiría el pugilato por el dominio del sur de Italia, las guerras con Francia a caballo entre siglo y siglo.

Pocos espectadores podían entonces suponer que España fuera la vencedora, una recién llegada al escenario de la gran política mundial, una nación hasta entonces fragmentada en múltiples reinos rivalizando entre sí —castellanos contra aragoneses, cristianos contra musulmanes—, cuando no dividida por rencillas internas, como cuando a mediados del siglo XV, tras presentar aquel caótico combatir de unos contra otros, el cronista Fernando del Pulgar comentaría:

No hay más Castilla, sino más guerras habría...

Pocos eran, pues, los que daban la menor posibilidad a los españoles frente a los franceses en la pugna por Nápoles, encendida a principios del siglo XVI, sobre todo cuando vieron a su jefe, Gonzalo Fernández de Córdoba, obligado a meterse en Barletta, como último refugio.

Y, sin embargo, de allí arrancó el inesperado triunfo español y la humillación de los que parecían invencibles franceses, el nacimiento de una nueva estrella de la milicia: los tercios viejos del Gran Capitán, herederos ya de las legiones romanas y, como ellas en la época de la gran Roma, forjadores del nuevo Imperio hispano.

Eso estaba a las espaldas de los hombres de los años veinte, los hombres de la generación del 27. A partir de aquel momento, los acontecimientos se precipitarían y la España imperial dejaría de ser un proyecto para convertirse en una realidad. Con Carlos V se diría que el Imperio venía a buscar los emperadores a España, como con la Roma de Trajano, de Adriano y de Teodosio; sería cita obligada para los pensadores hispanos, como aquel Mota, obispo de Badajoz y presidente de las Cortes de Castilla, que, en su discurso ante las Cortes en nombre de su señor, había proclamado en 1520:

> ... Ahora es vuelta a España la gloria de España que años pasados estuvo dormida...

¿Qué gloria era esa? El buen obispo la recordaría:

> ... y cuando las otras naciones enviaban tributos a Roma, España enviaba emperadores...

Era el momento de recordarlos con orgullo:

> ... envió a Trajano, a Adriano, a Teodosio...

Una época, pues, gloriosa, unos nombres legendarios a recordar justamente ante los castellanos de 1520; pero eso, con ser mucho, era poco, comparado con lo que entonces estaba ocurriendo. Y así, Mota lo señalaría triunfante: la hora de España hacia 1520 era todavía más gloriosa:

> ... ahora vino el Imperio a buscar el Emperador a España, y nuestro Rey de España es hecho, por la gracia de Dios, rey de romanos y emperador del mundo...

Era el *imperium mundi,* era reverdecer los tiempos de la antigua Roma, agrandados en aquella hora con el dominio del Nuevo Mundo, que como un regalo había depositado la providencia en manos del joven Emperador; era aquel

> ... otro nuevo mundo de oro hecho para él, pues antes de nuestros días nunca fue nacido...[2]

Como signo de tal *imperium mundi* también estaría reservado para el Emperador el mayor acontecimiento de todo el Quinientos, algo que ni el propio

---

[2] Recogido por Francisco de Laiglesia, *Estudios históricos (1515-1555),* Madrid, 1918, I, págs. 338-342.

Mota podía sospechar: la primera vuelta a la Tierra iniciada en 1519 por Magallanes, el nauta portugués al servicio del Emperador, y culminada por el español Juan Sebastián Elcano en 1522. De esa forma, cuando Francisco I irrumpió en Italia, para desplazar a los españoles, y cuando el mundo entero vio con sorpresa que no sólo conocía la derrota en Pavía en 1525, sino que él mismo era cogido prisionero, empezó a reconocerse por unos y otros que una nueva potencia ascendía con ímpetu invencible, la potencia imperial regida por Carlos V, basada fundamentalmente en España.

Tal era el impresionante legado que la generación del 27 estaba recibiendo. Cierto que no faltarían los riesgos ni las incertidumbres, sobre todo con la amenaza de Turquía, avanzando tierras adentro por la Europa de los Balcanes, penetrando Danubio arriba, conquistando con aplastantes victorias primero Belgrado, en 1521, y cinco años más tarde la misma Budapest. Y, por si fuera poco, en ese mismo año, coaligados los franceses de Francisco I y las tropas pontificias de Clemente VII, ponían en entredicho la presencia hispana en Italia.

Es conocido el resultado: que tras de Pavía sobreviniera el *saco de Roma* y la prisión del mismo papa Clemente VII.

Sería aquello que había pronosticado, orgulloso y confiado, Luis Vives desde su refugio de los Países Bajos:

> Dicen que son muchos los conjurados contra Carlos, y esta es la fatalidad de Carlos, que no puede vencer sino a muchos para que sea más sonada su victoria[3].

Sería el *saco de Roma,* el terrible saqueo de la Ciudad Eterna que a todos llenó de turbación, como un secreto juicio de Dios, como un castigo impuesto por la Divinidad a quien olvidaba su responsabilidad como pastor supremo de la Cristiandad, sacando la espada y abandonando a su grey.

Como lo denunciaría Alfonso de Valdés en sus célebres *Diálogos:*

> ... el Papa tomó las armas contra él [Carlos V] haciendo lo que no debía, y deshizo la paz, y levantó nueva guerra en la Christiandad...[4]

Por lo tanto, una España que destruía a todos los que se atrevían a enfrentarse a su poderío. Y curiosamente, no en acciones ofensivas, sino defendiendo lo que ya era suyo.

Tal era la herencia, tal el legado hacia 1527, un año sangriento en la historia de Europa, el año del *saco de Roma,* cuyos ecos llegarían hasta el mismo

---

[3] Luis Vives a Cranevelt, Brujas, 10 de junio de 1526, en *Obras completas,* ed. Lorenzo Riber, Madrid, 1948, II, pág. 1774.

[4] Alfonso de Valdés, *Diálogo de las cosas ocurridas en Roma,* ed. de J. F. Montesinos, Madrid, 1956, pág. 117.

Valladolid, casi coincidiendo, día a día, con las jornadas cortesanas desencadenadas, montadas para celebrar el nacimiento del heredero del Imperio.

Y entre 1527 y 1547, en esas dos décadas que se suceden hasta que empieza a gestarse el relevo, ese Imperio no cesa en su afirmación en el Viejo Mundo y de su expansión en el Nuevo. Las fechas aquí lo aclaran todo:

1529	Paz de las Damas, confirmando otra vez la victoria de Carlos V sobre Francisco I.
1530	Coronación imperial en Bolonia.
1532	Contraofensiva imperial contra los turcos que amenazan Viena. Entrada triunfal de Carlos V en la capital del Danubio.
1532-1534	Conquista de Perú por Pizarro.
1535	Campaña de Túnez, tomada La Goleta al asalto por el ejército imperial, acaudillado por el propio Emperador.
1539	Gesta de los tercios viejos del maestre de campo Sarmiento en Herzeg Novi (Yugoslavia).
1541	Carlos V pone su vida en el tablero *versus* Argel.
1542	Leyes Nuevas de Indias, marcando uno de los hitos más gloriosos del Imperio.
1543	Auténtica *Blitzkrieg* del Quinientos de los tercios viejos sobre las fortalezas del duque de Clèves.
1544	El ejército imperial mandado por Carlos V se planta a las puertas de París: Francisco I se ve obligado a firmar la paz de Crépy.
1544	Graves alteraciones en las Indias del Perú.
1546	Carlos V decide enviar al rector de la Universidad de Salamanca, Lagasca, como pacificador del Perú.
1546	Campaña imperial en Alemania contra los príncipes protestantes.
1547	Mühlberg: una de las victorias más brillantes del Imperio español, acaso la más notable acción de armas emprendida por Carlos V.

Ese es el cuadro sinóptico, esas son las obligadas referencias cronológicas entre 1527 y 1547, que atañen a los primeros veinte años de la vida de Felipe II. Para entenderlas en toda su profundidad será necesario revisarlas período por período, etapa por etapa: la lucha por Italia de los tercios viejos en los años veinte; el espíritu de cruzada que alienta en Carlos V y que parece insuflar a sus pueblos hispanos en los años treinta; la conmoción que provocan las fulgurantes victorias de los tercios viejos —esa *Blitzkrieg* a que antes aludíamos— en los años cuarenta, y lo que simultáneamente va ocurriendo en el

Nuevo Mundo, en ese despliegue hispano en tierras de América, conforme a la divisa ya comentada:

Con la espada y el compás,
y más, y más, y más, y más.

De hecho, el Imperio cumplía entonces su primera condición: el espacio, el inmenso espacio sin el cual no existe imperio alguno.

Y en ese sentido es donde apreciamos el valor de América, o de las Indias Occidentales, en términos del tiempo. Pues aunque también jugara un papel la expansión por Italia y por el norte de África o el forcejeo por el predominio en la Europa occidental, es evidente que los grandes espacios estaban en Ultramar, empezando por los mismos inmensos espacios marítimos de los océanos, el Atlántico y el Pacífico.

Además estaba el hecho de la conquista de los fabulosos imperios de los aztecas, en México, y de los incas, en el Perú, y de la fama que habían alcanzado figuras como Hernán Cortés y Francisco Pizarro, todo ello ocurriendo en pleno reinado de Carlos V.

Una fama que así, con esa misma expresión, la encontraremos en los textos de la época, como cuando Bernal Díaz del Castillo decía de Hernán Cortés aquello tan conocido:

... la fama de sus grandes hechos volaba por toda Castilla...[5]

Y eso sin olvidar lo que supuso la primera circunnavegación de la Tierra, iniciada por Magallanes y concluida por Juan Sebastián Elcano. Esa sí que era una apertura a los inmensos espacios, que, como ya hemos indicado, es la base de todo imperio.

Una maravilla, un prodigio, algo que parecía tan imposible que por muchos se pondría en duda, y que los cronistas imperiales sabrían resaltar como un signo más del apoyo divino a Carlos V, y que además ponía de manifiesto la superioridad de la época imperial sobre la admirada Antigüedad, como leemos en Pedro Mexía:

... esta excelencia y preeminencia, entre otras muchas, tuvo Dios guardada para el Emperador, que se hiciese en su tiempo y por su mandado lo que los hombres nunca habían hecho ni aun bien entendido, después que Dios creó el mundo, *y cosa de que muchos sabios antiguos dudaron que era posible...*[6]

Por otra parte, la fiebre de los conquistadores era tal, que pronto los dominios adquiridos, como Nueva España (o México) y Perú, se convierten en punto de partida para nuevas expediciones, penetraciones y conquistas.

---

[5] Bernal Díaz del Castillo, *Historia verdadera de la conquista de la Nueva España,* Madrid, ed. Carlos Pereyra, 1968, pág. 545.

[6] Pedro Mexía, *Coloquio del sol,* Madrid, ed. 1936, pág. 408.

Como en el caso de Nueva España, también el Perú se convertirá pronto en centro de irradiación de nuevas conquistas. De Perú se partirá hacia el Sur para alcanzar Chile, cosa que realizarían primero los desventurados hombres de Almagro y después los más afortunados de Pedro de Valdivia, fundadores de las principales ciudades chilenas, como Santiago de Chile, Concepción y Valdivia. Hacia el Norte lanzará un brazo Pizarro con la expedición encomendada a Belalcázar, que conquista el reino de Quito. Y aunque menos fructífera, no deja de marcar un hito en la historia la espectacular incursión en la temible área amazónica de Gonzalo Pizarro, llevando bajo su mando a Orellana, que es el que habría de rematar la empresa, que aun hoy mismo supondría un tremendo reto para los hombres de nuestro tiempo; esto es, nada menos que franquear los Andes, entrar en la Amazonia y navegar por el gran río hasta su desembocadura. No cabe duda de que las mayores proezas de los conquistadores estuvieron las más de las veces cifradas en esa victoria sobre la distancia y sobre la naturaleza, donde nada les arredra: altas montañas, climas ecuatoriales, selvas impenetrables, áridos desiertos, rutas marítimas hasta entonces inexploradas. En esas aventuras muchos de ellos pierden la vida o la ponen en grave riesgo y, aun así, vuelven una y otra vez a probar fortuna, pues era como una embriaguez de lo maravilloso lo que acababa apoderándose de aquellos hombres. Navegantes como conquistadores ponen en lid reiteradamente lo conseguido con tanto esfuerzo, no tanto por un afán de más riquezas como de más fama. La muerte de Martín Alonso Pinzón, tras el gran viaje del descubrimiento de América, no arredra a su hermano Vicente Yáñez Pinzón, como tampoco a Juan de la Cosa, todos ellos participantes del primer viaje colombino. De Vicente Yáñez Pinzón se supone que murió en una subsiguiente empresa; de Juan de la Cosa sabemos cierto que pereció en la desafortunada expedición de Ojeda al territorio de Urabá en 1509. Todas las penalidades del primer viaje realizado con Magallanes no apartan a Elcano de emprender otro segundo a los tres años de su regreso, que le acabaría costando la vida. Cosa semejante ocurriría con los conquistadores, que mueren la mayor parte de ellos en nuevas empresas que intentan por no querer conformarse jamás con lo realizado. Si Hernán Cortés muere en España, lo cierto es que una y otra vez puso su vida y su fortuna al azar de otros intentos conquistadores, sin olvidar que en sus últimos años —ya establecido en España— acompañará al Emperador en su desafortunada campaña de Argel. A este respecto, una de las excepciones más notables será la de Gonzalo Jiménez de Quesada, el conquistador de Colombia, que después de volver a España regresa a las tierras que había conquistado para vivir en ellas en paz, muriendo o viviendo la muerte natural.

La cita de Bogotá es uno de los acontecimientos más asombrosos de la conquista y una prueba más, al tiempo, de cómo aquellas hazañas eran tan cotidianas que acababan dándose la mano. En la altiplanicie de Bogotá van a coincidir, procedentes de los puntos más dispares, tres grupos de conquistadores. Unos, dirigidos por Belalcázar, que venían de Quito, y por tanto del Sudoeste. Otros, llevados por Federmann (uno de los pocos alemanes que vemos en la conquista, por concesión de Carlos V a los Welser), llegaban de Venezuela. Finalmente, aparece otra expedición, al mando de Gonzalo Jiménez de Quesada, que procedía del Norte, de Santa Marta. El encuentro de estas tres columnas en la meseta bogoteña en 1538 es uno de los momentos más representativos de este período de conquista.

Si el encuentro en la altiplanicie de Bogotá causa admiración, no puede decirse que fuera un caso único, pues en realidad podría recordarse cómo, pocos años antes, Pedro de Alvarado, procediendo del Norte, le disputó la posesión de Quito a Belalcázar, que venía del Perú, sin que tampoco en este caso el encuentro terminase en conflicto armado: Alvarado accedió a retirarse tras el pago de una fuerte cantidad (100.000 ducados) que le resarciese de los gastos y penalidades de su expedición, una de las más difíciles de las realizadas en América. Pero Alvarado, que tanto se había distinguido en la conquista de México a las órdenes de Hernán Cortés y que había realizado la de Guatemala, sigue así ese destino común a tantos conquistadores de pasar de una conquista a otra, sin jamás dar tregua a sus actividades descubridoras.

A mediados de siglo la energía conquistadora desplegada por toda América es verdaderamente impresionante. Para entonces, al centro inicial de Santo Domingo hay que unir los establecimientos de la Costa Firme, empezando por los del istmo de Panamá y siguiendo por los enclaves fundamentales de México o Nueva España, de Perú, de Colombia, de Chile, de Venezuela, de Quito y del Río de la Plata. En 1536 funda Mendoza en estos parajes la ciudad de Buenos Aires; aunque la urbe sufrirá algunos eclipses, estaba ya echada la simiente de otro de los núcleos hispánicos de mayor futuro. Por entonces, Cabeza de Vaca había realizado su penosa exploración de Texas y a poco nos encontramos con la que Coronado hace por la zona del cañón del Colorado. Es este español, con el grupo que dirige, el primero que contempla esta maravilla de la naturaleza que ahora tantos miles y miles de visitantes acoge. Pues la actividad descubridora de los españoles no se puede circunscribir al área de la actual América hispánica. Posiblemente una tercera parte del territorio de los actuales Estados Unidos marca con su toponimia el paso de los españoles. Símbolo de ello es la ciudad de San Agustín, la más antigua de la nación norteamericana, que fundaría en 1565 un hombre de un temple extraordinario: el marino asturiano Pedro Menéndez de Avilés.

Sin duda, la conquista penetra por el surco tan fuertemente abierto por Hernán Cortés y Pizarro, las dos figuras centrales en la galería de conquistadores españoles en las dos Américas. Siguiendo su estela, se fundarán los dos grandes virreinatos de Nueva España (1535) y del Perú (1551). A partir de ese momento, y tras los daños inevitables del choque de dos civilizaciones, comenzará la repoblación, fundación de ciudades y centros culturales, y la evangelización de zonas inmensas. En suma, se pondrá en marcha la creación de un nuevo mundo.

Si se habla de viajes menores, por llamarlos así en comparación con el magno viaje colombino, de igual manera cabría aludir a las conquistas menores, en relación con las dos gestas increíbles de Hernán Cortés y Pizarro. Precisamente en cada una de las dos Américas, abriendo así el portalón para las otras que habían de venir después de ellos. Aunque este proceso expansivo seguirá a lo largo de toda la época colonial, lo más importante se desarrolló en la primera mitad del siglo XVI. Se cubrió con ellas un área inmensa, de océano a océano y desde el río Colorado y el curso medio del Misisipí hasta las islas meridionales de Chile; esto es, desde el paralelo 36° de latitud Norte hasta los 40° de latitud Sur, con una distancia aproximada, de extremo a extremo, de unos 10.000 kilómetros. En todo este territorio, que abarca desde las inmensas praderas del medio oeste americano hasta las pampas argentinas, pasando por alguna de las selvas tropicales más espesas del mundo y cruzando varias altiplanicies entre las más elevadas de la Tierra, al pie de volcanes o de inmensos desfiladeros, desafiando, en suma, una geografía gigantesca, los españoles combaten y destruyen, pero también colonizan y fundan. En primer lugar, ciudades, que les servirán de plataformas para nuevas expediciones.

Lo que supuso esa gesta para Europa es fácilmente comprensible. En primer lugar, y como destaca Alfred Weber, se realiza una impresionante ampliación del horizonte europeo. La expansión coincide, en sus rasgos fundamentales, con la época carolina. Es la España imperial la que por presión de Carlos V se adentra por toda Europa, la que defiende a la Cristiandad en Viena y en Túnez, la que se ve enzarzada en estériles guerras a las que le arrastra la Francia de Francisco I, la que se muestra como dominadora de Italia y como coaligada con los Países Bajos; es ésta también la que se pone en contacto con culturas extrañas y con pueblos primitivos. A un lado y a otro de los mares, la España de Carlos V forja un imperio inmenso como hasta entonces no se había conocido, el primer imperio de alcance universal, con conexiones incluso con el área asiática, en el que el mayor enemigo lo iba a constituir el espacio; un enemigo que Carlos V tratará de vencer en el Viejo Mundo con un ir y venir constante por los caminos de Europa.

¿Qué supuso el Nuevo Mundo para España? ¿Qué para los gobernantes? ¿Qué para el pueblo? En cuanto a la Corona, para Carlos V, lo mismo que para su abuelo Fernando el Católico, las Indias tuvieron en principio un valor sobre todo instrumental, en cuanto suministradoras de riquezas que podían emplearse en las empresas en que estaba empeñada la Corona en el Viejo Mundo. Ya hemos visto cómo Fernando el Católico aprieta a los organismos indianos para que le faciliten más oro americano, puesto que él lo necesitaba para emplearlo en las cosas de Dios (entiéndase en la guerra de África, en la que por entonces estaba empeñado). En las cartas de Carlos V es constante la referencia esperanzada al oro que había de llegar del Perú.

Ahora bien, el aumento constante del territorio americano que va quedando bajo el control de la Corona, con millones de nuevos súbditos a los que de algún modo hay que gobernar, obliga a la Monarquía católica a unas exigencias morales de buenos gobernadores. No se pueden dejar a un lado los desmanes cometidos por los conquistadores, excesos indudables tanto en el calor de la conquista como en el atropello cotidiano cuando ya la colonización estaba en marcha. Pero tampoco se puede olvidar que va a surgir un esfuerzo legislador en pro del nuevo súbdito, en relación con una conciencia de deber político —o, por mejor decir, de los deberes que la política indiana suponen para la Corona— que el padre Las Casas se encargará de recordar. Su vozarrón, su insistencia que ningún fracaso inmediato es capaz de reducir, consiguen que los monarcas que se suceden en el gobierno hispano no se adormezcan por lo que se refiere a estas obligaciones con el gobierno del Nuevo Mundo. Así, van a redactarse las leyes carolinas de 1542, que bien podrían ponerse en relación con el desastre de Argel; esto es, como si el César, después de aquel traspié, se preguntara por qué se había visto abandonado por la providencia divina y si había que achacarlo a algún tremendo pecado, como el que podía suponer el abandonar a los indios y dejarlos sin amparo frente a los abusos de los conquistadores. Lo cierto es que esta preocupación imperial se refleja de una forma concreta y precisa en las Instrucciones que Carlos V va a dar a su hijo Felipe II cuando en 1548 se cree en peligro de muerte.

En efecto, en tan grave ocasión, no se olvidará de recordar a su hijo la responsabilidad que tenía de velar por el buen gobierno de las Indias, y en términos de cuya sinceridad no puede dudarse.

Y así, le advierte:

> Y señaladamente, cuanto al gobierno de las Indias, es muy necesario que tengáis solicitud y cuidado de saber y entender cómo pasan las cosas de allí y de asegurarlas por el servicio de Dios y para que tengáis la obidiencia que es razón, con lo cual las dichas Indias serán gobernadas en Justicia, y se tornen a poblar y rehacer, y para que se obvie a las opresiones de los conquistadores y otros que han ido allá con cargo y autoridad...

De forma que era una seria alusión a los desmanes no sólo de los conquistadores, sino también de quienes, yendo con cargos principales, habían abusado de su poder. Y todo como algo que el Rey tenía obligación de impedir. Y de esa forma, le añadía:

> ... para que los indios sean amparados y sobrellevados en lo que sea justo...[7]

De todas formas, en el conjunto de la política exterior de la Corona hay que considerar el mundo indiano supeditado a los objetivos que se quieren conseguir en Europa. Es el oro de Perú el que se espera para financiar, en gran medida, la campaña de Túnez o la de Provenza.

---

[7] Instrucciones de Carlos V a Felipe II de 1548 (*Corpus documental de Carlos V, op. cit.*, II, pág. 589).

Es aquello que hacía exclamar al Emperador, siempre acuciado de dinero, de cara a su tercera guerra con Francisco I de Francia:

> ... y si Dios nos visita con unos [dineros] del Perú, aunque sea de particulares, aprovechémonos dellos... [8]

A este respecto, encontramos un mayor sentido apostólico en Felipe II, el cual, cuando se acomete la incorporación de Filipinas y cuando el Consejo de Estado considera que tan alejada conquista más había de gravar que de beneficiar al erario regio y, por lo tanto, que podía abandonarse, da por respuesta que aquel precio bien merecía pagarse por seguir manteniendo la fe de Cristo en tan apartadas regiones. Con justicia, pues, el bello archipiélago lleva el nombre del Rey Prudente.

En cuanto al pueblo español, ¿qué le mueve? ¿La codicia? ¿Una misión apostólica? No cabe duda de que ambas cosas están en juego, y también un fortísimo afán de encumbramiento social, de respirar aires más libres, de crear nuevos linajes. América es para España, en este sentido, una fundamental válvula de escape que permite aliviar la tremenda presión social provocada por el omnipotente señorío bajo el cual vive abrumado el campo español. También podría notarse algo muy notable para la época: el sentido del progreso, ese aire de modernismo que Maravall percibe en la España del Quinientos. Pues cuando buena parte de Europa sigue sumisa a la fórmula del *magister dixit* y frenada por la referencia a la Antigüedad, España ha podido ya confrontar y proclamar su inoperancia para el Nuevo Mundo.

Ya hemos visto de qué manera valoraba Pedro Mexía la gran gesta de la primera vuelta al mundo, como algo propio de sus tiempos, superadores de la Antigüedad. A su vez, Pedro Lagasca, el antiguo rector de la Universidad de Salamanca, enviado al Perú a mediados del siglo para sofocar la rebelión de Gonzalo Pizarro, exaltaría:

> ... las grandes navegaciones y descubrimientos que los españoles en estos tiempos han hecho...

Por lo tanto, las proezas de los españoles de aquel siglo. Pero, además, la refutación de afirmaciones sin fundamento de los sabios de la Antigüedad. Y de forma que encuentra gran variedad en el clima del Perú, lo que le arranca este orgulloso comentario:

> ... las diversidades de temples de aquellas tierras, y especialmente en el Perú hay. *Y cuán contra todo lo que los antiguos escribieron de las zonas, especialmente de la Tórrida...* [9]

---

[8] Carlos V a la emperatriz Isabel, Nápoles, 20 de febrero de 1536 (*Corpus documental de Carlos V, op. cit.,* I, pág. 474).

[9] Pedro Lagasca al rey Fernando, Villamuriel, 2 de febrero de 1554 (*Corpus documental de Carlos V, op. cit.,* IV, págs. 646 y 647).

En cuanto al impacto en Europa, lo primero que parece percibirse es como el intento de desvelar un secreto. ¿Qué pasa con esos supuestos viajes marítimos, surcando el mar tenebroso? ¿Hasta qué punto los españoles han conseguido algún éxito apreciable? Durante un cierto tiempo, esta es la interrogante que está presente tanto en los círculos políticos como en los culturales. En las cortes, en las cancillerías, pero también en los cenáculos de humanistas se formula esta pregunta; de ahí las noticias pedidas por los europeos a los viajeros y a los embajadores que llegan de España. Por otra parte, la creciente importancia de los caudales de oro y de plata que vienen de las Indias es pronto una prueba que desvanece cualquier tipo de incredulidad.

Aquello que hacía exclamar al humanista Navagero, cuando visita Sevilla en 1526: «Vi yo en Sevilla muchas cosas de las Indias...»

¿Qué cosas eran éstas? Frutos de la tierra, como batatas, frutas exóticas, de sabor delicioso, pájaros extrañísimos y bellísimos. Y también los nuevos hombres, los naturales de aquellas tierras, medio desnudos: «... el pelo negro, la cara ancha, la nariz roma, el color tira a ceniciento...» Y añade: «Todos los días se ven objetos nuevos...» [10]

Habría que considerar, también, que el europeo no sólo quiere noticias y anhela una información para saber a qué atenerse respecto de los descubrimientos y las conquistas de los españoles, sino que lo que ambiciona es, sobre todo, penetrar en la medida que le sea posible en aquel mundo de riquezas que la Monarquía católica pretende mantener como un coto cerrado para su exclusivo provecho y disfrute. Se establece así, por ésta, una política de secreto, la de los políticos y navegantes hispanos, prácticos en las nuevas rutas oceánicas y celosos de guardar su noticia: es el sigilo que encubre la ruta de las Indias. Y, a la contra, toda una labor de espionaje.

Algo que el Emperador mandará combatir con el máximo rigor, incluso con echar a pique las naves que se encontraren navegando en aquellos mares con cuantos las tripulasen:

> ... porque de no haberse hecho hasta aquí ha venido la cosa en términos que no saben otro viaje que hacer sino el de las Indias... [11]

También se ha hablado, y con razón, de lo que supuso América para Europa en cuanto a un espolear de su imaginación. ¿No es éste el caso de la *Utopía* de Tomás Moro? Con ello algo totalmente distinto iba a ofrecerse al europeo; no me refiero al desarrollo de su economía (que será importante) ni al aumento de sus conocimientos geográficos y culturales (otra realidad que habría que

---

[10] Citado en mi estudio *Aportaciones a la historia del turismo en España. Relatos de viaje desde el Renacimiento hasta el Romanticismo,* Madrid, 1956, págs. 45 y sigs.

[11] Carlos V a Maximiliano y María, Bruselas, 25 de enero de 1549 (*Corpus documental de Carlos V, op. cit.,* III, pág. 69).

tener en cuenta), sino sobre todo a la posibilidad de crear nuevos Estados y nuevas sociedades, libres de las trabas históricas, de las taras de los prejuicios de la vieja Europa. América se presentaba como una tierra nueva, y por ello considerada como sin pasado, en la que todo podía crearse *ex novo,* conforme a patrones ideales, orillando el peso de la tradición. Es evidente que en este sentido al europeo parecía estorbarle el indio aborigen como algo que no encajaba en su esquema y que era mejor destruir. Pero no al español, entre otras cosas porque busca en las Indias su ascenso social, y soñaba convertirse en señor de hombres. Como es evidente también que la historia seguía operando en ellos y que por eso precisamente serán posibles las nuevas sociedades, como la obra de quienes tenían un pasado a sus espaldas que querían corregir; un pasado que habían cribado con el cedazo de una cerrada crítica racionalista. En suma, no son los indios los que logran estas sociedades nuevas, sino los expedicionarios europeos, con la experiencia negativa de la vieja Europa que han dejado a sus espaldas. Esto les permitirá la creación de nuevas estructuras sociales, políticas y religiosas, haciendo realidad —o tratando de hacerlo— las utopías soñadas por sus humanistas. Y eso se verá y se plasmará en aspectos tan concretos como en la creación de las ciudades, geométricamente ordenadas como Tomás Moro las describía en su famoso libro; unas ciudades que contrastaban en su ordenamiento geométrico con el crecimiento abigarrado a que habían llegado las europeas. Y, en general, puede decirse que lo que el europeo se ve incapaz de realizar en el Viejo Mundo lo va a intentar en el Nuevo: por eso el gran papel histórico de América. De ahí que se convierta pronto en un mito, o mejor, en muchos mitos: en el del oro (la ubérrima América), en el del ennoblecimiento, en el de la redención, en el de la liberación, en suma, de las viejas cargas políticas, religiosas y sociales que hasta entonces habían abrumado al desvalido europeo.

2
LA ETAPA IMPERIAL

Esa España en expansión es la que se corresponde en Europa con la etapa
carolina, con la época en que Carlos V trata de acomodar la Europa que recibe a la que él había soñado.

Será la etapa imperial, que se corresponde con la niñez y los primeros
años juveniles de Felipe II. Una etapa en la que el Príncipe tiene constantemente las referencias a las gestas de armas de su padre, el Emperador, dobla-
das inevitablemente por sus ausencias, que tanto lamentaba su madre, la emperatriz Isabel.

Pero no sólo su madre, sino también las Cortes de Castilla, que una y
otra vez pedirían a Carlos V su pronto regreso a España. O como cuando la
alta nobleza le pedía al Emperador en Toledo y en 1538 que residiera en Castilla, porque los males del reino eran debidos:

> ... a los dieciocho años que V.M. está en armas por mar y tierra... [1]

Y acaso esa súplica, tantas veces reiterada, hizo mella en el ánimo del futuro monarca, que después y a lo largo de su propio reinado se mostraría tan
reacio a salir de su refugio castellano.

En todo caso, y presentando el telón de fondo de esas gestas imperiales,
que tanto asombrarían al príncipe niño, está claro que todavía no sería consciente de las primeras jornadas de Carlos V en Italia, con la coronación del
Emperador en Bolonia por mano del papa Clemente VII; momentos que bien
pudo revivir después a través de los espléndidos grabados de Nicolás Hogenberg, cuyas láminas podemos admirar en nuestra Biblioteca Nacional [2].

---

[1] Véase mi estudio «La política exterior», en *Las Cortes de Castilla y León en la Edad Moderna,* Valladolid, 1989, pág. 359.

[2] *La coronación imperial de Carlos V* (en los grabados de Nicolás Hogenberg), Madrid, Junta
Nacional del Centenario, 1958.

En este sentido, la entrada triunfal de Carlos V en Bolonia, bajo palio adornado con el águila bicéfala imperial y en compañía del Papa, sería como el punto de partida de una impresionante actividad que apenas si tendría un día de reposo.

Y si las jornadas de Bolonia las conocería *a posteriori,* a través de los relatos de los cronistas o de los grabados citados de Hogenberg, de lo que ya empezó a tener conciencia directa el Príncipe sería de los hechos de armas de su padre, empezando por aquella liberación de Viena a finales del verano de 1532, que en trances estuvo de ser sorprendida por el ejército turco, mandado por el propio Solimán el Magnífico. Para entonces, ya Felipe II contaba cinco años, y las nuevas de aquel triunfo imperial, llegadas a la corte de la Emperatriz a comienzos del otoño de 1532, tuvieron que impresionarle.

Estaba entonces la familia imperial en el alcázar de Segovia y la Emperatriz se haría eco de aquellas buenas nuevas:

> ... Dios sabe quánta alegría y plazer he yo recibido con ellas —contestaría la emperatriz Isabel a Carlos V—, así por saber de la salud de Vuestra Magestad como el estado en que allá quedan las cosas...

¿Qué cosas eran esas? La Emperatriz respondía a las cartas que Carlos V le había escrito el 21 de septiembre, y lo hacía el 13 de octubre, que no menos de veintidós días tardaban entonces los correos del Rey entre Viena y Castilla. Y a continuación, la Emperatriz precisa la calidad de aquellas nuevas, que eran las de la victoria del Emperador sobre el ejército turco en retirada:

> ... que siempre tove esperanza en Él que las había de guiar así, para que Vuestra Magestad, con mucha gloria y reputación, echase ese enemigo de la tierra. Y hame parescido bien, por las consideraciones que Vuestra Magestad dice, llegar a Viena... [3]

Unas nuevas felices del triunfo de Carlos V que venían acompañadas de otras que no lo eran tanto, pues mientras España ayudaba al Emperador con todo lo que tenía, en hombres y en dinero, quedaban sus costas de Levante a merced del enemigo berberisco, en este caso de Barbarroja, y de ello también se hacía eco la Emperatriz, pues mientras las galeras de España iban a Génova, para llevar el dinero que pedía el Emperador, las costas hispanas quedaban indefensas. Y la Emperatriz se lamenta:

> Porque la armada de Barbarroxa anda por estas costas haziendo todo el daño que puede, y no habiendo acá galeras, ya Vuestra Magestad ve lo que podrá suceder... [4]

---

[3] Isabel a Carlos V, Segovia, 13 de octubre de 1532, en Mazarío, *Isabel de Portugal, op. cit.,* Madrid, 1951, pág. 362.

[4] Isabel a Carlos V, Segovia, 17 de septiembre de 1532 (*ibídem,* pág. 356).

España, por lo tanto, supeditada a las cosas del Imperio, y la defensa de Viena antepuesta a la seguridad de las costas españolas; extraño destino de un Imperio que sacrificaba el corazón en beneficio de los miembros. Era la etapa en que Carlos V se nos presenta seguro de sí mismo, tal como lo pintó Tiziano en el espléndido cuadro hecho en Bolonia, en 1533, a raíz de su jornada de Viena, y que ahora custodia el Museo del Prado. Un Carlos V a lo gran caballero renacentista, arrogante, con la mirada un poco perdida en el horizonte, como oteando todo un futuro de triunfos y de glorias.

A partir de ese momento, el quehacer imperial se centraría principalmente en dos objetivos: contener al Turco, primero, y afianzarse en el norte de Europa, después. Y de esos cometidos, de ambas empresas, el príncipe niño sacaría las oportunas conclusiones con ojo cada vez más atento.

En primer lugar, por tanto, las acciones contra el poderío del turco Solimán el Magnífico y de su almirante en el Mediterráneo, el temido —y temible— Barbarroja. Ese será el principal cuidado de Carlos V entre 1532 y 1541, a lo largo de diez años, en los cuales habría que destacar la conquista de Túnez en 1535, la campaña de Provenza del año siguiente, el intento de acometer una auténtica cruzada contra Solimán, en 1538, y finalmente el desafortunado revés sufrido por el Emperador en 1541, cuando trató de tomar Argel. No siendo del caso puntualizar pormenorizadamente aquellos acontecimientos, como lo hemos hecho en otros trabajos nuestros y porque en una medida se hará en la tercera parte de esta obra[5], trataremos de recoger lo más significativo, en relación sobre todo con su impacto en el Príncipe.

Sin duda, las duras jornadas del verano de 1535, cuando Carlos V acaudilló personalmente la recuperación del reino de Túnez, que Barbarroja había hecho suyo el año anterior, serían de las más significativas. Y también aquí el eco producido en la corte de la emperatriz Isabel resulta imprescindible. Eran momentos que en España se seguían con verdadera ansiedad, por todo lo que estaba en juego: la defensa de la Cristiandad —y, en este caso, sobre todo de Italia, tan amenazada por Barbarroja en 1534 desde Túnez— y la propia seguridad del Emperador, que había puesto su vida en tanto riesgo, acometiendo personalmente aquella campaña, al frente de su ejército:

> Cada hora esperaré con gran deseo la buena nueva de la victoria —escribiría la Emperatriz a Carlos V—, la cual espero en Nuestro Señor dará a Vuestra Magestad y le volverá desa empresa con la gloria que desea...

¡La gloria del Emperador! Y como todo parecía en manos de Dios, los actos religiosos se sucedían. Y así añadía la Emperatriz:

---

[5] Véase, sobre todo, mi libro *La España del emperador Carlos V*, en *Historia de España Menéndez Pidal*, t. XX, Madrid, 1993, 6.ª ed., y, por supuesto, mi biografía *Carlos V. Un hombre para Europa*, Madrid, 1976.

> Las plegarias, procesiones e otros sacrificios se hazen y continua-
> rán en todo el Reino, hasta saber el buen suceso della...

Y concluía, confiada:

> ... la cual [victoria] no se puede dudar siendo la causa suya y en tanto
> beneficio de la Cristiandad [6].

Y esa gloria del Emperador se produciría. Sería su bautismo de fuego,
pues sabido es que en las jornadas de Viena de 1532 el ejército turco se retiró
dejando el campo al imperial. Algo que también recogerían cronistas y artistas, en sus libros y en sus cuadros. A ese respecto, el Príncipe llegaría a tener
ante sí los tapices hechos en Bruselas, sobre cartones del artista flamenco Jan
C. Vermeyen, pasados por Guillermo de Pannemaecker, que hoy pueden admirarse en El Escorial y en el alcázar de Sevilla.

Una gesta que Carlos V recordaría en sus *Memorias* con verdadero orgullo:

> Al otro día, al romper el alba, el Emperador puso en orden su
> ejército y marchó sobre la dicha ciudad de Túnez...

Era el recuerdo vivo de aquella empresa, tal como la tenía grabada en su
mente Carlos V quince años más tarde, cuando en 1550 dictaba sus *Memorias*
a su ayuda de cámara Van Male. Un vivo recuerdo que haría al Emperador
continuar de esta arrogante manera:

> Y ni Barbarroja ni su gente pudieron impedir que Su Magestad
> entrase en ella [en Túnez] con su ejército... [7]

Pero otra vez se volvía a repetir el sacrificio de España, en beneficio de
otra parte de la Cristiandad. Pues mientras Carlos V con la toma de Túnez
aseguraba las cosas de Italia, Barbarroja aprovechaba las desguarnecidas costas hispanas para saquearlas a su placer, en particular a Menorca.

Y eso también lo reflejaría, dolorida, la Emperatriz:

> A primero del presente [8] entraron en el puerto de Mahón, que es
> en la dicha isla [de Menorca], cerca de 30 galeras de Barbarroja...

---

[6] Isabel a Carlos V, Madrid, 26 de junio de 1535, en Mazarío, *Isabel de Portugal, op. cit.*,
pág. 404. Obsérvese que la Emperatriz escribía esa carta al día siguiente de la toma de Túnez por
Carlos V, aunque, por supuesto, la noticia tardaría todavía en llegarle.

[7] Carlos V, *Memorias,* ed. cit., pág. 61.

[8] El 1 de septiembre, por tanto, de 1535.

El clamor era general, pues se había salvado Italia, pero se había dejado sin defensas a España. Y así la Emperatriz añadía:

> ... lo qual se ha sentido en el Reino mucho, porque como las victorias que Nuestro Señor ha dado a Vuestra Magestad en la empresa de Túnez han gozado más particularmente los reinos de Nápoles y Sicilia, y toda Italia, por haberles echado de allí tan mal vezino, ansí en el daño que se haze en éstos por este enemigo se siente más agora que en otro tiempo...

Y tanto, que la opinión pública estaba escandalizada, como también lo acusaría la Emperatriz:

> ... de manera que no se habla de otra cosa... [9]

En ese horizonte internacional estaba muy marcado el hecho de la constante enemiga de Francia, cuyo rey Francisco I se alzaba como el máximo rival del Emperador. Anterior al nacimiento del príncipe Felipe había sido la primera de las guerras libradas entre ambos soberanos y buena parte de la segunda; pero ya cuando el Príncipe empezaba a tener conciencia del constante guerrear de su padre, se desarrolló la tercera, con la campaña de castigo que sobre Provenza desencadenó Carlos V; empezando porque esa campaña, librada en el verano de 1536, hizo que el Emperador aplazase su retorno a España, pasando de Túnez a Sicilia y Nápoles, y de allí a Roma, donde tendría el memorable discurso en español ante el papa Paulo III, clamando por la paz y acusando a Francisco I de ser quien perturbaba la armonía de la Cristiandad.

Un aplazamiento de su regreso a España que suponía, a la vez, un incumplimiento de la promesa que Carlos V había hecho a la Emperatriz, y eso era algo que iba contra su estilo de vida caballeresco, porque en definitiva era faltar a la palabra dada. Y eso, aunque fuera forzado por la necesidad, le desazonaba profundamente.

Fue cuando Carlos V, cogiendo él mismo la pluma, escribiría a la Emperatriz con un tono personal para tratar de justificarse. Sería aquella carta que publiqué en el *Corpus documental de Carlos V* y que allí comenté ampliamente. En particular cuando el Emperador empleó aquellas razones tan propias de un enamorado, aunque fuera para señalar el porqué se había visto obligado a demorar su retorno a España, para volver al lado de su esposa:

> Y por eso, señora, no son menester aquí soledades ni requiebros.

Y, consciente de lo que su decisión apenaría a la Emperatriz, le añadiría para consolarla:

---

[9] Isabel a Carlos V, Madrid, 24 de septiembre de 1535, en Mazarío, *Isabel de Portugal, op. cit.,* págs. 410 y 411.

... ensanche ese corazón para sufrir lo que Dios ordenare... [10]

Ni soledades, pues, ni requiebros; las soledades del amante que lamenta la ausencia del ser amado o sus requiebros cuando goza de la presencia de su enamorada. Ni lo uno, para no abatirse, ni lo otro, por imposible. Puesto que era algo que estaba por encima de la voluntad del hombre —aunque ese hombre fuera el Emperador—, había que conformarse y aceptar la voluntad divina:

... ensanche ese corazón para sufrir lo que Dios ordenare...

Para entonces, ya el príncipe Felipe II tenía nueve años y percibía plenamente las ausencias de su padre, provocadas por su trepidante actividad en el tablero de Europa y del norte de África. Así conoció aquel intento de Carlos V por acaudillar una auténtica cruzada contra Solimán el Magnífico, pasando de la defensiva a la ofensiva. Todo ello ocurriría en 1538, cuando la diplomacia imperial montó una Liga Santa con el papa Paulo III, con la república de Venecia y con el hermano del Emperador, aquel Fernando que había nacido en Alcalá de Henares y que entonces señoreaba Viena. Una Liga Santa que cristalizó en una incursión de las galeras cristianas coaligadas por el Mediterráneo oriental (Prevesa) y en situar un enclave en la costa dálmata (en Herzeg Novi), como cabeza de puente para una posterior ofensiva terrestre del ejército imperial.

Un ambicioso proyecto, acaso el sueño juvenil del Emperador, que acabó malográndose, concurriendo en ello no pocos factores. En primer lugar, la falta de entendimiento entre la marina veneciana y la imperial, que mandaba Andrea Doria. Tampoco ayudó la actitud de la nobleza castellana, que, convocada a unas Cortes generales en Toledo en 1538, se negó a contribuir al esfuerzo económico, rechazando el impuesto nuevo de la sisa que pedía Carlos V.

Igualmente, nada contribuía en el panorama internacional, con una Francia temerosa de aquella cruzada contra su tradicional aliado, como lo había sido Solimán el Magnífico. Y así se lo hizo saber Francisco I al Emperador, mandando como emisaria a Bruselas nada menos que a su esposa Leonor de Austria —la hermana mayor de Carlos V—, que tenía la misión de advertir a María de Hungría (que entonces ya gobernaba los Países Bajos, en nombre del Emperador) que aquella cruzada, si se llevaba a efecto, sería tomada por Francia como un *casus belli*.

La reunión de las dos hermanas tuvo efecto: Carlos V fue informado y comprendió que no podía embarcarse en una empresa tan dudosa, como el ataque directo a Turquía, dejando tal enemigo a sus espaldas.

---

[10] Carlos V a Isabel, Nápoles, 20 de debrero de 1536 (*Corpus documental de Carlos V, op. cit.,* I, pág. 474).

Pero alguien quedaría olvidado: aquel tercio viejo desembarcado en Herzeg Novi, que tenía como consigna defender el lugar, puesto ya bajo las banderas imperiales. Y el lugar era muy fuerte, pero aquel puñado de soldados (apenas tres mil) nada pudieron hacer frente al asalto de lo mejor de la marina y del ejército turcos, mandados por el mismo Barbarroja.

Y así se consumó el holocausto de Herzeg Novi (Castelnuovo, en los documentos españoles e italianos del tiempo), cantado por poetas como Gutierre de Cetina o como Luigi Tansillo. Una gesta que admiró a Europa entera, al saber que aquellos valientes, ante la orden de rendición de Barbarroja, ofreciéndoles las condiciones más honrosas, respondieron:

> ... que querían morir en servicio de Dios y de Su Magestad y que viniesen cuando quisiesen [11].

Al año siguiente, Carlos V sufriría una doble pena: la personalísima de la muerte de la Emperatriz y el agravio increíble del amotinamiento de su ciudad natal, Gante, en protesta contra las duras exigencias económicas imperiales.

La rebelión de Gante tendría la oportuna réplica de Carlos V, yendo en persona a la ciudad para proceder a su severo castigo. Para ello, no dudó en atravesar Francia, aprovechando uno de los pocos años de paz con Francisco I, quien, en un gesto de solidaridad con el poder amenazado, le había invitado, dándole fastuosa acogida en París.

Más desolado dejó al César, y como desvalido, la muerte de la Emperatriz. Quizá por ello, y como homenaje a su memoria, acometió en breve —en 1541— aquella empresa de Argel que tantas veces le había pedido su esposa.

Y por primera vez, la suerte de las armas le sería contraria, hasta el punto de que a poco estuvo de perder la vida.

De regreso a España, en el otoño de aquel año de 1541, Carlos V se encontró pronto con su hijo, en cuya constante compañía estará ya hasta entrado el año 1543.

Daría comienzo, de ese modo, a la formación personal del nuevo rey, por palabra y por escrito, logrando uno de los capítulos más destacados de nuestro siglo XVI: la lenta preparación del relevo. Un tema verdaderamente importante que desarrollaremos en la tercera parte de esta historia.

Ahora bien, entre 1543 y 1555 todavía se desarrollarían sucesos del calibre de la campaña contra el duque de Clèves (1543); de la cuarta guerra contra Francisco I de Francia, con el avance sobre París del ejército imperial (1544); del inicio del Concilio de Trento (1545); de la guerra de Carlos V contra los príncipes alemanes de la Liga de Schmalkalden (1546 y 1547); de la

---

[11] Sobre el holocausto de Castelnuovo versó mi conferencia pronunciada en la Real Academia de la Historia en 1985 ante don Juan de Borbón. Véase también mi trabajo «La gesta de Castelnuovo», en *Historia 16,* núm. 111, Madrid, julio de 1985, págs. 37-42.

crisis imperial de 1552, cuando Carlos V estuvo a punto de ser cogido prisionero en Innsbruck, y, finalmente, de la boda del príncipe Felipe con María Tudor de Inglaterra, en 1554; boda que parecía tan ventajosa para restaurar el predominio imperial sobre la Europa occidental, que permitiría a Carlos V poner en práctica algo que hacía tiempo que estaba deseando: su abdicación.

Sucesos todos ellos vividos cada vez con más intensidad por Felipe II, asociado por su padre al poder desde 1543, y que contribuirían tan decisivamente a su formación de rey y, como tal, estudiados en la tercera parte de esta obra.

Falta por decir aquí que Felipe II algo sacó en conclusión de aquel continuo batallar del Emperador, en la década transcurrida entre 1532 y 1541; y sería que la amenaza turca seguía presente, tanto para Italia como para España, y que combatirla era una cuestión prioritaria, no sólo para la defensa de sus súbditos, a que estaba obligado, sino de buena parte de la Cristiandad.

Lo que, en definitiva, resultaba la mejor justificación del predominio de la Monarquía católica sobre la Europa cristiana.

Es cierto que también aprendería la lección de que debía renunciar a sus pretensiones al Imperio; un sueño que acarició en sus años juveniles, pues ¿acaso no era él, el príncipe Felipe, el primogénito del Emperador? Pero fueron tantas y tan fuertes las oposiciones que encontró, que acabó por desistir, como veremos con más detalle en la tercera parte de esta obra, no siendo la menor el hecho de que, al firmarse la paz religiosa de Augsburgo de 1555, el nuevo emperador se veía obligado a gobernar sobre católicos y luteranos.

Todo ello como una larga preparación a su formación de rey y al relevo de su padre en la cumbre. Un relevo en el que pronto Felipe II tomaría sobre sí la superación del reinado anterior, siempre agobiado por las guerras con Francia, para llegar a un acuerdo importante y duradero con el Rey Cristianísimo: la paz de Cateau-Cambrésis.

Juan de Flandes supo dejarnos la estampa de la
reina Juana llena de juvenil y hermosa arrogancia, antes que prendiera en ella la furia de los
celos, que acabaría por hacerla enloquecer.
Museo de Historia del Arte (Viena)

El primer cuadro importante del emperador
Carlos V hecho por Tiziano, que le incorporaría ya al séquito imperial como el artista
que mejor había de inmortalizar la figura del
Emperador. Museo del Prado (Madrid)

No conocemos otro cuadro de la emperatriz Isabel y aun este fue hecho después de su muerte; pero Tiziano supo captar la delicada belleza de aquella que enamoró a toda la Corte, empezando por el Emperador, y a la que Felipe II recordaría siempre con el trauma de haber perdido a su madre en 1539, cuando tenía doce años. Museo del Prado (Madrid)

Juana de Austria, fundadora de las Descalzas Reales, muestra aquí, en esas iniciales, cuánto valoraba su linaje: F.C.V., o lo que es igual, Filia Caroli V; esto es, sobre todo, la hija del Emperador. Retrato por Sánchez Coello. Patrimonio Nacional

Vista de Valladolid en el siglo XVI. *Civitates Orbis Terrarum*, de Hoefnagel

Toledo en el siglo XVI. *Civitates Orbis Terrarum*, de George Braum

Iglesia de San Pablo en Valladolid, donde fue bautizado Felipe II en 1527

El palacio de Saldañuela, cercano a Burgos, nos trae a la memoria la figura de su dueña, aquella Isabel de Osorio que fue la primera amante de Felipe II cuando todavía era sólo el príncipe de las Españas

Este Felipe adolescente del Rijksmuseum de Amsterdam nos hace recordar al que en 1543 ve ausentarse a su padre y, reflexivo, empieza a darse cuenta de que Dios le había hecho «para gobernar y no para holgar». Óleo anónimo de la época

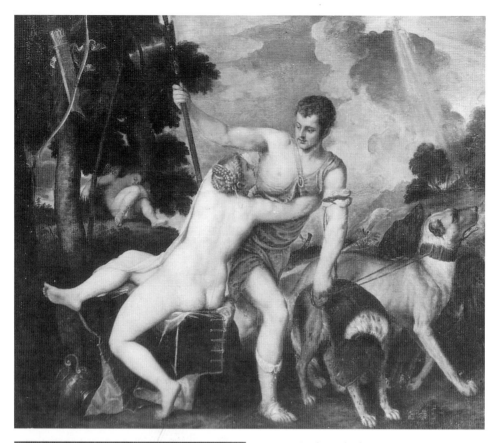

La leyenda de Venus y Adonis, cuando la diosa quiere sujetar a su amante que irá camino de su duro destino, fue un tema que Felipe II gustó de tener a la vista, como si el encargo hecho al mejor Tiziano viniera a traerle a la mente la imagen de su enamorada Isabel de Osorio, cuando el Príncipe había de desposarse con María Tudor. *Venus y Adonis*, por Tiziano. Museo del Prado (Madrid)

Antonio Moro nos da el mejor retrato que poseemos hoy del Felipe II joven de mediados de siglo, lleno de arrogancia, cuando todavía está lejos de convertirse en el rey del rosario en la mano. Colección particular

Soberbio cuadro de Tiziano, posiblemente el primero que hizo a Felipe II cuando ya se había convertido en el «alter ego» del emperador. Sin embargo al entonces Príncipe de las Españas no le gustó. Museo del Prado (Madrid)

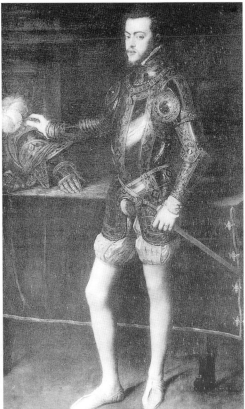

La dulce *Princesa de la Paz,* Isabel de Valois, llegó a España cuando todavía era casi una niña. Fue, sin duda, la más amada por Felipe II, que tan difícil experiencia conyugal había tenido con sus anteriores esposas, María Manuela de Portugal y María Tudor. Museo del Prado (Madrid)

Sánchez Coello nos da aquí la estampa de aquel pobre príncipe contrahecho de tan dramático destino. Museo del Prado (Madrid)

Catalina Micaela, la segunda hija que tuvo el rey con Isabel de Valois, fue la gran sacrificada al desposarla Felipe II con el duque Carlos Manuel de Saboya. Museo del Prado (Madrid)

3

EL RETORNO A LA GUERRA

Partamos, pues, en esta visión del fluir de los acontecimientos, del momento en el que Felipe II empieza su propio protagonismo, tras el relevo en la cumbre, con la abdicación de Carlos V.

Estamos ya en 1556.

En febrero, la Monarquía católica cerraba unas treguas de cinco años con Francia. Cuando el Emperador recibió las credenciales del plenipotenciario francés, Montmorency, sus manos se mostraron torpes para rasgar los sobres; era todo un signo. Pero para él ya importaba poco, puesto que su hijo había cogido el relevo.

Y las paces eran totalmente necesarias. Los pueblos estaban agotados y todos se preguntaban cuándo habrían de terminar las interminables guerras con Francia. Además, el dinero de las arcas reales se había terminado y fallaba el crédito hasta para lo más elemental. Ya en 1555, Juana de Austria había anunciado que sin la paz todo estaba en peligro, y que no veía la forma de librar una nueva partida de 600.000 ducados por los que urgía al entonces Rey-príncipe[1]. Y por las mismas fechas, Juan Vázquez de Molina —el sobrino de Cobos, que le había heredado en el cargo de secretario para las cosas de la Hacienda— expresaba su pena porque

> ... lo de acá está de manera que no se pueda cumplir con lo que V.M. manda[2].

De ahí que se pensara en Castilla, que, además de la paz, tenía que acudir a un remedio radical: el regreso de Felipe II a España. Y éste así lo entendió

---

[1] Juana de Austria a Felipe II, Valladolid, 11 de noviembre de 1555 (*Corpus documental de Carlos V, op. cit.,* IV, págs. 246 y 247). El título de Rey-príncipe, dado por Carlos V, en carta a Juana, desde Bruselas, el 15 de enero de 1556 (*ibídem,* pág. 254).

[2] Juan Vázquez de Molina a Carlos V, Valladolid, 12 de noviembre de 1555 (*ibídem,* pág. 248).

también, prometiendo a su hermana que tal realizaría en el 56[3]. De forma que cuando, a principios de aquel año, Felipe II asume todo el poder, ya ha decidido dar fin a la aventura inglesa, lo cual concuerda con su orden de que saliera de Londres todo su cortejo, dejando sólo en la corte de María Tudor al conde de Feria, no como embajador (puesto que él era el rey consorte), pero haciendo las veces de consejero, para que asistiera a la Reina.

Pero algo le obligaría a cambiar sus planes: el que Enrique II de Francia se olvidara pronto de las treguas firmadas, aprovechando la subida al pontificado de Paulo IV, el Papa de la familia Caraffa, tan enemigo de la Monarquía católica. Pronto los enviados pontificios lanzaron la consigna por toda Italia: ¡la hora de expulsar a los odiados españoles había llegado![4]

Diríase que la historia retrocedía, y que se estaban repitiendo las jornadas de 1527, cuando Clemente VII y Francisco I hacían causa común contra España. Aquella guerra —la provocada por la Liga clementina— que había terminado tan desastrosamente para el Papado, con el terrible *saco de Roma* y con la prisión del propio Sumo Pontífice.

En efecto, iba a salir cierta la sospecha del duque de Alba de que los franceses

> ... observarán la tregua cuando no hallaren ocasión de la romper con ventaja...[5]

Y así ocurrió. Animado por el decidido apoyo de Paulo IV, el rey Enrique II reanudó las hostilidades, enviando un poderoso ejército a Italia bajo el mando del duque de Guisa. Objetivo: Nápoles.

Para entonces, el duque de Alba ya contaba con un ejército, pequeño en número pero aguerrido: un cuerpo de infantería, de 17.000 soldados, de ellos 4.000 españoles (la temible fuerza de choque de los tercios viejos), y unidades complementarias de caballería pesada y ligera, así como de artillería. En total, alrededor de 20.000 soldados, a los que sabría dar buen juego.

El acuerdo secreto entre Francia y Paulo IV disponía que la ayuda francesa para expulsar a los españoles de Italia sería recompensada con la cesión de Nápoles y de Milán a dos de los hijos del rey francés, descontado el Delfín, de forma que no se incorporaran a la Corona francesa. Y para que el francés

---

[3] De ello se hace eco Juana de Austria en carta a su hermano fechada en Valladolid el 13 de junio de 1556, haciendo hincapié en que el Rey podría sostenerse con todo su poder en Castilla como lo habían hecho sus antepasados los Reyes Católicos y el propio Carlos V (*Corpus..., op. cit.,* IV, pág. 271).

[4] Duque de Alba a Juana de Austria, Nápoles, 17 de julio de 1556: «El Papa hace gente y junta dineros por todas las vías que puede... Ha escrito y enviado hombres a todos los potentados para los atraer a su opinión contra S.M., persuadiéndoles que echen los españoles de Italia...» (*ibídem,* pág. 274).

[5] Duque de Alba a Juana de Austria, Nápoles, 17 de julio de 1556 (*ibídem,* pág. 274).

pudiera justificar la ruptura de las treguas, daría pie la guerra que iniciase el Papa contra España, pues pese a tales treguas Enrique II no podía consentir en que se atacase al Papa; lo cual no era sino emplear el mismo ardid que había usado Fernando el Católico hacía medio siglo, tras el tratado de Barcelona de 1493.

Así las cosas, el estallido de la guerra con el Papa conmocionó a la opinión pública española. Felipe II tuvo la acostumbrada consulta de teólogos, y otra vez los profesores de Salamanca fueron llamados a dar su parecer. Melchor Cano, el famoso teólogo dominico, señaló que en el Pontífice cabía distinguir dos personalidades, una como pastor de la Cristiandad, al que se debía todo respeto y sumisión, y otra como señor temporal de los Estados Pontificios, contra el que cabía defenderse de sus ataques e injurias.

Y de ese modo, Felipe II, como treinta años antes había hecho Carlos V, ordenó al duque de Alba a que procediera *manu militari* contra el Papa, como señor temporal enemigo de las cosas de España, que trataba de despojar al Rey de aquel reino de Nápoles que había recibido de sus antepasados.

Las hostilidades entre Roma y España se iniciaron el 1 de septiembre de 1556. Aunque el ejército que Paulo IV había puesto en pie de guerra era notable en número, pronto pudo el duque de Alba, tan superior tácticamente, adueñarse de gran parte de los Estados Pontificios, llevando el pánico hasta la propia Roma, donde buena parte de sus habitantes tenían aún el duro recuerdo del *saco* sufrido en 1527. En todo momento trató el duque de Alba de negociar algún acuerdo, que consiguió cerrar el 20 de noviembre, tras la toma del puerto de Ostia, que era una de las plazas principales sujetas al Pontífice. Pero en enero de 1557 entraba en Italia el duque de Guisa con un ejército y con un objetivo: tomar y adueñarse del reino de Nápoles. Eso supuso una nueva ruptura de Paulo IV con España y que se perdiese buena parte del territorio ocupado; particularmente penosa fue la rendición de Ostia al ejército francés, prácticamente sin combate, lo que sería castigado con la pena capital del jefe de la plaza, Mendoza, que fue degollado, lo mismo que lo había sido por un delito similar Peralta, tras la pérdida de Bujía en 1555; era la forma inexorable con que la Monarquía católica trataba de mantener en pie su Imperio.

Pero la clave de la guerra en Italia estaría en torno a la plaza de Civitella, fuertemente pertrechada por el duque de Alba y a la que inútilmente puso asedio el de Guisa en la primavera del 57.

Y comenzó el retroceso del francés, siempre acosado por el español, cuando llegó a Italia la noticia de la tremenda derrota sufrida por Enrique II en San Quintín, lo que obligaba al rey galo a llamar con toda urgencia al duque de Guisa y a su ejército, que era ya la única fuerza armada que podía oponer frente al avance español en la frontera con Flandes.

Entonces sí que Paulo IV se vio totalmente a merced del duque de Alba, no teniendo más remedio que renunciar a sus pretensiones y a aquella Liga con Francia que tan mal resultado le había dado.

El intento de expulsar a los españoles de Italia se había convertido en un reforzamiento de la Monarquía católica. Toda Italia pudo comprobar que, al igual que había ocurrido en 1527, también ahora la más fuerte había sido España. El 19 de septiembre de 1557, la entrada triunfante del duque de Alba en Roma lo dejó bien claro.

Cierto, se mostró respetuoso en las formas con el belicoso Papa, llegando hasta el extremo de besar el pie del Pontífice y pedirle perdón, en público, por haber usado las armas contra sus Estados. Pero nadie tenía duda: contento podía mostrarse el Papa porque el Virrey español no entregase Roma a un segundo *saco*.

Y en esto también se mostró que los tiempos eran otros. El ejército imperial había perdido su jefe en 1527 y la disciplina había faltado. Treinta años después, el duque de Alba probaría que tenía la situación bajo control y que su puño de hierro no consentiría nada semejante.

Si esa era la situación en Italia, en las fronteras de Flandes la ruptura de las treguas por Francia obligó a Felipe II a cambiar sus planes. Ya era imposible pasar a España como lo había hecho Carlos V acompañado por sus hermanas Leonor y María, cuya flota había dejado el 17 de septiembre de 1556 las costas de Flandes. Antes bien, y para hacer frente a la amenaza francesa, Felipe II decide regresar a Inglaterra, para recabar la ayuda de María Tudor.

Una operación diplomática que tenía sus peligros, porque suponía vulnerar los acuerdos matrimoniales de que en ningún caso Inglaterra se vería mezclada en las guerras entre Francia y España.

María Tudor acogió a Felipe II con gran alborozo cuando desembarcó en Dover el 18 de marzo de 1557. Fueron tres meses en que revivió su matrimonio. Aun así, a Felipe II le costó trabajo vencer su resistencia para entrar en la guerra.

Algo ayudaba a Felipe II: que se había podido comprobar la ayuda de Enrique II a los enemigos de la Reina, en el caso de la conjura de Dudley. Y la diplomacia española buscó una salida para vencer los escrúpulos ingleses: no era el rey de España el que pedía el apoyo de Inglaterra, sino el señor de la Casa de Borgoña, acudiendo a los antiguos pactos con la Isla, por los que debían prestar auxilio a los Países Bajos si eran amenazados, como lo estaban.

Y de esa forma, Felipe II consiguió una ayuda de Inglaterra, no sólo en soldados, sino también en el mar, lo que sería más importante.

La fórmula sería que Inglaterra no declararía la guerra a Francia, pero que mantendría tropas para defender Flandes y, por supuesto, las plazas inglesas en tierra firme, en especial Calais: 8.000 soldados y 1.000 caballos, amén de una flota inglesa debidamente pertrechada.

Y esos aprestos militares serían costeados a medias por Inglaterra y por la Monarquía católica[6].

---

[6] Martin Hume, *Reinas de la España antigua, op. cit.,* pág. 227.

Otro designio llevaba Felipe II: tantear la sucesión de María Tudor, dada la evidente esterilidad de la Reina y su precaria salud. Se trataba de negociar que la princesa Isabel fuera reconocida como sucesora de la Reina y de casarla con un príncipe adicto a la Monarquía católica, proponiendo Felipe II a su pariente[7] y jefe de su ejército en Flandes, Manuel Filiberto, duque de Saboya.

No era la primera vez que Felipe II intercedía por la princesa Isabel, la hija de Ana Bolena, lo que provocaría los celos de la pobre reina María Tudor:

> Señor —le llegó a escribir la Reina—: Siendo como soy vuestra humilde y obediente esposa, suplico a V.A. con toda humildad, sea servido de sobreseer en este asunto hasta su regreso...

Y le añadía esta reveladora advertencia:

> De lo contrario, tendría celos de V.A., lo cual sería para mí peor que la muerte...[8]

El 3 de julio de 1557, Felipe II regresaba a los Países Bajos, tras conseguir una parte de sus objetivos: la ayuda inglesa contra Francia. ¡Al menos, que sirviera de algo su sacrificio de hacer otra vez vida conyugal con la Reina! Para él, dejar a sus espaldas las costas inglesas supondría una liberación. Para María Tudor, en cambio, era volver a la soledad, con el triste presentimiento de que ya no volvería a ver a su esposo.

> *Gentle Prince of Spain,*
> *come, o come again...*

Tal lo recogería la balada popular de la vieja canción inglesa[9].

Ya en los Países Bajos, se incorporó al ejército que debía medirse con los franceses. Pero, mostrando aquí una vez más sus diferencias con el padre, no tomará el mando supremo, sino que designaría para ello a Manuel Filiberto de Saboya, quien inició la ofensiva penetrando en Picardía. Ante la plaza de

---

[7] Como hijo de Beatriz de Portugal, la hermana de la emperatriz Isabel, Manuel Filiberto era primo carnal de Felipe II. Sería gestión personal de Felipe II, con una orientación distinta a la que en su momento había marcado Carlos V, de modo que en las instrucciones que dio en el 58 a Carranza, para la misión que había de tener con el Emperador, le señala: «Y en lo del duque de Saboya diréis a S.M. las diligencias que hice estando en Inglaterra con la Reina sobre su casamiento con Isabela y las causas que a ello me movieron y las que haré por concluirlo, aunque he hallado y pienso hallar las dificultades que sabéis.» (Cit. por mí en *Tres embajadores de Felipe II en Inglaterra, op. cit.,* pág. 281.)

[8] Citado por Fernández y Fernández de Retana, *La España de Felipe II, op. cit.,* I, pág. 435.

[9] Véase mi estudio citado *Tres embajadores de Felipe II en Inglaterra,* Madrid, 1951, págs. 261 y 262, nota 45; cf. Tenison, *Elizabethan England,* Londres, 1933, I, pág. 129.

San Quintín, Manuel Filiberto planta sus banderas. La defendía una de las primeras espadas de Francia: el almirante Coligny. En su socorro acude el grueso del ejército francés, mandado por Montmorency. Y de ese modo, el 10 de agosto de 1557 se libraría una de las batallas más famosas del Quinientos, aunque sólo fuere porque, para conmemorar la victoria, el Rey —y quizá también como desagravio por los excesos cometidos— prometiera la fundación solemne de un monasterio.

Estaba en germen la creación de la octava maravilla de mundo: el real monasterio de San Lorenzo de El Escorial.

La batalla pareció meteórica: la caballería pesada, al mando del conde de Egmont, hizo estragos en las filas francesas, y los tercios viejos, con soldados del renombre de Julián Romero y Navarrete, hicieron buena su fama de invencibles. En suma, aniquilamiento de las tropas francesas y el camino abierto hacia París, ya que la otra fuerza militar que tenía Francia en pie de guerra se hallaba entonces en Italia, en el inútil intento de expulsar a los españoles del reino de Nápoles.

Victoria fulminante, pero no decisiva. El saboyano pidió licencia al Rey para avanzar sobre París; Felipe II fue más prudente, y prefirió dejar al ejército sitiando San Quintín, sin duda esperando que el francés se decidiera por la paz.

¿Fue entonces cuando Carlos V recriminó a su hijo por falta de iniciativa? Así lo indica la leyenda, pero lo dudo. En primer lugar, Carlos V había obrado de igual manera a lo largo de su vida, lo mismo después de Pavía, en 1525, que tras la campaña victoriosa del 44, siempre buscando una negociación y no una paz sin condiciones contra un adversario aniquilado.

Por supuesto, ante la batalla ganada, el Emperador mostró su contento:

> Por las relaciones que habéis enviado —escribía al secretario Juan Vázquez de Molina, desde Yuste— habemos entendido lo que había de nuevo de todas partes y por la última, la rota de los franceses y prisión del Condestable y los demás de que he tenido el contentamiento que podéis pensar, por [lo] que he dado y doy muchas gracias a Nuestro Señor, de ver el buen principio que llevan las cosas del Rey, y así espero en Él que lo continuará... [10]

¿La falta de dinero —ese mal permanente de la Monarquía católica— paralizó las operaciones? En el 56 se descubrían en Guadalcanal unas ricas minas de plata, que pronto iban a dar beneficios [11]. Y el mismo año, a fines del verano, arribaba a España la flota de las Indias con un verdadero tesoro que la Casa de Contratación de Sevilla cifraba en 2.104.700 pesos, más 1.603 marcos de perlas, de los que correspondían al Rey en torno a los 300.000 pesos, lo que suponía ya un respiro y el poder mandar, de inmediato, 200.000 ducados a

---

[10] Carlos V a Juan Vázquez de Molina, Yuste, 6 de septiembre de 1557 (*Corpus..., op. cit.,* IV, pág. 347; original).

[11] *Ibídem,* pág. 259.

Felipe II. Todo lo cual alegraba a la corte de Valladolid, haciendo exclamar a la princesa Juana de Austria:

> ... estoy con gran contentamiento... [12]

Curiosamente era cuando Luis de Ortiz anunciaba ya al Rey que había ideado aquel programa hacendístico con el que esperaba sanear por completo la Real Hacienda, y en carta complementaria dirigida al poderoso cortesano conde de Mélito se atrevía a más, afirmando que, de ese modo y por su industria, podía convertir al Rey en «monarca del mundo» [13].

Estaba en marcha el famoso *Memorial,* que hemos comentado tan ampliamente en la primera parte de esta obra, tan útil para los historiadores de hoy como vano para los hombres del siglo XVI.

Más fundamento tenían las remesas de oro y plata que seguían llegando de las Indias, aunque no siempre pudiera incautarse de ellas la Corona, debido a que los mercaderes, alarmados por la reiterada pérdida de sus beneficios, lograron en el 57 sustraer una importante partida, escapando al control de la Casa de Contratación de Sevilla, lo que provocaría una de las más airadas reacciones de Carlos V, para entonces ya en Yuste. A su hija Juana le escribiría sobre «... esta negra suelta deste dinero que estaba en Sevilla...».

Una «gran bellaquería» que le puso fuera de sí («la cólera que desde que lo supe he tenido»), cuya ira se le acrecentaba más y más, de forma que pide el castigo más severo para los culpables y no por la justicia ordinaria, sacándoles toda la verdad «aunque se les hiciera pedazos», tomándoles su hacienda y encarcelándolos. Porque era el caso que en la primavera del 57 había llegado la flota con una grandísima cantidad, valorada entre siete u ocho millones de ducados, que a la postre habían quedado en 500.000.

De forma que, recuperado su estilo de mando, Carlos V ordenaba a Juan Vázquez de Molina «del mi Consejo y mi Secretario»:

> ... envíe a mandar a los que en esto entienden que suspendan luego a los dichos Oficiales [de la Casa de Contratación de Sevilla] y los prendan y, aherrojados públicamente y a muy buen recaudo, los saquen de aquella ciudad y traigan a Simancas y pongan en una mazmorra y secuestren sus haciendas... [14]

Aun así, lo obtenido permitió mandar 300.000 ducados en las galeras de don Juan de Mendoza, con destino a Italia; 500.000 a los Países Bajos en la armada de don Luis de Carvajal y otros 720.000 ducados para el Rey, en letras de cambio [15].

---

[12] Juana de Austria a Felipe II, Valladolid, 13 de septiembre de 1556 (*Corpus..., op. cit.,* IV, pág. 281).

[13] *Ibídem,* págs. 283 y 285 (nota).

[14] Carlos V a Juan Vázquez de Molina, Yuste, 12 de mayo de 1557 (*ibídem,* pág. 325).

[15] *Ibídem,* pág. 324.

La derrota de San Quintín no trajo el aniquilamiento del poderío francés. Felipe II parecía más preocupado por los desórdenes de su ejército, con daño a instituciones sacras, que animado a proseguir la lucha, y así era de temer una réplica francesa. El 11 de agosto, al día siguiente de la batalla, Felipe II la comunicaba a Carlos V, con su sentimiento por no haber estado en ella y por los desmanes de las tropas:

> No dudo —le consolaría el padre— que habéis tenido el trabajo que decís con el asalto de San Quintín en excusar los desórdenes que suele haber en semejantes cosas.

Pero le advertía que el enemigo procuraría tomarse la revancha a la primera ocasión que se le presentase, incluso en pleno invierno [16], por lo que todo cuidado era poco.

Acertada profecía, para desventura de Felipe II: de modo que el duque de Guisa, con el ejército que había traído de Italia, puso cerco aquel invierno a Calais y la tomó sin demasiadas dificultades.

Fue un asunto que yo estudié con cierto detenimiento, hace cincuenta años, en mi vieja tesis doctoral de 1947, publicada en 1951. Estaba al frente de la plaza lord Wentworth, un simpatizante de la princesa Isabel, y todo parece indicar que hubo traición, pues la pérdida de Calais provocaría la ruina del partido hispanófilo en la isla [17]. Sin embargo, para ser exactos, hay que tener en cuenta que ya entonces el Rey daba muestras de su lentitud en tomar decisiones, no acudiendo al auxilio de Calais con la celeridad que el caso requería, tal como le pedía lord Wentworth el 3 de enero del 58 en una apretadísima súplica, ante la amenaza del ejército francés [18].

Felipe II comprendió de inmediato lo que suponía la pérdida de Calais:

> Lo he sentido tanto que no lo podría encarescer, y con mucha razón por ser plaza de tanta reputación y importancia, y abierto camino para estos franceses de Flandes, y especialmente por los de Inglaterra, donde hay diferentes voluntades... [19]

Afortunadamente para el Rey, la reanudación de la guerra aquel verano, en la frontera de Flandes, le deparó la victoria de Gravelinas, en la que pareció funcionar el buen entendimiento entre españoles, flamencos e ingleses, siendo

---

[16] «... Podía ser que, juntando el enemigo su campo, quisiese este invierno intentar de querer recuperar alguna de las plazas que ha perdido o ganar otras de nuevo.» (*Corpus..., op. cit.,* VI, pág. 364.)

[17] *Tres embajadores de Felipe II en Inglaterra, op. cit.,* págs. 244 y sigs.

[18] Lord Wentworth a Felipe II, Calais, 3 de enero de 1558 (Archivo de Simancas, Estado, leg. 811, fol. 19; original); cf. mi libro *Tres embajadores de Felipe II en Inglaterra, op. cit.,* pág. 215, donde publico esta carta.

[19] Felipe II a Juana de Austria, Bruselas, 15 de enero de 1558 (Archivo de Simancas, Estado, leg. 816, fol. 9).

tan decisiva la acción del conde de Egmont como la intervención de la marina inglesa.

Una victoria que trajo además la consecuencia de que Enrique II se acabara decidiendo por entrar, de una vez por todas, por la vía de la paz.

Eso ocurría en el verano de 1558. Algunos meses después, la vida de Felipe II quedaría marcada con la muerte de dos personajes: su padre, el Emperador, y su segunda esposa, María Tudor. Trataremos ambos sucesos en función sobre todo de lo que supuso para el Rey.

Indudablemente, la muerte de Carlos V el 21 de septiembre del 58, aparte del sentimiento natural en quien tanto veneraba a su padre [20], trajo un cierto sentido de liberación para el Rey. Ya Felipe II era el dueño completo de su destino, sin mediatización alguna, y no tenía que dar cuenta al viejo Emperador de sus actos, como cuando intentó hacerle comprender el porqué de su protección a la princesa Isabel. Es cierto que, a partir de ese momento, Felipe II ya no podría contar con el consejo de su padre. Pero igualmente hay que verlo desde este otro punto de vista: también se hallaría con mayor libertad de movimientos.

Más directamente le afectó la muerte de María Tudor por lo que iba a traer de gran cambio en su política exterior: el recelo hacia Inglaterra y el acercamiento a Francia, toda una inversión de las viejas alianzas y enemistades que había heredado de Carlos V.

Los achaques de la reina María Tudor se vieron agravados por la congoja de saber que no sería capaz de dar un hijo a la Corona, que viniese a consolidar su obra de recatolización del reino inglés, ante la perspectiva de que le sucediese su hermana Isabel, tan dudosa a ese respecto.

También, evidentemente, acusó la prolongada ausencia de su esposo, a quien nada le haría coger de nuevo el camino de Londres, tal como hemos visto que lo reflejaba la vieja balada:

> *Gentle Prince of Spain,*
> *come, o come again...*

Ante las noticias de la irreversible postración física de la Reina y su inminente final, Felipe II decidió enviar al conde de Feria, intentando que llevara a cabo un postrer esfuerzo para que María Tudor reconociese a su hermana Isabel como heredera, y cerrara así las pretensiones de la diplomacia francesa que aspiraban a que el trono recayese en María Estuardo, entonces esposa del Delfín de Francia.

Feria llegó a Londres el 9 de noviembre, logrando de inmediato audiencia con la Reina. La encontró muy mal, a ratos perdiendo ya la razón, pero consiguió lo que Felipe II quería, que reconociese a Isabel por heredera. Al

---

[20] «... La muerte del Emperador, mi Señor, me ha dado el dolor y pena que podéis pensar...» Felipe II a Juan Vázquez de Molina, 9 de diciembre de 1558 (*Corpus..., op. cit.,* IV, pág. 453).

punto, Feria completó su tarea llevando aquella decisión postrera al Consejo y visitando a la Princesa en su retiro, para hacerla ver hasta qué punto había tenido al Rey de su parte; vana embajada, pues Isabel era consciente de cuán fuerte era, aparte de que en ella anidaba ya aquel sentimiento propio de tantos estadistas (como lo había sido el caso de Fernando el Católico): que en materias de Estado el agradecimiento es más un vicio que una virtud.

Aún le restaba otra tarea al conde de Feria: concertar la boda de Isabel con Manuel Filiberto de Saboya. Labor imposible, porque ni era del gusto de Isabel ni del Consejo inglés:

> Al duque de Saboya por ahora yo sé cierto que no le querrán oír nombrar —escribía el Conde a Felipe II el 21 de noviembre, a raíz de la muerte de la reina María—, porque les paresce que con las fuerças deste Reino ha de querer cobrar su Estado, y que siempre les terná en guerra [21].

Una carta que tardaría en llegar a su destino, porque Isabel y los de su Consejo tomaron la prudente determinación de cerrar los puertos, incomunicando la isla con el continente. Felipe II tardó en conocer la muerte de María Tudor y, en consecuencia, que ya había dejado de ser rey consorte de Inglaterra el 18 de noviembre del 58. De forma que, todavía siete días después, el 25 de noviembre, mandaba un emisario de importancia a Londres: al obispo napolitano Álvaro de la Quadra, con nuevas instrucciones a Feria, y siempre con el intento de aprovechar su posición regia para obligar a Isabel a la boda con el saboyano.

Hacía siete días que ya no era rey de Inglaterra y no lo sabía [22]. La aventura inglesa había llegado a su fin.

---

[21] *Tres embajadores...*, op. cit., pág. 30.
[22] *Ibídem*, págs. 29 y sigs.

4
LA PAZ DE CATEAU-CAMBRÉSIS

La paz de Cateau-Cambrésis es uno de los mayores logros diplomáticos conseguidos por España a lo largo de su historia, sólo comparable al tratado de Tordesillas de 1494. Gracias a ello España afianza su supremacía sobre Italia, con una presencia en el Norte como en el Sur del calibre del ducado de Milán, de los reinos de Nápoles, Sicilia y Cerdeña, del marquesado de Finale y de los presidios toscanos, conseguidos después de la guerra de Siena de 1555, y como resultado de la expresa decisión del nuevo Rey.

Asombra que un acontecimiento de tal magnitud, que arrojaría las guerras hispano-francesas por el control de Italia al pasado, haya sido tan poco destacado por nuestra historiografía, cuando sus consecuencias perdurarían durante siglo y medio. Compárese lo que sucede con otros acontecimientos similares, como la paz de Westfalia o la de los Pirineos.

La paz de Cateau-Cambrésis trajo una reversión de alianzas en la Europa occidental, un brusco viraje. Cinco años antes, la diplomacia española se esforzaba por conseguir la alianza inglesa, ante la perspectiva de una enemiga francesa, a cuya hostilidad nunca se veía fin. De forma que el cambio no podía ser mayor: en 1554 se ultimaba el matrimonio del príncipe Felipe, viudo de María Manuela de Portugal, con la reina inglesa María Tudor. Cinco años después, lo que se negociaría sería la boda del ya rey de las Españas, otra vez viudo, con la princesa Isabel de Valois, la hija del rey de Francia, que desde entonces sería llamada por el pueblo español Isabel de la Paz, lo cual es bastante significativo; se entendía, y a cualquier nivel, que la mejor dote que traía consigo la princesa de Francia era la paz entre los dos pueblos, después de casi cuarenta años de guerras encadenadas.

Un viraje notable, por tanto, en la orientación de la política exterior que se produjo no sin antes otros tanteos con el nuevo poder consolidado en Inglaterra, al advenimiento de la nueva reina Isabel, la hija de Ana Bolena.

Pues, a fines de 1558, Felipe II es otra vez un monarca viudo y por tanto él mismo puede presentar su candidatura ante Isabel. ¿Por qué apoyar a otro candidato, aunque fuese un aliado tan firme como el saboyano? Nunca lo sería mejor que el propio Rey, eso estaba claro.

Además, Isabel Tudor, la hija de Ana Bolena, había nacido en 1533. No era una belleza, pero sí al menos una princesa joven, de veinticinco años, a la que el Rey llevaba seis. No se trataba, por tanto, de ningún sacrificio, tal como había supuesto la boda con aquella pobre «vieja» y consumida mujer que había sido María Tudor. La comparación, como no podía ser de otro modo, la hacían los contemporáneos. El conde de Feria, que tan bien había conocido a las dos reinas, comentaba en sus cartas a Felipe II:

> Quando V.M. se casó con S.M., que haya gloria, lo sintieron los franceses en extremo, y también sentirán ahora que V.M. case con ésta, y tanto más cuanto que hay más esperanza de tener hijos ésta por su edad y disposición, que estas dos cosas tiene muy mejores que la Reina que haya gloria... [1]

Si bien, aludiendo claramente al aspecto religioso y a la simpatía hacia España, Feria se vería obligado a este otro comentario:

> ... en las otras [disposiciones] le hacía S.M. ventaja incomparable... [2]

De manera que Felipe II dio órdenes a su embajador en Inglaterra, conde de Feria, de iniciar las negociaciones.

Parecía un caso paralelo al planteado en 1553 por Carlos V. Y eso es lo que nos permite establecer las oportunas comparaciones. ¿Se mantendrían las mismas condiciones? Recordemos en especial aquella de que los hijos, si los hubiere, habían de heredar conjuntamente Inglaterra y los Países Bajos.

Por supuesto, había otras diferencias de una boda a otra. María Tudor suponía la vuelta de la Isla al catolicismo, mientras que de Isabel había que temer su deslizamiento de nuevo al campo reformado, al que pertenecían los más y mejores de sus seguidores. Algo que chocaba radicalmente con la postura —y con los sentimientos— del soberano español.

Llama la atención la confianza o, si se quiere, la seguridad —falsa, por supuesto— que tenía Felipe II en aquella negociación, lo que le iba a llevar a una serie de exigencias con pocas compensaciones. ¿No había salvado, una y otra vez, a Isabel de las manos del verdugo? Y aunque la nueva reina no fuera agradecida, ¿acaso no tenía el gran riesgo de que Roma la declarase ilegítima, y que por lo tanto ofreciese la oportunidad a Francia para una magna operación de acoso y derribo, en apoyo de la que tenía mejores derechos, según la ley romana, y que además era católica, esto es, la princesa María Estuardo? Eso era lo que unía a Felipe II y a Isabel, pues nada peor podía ocurrirles a

---

[1] María Tudor.

[2] Carta citada por Tenison, *Elizabethan England,* I, 31; cf. mi libro *Tres embajadores de Felipe II en Inglaterra, op. cit.,* pág. 264, nota 82.

ambos, dado que si Isabel podía perder el trono, y quizá la vida, Felipe II se encontraría con un bloque fortísimo formado por Francia, Inglaterra y Escocia. ¿Y cuánto tiempo resistirían los Países Bajos al embate de fuerzas tan superiores, que los rodeaban por casi todas partes?

De forma que Felipe II iba a seguir mostrándose firme aliado de Isabel, y esos serían los argumentos que llevaría Carranza, en la misión que Felipe II le encomendó cerca de su padre, Carlos V, ya en Yuste, en la primavera del 58: del porqué de su apoyo a Isabel Tudor.

Ahora bien, y hay que insistir en ello para entender su planteamiento, Felipe II considera que la suerte de Isabel está en sus manos, y que por tanto esa propuesta suya de matrimonio no puede ser rechazada. ¡Isabel no podía arriesgarse a perder su protección! Y tanto es así, que por tenerla tan segura, se le ve vacilar, como quien tiene tiempo para pensarlo y como quien no quiere comprometerse, temiendo que a la primera indicación la otra parte le vaya a coger la palabra y le encadene sin remedio.

Por tanto, lo primero, las exigencias. Por supuesto, que Isabel abandonase cualquier veleidad religiosa, aunque eso le llevara a distanciarse de no pocos de sus seguidores. Y en segundo lugar, que nadie piense que los hijos del matrimonio, si los hubiere, habían de heredar también los Países Bajos, pues él ya tenía un hijo, don Carlos, a la sazón con quince años. Además, en cuanto a Felipe, quedaría bien sentado que gozaría de plena libertad de movimientos para salir del reino cuantas veces lo creyera oportuno, ya que tenía que gobernar también sus otros reinos y en especial los de España.

Exigencias, por tanto, de quien está seguro de lo fuerte de su posición y que por ello puede imponerlas. Cosa en la que Felipe II estaba muy mal informado.

De esas exigencias, la que más llama la atención es la que se refiere a que los hijos no podrían heredar los Países Bajos, dados los derechos del príncipe don Carlos. ¿Acaso no tenía esos mismos derechos en 1554, cuando se ultimó por los embajadores de Carlos V el tratado matrimonial con María Tudor? ¿Dónde estaba la diferencia? No cabe duda: en quien lo negociaba. Carlos V había creído que ésa era la fórmula para persuadir a los ingleses de que aquella boda les era favorable, tratando de superar los escollos del partido que no quería saber nada, en Londres, de una alianza matrimonial con España, mientras que Felipe II despreciaba esa oposición. Además, Carlos V había llegado a la conclusión de la dificultad de mantener los Países Bajos en la órbita de la Monarquía católica y que era preferible aquella alianza, como la forma más segura de salvaguardarlos de las acometidas de Francia.

Ya lo hemos indicado: se trataba de aquello expresado por Carlos V a su embajador Simón Renard:

> Es nuestro propósito que Inglaterra y estos Estados anden juntos, para ayudarse en todo momento...[3]

---

[3] Manuel Fernández Álvarez, *La España del emperador Carlos V,* Madrid, 1993, pág. 879.

A tal boda inglesa con Isabel Tudor animaba a Felipe II su embajador, el conde de Feria:

> Cuanto más pienso en este negocio —le señalaba desde Londres—, entiendo que todo él consiste en el marido que esta mujer tomare, porque si es tal cual conviene, las cosas de la religión irán bien y el Reino quedará amigo de V.M.; si no, todo será borrado.

Se trataba, pues, de afianzar lo logrado bajo el reinado de María Tudor, o de echarlo todo por la borda. Por lo tanto, la cuestión clave: la boda de la nueva Reina. Y el Conde, mostrando una increíble falta de información, añadiría a Felipe II:

> Si determina casar fuera del Reino, ella porná los ojos en V.M...[4]

¿Era algo planteado desde Bruselas? ¡En absoluto!

> Lo que agora os puedo decir —tal sería la respuesta del Rey a su embajador en Londres— es que, por ser negocio de tan grande importancia y consideración..., quiero mirar y pensar mucho en ello...[5]

Por lo tanto, Felipe II aún ha de meditarlo. Cierto, la negociación debía mantenerse abierta:

> Y entretanto —le añade el Rey—, vos procederéis en esto con la Reina por la vía que lleváis..., de manera que ni le déis esperanza ni la desconfiéis, sino que se vaya así entreteniendo el negocio hasta que yo me determine...

Entreteniendo el negocio. Eso quería decir protección a Isabel, sin acabar de cerrar la boda. ¡Precisamente lo que estaba deseando la Reina inglesa! Sólo cuando Felipe II comprobó que Isabel seguía desligándose más y más de Roma, le pareció oportuno amenazarla con romper las negociaciones matrimoniales[6]. Y acaso creyó que eso sería suficiente. Poco a poco se fue convenciendo de lo contrario. Entonces trató de cerrar el acuerdo, pero siempre con el mismo resultado: respuestas dilatorias de Isabel.

> Me puso escrúpulos en la potestad del Papa...

---

[4] *Tres embajadores de Felipe II en Inglaterra, op. cit.,* pág. 37.
[5] *Ibídem.*
[6] Felipe II al conde de Feria, 12 de febrero de 1559 (Archivo de Simancas, Estado, leg. 812, fols. 24 y 25).

Y, en todo caso, había una dificultad mayor: que su pueblo no quería que casara con un príncipe extranjero[7], lo cual era cierto. Pero si no podía cerrarse el matrimonio, sí podía mantenerse la amistad. Eran los tiempos en que Isabel llamaba a Felipe II «fratre consanguineo et amico nostro charissimo»[8].

Eso pareció bastarle a Felipe II, quien nunca había estado entusiasmado con aquella boda.

«Yo he quedado satisfecho», sería por el momento su expresión preferida[9].

De ese modo la diplomacia filipina quedaba en libertad para negociar otra boda del Rey. ¿Acaso no tenía Enrique II una hija casadera?

Y así se cerraron más fácilmente los capítulos de la paz que franceses y españoles negociaban en Cateau-Cambrésis.

* * *

Varias razones empujaban a los dos contendientes principales, Francia y España, hacia la paz. Algunas comunes, como el natural cansancio por aquel cúmulo de guerras que parecía no tener fin, y que afectaba sobre todo a los pueblos que las soportaban. También sufrían las dos partes el agobio económico, pues sólo las antiguas guerras de conquista podían reportar ventajas materiales a los vencedores, pero no en aquellos tiempos de mediados del siglo XVI, en que las campañas se sucedían sin un claro vencedor, y más bien como guerras de desgaste. Y eso hasta tal punto que el 12 de febrero de 1559 Felipe II ordenaba a Granvela desde Bruselas que de ningún modo se rompiesen las negociaciones por estar tan endeudado y por llegarle de España avisos de que ya no se le podían mandar más dineros[10].

También el problema religioso era común a las dos monarquías y preocupaba tanto a Enrique II como a Felipe II, pues los avances de los hugonotes en Francia se correspondían con los brotes luteranos en la Corona de Castilla, de los que Carlos V llegó a tener noticia en su retiro de Yuste, como hemos de ver. Por tanto, al deseo del monarca galo por un mejor control de su reino en materia religiosa, se unía el de Felipe II por regresar a España y proceder a lo mismo, aunque ya estuviera actuando la Inquisición a todo trapo en las dos Castillas y en Andalucía.

Y junto con eso, una posibilidad de entendimiento, al decidir Enrique II de Francia que se desentendería de las cosas de Italia.

Italia, la manzana de la discordia, la rica, brillante y tan vulnerable Italia, por la que habían peleado sin tregua Francisco I y Carlos V, y que también había atraído a Enrique II. Pero la expedición de Guisa resultó un fracaso,

---

[7] *Tres embajadores..., op. cit.,* pág. 38.
[8] *Ibídem,* pág. 231.
[9] Archivo de Simancas, Estado, leg. 812, fol. 35.
[10] Ch. Weiss, *Papiers d'État du Cardinal de Granvelle,* V, pág. 453.

mientras que todas las acciones francesas en el Norte habían sido altamente beneficiosas para Francia: Metz, Toul, Verdún y, últimamente, Calais lo corroboraban. Y había otras perspectivas: en abril de 1558 la diplomacia francesa cierra una boda que promete mucho, la del delfín Francisco con una jovencísima princesa, hermosa y ambiciosa, cuyos nombre y figura darían harto tema a todas las plumas del tiempo: María Estuardo, que ya para entonces era reina de Escocia.

Y eso en el año en que, tras la muerte de María Tudor, accedía al trono inglés aquella Isabel de tan dudosa legitimidad, de forma que se abría la posibilidad para Francia de un impresionante bloque de naciones bajo su control: Francia, Escocia e Inglaterra.

Era, de momento, una posibilidad que se quería mantener en secreto. En cambio, Italia, el sueño italiano, quedaba abandonado.

Cierto que existía un partido belicoso en la corte parisina, encabezado por el duque de Guisa, pero que también estaba contrarrestado por el que clamaba por la paz, del que el condestable Montmorency era el adalid, ansioso porque la paz le hiciese recuperar la libertad perdida, cuando había sido cogido prisionero en la batalla de San Quintín.

Esa situación favoreció las primeras negociaciones de paz entabladas en la abadía de Cercamps, dirigidas por parte de Francia por el condestable Montmorency y por la de España a cargo del obispo Antonio Perrenot de Granvela, bien secundado por un equipo en el que estaban el duque de Alba, Ruy Gómez de Silva, el príncipe de Orange y el presidente del Consejo de Estado de los Países Bajos. Lo que pudo demostrar González de Amezúa, en su espléndido libro sobre Isabel de Valois, fue que en ellas tuvo un notable protagonismo Cristina de Dinamarca, la prima carnal de Felipe II, como hija de Isabel de Austria, la hermana del Emperador casada con el rey danés Cristián II. En efecto, Cristina de Dinamarca, a raíz de la batalla de Gravelinas, y con el pretexto de visitar a su hijo, el duque de Lorena —prisionero de Francia—, consiguió un salvoconducto francés. Y ya en aquella entrevista, celebrada en Peronne, en marzo del 58, estuvo asistida por el cardenal de Lorena y por Granvela, que serían después dos de los principales negociadores de la paz de Cateau-Cambrésis por parte de Francia y de España, respectivamente. Asimismo, en enero de 1559 fue Cristina la que propuso, y consiguió, que las negociaciones formales iniciadas en la abadía de Cercamps se trasladasen a Cateau-Cambrésis[11]. La posición española resultaba más dudosa, por cuanto también tenía que defender la causa de sus dos aliados, Inglaterra y Saboya. No fue demasiado difícil acordar la devolución de las plazas conseguidas en la guerra en la frontera de Flandes, pero sí en los términos en que había de devolverse el Piamonte al duque de Saboya y, sobre todo, la cuestión de Calais. Granvela tenía muy claro lo que suponía que Calais se perdiera para Inglaterra: sería el reproche eterno y el distanciamiento de aquel reino frente a

---

[11] A. González de Amezúa, *Isabel de Valois,* Madrid, 1949 (3 vols.), I, págs. 38 y sigs.

España. A finales de noviembre escribía desde la abadía de Cercamps al obispo Quadra, ya designado como sustituto de Feria en la embajada española de Londres:

> En lo de Calais, temo que hallaremos mayor dificultad allá de lo que algunos se piensan, y jamás seré yo de parecer que de aquí les persuadamos [a los ingleses] que le dexen, pues aunque por su culpa le perdieron, en fin, fue por nuestra sociedad[12].

Algo vino a facilitar las negociaciones: el que Felipe II, desengañado ya de seguir aspirando a rey consorte de Inglaterra, se decidiera a dar el visto bueno para que sus diplomáticos cerraran su tercera boda en Francia con la otra Isabel, con Isabel de Valois, jovencísima princesa, pues había nacido en 1546 y por tanto tenía sólo trece años. Y algo a tener en cuenta: en principio se había tanteado su desposorio con el príncipe don Carlos, de forma que, a la postre, el padre desplazó al hijo, lo que tendría su repercusión. Cuando aquella dulce niña llegara a la corte de Castilla, don Carlos no podría menos de pensar que la nueva reina de España había podido ser su mujer[13].

Así las cosas, la paz fue firmada en Cateau-Cambrésis los días 2 y 3 de abril de 1559. Francia y España se devolvían las respectivas conquistas en la frontera de Flandes (San Quintín, por ejemplo, a Francia, y Marienbourg —lugar tan querido por María de Hungría—, a España). Se restableció el Estado-tapón entre el Delfinado francés y el Milanesado español, devolviéndose el Piamonte al duque de Saboya, y Francia restituía Córcega a Génova, pero se quedaba con Calais por ocho años, y la cláusula del pago de 500.000 escudos si al término de ese plazo no la devolvía; de hecho, como ocurriría, Inglaterra perdía sus últimas posesiones en el continente.

El tratado se doblaba con acuerdos matrimoniales: la boda ya citada de Felipe II con Isabel de Valois, y la del duque Manuel Filiberto de Saboya con Margarita, la hermana de Enrique II.

Y precisamente, como colofón inesperado, en las fiestas montadas dos meses después en París, Enrique II perdía la vida en un desafortunado torneo caballeresco. Francia entraba en un período de inestabilidad, mostrando bien a las claras los fallos del régimen político en aquellas monarquías autoritarias del Quinientos.

Dos meses después, el 20 de agosto de 1559, Felipe II regresaba a España. Una nueva etapa de la historia de Europa estaba en marcha.

Podría parecer que esa paz demostraba las buenas relaciones entre Manuel Filiberto de Saboya y Felipe II. Nada más lejos de la realidad.

---

[12] Granvela a Quadra, Cercamps, 25 de noviembre de 1558 (B. P., Ms. de Granvela, 2.304, s.f.; minuta).

[13] Ahora bien, debe precisarse que la iniciativa partió de Francia, siendo el condestable Montmorency quien propuso el 5 de febrero de 1559 el cambio, de forma que fuese Felipe II, y no don Carlos, el que desposase con Isabel de Valois (González de Amezúa, *op. cit.,* pág. 47).

En las Instrucciones de 5 de junio de 1558 al arzobispo de Toledo, Carranza, sobre su misión en Valladolid con la princesa Juana, y en Yuste con el emperador Carlos V, una de las cuestiones más importantes que había que tratar era la del gobierno de Flandes, donde Felipe II no se atrevía a dejar a Manuel Filiberto, por considerarlo muy poco apto y por ser persona poco grata a los naturales. Las relaciones entre el Rey y su general no eran nada buenas: «... queriendo yo ir solamente a Ynglaterra [h]a dicho abiertamente que no quedaría aquí...», se queja Felipe II [14]. Era una brecha peligrosa, abierta en el dispositivo de la Monarquía católica, que precisaba de la figura adecuada para la vacante dejada por la reina viuda de Hungría, tan mal cubierta por el duque de Saboya. Y Felipe piensa, en el primer momento, en el regreso de su tía; ésta era una de las principales comisiones que llevaba Carranza:

> ... çierto, no sé en qué podría la dicha Reina servir más a Dios —dice Felipe a su hermana Juana— que en venir a regir y gobernar estos Estados, y si se podría escusar, sin cargo notable de conciencia, teniendo la obligación natural que tiene a mirar por ellos... [15]

Entorpecidos, por tanto, en sus movimientos por tan inseguros aliados, los plenipotenciarios de la Monarquía católica ajustan al fin la paz con Francia los días 3 y 4 de abril de 1559. Era una paz que recibían con alborozo todos los vasallos de Felipe, si bien no tanto los del Rey Cristianísimo. En Nápoles, ya desde el mes de marzo se hacían rogativas por ella, quizá porque se

---

[14] Instrucciones al arzobispo Carranza, Amberes, 5 de junio de 1558 (Archivo de Simancas, Patr. Real, leg. 26, fol. 166).

[15] Felipe II a Juana, 6 de septiembre de 1558 (Archivo de Simancas, Estado, Flandes, leg. 516, fol. 30; cop.). Sobre las divergencias entre Felipe II y el duque de Saboya y la profunda antipatía con que miraba el Rey al Duque, es bien demostrativa esta nota autógrafa del Rey, que parece dirigida a Eraso, al dorso de una minuta de carta para la princesa Juana. En ella dice el Rey: «Yo pienso embiar a pedir un salboconducto para embiar algún correo que llebe todos los despachos por tierra, porque lo de la paz parece que ba bien, como os diré mañana, y así no será menester que llebe ésta Luis Lorenzo, y por esto no la he visto. Mostrádmela para que con vos la bea, y acordadme lo del Duque de Brunsuich, lo que quiere comprar. Digo que lo del Tusón no ay que tratar, porque yo no le puedo dar aun[¿por "sin"?] el Capítulo, y fuera dél no se puede dar a nadie. Y allí no puedo yo hazer más que dar dos votos, y los otros uno; y en caso de igualdad, determinar yo quál de los dos será. Y Lázaro bien deve de saber esto, pues es tan ladino. Y si lo prometió debió de ser por hazerme daño, que no puedo yo creer sino que por esto hagan tantas cosas destas. Vos sabéis quán enemigo soy de prometer, aun lo que puedo cumplir, porque es una lición que aprendí de Su Md. muy muchos años ha que me lo dixo. Y heme hallado bien quando la he cumplido, y muy mal de lo contrario. Y así estoy determinado de no hazerlo más, aun en lo que puedo cumplir, como digo, quanto más en lo que no es muy en mi mano, como esto. Y si lo fuera no andubiera por aquí Antonio de Oria con su Tusón como anda. Y esto fué con aberme remitido muchos de los ausentes sus botos. Mas no recatándome yo desto, me tenía ganados el Duque de Saboya los de los presentes, que aun a esto más le soy en cargo; aunque si yo supiera del Antonio en prinçipio como agora y como el Emperador me lo dixo, afeándome el negocio, bien pudiera no admitille y mandarles que eligieran otro, que tubiera las calidades que la regla... [palabra ilegible: ¿pide?]» (Archivo de Simancas, Estado, Castilla, leg. 138, fol. 28; autógrafa).

temía que con el buen tiempo asomase de nuevo la armada turca, como había ocurrido en 1558[16]. Expresiva era la carta que enviaba Ayala a Granvela, desde Valladolid, sobre la alegría con que se había recibido la paz:

> El correo que partió de Bruselas a los cinco del presente —dice— llegó con la buena nueva de la paz, de que se ha reçibido el contentamiento que es razón. Bendito sea Nuestro Señor que asy lo ha hecho, que bien creo que v.s. haurá sido mucha parte para ello, como tan zeloso de su servicio y de Su Mag.; y lo del casamiento es cosa muy açertada y con que se perpetúan más estos negoçios... Este correo lleva póliças de DCCC mil ducados, como allá lo verá v.s. por los despachos que van, y queda lo de acá de manera que ha sido bien necesaria la paz[17].

Desde Roma, Juan Antonio de Tassis urgía por tener la confirmación de la paz[18], mientras Francisco de Ibarra encomiaba desde Milán la gloria que en ella había logrado el futuro cardenal Granvela:

> ... todo el mundo la vendize, juzgando las condiçiones con que se han acabado por tan aventajadas. No se quexará S.M. de que le hayan casado con muger fea y vieja —añade— y por quien haya de esperar a entrar en nuevos trabajos, sino que le han satisfecho en lo uno y dado la vida en lo otro, como buenos médicos...[19]

Frente a tales testimonios, que nos revelan la profunda satisfacción de todas las partes de la Monarquía católica, al ver concluso el largo período de guerras con la belicosa Francia, he aquí este otro del lado francés, que constituye como el reverso de la medalla, pues demuestra cuán poco satisfechos estaban de la paz los franceses. Desde Augsburgo, véase cómo el secretario Gámiz, al servicio de Fernando I, da la noticia a Granvela:

> Estos embaxadores françeses aún la niegan [la paz] y amenazan a quienes la han publicado con partidos tan vituperosos a su Rey[20].

---

[16] Juan Zapata a Granvela, Nápoles, 16 de marzo de 1559, que esperaba con ansiedad noticias de haberse concluido la paz, para bien de la Cristiandad. Que en Nápoles se hacían rogativas por ello. Añade: «... ay buenos temporales, a Dios gracias, y de la armada del Turco no se entiende cosa ninguna...» (Bibl. Palacio, Papeles de Granvela, leg. 2.257, s.f.). Véase cómo la supremacía marítima turca por aquella época era un hecho, hasta el punto de desearse los temporales, para que guardasen al reino napolitano de las incursiones enemigas.

[17] Ayala a Granvela, Valladolid, 22 de abril de 1559 *(ibídem)*. «Con esta paz —le escribe el mismo Ayala a Granvela el 13 de mayo siguiente— estamos tan regozijados que no ay materia que poder scrivir...» *(ibídem)*.

[18] Juan Antonio de Tassis a Granvela, Roma, 21 de marzo de 1559: «... no desea otro sino que v.s. me escriva que está hecha la paz...» *(ibídem)*.

[19] Francisco de Ibarra a Granvela, Milán, 14 de abril de 1559 *(ibídem)*.

[20] Gámiz a Granvela, Augsburgo, 18 de abril de 1559 *(ibídem)*.

Por tanto, hay que pensar que también buena parte de los franceses del tiempo se escandalizaron con la paz de Cateau-Cambrésis, mientras la bendecían la mayoría de los súbditos de Felipe II. Desde entonces puede afirmarse que quedó el eco de aquella paz ventajosa para España, que ha continuado hasta nuestros días; en parte, sin duda, porque los beneficios que esperaba obtener España cristalizaron en el dominio de Italia, mientras Francia no pudo cuajar su gran proyecto sobre Inglaterra.

Pero la importancia de Cateau-Cambrésis es mucho mayor que la reflejada por ese mero signo de unas ventajas territoriales. Pues Cateau-Cambrésis es algo más que la base del predominio de un pueblo sobre Europa. En efecto, la paz de Cateau-Cambrésis hace posible que se reanuden de nuevo las sesiones en Trento [21]. La paz entre Francia y España es el fundamento político sobre el que se asienta la reorganización tridentina del catolicismo.

Ahora bien, por esas fechas, el 8 de mayo de 1559 concluía en Inglaterra el primer Parlamento convocado por la reina Isabel. El resultado fue meter de nuevo al reino inglés en el campo reformado. Entre los acuerdos tomados estaba el declarar otra vez a la Corona como la cabeza de la Iglesia anglicana.

El conde de Feria, en contacto con el partido católico inglés, tenía la impresión de que las nuevas medidas del gobierno, que presidía Cecil, iban a contrapelo de gran parte del país, y que además ponía al reino en peligro de ser atacado por Francia, con la bendición de Roma. De forma que contra la política filipina de apoyar a la Reina, aconsejaba lo contrario:

> Yo querría —le sugería al Rey, cuando le daba cuenta de la grave situación religiosa en Inglaterra— que tal obra [la reducción de los reformados] se hiciese por manos de V.M., no se nos pase Dios a los enemigos [22].

¿Qué hacer? Para Feria, la guerra civil en Inglaterra era inminente, y con ella el peligro de que, si los católicos no eran apoyados por Felipe II, buscaran el de Francia.

Felipe II pidió el consejo de sus más íntimos colaboradores, que entonces se hallaban negociando la paz con Francia en Cateau-Cambrésis: Granvela, Alba y Ruy Gómez de Silva. Y el consejo que dieron fue que el Rey tuviese a punto una escuadra, con pretexto de llevar a don Carlos a Flandes, y así poder realizar el desembarco en Inglaterra:

> Esta armada, puesta así a punto, podría servir en este medio que S.M. acá estuviese, para pasar a Inglaterra, ofreciéndose la necesidad,

---

[21] Así escribía Rogerio de Tassis a Granvela, desde Venecia, el 16 de abril de 1559: «... piacia a Dio che sia perpetua et che si leui le ochasione a francesi de tumultuare et con vno Santo Consilio quietar la flita Cristianità» (Bibl. Palacio, Papeles de Granvela, leg. 2.257, s.f.).

[22] Feria a Felipe II, Londres, 19 de marzo de 1559 (Archivo de Simancas, Estado, leg. 813, fol. 371).

toda la gente de pie y de a caballo española que S.M. aún tiene, la que para este efecto habría de entretenerse, aunque para otro no fuese menester más.

También se aconsejaba el envío de dinero a Feria —sobre 100.000 ducados—, para que pudiera apoyar al partido más fuerte («que será lo que V.M. mandare»), y dando instrucciones al embajador español de que tuviera a Isabel descuidada con la amistad de España:

> Esto a fin que cuando todavía nasciese rompimiento entre católicos y hereges, S.M. se halle confidente a entrambas partes, o a lo menos no sospechoso a la Reina y a los suyos, porque con esto no se les dé ocasión de acudir a los franceses y llamarlos en su ayuda, antes que S.M. se pueda haber apoderado de la tierra [23].

Otra documentación complementaria prueba que se iniciaron los preparativos para acometer la empresa, que al fin se dejó en suspenso. Pero Isabel la temió, y se aprestó para lo que pudiera suceder, lo que no escapó al conocimiento de Quadra:

> He entendido que la Reina ha mandado por toda la costa hasta Cornualles, proveer de gente y encomendado que la tengan apercibida en diversas partes como es de su costumbre, para lo que fuese menester...

Por otra parte, el nuevo gobierno de Isabel no escondía esos aprestos, antes al contrario, si bien declarando que lo hacía para, si algún temporal arrojaba a Felipe II a sus costas, poder hacerle todo buen recibimiento, y así se lo señalaron al embajador de Felipe II; pero Quadra apuntaba al otro motivo, sin duda más cierto:

> Otros piensan que esta gente la han apercibido por miedo que tienen de V.M... [24]

---

[23] «El parescer que traxo el Obispo del Aguila del duque de Alba, monsr. de Arras y Ruy Gómez sobre las cosas de Inglaterra, que él les fue a comunicar por mandado de S.M. a Chateau-Cambrésis» (15 de mayo de 1559, Archivo de Simancas, Estado, leg. 812, fol. 204).

[24] Quadra a Felipe II, Londres, 18 de agosto de 1559 (*ibídem,* fol. 101).

5

ÁRBITRO DEL VIEJO
Y NUEVO MUNDO

En la primavera de 1559, una vez firmada la paz de Cateau-Cambrésis, Felipe II se dispone a poner en ejecución uno de sus proyectos más queridos: regresar a Castilla, volver a la meseta, dejar tras de sí las brumas del Norte y los países en los que hasta el idioma —y, por supuesto, las costumbres— era una barrera infranqueable para él.

Y también podríamos verlo de otro modo: Felipe II ha renunciado ya a dos antiguas ambiciones, la de ser emperador de la Cristiandad y la de volver a ser rey consorte de Inglaterra. En compensación, está decidido a gobernar lo que de hecho constituía su propio Imperio.

Gobernar su propio Imperio, desde España, y hablando español, teniendo acaso en cuenta aquella consigna de Nebrija: que la lengua era compañera del Imperio.

Ahora bien, ese regreso a España iba a realizarlo por mar y juntando una imponente escuadra, pues estaba claro que el poderoso Rey de las Españas no podía verse a merced de un ataque, en su viaje, de los corsarios franceses o ingleses.

Una gran escuadra, por tanto, que, saliendo de las costas de los Países Bajos en dirección a España, pasase muy cerca de las inglesas, de aquel reino de Inglaterra donde ya no reinaba la católica María Tudor, sino su hermanastra de dudosa fe, la hija de Ana Bolena, de nombre Isabel; aquella Isabel que había rechazado su propuesta de matrimonio y que apuntaba ya como un riesgo para los intereses de Felipe II en aquella área de Europa. Por otra parte, Isabel estaba entonces mal armada y su monarquía parecía a merced de un ataque por sorpresa del rey de Francia, Francisco II, que, al estar casado con María Estuardo, podía alegar mejores derechos al trono inglés, conforme la ley de Roma.

Por lo tanto, una tentación, una enorme tentación: la invasión de Inglaterra. Aprovechar aquella gran escuadra para asaltar, por sorpresa, el reino inglés, destronar a aquella reina tan incómoda y reafirmar el catolicismo inglés de los antiguos partidarios de María Tudor.

Ya lo hemos visto: un proyecto que existió, un plan de ataque a Inglaterra que se discutió en la corte de Felipe II. Sabemos —hace más de medio siglo que publiqué los documentos sobre ello— que Felipe II pidió su parecer al mejor soldado de su Monarquía: el duque de Alba. Y, sorprendentemente, el Duque fue de opinión contraria. Parecía evidente que la invasión era factible, porque en 1559 Isabel carecía aún de armada, y también que los tercios viejos podían hacer estragos en suelo inglés. Pero ¿por cuánto tiempo? En otras palabras, el problema no radicaba en la invasión, sino en la consolidación. ¿Cómo iba a mantenerse tal dominio frente a la hostilidad de la población? Aquello era un puro disparate.

Y Felipe II hizo caso al soldado. Por otra parte, su tendencia era hacia la paz, no hacia la guerra. ¡Cateau-Cambrésis acababa de firmarse y era una esperanza! Por lo tanto, lo mejor era olvidarse de la aventura inglesa y disfrutar de aquella paz que se abría para él, para España y para Europa.

Cateau-Cambrésis marca también las directrices del Rey en política exterior: que esa paz con Francia garantizase el predominio de España en Italia. Era la *pax* hispánica. Un predominio español asegurado por la presencia en Milán, en Nápoles, en Sicilia y en Cerdeña, y afianzado por la posesión del marquesado de Finale, que aseguraba el acceso a Génova —la gran aliada de la Monarquía en Italia—, y de los presidios toscanos —Orbetello, Porto Ercole, Porto Longone, Piombino—, que garantizaban el control de la ruta marítima entre Génova y Nápoles. Y eso había sido realizado en 1557, por consiguiente, en el segundo año del reinado de Felipe II.

Otra clarísima norma del nuevo reinado fue comprender que la fase de la expansión había terminado en líneas generales, y que había llegado el momento de la consolidación; algo que es patente en Italia, y más todavía en el imperio español de Ultramar. La época de los conquistadores cede ante los colonizadores. Por supuesto que aún seguirán apareciendo algunas personalidades, en la estela de los Cortés y los Pizarro. Había una frontera abierta, tanto al norte del río Grande como al sur de Santiago de Chile o de Buenos Aires; pero, en líneas generales, el Imperio tendía a la consolidación, tanto en el gobierno de los territorios como de sus rutas. Sería la época colonial, sustituyendo a la conquista.

Todo ello regulado desde un centro fijo, una capital: un logro consciente de Felipe II. Por eso 1561 es un año tan importante en la historia de España, y acaso ese hecho sea la mejor herencia del Rey Prudente, tanto o más que el monasterio de El Escorial: el año en el que Madrid se convierte en capital de la Monarquía. Y no es extraño que Cabrera de Córdoba, el cronista del Rey, lo destaque de forma tan notable:

> Era razón que tan gran Monarquía tuviere ciudad que pudiese hacer el oficio de corazón...[1]

---

[1] Cabrera de Córdoba, *Felipe II, Rey de España,* Madrid, ed. de la Real Academia de la Historia, 1877, I, pág. 298.

Con esos planes inmediatos, el 22 de agosto de 1559 Felipe II dejaba definitivamente Flandes, donde quedaba su hermanastra Margarita de Parma como gobernadora, para regresar a España en un afortunado viaje que le pondría en pocos días de navegación en Laredo.

Fue un viaje discutido por un sector de la corte que veía los inconvenientes que traería para la presencia de España en el norte de Europa. Uno de los que más lo sentían era el conde de Feria, el antiguo embajador en Inglaterra:

> No hay que hablar en la ida de España —comentaba al obispo Quadra, que le había sucedido en la embajada de Londres— porque si el mundo se hundiese no habrá mudança en ella[2].

Indudablemente, la presencia de Felipe II en Flandes ponía un mayor freno a los reformadores ingleses, y todo hacía temer que, ausente el Rey de Flandes e inmerso en la lejana Castilla, otro sería su proceder.

De esa opinión era Quadra:

> Ido V.M. a España —advertía al Rey— piensan proceder contra muchos en Inglaterra[3].

Pero si para la presencia de España en el Norte era conveniente la estancia de Felipe II en Flandes, para el resto de los negocios de la Monarquía cada vez urgía más y más el regreso del Rey a Castilla. La misma convocatoria de las Cortes castellanas en 1558 —las primeras del reinado de Felipe II— lo pondría de manifiesto, siendo uno de los más apretados ruegos de aquellos procuradores. La existencia además de dos centros de poder, en Valladolid y en Bruselas, con la circunstancia propia de aquella Monarquía autoritaria de que no se tomase ninguna decisión sin el visto bueno del Rey, obligaba a un continuo ir y venir de los papeles, incluso para el caso mínimo de las mercedes que se habrían de dar, según era la secular tradición, a los procuradores de las primeras Cortes de cada reinado; los cuales mandaban sus memoriales al gobierno de Valladolid, donde se informaban, pasándolos a Bruselas, para que el Rey decidiese, devolviéndolo todo de nuevo a Valladolid. En la relación de los memoriales, que custodia Simancas, se anotan al margen las decisiones regias, y en su caso el *fiat,* que daba luz verde a la merced pedida, siendo devuelto el documento a Valladolid, donde se anotaba el *fecha,* que cerraba la cuestión. Como comentaba yo en 1989:

> El *fiat* es la orden verbal de Felipe II, que apunta Eraso, y el *fecha,* la anotación de la burocracia de Valladolid para dejar constancia de que el mandato se había cumplido. Véase, por tanto, el ir y venir de los papeles entre Flandes y Castilla, resultado de la existencia

---

[2] Feria a Quadra, 14 de julio de 1559 (Archivo de Simancas, Estado, leg. 812, fol. 89).
[3] *Ibídem,* fol. 92.

de las dos Cortes. Y así se comprende que si la presencia de Felipe II en Flandes era tan necesaria para mantener aquellos dominios, a su vez, la urgencia de que regresase a Castilla era cada vez mayor[4].

¿Con qué se encontró Felipe II en España? Resuelta la paz con Francia y, por tanto, lograda la supremacía en Italia, la única preocupación venía del norte de África. En 1551 se había perdido Trípoli, si bien, cedida ya por Carlos V a la Orden de San Juan, el traspié no recaía directamente sobre la Monarquía católica; más grave fue la pérdida de Bujía en 1555, y tanto que su desafortunado defensor, Peralta, fue procesado y ejecutado. Por entonces se temió la caída de la misma plaza de Orán, cuando Carlos V se hallaba en Yuste, lo que le alarmó de tal modo que instó a su hija Juana, gobernadora entonces del reino por la ausencia de Felipe II, para que se pusiera remedio, pues si Orán se perdía:

> ... no querría hallarme en España, ni en las Indias, sino donde no lo oyese, por la grande afrenta que el Rey recibirá en ella y el daño destos Reinos[5].

Pero Orán resistió, defendiéndola bien su alcaide, el conde de Alcaudete.

Peor aspecto tenía la cuestión religiosa, con el descubrimiento por la Inquisición de focos luteranos en Castilla, ya en los últimos días de Carlos V en Yuste. Esa había sido una de las razones más poderosas que movieron a Felipe II a su regreso a España.

Aquí topamos con lo religioso, cuya exacerbación sería una de las notas más acusadas del Quinientos español.

Parece evidente que en España, por el hecho de ser frontera con el Islam durante tantos siglos, la nota religiosa era como un signo de identidad de los reinos cristianos, y de ahí que se acentuara de modo tan recio. Ahora bien, la existencia de los llamados cristianos nuevos, judíos o moriscos, daba también a la España del siglo XVI unas características que favorecían la aparición de «novedades», por emplear el amenazador término inquisitorial. La misma creación de la nueva Inquisición controlada por la Corona venía a indicar la existencia de esa alarmante situación, que tanto preocupaba a los políticos de aquella época, para los cuales un desvío religioso era temido también como un foco de perturbaciones sociales y políticas.

En todo caso, lo que resulta evidente es que en la España del XVI aparecen algunos movimientos religiosos que contrastan con la rígida postura de los cristianos viejos: alumbrados de principios de siglo, erasmistas de los años veinte y treinta y, finalmente, luteranos de mitad de siglo.

Como en buena parte de la Europa occidental, también en España empezaron a sonar voces que reclamaban una religiosidad más íntima, que rechazaban el monacato y que criticaban los abusos de Roma. De esos fueron los

---

[4] *Corpus documental de Carlos V,* IV, pág. 374, nota 627.
[5] *Ibídem,* págs. 296 y 297.

alumbrados de principios de siglo, con figuras de la personalidad de Pedro Ruiz de Alcaraz, o como una serie de mujeres de la talla de Francisca Hernández, de Isabel de la Cruz o de María Cazalla, de signo claramente heterodoxo, como podían serlo fuera de España otros españoles, como el conquense Juan de Valdés o como el valenciano Miguel Servet.

Si los alumbrados fueron perseguidos sañudamente, de forma que incluso figuras como Juan de Ávila o Ignacio de Loyola llegaron a ser mirados como sospechosos, los erasmistas tuvieron su auge en los años veinte, con una corte que los miraba con benevolencia, con un Alonso Manrique en la cumbre del aparato inquisitorial y con un arzobispo de Toledo, como Fonseca, que tenía por secretario al canónigo Vergara.

Pero otra cosa iba a ocurrir a mediados del siglo, y no como consecuencia de un relevo en la cumbre del paso de Carlos V a Felipe II. Fue un cambio sensible en toda Europa, y bien interpretado por Marcel Bataillon en su gran obra *Erasmo y España*. Los tiempos de Erasmo habían pasado y la Europa occidental estaba ya inmersa en los duros enfrentamientos ideológicos radicalizados por figuras como Calvino y san Ignacio de Loyola.

Sin embargo, hoy tenemos dudas de que los brotes luteranos surgidos en la Corona de Castilla a mediados de siglo no fuesen «magnificados» por el entonces inquisidor general Fernando de Valdés. En 1557, aquel disoluto arzobispo de Sevilla había caído en desgracia en la corte, por negarse a prestar 150.000 ducados a la Corona, en un momento particularmente difícil, cuando Felipe II carecía de recursos con los que afrontar la campaña de aquel año en la guerra contra Enrique II de Francia. De forma que cuando la Inquisición cree haber descubierto algunos grupos de reformados en Castilla la Vieja y Andalucía, el Inquisidor general aprovecha la oportunidad para reparar su precaria situación y convertirse en un personaje imprescindible. Eso sólo lo podía conseguir dando la impresión de que una tremenda conmoción estaba amenazando a la Iglesia española. De ahí el rigor con que serían tratados los encausados, pese a su alto rango, como el que había sido predicador de la corte Agustín Cazalla, o el mismo arzobispo de Toledo Bartolomé Carranza.

Todo caía dentro del grado de endurecimiento de la intolerancia religiosa, reflejado en medidas como los Estatutos de limpieza de sangre, exigidos en la catedral de Toledo a partir de 1547, y reconocidos por Felipe II en 1556, el Índice de libros prohibidos de 1554, la vigilancia en las fronteras para impedir la entrada de libros sospechosos, la prohibición de salida de estudiantes a las universidades extranjeras e incluso el estricto control de los estudios, a través de estatutos como los impuestos a la Universidad de Salamanca en 1561 (los conocidos como Estatutos de Covarrubias); aspectos todos ya indicados en la primera parte de esta obra.

Aquella alarma sobre los brotes luteranos se hizo llegar a Yuste, provocando la más fuerte de las reacciones en el ánimo de Carlos V, que al punto pediría a su hija Juana, gobernadora de Castilla por la ausencia de Felipe II, el mayor de los rigores:

... creed, hija, que este negocio me ha puesto y tiene en tan gran cuidado y dado tanta pena...

Pues parecía toda una ironía de los tiempos: que después de luchar con tanto denuedo contra el luteranismo en Alemania, y cuando se retiraba a bien morir en España, como la tierra libre de tales alteraciones religiosas, se encontrara con que hasta esa apartada España llegaban sus nocivos influjos. Y como consideraba que por no haber cortado a tiempo la Reforma en Alemania había tomado tanto vuelo, reclamaba una pronta y dura acción en España contra los culpables, por muy altos que fuesen:

> ... que, ciertamente, si no fuese por la certidumbre que tengo de que vos y los de los Consejos, que ahí están, remediarán muy a raíz de esta desventura (pues no es sino un principio, sin fundamento y fuerza), castigando a los culpables muy de veras, para atajar que no pase adelante, no sé si toviera sufrimiento para no salir de aquí a remediarlo...[6]

Así se expresaba el Emperador el 25 de mayo de 1558. Más nos importa, en el orden de lo que pudo afectar a Felipe II, lo que Carlos V insta a su hijo en su carta también de 25 de mayo, en la que se expresaba en parecidos términos y en la que añadía de su propia mano:

> Hijo: Este negro negocio que aquí se ha levantado me tiene tan escandalizado quanto lo podéis pensar y juzgar. Vos veréis lo que escribo sobre ello a vuestra hermana...

Y añadía:

> Es menester... que lo proveáis muy de raíz y con mucho rigor y recio castigo...

Todavía más impresión le debió producir a Felipe II los términos tan insistentes con los que Carlos V volvió a referirse en el codicilo a su testamento, hecho en Yuste el 9 de septiembre de aquel año, doce días antes de su muerte:

> ... le ruego y encargo con toda instancia y vehemencia que puedo y debo, y mando como padre que tanto le quiere y ama, por la obediencia que me debe, tenga desto grandísimo y especial cuidado, como de cosa más principal y en que tanto le va, para que los herejes sean pugnidos y castigados con toda demostración y rigor, conforme a sus culpas...

---

[6] Carlos V a Juana de Austria, Yuste, 25 de mayo de 1558 (*Corpus documental de Carlos V, op. cit.,* IV, pág. 425; nota).

Y no eran recomendaciones formularias, hechas rutinariamente por el que tenía tantos años de experiencia en el poder. Carlos V tenía ya noticias de que se hablaba de principalísimos personajes de la corte, de la alta nobleza y del alto clero. Por lo tanto, el riesgo era mayor, y el castigo a ordenar tenía que ser no sólo con la severidad que ya había indicado, sino también sin que nadie se escapara de aquel rigor, por muy alto que fuese. Así el Emperador lo encarga con toda precisión:

> ... que los herejes sean pugnidos y castigados con toda demostración y rigor, conforme a sus culpas, *y esto sin excepción de persona alguna, ni admitir ruego, ni tener respecto a nadie...*

¿Y cuál era el procedimiento más seguro? Dar todo el apoyo al instrumento del Estado heredado de los Reyes Católicos, creado precisamente para tales fines [7].

Era el triunfo de Fernando de Valdés, el éxito del inquisidor general, perdonándosele por fuerza tantos agravios como había hecho a la Corona. Pronto se vería que Felipe II, fiel al mandato paterno (aquel recordarle «por la obediencia que me debe»), dejaría hacer al terrible inquisidor, incluso contra su propio protegido, nada menos que el arzobispo de Toledo y, como tal, primado de la Iglesia española, Bartolomé de Carranza.

Quizá el dejar bien claro para todos cuán caro podía pagarlo aquel que desobedeciera sus mandatos, por muy encumbrado que estuviese, alentó aún más al Rey para proceder de aquel modo. Lo hemos de ver.

Porque lo que alarmaba al poder, tanto a Carlos V como después a Felipe II, era el saber que en aquellas «novedades» religiosas aparecían implicados miembros de la alta nobleza y del alto clero: predicadores de la corte, como el doctor Agustín Cazalla, y el que había sido capellán de Carlos, doctor Egidio; caballeros, como don Luis de Rojas y don Juan de Ulloa (éste, comendador de la Orden de San Juan); monjes, como los del convento de San Isidro de Sevilla (y entre ellos uno que, logrando su fuga, se haría después famoso, como traductor de la primera Biblia al romance, de nombre Cipriano de Valera), e incluso damas del más alto linaje, como doña Ana Enríquez, hija de los marqueses de Alcañices.

De los procesos iniciados por la Inquisición, destacan dos: los incoados a Agustín Cazalla, el antiguo predicador de la corte, y a Bartolomé de Carranza, el arzobispo de Toledo.

Sobre la suerte de Cazalla tenemos un testimonio revelador: el del familiar de la Inquisición fray Antonio de la Carrera. La víspera de su ejecución, y cuando Cazalla no podía ni remotamente sospechar lo que se le venía encima, fray Antonio le visita en su celda con la misión de sus superiores

---

[7] *Testamento y codicilo de Carlos V,* ed. crítica que publiqué en la Editora Nacional, Madrid, 1982, pág. 97.

de arrancarle delaciones de otros posibles luteranos y, en último término, conseguir de él una declaración pública en la que ensalzase a la Inquisición. A cambio, un «favor» inquisitorial no pequeño: el recibir el garrote. No escaparía, por tanto, de la pena de muerte, pero sí de ser quemado vivo. Las llamas de la hoguera se encenderían, pero para quemar a un cuerpo muerto.

Nada de esto lo podía creer Cazalla. Él estaba en la confianza de que, dado su rango, sería tratado con cierta benevolencia, como lo había sido el canónigo Vergara en los años treinta. No caía en la cuenta de que era muy distinto el ambiente en la corte; que lo que se respiraba en 1559 nada tenía que ver con 1535, de forma que lo que entonces se había reducido a un leve enclaustramiento temporal se iba a convertir en pena de la vida.

Carrera nos lo transmite en su informe al Inquisidor general: Cazalla era incapaz de aceptarlo, se resistía a creerlo:

> Y con decírselo tan claro —son los términos del inquisidor—, apenas lo podía creer, y preguntaba muchas veces si era cierto que había de morir y si tenía remedio alguno de su vida.

Para encontrarse con la escueta, dura, tajante respuesta del inquisidor: «Aparejaos para bien morir...»

Entonces Cazalla no resiste más. Se produce su desplome. Nada tiene ya remedio:

> Desde este punto comenzó a llorar y pedir a Dios misericordia...

Lloros y lamentos que no cesan en toda la larga noche anterior al suplicio:

> ... todo el tiempo que quedó hasta la mañana gastó en pedir a Dios merced con lágrimas y sollozos...

Cierto, aún faltaba llegar al acuerdo que le salvase de ser quemado vivo:

> Propuso en la cárcel y dióme la palabra de que en todas las partes que pudiese predicar la misericordia que Dios hacía con él, maldeciría y detestaría y abominaría toda y cualquier perversa y herética doctrina...

No hay duda, pues, del acuerdo tomado. Y como un logro de su misión, de que estaba tan satisfecho, Carrera lo dirá una y otra vez:

> Y con este concierto y intento salió de su aposento y de la cárcel de la Santa Inquisición para ir al tablado...

Y más adelante:

> Pidió por licencia al reverendísimo de Sevilla para hablar allí, *según lo tenía conmigo concertado...*[8]

Parece evidente: la imagen de las llamas de la hoguera inquisitorial producen su efecto y fuerzan el cambio de actitud de Cazalla. Algo que otro de los encausados, de mayor temple, le recriminará públicamente en aquella dramática jornada:

> Habéis mudado consejo, señor Cazalla. La muerte, que se pasa en un punto, os espanta[9].

Era el bachiller Herrezuelo el que así hablaba. Y el documento de la Inquisición, en el que se recogen estos hechos, señala:

> Al bachiller Herrezuelo..., quemaron vivo, porque no se quiso convertir[10].

Aún más significativo es el caso de Carranza, por ser como era la primera figura de la Iglesia española, encumbrado a tal puesto por el propio Felipe II, de forma que su prisión por la Inquisición en agosto de 1559, pocos días antes de que el Rey regresara a España, constituye uno de los hechos más graves —y más raros— de los primeros años de aquel reinado.

Se trata de un tema que llamó la atención de algunos de nuestros más prestigiosos historiadores, desde Menéndez Pelayo[11] hasta Tellechea[12], pasando por Marañón[13]. Para Ambrosio de Morales, el humanista encargado precisamente por Felipe II para hacer la crónica de aquel suceso, fue algo que llenó de asombro a toda España:

> Caso raro y que admira ver a tan gran prelado, que no hay otra mayor dignidad como ella en España, reducido a esta deplorable miseria...

---

[8] El informe de fray Antonio de la Carrera a Valdés («Últimos momentos de Cazalla»), en la obra de González Novalín, *El inquisidor general Fernando de Valdés,* Oviedo, 1968-1971, II, págs. 235-239.

[9] Según el testimonio de un testigo ocular de aquel auto de fe, publicado también por González Novalín, *op. cit.,* II, pág. 248.

[10] *Ibídem,* pág. 234.

[11] El estudio de Menéndez Pelayo sobre el proceso de Carranza, en su *Historia de los heterodoxos españoles,* ed. Madrid, 1947, IV, págs. 1-73.

[12] Tellechea es, sin duda, el máximo especialista en Carranza, habiendo publicado multitud de trabajos sobre el tema, incluidos los documentos más importantes de su proceso. Véase su libro *El arzobispo Carranza y su tiempo,* Madrid, 1968, 2 vols.

[13] Gregorio Marañón, «El proceso del arzobispo Carranza», en *Boletín de la Real Academia de la Historia,* 1950, núm. 127, págs. 135-178.

¿Qué podía haberlo causado? Era la pregunta que se hacía España entera, y que Ambrosio de Morales descarta que fuera por haber caído en herejía. Era un caso de pura desgracia: «... su poca ventura...»

O bien era lo que Morales tenía por más cierto:

> ... por envidia cierta de sus enemigos, de quien él harto se quejaba.

Y apréciese ese cambio en el estilo, con una incorrección gramatical impropia de aquel gran humanista. Empieza por una referencia general a «sus enemigos», en plural, para pasar inmediatamente al singular, con una falta de concordancia que nos descubre lo que está pasando por su cabeza. Morales está pensando concretamente en un único y poderoso enemigo, al que no se atreve a mencionar: el inquisidor general Fernando de Valdés:

> ... de quien él harto se quejaba...

Vayamos a los hechos. El 21 de agosto de 1559 llegaba a Torrelaguna, el lugar donde residía aquel verano Carranza, como villa tan vinculada al arzobispado de Toledo desde los tiempos de Cisneros, un poderoso personaje mandado por la Inquisición: el juez don Rodrigo de Castro. Conforme a una maniobra que veremos repetir en aquel reinado, Castro cenó aquella noche amigablemente con Carranza, pero al día siguiente un pregón advirtió a la villa que nadie se atreviera a salir de sus casas. Incluso debían mantener cerradas puertas y ventanas, bajo los más severos castigos.

De ese modo se procedió a la prisión de Carranza, siendo llevado a las cárceles inquisitoriales de Valladolid. Comenzaría así su largo proceso, que duraría diecisiete años, para ser fallado finalmente en Roma.

Un verdadero escándalo y asombro para toda la Cristiandad, el primero de los no pocos con que sorprendería el reinado de Felipe II. Para entenderlo bien es preciso recordar con algún detalle el *curriculum vitae* del dominico.

Bartolomé de Carranza había nacido en Miranda de Arga en 1503; por lo tanto, era un hombre de la generación de Carlos V. Ingresa en la Orden de Santo Domingo. Entre 1539 y 1545 explica en el Colegio de San Gregorio de Valladolid la *Summa Teologica* de santo Tomás de Aquino. En 1545 es enviado al Concilio de Trento por orden del Emperador, y asiste a todas las sesiones de la primera etapa del Concilio tridentino, destacando tanto por su celo religioso como por su ascetismo. Allí, en Trento, se hace justamente famoso por su conmovedor discurso sobre las Iglesias perdidas. También interviene con gran autoridad en la comisión del Concilio que debate el tema clave de la justificación por la fe. Y tan ejemplar es su actuación, que cuando se reanuda el Concilio, en 1551, otra vez vuelve a Trento, por orden de Carlos V, siempre destacando tanto como teólogo eminente como por su vida de asceta. Y es uno de los padres conciliares que tratan de encontrar los fallos cometidos por la Iglesia, que podían haber causado los desvíos de la Reforma, resaltando entre ellos los que se padecían en la cumbre, con los notorios abusos de tantos obispos que abandonaban sus diócesis para vivir en la corte. Ya en 1547 había escrito, a este respecto, una denuncia bien significativa: su *Controversia de necessaria residentia personali Episcopum*. Precisamente la falta en que había incurrido constantemente Fernando de Valdés, que mientras era obispo de Oviedo se había ausentado para regir, como presidente, la Chancillería de Valladolid (1532-1539); cuando pasa al obispado de Sigüenza está en Madrid, como presidente del Consejo Real (1539-1546), y cuando ocupa el arzobispado de Sevilla, en 1546, sigue en Madrid como Inquisidor general (1546-1566); en conclusión, que durante un cuarto de siglo había abandonado constantemente sus deberes pastorales. Algo notorio que Carranza denunciaría en su momento, como hemos de ver.

Y siguiendo con Carranza, le vemos formar parte del cortéjo que acompaña en 1554 a Felipe II a Inglaterra, en donde se vuelca para conseguir la vuelta de aquel reino al catolicismo; de manera que cuando Felipe II pasa en 1555 a Bruselas, llamado por su padre, el Emperador (estaban en marcha las solemnes jornadas de la abdicación de Carlos V), recibe la orden de permanecer en Inglaterra, para seguir en sus tareas religiosas, incluso colaborando en el castigo de los tenidos como herejes (sería la etapa de la muerte en la hoguera del arzobispo Cranmer). En 1557, Felipe II lo llama a los Países Bajos. Es entonces cuando publica sus *Comentarios al Catecismo cristiano*. Y tanta cuenta hace el Rey de aquel fraile dominico, que cuando a poco vaca la archidiócesis de Toledo, por muerte del que había sido su preceptor, el cardenal Silíceo, le propone para el puesto. Carranza lo rechaza tres veces, aceptando finalmente con la condición de que terminase la guerra de Felipe II con el papa Paulo IV; aceptación que no sería bien vista por Carlos V, que ya le había propuesto para la mitra de Cuzco, sin conseguir que la recibiera. Pero es de destacar que, cuando llegó a Roma la propuesta regia, la Curia pontificia dio inmediatamente su aprobación, sin pasar por el trámite de la averiguación de sus buenas letras y costumbres, que tan notorias eran.

En seguida sobreviene su caída, con lo que las preguntas se disparan. ¿Cómo pudo ocurrir que, quien gozaba de la gracia del Rey en tan alto grado, cayera en tan mísera suerte, casi de la noche a la mañana? Algo podría explicar el cambio de Felipe II: la actitud de su confesor, fray Bernardo de Fresneda. El que sería después obispo de Cuenca tenía estrecha comunicación con Fernando de Valdés, como lo atestigua esta carta del deán de Oviedo al Inquisidor general, desde Roma, y precisamente en aquellas fechas de agosto de 1559:

> Y del confesor tiene [el Papa] bonísimo concepto... Tras esto le dije yo el cuidado que el confesor tenía en las cosas que tocan a la Inquisición de España, *y cómo Vuestra Señoría Ilustrísima se entendía con él...* [14]

---

[14] Deán de Oviedo a Valdés, Roma, 19 de agosto de 1559 (publ. por González Novalín, *El inquisidor general Fernando de Valdés, op. cit.,* II, pág. 256).

En agosto de 1558, Felipe II manda a Carranza a Castilla, aparentemente con una misión oficial: recabar el apoyo de Carlos V para que María de Hungría aceptase el volver como gobernadora a los Países Bajos; pero, dados los modos de proceder del Rey, cabe la duda de que ya hubiera decidido su ruina a manos de la Inquisición, para lo cual obviamente le tenía que ver en España. Pues sabemos que por esas fechas empiezan ya las actuaciones inquisitoriales contra los supuestos conventículos luteranos de la Corona de Castilla, con sus rumores sobre Carranza.

En efecto, ya la Inquisición había comenzado su redada de supuestos luteranos, encontrando que muchos de los inculpados se defendían amparándose con el nombre de Carranza. Algo que Valdés comunica inmediatamente a la princesa gobernadora, Juana de Austria, quien al punto se lo comunica al Emperador, su padre, ya en Yuste, y con toda seguridad al propio Felipe II.

La carta de Juana de Austria a Carlos está fechada en Valladolid, a 8 de agosto de 1558, y en ella la Princesa le transmite aquel grave rumor («algunas cosas» de Carranza), y le pone en guardia contra él, puesto que el arzobispo de Toledo se encaminaba a Yuste:

> Olvidóseme de decir a V.M. quel arzobispo de Sevilla me dixo que avisase a V.M. de questos luteranos decían algunas cosas del de Toledo, y que V.M. estuviese recatado con él cuando fuese. Hasta ahora no hay nada de sustancia, mas díxome que si fuera otra persona que le hubieran ya prendido. Pero que se mirará más lo que hay y se avisará a V.M. dello... [15]

Y lo cierto es que Carranza se presenta en Yuste, pese a que el Emperador había expresado su repugnancia a verle, encontrándose ante su lecho en sus últimos momentos, con exhortaciones religiosas que algunos de los presentes, como don Luis de Ávila y Zúñiga, tendrían por dudosas, con lo que la repentina alarma de Felipe II bien pudo convertirse en indignación.

De ese modo, antes del año Carranza sería encarcelado y se iniciaría su proceso por la Inquisición.

A Carranza le salvó de la hoguera su habilidad, a que le ayudó, y no poco, el contar con la defensa de Martín de Azpilicueta. Y hay que anotarlo: con la expresa voluntad de Felipe II.

En la copiosísima documentación de aquel proceso (cuyos 21 legajos custodia la Real Academia de la Historia), tan pormenorizadamente estudiada por Tellechea, voy a destacar sobre todo uno por más revelador: la acusación que Carranza hizo de Valdés, que, por ser tan pública su enemistad con él, no podía estar en el Tribunal que le juzgase. Son 25 alegatos, entre ellos los derivados de pleitos antiguos, o como el haber votado Carranza que Valdés

---

[15] Véase mi estudio «Los Austrias mayores», en *Historia de España,* ed. Gredos, Madrid, 1987, vol. 8, pág. 303.

entregara a la Hacienda Real 100.000 ducados, pero especialmente la inquina de Valdés porque Carranza exigiera públicamente que residiera en su arzobispado de Sevilla:

> ... los tales prelados son obligados a hazer la dicha residencia, so pena de pecado mortal...

¿Cuál había sido el resultado?

> ... y por esto su señoría se ha quexado muchas e diversas vezes de mí con mucho enojo y pasión... [16]

En su justificación, Carranza aludiría indignado a la acusación de herejía:

> ... me han infamado de hereje...

Era, evidentemente, la acusación más grave que sobre él pesaba, en la que había entrado un teólogo célebre en su tiempo: Melchor Cano. Pero también existía un testimonio de valor dudoso por la enemistad que con Carranza tenía: «... mi enemigo notorio...»

Como una de las acusaciones principales se centraba en su libro en torno al Catecismo, se ofreció a corregirlo, sin ser oído, pese a que Carranza acudió a entrevistarse con el inquisidor general Valdés:

> ... en esta villa de Valladolid —Carranza ya está en las cárceles inquisitoriales vallisoletanas—, en el Colegio San Gregorio, yo hablé al dicho señor arzobispo de Sevilla y otra vez en su posada, dándole cuenta y razón del libro que hize imprimir y porqué le había hecho en la forma que estaba...

Era no sólo una justificación del libro, sino una disposición a corregirlo:

> ... y que si había qué enmendar se podía remediar, sin ninguna nota...

Por lo tanto, Carranza ya sabe por dónde iban los tiros. Pero el Inquisidor tiene bien segura su presa y no quiere saber nada de rectificaciones: «...y no me dixo nada...»

En un momento determinado, asistimos a los debates de aquellos hombres que entonces regían España. Se trata de una reunión del Consejo de Estado tenida en 1558. Presentes: Juan de Vega, Gutierre López de Padilla, don García de Toledo y el propio Carranza. En aquella alta reunión de Estado, Juan de Vega se pronunció en contra de Valdés, quien, pese a los muchos luteranos descubiertos en Sevilla, no se iba a su diócesis; un escándalo que debía remediarse, de forma que si la corte mudaba de lugar, mandaría que no se le diese posada,

---

[16] Real Academia de la Historia, Proceso de Carranza, leg. 1, fols. 13-15.

... porque sería ocasión de que se fuese a su Iglesia, porque no se podía sufrir que el dicho señor Arzobispo no obedeciese los mandamientos reales...

Acusación contra el proceder de Valdés que Carranza tomaría como propia, cargando aún más la mano:

A lo qual yo dixe: «No es maravilla, que quien no obedesçe los
mandamientos de Dios, no obedezca los de su Rey...»

Intervención de Carranza que pronto llegó a noticia de Valdés, de lo cual
Carranza sacaba la conclusión de siempre: «... y por ello me ha tenido odio y
enemistad...»

Eran demasiadas cosas y demasiados enfrentamientos. No podía ser que
tal enemigo se convirtiera en juez. Y, al menos, en aquella oscura batalla
Carranza le ganó la mano a Valdés.

La buena fama de Carranza en Roma, junto con la notoria vida *non sancta* de Valdés, ayudó finalmente al dominico. El proceso se prolongó hasta que
san Pío V exigió al Rey que le mandara proceso y procesado, para que todo se
viera y se fallara en Roma, no sin tener que amenazarle con poner en entredicho a España.

Y por esa causa, aquel caso se resolvería, como hemos de ver, entrada ya
la década de los años setenta.

En todo caso, cuando Felipe II regresa a España, a finales de agosto de
1559, tiene no poco de qué preocuparse. El 8 de septiembre entraba en Valladolid. Un mes más tarde se le ve presidir el segundo auto de fe contra los inculpados por la Inquisición como luteranos, en la Plaza Mayor, con 32 condenados, de ellos 13 a la pena del garrote y dos quemados vivos: don Carlos de
Sesso y un criado de los Cazalla, de nombre Juan Sánchez [17]. De creer a Cabrera de Córdoba, don Carlos de Sesso reprochó al Rey tanto rigor, a lo que Felipe II contestaría:

Yo traeré leña para quemar a mi hijo si fuere tan malo como
vos [18].

Y así, el ambiente religioso fue enrareciéndose cada vez más. Ya nadie
estaría seguro, si se atrevía a expresar públicamente sus pensamientos, si se
deslizaba alguna crítica contra los abusos de la Iglesia.

Tenemos el testimonio de un miembro de la alta nobleza: don Juan de
Acuña. Era hijo del virrey don Blasco Núñez de Vela y comendador de las
Casas de Coria. Por lo tanto, un personaje de cuenta, un hombre «de cali-

---

[17] Archivo de Simancas, Estado, leg. 137, fol. 9.
[18] En Luis Fernández y Fernández de Retana, *La España de Felipe II, op. cit.,* I, pág. 534.

dad», un caballero. En 1561, asiste en Ávila a una tertulia de doña Inés de Pantoja, con la presencia de algunos jesuitas. Se comenta la vida licenciosa de los predicadores protestantes, y Acuña se atreve a rebatirlo:

> Yo respondí que había estado en Alemania y que lo había visto muy al revés...

Tan al revés, que los vio vivir con sus mujeres y no con concubinas, como era el caso notorio de la mayoría del clero católico. Afirmación que produjo la airada réplica de los jesuitas:

> ... cómo se podía dezir esto en favor de los herejes...

Se pone en marcha la maquinaria inquisitorial. Pronto le llegan avisos a Acuña de que estaba en gran peligro. Se alarma y trata de parar el palo escribiendo su justificación al mismo Valdés: su honra —y, por supuesto, su vida— estaba en juego, si era llamado por la Inquisición. Aquí, el testimonio de Acuña refleja el ambiente que se vivía en España a mediados del Quinientos:

> V.S. Ilustrísima sabe quán peligroso está el tiempo para que la honrra padezca mucho peligro y diminuçión en qualquier llamamiento que se hiziese por el Sancto Ofiçio de la Inquisiçión y quánta razón es que esto se tema y reçele por caballeros y personas de mi calidad...

Por lo tanto, ante la Inquisición nadie está seguro, de nada valen fortunas ni linajes.

En la súplica de Acuña a Valdés para no ser procesado por la Inquisición, una y otra vez se hace referencia al tenso ambiente que se vivía:

> ... por estar en tiempo tan peligroso como estamos...[19]

Es el ambiente propio de aquellos autos de fe, como el que vemos presidir a Felipe II en Valladolid el 8 de octubre de 1559.

Al día siguiente, Felipe II abandonó Valladolid «ofendido», si hemos de creer de nuevo a Cabrera de Córdoba, de lo que allí había sucedido, trasladándose a Toledo, donde tenía convocadas Cortes, no sin antes cumplir con aquel ruego de su padre, el Emperador: el reconocimiento de don Juan de Austria, su hermanastro, cosa que haría en el monasterio de La Espina, cercano a la villa del Pisuerga; una de esas escenas para la gran historia. Un nuevo personaje se incorporaba a la más brillante historia de las grandes gestas del

---

[19] Archivo Histórico Nacional, Inquisición, leg. 4.519, núm. 3.

Quinientos, pero también se iniciaba un dramático destino, punto de partida de novelescas aventuras.

En Toledo, donde había de ser jurado don Carlos como príncipe de Asturias, esperó el Rey a la princesa francesa, la dulce prenda de la paz, Isabel de Valois, aquella chiquilla que contaba entonces catorce años recién cumplidos (había nacido en 1546). Acudió a recibirla a Guadalajara, celebrándose las velaciones de la boda el 29 de enero de 1560 en el palacio de los duques del Infantado.

¡Qué contraste con los anteriores desposorios! En especial, con la segunda esposa de Felipe II, con aquella María Tudor, la mujer de la rosa roja, que podemos contemplar en el Museo del Prado. Otra cosa era la nueva novia que le llegaba a Felipe II:

> No se quexará S.M. de que le hayan casado con mujer fea y vieja...

Era, ya lo hemos visto, el comentario general.

La etapa posterior está cubierta por cuatro acontecimientos de notable trascendencia: primero, el de la fijación de la capital de la Monarquía en Madrid, cosa realizada en junio de 1561; segundo, el de la reanudación y término del Concilio de Trento, tan importante en la vida espiritual de la Europa occidental; tercero, el atajamiento de los intentos de los hugonotes franceses por instalarse en la Florida, y en cuarto lugar, los acuerdos entre España y Francia por aunar los esfuerzos para combatir a los disidentes religiosos, lo que motivaría las Vistas de Bayona, que marcarían uno de los momentos cenitales de la Monarquía filipina.

Acaso debamos añadir, cierto, la defensa de Malta frente al Turco[20].

En cuanto a la reanudación del Concilio de Trento, se nos aparece Felipe II como el gran continuador de la política paterna. La paz de Cateau-Cambrésis con Francia volvía a dar —como en 1545— el requisito diplomático previo para que se pudiese aspirar a la reapertura de las sesiones, en aquella tercera etapa, que sería la definitiva.

El protagonismo de Felipe II se vería desde el primer momento, cuando se produce la muerte del papa Paulo IV, que tanto había perturbado la paz de la Cristiandad. El Rey daría instrucciones a Vargas, su embajador en Roma, y, en general, al partido hispano dentro de la curia, con la finalidad de que trabajasen para que fuese elegido un pontífice propicio a la reanudación del Concilio. El que fuera designado el cardenal de Médicis, con el nombre de Pío IV, ya alentó las esperanzas, máxime cuando se le vio rodearse de prelados como Carlos Borromeo, el futuro gran santo italiano del Quinientos.

Pero había una dificultad a vencer: el Concilio ¿sería uno nuevo, o continuación del tridentino? Felipe II se esforzó por la continuación, porque

---

[20] Para esa heroica defensa de Malta, de 1565, véase, más adelante, el capítulo 8, parte segunda, «España *versus* Islam», en esta misma obra.

ello venía a ser como un homenaje a su padre y la posibilidad de culminar lo que él había apoyado en los años cuarenta. La convocatoria del Papa no respondió con precisión a sus deseos, pero, como al fin se volvió a elegir Trento, el Rey dio órdenes a los obispos y teólogos de sus dominios que acudieran a la cita. Aún hizo más: en aquel mismo año de 1562 se planteó la cuestión de la elección del nuevo rey de Romanos, o sea, el sucesor al Imperio, y Felipe II apoyó a su primo Maximiliano II, olvidándose ya definitivamente de sus anteriores pretensiones, conforme al consejo que le había dado su padre[21], pero le pidió, en cambio, dos cosas: que mandase a sus hijos varones a educarse en España y que presionase a los obispos alemanes para que fuesen a Trento.

Fue aquella la etapa de mayor y más importante participación del episcopado español y de sus teólogos, con más de cien figuras, entre las que destacaron de forma tan notable los jesuitas Diego Laínez y Alfonso Salmerón, el dominico Melchor Cano y el arzobispo de Granada, Pedro Guerrero.

Bien pudo decir san Carlos Borromeo, cuando había temor en Roma de que Felipe II no le apoyase, que sin la presencia española el Concilio tendría escasos frutos. Y no es de extrañar que, cuando Menéndez Pelayo lo estudia a fondo, acabe diciendo, admirado, que el Concilio de Trento tuvo tanto de ecuménico como de español.

En todo caso, y frente a la confusión anterior producida por los espectaculares avances de la Reforma (luteranos, zwinglianos, calvinistas, anglicanos), el Concilio trajo firmeza y seguridad al mundo católico. Y Felipe II se mostraría fiel a sus principios, cosa que le convertiría en el campeón del catolicismo europeo, en una época de enconadas guerras religiosas.

A partir de ese momento, podría decirse que la suerte del Imperio español estaría unida a la de ese combate.

Felipe II apoyaría los debates del Concilio con un orgullo: el de creer que en sus reinos hispanos se asentaba la mayor pureza de la religión cristiana. Véase, si no, en los términos con que se expresa a su tío, el emperador Fernando, cuando se debatía la posible concesión del cáliz a los fieles:

> ... en este particular de la concesión del cáliz, como en cualesquiera otros que sea novedad y mudanza del antiguo uso de la Iglesia, que se pidan a S. Santidad, V.M. y el serenísimo Rey lo manden mucho mirar, porque cierto acá, donde (como V.M. tiene entendido) hay personas tan doctas, graves y tan cristianas, donde lo de la religión está con tanta limpieza y pureza, todos uniformemente juzgan que el fructo y efecto que en esto se pretende será ninguno...[22]

---

[21] Carlos V, después del reconocimiento legal de los príncipes luteranos en la paz religiosa de Augsburgo de 1555, así se lo había indicado.

[22] Felipe II a Fernando I, Valencia, 23 de abril de 1564 (Haus, Hof und Staatsarchiv, Viena, Span. Hofkorrespondenz, 2-1.°, 43; or.).

Y cuando los obispos y teólogos españoles regresaron de Trento, fueron acogidos solemnemente por el Rey, que desde entonces procuraría ser fiel a los decretos del Concilio.

Algo que iba a repercutir pronto en el gobierno de sus reinos, con bruscas reacciones de los disidentes, tanto de los calvinistas de los Países Bajos como de los moriscos de Granada.

Estos primeros años bonancibles para Felipe II, tras la paz de Cateau-Cambrésis, coinciden con la llegada a la corte de Isabel de Valois. Después de sus dos primeros fracasos matrimoniales, el Rey parecía haber encontrado la estabilidad conyugal. Con razón podían comentar satisfechos sus diplomáticos, como ya hemos visto, que no le habían conseguido una esposa vieja ni fea. En realidad, Isabel de Valois era tan joven en 1560, cuando llega a España, con sus catorce años recién cumplidos, que el Rey tendría que esperar a iniciar con ella su vida amorosa. Pero de inmediato se vio que era como una corriente de aire fresco en la corte española.

De momento, sin embargo, y en relación con el problema de la sucesión, siempre tan acuciante en las monarquías hereditarias, Isabel de Valois no respondió a las esperanzas del Rey, teniendo en 1562 un primer aborto. Precisamente en el año en el que don Carlos sufría aquel grave accidente en Alcalá de Henares, que a punto estuvo de costarle la vida, y que le dejaría ya tocado para siempre. Y acaso por ello, por aquella doble y amarga experiencia, el aborto sufrido por la Reina y la quebrantada salud del primogénito, pensó Felipe II en un estrechamiento de los lazos con la corte de Viena. Pues en caso de que fallara la descendencia de su Casa, los derechos sucesorios recaían en los hijos de su hermana María, cuya gran fecundidad recordaba la de la pobre reclusa de Tordesillas. Y así se planteó la educación de los hijos mayores de María en la corte española, yendo el Rey a recibirlos a su llegada a Barcelona.

Antes había convocado Felipe II Cortes aragonesas en Monzón, en 1563. No iría el Rey acompañado ni de su esposa Isabel ni de su hijo don Carlos, cuyo mal estado de salud impedía tal viaje.

Partió el Rey en agosto hacia Monzón, no sin antes pasar por El Escorial para asistir a la colocación de la primera piedra del monasterio; un momento sin duda clave en su vida, que trataremos de comentar ampliamente al final de esta obra. En Monzón conoció por primera vez en su reinado las dificultades de negociar con las Cortes aragonesas, con sus dilaciones y sus resistencias. Llegó un momento en el que Felipe II no vio otra salida que declarar sesión permanente, la misma víspera de las Navidades de 1563 [23]. Al fin pudo conseguir el subsidio acostumbrado y continuar su viaje a Barcelona, donde procedió a designar nuevo virrey al duque de Francavilla. Allí recibió a los obispos españoles que regresaban de Trento, y a sus dos sobrinos, los archiduques Rodolfo y Ernesto, que contaban entonces doce y diez años. Les acompañaba su

---

[23] Fernández y Fernández de Retana, *op. cit.*, I, pág. 636.

ayo, el barón Dietrichstein, con el que, andando el tiempo, Felipe II tendría un gran afecto.

Más dificultades encontró el Rey en las Cortes catalanas que en las aragonesas, teniendo que clausurarlas el 22 de marzo de 1564 sin ningún resultado, llevándose un mal recuerdo y dejándolo no muy bueno. Mejor lo tuvo en Valencia, adonde llegó en la primavera de 1564, con un ambiente de fiesta continua.

Un mes después, en mayo de 1564, regresaba el Rey a Castilla. En Ocaña le esperaba Isabel de Valois, para trasladarse juntos al real sitio de Aranjuez, donde los festejos serían también continuos. La corte filipina conocería uno de los momentos más deslumbrantes, con dos estrellas de primera magnitud: la reina Isabel, que a sus diecinueve años se había convertido en una deliciosa mujer llena de atractivo, y la princesa Juana, todavía joven a sus veintinueve años y lejos de sentir los afanes de reclusión religiosa que le acometerían al final de su vida. Se suceden las fiestas cortesanas, con torneos que venían a recordar los que había conocido Felipe en Binche, pero llevados a la femenina, siendo los primeros personajes Isabel y Juana.

INCURSIONES DE HUGONOTES EN LA FLORIDA: SU REPRESIÓN POR PEDRO MENÉNDEZ DE AVILÉS

Entre tanto, ¿cuál era la situación en las Indias?

Inmensidad es la primera reflexión que depara siempre el hecho americano; asombro, la segunda, ante el despliegue realizado por aquel puñado de españoles, a lo largo y a lo ancho de dos continentes: fundando ciudades, haciendo caminos, explotando minas, educando y misionando a miles de indígenas, creando un admirable aparato administrativo, desde los Virreinatos y Audiencias hasta las Gobernaciones y Corregimientos. La mera enumeración de toda esa espléndida tarea obligaría a otro libro.

No es ese mi propósito, por quedar fuera de los objetivos de este trabajo, pero sí apuntar lo que supuso para el reinado de Felipe II.

En primer lugar, que bajo su reinado se pasa de la época de los conquistadores a la de la organización de las tierras dominadas. Los últimos años del reinado de Carlos V habían visto algunos duros enfrentamientos, en particular en tierras del Perú, con verdaderas guerras civiles entre los principales conquistadores; guerras entre pizarristas y almagristas, seguidas de un serio levantamiento contra la soberanía del Rey de España, protagonizado por Gonzalo Pizarro y sofocado en última instancia por un antiguo rector de la Universidad de Salamanca, de nombre Pedro Lagasca. Al iniciarse el reinado de Felipe II se instaura ya una época de pacificación, en la zona antillana y en los dos grandes virreinatos de Nueva España y Perú.

Los problemas de las Indias Occidentales eran sobre todo su repoblación, tanto en cuanto a que cesara la brusca caída inicial de la población india como a que aumentara la población española y que se evitaran los peligros inherentes al crecimiento de la población negra, en su mayoría esclava. También la explotación de las minas, en particular las de plata, como la de Zacatecas, en Nueva España, y de Potosí, en Perú; sin olvidar las nuevas expediciones descubridoras y conquistadoras, como las protagonizadas en el norte de México por Francisco de Ibarra (una de las personalidades españolas de mayor relieve), o como la dificilísima de Pedro de Valdivia en el sur de Chile, en constante conflicto con los belicosos araucanos. A lo que había que añadir la notable labor descubridora, internándose en el inmenso Pacífico, como la protagonizada por Álvaro Mendaña, al descubrir las islas Salomon, y sobre todo con el descubrimiento de la ruta del tornaviaje, que permitió el asentamiento español en las Filipinas, tema de tal trascendencia que nos obligará a un capítulo aparte.

Y algo más, la pretensión de otros pueblos europeos —en particular, franceses e ingleses— por cortar el tráfico entre España y las Indias (con ayuda de corsarios y piratas) y la de establecerse en aquellas tierras.

Eso obligaría a una notable organización del transporte marítimo, con las flotas de las Indias en convoyes protegidos por galeones, el alzamiento de grandes obras de defensa en los principales puertos y, en su caso, a empresas bélicas de castigo contra las expediciones extranjeras.

Todo ese inmenso mundo indiano descansaría, en buena parte, en las cualidades de los virreyes y gobernadores mandados por la Corona. Hay que advertir que, pese a la lejanía, los intentos de secesión fueron escasos y fácilmente reprimidos, como el protagonizado por Martín Cortés —hijo del conquistador— en 1566, y la amenaza de los incas en el Perú, como la que supuso Túpac Amaru en los años setenta, o, en fin, la del sanguinario Lope de Aguirre, muerto en 1561.

Para ese escenario y para tales tareas pudo contar Felipe II con notables gobernantes: Luis de Velasco en Nueva España (1550-1564) y Francisco de Toledo en el Perú (1569-1581) son los más destacados. Para fortificar los puertos principales (San Juan de Puerto Rico, La Habana, Cartagena de Indias) envió a un arquitecto militar de gran pericia, Juan Bautista Antonelli, autor de unas fortificaciones impresionantes, que ayudaron a proteger aquellas partes de los ataques de corsarios tan temidos como John Hawkins y Francis Drake.

En gran peligro estaba la zona antillana, prácticamente despoblada de indios, con pocos españoles —atraídos por los relatos de las riquezas del continente— y, en cambio, con una numerosa población negra. Todo ello había sido puesto de manifiesto por Pedro Menéndez de Avilés al Rey, en un curioso memorial de 1559, que custodia el Archivo de Simancas.

Pedro Menéndez de Avilés informaría a Felipe II en 1558 que su armada había capturado a unos marinos franceses en las costas de Galicia, y que uno de sus capitanes prisioneros había confesado que el objetivo que tenían era ir después a las Indias, con una poderosa armada en la que llevaban 5.000 hombres. Ante tal amenaza, el marino asturiano daría su consejo al Rey, sobre la indefensión en que se hallaban las Indias españolas:

> Todos los pueblos que hay en las Indias están sin cercas y sin artillería ni municiones...

Aparte la indefensión, contaba también la poca fiabilidad de sus vecinos:

> ... gente sin honra y de mala vida porque los más de los malhechores que andan fugitivos de las justicias, ocurren a la ciudad de Sevilla y allí entran por marineros en las naos que van a las Indias, para dar allá al través y quédanse en aquellos puertos...

Además eran muchos los extranjeros:

> ... los otros son portugueses, lusitanos, griegos, marsellanos, flamencos, alemanes y de todas las naciones...

De allí los daños que hacían los corsarios, al no encontrar resistencia en aquellas gentes, de forma que sólo algunos puertos con mejores defensas habían resistido, como San Juan de Puerto Rico, Santo Domingo, La Habana, Veracruz, Nombre de Dios y Cartagena de Indias.

El problema era particularmente grave en La Española, donde se calculaba una población negra de 50.000 esclavos con apenas 4.000 españoles.

> Porque como los negros son libres en Francia, donde ninguno es esclavo, dándoles los franceses libertad, ellos mismos defenderán la tierra a Vuestra Majestad por ser libres...[24]

¿Qué remedio proponía Pedro Menéndez de Avilés al Rey? Que se le encomendara una expedición de castigo, con fuerte armada, con la que desbarataría la que los franceses habían mandado:

> Y para el temor de delante se use con ellos la crueldad que a Vuestra Majestad parezca...

La misma crueldad que debía emplearse con los negros («y a los negros, si estuvieran de mala suerte, se usará con ellos toda crueldad...»).

Dureza, violencia, crueldad declarada, ¿con qué fin? Poner temor en Francia para que cesaran en aquellas navegaciones. ¿Qué lo justificaba? El haber sido tierras a las que España había llevado el cristianismo:

> Nuestro Señor lo remedie —terminaba—, de manera que Vues-

---

[24] En el sentido de oponerse.

tra Majestad señoree pacíficamente aquellos reinos pues truxo la gente dellos a conocimiento de la santa fe católica[25].

Notable testimonio de uno de los principales protagonistas de aquellos acontecimientos, del marino español a cuyo cargo quedaría, como hemos de ver, la expulsión de los franceses que se habían asentado en la Florida. Por él vemos cómo ya era entonces Francia la tierra de la libertad, concepto mal visto por el fiero marino, y también se echa de ver el débil asentamiento que tenía España en la zona antillana, por el fuerte atractivo de las riquezas mexicanas e incaicas.

Y no cabe duda de que ese memorial hizo impacto en Felipe II y en el Consejo de Indias, de forma que cuando surgió la crisis de las incursiones francesas en la Florida, Pedro Menéndez de Avilés fue el designado para resolverla. Lo que había de culminar, además, con un asentamiento, iniciando la población de aquellas tierras.

Estaba en marcha la fundación de la primera ciudad de los actuales Estados Unidos: San Agustín.

Porque hasta entonces aquellas tierras estaban abandonadas, pese a sus buenas condiciones para ser colonizadas y su valor estratégico, fronteras como estaban a La Habana y, por lo tanto, en la ruta de los galeones a su regreso a España. Por ello, en 1558 se había autorizado al virrey de Nueva España, Luis de Velasco, para que colonizase la Florida, el cual envió diversas expediciones en 1559, que alcanzaron con Villafañe la bahía de Chesapeake, pero sin encontrar ningún lugar adecuado para la deseada fundación.

Por los mismos motivos, el almirante francés Coligny se fijó en aquellas tierras como lugar apropiado para sus correligionarios hugonotes, y así se organizaron diversas expediciones en los años 1562 y 1564, a cargo de Jean Ribault y de René de Goulaine de Laudonnière. También las naves inglesas de John Hawkins tantearon algo similar en 1564, del mismo modo que se preparaba en Inglaterra otra expedición a cargo del capitán Stukley bajo el patrocinio de la reina Isabel. Pero fueron los intentos repobladores de René de Goulaine de Laudonnière y de Jean Ribault los que más alarmaron al Consejo de Indias, que reaccionó con la misión encargada a Pedro Menéndez de Avilés de eliminar aquellos enclaves franceses y sustituirlos por un asentamiento español.

Pedro Menéndez de Avilés fue nombrado adelantado y gobernador de la Florida en marzo de 1565, con la misión de aniquilar el asentamiento francés de Jean Ribault y de repoblar la tierra con labradores españoles y evangelizar a los indígenas; de suerte que tuvo que aunar las condiciones de marino, de soldado, de repoblador y de misionero; en suma, de conquistador y colonizador.

No se escondía a Felipe II la gravedad de los asentamientos franceses en la Florida. Ya en mayo de 1565 se lo indicaba a su embajador en Francia, don Francés de Álava; los franceses trataban de llegar al canal de las Bahamas:

---

[25] *Corpus documental de Carlos V, op. cit.,* IV, págs. 429-435.

... que es el paso de la navegación de la Nueva España y Nombre de Dios y por donde vienen todas las flotas...

Y como el espionaje sea cosa de todos los tiempos, ya el Rey se lo encomendaba al embajador que lo hiciese en El Havre y en los demás puertos donde se aparejasen los franceses para informar sobre:

> ... los navíos que allí hay y cuántos están armados, y qué gente, marineros y municiones, llevan y porqué tiempo los proveen de vituallas y quién va por capitán dellos, y cuándo se piensa que partirán y qué derrota llevan...

Naturalmente, toda aquella gestión debía hacerse con sumo «secreto y disimulación» y gran prisa, pues se trataba de informar lo mejor posible a Pedro Menéndez de Avilés, a quien se había dado orden de partir para la Florida a poblar y colonizar la tierra y expulsar a los franceses[26].

El 8 de septiembre de 1565 fundaba Pedro Menéndez de Avilés la ciudad de San Agustín, convertida así en el primer enclave hispano de los actuales Estados Unidos y en la más antigua ciudad de aquella nación; luego, en sucesivas acciones de castigo, destruyó los asentamientos franceses, pasando a cuchillo a casi todos los prisioneros, incluido el propio Jean Ribault, hasta el punto que aún hoy la toponimia recuerda aquellos sucesos en el río denominado La Matanza.

La noticia de aquellos sucesos conmocionó a Europa, poniendo un título de sanguinario sobre el terrible marino asturiano; pero tanto el embajador de Felipe II en Londres, Guzmán de Silva, como los plenipotenciarios españoles de la conferencia hispano-francesa que se tenía en Bayona no encontraron ninguna protesta a tal muestra de energía[27].

Pues una cosa es cierta: en 1565 el poder de Felipe II era tan impresionante que a todos infundía respeto; 1565, el año de las Vistas de Bayona, que vendrían a ratificar la fuerza de la Monarquía católica, esta vez en el viejo continente, o lo que es lo mismo, que Felipe II era por entonces el árbitro de los destinos del Viejo y del Nuevo Mundo.

De todas formas, no sólo empleó la fuerza; también acudió el Rey a la diplomacia, haciendo presente en Roma los antiguos derechos de España a las nuevas tierras de América. Y, curiosamente, sin argumentar con las famosas bulas alejandrinas de fines del siglo XV, sino con que la Florida había sido descubierta por España. En la notificación que Felipe II hizo al papa Pío V, a través de su embajador Luis de Requesens, así se particularizaba:

---

[26] Felipe II a Francés de Álava, Simancas, 1 de mayo de 1565, en Pedro Rodríguez y Justina Rodríguez, *Don Francés de Álava y Beamonte: Correspondencia inédita de Felipe II con su embajador en París, 1564-1570,* San Sebastián, 1991, pág. 153.

[27] *Tres embajadores..., op. cit.,* págs. 163 y 164.

La Florida... ha muchos años que fue descubierta por los capitanes del Rey Católico y de Su Majestad cesárea mi señor y padre... y tomada la posesión della... [28]

LAS VISTAS DE BAYONA

El año 1565 es verdaderamente importante en el reinado de Felipe II. Acaso ninguna otra fecha marca tanto el predominio del Rey Católico en el mundo de su tiempo (en el Viejo y Nuevo Mundo), pues entonces sus naves logran aniquilar los asentamientos franceses de la Florida, sus tercios viejos rechazan al Turco en Malta —señalando el declive de Solimán el Magnífico— y sus diplomáticos cierran con éxito las Vistas de Bayona, que vienen a reconocer la supeditación de la cristianísima Francia a la Monarquía católica.

Las Vistas habían sido solicitadas por la reina madre Catalina de Médicis a Felipe II. Y muy vehementemente, prometiendo que de ellas saldría el serio compromiso para que en Francia se eliminase el peligro de la herejía:

> Yo os prometo —declaró la Reina al embajador español Francés de Álava— que el Rey, mi hijo [29], nunca se arrepienta de estas vistas, que la primera vez yo lo vea lo entenderá él claramente.

¿Cuál era el beneficio que obtendría Felipe II? La seguridad de que Francia se mantendría firmemente en el catolicismo.

> Y tened por cierto —añadía Catalina de Médicis a don Francés de Álava— que la fe católica se ha de asentar muy en breve en este Reino, venga lo que viniese [30].

Evidentemente, Felipe II no podía permanecer impasible ante el avance del partido hugonote en Francia. Con buena parte de Alemania en manos de los luteranos, con una Inglaterra cada vez más sospechosa de distanciarse de Roma y con las infiltraciones calvinistas en los Países Bajos y en Escocia, una Francia dominada por el partido hugonote suponía no sólo la ruina del catolicismo en toda la Europa occidental, sino también la pérdida de los Países Bajos, entremezclados como se hallaban los asuntos políticos con los religiosos.

En este período de tiempo, entre la paz de Cateau-Cambrésis y las Vistas de Bayona, en esos seis años, Francia pasa por tres reinados, con diversas alternativas internas, mientras el partido hugonote no cesaba de aumentar sus

---

[28] Felipe II a su embajador en Roma, Luis de Requesens y Zúñiga, Madrid, 1 de febrero de 1566 (Archivo de Simancas, Estado, leg. 901, fol. 47); cf. Luciano Serrano, *Correspondencia diplomática entre España y la Santa Sede durante el pontificado de san Pío V,* Roma, 1914, I, pág. 117.

[29] Esto es, Felipe II, al que da tal tratamiento por su boda con Isabel, su hija.

[30] Citado por González de Amezúa, *Isabel de Valois, op. cit.,* II, pág. 225.

partidarios entre la baja nobleza e incluso entre un buen número de grandes señores: el almirante Coligny y el príncipe de Condé los más significados, pero también junto a ellos Antonio de Borbón; mientras que en el bando católico militaban los Guisa, el condestable Montmorency y el mariscal Saint-André.

La muerte de Enrique II trajo el ascenso al trono de su hijo Francisco, esposo de María Estuardo, y con él, la subida al poder de los Guisa. Situación que no dejaba de alarmar a Felipe II por cuanto que Francisco II podría sentir la tentación —él o sus ministros los Guisa— de llevar su poder de Escocia a Inglaterra, desplazando a Isabel del trono, como hija ilegítima de Enrique VIII. Y la diplomacia española tuvo que trabajar de firme para proteger a Inglaterra, ofreciendo su apoyo a Isabel. Pero la situación de guerra civil que se vivía en Francia salvó a la reina de cualquier complicación; es más, el fracaso de los intentos conciliadores del canciller L'Hôpital, con su tolerante edicto de Romorantin (18 de mayo de 1560), como el del coloquio de Poissy (donde actuaría el español Laínez, defendiendo la postura católica frente al reformador Teodoro de Beza), junto con las conjuras de Amboise y de Lyon por parte de los hugonotes, y las duras represiones organizadas por los Guisa, llevaron a Francia a una guerra civil, desatada a raíz de la matanza de Vassy el 1 de mayo de 1562.

Sería la primera guerra de religión en Francia, de las ocho que se desarrollarían a lo largo de la segunda mitad del siglo XVI; algo que hay que tener en cuenta para comprender cómo la inestabilidad política y religiosa de Francia afectó a toda la Europa occidental.

En efecto, los contendientes buscaron el apoyo extranjero para lograr la victoria; los hugonotes, el de la Alemania luterana y el de Isabel de Inglaterra, a la que llegaron a ofrecer unos importantes puertos, que le compensaran de la pérdida de Calais; el principal de todos, El Havre. A su vez, el triunvirato católico (Guisa - Montmorency - Saint-André) buscaba la alianza de Felipe II.

En febrero de 1563 muere asesinado el duque de Guisa, en una conjura de la que no estaban ausentes las principales cabezas del partido hugonote, como el propio Coligny; penoso antecedente, que tendría más tarde su réplica a nivel del resto de la Europa occidental (y baste recordar que esa sería la suerte de Guillermo de Orange).

Ya entonces había otro rey en Francia, Carlos IX, pues Francisco II había muerto en diciembre de 1560. Un rey niño, lo que traía al primer plano político a su madre, Catalina de Médicis, como reina regente.

Catalina, aunque católica, era también florentina y ducha en las más difíciles maniobras políticas. Había sufrido, durante el breve reinado de Francisco II, la tiranía de los Guisa y estaba dispuesta a manejarse entre los dos bandos, inclinándose preferentemente por la vía de la tolerancia, que había protagonizado L'Hôpital. Y como la muerte de Francisco de Guisa parecía hacer más vulnerable al partido católico, por la pérdida de su caudillo militar más cualificado, consiguió un acuerdo entre los dos bandos (paz de Amboise,

18 de marzo de 1563), por el que los hugonotes obtenían ciertas garantías religiosas. Y lo que fue más importante: Catalina logró que los franceses se aunaran en una empresa común, la expulsión de los ingleses, reconquistando las plazas de Rouen y El Havre. Pudo así firmar con Isabel de Inglaterra el tratado de Troyes, en el que Isabel incluso renunciaba a cualquier derecho sobre Calais. También consiguió que su hijo Carlos IX fuera reconocido mayor de edad a los catorce años e iniciar una serie de negociaciones diplomáticas con potentados católicos: el Papa, el duque de Saboya y el propio Rey de España.

Para entonces ya había terminado, además, el Concilio de Trento. No es extraño, por tanto, que la Europa reformada mirase con alarma aquella trepidante actividad de Catalina de Médicis, sobre todo cuando conocieron que al fin la reina madre, con Carlos IX y su cortejo, se entrevistaba en Bayona con los representantes españoles, no con Felipe II, pero sí con su mujer, Isabel de Valois —hija, por otra parte, de Catalina—, bien asistida por el duque de Alba.

Es bajo ese panorama donde hay que centrar las famosas Vistas de Bayona de junio y julio de 1565.

A mi entender, a Bayona acudieron, por parte de Francia, dos partidos: el cerradamente católico y el más flexible, representado por la propia Catalina de Médicis. El partido católico quería un pacto fuerte con España, una especie de frente religioso, significando algo que para ellos era evidente: el avance de la Reforma en los Países Bajos era tan fuerte como lo estaba siendo en Francia. Así, uno de sus representantes, Bourdillon, diría al embajador español Francés de Álava:

> Tenedme por bellaco caballero, y publicadme por tal, si los Estados de Flandes no están en peligro, estoy por deciros tan grande como Francia, porque sé que con gente muy principal dellos tienen los herejes y traidores deste Reino muy vivas pláticas y aún con los de fuera dél...[31]

Frente a los malabarismos de Catalina, su hija Isabel de Valois actúa con más decisión, defendiendo la postura española que le había señalado Felipe II, hasta tal punto que su madre quedaría asombrada: «Muy española venís...»

Ese sería su reproche. ¿Qué pedía Isabel a su madre? La aceptación de los decretos de Trento. Y Felipe II, ya informado de con cuánta entereza lo había tratado su esposa[32], exclamaría satisfecho:

---

[31] Citado por González de Amezúa, *Isabel de Valois, op. cit.,* II, pág. 238.

[32] «Prometo a Vuestra Majestad —le escribía Alba— que ha tratado los negocios con una prudencia y un valor tan grande, que aunque teníamos grande opinión de Su Majestad, nos ha espantado» (*ibídem,* pág. 271).

La Reina, mi mujer, apretó terriblemente a su madre para que se aceptase el Concilio de Trento...[33]

En un principio, Catalina de Médicis se resistía a ceder a los planteamientos españoles, que hubieran llevado a expulsar a los hugonotes de Francia y a los consejeros de dudosa fe de la corte, pero acabó cediendo, al menos aparentemente.

Acaso porque pretendía una alianza matrimonial, que desposara a la princesa Margarita —hermana de Isabel de Valois— con don Carlos y al duque de Orleans (futuro Enrique III) con Juana de Austria.

Era, como hemos de ver, una aparente supeditación a España. Y la alarma en la Europa reformada fue grande, y no sólo entre los hugonotes; la propia Isabel de Inglaterra siguió las Vistas de Bayona con notoria inquietud. Incluso el hecho mismo de que Felipe II no acudiese, y que mandase en su nombre a su esposa, la intrigó sobremanera, y al embajador español en Londres, Guzmán de Silva, le comentó cómo era que el pueblo español fuera tan celoso y no lo mostraran así los poderosos[34].

Y hubo algo más: por un tiempo procuró no mostrarse agresiva en su política exterior, ni tampoco dar demasiadas causas de protesta por su política religiosa en el interior[35].

No cabía duda: 1565 se había convertido en el año que alcanzó su cenit el imperio de Felipe II, tanto en el mar de Poniente —la acción de la Florida— como en el Mediterráneo —defensa de Malta frente al Turco—, así como en el terreno diplomático ante la corte francesa.

Incluso para algunos observadores extranjeros, como los venecianos Tiépolo y Tommasseo, estaba perdiendo la oportunidad de afianzar aún más su poder, aniquilando Francia:

> Il re d'Espagna è principe potentissimo e arbitro del mundo..., e si avesse quell spirito che aveva il padre, o il padre avesse avuto la presente fortuna, la Francia no saria più Francia...[36]

Cierto, Felipe II se mantuvo prudente en sus aspiraciones. Antes al contrario, declaró expresamente que jamás se aprovecharía de la difícil situación del rey niño de Francia, haciéndole la guerra.

Y de esto no cabe duda alguna. Hace medio siglo que publiqué el texto inédito de Felipe II, que, pese a su valor, ha pasado desapercibido para los especialistas.

Se trata de un dictamen pedido por el Rey al marqués de Mondéjar en 1562, sobre si se debía dar ayuda a los católicos franceses. En su dictamen,

---

[33] Felipe II al cardenal Pacheco (González de Amezúa, *Isabel de Valois, op. cit.,* II, pág. 271).
[34] *Tres embajadores..., op. cit.,* pág. 147.
[35] *Ibídem,* pág. 148.
[36] *Relation des ambassadeurs venitiens,* I, págs. 558 y 560.

el marqués opinaba favorablemente, pero que debía aprovecharse la ocasión para obtener alguna ventaja, bien consiguiendo alguna plaza francesa, bien sobre la dote de la reina Isabel de Valois, que todavía estaba sin pagar; se entiende, apremiando en este caso a la corte francesa a que lo hiciese. Y el Rey rechazó ese planteamiento, anotando de su mano al margen su propio parecer: que en cuanto a la dote se equivocaba Mondéjar:

> ... pues yo creo que la han cumplido ya todo...

Y añadía, en cuanto a lo de conseguir alguna plaza:

> Y lo que él me dijo de palabra, que me podrían dar una plaça por el socorro, engáñase, que no harían, ni es tiempo de pedírsela agora, ni esto se haze sino por el seruicio de Dios y por su religión...[37]

Noble comportamiento, sin duda. Felipe II se sentía árbitro del Viejo y Nuevo Mundo y quería dar una buena imagen ante toda la Cristiandad.

Eran los años venturosos de su Monarquía, que culminarían en aquel de 1565, en el que ya vimos sus triunfos en Europa y en América.

A poco, la rebelión de Flandes ensombrecería todo aquel panorama. Y ya nada volvería a ser como antes.

---

[37] Archivo de Simancas, Estado, leg. 141, fol. 174; cf. mi vieja tesis doctoral *Tres embajadores de Felipe II en Inglaterra,* Madrid, 1951, pág. 282, nota 83.

6
LA GRAN REBELIÓN

Nada parece unir a los dos conflictos que sufre la Monarquía católica al final de los años sesenta: el provocado por los calvinistas flamencos en el Norte y el que protagonizan los moriscos granadinos en el Sur. El primero es un movimiento de profunda raigambre cristiana; el segundo, musulmana. El primero tiene un carácter primordialmente urbano; el segundo afecta sobre todo al campo, si bien en sus principios también se aprecia un eco en la propia capital, en Granada. El primero está vinculado al mundo occidental, encontrando pronto aliados en Francia como en Inglaterra, en Escocia como en Alemania; el segundo buscará sus protectores en el norte de África y en la misma Turquía.

Y, sin embargo, ambos se inician en cierta medida por una decisión de Felipe II: la de ser fiel a los principios tridentinos. Esa determinación le llevará a una reorganización de los obispados en los Países Bajos y a terminar con una larga etapa de tolerancia que se había tenido con el modo de vida del morisco granadino. Esto explica el que conflictos tan dispares sean sincrónicos en sus comienzos, si bien —resulta obvio recordarlo— el de los moriscos granadinos fuera al fin resuelto, mientras el de los calvinistas de los Países Bajos jamás tendrá final en aquel reinado, constituyendo la más grave de las cuestiones de Estado de la Monarquía filipina: la que conocemos por la cuestión de Flandes.

Pero esa gravísima cuestión de Estado no podrá entenderse sin más como un fenómeno surgido en el reinado de Felipe II. De hecho, se larva durante el anterior reinado, en los tiempos de Carlos V, pues la vinculación política de los Países Bajos y España, favorecida por las estrechas relaciones económicas existentes entre Flandes y Castilla —con las naos llevando la lana castellana y volviendo con paños flamencos o con trípticos de los artistas de los Países Bajos—, no era suficiente soldadura para aguantar los embates connaturales a las diferencias políticas, socioeconómicas y culturales de los dos pueblos, sin olvidar los originados por la gran distancia que los separaba. Bajo

Carlos V, dado su origen flamenco, la presión se notó más bien en Castilla, como se pudo apreciar en los primeros años de su reinado con la rebelión de los comuneros castellanos; pero la solícita atención del Emperador, sus continuos viajes de uno a otro pueblo y también evidentemente el poder contar con excepcionales figuras del mayor rango y naturales del país —como su tía Margarita o su hermana María, ambas nacidas en Bruselas— le ayudó a mantener, mal que bien, aquella forzada unión. Ahora bien, ya algunos de sus consejeros, cuando no los propios hechos, le estaban indicando que había que poner fin a situación tan inestable. Así, con motivo de la disyuntiva diplomática de 1544 para cerrar la paz con Francia, cediendo algo de la inmensa Monarquía (cesión en la que se dudaba entre Flandes y el Milanesado), el ojo de gran estadista y soldado que era el duque de Alba pudo ver claro: era preferible ceder los Países Bajos, porque Milán era el antemural de las posesiones que se tenían en Italia y la garantía para mantener el dominio de Nápoles y Sicilia, mientras que los Países Bajos resultaban más dificultosos y conflictivos.

De forma que:

> ... tenía por cierto que si se pusiese por contrapeso el estado de Milán y los reinos de Nápoles y Sicilia, que están en tan evidente estado de perderse, que no habría ninguno que dudase que esto era de más importancia sin ninguna comparación que el de tener y conservar los Estados de Flandes [1].

Todavía más contundente y sin respeto alguno a la natural inclinación que se presumía en Carlos V, tuvo en su intervención el cardenal de Sevilla García de Loaysa:

> ... de cómo en ninguna cosa ni para ningún efecto era útil el señorío de los Estados de Flandes a la corona de España, antes muy perniciosa... [2]

Y el propio Carlos V, pese a lo que tiraban de él aquellas tierras tan suyas y en las que se había criado, había llegado a la conclusión de que era preciso encontrar una solución. Y creyó hallarla con el proyecto de unión con Inglaterra, bien expresado en las instrucciones que da a su embajador especial Simón Renard, cuando le señalaba que era buena aquella unión para que ambos países se ayudasen mutuamente.

Fue la esterilidad de María Tudor, acaso favorecida por el nulo apasionamiento de Felipe II en sus obligaciones conyugales (al escaso atractivo de María Tudor hay que añadir el sentimiento de mártir con el que Felipe II fue a aquel matrimonio, y lo pronto que se desentiende de él, desde su salida de

---

[1] Citado por F. Chabod, «Milán o los Países Bajos», en *Carlos V. Homenaje de la Universidad de Granada,* Granada, 1958, pág. 368.

[2] *Ibídem,* pág. 365.

Inglaterra en junio de 1555), lo que dio al traste con aquel plan carolino, quien por otra parte no había concretado el deseo de su mujer, la Emperatriz, de que los Países Bajos los heredase María, la mayor de sus hijas y futura emperatriz.

Por lo tanto, los Países Bajos permanecieron anclados en la Monarquía católica. Pero cuán difícil iba a resultar tal cosa se hizo patente en la jornada de la abdicación, cuando los grandes dignatarios del país comprobaron de una vez por todas que quien iba a suceder a Carlos V era un extranjero, en el más amplio sentido de la palabra: un soberano que desconocía su lengua, que era ajeno a sus tradiciones y costumbres y que, además, se ausentaba de la tierra poniendo su hogar a cientos de leguas de distancia, encontrando dificultades para designar el gobernador que le representara.

De ese modo, el gobierno de Felipe II en los Países Bajos estaría presidido, desde el primer momento, por una gran tensión, sobre todo cuando se mezclasen los conflictos políticos con los religiosos. La gobernadora designada por Felipe II, su hermanastra Margarita de Parma, era de la tierra (recordemos que la hija natural de Carlos V había nacido en 1522, en Oudenaarde, siendo su madre miembro de la familia Van der Gheist), y una mujer con experiencia, a sus treinta y siete años, en su etapa italiana, como duquesa de Florencia, primero, y de Parma, después (de donde procedía el título con que es conocida); pero Margarita de Parma pondría a su lado, como primera cabeza del Estado, al obispo Granvela, sin duda uno de los mejores ministros de Carlos V. Ahora bien, precisamente ahí se echaría pronto de ver que lo que se consentía al Emperador no se iba a pasar fácilmente a sus sucesores, pues los grandes personajes de la nobleza de la sangre, los Orange, Egmont y Horn, que tanto habían destacado al servicio del Emperador en los tres últimos años —e incluso en la etapa filipina, hasta la paz de Cateau-Cambrésis—, iban a llevar muy mal el ser preteridos por el equipo de gobierno que rodeaba a la gobernadora: Granvela, Viglius y Armenteros. Ante esta situación, ya de sí bastante explosiva, el problema religioso, junto con el nacionalista, no hizo sino complicar las cosas hasta extremos insostenibles. Felipe II mantuvo una postura de altibajos. Cedió en un principio ante la oposición nacionalista, ordenando la salida del tercio viejo, que había contribuido a defender la tierra frente a los ataques de los franceses, pero que a la hora de la paz sólo representaba la odiosa prepotencia hispana. Después cedió así mismo en 1564 ante la presión nobiliaria, apartando a Granvela del gobierno, como consejero de la gobernadora. Pero en 1565 decidió la implantación de los decretos tridentinos, lo cual no sólo alarmaba a los disidentes calvinistas, sino que también provocaba la reacción de la alta nobleza del país, por cuanto la renta de los antiguos obispados se veía notoriamente disminuida.

Y, súbitamente, surgió la gran revuelta. La pequeña y mediana nobleza, coaligada por el compromiso de Breda, se manifestó braveando ante Margarita de Parma. Tal actitud envalentonó al pueblo, y pronto se sucedieron disturbios cada vez más grandes. La nota calvinista los haría más amenazadores: sería el alzamiento de 1566, con los graves excesos iconoclastas de los calvinistas.

La cuestión de Flandes se convertiría en una dura realidad, que desbordaría los límites del reinado de Felipe II y que, de hecho, no cesaría hasta la paz de Utrecht.

Lo asombroso es que las medidas represivas contra la herejía en los Países Bajos no habían sido una novedad de Felipe II. De hecho, ya las había puesto en marcha Carlos V a lo largo de su reinado, y advirtiendo a su hijo que en ese terreno jamás debía condescender:

> ... le avisé y rogué mucho —le dice a su hija Juana desde Yuste— que estuviese muy recio en castigar a los tales...[3]

En efecto, sabemos por el propio Emperador cuáles fueron las rigurosas medidas que tomó en los Países Bajos para atajar las herejías que, a su juicio, y como infiltraciones de los herejes que había en Alemania, Inglaterra y en la misma Francia, se estaban produciendo. Carlos V trató de imponer la Inquisición al estilo de España, encontrando resistencia en los naturales, señalándole que no había lugar para ello, puesto que en los Países Bajos no había judíos. Todo eso se lo indica Carlos V a su hija Juana cuando le informan de los brotes luteranos en Castilla:

> Y pues viene a propósito —le escribe— no dexaré de decir lo que se me acuerda que pasó y se usa acerca desto en los Estados de Flandes, aunque lo podréis entender más particularmente de la reina de Hungría. Y es que queriendo yo poner Inquisición para el remedio y castigo destas herejías (que algunos han heredado de la vecindad de Alemania e Inglaterra, y aun de Francia), hubo gran contradicción por todos, diciendo que no había judíos entrellos...

No por eso Carlos V abandonó la idea de la más dura represión, llevada a cabo por otro tipo de tribunales, pero con las mismas medidas de rigor: quemar a los pertinaces, degollar a los reconciliados y confiscar los bienes:

> Y así, después de haber habido algunas demandas y respuestas, se tomó por medio de hacer una orden en que se declarase que las personas de cualquier estado y condición que fuesen, que incurriesen en alguno destos casos allí contenidos, ipso facto fuesen quemadas y confiscada su hacienda; para cuya execución se nombraron ciertas personas, para informarse, inquirir y descubrir los culpados, y avisar dello a las justicias en cuya jurisdicción los tales estuviesen, para que, averiguada la verdad, quemasen vivos a los pertinaces, y a los que se reconciliasen, cortasen las cabezas, como se ha hecho y executa...[4]

---

[3] Carlos V a Juana de Austria, Yuste, 25 de mayo de 1558 (*Corpus...*, IV, págs. 425-427, nota 700).
[4] *Ibídem.*

Añadiendo el Emperador este comentario:

> ... aunque lo sienten mucho, y no sin alguna razón, por ser tan riguroso mandato...

Es importante traer aquí esta larga referencia para comprender el comportamiento de Felipe II: el propio Rey contestaría así a los que le pedían moderación en los castigos:

> Yo no puedo permitir que creciendo los herejes convenga disminuir ni ablandar el castigo, pues no se hace novedad...[5]

No se hacía novedad; por tanto, todo estaba en orden. Tal era el simple razonamiento del Rey.

Pero sí la había, por cuanto que no era Carlos V, el nacido en Gante, el que la mandaba, sino Felipe II, natural de Valladolid. Y no por quien una y otra vez se presentaba en los Países Bajos para su mejor gobierno y defensa, sino por quien lo hacía desde la lejana Castilla.

La orden era cruel bajo Carlos V, pero no más que lo ordenado por Enrique VIII en Inglaterra (a quien, por cierto, citaba precisamente el Emperador en su carta de 25 de mayo de 1558). Era la orden severa del señor natural, y se acataba mal que bien; pero bajo Felipe II, el soberano extranjero que reinaba desde tan lejos, resultó ser ya una orden insufrible, y eso fue lo que el Rey no alcanzó a comprender.

Porque, además, eso entraba ya en aquella cuestión de si los Países Bajos debían ser abandonados a su suerte, tal como hemos visto que opinaban algunos consejeros de Carlos V. A decir verdad, también se daba la corriente contraria: los Países Bajos eran el antemural para evitar que los franceses se lanzasen sobre España:

> Si Su Majestad no aventurase sino estos Estados —se lee en un memorial de la época, escrito por alguien del círculo de Granvela— y los franceses se hubieren de contentar, yo los daría dados. Mas no se contentarán. Y para quien gobierna otros Reinos, es de gran consideración perder nada, en especial de tanta cantidad y calidad. Cresce el enemigo y viene con más y mejores. De una pérdida suceden otras notables, no le dexan quietar en casa, que allá será invadido.

Era el eterno problema de todos los imperios: cómo mantenerse en la cumbre. O subir o bajar. Y el ceder algo era bajar. Tener los Países Bajos, para los tales, suponía la guerra, sí; pero la guerra lejos, lo que era digno de

---

[5] Citado por mí en *Los Austrias mayores y la culminación del Imperio (1516-1598)*, en *Historia de España*, Editorial Gredos, t. 8, 1987, pág. 272.

tener en cuenta, porque lo contrario era que la guerra invadiese la propia España:

> Guerra en casa —concluía el anónimo memorialista de 1559— es de tales inconvenientes que viene a ser bien empleado dar los hijos antes que tenella.

Y aquí también podía recordar el Rey los consejos de su padre, en aquellas Instrucciones de 1548 conocidas como el Testamento político de Carlos V, cuando le adoctrinaba sobre su comportamiento con Francia y su posible renuncia al Milanesado o a los Países Bajos:

> ... si afloxásedes en cosa alguna desto, sería abrir camino para poner todo en controversia, según la experiencia ha siempre mostrado...

Por lo que Carlos V concluía:

> Y pues esto es ansí, será mucho mejor y lo que conviene, sostenerse con todo, que dar ocasión a ser forzado después defender el resto y ponerlo en ventura de perderse [6].

Eran las mismas instrucciones en las que precisamente dejaba constancia de haber abandonado aquel proyecto de la Emperatriz de que los Países Bajos fuesen cedidos a la hija mayor, María, casada con el archiduque Maximiliano y futura emperatriz; y tanto, que incluso creía peligroso dejarlos como gobernadores de la tierra en ausencia de Felipe II:

> Y no se ha dejado de apuntar que metiendo al dicho Archiduque —Maximiliano— en este cargo, no faltaría quien pusiese en su cabeza... quedarse con los dichos Estados [7].

Pues ya presuponía Carlos V que Felipe II iba a residir poco en Flandes, con lo cual los naturales se enamorarían cada vez más de ellos,

> ... cuanto más dándoles Dios hijos... [8]

Por lo tanto, algo había aprendido Felipe II: los Países Bajos debían quedar bajo su mandato y en ellos debía proceder contra los herejes con todo el rigor que se había hecho en vida de su padre. Sólo el desarrollo de los aconte-

---

[6] Instrucciones de Carlos V a Felipe II, Augsburgo, 18 de enero de 1548 (*Corpus documental de Carlos V, op. cit.,* pág. 580).

[7] *Ibídem,* pág. 591.

[8] *Ibídem.* Y cierto, los hijos no fueron pocos, nada menos que dieciséis, de los que sobrevivirían ocho, frente a los dos que lo hicieron a Felipe II (Isabel Clara Eugenia y Felipe III).

cimientos, con la guerra interminable que desbordaría su propio reinado, le llevaría a ceder un tanto de su primera posición, como hemos de ver, a lo menos en cuanto a desgajar a los Países Bajos de la Corona de España.

Pero en 1566 los graves excesos cometidos por los calvinistas iban a provocar una inmediata reunión del Consejo de Estado para debatir las medidas a tomar, con dos posturas distintas: aquella de quienes creían que lo mejor era disimular en lo posible y negociar, y la contraria, de quienes consideraban que la única vía aceptable era la implantación y restauración del orden con el más severo de los castigos contra los culpados en los desórdenes pasados.

En este intento de interpretación de una historia tan apasionante como la de los Países Bajos en su dramático forcejeo por la libertad —que sería uno de los capítulos más notables de la historia de la humanidad—, de la libertad en general, y no sólo de la religiosa, las viejas historias narrativas, como la del reverendo Jorge Edmundson [9], siguen haciéndonos un inestimable favor, una ayuda altamente valiosa. En ella vemos, al lado de las lecturas reposadas de los documentos del tiempo, o de la tarea del erudito, al recopilar la información de los investigadores más renombrados de su época —como la que hizo el belga Gachard, cuando descubrió en Simancas la minuta del Rey que venía a esclarecer cómo se había producido el relevo de Granvela—, en ella podemos ver, insisto, las referencias más sugestivas sobre los principales personajes del drama; así, el desfilar de la alta nobleza de los Países Bajos, magnífica y heroica: Egmont y Horn, los mártires del 68 en Bruselas; Montigny, ejecutado secretamente en Simancas; Orange, la cabeza más clara del grupo, el que moriría asesinado en 1584, y también Luis de Nassau y Felipe de Marnix, señor de Santa Aldegunda, y Enrique de Brederode; curiosamente, un luterano, un calvinista y un católico, unidos por el lazo común de luchar por las libertades de los Países Bajos.

No se trata, en verdad, o no únicamente, de un capítulo de la historia de España o de la de los Países Bajos. Es un gran tema en el que hay que saltar por encima de los nacionalismos. Es un suculento tema de la historia de Europa del que tenemos obligación de escribir los europeos de finales del siglo XX.

Por tanto, y en primer lugar, los hechos; más tarde, las interpretaciones.

El sacrificio de Granvela, su relevo de máximo consejero de Margarita de Parma, fue un intento de eliminar un obstáculo en la cooperación de la alta nobleza flamenca, pero también un deseo de complacer en esto a Margarita de Parma, aunque con el máximo disimulo. Conforme a una complicada trama, muy del gusto del Rey, Granvela debía ausentarse, con una excusa verosímil, de los Países Bajos. Ello ocurriría en 1564, poniendo Granvela como pretexto su deseo de visitar a su madre, a la que llevaba sin ver diecinueve años.

Sería un viaje sin retorno. Y la alta nobleza de Bruselas tornó a la corte de la gobernadora. Pero los problemas seguían pendientes, porque, en defini-

---

[9] Jorge Edmundson, «La revolución de los Países Bajos», en *Historia del Mundo en la Edad Moderna,* de la Universidad de Cambridge, Barcelona, 1960, III, págs. 202 y sigs.

tiva, la marcha de Granvela no había supuesto un cambio en las decisiones del Rey. El Concilio de Trento había concluido en diciembre de 1563 y la gran cuestión seguía en el aire: hasta qué punto afectarían sus conclusiones a los Países Bajos.

Hoy sabemos que a los motivos religiosos había que añadir los políticos y los económicos. En general, los monarcas de toda Europa, de uno u otro signo, consideraban que una desviación religiosa suponía, al punto, un problema social y también político, tomándolo, por tanto, como una cuestión de Estado. A su vez, dado que en el plan de aplicación de esos decretos tridentinos se proyectaba la reorganización del mapa religioso de los Países Bajos, aumentando notoriamente el número de los obispados —que de tres pasarían a catorce—, ello traería, necesariamente, una ostensible merma de las rentas de aquellos tres primeros obispados existentes a mediados de siglo. Y eso afectaba a la alta nobleza, acostumbrada a que sus segundones aspirasen con fortuna a tales mitras. Como comentaría el propio Granvela, no era igual ser uno de los tres grandes obispos que uno de los diecisiete medianos.

Ahora bien, no se puede relegar aquel asunto a un mero problema socioeconómico. Pues lo que en el fondo se ventilaba era la libertad religiosa. Algo que no constituía del todo una novedad, puesto que hacía sólo diez años se había firmado en Augsburgo la paz religiosa, que legalizaba, al menos a nivel de la cumbre, el luteranismo, con lo que los alemanes podían elegir, por lo menos, entre catolicismo y luteranismo, buscando la protección del príncipe correspondiente.

No era una solución perfecta, pero sí el camino abierto para superar el fanatismo religioso.

Es cierto que los flamencos toleraban cada vez peor las decisiones del Rey de España y que lo que consentían, mal que bien, a Carlos V les producía una fuerte repulsa frente al hijo. Como el propio Edmundson comenta, los prejuicios contra Felipe II fueron tan grandes desde el principio, y de tal forma, que cuando levantaba el dedo meñique a los súbditos flamencos les parecía tan grande o más que todo el cuerpo del Emperador.

Y estaban, además, las características personales de los principales protagonistas, con sus propios antecedentes. Tanto Orange como Egmont eran auténticos pesos pesados, no sólo por su altísimo nivel social, sino por los servicios prestados a la Corona. El historiador no puede decir, sin más, que Felipe II se encontró con la oposición de esos miembros de la alta nobleza. Es preciso recordar aspectos de su vida, sin olvidar los inmediatos de su propia edad. Guillermo de Orange había nacido en 1533, por lo tanto, tenía sólo veintidós años cuando Carlos V lo distinguió nada menos que entrando, apoyándose en él, en la impresionante jornada de la abdicación, ante la Asamblea de los Estados Generales reunidos en Bruselas el 25 de octubre de 1555.

Era todo un símbolo. Como si lo profetizase, Carlos V venía a indicar así cuán importante era apoyarse en aquel joven de la nobleza flamenca para mantener el andamiaje de la Monarquía.

Por otra parte, los títulos de Guillermo de Orange no eran cualquier cosa: príncipe de la Casa de Orange, señor de ricos territorios, caballero de la Orden del Toisón de Oro, había asistido a Carlos V en las campañas de los años cincuenta defendiendo a los Países Bajos de las acometidas de Enrique II de Francia, pese a su juventud. Y el propio Felipe II reconoció su importancia designándolo como uno de los diplomáticos que negociaron en Cateau-Cambrésis la famosa paz con Francia, destacando ya entonces por su clara inteligencia. Cuando regresó a Flandes, fue nombrado consejero del gobierno de Margarita de Parma y *statuder* de Holanda y Zelanda.

Era, a todas luces, la cabeza más clara, la figura más ilustre. Y de momento estaba dentro del catolicismo, si bien un catolicismo influido por la corriente erasmista —tan viva en los Países Bajos— y, por ello, contrario a cualquier fanatismo.

En cuanto al conde de Egmont, su historial era, si se quiere, tanto o más brillante.

Perteneciente a la generación anterior a Guillermo de Orange (nació en 1522), había sido designado para misiones del más alto nivel. Así, en 1554 representó al propio Felipe II en el matrimonio por poderes con María Tudor y, sobre todo, fue el héroe de las jornadas militares de San Quintín y de Gravelinas.

Estaban detrás los representantes de la media nobleza, que tan destacado papel jugarían en las primeras jornadas de los enfrentamientos con la poderosa Monarquía que entonces dominaba medio mundo: los Nassau, Marnix y Brederode. Jóvenes, todos en torno a la veintena, llenos de entusiasmo, libres de ataduras y dispuestos a enfrentarse con los poderes mayores de la tierra, con la conciencia de que defendían su patria y sus ideas. O, si se quiere mejor, eran la oposición a lo que se les venía encima; pues Brederode era católico, Marnix calvinista y Luis de Nassau luterano, pero los tres rechazaban el dominio de un rey que para ellos era, en definitiva, un extranjero, y se oponían a su política religiosa, con la imposición de los decretos tridentinos y la creación de nuevos obispados, que, si se designaban a propuesta de la Corona, harían de la Iglesia un instrumento temible de control ideológico, tal como ocurría en España. Cuánto se tardaría en la imposición de la Inquisición, al modo español, era la inquietante pregunta, conscientes como eran de los rigores desplegados en España en los autos de fe celebrados entre 1559 y 1562.

Y algo hay que añadir: la creciente ola calvinista y la audacia de sus predicadores, que, llenos de una moral nueva y con un celo religioso que desafiaba a todos los peligros, habían empezado por predicar en lugares apartados o en pleno descampado, para acercarse a los arrabales de los principales núcleos urbanos, consiguiendo un buen número de adeptos entre el pueblo y las clases medias, así como en la mediana nobleza de los Países Bajos. Los estudiosos de la economía hacen hincapié también en la crisis económica por la que pasaban los Países Bajos, con el empobrecimiento de amplios sectores y el natural clima de descontento social. Sin duda, algo que enrarecía el ambiente, y es necesario recordarlo, siempre que no se tome como la única causa que lo explicaría todo. Eran más fuertes todavía los sentimientos de un país que quería vivir conforme a sus tradiciones, y cada vez se encontraba más descontento del dominio de un rey extranjero que no vivía entre ellos y que no conocía siquiera su lengua, y menos sus costumbres.

En ese ambiente se va desarrollando el forcejeo con el gobierno de Margarita de Parma y, en última instancia, con el dominio del rey español, el cada vez más odiado Felipe II de España.

El 18 de agosto de 1564, Felipe II había ordenado la aplicación de los decretos tridentinos en los Países Bajos. La reacción de la alta nobleza flamenca fue inmediata: el envío de un representante a la corte de Madrid para pedir al Rey que se volviera atrás. Y se designó a Egmont, el más allegado a la corte, como el que podía tener más vara alta con Felipe II.

En aquella ocasión mostró ya Orange su verdadero carácter tolerante, pues frente a las limitaciones con que Viglius quería que negociase Egmont en Madrid, Orange logró que cambiasen sustancialmente sus instrucciones, para pedir al Rey la libertad religiosa; como él mismo manifestaría entonces, era monstruoso que el poder político se entrometiera en las conciencias de los súbditos, y más que los persiguiese a sangre y fuego por sus disidencias religiosas.

Era, todavía, una etapa de negociaciones.

Egmont fue recibido en Madrid conforme a su categoría social, y se dejó deslumbrar por las atenciones que recibió del Rey y de toda la corte. Creyó que había triunfado en su gestión. Pero se engañaría, pues Felipe II ya estaba decidido a no ceder en su política religiosa. Con lo cual cabe preguntarse si aquella política de engaños y disimulos no se estaba volviendo en su contra. ¿De qué valía al Rey confundir al poco avispado conde flamenco, si pronto se había de comprobar la ineficacia de su gestión? Porque el resultado sería que, a partir de aquel momento, quien hasta entonces había servido tan brillantemente a la Corona se fuese distanciando cada vez más ostensiblemente de la corte de España.

Durante unos meses, todo quedó a la espera de la respuesta de Felipe II. Es famosa su consulta a la Junta de teólogos, quienes en un primer dictamen le indicaron que, para evitar los males mayores de un levantamiento del país —que era lo que temía la gobernadora, Margarita de Parma—, se podía conceder la libertad de cultos; hubiese sido seguir aquel mismo consejo que años antes había dado García de Loaysa a Carlos V en el caso alemán: que procurase ser señor de cuerpos y no de almas. Pero Felipe II no se contentó con aquella consulta, insistiendo en que no pedía que se le dijese si podía, sino si debía.

Era forzar demasiado la mano a la suerte. La Junta de teólogos le marcó entonces el camino que parecía estar deseando: no debía. A partir de ese momento, Felipe II se mostraría inexorable. Él no iba a reinar sobre herejes. Y con tal obstinación cabrían sólo dos posturas: o renunciar a su dominio sobre los Países Bajos o mostrarse implacable con los disidentes religiosos.

Lo primero hubiese sido lo razonable y habría ahorrado a Europa ríos de sangre y no pocos horrores; pero, probablemente, el Rey ni se lo planteó siquiera.

Cuando a principios de 1566 se fue conociendo en los Países Bajos la ya firme decisión de Felipe II de imponer los decretos tridentinos, un profundo malestar se extendió por el país. Las mismas autoridades civiles se mostraron reacias a aplicar las penas que dictaran los inquisidores, lo que hubiera supuesto la muerte en la hoguera de cientos de sus compatriotas. Como indica Edmundson, el Rey había tardado en hablar, pero tal como lo había hecho no cabía más que el acatamiento o la rebelión, y acatar aquellas duras órdenes, con la sangrienta represión que suponían, era demasiado fuerte, viniendo de manos de un rey extranjero que gobernaba a 2.000 kilómetros de distancia (o a cientos de leguas, si empleamos las medidas de la época).

Y así se fue creando el ambiente propicio para la revolución. La baja nobleza dio los primeros pasos, con el llamado compromiso de Breda. Centenares de ellos se congregaron en Bruselas y el 5 de abril de 1566 se presentaron amenazadores en el palacio de la gobernadora Margarita de Parma. La alarma de ésta fue grande, lo que su consejero Barlaymont trató de atenuar con un comentario despectivo que se le volvería en contra. ¿Qué había que temer de aquellos mendigos? Los *gueux,* los mendigos. Precisamente un título para hacer más fuertes a los coaligados. Brederode sería lo bastante hábil para comprender la fácil resonancia que aquello podía tener. En la primera ocasión se presentó en público disfrazado de mendigo, con las alforjas propias del oficio y un cuenco en la mano, dispuesto a brindar por la causa de los *gueux.*

De ese modo la propaganda empezó a jugar un papel de primer orden en la rebelión de los Países Bajos.

Sin embargo, todavía se mantiene la etapa de las negociaciones, aunque cada vez más encajonada entre límites más estrechos. Los propios miembros del compromiso de Breda deciden enviar a Madrid a uno de sus personajes más destacados: el barón de Montigny, al que seguiría después el marqués de Berghes, que ya no volverían.

Entre tanto, la situación empeoraba día a día en todos los Países Bajos. El ver que las temibles medidas hechas públicas no se cumplían producía el efecto contrario, envalentonando cada vez más a los más radicales, en especial a los predicadores calvinistas, que, dejando ya los parajes agrestes y ocultos, se manifestaban sin rebozo alguno en las mismas ciudades. La voz de los *gueux,* los mendigos, se hacía por momentos más popular y también como un grito de desafío contra el poder establecido.

Y donde más parecía que se concentraba la oposición, donde el conflicto se hacía más agudo, era en Amberes, la rica y orgullosa ciudad de los mercaderes.

Entonces, Margarita acudió al príncipe de Orange; si alguien podía detener aquella avalancha, sin duda era él, porque los más exaltados grupos calvinistas estaban poniendo la ciudad bajo su dominio, y los comerciantes católicos temían lo peor. Y Orange, que era burgomaestre de Amberes, accedió mal que bien. Algo consiguió: que la violencia cesara de momento, a cambio de que la población calvinista pudiera celebrar sus cultos sin ser perseguidos.

Así las cosas, los prohombres del compromiso de Breda, en esta ocasión en un número reducido de doce, presididos por Luis de Nassau, acudieron de nuevo a la corte de Bruselas para presionar sobre la gobernadora. Ya tenían suficiente fuerza para no tener que ir en gran número. Conscientes de su creciente poderío, emplearon un lenguaje altivo: no venían a negociar perdón alguno, pues todo lo que habían realizado había sido en pro de su país y estaba bien hecho. Lo que venían era a exigir que la gobernadora diese poder suficiente a un triunvirato formado por Orange, Egmont y Horn, porque eran los que podían velar por los intereses generales de los Países Bajos y buscar el adecuado remedio a una situación cada vez más degradada. Incluso llegaron a amenazar con que, en última instancia, estaban dispuestos a buscar ayuda en el extranjero. Y no era una amenaza vana, pues Luis de Nassau ya se había puesto en contacto con los príncipes protestantes alemanes y con la nobleza calvinista francesa.

Por supuesto, y como muestra visible de su arrogancia, iban con sus burdas vestimentas de pordioseros. Era el 26 de julio de 1566.

Impotente ante aquella marejada, Margarita rogó a Felipe II que se mostrara más flexible.

Pero también aquí la situación favoreció el estallido, porque los ruegos de la corte de Bruselas tardaban en llegar a Madrid entre los quince y los veinte días, y la respuesta del Rey —contando además con su ánimo dilatorio— se hacía esperar meses enteros. Añadiendo que Felipe II empleó esta vez un doble juego: por un lado, contestaba a su hermana el 31 de julio que estaba dispuesto a ciertas concesiones —entre otras, una muy significativa, la supresión de la Inquisición pontificia—, mientras que nueve días después hacía una declaración secreta ante notario: eso era algo a lo que había sido forzado y que, por lo tanto, no se consideraba obligado a cumplir. Y para dejar mejor constancia de ello, envió un despacho a su embajador en Roma —que por entonces era Requesens— para asegurar al Papa que se mantendría firme en sus decisiones, con aquella frase que ya era como un estribillo obsesivo:

> ... antes preferiría perder mis Estados y cien vidas que tuviese que reinar sobre herejes.

Es evidente que esas íntimas resoluciones del Rey hubiesen podido provocar la gran rebelión. Pero los acontecimientos se precipitaron de tal modo, que la rebelión estalló, sí, pero por otra vía, antes que esas noticias pudieran filtrarse en los Países Bajos.

Pues el 14 de agosto grupos incontrolados de calvinistas asaltaron la primera iglesia de Saint-Omer.

Fue la señal de una rebelión generalizada, una especie de peste iconoclasta: Ypres, Courtrai, Valenciennes, Tournai y la propia Amberes sufrieron actos vandálicos semejantes. No eran grupos numerosos; apenas unos centenares. Pero se encontraron ante una carencia total de autoridad, como si una parálisis política hubiese bloqueado a los magistrados y a los encargados del orden.

Y así, el caos se adueñó por unos días de los Países Bajos.

De esa extraña forma, pero tomando pronto otros derroteros más propios con lo que verdaderamente estaba ocurriendo en la tierra, se puso en marcha una de las revoluciones más significativas de los tiempos modernos, sin duda la gran revolución del Quinientos.

La que cuajaría con el surgimiento de una nueva y moderna nación —Holanda— y que marcaría las primeras fisuras del coloso de la época, de aquella Monarquía católica regida por Felipe II y que era, sin disputa, la mayor y más poderosa de su tiempo, que, sin embargo, se mostraría incapaz de someter a los que habían osado alzarse contra su poderío.

Pero, volviendo a los hechos, con lo que nos encontramos, de momento, es con que el 3 de agosto de 1566 el Rey ha convocado al Consejo de Estado, adelantándose, por tanto, al estallido de los graves excesos iconoclastas de los Países Bajos, pues la situación era tan preocupante que era justificada tal convocatoria. ¿Qué la había provocado? Sin duda, la llegada del barón de Montigny a Madrid.

Recordemos al personaje: Floris de Montmorency, barón de Montigny, era uno de los principales miembros de la nobleza flamenca. Caballero de la Orden del Toisón de Oro desde el reinado de Carlos V, desempeñaba un puesto de confianza, como gobernador de la región de Tournai. Llegaba a Madrid el 1 de junio de 1566 como enviado por Margarita de Parma, para informar al Rey de la alarmante situación que se estaba produciendo en los Países Bajos, desde que se había hecho pública la decisión de Felipe II de que se aplicaran con todo rigor los *placards* contra la herejía y a favor de la Inquisición episcopal. Qué era lo que había movido a Felipe II a tomar unas medidas tan arriesgadas, se puede comprender: en realidad, no era sino mostrarse coherente con las conversaciones mantenidas por sus enviados en las Vistas de Bayona, que habían concluido el 30 de junio de 1565. Si la reina Isabel de Valois y el duque de Alba, en nombre del Rey, habían apretado tan recientemente a Catalina de Médicis para que procediera contra los herejes en su reino, no podía obrar de otra forma Felipe II en los suyos.

Y es probable que también le animara a la asunción de los riesgos consiguientes el buen estado en que se presentaba la política exterior, con la derrota infligida al Turco en Malta en septiembre de 1565 y la rigurosa acción encomendada a Pedro Menéndez de Avilés en la Florida, contra los hugonotes franceses, coronada con tanta fiereza en el mismo mes [10]. Pero la actitud de la

---

[10] Evidentemente, esa noticia llegaría tarde a Margarita, para influir en el ánimo del Rey, pero lo que quiero subrayar es que lo ocurrido en Bayona, Malta y la Florida está en consonancia con los acuerdos de 1566.

nobleza flamenca en abril de 1566, ya reseñada, presentándose amenazadora ante la gobernadora Margarita de Parma, y el inicio de la actitud rebelde de los *gueux,* cifrada en el compromiso de Breda, hacía comprender a la gobernadora que las posibilidades de una solución eran cada vez menores y que el tiempo se echaba encima.

Y fue cuando se intentó la última negociación enviando a Montigny, que debía ser acompañado del marqués de Berghes, si bien este último tuvo que aplazar su viaje debido a un inoportuno accidente. Y es a esa embajada a la que responde la reunión del Consejo de Estado, cuyas deliberaciones trató de espiar don Carlos, ofendido por no haber sido convocado.

Evidentemente, Montigny no era un desconocido en la corte de Madrid, adonde llegó el 1 de junio de 1566. Pero, pese a sus títulos y a los honores y dignidades de que le había hecho distinción la Casa de Austria, estaba ya bajo sospecha. Y la razón radicaba en su interpretación de la vida religiosa.

Montigny opinaba que los disidentes religiosos —cierto, la época les daba el horrible nombre de herejes— debían ser tratados con indulgencia, mas no con sangre y fuego; por lo tanto, le repugnaban los rigurosos *placards* regios que así lo disponían. Mientras que Felipe II, siguiendo aquí las instrucciones paternas del emperador Carlos V, estaba decidido a su aplicación sin la menor concesión. Por otra parte, Montigny, como no pocos de los otros miembros de la nobleza flamenca, estaba emparentado con linajes franceses, a su vez tildados de tibios en materia religiosa, cuando no simpatizantes con los hugonotes, como los Châtillon.

En esas circunstancias, las posibilidades de Montigny para conseguir un éxito eran ciertamente escasas. Es bien posible, como asegura Gachard, que el Rey jugara con él tratando de ganar tiempo, entreteniéndole con falsas esperanzas; comportamiento regio sospechado por los contemporáneos, que dicen de él que era maestro en el disimulo. El propio Cabrera de Córdoba tiene del Rey un juicio aterrador: «La risa y su cuchillo eran confines...» [11] Frase que Antonio Pérez repite casi al pie de la letra: «No hay dedos de su risa al cuchillo...» [12]

Conforme a su modo de ser, Felipe II disimuló con Montigny, haciéndole una calurosa acogida y dándole esperanzas sobre sus intenciones con los Países Bajos y sus principales personajes. En dos largas audiencias que le concede, le deja de tal modo satisfecho, que Montigny escribiría a la gobernadora Margarita de Parma que había hallado en el Rey los mejores deseos para sus súbditos de los Países Bajos, tal como se podía esperar del mejor de los príncipes, haciéndose lenguas de la afectuosa acogida que le había dispensado [13].

Lo que el Rey había prometido a Montigny era que convocaría un Consejo de Estado para decidir lo que había de hacerse en la política religiosa en los

---

[11] Cabrera de Córdoba, *op. cit.,* II, pág. 474.
[12] Gachard, *op. cit.,* pág. 278, nota 95.
[13] Archivo de Simancas, leg. 533; Gachard, *op. cit.,* pág. 288.

Países Bajos y sobre la petición de la nobleza flamenca de moderación en los *placards*. Y, en efecto, trasladándose aquel verano al real sitio de Valsaín, llamó allí a los principales miembros del Consejo: Gómez de Silva, Alba, Feria, el prior don Antonio de Toledo y Luis Quijada, junto con tres ministros belgas de su máxima confianza: Tisnacq, Courteville y Hopper; pero no al príncipe don Carlos, aunque se hallaba en Valsaín, ni a Montigny.

Es aquí donde tenemos constancia del doble juego del Rey, frecuente por otra parte en casos similares, y que hace recordar —aunque fueran otros problemas los planteados— el que había usado Francisco I con Carlos V en 1526 con motivo del tratado de Madrid. Pues, por una parte, el Rey declararía que estaba dispuesto a importantes concesiones, mientras que, por otra, expresaba de forma secreta y ante notario (Pedro de Hoyos) que lo había hecho forzado por las circunstancias y que sus promesas no tenían valor alguno.

La verdad es que, aunque las aparentes concesiones de Felipe II no eran pequeñas (dejar en manos de los obispos los juicios religiosos, moderar los *placards,* siempre que se le presentase un nuevo proyecto rectificador, y perdón general a los afectados), Montigny no se dio por satisfecho, y con demasiada altivez se lo hizo saber al Rey, con visible enojo de Felipe II:

> ... puso color a Su Majestad [14].

Ahora bien, hablar tan libremente al Rey era algo que Felipe II no dejaba pasar sin castigo, y de ello tendría ocasión de lamentarse Montigny, como hemos de ver. Y en cuanto a la decisión regia, queda fielmente reflejada en la carta, ya comentada, que mandó a su embajador en Roma —y uno de sus hombres de máxima confianza, Luis de Requesens—, para que lo hiciera presente al papa Pío V:

> ... podéis asegurar a Su Santidad que antes de sufrir la menor cosa en perjuicio de la religión o del servicio de Dios, perdería todos mis Estados y cien vidas que tuviese pues no pienso, ni quiero ser señor de herejes... [15]

Añadía algo Felipe II que sería ya profético: sabedor que emplear la fuerza podía ser la ruina de aquellos Estados, trataría de llevarlo por la vía pacífica, pero que si no lo conseguía, no dudaría en hacerlo, aunque no sólo fuese la ruina de los Países Bajos, sino de los demás que poseía.

Y como es consciente de que la fuerza sería la alternativa verdadera, ordenó por entonces a Margarita de Parma que reclutase alguna caballería e infantería en Alemania.

Seguía con el doble juego. En este caso, frente al marqués de Berghes, el otro noble flamenco enviado por Margarita de Parma, que, receloso ante las

---

[14] Gachard, *op. cit.,* pág. 310, nota 26.
[15] *Correspondence de Philippe II,* II, pág. 445.

intenciones de Felipe II, esperaba en Burdeos. Felipe II le envió una carta afectuosísima: deseaba verle para escuchar su consejo sobre los asuntos de los Países Bajos.

Evidentemente, era una celada, y en ella cayó Berghes, que dejó su refugio francés para presentarse a mediados de agosto ante el Rey, todavía en Valsaín.

Para entonces, los radicales calvinistas habían ya cometido los escandalosos excesos iconoclastas en los Países Bajos, que ya hemos comentado.

Cuando la noticia llegó a la corte, a principios de septiembre, la indignación que provocó fue tremenda. Para los más, incluso para el Rey, aquello venía a mostrar que las concesiones en materia religiosa no hacían sino agravar la situación, envalentonando a los herejes.

Entonces la herejía era tomada como algo más que como una disidencia religiosa. En ella se veía el origen de las turbulencias sociales. Era la gran perturbadora de la paz social, a la que había que combatir con los medios más radicales y las penas más rigurosas, para que el terror apartase a los indecisos.

Se proclamaba que cualquier castigo era pequeño para combatir a los enemigos de Dios; pero también se declaraba que se hacía la guerra a los que ansiaban novedades que ponían en peligro el tradicional orden social. Y el recuerdo de las grandes rebeliones populares de los anabaptistas en la Alemania de los años treinta no hacía sino confirmar esos temores.

Pero para los hombres de los Países Bajos estaba la cuestión del ansia de libertad frente al mandato de un rey extranjero que tenía su corte a miles de kilómetros de distancia.

Así, todo mezclado, se fraguaba una gran rebelión, no sólo religiosa, sino también política y social.

Algo ya percibido claramente por la gobernadora Margarita de Parma, quien señalaría a su hermanastro que la religión no era más que el antifaz que enmascaraba sus verdaderos objetivos, esto es, verse libres del gobierno del rey español:

> ... como si todavía no reconociesen a Vuestra Majestad por Rey... [16]

Y en esa rebelión estaban ya implicados los principales nobles, en alianza con alemanes y franceses, que se repartían piezas del mosaico flamenco: Brabante, para el príncipe de Orange; Flandes, incrementado con Hainaut y Artois, para Egmont, bajo la soberanía del rey de Francia; Güeldres, tornando al duque de Clèves; Holanda, para el señor de Brederode; Frisia y Overijssel, para el duque de Sajonia. Y como todo ello significaba ya la guerra abierta, conscientes de que Felipe II trataría de evitarlo por la fuerza, los principales conjurados (Orange y su hermano Luis de Nassau, junto con los condes de Egmont y de Horn) se habían reunido para organizar la resistencia armada.

---

[16] Gachard, *op. cit.,* pág. 297.

Esa era la alarmante información mandada por Margarita de Parma a Madrid a mediados de octubre de 1566.

Algunos días después, el 29 de octubre, quizá sin esa información en su poder, pero consciente de todo lo que se preparaba en los Países Bajos, Felipe II convocaba a sus consejeros más allegados; allí estaban Éboli, Alba, Feria, el cardenal Espinosa, don Juan Manrique y el conde de Chinchón, junto con los secretarios de Estado Antonio Pérez y Gabriel de Zayas.

El acuerdo fue unánime: había que proceder con la máxima diligencia. Pero las opiniones estaban encontradas respecto a la forma. El sector moderado pidió al Rey que fuese en persona, porque sólo su presencia, como señor natural, podía atajar la rebelión. Incluso se podía creer que con su sola persona lo conseguiría, si bien, en caso de que prefiriese acompañarse de fuerzas armadas, éstas deberían ser tales que le permitiesen imponerse sobre los más reacios; tal fue el discurso del conde de Chinchón, don Pedro Fernández de Cabrera y Bobadilla. Era el sentir del sector moderado que encabezaba Éboli, secundado por el cardenal. Frente a él, don Juan Manrique propuso otro plan: el Rey debía ir, sí, pero antes precedido por un soldado que doblegase a los rebeldes, poniendo el ejemplo de Tiberio cuando tuvo que pacificar las legiones romanas en Germania. Era el plan de una acción escalonada: primero la bélica, por medio de un soldado experimentado que dominase con mano de hierro el país, y después la pacificadora, a cargo del Rey. Algo para lo que podría invocarse un ejemplo más reciente, como el utilizado por Fernando el Católico en Nápoles, sesenta años antes.

Algo evidente: ese era el lenguaje que estaba deseando oír el Rey. Escogido ese camino, quedaba otro punto por resolver: la elección del soldado. También aquí fracasó Éboli, cuyo candidato era el conde de Feria, don Gómez Suárez de Figueroa. Pues aunque Felipe II apreciaba mucho más a Feria que al duque de Alba —y le habría nombrado si se hubiera tratado de una misión diplomática, como la que había desempeñado en Londres, en la corte de María Tudor y en los primeros momentos de Isabel de Inglaterra—, tratándose como se trataba de una operación bélica y de tanta gravedad, Felipe II no podía dudarlo. Una vez tomada la decisión de emplear la fuerza, no cabía otra opción: designar al duque de Alba, de experiencia militar tan probada, como uno de los más cualificados soldados que habían servido a Carlos V, particularmente en la campaña de Mühlberg de 1547, así como en los primeros momentos del reinado de Felipe II, al defender el reino de Nápoles contra el papa Paulo IV y el duque de Guisa.

De ese modo se puso en marcha una operación que iba a tener las mayores consecuencias, acaso la más importante de toda la segunda mitad del Quinientos, las guerras de Flandes, con el alumbramiento de una nueva nación: Holanda.

Ahora bien, hubo otras consecuencias, y no poco graves, en este caso en relación con don Carlos. Pues los rebeldes flamencos, conociendo las tensiones entre el Rey y el Príncipe heredero, buscaron el arrimo de éste, como el que se aparecía como su aliado natural. Ya lo había intentado el conde de Egmont, en su embajada de 1564, y después trataron de lograrlo Montigny y Berghes [17].

Para entonces, don Carlos contaba ya los veintiún años. A esa edad, Carlos V ya había iniciado su mandato imperial, y Felipe II, su padre, hacía tiempo que desempeñaba el gobierno de las Españas. De forma que, al quedar a un lado, se le hizo insostenible la vida en la corte.

El propio Gachard reconoce con cuánta ansia seguía don Carlos todo lo referente a los Países Bajos. Cualquiera que llegase de allí a la corte era inmediatamente llamado por el Príncipe para que le informase. Y trató de influir en los consejeros de Estado para que le propusieran al Rey para aquella misión, si hemos de creer al embajador francés, Fourquevaulx, que el 2 de noviembre de 1566 (por tanto, tres días después de la decisiva Junta de Estado de 29 de octubre) informaba:

> ... les a priez de remonstrer au Roy son piere qu'il renille embasser vivement les affaires de Flandres... [18]

Eso explica el furor con que reaccionó frente al nombramiento del duque de Alba, acometiéndole puñal en mano, como quien se veía desplazado odiosamente de una tarea que consideraba suya; o como cuando replicó airadamente a las Cortes de Castilla, porque habían pedido al Rey que, si se ausentaba por los asuntos de Flandes, no llevase consigo al Príncipe heredero. Era un ruego normal en tales circunstancias, a fin de que las Españas no quedasen descabezadas, pero a don Carlos le provocó un arrebato furibundo: no era la primera vez que se metían neciamente en sus cosas, pues ya lo habían hecho cuando habían propuesto al Rey que se casase con su tía doña Juana. Que no intentasen de nuevo necedad semejante, como pedir al Rey que no le llevase consigo a Flandes. Que no persistiesen en ello:

> ... porque si lo hacéis y yo quedo aquí os pesará a vos y a mí... [19]

Pero, curiosamente, lo que más indignó a Felipe II fue la intervención del papa Pío V, con la misión que encomendó al obispo de Ascoli.

El obispo de Ascoli llevaba una difícil embajada ante Felipe II. En primer lugar, estaba el planteamiento del Papa de cómo el Rey debía afrontar, a su juicio, la cuestión de Flandes, pero también sugerirle que dejara en manos

---

[17] Gachard lo pone en duda, pero lo recoge no sólo el fidedigno Cabrera, sino también Pierre de Bourdeille, señor de Brantôme, *Gentilezas y bravuconadas de los españoles,* Madrid, ed. 1996. Por otra parte, eso es lo que encaja con la furia puesta por don Carlos para ir entonces a los Países Bajos.

[18] L. P. Gachard, *Don Carlos y Felipe II,* Barcelona, ed. 1963, pág. 315, nota 75.

[19] Así lo refiere el embajador genovés Marcantonio Sauli, en carta al Dogo de 8 de enero de 1567 (cit. por Gachard, *op. cit.,* pág. 353, nota 13).

de Roma, para siempre, el viejo problema del proceso del arzobispo Carranza. De forma que en ambos casos la suprema jerarquía católica se desvinculaba del proceder del Rey de España. En cuanto a Carranza, porque evidenciaba que Roma no confiaba en la justicia de la Inquisición española; en suma, del proceder regio en materia religiosa. ¡Y era ese mismo Rey al que se ponía en sospecha por cómo afrontaba la cuestión de Flandes! A juicio del Papa, era deber imperioso de Felipe II ponerse en los Países Bajos y tratar de aquietar, con moderación, aquellos ánimos tan exaltados.

Es decir, todo lo contrario de lo que ya había decidido Felipe II en el Consejo de Estado de 29 de octubre de 1566.

Y de ello Felipe II se consideró sumamente agraviado. Aquello era como enfrentarle ante toda la Cristiandad, y así lo señaló al Papa a través de su embajador en Roma, Luis de Requesens:

> ... me hizo venir en cólera... [20]

Las instrucciones dadas a Requesens ponen de relieve la indignación de Felipe II:

> Diréis a Su Santidad que yo no puedo dexar de quexarme a él..., que haya querido enviarme al obispo de Ascoli a persuadirme lo que yo tenga a cargo de hacer y querido dar tan mala voz de mí por toda la Cristiandad...

Por el propio Rey sabemos, pues, lo que sintió en aquella ocasión: a él, más que a nadie, le importaba asegurar los Países Bajos: «... sin sangre ni destrucción.»

Ahora bien, eso ya no era posible. La negociación sólo le llevaría a concesiones en materia religiosa, y a eso no estaba dispuesto a pasar:

> ... el medio de la negociación con ellos y trato es tan malo y pernicioso para el servicio de Dios y establecimiento de nuestra santa fe católica, con todos los inconvenientes y daños que della se me podrían seguir, que venir a condescender en haberles de permitir ninguna cosa que fuese contra ella ni de la autoridad dessa Santa Sede; lo cual, en veniendo a tratos y capitulacines, no se podría excusar... [21]

Y en los mismos enérgicos términos estaba la carta del Rey que Requesens debía entregar a san Pío V, acompañada, por cierto, de su traducción al italiano: «... porque el español, el Papa no lo entiende bien...» [22]

Por lo tanto, el empleo de la fuerza, enviando a un soldado para ello, era algo acordado desde el Consejo de Estado del 29 de octubre de 1566; algo

---

[20] Felipe II a Requesens, 26 de noviembre de 1566 (Archivo de Simancas, Estado, leg. 901).
[21] *Ibídem.*
[22] Granvela a Felipe II, 23 de diciembre de 1566, en Gachard, *op. cit.,* pág. 319, nota 94.

posiblemente decidido en el ánimo del Rey desde que tuvo noticias de cómo andaban revueltas las cosas en los Países Bajos. Ahora bien, de momento, sólo deja entrever a la gobernadora Margarita de Parma que su réplica sería contundente, sin aludir al duque de Alba: iría él mismo:

> ... tan bien acompañado que los malos vasallos no pudiesen soñar con medir sus fuerzas con las suyas[23].

Sin embargo, para castigar a los rebeldes de los Países Bajos y restablecer la autoridad regia, manteniendo las ordenanzas en materia religiosa, era preciso movilizar hombres y recursos, de forma que el duque de Alba se encontrase, al llegar a Milán, con los tercios viejos que guarnecían Nápoles, Sicilia, Cerdeña, amén de la caballería reclutada por el gobernador de Milán, y para que las piezas italianas no quedasen desguarnecidas, llevaría bisoños españoles, reclutados preferentemente en las dos Castillas y Extremadura. Ahora bien, eso requería tiempo y dinero. En cuanto al tiempo, pasaría medio año hasta que el duque de Alba embarcase en Cartagena el 27 de abril de 1567, en una flota, por cierto, en la que iba también el arzobispo Carranza, que conseguía, al fin, verse libre de la persecución del inquisidor general Fernando de Valdés. En el Milanesado reorganizó el duque sus fuerzas, poniéndose en ruta entrado el mes de junio, llevando su ejército en unas jornadas más bien lentas, pero bajo el más estricto control de sus soldados, atravesando los Alpes por Mont-Cenis y cruzando los Estados del duque de Saboya, para pasar al Franco-Condado y a Luxemburgo, y entrar, finalmente, en Bruselas el 22 de agosto, bordeando la frontera del nordeste de Francia.

Fue un alarde militar, a lo largo del camino español, que tuvo expectante a Europa entera.

Pero había pasado un año, exactamente, desde los tumultos desencadenados por los calvinistas iconoclastas.

Un dato a tener en cuenta, pues Margarita de Parma no había estado ociosa durante ese tiempo, pudiendo afirmar a su hermanastro, el Rey, que la situación social y política la tenía bajo control. No sólo había derrotado a los rebeldes dirigidos por Jean de Metrix, que habían intentado apoderarse de la importante ciudad de Amberes, mandando contra ellos a un pequeño pero aguerrido ejército a las órdenes de Lannoy, sino que había logrado también liberar Valenciennes, que había soportado un duro asedio en la primavera de 1567. Por lo tanto, a su llegada a Bruselas, el duque de Alba se encontraba con un país apaciguado, estando en principio dominada la insurrección por la gobernadora.

El 28 de agosto entraba el duque de Alba en Bruselas al frente de un pequeño ejército (apenas 10.000 soldados), pero suficiente como demostración

---

[23] Felipe II a Margarita de Parma, 27 de noviembre de 1566 (*Correspondence de Marguerite d'Autriche,* pág. 205; cit. Gachard, *op. cit.,* pág. 302).

de fuerza, pues entre ellos contaba con tres de los temidos tercios viejos. Su marcha a través del norte de Italia, Saboya y el Franco-Condado fue todo un alarde de precisión militar que asombró a Europa entera, pero su presencia en los Países Bajos causó una penosa impresión. Nadie se engañaba a ese respecto. Era evidente que el tiempo de la represión había llegado. La propia gobernadora Margarita de Parma no ocultó su malestar, tanto más que en sus últimos despachos había insistido en Madrid que ya tenía la situación controlada. Y, sin embargo, pudo comprobar que los poderes que el Rey había concedido al duque de Alba eran tales que no le dejaban más que un papel puramente nominal. Era como si se le invitara a pedir la dimisión, cosa que hizo, en efecto, siendo al punto aceptada por Felipe II.

De esa forma comenzó el duque de Alba su etapa de gobernador de los Países Bajos, aspecto en sí ya controvertido, por cuanto que los privilegios de aquellos Estados establecían que sólo podían ser gobernados por su señor natural o, en su ausencia, por un miembro de su familia.

Pronto empezó el Duque sus medidas represivas. El 9 de septiembre, a los once días de su llegada a Bruselas, convocó a una reunión en palacio a los principales miembros de la alta nobleza flamenca, con el pretexto de informarles sobre sus órdenes de gobierno. Se trataba de una trampa en la que cayeron, entre otros, los condes de Egmont y de Horn, mientras el príncipe de Orange, más precavido, se había refugiado en Alemania. Al terminar la reunión, los Condes fueron detenidos por la guardia española del Duque: Sancho Dávila apresaría a Egmont y Jerónimo Salinas a Horn.

Era un procedimiento astuto, que vulneraba todo el espíritu caballeresco de aquella Orden del Toisón de Oro que presidía el propio rey de España y a la que pertenecían ambos nobles flamencos; algo impensable en los tiempos del emperador Carlos V. Y el pueblo lo acusó.

Siguiendo su política represiva, el duque de Alba instituyó un alto tribunal para condenar a los culpables de los graves desórdenes acaecidos en 1566: el Tribunal de los Tumultos, que condenaría a la última pena a cientos de flamencos, siendo sus bienes confiscados. Igual suerte correrían los condes de Egmont y de Horn, que el 5 de junio de 1568 serían degollados en la Grand Place de Bruselas, quedando sus cabezas expuestas al público durante tres horas.

Tan extremado rigor provocaría tal impacto en el alma popular que ya no sería olvidado; una herida profunda, causa permanente de animadversión contra quien lo había ordenado, y aun contra el país de donde procedía. De nada valieron los altos servicios prestados por aquellos nobles a la Monarquía hispana, en especial el conde de Egmont, que había representado a Felipe II en la primera ceremonia simbólica de su desposamiento con María Tudor en 1554 y que había sido el héroe de la batalla de Gravelinas en 1557.

Evidentemente, el rigor del duque de Alba y su cruel comportamiento no había sido el fruto de su duro carácter. Para todos estaba claro que el Duque no había hecho más que seguir las instrucciones del Rey, conforme a un plan establecido que contenía dos partes: la primera, la represiva, que correría a su cargo, preparando así la segunda, en la que el Rey llegaría como pacificador [24]. De acuerdo con todo ello, Felipe II no pudo menos que mostrar su satisfacción, cuando tuvo noticia de la prisión de los condes de Egmont y Horn:

> No puedo dejar de encareceros que me ha satisfecho en gran manera [25].

A los males de los Países Bajos se les había aplicado la medicina conveniente, y todo iba por buen camino. Y para completar la operación, demostrando una vez más su sintonía con los actos del Duque, ordenaba Felipe II la prisión de Montmorency, que había llegado a España como negociador en nombre de los nobles flamencos. Llevado junto a otro flamenco, Vandenesse, al alcázar de Segovia, sería trasladado después a la fortaleza de Simancas, donde el 16 de octubre de 1570 se le daría garrote, de acuerdo con la sentencia formulada por el Tribunal de los Tumultos y mandada por Alba a la corte española; si bien el Rey ordenaría que se hiciese en secreto, dando la versión de que había fallecido de muerte natural [26].

Todo era perfecto, a tenor de cómo entendía Felipe II que debían ser tratados aquellos asuntos. En realidad, ese era el procedimiento que había aconsejado una y otra vez a Catalina de Médicis contra la nobleza hugonota francesa. Él había tenido ocasión de mostrar al mundo cómo debía proceder un gran rey y lo había realizado sin dudar un instante. Y el ojo atento del embajador francés Fourquevaulx lo captaría al punto:

> Nunca estuvo el señor Rey más feliz y contento... [27]

Hay que añadir que gran parte de Europa reaccionó ya entonces contra la política represiva del Duque. La indignación de los príncipes alemanes era tan grande que Maximiliano II se creyó obligado a mandar en el otoño de 1568 a su hermano, el archiduque Carlos, a la corte madrileña para aconsejar a Felipe II más clemencia, aparte de advertirle que no se podían gobernar los Países Bajos como Italia o España [28]. Y en Inglaterra, tanto la reina Isabel como sus principales ministros, Cecil y Dudley, hicieron análogas presiones sobre el embajador español, Diego Guzmán de Silva. Robert Dudley incluso

---

[24] Duque de Berwick y de Alba, *Contribución al estudio de la persona de don Fernando Álvarez de Toledo, III duque de Alba,* Madrid, 1919, discurso de ingreso en la Real Academia de la Historia.

[25] Citado por Kamen, *op. cit.,* pág. 122.

[26] La sentencia, en *Codoin,* IV; fragmentos, en Fernández y Fernández de Retana, *op. cit.,* I, págs. 796 y sigs.

[27] La cita, en Kamen, *op. cit.,* pág. 123.

[28] «La réplica que hizo el archiduque Carlos», *Codoin,* vol. 103, págs. 108 y sigs.; cf. Kamen, *op. cit.,* pág. 131.

señaló a Silva que tanto rigor podía ser contraproducente y hasta provocar un alzamiento general en Flandes [29].

Pero todo fue en vano: Felipe II no pensaba cambiar ni un ápice. De hecho, ya en mayo de 1568 lo había declarado a la corte de Viena, a través de su embajador Chantonnay: mantendría su política en los Países Bajos

... aunque se me viniese el mundo encima... [30]

[29] Véase mi estudio *Tres embajadores de Felipe II en Inglaterra, op. cit.,* pág. 186.
[30] Cit. por Kamen, *op. cit.,* pág. 129.

7
1568: *ANNUS HORRIBILIS*

El año 1568 está marcado a sangre y fuego en la biografía de Felipe II. Es el *annus horribilis,* tanto por lo que hace a los sucesos de la Monarquía como a los avatares familiares. De pronto, se encienden los dos focos de gran rebelión, en el Norte y en el Sur, ambos con connotaciones religiosas, aunque de muy dispar signo, como el que va del cristianismo —según la reforma de Calvino, que empezaba a ganar tanto terreno en los Países Bajos en la década de los sesenta— a lo musulmán, con tantas raíces en el reino granadino. La revuelta calvinista había deparado la expedición del duque de Alba y la persecución de los disidentes, con la dramática ejecución de los condes de Egmont y de Horn en aquel mismo año de 1568; mientras que la rebelión granadina encontraba un caudillo en don Fernando de Córdoba y Válor, que se consideraba descendiente de los Omeyas, y que cambiaría su nombre por el de Muley Mohamed Abén Humeya, tal como se le conoce en la historia.

Y en ese mismo año, tan cargado de problemas en el cuerpo de la Monarquía, es cuando se producen las muertes del príncipe don Carlos y de la reina Isabel de Valois; esto es, del Príncipe heredero y de la esposa del Rey. Dos muertes que no tendrían entre sí nada en común, salvo el hecho de su estrecha conexión con el monarca, pero que darían pie a la más formidable propaganda antifilipina y precisamente desencadenada por la principal figura de la revuelta flamenca: el príncipe Guillermo de Orange.

EL PRÍNCIPE DON CARLOS

Los comienzos de 1568 se presentaban harto problemáticos en la corte filipina, con la creciente tensión entre Felipe II y su hijo don Carlos; un enfrentamiento palpable ya desde que el Príncipe comprobó que su padre empezaba a desconfiar de él, posponiendo su incorporación efectiva al poder —aunque le había llamado al Consejo de Estado— y aplazando *sine die* su matrimonio, bien con la reina María Estuardo, viuda de Francisco II de Francia, bien con la archiduquesa Ana, que era lo que pretendía la corte de Viena y, especialmente, la hermana de Felipe II, la emperatriz María.

Pero no se puede decir que Felipe II procediera al punto contra su hijo. Al contrario, sin duda porque le repugnaba hacerlo, fue demorándolo, y de tal manera que por poco no se encuentra con el hecho consumado de la fuga en rebeldía del Príncipe.

En este caso el historiador tiene que remontarse a los orígenes, tras de todas las pistas posibles que le ayuden a esclarecer el enigma. Y por una razón: porque pocos hechos han influido tanto en la historia posterior, por su rara repercusión. Estamos ante uno de los acontecimientos de mayor relieve en la historia de España, de los que más han sido divulgados dentro y fuera de nuestras fronteras, con hondo eco en las artes y en las letras, en especial en el teatro y en la ópera, gracias sobre todo al genio de Schiller, en Alemania, y de Verdi, en Italia; no olvidemos que el *Don Carlos,* de Verdi, sigue representándose, año tras año, en los grandes teatros de ópera de todo el mundo occidental. Y dado que en ese teatro y en esa ópera se distorsiona el pasado histórico, cabría preguntarse si con el tema de don Carlos nos encontramos ante una de las piezas clave de la leyenda negra antifilipina, y aun si de ella se desprende una descalificación no ya sólo del propio Rey, sino también del mismo pueblo español, junto con otros brochazos dados a ese cuadro de la leyenda: los horrores de la Inquisición, los atropellos de los conquistadores y los desmanes de los tercios viejos en Europa.

En el caso de la prisión y muerte de don Carlos, fueron muchos los que entraron a saco en el tema, distorsionando los hechos sin más información que los rumores que se escapaban de la propia corte hispana, deformados a gusto de los que pronto comprendieron que tenían un argumento precioso para combatir al poderoso monarca. Esto es, nos encontramos ante uno de los más curiosos fenómenos de la propaganda bélica del Quinientos, en la que uno de los bandos —el inferior en el potencial bélico— sabrá utilizar ese medio para descalificar al adversario y hacer más sacrosanta su causa; lo cual era tanto más importante cuanto que quien inicia esa tarea sería el príncipe de Orange, puesto en rebeldía frente a su señor natural, dado que Felipe II había heredado de su padre, Carlos V, el título de conde de Flandes. Felipe II no era un rey usurpador: era el legítimo soberano de los Países Bajos. Por lo tanto, la rebelión había que justificarla. Y era evidente que si se podía presentar al Rey como un monstruo asentado en el trono, todo resultaba más fácil.

Así, cuando en 1568, el mismo año de las odiosas ejecuciones de los condes de Egmont y de Horn, se supo que don Carlos había muerto en prisión y que a los pocos meses moría la reina Isabel de Valois, Guillermo de Orange se encontró con material suficiente para montar su propaganda. A fin de cuentas, él había sido uno de los compromisarios de la Monarquía católica que habían negociado, en nombre, precisamente, de Felipe II, la paz de Cateau-Cambrésis. Y no podía olvidar que en un principio, cuando se tanteaba una posible alianza matrimonial entre Francia y España, los nombres que se barajaron habían sido los de don Carlos e Isabel, y que más tarde aquél había sido desplazado por Felipe II. ¡Don Carlos e Isabel, precisamente los que morían, uno tras otro, con un intervalo de pocos meses, en 1568! Y don Carlos, como rebelde al trono, acabando sus días en prisión. ¿Por qué no unir ambos destinos una vez más? Los dos eran de la misma edad, y se sabía que el Príncipe había guardado siempre una rendida admiración hacia la dulce Reina, que a punto había estado de convertirse en su esposa.

No cabía duda. Existía material suficiente para fabricar el relato de una historia apasionada y terrible: los amores de aquella joven pareja y su muerte a manos de un celoso rey, sanguinario hasta el extremo de matar a su propio hijo y a su esposa. Incluso Guillermo de Orange complicaría aún más, y hasta términos inconcebibles, la tortuosidad de Felipe II, porque el Rey, acaso despechado, lo que ansiaba era desposar a otra mujer, de la que se había enamorado: Ana de Austria. Sin embargo, ésta era su sobrina carnal y, por lo tanto, había que obtener una licencia expresa de Roma. ¿Qué argumentos se podían emplear ante la Santa Sede?: que la dinastía estaba falta de sucesión masculina. ¿Y cómo podía ser eso cierto, viviendo don Carlos, el hijo primogénito, y siendo Isabel, la Reina, tan joven?: planeando previamente la muerte de ambos.

Esa sería la trama de la *Apologie* de Guillermo de Orange que dejaría a Europa asombrada en la década de los ochenta. En verdad, podía afirmarse que Felipe II era «el demonio del Mediodía». Su poder era monstruoso, y la rebelión, un deber sagrado.

Por lo que hace a Schiller, el gran poeta y dramaturgo alemán del siglo XVIII, centraría la trama de su obra literaria *Don Carlos* en la pugna de una pareja joven por el amor y la libertad frente a la opresión de un rey caduco y cruel. Schiller incorporaría, además, otros rasgos de la época, que daban más verosimilitud —y si se quiere más grandeza— a su obra: la rebelión de los Países Bajos, cuyas libertades quería defender don Carlos, que aquí se representa como la estampa de un joven gallardo, enamorado y valiente, frente al viejo sombrío, fanático y celoso.

Era como enfrentar a dos generaciones, la una defensora del pasado, un pasado opresor hasta ser irrespirable; la otra, la que se alzaba para combatir por los sueños de la libertad y del amor, al gusto del más puro romanticismo; no olvidemos que el *Don Carlos* se representaba por primera vez en 1804, cuando ya el romanticismo apuntaba por toda Europa. Por supuesto, la siniestra figura del duque de Alba agrandaba la sombra cruel de Felipe II, sin faltar la referencia al Inquisidor general, a quien el monarca acabaría entregando a su hijo, sugiriendo al espectador el peor de los finales.

Esa trama es también la de la ópera de Verdi, consiguiendo unos resultados todavía más convincentes en el ánimo del público culto que acude, año tras año, a esa cita musical. ¿Cómo no sentirse cautivado por escenas como la del monólogo de Felipe II, cuando canta desesperado su frustración amorosa, porque la reina Isabel lo desdeña? ¿Cómo librarse del hechizo del encuentro entre los dos amantes, Isabel y Carlos, prendidos en un amor imposible? Aunque acaso la escena que más sacude al espectador sea la del Rey y el inquisidor, que, canto a canto, van fijando el destino implacable del desgraciado Príncipe.

Frente a todo esto, sin embargo, la historiografía responsable tiene que dar su propia versión, descubriendo lo que hay de cierto y de falso en el, en todo caso dramático, final de don Carlos y de la reina Isabel de Valois [1].

Empecemos por don Carlos. Y aquí, ya lo hemos dicho, es totalmente preciso remontarse a los principios, incluso al propio momento del nacimiento del Príncipe.

Digamos que cuando Felipe II desposa a la princesa María Manuela de Portugal, en 1543, está engendrando, junto con su hijo, la más grave oposición.

Hoy estamos convencidos de que aquel matrimonio fue un gravísimo error, que además podía suponerse, dado el estrecho parentesco de los novios y los antecedentes familiares: ambos eran primos hermanos en doble grado, tanto por la vía paterna como por la materna. Y remontándose en el árbol familiar, sin necesidad de llegar a aquella Isabel, la loca de Arévalo —la madre de Isabel la Católica, viuda del rey Juan II de Castilla—, sí es de todo punto preciso hacerlo a la otra reina que el tiempo y la historia conocen ya con el nombre de Juana la Loca, puesto que era la abuela de los dos contrayentes y, por ello, bisabuela por doble vía de lo que naciese.

Y esa confluencia de aquellos genes tan marcados tenía por fuerza que reflejarse en el heredero, conforme al presente esquema:

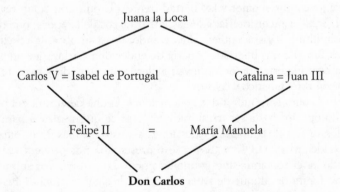

Juana la Loca

Carlos V = Isabel de Portugal   Catalina = Juan III

Felipe II   =   María Manuela

Don Carlos

---

[1] Sobre esto, véanse particularmente las siguientes obras: L. P. Gachard, *Don Carlos y Felipe II,* Barcelona, 1963 (1.ª ed. francesa, 1863); Cesare Giardini, *El trágico destino de don Carlos,* Barcelona, 1940; Ludwing Pfandl, *Felipe II. Bosquejo de una vida y de una época,* Madrid, 1942; Peter Pierson, *Felipe II de España,* México, FCE, 1984, y Manuel Fernández Álvarez, *Economía, Sociedad y Corona (Ensayos históricos sobre el siglo XVI),* Madrid, 1963.

Era como si se cerrara un maligno círculo genético. Don Carlos sólo tenía dos bisabuelas, y una de ellas era la pobre cautiva de Tordesillas. Así, el biznieto, tanto por la vía paterna como por la materna de doña Juana la Loca, estaba predestinado a los mayores extravíos.

Por eso hay que insistir en que, con su primera boda, Felipe II estaba engendrando algo más que un hijo: la más difícil de las oposiciones.

Pero también hay que puntualizar otra cuestión: de ella, Felipe II no había sido el responsable, dado que en 1543 sólo tenía dieciséis años, sino su padre, el Emperador. Pues entre los mayores errores cometidos por Carlos V hay que citar, a todas luces, aquel forzado matrimonio realizado buscando compensaciones económicas —siempre tentadoras las sustanciosas dotes de las princesas portuguesas— y estabilidades políticas —aquel afianzamiento de la amistad hispano-lusa—, e incluso el posible logro de la pacífica unidad peninsular, como habían estado a punto de conseguir los Reyes Católicos en la figura de su nieto don Miguel, tan prematuramente fallecido en 1500.

Todo ello eran aspiraciones legítimas, pero vulnerando las normas eugenésicas ya defendidas por la Iglesia desde hacía siglos.

Y en esa vulneración, en ese asumir un riesgo, haciendo caso omiso de lo que pudiera suceder, estuvo ya la clave de todo lo que después vendría. Si bien es preciso añadir que nuevas circunstancias no harían sino agravar la situación.

Pues la desgracia intervino también para hacer más problemática la crianza del Príncipe, dado que a poco de su nacimiento, y a causa del difícil parto, falleció su madre, la princesa María Manuela de Portugal; es decir, que el 8 de julio de 1545 nacía don Carlos y a los cuatro días moría su madre.

Por tanto, don Carlos se criará huérfano de madre, prácticamente desde su nacimiento, y en un hogar no presidido por el padre, pues Felipe II estaría fuera de España entre 1548 y 1551 y de 1554 a 1559, sino junto a sus tías María y Juana; aunque tampoco por demasiado tiempo, pues María se desposaba en 1548 con Maximiliano de Austria y Juana en 1552 con Juan Manuel de Portugal. Y esa soledad familiar la acusaría penosamente el príncipe niño, con un lamento que conocemos por un contemporáneo del todo fidedigno: su ayo Luis Sarmiento, quien al dejarle en ese año de 1551 le oye esa queja verdaderamente lacerante, que el bueno de Sarmiento comunicaría tal cual al príncipe Felipe, su padre:

> ¿Qué va a ser del niño, aquí solo, sin padre ni madre, su abuelo en Alemania y su padre en Monzón? [2]

---

[2] Gachard, *op. cit.*, pág. 53. No es la primera vez que el príncipe niño hablaba de sí en tercera persona. En marzo de 1550, cuando no había cumplido, pues, los cinco años, Luis Sarmiento comunicaba a Felipe II, con motivo de la enfermedad del Príncipe: «... decía una cosa en su dolencia: y cuando no quería tomar lo que se le daba, decía siempre: "¡No matéis al niño, que no puede más el niño!", más claro que ninguna cosa que dice, que verdaderamente parecía que lo decía un ángel tercero por él, de que todos estábamos espantados.» Luis Sarmiento a Felipe II, Aranda, 11 de marzo de 1550 (Archivo de Simancas, Estado, leg. 84; original).

¿Qué sería de él, puesto que también se iba el único refugio que le quedaba al infante, su ayo Sarmiento, destinado a Lisboa?: «Echándose a mis brazos, me dijo llorando...»

El infante niño no tiene ningún familiar con quien consolarse. Su orfandad es completa, se siente desamparado y solo. «¿Qué va a ser del niño, sin padre ni madre?»

Es un huérfano, y lo sabe. Por lo tanto, una crianza cada vez más difícil.

En cuanto a la inestabilidad del Príncipe, incluso desde la infancia tenemos muchos testimonios de los contemporáneos. Véase cómo lo refleja un cortesano, el licenciado Gámiz, en carta dirigida al famoso hombre de Estado Granvela, el 1 de junio de 1550. Se había acercado a Toro, donde se había puesto la pequeña corte del Príncipe, y cuenta la impresión que le produce el pequeño heredero, que aún no tenía los cinco años:

> El infante don Carlos está bonito, pero gran descuido se tiene en no darle hombres que le sirvan y gobiernen, porque por estar entre mujeres le crían mal y le hacen soberbio y mal acondicionado...

Y añade Gámiz, sobre el extraño comportamiento del niño:

> ... sobre cualquiera cosa se araña la cara y se echa en el suelo y [hace] otros veinte extremos... [3]

No entraremos en otros detalles que nos señalan los cronistas, que, a toro pasado y quizá deseosos de encontrar algún antecedente de la inestabilidad del Príncipe, aluden a que ya en su crianza daba signos extraños de comportamiento, como el morder los pezones de sus amas de cría. Acaso sea más significativa una tendencia mejor documentada: ser zurdo, inclinación reprimida conforme a las ideas de la época, con tan mal concepto sobre los zurdos; no en vano la voz *siniestro* tiene tanta carga peyorativa. De este hecho poseemos un informe directo del ayo del Príncipe, don Luis Sarmiento, fechado en 1551, cuando don Carlos tenía cinco años. En una carta al Emperador de 17 de febrero de 1551, Sarmiento alude a la tendencia a utilizar el Príncipe la mano izquierda, y añade:

> ... aunque doña Leonor de Mascareñas hace todo lo que puede, atándole la mano izquierda, no basta para que no lo sea. Agora, muy izquierdo está. La Infante [doña Juana], su tía, cuando come con ella, que son los más días, siempre tiene un cuchillo en la mano para dalle, cuando toma algo con la mano izquierda... [4]

---

[3] Biblioteca de Palacio, Madrid, Ms., Papeles de Granvela, núm. 2.252, s.f.; original.
[4] Luis Sarmiento a Carlos V, Toro, 17 de febrero de 1551 (Archivo de Simancas, Estado, leg. 84, fol. 245; original).

Vayamos ya a la adolescencia del Príncipe[5]. Cuando conoce a Isabel de Valois tenía sólo catorce años, pues vio por primera vez a la nueva reina de España en Toledo, el 12 de febrero de 1560. Sin duda, como ocurre con los muchachos de esa edad, se creería ya todo un hombre, pero carece de base el hablar de unos amores con su joven madrastra. En todo caso, nada del mozo arrogante que aparece en los relatos posteriores. Criándose mal, con unas fiebres que no le abandonan, los médicos de la corte aconsejaron un cambio de aires. Así, el Rey decidió en 1562 mandarlo a estudiar a Alcalá de Henares. Y para que tomase la medicina con más agrado, se le dio la compañía de don Juan de Austria y de Alejandro Farnesio. Consecuentemente, en los primeros días se apreció una mejoría en don Carlos.

Pero otra vez lo imprevisible iba a jugar en su contra.

En efecto, ansioso de iniciarse en la vida amorosa, tuvo un traspié al bajar por una escalera cuando acudía a su cita galante, y fue a caer rodando los últimos escalones, con tan mala fortuna que acabó dando con la cabeza en el quicio de una puerta entornada, sin duda para facilitar su aventura. De esta manera, la aventura se tornó en suma desventura.

Era el 19 de abril de 1562. Durante unos días se temió incluso por la vida del Príncipe. Ningún tratamiento parecía dar resultado. Se acudió hasta a la magia de un curandero morisco, por más señas de nombre Pinterete. También a lo que podía dar de sí la momia de un fraile que había muerto en obra de santidad, fray Diego de Alcalá, llegando incluso a meter la momia en el lecho de aquel pobre muchacho. Finalmente, tuvo que intervenir la máxima autoridad médica del tiempo, el famoso Vesalio —el autor de la obra cimera *De humani corporis fabrica*—, quien fue el que realizó la temida trepanación, para sanar aquella pobre cabeza tan dañada. Y, de momento, el Príncipe fue ganando aquella batalla a la muerte, tan cercana.

Pero el resultado no fue bueno. Cuando don Carlos fue dado de alta, pronto resultó notorio que sus excentricidades iban en peligroso aumento, con temibles estallidos de cólera y con gestos de crueldad verdaderamente alarmantes.

Tampoco su salud había mejorado. Los embajadores venecianos que le visitaron sacarían muy mala impresión:

> Era levata del letto doi giorni —informaban a la República— e ancora che ne disse si sentiva bene, e molto meglio che inanzi gl'avenisse il caso del male, l'habbiamo pero veduta molto pallida e di debolissima forza...

Su desarrollo físico igualmente no era bueno, pues nada hacía indicar que estaba a punto de cumplir los diecisiete años:

---

[5] Príncipe ya, puesto que en 1560 había sido jurado como tal por las Cortes de Castilla.

> É di statura molto piccola e molto minor assai che non ricerca l'età sua di 17 anni[6], ne quali si ritrova esser entrata...[7]

Tampoco ayudaba a su recuperación la forma de vida del Príncipe, cuyos excesos en la comida provocaban continuas recaídas. Asistió, con su padre, el Rey, a las Cortes de Castilla, convocadas en febrero de 1563, pero le fue imposible hacerlo a las de la Corona de Aragón, celebradas en septiembre de aquel año, pese a que en ellas se iba a proceder a su jura como Príncipe heredero del trono.

Durante ocho meses, entre agosto de 1563 y abril de 1564, Felipe II estaría ausente de la corte. Por entonces, don Carlos comenzaba a incorporarse a las actividades cortesanas, incluidos los juegos de cañas.

Estamos en 1564, año en el que la corte de Viena mandó un embajador a Madrid, el barón de Dietrichstein. Entre sus misiones, una muy concreta era informar sobre la salud del Príncipe, pues no en vano se negociaba su posible boda con la archiduquesa Ana (curiosamente, la que andando el tiempo sería la cuarta esposa de Felipe II).

Pues bien, la impresión de Dietrichstein no pudo ser más penosa. Aun antes de ver al Príncipe, sus informes no eran buenos:

> Uno de sus hombros era más alto que el otro y la pierna derecha más corta que la izquierda.

No eran mejores las referencias sobre su condición moral y su inteligencia:

> Tartamudea ligeramente. En unos casos da muestras de buen entendimiento, pero en otros tiene la inteligencia propia de un niño de siete años... No conoce freno a su voluntad y su razón no parece bastante desarrollada para permitirle discernir lo bueno de lo malo.

Su peor vicio era la glotonería:

> ... come con tanta ansia que apenas se puede creer, y al poco tiempo de haber acabado ya está dispuesto a comenzar de nuevo. Estos excesos en la mesa son la causa general de su estado enfermizo, y muchas personas piensan que si continúa así no podrá vivir mucho tiempo...

No mejoró el juicio de Dietrichstein sobre don Carlos cuando llega a conocerle:

> No es ancho de espaldas ni de talla muy grande; uno de sus hombros es un poco más alto que el otro. Tiene el pecho hundido y una

---

[6] El informe de los embajadores venecianos es del 20 de junio de 1562; quince días después, don Carlos cumpliría, en efecto, diecisiete años.

[7] Gachard, *op. cit.,* págs. 129 y 130, nota 64.

pequeña giba en la espalda. Su pierna izquierda es bastante más larga que la derecha...

Aún era peor la impresión que producía cuando se le escuchaba:

> Su voz es delgada y chillona, da muestras de dificultad al empezar a hablar y las palabras le salen con dificultad...[8]

En ello coincidía también el embajador veneciano Tiépolo en su informe a la República de 1563:

> Habla con dificultad y sus palabras están faltas de ilación...[9]

Dietrichstein señalaba ya el conflicto del Príncipe con su padre:

> Al ver que su padre no le hace ningún caso ni le concede autoridad alguna, anda medio desesperado...[10]

¡La desesperación del Príncipe! Curiosamente, la nota que encontramos en el padre Mariana.

En efecto, el padre Mariana, que se hallaba lejos de España en aquellos años, y donde le llegaría la noticia del mal suceso del Príncipe («de la causa de su prisión y del enojo de su padre se dixeron muchas cosas, como acontece en cosas tan grandes»), tiene una frase reveladora:

> Al Príncipe acarreó la muerte su poca paciencia...[11]

Y aquí es preciso también volver a insistir en la poco prudente medida del matrimonio tan joven de Felipe II con María Manuela, sobre todo si establecemos el paralelo con Carlos V. El Emperador se desposó en 1526, y en 1527, cuando tenía veintisiete años, nacía Felipe II; de forma que éste pudo esperar con serenidad la hora en que le llegase alcanzar el poder. Es cierto que Carlos V adelantó esa hora con su abdicación y que supo vincular muy pronto a Felipe al poder; nominalmente desde 1543, de hecho ya en 1548. Felipe II nunca se desesperó, su oposición —y la de su equipo personal— nunca fue desesperada.

Otra cosa ocurrió muy pronto con don Carlos, demasiado cerca en la edad a su padre, del que sólo le separaban dieciocho años; de forma que en circunstancias normales se echaba de ver que cuando llegase su hora habría pasado lo mejor de su vida, sin poder estar con el ímpetu de los años juveniles

---

[8] Gachard, *op. cit.,* pág. 171.

[9] *Ibídem,* pág. 180.

[10] *Ibídem,* pág. 176.

[11] Padre Mariana, *Historia de España,* ed. 1782, II, pág. 782.

al frente del Imperio; de hecho, si hubiese sobrevivido a su padre, don Carlos habría empezado a reinar en 1598, con cincuenta y tres años. ¡La edad en que su abuelo, harto de gobernar, estaba ya pensando en la abdicación!

Quedaba una solución: la incorporación efectiva del Príncipe al poder. Y esa medida fue la que tanteó Felipe II, pero sin decidirse a seguirla en toda su fuerza, porque cada vez desconfiaba más de las posibilidades de su hijo; lo cual a su vez era sentido por el Príncipe, agrandando más y más sus recelos hacia su padre, el Rey.

Y eso se echó de ver cuando los diplomáticos intentaron la boda del Príncipe con María Estuardo.

La reina de Escocia había enviudado en 1560 de su primer marido, Francisco II de Francia, y muy pronto empezarían los rumores sobre la posible boda con don Carlos. De creer al embajador español en Londres, Álvaro de la Quadra, obispo de Aquila, era la Reina la propia interesada. En abril de 1561, Quadra escribía en ese sentido a Granvela —entonces la gran figura de la corte de Bruselas—, viendo en ello un remedio para la peligrosa situación en que estaba cayendo el catolicismo en las islas.

Pero las insinuaciones del obispo-embajador no encontraron eco, de momento, en Felipe II. Vino después el aparatoso accidente de Alcalá, con el descalabro de don Carlos, y harto hubo que hacer para salvar la vida del Príncipe, sin entrar en otras cábalas. Hasta que, al fin, el Rey rompió su silencio en junio de 1563: que se mandase un hombre de confianza a Escocia para iniciar las pláticas de aquel matrimonio, pero de forma tan secreta que no tuviesen conocimiento de ellas ni Francia ni Inglaterra.

Tal sería la misión de Luis de Paz, que yo estudié con cierto detenimiento en mi tesis doctoral, hace ahora medio siglo. Luis de Paz debía ir a Escocia como presunto mercader, con credenciales de la misma reina Isabel de Inglaterra, para protestar por las presas que llevaban a cabo en el mar los piratas escoceses. En un largo viaje que le llevó de Londres a Chester, de Chester a Dublín y de Dublín a Edimburgo, Luis de Paz pudo al fin entrevistarse con la Reina escocesa y los principales personajes de su corte, dándoles cuenta de su embajada:

> ... cómo el embaxador del Rey de España le enviaba para hacerle saber cómo su amo le había escripto que le placía y se contentaba dar orejas a la plática de su casamiento... [12]

No alcanzó Quadra a saber más de tal matrimonio; su muerte, el 24 de agosto de 1564, lo paralizó todo. Felipe II, de suyo tan indeciso, perdió con aquel ministro al que más le impulsaba a cerrar la alianza con Escocia. Con el duque de Alba se lamentaría:

---

[12] *Tres embajadores..., op. cit.,* pág. 104.

... ha sido harta gran pérdida a esta sazón, así para los negocios de Inglaterra, como para los de Escocia...[13]

En su indecisión, Felipe II pidió el consejo del duque de Alba, como buen conocedor de las cosas del norte de Europa, y el Duque lo dejó entrever: don Carlos no era la figura para jugar tan destacado papel en la política internacional:

> Si el negocio conviene hacerse o no, yo no sabría decir a Vuestra Majestad otra cosa que lo que en Madrid, en presencia del prior don Antonio y de Ruy Gómez, le dixe: a la edad, a la persona y habilidad del Príncipe, nuestro señor, se debe tener respeto para el fruto que deste negocio se piensa sacar...[14]

No se podía decir más claro a lo cortesano: aquello era inviable. La clave de su acierto estaba en la persona del Príncipe, en su destreza y en sus cualidades. ¿Y cuáles eran éstas? Además, asentar al Príncipe en el trono de Escocia, heredero como era de las Españas, de sus dominios en Italia y de los Países Bajos —e incluso, por María Estuardo, con pretensiones a Inglaterra—, ¿no sería suscitar los recelos más profundos de los demás reinos de la Cristiandad? Y así el duque de Alba, mostrando aquí un juicio más prudente del que suele atribuírsele, añadía al Rey:

> Inconvenientes, trabaxos, peligros, no se pueden en ninguna manera del mundo excusar en este negocio, porque Vuestra Majestad tendrá en contra sí a Francia y a Inglaterra, y podría ser que al Emperador...

¿Cómo continuar, pues, tales negociaciones de boda con la inestabilidad psíquica de que daba tan constantes muestras don Carlos? Aquí se ve bien la diferencia con la época anterior. Carlos V había podido jugar fuerte, en ocasiones similares, porque podía contar con su hijo Felipe. Eso es lo que había ocurrido diez años antes, cuando se planteó la boda con María Tudor. Pero ¿podía hacer algo similar Felipe II con don Carlos? El Rey conocía muy bien lo que suponía hallarse en un trono lejano, tan mediatizado en sus acciones, tan acosado por unos vasallos, muchos de dudoso comportamiento, máxime cuando en ellos había prendido tan fuertemente la Reforma. Y en eso, la situación de Escocia era todavía más incierta que la de Inglaterra.

De ahí que aquellas negociaciones de boda con la reina María Estuardo, a primera vista tan ventajosas, no las promoviera Felipe, sino la propia reina de Escocia. Y al Rey, los inconvenientes, trabajos y peligros —como le señalaba el duque de Alba— se le abultaron de tal manera que su nuevo embajador

---

[13] *Tres embajadores...*, op. cit., pág. 107.
[14] *Ibídem.*

en Inglaterra, don Diego Guzmán de Silva —el sucesor de don Álvaro de la Quadra—, ya no recibirá ningunas instrucciones para seguir con las pláticas de la boda.

De momento era silenciar el asunto, como si todavía estuviera pendiente la oportuna resolución. Pero en agosto de 1564 el Rey tomaría ya una decisión: el abandono. Se ponía como disculpa el que el Emperador —que entonces ya lo era Maximiliano II, su cuñado— le había pedido el apoyo para casar a la reina de Escocia con el archiduque Carlos.

Esa era la declaración oficial. Al margen de la carta enviada a Diego Guzmán de Silva, Felipe II anotaría de su propia mano: «Y por otras causas que hay muy bastantes...» [15]

Dado el carácter de Felipe II, no se podía esperar una declaración más expresa. Tampoco era necesario mucho más para entender que en él estaba obrando la recomendación del duque de Alba:

> ... a la edad, la persona y habilidad del Príncipe, nuestro señor, se debe tener gran respeto, para el fruto que deste negocio se piensa sacar...

Ahora bien, nada se comunicó a la corte de Escocia. Conforme a una práctica habitual en el Rey, se mantuvo el secreto sobre la decisión tomada. Todavía en diciembre de 1564 un diplomático escocés pasó a Francia y se entrevistó con el embajador español en París, don Francés de Álava. Su misión, dado que la Monarquía católica no tenía embajador en Escocia, era averiguar en qué grado de sazón se hallaba la posible boda de María Estuardo con don Carlos. Y cuando al fin María Estuardo se decide a casarse con lord Darnley, envió un mensaje a Diego Guzmán de Silva justificando el paso que había dado:

> ... que habiéndose reunido a platicar particulares del matrimonio con S.A. [don Carlos] mostrando la Reina acerca dello la voluntad que era razón, se había esperado más de dos años la resolución de V.M...

Tal escribía Diego Guzmán de Silva a Felipe II desde Londres el 26 de abril de 1565 [16].

¿Cómo incidió todo ello sobre don Carlos? Porque lo que no se puede creer es que el Príncipe desconociera que tales negocios se habían iniciado. No estaría al tanto de los detalles, pero sí de las pretensiones de la reina de Escocia, porque hechos de tamaña magnitud no pueden permanecer silencia-

---

[15] Felipe II a Diego Guzmán de Silva, Madrid, 6 de agosto de 1564 (Archivo de Simancas, Estado, leg. 818, fol. 71).
[16] *Ibídem.*

dos en la corte. Los rumores circularon, y el eco de ellos llegó hasta la cámara del Príncipe, de eso no cabe duda. Así, sabemos que incluso fue motivo de conversación entre el propio Príncipe e Isabel de Valois, la Reina [17].

Que al fin la boda no se concertara, pese al interés manifiesto de la reina de Escocia, no tenía otra explicación que la del rechazo del Rey. Y a esa conclusión llegó el Príncipe, como no podía ser de otro modo.

De esa manera el antagonismo generacional del Príncipe con el Rey se convirtió en inquina contra su progenitor. El Rey le orillaba, le tenía marginado, le apartaba ostensiblemente del poder, le impedía desempeñar el protagonismo que estaba ansiando.

He ahí cómo la oposición que representaba don Carlos se fue convirtiendo cada vez más en una oposición desesperada. Aquí viene a cuento el informe del embajador véneto Soranzo al Senado, precisamente de 1565:

> El Príncipe no escucha ni respeta a nadie y, si se me permite decirlo, hace muy poco caso de su padre... Siente gran aversión hacia todas las cosas que le gustan al Rey... [18]

Sin embargo, Felipe II había tanteado la paulatina incorporación del Príncipe a las cosas de gobierno, y en junio de 1564, cuando iba a cumplir los diecinueve años, le hizo entrar en el Consejo de Estado. Probablemente recordaba que él, a esa edad, presidía el Consejo, en ausencia de su padre, Carlos V. Y posiblemente quiso hacerlo cuando las negociaciones para la boda de su hijo con María Estuardo todavía seguían vivas, para comprobar hasta qué punto podía confiar en él. Al mismo tiempo, dando una de cal y otra de arena, nombraba a Ruy Gómez de Silva —que era su ministro más seguro— mayordomo mayor de la casa del Príncipe. El resultado fue confirmar al Rey en la poca seguridad que había en las cosas del Príncipe.

A su vez, en la mente de don Carlos se hacía más fuerte una idea: que ya no cabía más que una solución, que era la fuga de la corte y la rebelión.

En 1566, los desórdenes de los Países Bajos iban a incrementar sus afanes de protagonismo. Si el Rey, su padre, no se decidía a presentarse allí, ¿por qué no era él el enviado? Y cuando conoce que el Rey designa al duque de Alba, tiene la violenta reacción que nos cuentan las crónicas. Algo que veremos más adelante.

Porque ahora la pregunta que nos hacemos es cuándo y por qué empezó a gestarse el antagonismo entre el Rey y el Príncipe heredero. Está claro, el hecho de que, con el paso de los años, en vez de verse más y más incorporado al poder, el ser apartado de las decisiones políticas agravó la situación; pero cabe preguntarse si además el conflicto se agudizaba porque entre padre e hijo no existía aquella sintonía que se había dado con Carlos V y Felipe II.

---

[17] Gachard, *op. cit.*, pág. 208.
[18] *Ibídem*, págs. 208 y 231, nota 32.

Pues otro era el caso de las relaciones entre Felipe II y don Carlos. De entrada, el Rey disimulaba cada vez menos el disgusto que le producía el comportamiento de su hijo, la inestabilidad de su conducta, sus arrebatos y, acaso, su propia deformidad física. Don Carlos no era, precisamente, la estampa del príncipe gallardo que promete un futuro brillante.

Ahora bien, ese príncipe de aspecto enfermizo albergaba un alma con ansias de gloria, un espíritu que anhelaba la vida heroica, tal como la había protagonizado Carlos V. De forma que don Carlos tendería a comparar el quehacer político de su padre con la imagen del Emperador. Y el resultado era que glorificase al abuelo y menospreciase al Rey, su padre.

De hecho, sabemos que don Carlos no se recataba en burlarse de los «grandes viajes» del Rey, yendo de Madrid al Pardo, del Pardo a Aranjuez, de Aranjuez al Escorial. Atrás quedaban, en la etapa de su niñez, los que Felipe II había hecho en 1548, cruzando media Europa por el norte de Italia, el corazón de Alemania y los Países Bajos (entonces don Carlos tenía tan sólo tres años), o los que le habían llevado a Londres y a Bruselas entre 1554 y 1559. A partir de ese momento, el Rey se encerraría en sus palacios meseteños en torno a Madrid.

Por otra parte, propios y extraños le achacaban harta vacilación en las decisiones a tomar en las cuestiones de Estado. Algunos de sus ministros más allegados, que le conocían bien, como el que sería duque de Feria, se desesperaban por su lentitud [19]. De irresoluto le tildaba nada menos que su embajador en Francia el señor de Chantonnay, en carta enviada a su hermano el cardenal Granvela [20]. En las cosas de la guerra, era bien sabido: el Rey prefería estar en la retaguardia. Con todo ello, cuando surgían los inevitables problemas, el rumor general no era favorable al Rey, y menos la opinión del Príncipe. Y eso sería lo que ocurriría con ocasión de las alteraciones de los Países Bajos. La gravedad de los hechos pedía que el Rey se presentase allá o, en su defecto, que mandase al Príncipe heredero. Esa era la solución que había indicado Felipe II en 1559 antes de dejar Flandes, en su intervención ante los Estados Generales: que no podía mandarles a su hijo hasta que él no se hallase en España [21].

Pero si eso era lo que sentía en 1559, cosa probable, cambiaría radicalmente de parecer siete años después, cuando los acontecimientos se dispararon. En 1566, Felipe II no sólo abandonó la idea de mandar a su hijo a Flandes, sino que ni siquiera le convocó al Consejo de Estado que había de tratar sobre tan graves asuntos. ¿Qué decidiría el Rey? Don Carlos no se resignó a ignorarlo y trató de saberlo, acercándose imprudentemente a la misma puerta de la cámara donde el Rey estaba reunido con sus ministros más allegados,

[19] Ver mi libro *Tres embajadores...*, *op. cit.*, pág. 115.
[20] Gachard, *op. cit.*, pág. 250.
[21] *Ibídem*, pág. 279, nota 99.

tratando de espiar lo que allí ocurría, con peligro de ser descubierto, como sucedería en efecto.

El gran escándalo. Para todos sería patente, a partir de tal momento, el conflicto abierto entre el Rey y su hijo. La relación que nos da un cortesano cualificado, el flamenco Alonso de Laloo al conde de Horn (y atención a esa información), no puede ser más reveladora:

> No puedo dexar de avisar a V.S., cómo en estos días —escribía Laloo a Horn—, estando Su Majestad en la cámara del Consejo de Estado sobre las cosas de Flandes, el Príncipe nuestro señor se puso arrimo a la cerradura de la puerta para escucharlo. Y como don Diego de Acuña le dixese que Su Majestad saldría y que Su Alteza se fuere de allí, porque le veían de arriba las damas de la Reina, y de abaxo los pajes, le comenzó el Príncipe a tratar mal, y a dar de pescozones con los puños cerrados. Su Majestad lo ha sabido y ha reñido mucho a su hijo...[22]

El Príncipe no sufre el verse desplazado de los asuntos de Estado y llega hasta el extremo de espiar tras de las puertas. ¡Y tenía veintiún años! Tampoco puede orillarse que un personaje como el conde de Horn, luego tan gravemente implicado en la rebelión de los Países Bajos, tuviese ese informador a sueldo en la corte española[23]. Y atención a la fecha: el 3 de agosto de 1566.

Pues recordemos que fue en 1566 cuando decidió el Rey mandar al duque de Alba con un fuerte ejército para reprimir la rebelión de los Países Bajos.

Señalábamos antes la necesidad de financiar tal despliegue militar. Una vez más aquello fue posible, pese al mal estado de la Hacienda regia, por la ayuda, casi milagrosa, de las remesas de Indias. Precisamente en septiembre de 1566 llegaba a Sevilla la flota de Indias, con uno de los más ricos cargamentos hasta entonces obtenido. En torno a los cinco millones y medio de ducados, de los que sólo correspondían al Rey un millón cien mil; pero como en otras ocasiones, y de acuerdo con una práctica ya generalizada bajo Carlos V (y con notorio daño de la economía castellana), la Corona se incautó del total, compensando con juros a los particulares.

Y como todo era poco, también las piezas italianas aportaron su esfuerzo económico, tanto el Milanesado como el rico Nápoles, este último con dos millones. Por supuesto, la Corona de Castilla cooperó igualmente.

A este fin, Felipe II convocó Cortes en diciembre de 1566. En el discurso de la Corona se proclamaba ante los procuradores castellanos cuántos esfuerzos se habían hecho para la defensa de la religión; estaban bien recientes la lucha en Malta frente al Turco y la expedición de Pedro Menéndez de Avilés a

---

[22] Gachard, *op. cit.,* págs. 283 y 284, nota 14.
[23] Y un detalle para la historia de cultura: que el informe fuera en español, la lengua más europea del siglo XVI.

la Florida. Pero lo que acuciaba entonces era la grave situación de los Países bajos, «las novedades de Flandes»:

> Habréis sabido las novedades y transtornos que se han producido en los Estados de Flandes...

Y tales, que estaban en peligro de perderse.

Todavía el Rey dejaba creer que él mismo se pondría en camino: «... es necesario que se traslade allí en persona...»

Y todo ello suponía, inevitablemente, grandes y continuos gastos:

> ... enormes sumas de dinero...

Algo a que accederían pronto aquellas Cortes, tanto con el servicio ordinario de trescientos millones de maravedíes, como algo más tarde (y con alguna que otra resistencia, marcada por la negativa de los procuradores de Salamanca) los extraordinarios de ciento cincuenta millones.

Aquellas Cortes, que se habían creído obligadas a pedir al Rey que, si dejaba el reino, no lo hiciera en compañía del Príncipe, fueron el escenario de las amenazas del príncipe don Carlos, a lo que ya hemos hecho referencia.

De ese modo, a lo largo de 1567 se sucedieron los signos de violencia y de desequilibrio del Príncipe: el intento de agredir al duque de Alba, la ciega cólera desatada contra su ayuda de cámara Estébez de Lobón, su furia contra veinte corceles de la caballeriza real, su orden de quemar una casa madrileña de donde había salido el maloliente «¡agua va!», que había tenido la mala fortuna de manchar sus ropas, y tantos otros excesos que eran la comidilla de la corte y que probaban la inestabilidad emocional del Príncipe, por otra parte, aquejado constantemente de fiebres, o que caía en dolencias como consecuencia de su glotonería; aquello que había dado lugar a decir de él que sólo tenía fuerza en los dientes.

Algo todavía era más grave: sus conexiones con los rebeldes flamencos y sus intentos de fuga de la corte; un proyecto cada vez más acariciado por el Príncipe, desde que comprobó que el Rey no estaba decidido a darle ningún cargo de alta responsabilidad en la Monarquía, y menos casarle fuera (el proyecto de su boda con la archiduquesa Ana, tan solicitado por la corte de Viena, se aplazaba constantemente), o de encomendarle el gobierno de los Países Bajos.

Y eso fue lo que sintió don Carlos; de ahí su grito al duque de Alba: la misión de aquietar los Países Bajos era suya, no del Duque; y su amenaza, puñal en mano: «¡Vos no iréis a Flandes, porque os mataré!»[24]

No cabe duda de que en el ánimo regio estaba ya cristalizando la idea de declarar la incapacidad del Príncipe como heredero de la Corona. El mismo

---

[24] Cabrera de Córdoba, *Felipe II;* Gachard, *Don Carlos y Felipe II, op. cit.,* pág. 333.

hecho de que ya anteriormente hubiera tanteado su boda no con María Estuardo o con Ana de Austria, sino con la propia doña Juana, su hermana, es un claro indicio de lo que estaba preocupando al Rey el problema de la sucesión; pues doña Juana, por su prudente carácter, por la larga experiencia y las buenas formas demostradas en el lustro en que había gobernado España (1554-1559), podía muy bien ser la garantía de que el trono siguiera en buenas manos. Pero aquí tropezó el Rey con la insalvable obstinación del Príncipe, a quien repugnaba la idea de casarse con su tía, y no sólo por la edad —doña Juana le llevaba diez años— o por la proximidad de parentesco, sino, sobre todo, porque ya era «mujer probada». Esto es, quería una novia virgen, siguiendo aquí el patrón de la mayoría de los españoles de su época.

Ahora bien, pese a las muestras cada vez más graves de desequilibrio de su hijo, Felipe II fue aplazando su decisión. Es posible que ni siquiera le moviese a ello el saber que don Carlos hacía pública una manifestación de hostilidad, hasta el punto de acabar declarando a su confesor, como ya veremos, que deseaba la muerte de su padre. Claro que eso alertaba al Rey, como los rumores que le llegaban de los intentos de los enviados flamencos —tanto Egmont, en 1565, como Montigny, en 1566— por apoyarse en don Carlos para hacer más viables sus reivindicaciones.

Porque, aunque Gachard —el gran historiador belga, autor del mejor libro escrito sobre el tema— no acepta los contactos entre la nobleza flamenca rebelde y don Carlos, todo hace pensar en lo contrario. De entrada, los contactos de esa nobleza con todos los enemigos de la Monarquía —los príncipes protestantes alemanes, la nobleza hugonota francesa y la misma Isabel de Inglaterra— ya indican algo. Y eso venía de atrás: cuando en 1562 entró el obispo Quadra (entonces embajador de Felipe II en Inglaterra) en casa de Cecil —la gran cabeza política de la corte de Londres— se encontró en su cámara con un cuadro de Egmont, lo que vino a confirmar sus sospechas:

> Fui a hablar a Cecil una tarde déstas —es Quadra quien informa a Granvela— como vecino, sin avisarle, para rogarle por un pobre hombre, y le tomé de improviso en su estudio. Hallé que tiene un gran retrato del Conde Daigmont. Vi que le pesó que le hubiese hallado con el hurto en la mano... No quisiera verle en tan secreto lugar que, juntando esto *con otras cosillas que se dicen por las calles,* me han dado sombra y no he podido acabar conmigo de callarlo[25].

¿Hubo algo más? Si hemos de creer al testimonio de cronistas y cortesanos —en este caso, el de un ayuda de cámara, cuyo relato custodia la Real Academia de la Historia—, habría que añadir nada menos que la idea del

---

[25] Quadra a Granvela, Londres, diciembre de 1562 (Archivo de Simancas, Estado, leg. 816, fol. 58). Evidentemente, tal descuido en figura del talento político de Cecil da que pensar. Es muy probable que se tratara de un montaje, para hacer más odiosa la nobleza flamenca en España y aumentar la tensión con la corte de Madrid.

Príncipe de matar al Rey, su padre; proyecto desvelado con motivo del jubileo navideño. Dudoso de si podía ganarlo, el Príncipe consultó con el prior del convento de Atocha, dado su deseo de matar a un hombre. Apretado por el Prior —sin duda, más avisado que él—, acabó declarando:

> ... dixo que era el Rey, su padre, con quien estaba mal y le había de matar...

Así que todo fue sumándose: la petición de dineros a los Grandes del reino, la oferta a don Juan de Austria del reino de Nápoles, sus actos desesperados, como las amenazas al duque de Alba, su proyecto de regicidio...; pruebas todas del gravísimo delito de rebelión que estaba fraguando el Príncipe. Y, finalmente, la noticia de que ya tenía los caballos preparados para la fuga y que había llegado a la corte su emisario enviado a la Grandeza con 150.000 ducados.

Es cuando el Rey se decide a actuar.

Todavía en la mañana del 18 de enero, domingo, asiste Felipe II a la misa, y se hace acompañar de su hijo, como si nada estuviera ocurriendo. Sin dejar traslucir su decisión. Tan sólo como si un secreto mal le apenara. Iba «triste», anota el documento.

Después de la misa, don Juan de Austria visitó al Príncipe en sus aposentos.

Aquí conviene seguir el testimonio directo del ayuda de cámara:

> Don Juan fue a ver al Príncipe aquel día y el Príncipe mandó cerrar las puertas, en entrando, y le preguntó lo que había pasado con su padre...

Por lo tanto, don Carlos tenía ya noticias de la entrevista de su tío con el Rey y andaba receloso, sospechando que su tío le hubiera delatado:

> Don Juan dixo —añade el ayuda de cámara— que habían tratado de las galeras [26]. Apretóle más el Príncipe, y como don Juan no le decía nada, empuñó la espada. Don Juan se retraxo hacia la puerta, y hallándola cerrada, empuñó también la suya, diciéndole: «¡Téngase Vuestra Alteza!», y oyéndoles los de fuera, abrieron las puertas y fuese don Juan a su casa.

Un choque tal no pudo menos de escandalizar a la corte y de llegar a oídos del Rey. Venía a probar que el Príncipe estaba dispuesto a todo. Urgía, por tanto, poner remedio en materia tan grave.

Y continúa el relato:

> El Príncipe se acostó, que se sentía malo...

---

[26] Excusa razonable, pues hacía poco que Felipe II le había nombrado general del Mar.

¿No estamos ante la típica reacción de un joven inestable, tras su fallido intento de atacar nada menos que a su tío? A media tarde, siempre según el relato del ayuda de cámara, don Carlos se levantó y, como no había comido en todo el día, cenó un capón cocido, y sobre las nueve y media se acostó.

Todo lo detalla el anónimo ayuda de cámara:

> Y yo era de guarda, y cené esta noche en palacio. Y a las once vi baxar a Su Majestad...

Llegamos al punto principal del relato. Al momento más dramático.

El ayuda de cámara se da cuenta de la importancia de su testimonio. Él es el único en el interior del palacio que está de servicio, vigilante, y que presencia la gran escena cuando todos duermen; el que contempla desde el primer momento el avance del Rey por los pasillos nocturnos de palacio; el que le ve irrumpir en la cámara del Príncipe, acompañado del Consejo de Estado y rodeado de su guardia armada.

Algo insólito que no podía presagiar nada bueno:

> ... y a las once vi baxar a Su Majestad por la escalera, con el duque de Feria y el Prior... y el Teniente de la guarda y doce de la guarda. El Rey armado debaxo y con su casco...

Por lo tanto, el Rey venía de su cámara, donde había ya reunido al Consejo de Estado y a la guardia, dándoles sobre la marcha sus rigurosas instrucciones, y tomando todas las precauciones posibles, pues sabía que el Príncipe estaba armado y que, en su desesperación, era capaz de cualquier locura.

Le acompañaban sus más íntimos consejeros, y no sólo el duque de Feria (ya lo era desde el año anterior de 1567) y el prior don Antonio de Toledo, sino también don Luis de Quijada (una de las personalidades más respetadas por Felipe II, como tan allegado que había sido de su padre el Emperador), y, por supuesto, el príncipe de Éboli, Ruy Gómez de Silva; también dos gentileshombres, don Pedro Madrid y don Diego de Acuña, y dos ayudas de cámara (Santoro y Barnato), los dos únicos que no van armados, portando, en cambio, martillos y clavos, pues son los designados para transformar las habitaciones del Príncipe en rigurosa prisión.

El regio cortejo llega a la puerta del Príncipe. Al ayuda de cámara se le ordena que no deje pasar a nadie, caso de que la detención pueda provocar alboroto que atraiga a la gente de palacio. E inmediatamente irrumpen en la cámara del Príncipe. Saben que está armado, incluso con un arcabuz siempre cargado, de modo que cualquier paso en falso, que rompa el efecto de la sorpresa, puede resultar fatal. Por fortuna para el Rey, el Príncipe estaba distraído, conversando con dos de sus íntimos: don Juan de Mendoza y el conde de Lerma. Por consiguiente, cuando se quiere dar cuenta, ya los hombres del Rey se han apoderado de sus armas blancas y del temido arcabuz.

Lo que sucede después es de un dramatismo digno de la pluma de Schiller y de la música de Verdi. Sobresaltado por el ruido, el Príncipe se vuelve, exclamando: «¿Quién va ahí?»

Le responden: «¡El Consejo de Estado!»

Don Carlos se revuelve, quiere apoderarse de sus armas, pero ya es tarde. Desarmado, es el propio Rey el que irrumpe. Pero dejemos que sea el ayuda de cámara el que nos relate la escena:

> Entró el Rey y díxole el Príncipe: «¿Qué me quiere Vuestra Majestad?» A lo cual le respondió: «Ahora lo veréis» [27]. Y luego comenzaron a clavar las puertas y ventanas.

Convertida la cámara del Príncipe en rigurosa prisión, el Rey lo pone bajo la custodia del duque de Feria, ayudado por otros de su Consejo de Estado, advirtiéndoles:

> No hagáis cosa que el Príncipe os mande sin que yo primero lo sepa. Y que todos lo guardéis con gran lealtad, so pena que os daré por traidores.

La severísima consigna de su padre provoca el estallido del Príncipe:

> Aquí alzó el Príncipe grandes voces diciendo: «¡Máteme Vuestra Majestad y no me prenda, porque es grande escándalo para el Reino! ¡Y si no, yo me mataré!» A lo cual respondió el Rey que no lo hiciese, que era cosa de loco.

Alusión a la locura del Príncipe, algo que estaba en el ambiente, pero que él rechaza:

> ¡No lo haré como loco, sino como desesperado, pues Vuestra Majestad me trata tan mal!

Ya están aquí las dos palabras que marcan el trasfondo del drama. Don Carlos se siente acusado de locura (y acaso no sin razón), pero se justifica con lo que le atormentaba: su desesperación. Y otra vez es preciso recordar al padre Mariana y a su juicio sobre el Príncipe: «Al Príncipe acarreó la muerte su poca paciencia.»

Impaciente por alcanzar un poder del que se veía apartado por el Rey, don Carlos entró en la desesperación, y el fruto de esa desesperación serían sus planes de rebelión que le llevarían a la prisión.

Su amenaza de matarse no cayó en saco roto. El Rey ordenaría las medi-

---

[27] «Sosegaos, que esto no se hace sino por vuestro propio bien», fue la frase, según Cabrera de Córdoba.

das precisas para evitarlo, y la primera, que la comida se la llevasen ya partida, para que no pudiese tener ni tenedor ni cuchillo.

Después de la prisión de su hijo no todo estaba resuelto. Como el propio Príncipe había exclamado, el escándalo amenazaba al Rey. Felipe II no podía ocultar un acontecimiento de tamaño calibre. Era evidente que un suceso tal no podía permanecer oculto. Por lo tanto, era preciso, y hasta urgente, informar a la opinión pública. Algo que, a los máximos niveles, Felipe II hará personalmente: así, convocando a los diversos Consejos, uno tras otro, a la mañana siguiente, a los que él dará personalmente su versión de los hechos. Y en cartas autógrafas, a las personalidades más destacadas de la Cristiandad: al papa Pío V, por supuesto, y a su cuñado el emperador Maximiliano II. También a su tía Catalina —la última representante de la generación paterna— y a su hermana, la emperatriz María; de forma que a Viena irían dos cartas, pues así parecía obligarlo el protocolo.

Por lo tanto, lo primero informar directamente y de viva voz a los colaboradores más cercanos, a los ministros más importantes de la Monarquía, a los consejeros de los distintos Consejos, recibiéndolos uno tras otro, para decirles siempre lo mismo:

> ... que era por cosas que convenían al servicio de Dios y del Reino...

Y lo haría no sin emoción, que en ocasiones le vence:

> ... con lágrimas en los ojos...

Eso sería el lunes; el martes por la mañana escribe las cartas a que hemos aludido y que luego comentaremos, y a la tarde se reúne con el Consejo de Estado durante largas horas. Se inicia el proceso:

> El Rey hace información. Secretario de ella es Hoyos. Hállase el Rey al examen de los testigos...

Empieza la acumulación de documentos: «Está escrito casi un xeme en alto...»

La referencia no puede ser más expresiva. «Jeme —nos aclara la Real Academia de la Lengua—: distancia que existe desde la extremidad del dedo pulgar a la del índice, separando ambos lo más posible.»

En dos casos concretos, el Rey encargaría esa misión informativa a sus colaboradores más cercanos; así, el cardenal Espinosa lo trataría con el nuncio del Papa, el arzobispo Rossano, y Ruy Gómez de Silva con los demás embajadores, salvo el barón de Dietrichstein, que por ser el representante de la corte de Viena tuvo el privilegio de oír al propio Felipe II.

Mientras tanto, la consternación cundía en la corte: «La Reina y la Princesa [Juana] lloran...»

Don Juan de Austria hasta llegaría a vestirse de luto, cosa que le sería prohibida por el Rey.

Naturalmente, también fue el Rey el que actuó directamente en el entorno familiar, y con la severidad acorde con las medidas tomadas, prohibiendo que tanto su esposa Isabel como su hermana Juana visitasen al preso, pese a lo mucho que ambas le querían. Doña Juana, porque le había cuidado cuando era niño, e Isabel, porque no hacía sino corresponder al afecto que don Carlos sentía hacia ella; de forma que cuando conoce su detención tiene esta confidencia con el embajador Fourquevaulx:

> Os puedo asegurar que siento su infortunio como si fuera mi propio hijo, y haría cualquier cosa por aliviar su situación...

Y añade, recordando las pruebas de afecto que había recibido:

> ... en reconocimiento a la amistad que me tiene [28].

Pero ambas, la Reina y la tía, reciben la consigna de no llorar más por el Príncipe. Era como si el Rey quisiera olvidar lo que había ocurrido, intentando que la vida en la corte continuara como si no hubiera sucedido nada.

Cosa imposible. Incluso Felipe II, haciendo mella en él la tristeza de la Reina, dejó de frecuentar, por unos días, la cámara de su esposa; hasta que, entrado ya el mes de febrero, las crónicas de palacio anotan la novedad: el Rey volvía a sus visitas nocturnas al dormitorio de la Reina.

Se estaba incubando una nueva tragedia: la gestación de un hijo que nacería muerto y que provocaría la muerte de Isabel.

Y así puede afirmarse que 1568 fue el *annus horribilis* de Felipe II.

Pero debemos volver a la prisión del Príncipe. Felipe II tenía que dar cuenta de lo sucedido. Él mismo escribiría personalmente al Papa y a sus familiares más allegados: a su tía Catalina, la reina viuda de Portugal, a su hermana la emperatriz María y a su cuñado Maximiliano II. Cartas todas de su puño y letra, de las que una —la enviada a Maximiliano II— encontré yo en el Archivo imperial de Viena [29].

Felipe II al papa Pío V

> Muy Santo Padre: Por la obligación común que los Príncipe cristianos tienen y la mía particular, por ser tan devoto e obediente hijo de Vuestra Santidad y de la Santa Sede, de darles la razón, como Padre de todos, de mis hechos e actiones, especialmente, en los casos notables y señalados, me ha parecido advertir a Vuestra Santidad de la resolución que he tomado en el recoger y encerrar la persona del Príncipe, Príncipe Don Carlos, mi primogénito hijo. Y como quiera

---

[28] Gachard, *op. cit.,* pág. 426.

[29] De las dos primeras posee copia la Real Academia de la Historia, Cabrera de Córdoba inserta la enviada a la emperatriz María (I, pág. 563) y la de Viena está en el Haus, Hof und Staatsarchiv, Spanische Korrespondenz, A/2, 364.

que para satisfacción de Vuestra Santidad y para que desto haga el buen juicio que yo deseo, bastaría ser yo padre y a quien tanto va e tanto fora el humor, estimación y bien del Príncipe; juntándose con esto mi natural condición, que como Vuestra Santidad que todo el mundo tiene conocimiento y entendido es tan ajena de hacer agravio, ni proceder en negocios tan arduos sin gran consideración y fundamento, hay con esto, es bien que Vuestra Santidad entienda que en la justificación y crianza del dicho Príncipe desde su niñez, y en el servicio, compañía y consejo y en la dirección de su vida y costumbres se ha tenido el cuidado atención que para crianza e institución de los que mi hijo primogénito heredero de tantos Reinos, Estados se debería tener. Y habiéndose usado de todos los medios por reformar y reprimir algunos excesos que procedían de su naturaleza y particular condición eran convenientes y haciéndose de todo experiencia en tanto tiempo hasta la edad presente que tiene u no había de todo ello bastado y procediendo tan adelante y poniéndose a tal estado que no pareciese haber otro ningún medio por cumplir toda la obligación y al servicio de Dios y beneficio público de mis Reinos y Estados tenía, con el dolor y sentimiento que Vuestra Santidad puede juzgar, siendo mi hijo y solo, me he determinado, no lo pudiendo, en ninguna manera, excusar, hacer de su persona mudanza y formar tal resolución, sobre tal fundamento y tan graves y justas causas, que ansí cerca de Vuestra Santidad, a quien yo deseo y pretendo, en todo, satisfacer, como en cualquier otra parte del mundo, tengo por cierto será temida mi determinación por tan justa y necesaria y tan ederezada al servicio de Dios y beneficio público cuanto ella verdaderamente lo es, y porque del progreso que este negocio tuviere y de lo que en él hubiese de que dar parte a Vuestra Santidad, se le dará cuando sea necesario y en ésta no tengo más que decir de suplicar a Vuestra Santidad que, pues todo lo que a mí toca debe tener por propio, como de su verdadero hijo, con tan raudo celo lo encomiendo a Dios Nuestro Señor para que él lo enderece y ayude a que en todo hagamos y cumplamos con su santa voluntad.

El cual guarde la muy santa persona de Vuestra Santidad y sus días acreciente el bueno y próspero regimiento de su universal iglesia.

De Madrid, en 20 de Enero de 1568.

De Vuestra Santidad muy humilde y devoto hijo Don Philippe, por la Gracia de Dios, Rey de España, de las dos Sicilias, de (...) que sus muy santos pies y manos besa.

El Rey

Felipe II a Maximiliano II

Señor: por lo que antes de agora tengo escrito a Vuestra (...) y a mi hermana y lo que más particularmente Luis Venegas habrá significado, habrá ya Vuestra Alteza entendido la pura satisfacción que yo tenía del discurso de vida y modo de proceder del Príncipe y de lo que su naturaleza y particular condición se entendía (...) Las cosas han pasado tan adelante y venido a tal estado que, cumpliendo yo con lo que debo al servicio de Dios y bien y beneficio de mis Reinos y Estados, no he podido excusar, por último remedio (habiéndose ya — hecho experiencia de todos los demás que han sido posibles) de me resolver en hacer mudanza de su persona y recogerle. Y siendo esta determinación de padre y en cosa que tanto va a su hijo único, y no procediendo, como no procede de ira ni de indignación siendo enderezada a castigo de culpa, sino elegido por último remedio, para evitar los grandes y notables, incovenientes que se pudiesen seguir, tengo por cierto que Vuestra Alteza se satisfará y juzgará que haciendo yo venido a tal término y tomada tal resolución, habré sido forzado y constreñido de causas tan urgentes y tan precisas que en ninguna manera se han podido dexar de llegar a este punto...[30]

Felipe II a su hermana la emperatriz María de Austria

Señora: las cosas del Príncipe han pasado tan adelante y venido a tal estado que para, cumplir con la obligación que tengo a Dios, como Príncipe cristiano, y a los Reinos y Estados que a sido servido de poner a mi cargo, no he podido excusar de hacer mudanza de su persona y recogerle y encerrale. El deber y sentimiento con que habré hecho esto, Vuestra Majestad lo podrá juzgar (...), más en fin, yo he querido hacer sacrificio a Dios de mi propia carne y sangre, y preferir su servicio y el bien universal a las otras consideraciones humanas.

Las causas antiguas como las que de nuevo que han sabrevenido me han constreñido a tomar esta resolución, son tales y de tanta calidad que yo no las podré referir ni Vuestra Majestad oír sin removerse el dolor y lástima; además a su tiempo las entenderá Vuestra Majestad. Sólo me ha parecido que el fundamento desta mi determinación no depende de culpa ni des(...) ni es enderezado a castigo que —aunque para esto habría materia suficiente— pudiera tener su tiempo y término. Ni tampoco lo he tomado por medio con que por este camino se reformarán sus desórdenes; tiene este negocio otro principio y raíz cuyo remedio no consiste en tiempo ni medio, que es de mayor importancia y consideración para satisfacer yo a las dichas negociaciones que tengo a Dios...[31]

Felipe II a su tía Catalina de Austria

Aunque de muchos días antes del discurso de vida y modo de proceder del Príncipe, mi hijo y de los muchos y grandes argumentos y testimonios que para (...) sobre que ha días respondía a lo que Vuestra Alteza me escribió, pero que habrá visto, entendida la necesidad precisa que había que poner remedio, el amor de padre y la

---

[30] Haus, Hof und Staatsarchiv, Wien, Fam-Kor. A/2, 364; cf. mi estudio *Política mundial de Carlos V y Felipe II, op. cit.,* pág. 269.

[31] Cabrera de Córdoba, *Historia de Felipe II, op. cit.,* II, pág. 563.

consideración y justificación que para venir a semejante término debe proceder, me he detenido, buscando y usando de todos los otros remedios y caminos que para no llegar a este punto me han parecido necesarios. Las cosas del Príncipe, han pasado tan adelante y venido a tal estado, que para cumplir con la obligación que tanto a Dios, como Príncipe cristiano y a los Reinos y Estados que ha sido servido de poner a mi cargo, no he podido excusar de hacer mudanza de su persona y recogerle y encerrarle. El sentimiento y dolor con esto habré hecho Vuestra Alteza lo podrá juzgar, por el que yo sé que tendrá caso, como madre y reina de todos. Mas, en fin, yo he querido hacer en esta parte sacrificio a Dios de mi propia carne y sangre y preferir su servicio... y el bien y beneficio público a las otras consideraciones humanas las causas más antiguas como las que de nuevo han sobrevenido, y me han constreñido a tener esta resolución son tales y de tal calidad, que ni yo las podría referir ni Vuestra Alteza oír sin renovar el dolor y la estima de más que a su tiempo las entenderá. A Vuestra Alteza sólo me ha parecido ahora advertir que el fundamento desde mi determinación no depende de culpa, ni inobediencia, ni desacato, ni es enderezado a castigo, que aunque para, esta (...) suficiente materia, pudiera tener su tiempo y su término...

La confrontación de estas cartas permite algunas conclusiones. En todas se repiten estos fragmentos: primero, el agravamiento del mal comportamiento del Príncipe, hasta extremos intolerables («las cosas han pasado tan adelante...»); segundo, la consiguiente obligación que tiene el Rey de meterlo en prisión, como algo debido a Dios y a los reinos («... para cumplir con la obligación que tengo a Dios...»), y tercero, que no se trata de un riguroso proceder («... ni es enderezado a castigo...»).

A estos argumentos, que podíamos llamar básicos, añade otros razonamientos según sea el destinatario; así, a su tía Catalina y a su hermana María, como más allegadas, les tocará sus sentimientos:

> ... las causas... yo no las podré referir, ni Vuestra Majestad oír, sin renovarle el dolor y lástima...

También con ellas Felipe II tendrá una confidencia dolorosa:

> El dolor y sentimiento con que yo habré hecho esto, Vuestra Majestad lo podrá juzgar... mas, en fin, yo he querido hacer sacrificio a Dios de mi propia carne y sangre...

Añadamos que estas cartas son autógrafas. Yo he tenido en mis manos la enviada a Maximiliano II, que custodia el Archivo de Viena. Es, sin duda, un intento por parte del Rey de provocar un sentimiento de mayor intimidad ante materia tan grave, pero no creamos en un arranque de espontaneidad. No. Podemos asegurar que se trata de redacciones muy pensadas. El

Rey se limita a copiar un texto que tiene ante sí y que al fin ha dado por definitivo. Y esto lo sabemos porque en una ocasión se confunde y tiene que tachar y seguir adelante. Lo cual, además, encaja con esos dos días que quedan en blanco, entre la prisión y la fecha de las cartas, datadas a 21 de enero de 1568.

Pero también es obligado hacer otras consideraciones. Y la más importante, que el Rey se ve aquí entre dos fuegos, entre dos motivos acuciantes, encontrados entre sí: por un lado, necesita imperiosamente justificar su acción; por otro, le repugna revelar las culpas del Príncipe. Con lo cual, el resultado es un escrito lleno de ambigüedades, que no aclara suficientemente la conducta del Rey. Hay que sobrentender que el Príncipe ha puesto en peligro la seguridad del Estado (acaso su deseo de dar muerte al Rey o de pasarse al campo de los rebeldes flamencos), pero nada se dice en concreto. También se echa de ver la arrogancia regia: si ha tomado tal determinación y tan grave con su hijo, es porque era lo que debía, como Rey, a Dios y a sus súbditos. Y punto. El Rey ha hablado y todos tienen que asumir que ha hecho lo que tenía que hacer.

Pero eso era muy peligroso, dentro y fuera de la Monarquía. El mismo Felipe II temía que el pueblo madrileño no lo admitiese y llegase a amotinarse. De tal modo era así, que al menor ruido que oía acudía alarmado a las ventanas del alcázar:

> Tan atento estaba al negocio del Príncipe y sospechoso de las murmuraciones del pueblo, y en tal medida, que ruidos extraordinarios le hacían mirar si eran tumultos para sacar a Su Alteza de su cámara [32].

Y a su vez, el padre Mariana, entonces en un reino tan apartado como Sicilia, comentaría:

> De la causa de su prisión y del enojo de su padre se dixeron muchas cosas, como acontece en casos tan grandes... [33]

Y a fray Luis de León se le atribuirían unos versos muy significativos:

> Aquí yacen de Carlos los despojos:
> la parte principal volvióse al cielo,
> con ella fue el valor; quedóle al suelo
> miedo en el corazón, llanto en los ojos.

---

[32] Cabrera de Córdoba, *Felipe II, op. cit.*; cf. mi libro *La sociedad española en el Siglo de Oro*, Madrid, 1989, I, pág. 342.

[33] Padre Mariana, *Historia de España,* ed. cit., II, pág. 782.

Que viene a ser una censura a la severa justicia del Rey, que a todos ponía espanto, y un lamento por la muerte del Príncipe:

> ... quedóle al suelo
> miedo en el corazón, llanto en los ojos.

Medio siglo más tarde, Jerónimo de Quintana, en su *Historia de la Villa de Madrid,* aunque se muestra comprensivo con el proceder del Rey, le reprocha su secreto, que había dañado a su fama:

> ... como la causa principal se ignoraba y nadie sabía lo cierto del caso, asombró la resolución a todos, dando que decir, particularmente en los Reinos extranjeros, que hablaron diferentemente della, aduciendo mil mentiras, hijas de la ignorancia del suceso... [34]

En suma, el trueno fue enorme, pero el Rey, no valorando suficientemente el peso de la opinión pública, no condescendió en aclarar palmariamente su conducta, acaso por considerar que eso era poner en tela de juicio la dignidad con que había asumido sus deberes regios [35].

Algo que sus enemigos aprovecharían al máximo. Era dar la ocasión para las posteriores acusaciones de los Orange, los Schiller y los Verdi, en el correr de los siglos. Al contrario, Carlos V había sido muy celoso en mostrar siempre una clara transparencia en cuanto a sus acciones políticas; así, sus discursos políticos, como el de Worms ante la Dieta imperial, en 1521; el pronunciado en Roma, en 1536, ante el Papa, y, por último, el proferido en Bruselas con motivo de su abdicación, en 1555, no dejan atrás ningún misterio. En suma, el Emperador dio muestras siempre de comportarse como un hombre de Estado sincero, incluso ingenuo, que decía siempre con valentía lo que pensaba; por el contrario, Felipe II jamás dejaba traslucir su pensamiento.

Realizada la prisión, trasladado el Príncipe a un torreón del alcázar, tomadas las medidas adecuadas en palacio para lograr su incomunicación, informadas las Cortes del grave acontecimiento, aún faltaba algo importante. Pues una vez hecho público el conflicto entre el Rey y su hijo, el Príncipe heredero, quedaba en evidencia que lo que estaba en juego era el problema de la sucesión al trono. Una cuestión que la prisión del Príncipe no resolvía definitivamente. Si en un accidente fortuito el Rey fallecía, estaba claro que el Príncipe

---

[34] Jerónimo de Quintana, *Historia de la Villa de Madrid,* Madrid, 1629; reed. Ábaco Ediciones, Madrid, 1984, pág. 340.
[35] Posiblemente su mayor confidente fue el confesor, que lo era entonces fray Diego de Chaves. De ahí que en su *Codicilo* ordene el Rey que se quemaran todos los papeles que se encontraran del confesor, que entonces lo era también del Príncipe. Sobre todo, véase lo que indico en mi reciente edición crítica del *Codicilo* del Rey *(Codicilo y última voluntad de Felipe II,* Valencia, Ediciones Grial, 1997, págs. 52 y sigs.).

se convertía en el nuevo soberano y que todo lo iniciado por Felipe II quedaba en el aire.

Pues la prisión del Príncipe no era sólo para evitar al Rey dificultades en el gobierno de su reino, sino que iba mucho más allá. Es una de las pocas cosas que se traslucen de las cartas de Felipe II:

> ... cumpliendo yo con lo que debo al servicio de Dios y bien y beneficio de mis Reinos y Estados...

Eso quería decir que Felipe II había llegado a la conclusión de que su hijo no podía gobernar. La prisión había puesto remedio a sus intentos de fuga y, acaso, a que secundase a los rebeldes flamencos. Faltaba completar las medidas tomadas procediendo a la incapacitación legal del Príncipe.

Por lo tanto, un proceso.

Es algo de sentido común y, sin embargo, uno de los puntos más debatidos por los especialistas, desde que Gachard lo pusiera en duda.

Pero las primeras referencias están en Cabrera de Córdoba, quien nos dice que el Rey pidió que se le mandara, desde Barcelona, copia del proceso que el rey Juan II había hecho a su hijo el príncipe de Viana. Y dice más: que había nombrado una Comisión presidida por el cardenal Espinosa:

> Hizo una Junta del cardenal Espinosa, Ruy Gómez de Silva y el licenciado Briviesca, para causar proceso justificado de la prisión y causa del Príncipe[36].

Iniciado el proceso de don Carlos, cuando el Príncipe falleció, ordenó el Rey que todos los papeles del proceso se llevasen a Simancas, donde se quedaron en un cofrecillo verde, con mandato expreso de que por nadie fuera abierto. Ahora bien, el cofrecillo verde, que la tradición señalaba en Simancas como el que contenía el secreto del Rey, abierto a principios del siglo XIX, en la época de las guerras napoleónicas, sólo reveló otro proceso muy distinto: el del ministro de Felipe III Rodrigo Calderón, marqués de Siete Iglesias.

¿Todo eso puede llevar a la conclusión de que Felipe II jamás procesó a su hijo? Nada está probado. La carencia de pruebas es sólo una pista, no una prueba, dado que el Rey pudo bien considerar que el proceso del Príncipe sólo era necesario para desplazarle del poder en el futuro, sentenciando su incapacidad; algo que la muerte se había encargado de realizar a la perfección.

De ahí el juicio, tan penetrante, de Cabrera de Córdoba: «... el padre se afligió, pero el Rey se aquietó», lo que pone una seria interrogante sobre la actuación del Rey.

Pues, a lo que sabemos, el Príncipe, desesperado por la falta de libertad,

---

[36] Cabrera de Córdoba, *Felipe II, Rey de España,* Madrid, 1887; cf. mi estudio *Política mundial de Carlos V y Felipe II,* Madrid, 1966, pág. 268.

cometió excesos sin cuento. Y, como había hecho su bisabuela cuando fue encerrada por su marido Felipe el Hermoso, también don Carlos acudió al único medio al alcance de su mano para abreviar la vida: la huelga de hambre. Fallándole la voluntad necesaria para ello, dio en otro exceso, más acorde con su tendencia, como comidas hasta límites insufribles para su débil contextura, con el consiguiente quebranto de su salud. Y lo agravó todo, en aquel verano sofocante —como suelen ser los de Madrid en todas las épocas, y más en aquel torreón donde estaba recluido—, tratando de aliviar los calores en la noche llevando hielo al mismo lecho.

Algo que pocos organismos hubieran soportado, y menos el del Príncipe, de suyo tan enclenque y quebrantado.

Pero, de ese modo, don Carlos logró su propósito: abreviar sus días en la prisión que tan insoportable se le hacía. Cuando se encontró enfermo de muerte, manifestó dos deseos: ser visitado por el Rey, para conseguir su perdón, y alcanzar la fecha simbólica del 25 de julio, festividad de Santiago.

Ninguno de esos deseos los vería cumplidos. El Rey sólo le echó la bendición al hijo moribundo tras las espaldas de los guardianes, y la muerte le llegó a don Carlos la víspera de Santiago.

Ahora bien, cuando Felipe II señala la disposición del grupo fúnebre que había de acompañarle por los siglos de los siglos en la basílica del monasterio de San Lorenzo de El Escorial, se acuerda de don Carlos. Su muerte en prisión había eliminado el grave problema de Estado. El Rey era ahora quien daba paso al padre. De ese modo, Felipe II podía pensar que recuperaba a su hijo ante la posteridad.

En la manera de cómo da cuenta de su muerte a los súbditos se echa de ver también que daba por resuelto «cristianamente» aquel espinoso asunto.

Véase, si no, la forma en que lo comunica a la Universidad de Salamanca, como lo hizo al resto del país:

> Venerables Rector, maestrescuela, consiliarios y diputados del Studio y Universidad de Salamanca. Sábado que se contaron 24 deste mes de Julio antes del día, fue Nuestro Señor servido de llevar para sí al Serenísimo Príncipe don Carlos, mi muy caro y muy amado hijo, habiendo recibido tres días antes los santos sacramentos con gran devoción. Su fin fue tan cristiano y de tan católico Príncipe que me ha sido de mucho gran consuelo para el dolor y el sentimiento que de su muerte tengo, pues se debe con razón esperar en Dios y en su misericordia le ha llevado para gozar d'El perpetuamente, de que he querido advertiros como es justo para que hagáis la demostración de lutos y otras cosas que en semejante caso se acostumbra y suele hacer.
> De Madrid a 27 de julio de 1568 años.
> Yo, el Rey
> por mandato de Su Majestad, Francisco de Erasso [37].

---

[37] Archivo de la Universidad de Salamanca, col. Documentos Reales, leg. 2.870-2.

Como leemos en Cabrera de Córdoba, algo queda claro: el padre se entristecía, pero el Rey se sosegaba.

¿Qué podríamos añadir? Quizá algo más. Por ejemplo, que tras tantos años de plantearme el tema, he llegado a la conclusión de que don Carlos fue víctima de un adverso destino, que lo fue destruyendo. Bisnieto por doble vía de Juana la Loca, huérfano de madre y creciendo siempre como tal, viviendo en cortes apartadas —Aranda, Toro—, a las que sólo de tarde en tarde se asomaba el padre —demasiado joven, acaso, para sentir las obligaciones paternas—, sufriendo un gravísimo accidente que le afectó a la cabeza y que contribuyó a hacer aún más inestable su carácter, apartado por ello del poder, lo que intensificaba cada vez más su situación de acorralamiento, representando de todas formas una generación que añoraba la heroica de Carlos V y que le enfrentaba ineludiblemente con la de Felipe II, sujeto a los manejos de los descontentos de aquel reinado (en particular, la nobleza flamenca, ansiosa de encontrar un apoyo en la corte), sin opción alguna para suceder a su padre por la vía normal, todo parecía confluir para su enfrentamiento con el Rey. Para suceder a su padre hubiera tenido que esperar treinta años; toda una eternidad en las sociedades del Antiguo Régimen. De ahí que don Carlos represente algo más que una oposición, una oposición desesperada.

Ya hemos visto que el padre Mariana, con certera visión, nos dice que al Príncipe le perdió su impaciencia. Mas ¡cuán difícil era ser paciente representando a la oposición frente a Felipe II!

Por eso, y como último comentario, cabría decir que si en el Rey y en su actuación frente al hijo y heredero puede encontrarse algo de las virtudes de la antigua Roma, de un rey que con ánimo estoico aplica la ley que precisa el Estado, aunque sea en contra de su carne y su sangre —lo que haría recordar la antigua sentencia romana *dura lex, sed lex*—, en cuanto a don Carlos, al verle tan desventurado y cómo va cayendo lentamente en un abismo sin fondo, hasta encontrar la prisión y la misma muerte, nos hace sentir una inmensa compasión.

Dura lex, sed lex: he ahí la sentencia que recordar para comprender al Rey; siempre y cuando no olvidemos las angustias indecibles del Príncipe, que, de ser heredero de la Monarquía más poderosa de su tiempo, se convierte en un mísero prisionero de Estado que muere irremisiblemente en prisión.

Por lo tanto, 1568 quedaría marcado como el *annus horribilis* del reinado de Felipe II. A los cincuenta días de la ejecución de los condes de Egmont y de Horn —donde tan palmaria resultaba la intervención regia—, llegaba la noticia de la muerte en prisión del príncipe don Carlos. Y, por si fuera poco, a los tres meses, la de la reina Isabel de Valois. Demasiadas coincidencias para que los enemigos de Felipe II no las aprovecharan, aunque las circunstancias de cada caso fueran bien distintas.

En cuanto a Isabel de Valois, no se trataba ciertamente de ningún enemigo del Rey. Al contrario, se había manifestado como la más decidida de la idea de su marido de que en Francia su madre, Catalina de Médicis, debía actuar con mano dura contra la nobleza hugonota, como se echó de ver en la carta que le mandó en el verano de 1568 [38]. Y aunque resulte evidente que la escribiera a petición de su marido, todo parece indicar que compartía sus sentimientos de que consentir la herejía era la ruina del Estado.

Otra prueba de las buenas relaciones entre los reyes la tenemos en el mismo embarazo de Isabel de Valois, anunciado en el verano de 1568. Un embarazo que fue recibido con júbilo por la corte, confiando en que Isabel daría un heredero varón a la Corona, tanto más necesario cuanto que ya había muerto don Carlos. El embajador francés Fourquevaulx participaba de esa misma alegría: Catalina de Médicis podría ver a un nieto suyo como rey de las Españas [39].

No sería así. La siempre frágil salud de Isabel de Valois se resintió con el nuevo embarazo. Un doloroso ataque nefrítico puso a prueba su organismo. En vano trataron los médicos de la corte de combatir su mal; es más, incluso es posible que lo precipitaran todo con sus rutinarios procedimientos, en los que no podían faltar las temibles sangrías. Vómitos constantes y al final un aborto acabaron con las últimas fuerzas de Isabel.

Era el 3 de octubre de 1568.

El Rey, que había acompañado a Isabel en su tránsito, se recogió en el convento madrileño de los Jerónimos a llorar su pena. Y no cabe duda de que era sincera.

Una pena compartida por el pueblo madrileño:

> Fue grande la demostración de llanto y sentimiento que hicieron las damas y todo el pueblo [40].

Tal fue el penoso saldo del año 1568, que tan profunda huella dejó en el carácter de Felipe II. A partir de entonces, nada sería como antes.

LA CRISIS DE MILÁN

Y en torno a ese año 1568, ese *annus horribilis* del reinado de Felipe II, es cuando se produce la crisis milanesa, abierta entre el gobernador y capitán general, que lo era entonces el duque de Alburquerque, y el arzobispo de la ciudad, nada menos que san Carlos Borromeo.

En principio, todo empezó por una serie de incidentes casi banales, pero que fueron complicándose cada vez más, hasta acabar convirtiéndose en materia de los más serios conflictos internacionales, como los que podían darse entre la Monarquía católica y Roma.

---

[38] Martin Hume, *Reinas de la España antigua, op. cit.,* pág. 273.

[39] *Ibídem,* pág. 284.

[40] Jerónimo de Quintana, *op. cit.,* pág. 370.

En primer lugar, el gobernador de Milán, el duque de Alburquerque, hombre «muy cristiano» pero de luces limitadas, pretendió un puesto preferente en las ceremonias religiosas oficiadas por el Arzobispo; pequeñas cuestiones, tales como un sitial destacado en la iglesia, o acompañar al Arzobispo a su vera en las procesiones, que el cardenal Borromeo se negó a conceder, entendiéndolo como una intromisión del poder civil, y celoso de mostrar ante el pueblo la independencia de su dignidad eclesiástica.

A su vez, san Carlos, muy afanoso de cumplir los decretos tridentinos y de convertir su arzobispado en un territorio modélico, se decidió a combatir todos los pecados tipificados en el Concilio: ofensas a la divinidad (blasfemias), desprecio al santo sacramento del matrimonio (adulterios), opresión económica con préstamos leoninos (usura). Así llamó a su tribunal eclesiástico no sólo a clérigos, sino también a laicos, y para tener poder coercitivo se hizo con una pequeña fuerza armada de alguaciles. Esto, a su vez, se tomó por el gobernador como una intrusión del poder eclesiástico en las competencias del civil.

Sin embargo, la colisión no se produciría, en principio, entre los dos máximos poderes milaneses, sino entre el Arzobispo y el Senado. Las medidas disciplinarias de san Carlos irritaban principalmente a la nobleza milanesa, o, al menos, al sector de nobles que abusaban de su poder y que llevaban una vida licenciosa, como era la general costumbre en toda la Cristiandad. Recordemos el caso paralelo de España, cuando en la obra de Alfonso de Valdés (el famoso *Diálogo de Mercurio y Carón),* escrita en ese siglo (cuarenta años antes), se hace aparecer al alma de un duque, y a la pregunta de Caronte de cómo había vivido, como si fuera una pregunta ociosa, cuya respuesta había que dar por supuesta:

> Como los otros; comer y beber muy largamente, y aun a ratos no me contentaba con mi mujer, y todo mi cuidado era de acrecentar mi señorío y sacar dineros de mis vasallos[41].

Más significativo es, a mi entender, que en la obra de Valdés, dividida en dos partes, en la primera de las cuales va dando las versiones negativas de los diversos personajes sociales (el mal predicador, el mal duque, el mal cardenal, etc.), y en la segunda, sus réplicas ejemplares, Alfonso de Valdés omite la estampa del buen duque, como si en toda su vida no se hubiese topado con ninguno.

Uno de esos nobles licenciosos iba a ser procesado por el tribunal del Arzobispo y detenido por uno de sus alguaciles. Eso pondría en marcha la reacción inmediata del Senado, que, considerando que el tal alguacil había quebrantado la ley, ordenó a su vez su castigo, incluso, si se fuera a creer a

---

[41] Alfonso de Valdés, *Diálogo de Mercurio y Carón,* ed. de J. F. Montesinos, Madrid, 1954, pág. 53.

fuentes cercanas al Arzobispo, no respetando para ello la inmunidad del recinto sagrado, a la que se había acogido el alguacil; el cual, en todo caso, recibió público castigo y destierro de la ciudad ducal; excesiva penalización que fue censurada tanto por Alburquerque como por Felipe II. Pero el Santo fue más allá, pronunciando la excomunión. El Senado, a su vez, no se amilanó y dio orden a sus ministros de arrancar el edicto de excomunión del Arzobispo.

Era evidente que el Senado jugaba demasiado fuerte. Detrás del Cardenal, y dándole todo su apoyo, surgió ya la figura de Pío V. El conflicto escapaba, pues, del ámbito milanés, para saltar a Roma y a Madrid. Pío V citó al Senado de Milán ante su tribunal romano, no cediendo a las presiones del embajador español, entonces Luis de Requesens, más que en la ampliación del plazo concedido.

Así las cosas, cuando la noticia llegó a Madrid, Felipe II se vio forzado también a intervenir. La postura del Rey era harto incómoda. Por una parte, no podía ver sino con buenos ojos el proceder santificante de Borromeo, al tratar de que en su arzobispado se viviera conforme a los principios religiosos y morales acordados en Trento. Pero, a la vez, tenía que procurar desviar el castigo que amagaba sobre el Senado de Milán, ya que su desprestigio también salpicaba al poder hispano en Italia. Era preciso, por tanto, negociar con las autoridades eclesiásticas en Milán y en Roma, y a tal fin correspondió la embajada del marqués de Cerralbo [42].

Para entonces corría el mes de octubre de 1567. La época del año, el largo viaje, y sin duda también la categoría del embajador especial, contribuyeron a la suma lentitud de aquella acción diplomática. Cerralbo ya no se encontraría en Milán hasta entrado el mes de enero de 1568, ese año realmente difícil en el reinado de Felipe II.

Cerralbo trató de conseguir de Borromeo que cediera en su sentencia frente al Senado, haciéndole ver que el castigo de laicos correspondía a la justicia real, llegando, al parecer, a veladas amenazas, respecto a lo que el Rey se vería obligado a proceder, si las cosas no se solucionaban satisfactoriamente; esto es, que el Senado no tuviera que acudir a Roma y que su prestigio no fuese puesto en entredicho. La réplica del Santo fue inmediata: estaba dispuesto al martirio, antes que consentir que la autoridad de la Iglesia sufriera menoscabo [43].

El escaso resultado de Cerralbo en Milán obligó al Marqués a desplazarse a Roma, donde Pío V estaba a punto de dictar sentencia contra el Senado milanés. La Monarquía católica tuvo que desplegar toda su fuerza diplomática, ayudando al embajador español Zúñiga los prelados Pacheco y Granvela. Al fin se consiguió que el Papa sustituyese la obligación del Senado de presentar-

---

[42] Para todos estos sucesos, el mejor resumen en L. Pastor, *Historia de los Papas,* Barcelona, 1963, 3.ª ed., vol. XVIII, págs. 14-23; cf. la obra de Luciano Serrano, *Correspondencia diplomática entre España y la Santa Sede,* III, págs. V y sigs.

[43] L. Serrano, *op. cit.,* III, pág. XVIII.

se en Roma por la de un público desagravio al arzobispo Borromeo en Milán; solución que, sin embargo, seguía sin ser aceptable para España.

En tales negociaciones fueron transcurriendo los meses. En la primavera de 1569, y entendiendo que nada más podía conseguir, Cerralbo regresaba a España; evidentemente, por mandato de Felipe II, que así quería dar muestras de su disgusto. De forma que fue llegada la hora de que Roma considerase oportuno mandar a su vez una embajada especial a Madrid: en este caso, a Giustiniani.

Cuán difíciles eran entonces las negociaciones diplomáticas se refleja en ese hecho de que un incidente, sin duda de pequeño porte, podía alargarse e irse agravando, conforme pasaban meses y años. En agosto de 1569, Pío V enviaba a Giustiniani a España; precisamente era cuando nuevos conflictos en Milán lo ponían todo más difícil.

En efecto, entre las instituciones religiosas que san Carlos Borromeo quería reformar estaba el cabildo de Santa María de la Scala de Milán, el cual, por otra parte, aducía privilegios por pertenecer al Patronato regio, que le ponían al margen de la jurisdicción del Arzobispo. Pese a ello, los ministros arzobispales inician su tarea, apresando al sacristán del cabildo de la Scala. A ello responde el conservador apostólico del cabildo nada menos que excomulgando al tribunal del Arzobispo. En vista de ello, san Carlos anuncia su visita personal de reforma del cabildo para el 31 de agosto de 1569.

Con qué expectación vivió Milán aquella jornada, es cosa que se puede vislumbrar. Los partidarios del cabildo se presentaron bien armados y cerraron el paso al cortejo del Arzobispo espada en mano. Para apoyarse en la guardia del gobernador, arremetieron al grito de «¡España, España!». Por lo tanto, el conflicto entre jurisdicciones eclesiásticas volvía a saltar otra vez al campo de las tensiones entre España y Roma.

Fue entonces cuando san Carlos Borromeo dio pruebas de su temple de ánimo, abriéndose paso entre la alborotada multitud.

Estamos ante un momento en el que el testimonio directo de las fuentes resulta insustituible. El memorial *In questa città* nos presentará el suceso con tanta viveza, que nos parece estar escuchando las voces del populacho, y, de pronto, el silencio admirativo, ante el gesto valiente del santo:

> ... arrivato il Cardinale, non potendo per la grande moltitudine intrare nel vestibulo di detta chiesa, dove era il capitulo di essa, per dagli la sua ragione..., il Cardinale, smontato di cavallo et pigliata la croce delle mani del suo crucigero, con essa tentò a gran forza di farse largo tras la moltitudine..., dal quale riuscì che furono sfondrate molte spade et scitato grandissimo tumulto, con no poco pericolo della persona, così del Cardinale, come di ogni altro che si truovò in detto luoco [44].

---

[44] Citado por Luciano Serrano, *op. cit.*, III, pág. XXX, nota 1.

Al fin, san Carlos logró penetrar en la iglesia, excomulgando públicamente al cabildo rebelde, si bien el conservador del cabildo, a su vez, y con notoria extralimitación de sus funciones, hacía lo propio con el Arzobispo.

El escándalo producido por todo ello entre el pueblo de Milán sólo se puede apreciar si se tiene en cuenta con qué pasión se vivían entonces los asuntos religiosos.

Paralelamente a estos tumultos, el gobernador español había aumentado más la tensión, publicando un duro bando contra todos los que se atreviesen a ir contra la justicia real, sin excepción de personas. La mayor parte de los ministros del tribunal del Arzobispo tomaron como mejor medida buscar en la fuga su remedio. El propio Santo se consideró amenazado [45].

En esa tensa situación, cuando las noticias llegaban cada vez más alarmantes a Roma y a Madrid, y cuando tanto san Pío V como Felipe II pensaban que debían tomar decisiones más graves, en defensa cada uno de su propia jurisdicción, un hecho que consternó a todos vino a resolver de momento la cuestión, imponiendo una especie de tregua.

Y ese suceso fue el atentado de que fue objeto san Carlos Borromeo, ataque tanto más sacrílego cuanto que se realizó cuando estaba en su oratorio. Aquello desarmó al duque de Alburquerque y, por supuesto, a Felipe II, que daría orden a su gobernador de dar toda clase de excusas al Santo. Como se puede comprender, Felipe II tenía el máximo interés en demostrar al mundo que nada tenía que ver con la criminal agresión. Alburquerque le daba la noticia a Zúñiga (el embajador español en Roma), completamente consternado, sabiendo sin duda que a él le podía salpicar aquel lamentable suceso:

> Después de scripta ésta ha sucedido la cosa del mundo que más pena me podía dar, porque estando el Rmo. Cardenal en su oratorio, hincado de rodillas, con otros clérigos y personas de su casa que con él estaban, le tiraron (...) un arcabuzazo (...). Y hizo Dios milagro que no le hiciesen otro daño.

Era un criminal atentado con resultado de milagro manifiesto. También resultaba evidente la santidad de Carlos Borromeo en su forma serena de reaccionar:

> ... y estando su oratorio tan lleno de gente, no consintió que saliese nadie tras el que lo tiró, y tornó a continuar su oración...

Alburquerque le visita, deseoso de congraciarse con el santo varón, y así lo manifiesta:

---

[45] L. Serrano, *op. cit.,* III, pág. XXXV.

... le hallé tan consolado y sin cólera, que a cualquiera hombre pusiera devoción... [46]

También Felipe II mostró su indignación:

Quanto al arcabuzazo que tiraron al dicho Cardenal, el atrevimiento de tan execrable caso ha sido de manera que nos ha puesto en mucha admiración...

Así lo manifestaba el Rey al duque de Alburquerque a fines de noviembre de 1569, ordenando a su gobernador que extremase el celo para detener al malhechor; al mismo tiempo que transmitía su apoyo al Cardenal en su enfrentamiento con el cabildo de Santa María de la Scala y mandaba al Duque que ayudase en aquel conflicto al arzobispo Borromeo [47].

Con razón Roma podía señalar a Felipe II que aquello no era sino el fruto natural de la falta de apoyo que el Arzobispo había tenido:

Questi sono i frutti che finalmente sono nati della poca intelligenza, anzi più tosto dalla quasi manifesta inimicitia et dai continui disfavori che gli hanno usati et mostrati i ministri di S.M. ... [48]

Lenguaje entendido por el Rey, que así ordenaría al duque de Alburquerque que tanto el cabildo de la Scala como el Senado dieran una pública demostración de desagravio al cardenal Borromeo. Si bien, en la defensa de lo que tocaba a la autoridad real, Felipe II ordenaba «que no haya ningún descuido», eso era más bien advertencia para el futuro, saliendo de aquella crisis apoyando al Cardenal en su visita reformadora de Santa María de la Scala, aunque perteneciera al Patronato Real, pues precisamente por ello estaba obligada a la vida más ejemplar. De forma que el Rey acababa sentenciando a favor del Cardenal:

Y es cosa clara y averiguada que al dicho Cardenal le toca, por el derecho común, la dicha visita... [49]

Y eso fue ya la victoria del Santo. Como comenta Ludwig Pastor:

Con esto no se dio ciertamente una solución radical de los deba-

[46] Alburquerque a Zúñiga, 26 de octubre de 1569, en Luciano Serrano, *op. cit.,* III, pág. XXXV, nota 1. No deja de ser significativo, para comprender el apasionamiento religioso de la época, que para Alburquerque los frustrados homicidas tenían que ser luteranos: «porque en ningún otro hombre podía caber tal maldad» *(ibídem).*
[47] Felipe II al duque de Alburquerque, Madrid, 27 de noviembre de 1569 (AGS, E., leg. 1.223; original).
[48] Citado por Pastor, *op. cit.,* XVIII, pág. 22.
[49] Felipe II al duque de Alburquerque, carta cit. de 27 de noviembre de 1569.

tes pendientes; pero que Borromeo consiguiese tanto, nadie sin duda, fuera de él mismo, lo hubiera creído[50].

Sería minimizar la cuestión si la dejáramos en esta mera película de los sucesos. Otra vez, al contemplar el desenlace, hay que considerar que los conflictos de Milán son algo más que unos episodios locales. Detrás de san Carlos Borromeo está la Roma de san Pío V, como detrás del duque de Alburquerque está la España de Felipe II. Esto ya eleva el conflicto de nivel, pasando de la escala milanesa a la italiana e incluso a la internacional.

Que un entendimiento entre Roma y España, entre san Carlos y el gobernador español de Milán tenía que producirse, estaba en la misma dinámica de los sucesos. Ya hemos recordado cuán difícil era la situación para el catolicismo europeo, con Escocia separada y la reina María Estuardo en prisión, con una Isabel de Inglaterra cada vez más amenazadora, con los hugonotes franceses, al mismo tiempo, también más activos y con Guillermo de Orange no cejando en su empeño de alzar los Países Bajos contra Felipe II. A principios de 1569 era una realidad en España el alzamiento de los moriscos granadinos. El Turco amenazaba a Venecia en Chipre. Roma se esforzaba por lograr una Santa Liga con España y Venecia, que al fin se firmaría en 1570. Por lo tanto, ese arreglo de la cuestión milanesa, a finales de 1569, era totalmente preciso, se convertía en una auténtica necesidad.

Aunque el cardenal Borromeo hubiera fijado sus citaciones sin el plácet del gobernador a que por los acuerdos entre Roma y la Monarquía católica estaba obligado, Alburquerque no podía llevar su represalia al mayor extremo (se hablaba, incluso, de destierro del arzobispo de Milán), porque hubiera provocado, de inmediato, la ruptura con Roma. Y Felipe II era muy consciente de que aquello era un grave error en el que no se podía caer; véase, si no, cómo se lo expresa a su propio gobernador en Milán, duque de Alburquerque, cuando resume los últimos acontecimientos del año 1569, incluido el atentado sufrido por el Cardenal:

> ... que por esto se haya de romper con Su Santidad (...), bien podéis considerar quánto esto es fuera de lo que conviene, y en tiempo en que tantas otras cosas públicas y particulares hay en que entender y que tan turbada está la Cristiandad y llena de tantos errores, y el contentamiento y júbilo que sería para los herejes vernos agora en rotura, siendo como somos, por la bondad de Dios, el único escudo y defensor de la Iglesia...[51]

---

[50] L. Pastor, *Historia de los Papas, op. cit.*, XVIII, pág. 23.
[51] Felipe II al duque de Alburquerque, carta cit. de 27 de noviembre de 1569.

8

ESPAÑA *VERSUS* ISLAM

El final de la Reconquista, con la toma de Granada, había marcado a España —la de los Reyes Católicos— como la potencia de la Cristiandad que podía hacer frente a la expansión del Islam, que, tras la conquista a su vez de Constantinopla, se había convertido en la gran amenaza con que debía enfrentarse Europa.

Se haría eco de ello el gran humanista alemán Jerónimo Münzer cuando, en presencia de los Reyes Católicos, en 1495, sólo, pues, tres años más tarde de la toma de Granada, les animaría a la reconquista de los Santos Lugares. Con elocuentes razones, les diría:

> Para vosotros está reservado el triunfo. Para vosotros el coronaros con los trofeos de tal victoria. Poder sobrado tenéis para ello, ya que no hay ningún otro soberano a quien se le ofrezca más propicia ocasión que a la que a vosotros se os brinda...

Y añadía, enardecido:

> El África tiembla ante vuestra espada y se dispone a someterse a vuestro cetro. Con ella no tendréis ya los enemigos a la espalda...[1]

Es conocida la consigna dada por la gran reina Isabel a su hija Juana y a Felipe, en su testamento: «... que no cesen en la conquista de África...»

Era algo que sentía como propio toda Castilla y, muy en particular, Andalucía. Antes que la acción de los corsarios berberiscos sobre las costas mediterráneas españolas en el siglo XVI, hay que anotar la que los andaluces empezaron a ejercer sobre el norte de África a finales del siglo XV, entre las

---

[1] J. Münzer, *Relación de su viaje a España,* en García de Mercadal, *Viajes de extranjeros por España y Portugal,* Madrid, 1952, I, pág. 405.

cuales destacó por su importancia la realizada por Pedro de Estopiñán en 1497, con la toma de Melilla, bajo la protección del duque de Medina-Sidonia.

Era una acción privada, no de carácter estatal, y, sin embargo, un importante principio, con el esperanzador resultado de que desde medio milenio Melilla forma parte de España. Pero, para una acción más amplia sobre África, era preciso que la Corona tomase el relevo.

Es aquí donde entra en juego el impulso de Cisneros sobre Orán.

En 1505, el alcaide de los Donceles se apoderó de Mers-el-Kebir (el Mazalquivir de los documentos españoles), para eliminar un peligroso nido de corsarios berberiscos. Tres años después, en 1508, Pedro Navarro conquistó el Peñón de Vélez de la Gomera. Y al fin, en 1509 se produce la famosa expedición sobre Orán, financiada por el cardenal Cisneros con los grandes recursos del arzobispado de Toledo. Partiendo de Cartagena, la flota española transportó un pequeño pero aguerrido ejército (10.000 infantes, 4.000 caballos, amén de un poderoso tren artillero, que era la gran lección aprendida en las guerras de Granada) a Mers-el-Kebir, que sirvió como cabeza de puente para la ofensiva sobre Orán, tomada por asalto en una sola jornada bajo la dirección de Pedro Navarro.

El ímpetu español parecía irresistible. A lo largo del siguiente año, 1510, el despliegue español sobre el norte de África fue espectacular. En enero de este año se tomaba Bujía y el 25 de julio la lejana Trípoli, mientras Argel se declaraba vasalla del rey de Castilla. Triunfos que Roma celebraba como propios, de forma que el papa Julio II titulaba a Fernando el Católico «atleta de Cristo». Es posible creer que el Rey Católico, enardecido por tan brillantes resultados, soñase incluso por hacer buenos los deseos de la Cristiandad, acaudillando personalmente una cruzada para reconquistar los Santos Lugares.

Precisamente a ese año de 1510 corresponde una carta de Fernando el Católico a Diego Colón, entonces su segundo almirante en las Indias. Había que financiar aquellas campañas y, por ende, urgía conseguir más oro de las Indias.

Es cuando, tristemente, empieza a crecer la trata negrera, para que esclavos africanos consiguiesen lo que no se podía hacer con los indios:

> Vi vuestra letra —le escribe en enero de 1510— que enviastes con vuestro hermano Fernando, y vi todo lo que él me dixo de vuestra parte. Ahora sólo respondo a lo que decía de las minas de donde se saca mucho oro. Y pues el Señor lo da, y yo no lo quiero sino para su servicio en esta guerra de África, no quede por descuido el sacar lo más que se pudiera. Y porque los indios son floxos para romper las piedras, métanse todos los esclavos en las minas, que yo mando a los oficiales de Sevilla que os envíen los cincuenta esclavos[2].

---

[2] Fernando el Católico a Diego Colón, enero de 1520; cf. mi ensayo *Viajes de un historiador*, Madrid, 1955, pág. 158.

De modo que Fernando el Católico sueña con una cruzada y cae en la contradicción —típica, por otra parte, de los soberanos de su tiempo— de impulsar la trata negrera que facilitase la explotación minera de las Indias[3].

Pero no sólo con el dinero indiano. También ayudaron las Cortes de Castilla e incluso las de Aragón, de forma que podemos ver a las reunidas en Monzón otorgando 500.000 libras aragonesas.

Y Pedro Mártir de Anglería, el humanista milanés al servicio de la corte de Fernando el Católico, escribiría a su protector y amigo el conde de Tendilla:

> De ahora en adelante nada habrá ya difícil para los españoles, nada emprenderán en vano. Sembraron el pánico en toda África[4].

La conquista de Trípoli, narrada con detalle por el milanés, le arranca esta frase admirativa:

> ... los africanos, en otro tiempo tan temibles para los españoles, ahora ceden ante ellos donde quiera que se pelee...[5]

Como comenta Croce, en aquel momento toda Europa pensaba que el ímpetu hispano vencería al Islam en el Mediterráneo e incluso acabaría rechazando la amenaza turca[6].

No fue así, como es notorio. Hubo un traspié, un duro revés, cuando Pedro Navarro asaltó la isla de las Djelbes, un fuerte descalabro español, con la muerte de don García de Toledo y de muchos otros cortesanos.

Aún fue más decisivo que Fernando el Católico desviase su impulso del norte de África, atento a lo que sucedía en Italia, con la guerra encendida entre el Papa y Francia. La convocatoria de Luis XII de un pretendido concilio en Pisa, combatido por el papa Julio II, llevaría a la Santa Liga y a la condena por Roma del rey francés y de sus aliados como cismáticos. ¡Era la ocasión para penetrar en Navarra! Y Fernando el Católico no la desaprovechó. Corría el año 1512.

Y Navarra se incorporó a la Corona de España, pero las empresas de África quedaron sin culminar. A la muerte de Fernando el Católico, en 1516, un cabecilla de gran protagonismo pondría ya una interrogante a la supremacía hispana en el Mediterráneo.

---

[3] Ya anotaba yo en 1969 ese saldo negativo de la esclavitud, vinculada a la acción española, y no sólo con los conseguidos en el África negra, sino también en el norte de África, de forma que la campaña de Orán convirtió a Cartagena en un importante mercado de esclavos. Ver mi trabajo «La crisis del nuevo Estado (1504-1516)», en *Historia de España Menéndez Pidal,* t. XVII-II, pág. 712.

[4] Anglería, *Epistolario,* pág. 313.

[5] *Ibídem,* pág. 325.

[6] «... l'Europa intera sperò che la potenza spagnola l'avrebbe definitivamente liberata dalla minaccia turca» (B. Croce, *La Spagna nella vita italiana durante la Rinascenza,* Bari, 1949, pág. 277).

Empezaba el poderío de Khair ad-Din Barbarroja, con su centro de poder en Argel.

Bajo Carlos V se combatiría con diversa fortuna en el Mediterráneo. Sonada fue su gesta, al apoderarse de Túnez en 1535, al frente de un ejército tan vario como su propio imperio y con la ayuda de Portugal. Pero jamás pudo aniquilar el poderío de Barbarroja, siendo prueba de ello su desafortunada campaña sobre Argel de 1541, que a punto estuvo de costarle la vida.

Es digno de recordarse que el Emperador tanteó una Santa Liga, en 1538, para acometer una cruzada contra Solimán el Magnífico, Liga en la que entraban Roma, Venecia y su hermano Fernando. Incluso tuvo su inicio, con la ocupación de Herzeg Novi por un tercio viejo español en 1538, pero no su continuación. La Santa Liga se deshizo y el holocausto de los defensores de Herzeg Novi se consumó. Tras el desastre de Argel, Carlos V decidiría firmar treguas con Constantinopla acuciado por los sucesos del norte de Europa. Cediendo en su presión, la Monarquía católica fue perdiendo también algunas de sus posiciones privilegiadas. En 1551 caía Trípoli, y aunque Carlos V ya la había cedido a la Orden de San Juan, no por ello fue menos significativa su pérdida. Cuatro años después ocurría lo mismo con Bujía, lo que se consideró un desastre, hasta el punto de ser ajusticiado su desafortunado defensor, Alfonso de Peralta. Que Bujía cayese en 1555, el año de la abdicación de Carlos V, se podía tomar como un símbolo del declive hispano en el Mediterráneo.

A partir de ese momento se inicia una recuperación, fruto sin duda del impulso que da el nuevo reinado. Se promueve ante las Cortes de Castilla la recuperación de Bujía. El cardenal-arzobispo de Toledo, Silíceo, ofrece 30.000 ducados para financiar la empresa. No se llevaría a cabo, pero ya era un indicio de que Castilla tomaba conciencia de que no podía ceder más en su presencia en el Mediterráneo.

Ahora bien, quizá debiéramos lanzar una mirada a los tiempos en que gobernaba Felipe, como lugarteniente de su padre. Braudel lo hace a partir de 1551. Es evidente el protagonismo de Felipe II en tales fechas. Pero quizá convenga retrotraerse a la década de los cuarenta, que es cuando el entonces joven príncipe de Asturias se inicia en los problemas de Estado.

Hablo de la etapa iniciada en 1543, cuando Carlos V abandona España para enfrentarse a sus enemigos del norte de Europa. Todavía en 1543 Felipe II es demasiado joven: sólo tiene dieciséis años. Ahora bien, a esa edad su padre ya se había enfrentado con las más graves decisiones, como la de tomar el título de Rey de la Monarquía católica, pese a que todavía vivía su madre, doña Juana.

En todo caso, a partir de ese momento se percibe la creciente incorporación de Felipe II a las tareas de Estado. De forma somera en 1543 —es el año también de su boda—, pero cada vez más intensamente desde que en 1544 ve a su padre metido en la cuarta guerra contra Francisco I. Es algo que el estudioso del *Corpus documental* carolino percibe de inmediato.

Por entonces, Felipe II es el gran auxiliar de su padre, su *alter ego* en Europa, pero también su conciencia. Quiero decir que es el que le ayuda en todo lo que le pide, para que pueda conseguir sus objetivos, con el brillante resultado de todos conocido: victorias imperiales sobre el duque de Clèves, avance fulminante sobre París, paz de Crépy, inauguración del Concilio de Trento y, finalmente, aplastamiento de la Liga de Schmalkalden. Para todo ello, Carlos V precisó de la ayuda española, y la solicitó de su hijo una y otra vez, de forma tenaz, machaconamente incluso, y la obtuvo.

Pero el Príncipe también hizo algo más: ser su conciencia política. Esto es, recordar al padre los flancos mal atendidos, los problemas que quedaban pendientes y los que se agudizaban por momentos. Yo señalé en su día cómo Felipe II empezó a hacer presente al Emperador —sin duda, haciéndose eco del sentir de sus consejeros castellanos— la ruina a que la política imperial llevaba a Castilla. ¿Le hizo ver también que la exclusiva atención a los problemas del norte de Europa llevaba a desatender peligrosamente a los que sucedían en el Mediterráneo, sobre todo a los surgidos en el norte de África? Es cierto que en los años cuarenta Carlos V suscribe treguas con la Turquía de Solimán el Magnífico y que en 1546 muere el terrible corsario Barbarroja, pero también lo es que pronto aparece otro temible enemigo, en la figura de Dragut, del cual hay referencias en las cartas de Felipe II a Carlos V desde 1545.

Por lo tanto, de nuevo la pregunta: ¿cómo veía Felipe II, desde sus inicios en la política, la cuestión africana? En esos años, todavía Bujía y Trípoli están bajo el control imperial, si bien ésta ya puesta en manos de la Orden de San Juan de Jerusalén, junto con Malta y Gozzo, en la reordenación que Carlos V hace del espacio del Mediterráneo central en 1530. Malta, junto con el cercano islote de Gozzo y con la frontera plaza norteafricana de Trípoli, amén de Sicilia, ayudaban a controlar el paso hacia el Mediterráneo occidental. Era una ayuda frente a las ofensivas marítimas turcas que se producían en oleadas año tras año[7]. Ahora bien, en ese Mediterráneo occidental, donde tantos puntos fuertes se hallaban en manos de la Monarquía católica, desde Melilla hasta La Goleta, con Mers-el-Kebir, Orán y Bujía, existía un grave escollo que se llamaba Argel. ¿Se hizo eco Felipe II en esa etapa de los años cuarenta?

Tras revisar la documentación pertinente en el *Corpus* de Carlos V, la primera impresión que sacamos es el poderío incontestable de la marina turca, incluso en el Mediterráneo occidental, especialmente cuando cuenta con la ayuda de los pueblos franceses para sus incursiones en la ruta entre Barcelona y Génova. Frente a turcos y franceses, en los años cuarenta, poco podían hacer las galeras de España, aunque se juntasen con las genovesas de Andrea Doria. En agosto de 1543, con la noticia de que la armada turca estaba en aguas de Niza, el príncipe Felipe pide a su padre el Emperador que las galeras de España se quedaran defendiendo las costas del Levante español y que no se juntasen con las genovesas:

---

[7] J. Salvá, *La Orden de Malta,* Madrid, 1944.

... pues todas juntas no bastan a estar al oppósito del armada de los enemigos... [8]

Y al invierno siguiente, con la armada turca en Tolón, las costas hispanas son arrasadas: Cadaqués, Rosas, Palamós, en la costa catalana, y Villajoyosa, en la valenciana, son saqueadas e incendiadas y la población que no se refugia en el interior es cautivada. La amenaza se extiende a las islas de Mallorca e Ibiza. ¿Qué hacían las galeras hispanas para evitarlo? Nada. Huir del combate para no ser presa del poderoso adversario. Y esto como orden del gobierno del Príncipe:

> Luego, como se tuvo aviso de la venida de las dichas galeras y velas turcas en Barcelona, despachó don Enrique de Toledo correos a diligencia, así por mar como por tierra, para avisar a don Bernardino de Mendoza, que estaba en sus galeras en la costa de Valencia, para que se guardase... [9]

El refugio más seguro era internarse con las galeras, Guadalquivir arriba, hasta las cercanías de Sevilla; refugiarse en «el río de Sevilla». Y como el peligro era tan cierto, Carlos V deja la decisión en manos de Doria y de lo que acordase el marino genovés con su hijo, pues claro estaba que esperar su respuesta, con la lentitud de los correos de la época, era ponerlo todo a la aventura de perderse:

> Habemos respondido al Príncipe [Doria] —es lo que escribe— que en esto, con lo que allá le respondiéredes, haga según el tiempo y estado en que entonces se hallarán las cosas... [10]

E insiste:

> En lo de la venida de las galeras desos Reinos a Génova, os escribo lo que parescerá y ocurrirá, para que allá se mire, diciéndole que os lo remitimos para que visto lo uno y lo otro, se haga lo que ambos acordáredes y resolviéredes cerca dello...

También reconocía la superioridad en el mar de turcos y franceses, pero su carácter llevaba mal el encogimiento de los consejeros que había dejado en Valladolid al lado de su hijo:

> Pero no dexaremos de traeros a la memoria que juntándose todas nuestras galeras, *aunque no sean parte para pelear con las armadas tur-*

---

[8] Felipe II a Carlos V, Valladolid, 26 de agosto de 1543 (*Corpus documental de Carlos V,* Salamanca, 1975, II, pág. 162).

[9] Felipe II a Carlos V, Valladolid, 4 de febrero de 1544 (*ibídem,* pág. 194).

[10] Carlos V a Felipe II, Spira, 14 de febrero de 1544 (*ibídem,* pág. 207).

quesca y francesa a lo menos las obligarán andar más sobre aviso y que no puedan emprender cosa tan fácilmente como lo harían si estuviesen divididas y separadas las unas galeras de las otras [11].

¿Cuál es el resultado? Que el gobierno de Felipe II se decida por la fortificación. Si no se podían evitar las incursiones navales enemigas, era la única solución. Y en lugares tan estratégicos como Rosas, del que Carlos V había quedado prendado a su paso en mayo de 1543 (y no era para menos, con su hermosa bahía, que todavía sigue deslumbrando al viajero), pronto se inician las fortificaciones.

Las fortalezas, junto con otros aprestos de guerra, eran todavía más precisas en puntos como Ibiza, porque la amenaza allí era mayor. Se temía, en efecto, no que la isla fuese asolada, sino que fuera ocupada y tomada como temible avanzada contra el Mediterráneo español.

En efecto, un primer asalto había sido rechazado, pero todo parecía indicar que no era sino el comienzo de una ofensiva mayor:

> Los de Argel enviaron otra vez a hacer daño en la isla de Ibiza seis galeras, y los soldados y gente de la tierra salieron a ellos y les mataron cuarenta hombres y hicieron tornar a embarcar tan de prisa, que dexaron muchas escopetas y cimitarras.

Pero era sólo el principio:

> Y porque se entiende por diversas vías —informaba alarmado Felipe al Emperador— que las velas que fueron a Argel, con otras muchas, tienen designio de venir a ganar aquella Isla con mayores fuerzas, se ha mandado llevar otros cien soldados, de más de los 300 que hay, y proveído que se lleve un cañón grueso y pelotas y municiones y 300 carcabuces y 300 picas y algunas otras cosas de las que tenía necesidad [12].

Un mundo a la defensiva, pues no podía ser de otro modo, dada la superioridad turca en el mar. Y constancia de ello siguen siendo las formidables murallas que guardan Ibiza, con viejísimos antecedentes desde la Antigüedad, pero culminadas espectacularmente en tiempos de Felipe II, como uno de los modelos de arquitectura más importantes del siglo XVI, dejando el testimonio del escudo del Rey en su puerta principal.

No hay prueba más irrefutable de esa inferioridad de la Monarquía que la propia confesión de la corte en 1544 al cardenal Tavera: que siendo aquello así, como era notorio, era preciso acudir al apoyo de todos. Después de enu-

---

[11] *Corpus...*, II, pág. 207.
[12] Felipe II a Carlos V, Valladolid, 14 de febrero de 1544 (*ibídem,* pág. 211).

merarle, en marzo de 1544, todos los esfuerzos que se habían hecho para afrontar la nueva oleada que se esperaba con tanto temor, se le añade:

> ... mas siendo como son aquellos —los turcos con su armada— tan poderosos es necesario que así se apareje y hallen la resistencia, y que para ello nos ayudemos y sirvamos de todos nuestros buenos súbditos y vasallos... [13]

Esto es, el nuevo Estado se declaraba incapaz de hacer frente por sus propios medios, y aunque la guerra ya es el oficio en manos del Príncipe, tiene que acudir al sistema medieval, que parecía tan superado, pidiendo el apoyo de los poderosos del tiempo: de la alta nobleza, por supuesto, pero también de las grandes mitras, como era el caso del arzobispo de Toledo, pues Tavera no es aquí citado como cardenal, sino como arzobispo de la mitra toledana.

Y no cabe duda de que la penuria de la Hacienda Real jugaba también su papel, lo cual era más sangrante para España, por cuanto que no se regateaba para las empresas que el Emperador estaba acometiendo en el corazón de Europa. No olvidemos que estamos en esa década trepidante en que los tercios viejos combaten en el ducado de Clèves, en el 43, que llegan hasta las cercanías de París, en el 44, y que luchan en los campos de Alemania, tanto en el 46 como en el 47. Pues bien, en esos años, en cuanto hay el menor respiro en el Mediterráneo, al punto se da orden de licenciar soldados. Así, en julio del 44 Felipe II comunica al Emperador que la armada turca regresaba a sus bases de partida en el Mediterráneo oriental y que el mismo Barbarroja proyectaba ir a Constantinopla. Visto lo cual

> ... se podría excusar la gente de guerra extraordinaria que está en las islas de Cerdeña, Mallorca, Menorca y Ibiza... [14]

¿Y no es ese contraste entre lo que se escatima en el Mediterráneo y lo que se gasta en el corazón de la Europa germana lo que acaba crispando a los que gobernaban España desde Valladolid? Es en ese momento del 44 cuando el Príncipe se enfrenta con su padre, haciéndole severas advertencias; habría que entender, más de los consejeros que tiene a su lado que hechas por él mismo, aunque ya, con sus diecisiete años cumplidos, su protagonismo político vaya creciendo. Es cuando le pide a su padre aquello que ya hemos comentado, que en vista de lo bien que había ido la campaña sobre Francia, que se acogiera a la paz, dado el agotamiento extremo en que estaban los reinos de España, y que lo tuviese bien presente:

> ... para que, desengañado de lo de adelante, pueda medir las cosas según lo que se podrá y no según sus grandes pensamientos, pues para

---

[13] Carlos V a Tavera, Valladolid, 5 de marzo de 1544; por supuesto, la firma el Príncipe (*Corpus...*, II, pág. 217).

[14] Felipe II a Carlos V, Valladolid, 16 de julio de 1544 (*ibídem*, pág. 254).

éstos podrían ofrecerse otras ocasiones cuando Vuestra Majestad y sus Reinos estuviesen más descansados[15].

Las fuerzas de España estaban tan al límite que no parecía aconsejable poner en marcha el desarme de los moriscos de Valencia (que era una de las cuestiones que preocupaban al Emperador, ya de antaño desde el alzamiento de las Germanías), por el peligro que se podría generar si acudía en su socorro Argel, o si los moriscos valencianos desesperados se exiliaban, pasándose a la plaza norteafricana, lo cual habría arruinado al reino de Valencia. Y eso se reitera una y otra vez: la empresa, de acometerse, tendría que ser en pleno invierno:

> ... cuando esté bien adelante, para que no puedan tener esperanza en las fustas y velas que hay en Argel...[16]

Y se apuntaba al éxodo de los moriscos valencianos a Argel, «como suelen»[17].

Por lo tanto, otra realidad bien conocida por Felipe II desde sus tiempos de gobernador de España en ausencia de su padre: la debilidad de la Monarquía, especialmente en su lucha frente al Islam, por cuanto que tenía al enemigo en casa. Y aunque a partir de 1545 Barbarroja deja de ser tan temible (recordemos que se iniciaba su declive, muriendo en 1546), ya estaba en la palestra otro corsario que no se quedaba atrás: Dragut. El solo anuncio de que juntaba sus galeras con las de Argel conmociona a la Europa mediterránea:

> De todo se ha dado aviso a las costas destos reinos, que *están con mucho terror...*[18]

Y en España se pedía una mayor defensa, reuniendo todas las galeras junto con las de Doria, a lo que al fin accede el Emperador[19].

Había otros remedios, como la continua inspección de las defensas costeras, pero también eso requería un respaldo económico del que no estaba muy sobrado la apurada Hacienda regia. El propio capitán general de Granada, conde de Tendilla, se ve inmovilizado en la capital, porque realizar aquellas tareas de vigilancia hubiera supuesto un gasto de dietas al que no parecía poder hacer frente la Corona:

---

[15] Felipe II a Carlos V, Valladolid, 17 de septiembre de 1544 (*Corpus...,* pág. 271).
[16] *Ibídem,* pág. 273; algo similar se indica en marzo del 45.
[17] Felipe II a Carlos V, Valladolid, 30 de junio de 1544 (*ibídem,* pág. 396).
[18] Felipe II a Carlos V, Valladolid, 3 de septiembre de 1545 (*ibídem,* pág. 420).
[19] Carlos V a Felipe II, Ratisbona, 31 de julio de 1546 (*ibídem,* pág. 482).

... ninguna de las diligencias que se hicieren —se lamentaba el Príncipe en 1547— basta si el Capitán General no visita y da vuelta por la costa personalmente, a lo menos una vez al año, y que aunque él querría hacerlo, vistos los provechos que dello redundarían y quanto Vuestra Majestad sería servido, no lo hace porque no dándosele, como no se le da, salario con la dicha Capitanía General, y teniendo él tan poca hacienda, no tiene posibilidad para hacerlo, en especial que no puede dexar de llevar algún acompañamiento, de que se le ha de seguir costa...[20]

Estamos, ya lo hemos visto, en 1547. Por lo tanto, Felipe II ha dejado de ser ya el adolescente confuso y desorientado al que su padre ha puesto al frente de España. A su edad (los veinte años), Carlos V había recibido la primera corona imperial. Ya estaba, pues, en condiciones de pulsar a fondo la política y a enfrentarse con los hechos. Y esos, en 1547, eran que la Monarquía triunfaba en el norte de Europa, donde derrochaba hombres y dinero, pero a duras penas si se defendía en el Mediterráneo, frente a los ataques de los turcos y argelinos, que además no eran los únicos, pues precisamente en aquel año a los argelinos se unían los marroquíes, para hacer pillaje en las costas granadinas y concretamente en Mojácar[21].

Por lo tanto, un doble peligro, una doble amenaza: el asolamiento de las costas mediterráneas españolas, con los consiguientes cautivos, y la pérdida de los presidios norteafricanos, que era uno de los orgullos del tiempo del Rey Católico. En ese sentido, Orán era la plaza más sagrada, sobre la que se coloca un soldado excepcional: el conde de Alcaudete. Pero, naturalmente, advirtiendo que para que su labor fuera eficaz era preciso que se le abasteciera de todo lo necesario: hombres, armas, bastimentos, pues de todo andaba escaso, lo cual era tanto más peligroso cuanto que se sabía de la llegada de los contingentes turcos a la próxima Tremecén. Y la queja salta hasta el propio Carlos V; pese a lo cual el Emperador sólo se limita a recomendar al Príncipe que viera lo que se podía hacer: «... porque no subceda algún incoveniente...»[22]

Se comprende, pues, la satisfacción con que se recibe la noticia de las treguas firmadas por el Emperador con Constantinopla. Y tanta, que al principio cuesta trabajo creerla, pues —cosa extraña— la noticia no la da Carlos V, sino que era Argel la que lo había comunicado, tanto a Orán como a Bujía, en cartas a sus alcaides, el conde de Alcaudete y don Luis de Peralta. Y lo que era mejor y hacía buenas las treguas: «... ya no paresce ningún navío de turcos en esta costa...»[23]

---

[20] Felipe II a Carlos V, Monzón, 23 de julio de 1547 (*Corpus...*, pág. 537).

[21] «Agora ha tornado a scribir el dicho Conde [Tendilla] que tiene aviso que de Vélez y Tetuán han salido seis o siete fustas de infieles que andan por el Estrecho, y que en las costas de Granada han parecido otras tantas y la gente dellas entró en la Villa de Moxácar y capturaron hasta 20 personas...» (Felipe II a Carlos V, Monzón, 23 de julio de 1547; *ibídem,* pág. 538).

[22] Carlos V a Felipe II, Augsburgo, 8 de julio de 1548 (*ibídem,* pág. 644).

[23] Felipe II a Carlos V, Valladolid, 5 de agosto de 1548 (*ibídem,* pág. 654).

En efecto, Fernando, rey de Romanos, había firmado en junio de 1547 unas treguas por cinco años con Solimán el Magnífico, muy interesado entonces en concentrar sus esfuerzos sobre su frontera oriental con Persia, y acaso también debilitado por los graves conflictos familiares provocados por su hijo Mustafá; unas treguas que había que considerar como ventajosas para Solimán el Magnífico, no sólo porque le daba libertad de acción para acometer sus campañas contra Persia, sino también porque Fernando se reconocía su tributario, con un pago de 30.000 ducados anuales como signo de vasallaje por los territorios del norte de Hungría que quedaban bajo su control. ¡Por lo tanto, el señor de Viena, el rey de Romanos, el hermano del Emperador, reconociéndose vasallo del sultán de Constantinopla! Y a esas treguas, forzado por la necesidad, se adhirió Carlos V, olvidando sus juveniles ansias de cruzado. Ya en sus Instrucciones de enero de 1548 alude a ellas, advirtiendo a su hijo:

> ... cuanto a la dicha tregua que he por mí ratificado, miraréis que ella se observe enteramente de la vuestra, porque es razón que lo que he tratado y tratéis se guarde de buena fe con todos, sean infieles o otros y es lo que conviene a los que reinan y a todos los buenos...[24]

Aparte del valor de ese texto, tan grande para calificar los valores éticos del Emperador (el respeto a la palabra dada), es interesante comprobar las dos áreas de actividad de la Monarquía: la que controlaba Carlos V en el centro de Europa y la meridional en el Mediterráneo, dejada a Felipe II. Pero lo asombroso es que en esa zona meridional las treguas empiezan a sentirse por iniciativa turca, a la que en seguida se suma España, como si la noticia fuera demasiado buena para ser creída o acaso también porque las órdenes mandando cumplir lo pactado tardasen en llegar. Lo cierto es que Felipe II se queja a su padre. Nada sabe en concreto, porque nada se le ha dicho, de forma que ordenará que tales treguas se cumplan en la medida que turcos y argelinos lo hicieren:

> ... porque Vuestra Majestad no ha mandado avisar de lo que contiene la dicha tregua y con quienes y de que manera se ha de guardar...

Así pues, Felipe II ordena a don Bernardino de Mendoza, capitán general de las galeras de España:

> ... que guarde la dicha tregua con los de Argel como ellos la guardaren...[25]

---

[24] Instrucciones de Carlos V a Felipe II (el llamado *Testamento político* del Emperador), Augsburgo, 18 de enero de 1548 (*Corpus...,* pág. 574).

[25] Felipe II a Carlos V, Valladolid, 5 de agosto de 1548 (*ibídem,* pág. 654).

Lo que tendría la aprobación del Emperador, que al fin, un mes más tarde, rompe su silencio: «Nos ha parecido bien.»

Y añade:

> ... con ésta os mandamos enviar todo lo que ha pasado tocante a este negocio y, conforme a aquello, mandaréis se guarde y observe sin que haya falta, por todos nuestros súbditos y vasallos desos reinos en mar y tierra y que se publique en las costas y puertos dellos y en las fronteras que tenemos en África...[26]

Fue un buen respiro, tanto más cuanto que Dragut (Torghūd Reīs) —el más peligroso corsario, digno sucesor de Barbarroja— se jactaba de alzar bandera independiente y de actuar a su aire, sin mediatización alguna con las grandes potencias que gravitaban sobre el Mediterráneo. Habiendo caído prisionero de Doria, en la campaña de Córcega, y conociendo la dura vida de galeote, Dragut había recuperado la libertad después de que Barbarroja accediera a pagar su rescate —altísimo para la época— de 3.500 ducados a la Casa Doria.

De esa forma, pese a las treguas oficiales, la guerra de los corsarios norteafricanos continuó su curso en aquellos años. Y así, bajo el gobierno de Maximiliano y María, a partir del otoño de 1548, los conflictos con Dragut o Torghūd continúan. Son raros los despachos enviados por Maximiliano y María al Emperador entre noviembre de 1548 y junio de 1551 en los que no salte el nombre del temible corsario[27]. Y el Príncipe tuvo ocasión de comprobarlo cuando las galeras de España y las de Doria estaban ocupadas en la protección de su paso a Génova. Dragut atacó entonces la costa napolitana, llegando en sus razias hasta las cercanías del mismo Nápoles, teniendo la audacia de apoderarse de una galera de la Orden de San Juan que estaba anclada en la bahía de Nápoles y a la vista de los cañones de su castillo.

Al año siguiente, buscando un punto en que hacerse fuerte, Dragut puso sitio a Mahdia, la plaza de la costa oriental tunecina que los documentos españoles de la época denominaban África.

En 1549, Dragut se alzaba con Monastir, cercana a Mahdia, y después con la propia Mahdia. Se comprende su interés. Mahdia pertenecía al rey de Túnez, que Dragut consideró factible combatir. Su fortaleza era notable: sobre una roca que se adentraba en el mar. Parecía el refugio ideal para hacer de ella una plaza inexpugnable que le sirviese de refugio desde donde saltar para sus razias de saqueo y pillaje en las costas de la Italia meridional. ¿Desorbitaron entonces los hechos las cabezas responsables de la Monarquía católica? Lo cierto es que tanto los virreyes de Sicilia y Nápoles como el capitán

---

[26] Carlos V a Felipe II, Augsburgo, 29 de septiembre de 1548 (*Corpus...*, III, pág. 39).

[27] Véase el estudio de Rafaela Rodríguez Raso, *Maximiliano de Austria, Gobernador de Carlos V en España: Cartas al Emperador*, Madrid, 1963, págs. 23, 80, 82, 87, 92, 93, 119, 121, 123, 132, 134, 161, 165, 166, 177, 179, 187, 189, 212, 213, 218, 220, 224, 225, 228, 256 y 278.

español que mandaba la guarnición de La Goleta consideraron imprescindible expulsar a Dragut de Mahdia, contando con el apoyo de las galeras genovesas mandadas por Doria. Desde fines de junio de 1550 hasta el 10 de septiembre de aquel año, las fuerzas españolas e italianas combatieron tenazmente, con verdadero valor. Al fin, los tercios viejos tomaron por asalto la plaza.

El hecho se celebró como una gran victoria:

> Yo doy gracias a Dios —escribía el virrey de Sicilia Juan de Vega a Granvela— de que Su Majestad haya recibido este servicio y bien la Cristiandad, en especial el reino de Sicilia, a quien yo particularmente debo mucho, por lo bien que en esta empresa y en todo lo demás me han ayudado a servir a Su Majestad.

Tal informaba, desde la misma Mahdia, Juan de Vega a Granvela el 15 de septiembre de 1550 [28].

Todo parecía resuelto. Con Malta y Gozzo cercanas a Sicilia, La Goleta en la frontera de Túnez, Mahdia en su costa oriental y Trípoli al sur, ese gozne donde gira el gran portón que abre o cierra el paso entre el Mediterráneo oriental y occidental parecía asegurado, y Dragut, por una vez, había sido derrotado.

Pero no aniquilado.

Es más, Carlos V, de momento, se alarmó. ¿Supondría que Solimán el Magnífico lo tomaría como pretexto para reanudar la guerra? ¿Daría por quebrantadas las treguas? Desde Augsburgo, donde se afanaba en concluir el acuerdo familiar con la rama de Viena, a fin de incluir a su hijo Felipe en el orden sucesorio al Imperio, Carlos hace un hueco para atender ese frente: era preciso tranquilizar al Turco [29].

Demasiado tarde. En 1551, la flota turca, al mando de Sinán Bajá, asaltaría Trípoli. La plaza estaba entonces bajo la Orden de San Juan. Su gobernador, el francés Gaspar de Vallier, apenas si ofreció resistencia.

Tampoco acudieron en su defensa las galeras de España ni de Andrea Doria, embarazadas en custodiar el paso del príncipe Felipe y de los archiduques Maximiliano y María, en su ir y venir de Génova. Sin embargo, Carlos V había dado la voz de alarma. Hasta su retiro de Augsburgo le habían llegado, en el mes de junio, avisos de que la armada turca estaba a punto de salir para combatir algún punto de la Monarquía católica [30].

Pero también se decía que el Turco seguía enzarzado en su guerra con Persia, lo que le alejaba a cientos de kilómetros del escenario mediterráneo, y que se mantenía vivo el fuerte enfrentamiento con su hijo Mustafá, especie de príncipe desesperado en aquel imperio (de hecho, sería ejecutado por Solimán dos años más tarde). Quizá eso fue lo que hizo más confiados a los españoles.

---

[28] Juan de Vega a Granvela, 15 de septiembre de 1550 (B. Pal., Ms., leg. 2.282, s.f.; original).

[29] Presentándole sus excusas, a juicio de Braudel, *El Mediterráneo,* II, pág. 137.

[30] Carlos V a María, Augsburgo, 13 de junio de 1557 *(Corpus...,* III, pág. 282).

Entre tanto, concluido el inútil cónclave familiar de Augsburgo, Felipe II abandona la compañía de su padre y se dispone a regresar a España. El 25 de mayo sale de Augsburgo, pero no llega a Barcelona hasta el 12 de julio. Para entonces, la flota turca se ha presentado ante la isla de Malta, ha devastado horriblemente la de Gozzo y se prepara para acometer un objetivo: Trípoli, hacia donde se dirige el 30 de julio. En sus barcos, un pasajero de lujo: el embajador francés, que mediará precisamente con los defensores de la plaza para su rendición, como lo hicieron el 14 de agosto de 1551 [31].

Fue una pérdida importante, y no sólo para la Monarquía católica —de hecho, gobernaban la plaza los caballeros de la Orden de San Juan—, sino para toda la Cristiandad. El mismo rey de Francia mostró sus sentimientos, si bien, como dice Sandoval: «... pero hallarse su embajador allí no tiene disculpa» [32].

Ahora bien, había que establecer un orden de prioridades: el paso de los príncipes —y en este caso, de Maximiliano y María, para su regreso al Imperio— o la defensa de Trípoli. Y como lo primero era lo más importante, el que la armada turca estuviese centrada en el ataque a Trípoli permitirá el tranquilo viaje de los archiduques, en un principio temerosos de hacer la travesía entre Barcelona y Génova, dudando en cambiarla por la del mar de Poniente:

> ... estando en esto —es el príncipe Felipe el que informa desde Toro, el 27 de septiembre de 1551— llegaron cartas del príncipe Doria avisando que por estar la armada del Turco sobre Malta y entenderse que llevaba de signo de tentar lo de Trípoli y África [33], y que estando ocupada en esto la dicha armada, le parecía que los dichos serenísimos Reyes [34] podían pasar por la mar de Levante... [35]

Por lo tanto, lo que preocupaba en esos momentos no es la suerte de Trípoli, sino el viaje de los archiduques al Imperio. Por otra parte, bastante se hace con defender la propia España, pues Francia —la de Enrique II— ha reanudado también la guerra, y con tal audacia, que sus naves han entrado en el puerto de Barcelona, causando verdaderos estragos, entre ellos la presa de una galera y una fragata de los Doria, amén de cuatro navíos «gruesos» que estaban surtos en el puerto.

Los franceses atacaban por todas partes, en el mismo verano en que se perdía Trípoli.

Esas eran las malas nuevas con que se encontraba Felipe II al incorporarse al gobierno de España en 1551. Sobre la marcha convoca a los consejeros

---

[31] Sandoval, *Historia de Carlos V,* ed. de Carlos Seco, III, pág. 380.
[32] *Ibídem,* pág. 381.
[33] Mahdia.
[34] Maximiliano y María, reyes, pues lo eran de Bohemia.
[35] Felipe II a Carlos V, Toro, 27 de septiembre de 1551 (*Corpus...,* III, pág. 359).

de Estado y de Hacienda para poner remedio y hacer frente a tanto mal, y se encuentra con que no hay dinero para nada. Todo lo habían consumido las grandes empresas de Carlos V. Y el Príncipe se aflige:

> ... Dios sabe la pena y cuidado que a mí me queda dello...

Y deja traslucir un reproche. Las cosas de Carlos V en los Países Bajos y en Alemania estaban en el mejor de los momentos; pero ¡cuán distinto todo «en lo de acá»!

Y le dice:

> ... no es bien que dexe de saberlo, pues lo de aquí está a beneficio de lo que los enemigos querrán hacer, que demás del daño que podrían recibir estos Reinos, yo sentiría mucho, hallándome en ellos, no poder resistirlos y ofenderlos como sería razón, siendo hijo de Vuestra Majestad...

Había que sopesarlo todo, y no aventurarse en más empresas sin tener en cuenta lo que ocurría en los reinos de España. Por lo tanto, el aviso podía ser bueno si al menos sirviera en lo de adelante:

> ... para que en los negocios que Vuestra Majestad tratase se tenga consideración al estado en que está lo destos Reinos[36].

Pobre esperanza. El ataque turco a Trípoli y la ruptura francesa sin previo aviso en el 51 no fue sino el preludio de la gran ofensiva contra el Emperador en el año siguiente, con la fuga desordenada de Innsbruck para huir de la acometida de Mauricio de Sajonia, y con la pérdida de Metz, Toul y Verdún, en el ataque por sorpresa de Enrique II. Y mientras la España de Felipe II organizaba el socorro a que urgía el Emperador, que se narra en otra parte de esta historia, apenas si se podían repeler las incursiones de turcos, argelinos y franceses contra las costas mediterráneas españolas. En octubre de 1552, el peligro era general ante la acometida de turcos y argelinos en las islas Baleares, Cartagena, Gibraltar y Cádiz, así como en las plazas de Bujía y Orán. Y como el peligro fuera tan grande y cierto, era preciso hacer la guerra al modo antiguo, llamando a las ciudades y a los grandes de Castilla, que se apercibiesen: «... para lo que se podría offrecer...»[37]

En el otoño del 53, la flota de las Indias llegó en muy buen momento, con más de 3.000.000 de ducados, de ellos, unos 600.000 para la Hacienda Real. Aun así, el gasto en poner en defensa las costas hispanas —hasta la propia Santa Cruz de la Palma había sido atacada por el corsario francés Pie de Palo— y los presidios norteafricanos había sido tan grande que Felipe II pide

---

[36] Felipe II a Carlos V, Toro, 27 de septiembre de 1551 (*Corpus...*, III, págs. 360 y 361).
[37] Felipe II a Carlos V, Monzón, 7 de octubre de 1552 (*ibídem*, pág. 500).

a su padre que no cargase a Castilla con otro cambio de 200.000 ducados, so pena de que todo entrase en quiebra,

> ... que sería cosa de tan grande inconveniente, como Vuestra Majestad puede juzgar... [38]

Era ya en las vísperas de las jornadas de Inglaterra, de aquel lustro que Felipe II pasaría entre Londres y Bruselas, primero como rey consorte de las Islas, y después como protagonista del relevo en el poder, tras la abdicación de Carlos V en 1555. Precisamente el año en que se perdía Bujía.

En 1559, tras la paz de Cateau-Cambrésis y con su definitivo regreso a España, habiendo dejado en paz y en orden las fronteras de los Países Bajos, desembarazado de las cosas del Imperio, a cuya posible sucesión había ya renunciado, Felipe II podía pensar en poner en orden lo que más directamente afectaba a los reinos meridionales: el control del Mediterráneo occidental.

Tenía treinta y dos años y toda la experiencia del mundo, más el evidente deseo de poner algo de claridad en el gobierno de su maltratada España. Con lo cual no hacía sino hacerse eco de un sueño general, bien reflejado en el *Memorial* que Luis de Ortiz, el contador burgalés de artillería, le había mandado un año antes, en 1558.

Ya la ejecución de Alonso Peralta, el desafortunado defensor de Bujía, en la Plaza Mayor de Valladolid, el 4 de mayo de 1556, por lo tanto, en los inicios del reinado de Felipe II, pudo tomarse como un claro signo de que la Monarquía católica —hasta entonces tan volcada en el norte de Europa— volvía a tomar con fuerza su protagonismo en el Mediterráneo, tal como pedía Luis de Ortiz: lo cual había de hacerse «para asegurar el Mediterráneo». Algo imprescindible, dado que el fundamento de la Monarquía estaba en esas dos orillas del Mediterráneo occidental, entre las costas levantinas españolas y las de Nápoles y Sicilia.

Por consiguiente, la primera consigna: no ceder ni un palmo más. Algo exigido por la opinión pública de tal forma, que cuando Carlos V tiene noticia, en enero del 57, de que Orán corría peligro, da la voz de alarma, que ya hemos comentado:

> ... pues si se perdiese, no querría hallarme en España, ni en las Indias, sino donde no lo oyese, por la grande afrenta que el Rey recibiría en ello y el daño destos Reinos.

Para remediarlo, la princesa Juana, que gobernaba entonces España en nombre de su hermano Felipe, ordenó el envío de los necesarios refuerzos. Y como en 1558 el peligro no cediera, salió de Cartagena el 4 de julio de aquel año el conde de Alcaudete con una fuerte armada, con infantes, caballos

---

[38] Felipe II a Carlos V, Valladolid, 12 de noviembre de 1553 (*Corpus...*, págs. 628 y 629).

y aprestos militares de todo tipo, llegando el día 6 a Orán. Pero aún más, pues el 11 otra armada zarpaba de Cartagena, alcanzando Orán dos días después[39].

No cabe duda: la Monarquía católica no estaba dispuesta a perder aquella preciada conquista de los tiempos de Fernando el Católico, que llevaba ya medio siglo bajo la grandeza hispana. Incluso en 1557 se intentó recuperar Bujía, aunque la ausencia de Felipe II impidió que cuajara el proyecto.

Era evidente que la presencia del Rey iba a cambiar las cosas. Mientras Felipe II no tenía más que ese frente abierto, el Turco tenía la vista puesta en su frontera oriental con Persia. Mas tampoco era satisfactorio el ambiente de palacio en Constantinopla, por el problema sucesorio que planteaba la edad avanzada del gran sultán.

Todo parecía favorecer un intento español, el inicio de una contraofensiva en el Mediterráneo, ya sobre Argel, ya sobre Trípoli. En principio se tomó como objetivo Trípoli —cuya reciente pérdida seguía lamentándose—, para lo que se contaba con la ayuda de la Orden de Malta.

Sicilia fue la base de aquella operación, puesta bajo el mando de su virrey, que lo era entonces el duque de Medinaceli.

En febrero de 1560, la flota hispana, de 53 galeras, secundada por la genovesa al mando de Juan Andrea Doria y por las aportadas por la Orden de Malta, zarpaba de esa isla rumbo a Trípoli. No con la diligencia necesaria —acaso por las dificultades en aunar aquellas fuerzas dispares—, de modo que ya Dragut había fortalecido su resistencia. Eso llevó a la expedición cristiana a cambiar su rumbo, desembarcando en las Djelbes.

Era como tentar al destino. En el recuerdo de todos estaban los dos desgraciados desembarcos hechos por don García de Toledo en 1510 y por don Hugo de Moncada en 1520. Por lo pronto, se logró una cabeza de puente en la isla el 13 de marzo de 1560, poniendo a su frente un excelente soldado: Álvaro de Sande.

Eso suponía la guerra abierta no sólo con el famoso corsario berberisco Dragut —entonces refugiado en Trípoli—, sino también con Constantinopla. Y la respuesta no tardó en llegar. A principios de mayo, una poderosa armada turca de 74 galeras, al mando de Pialí, apareció ante las Djelbes, deshaciendo por completo a la española, hundiendo la mitad de sus barcos, apoderándose de no pocas galeras y obligando a huir al resto de la armada española, dejando así en difícil situación a don Álvaro de Sande, que se defendía en tierra con un tercio viejo.

Era como repetir la situación del tercio viejo de Sarmiento en Herzeg Novi en 1539. Durante aquel verano, Álvaro de Sande resistió hasta ver desaparecidas las cuatro quintas partes de sus hombres. Finalmente, tras una salida desesperada realizada el 29 de julio, tuvo que rendirse con un puñado de supervivientes, siendo llevado cautivo por Pialí a Constantinopla.

---

[39] Juana a Felipe II, Valladolid, 30 de julio de 1558 (*Corpus...*, IV, pág. 439).

Ese revés volvió a incitar a los argelinos —entonces mandados por Hazén Baxá— a poner cerco a Orán, sobre todo al conocer el desastre en el puerto de la Herradura de don Juan Mendoza en 1562, cuando se dirigía a llevar refuerzos a la plaza.

Fue uno de los cercos más rigurosos que sufrió Orán, bien defendida entonces por el conde de Alcaudete. Un suceso seguido con verdadera expectación por la Monarquía, pues Orán suponía mucho más que Trípoli para España, dado su emplazamiento frente a las costas mediterráneas hispanas y, sobre todo, porque era como el recuerdo de la gesta de Pedro Navarro en los tiempos de Cisneros.

Por lo tanto, Orán se convertía en un verdadero símbolo. Su pérdida hubiera sido un mal augurio para el reinado de Felipe II, que entonces estaba en sus principios.

El conde de Alcaudete, ya un veterano, realizó una admirable defensa, dando tiempo a que llegasen los socorros ordenados por Felipe II. Por una vez, el Rey dio a tiempo las órdenes precisas, mandando a don Álvaro de Bazán que acudiese con las galeras de España, y a sus aliados de Italia, Génova y Malta, para que colaborasen en la empresa.

La flota cristiana se concentró en Barcelona, costeó el litoral levantino español y se reunió en Cartagena con las galeras de Bazán, que ya había intentado un primer socorro a Orán, sin éxito. A primeros de junio de 1563, los refuerzos llegaban al conde de Alcaudete, rompiendo aquel duro cerco, que había hecho temer por la suerte de la plaza. Y del alborozo con que la noticia fue acogida en la corte da idea la reacción del príncipe don Carlos dejando en su testamento una manda a favor de don Martín de Córdoba, hermano del conde de Alcaudete y defensor del fuerte de Mers-el-Kebir (cuya caída hubiera supuesto también la de Orán), para que pudiera fundar mayorazgo [40].

La victoria la encareció tanto Felipe II, que de ella dio cuenta a sus embajadores, como lo hizo al obispo Quadra:

> Lo que ha sucedido —escribía el Rey— es que el rey de Argel comenzó a batir Mazalquivir a los 8 de Mayo y a los 22 le dio un asalto y fue rebutado con pérdida de harta gente, y lo tornó a batir por otra parte, hasta los 2 de Junio, que le dio otro asalto, por la batería vieja y nueva y por la parte de la mar. Y los de dentro se defendieron tan valerosamente que los rebutaron y hicieron retirar, y les mataron muchos y hirieron tantos que enviaron 8 goleotas cargadas de heridos a Argel. Después, a los 6, les dieron otro asalto, y también fueron rebutados. Y a los 8 déste llegó nuestro socorro que enviamos desde Cartagena. Y las velas de los enemigos que allí estaban, entendiendo que iban más galeras, se fueron huyendo hacia Argel. Y el Rey con su

---

[40] El testamento de don Carlos, en Gachard, *Don Carlos y Felipe II, op. cit.*, pág. 166.

ejército, en descubriendo nuestra armada, se retiró a tanta prisa que perdió toda la artillería con que se batía y los nuestros socorrieron a Mazalquivir y a Orán, que tenían harta necesidad[41].

Alentado por ese éxito, Felipe II se planteó una audaz empresa: la conquista de Argel. En parte, porque era la mejor manera de asegurar Orán y, también, porque era seguir los pasos de su padre, el Emperador, lo que hubiera supuesto cumplir bien su legado.

Para ello acudió a las Cortes de Castilla, que entonces celebraban en Madrid su primera jornada bajo la presencia del Rey.

Curiosamente, las Cortes se negaron a secundar la acción del monarca.

Fue algo que en su día estudié con algún detenimiento. ¿Con qué me encontré? Ante mi asombro, las Cortes castellanas, que en tiempos de Carlos V tanto habían apremiado para que se llevase a cabo aquella empresa, se mostraron indecisas en 1563, frente a lo planteado por Felipe II, alargando sus sesiones sin llegar a ningún acuerdo, hasta el punto que el Rey las disuelve, declarándose «muy deservido»[42].

Algo increíble. ¿Acaso no eran las Cortes las que continuamente urgían a la Corona por la campaña de Argel, desde los viejos tiempos en que la emperatriz Isabel regía España en ausencia de Carlos V? Y estoy recordando fechas y sucesos como la campaña de Túnez de 1535. ¿Qué pudo llevar a las Cortes a un cambio tan incomprensible?

Y todavía más: ¿cómo es posible que un monarca tan autoritario abandonara su política africana sólo por tal obstáculo? Lo cual nos lleva a esta otra pregunta: ¿cuándo se forja en el Rey esa política? No quiero decir que de un modo rígido, pues los sucesivos acontecimientos y las distintas expectativas le tienen que hacer cambiar, como a todo hombre de Estado, sino cuándo se inicia en él esa preocupación por lo africano, que será sin duda una de sus miras más destacadas.

Quiero decir con ello que Felipe II es ante la historia, y en gran medida, el hombre de Lepanto.

Pero antes hubo de superar dos difíciles escollos: salvar a Malta del duro asedio que le pusieron los turcos en 1565 y sofocar la rebelión montada por los moriscos granadinos entre 1568-1570.

EL ASEDIO DE MALTA

El asedio de Malta fue la última operación de gran envergadura ordenada por Solimán el Magnífico. El emplazamiento de la isla, a menos de cien

---

[41] Gachard, *op. cit.*, pág. 172, nota 16.

[42] Ver mi estudio «La política exterior», presentado en el *Congreso sobre las Cortes de Castilla en la Edad Moderna*, Valladolid, 1989, pág. 361.

kilómetros del sur de Sicilia, era de tal importancia que su dominio hubiera hecho al Turco aún mucho más peligroso en sus razias sobre las costas italianas y en sus incursiones en el mar Mediterráneo. La isla había sido entregada por Carlos V a la Orden de San Juan de Jerusalén, lo mismo que el islote cercano de Gozzo y que la frontera plaza de Trípoli. Pero si la pérdida de Trípoli en 1557 había sido lamentada, por la merma del prestigio de la Cristiandad en su pugna con el Islam, lo cierto es que a su dificultad de conservarla, tan lejos de las bases de la Monarquía católica, había que añadir que su importancia sólo radicaba en que era punto de partida para operaciones en el Mediterráneo oriental, no para la defensa de la Europa meridional cristiana.

Otra cosa era luchar por Malta. La isla, de 245 kilómetros de extensión —la mitad aproximadamente que Ibiza—, tenía un excelente puerto al norte que los caballeros de la Orden habían enriquecido con hermosas iglesias y palacios, signos de riqueza; una fortuna acumulada gracias a las incursiones de sus naves en el Mediterráneo oriental.

En la primavera de 1565, las escasas fuerzas con que contaba el gran maestre de la Orden de San Juan de Jerusalén, La Valette, se vieron eficazmente fortalecidas por los refuerzos que le llevó el virrey de Sicilia, don García de Toledo. Y es aquí donde hay que poner el acento sobre la aportación hispana a la defensa de la isla de Malta. Poco después, a mediados de mayo, aparecía en el horizonte la escuadra turca en pleno, mandada por Pialí Pachá y por el temible Dragut. Eran unas 170 galeras, amén de otras 200 naos pequeñas que llevaban a bordo un verdadero ejército para la época, de no menos de 20.000 soldados, entre ellos la fuerza de choque turca: los temibles jenízaros. Por lo tanto, una fuerza imponente que confiaba en aplastar toda resistencia y en dar así, en las postrimerías de su reinado, un clamoroso triunfo a Solimán el Magnífico.

Era un pulso entre la Cristiandad y el Islam. En caso de victoria turca, ¿quién podría desalojarlos, contando con la mayor armada de galeras de la época? Hubiera sido como una marejada incontenible sobre el Mediterráneo occidental.

Estaba claro que la Monarquía católica no podía permanecer indiferente ante aquella gran batalla. El 18 de mayo, la flota turca alcanzaba las costas de Malta y empezaba el desembarco de sus fuerzas, sin que nada pudiera hacer el gran maestre La Valette. Pero sí se aprestó a defender la capital, flanqueada por tres poderosos fuertes: San Telmo, San Miguel y San Ángel.

Durante tres meses y medio los sitiados se defendieron con tal bravura que impidieron a los turcos lograr sus objetivos. Después de algún éxito parcial, como la toma del castillo de San Telmo, sus pérdidas fueron tan elevadas —incrementadas por las enfermedades, con una epidemia de tifus que causó más víctimas que la propia guerra— que Pialí Pachá empezó a ver peligrar el éxito de sus operaciones. Incluso ellos mismos parecían sitiados en la pequeña isla, padeciendo hambre por agotamiento de sus provisiones, que no podían reponer dada la pobreza de la isla. Jugó, por lo tanto, también aquí el problema de las comunicaciones, tan alejados los turcos de sus bases, habiendo calculado mal el tiempo que les iba a costar apoderarse de Malta.

No cabe duda: fue la resistencia a ultranza de la Orden lo que salvó la situación, como si quisieran lavar sus caballeros la afrenta sufrida en la vergonzosa rendición de Trípoli catorce años atrás.

Una defensa que hay que poner también en el haber de los españoles: de los tercios viejos mandados por García de Toledo, o de aquellos setecientos capitaneados por don Ramón de Cardona y que lograron burlar el cerco turco y alentar a los sitiados.

Por lo demás, las tropas liberadoras, integradas casi exclusivamente por los tercios viejos sitos en Italia y por las naves de don Álvaro de Bazán, no desembarcaron en Malta hasta el 7 de septiembre. Sin embargo, Felipe II había tenido noticias de la amenaza turca a principios de junio. Don Álvaro de Bazán recibiría entonces orden de acudir a Nápoles y Sicilia para colaborar con sus galeras en la ayuda que don García de Toledo estaba preparando.

Porque fue don Álvaro de Bazán el hombre de Malta, más que don García de Toledo. Habituado ya a la lucha en el Mediterráneo contra el Islam, héroe de la jornada del Peñón de Vélez de la Gomera en 1564, y de la de Tetuán en el mismo año, aprovisionador y liberador de Orán en numerosos desembarcos, acudiendo una y otra vez desde Cartagena, era don Álvaro de Bazán el marino más capacitado que tenía en aquel momento la Monarquía católica.

Sus hazañas habían ya llenado de admiración a los contemporáneos, como cuando había desembarcado su artillería y la había izado sobre el imponente murallón del Peñón de Vélez de la Gomera, para reducir su fuerte, de lo que el propio Rey se había hecho eco:

> ... el cuidado y diligencia que habéis puesto, así en que se subiese y metiese en el Peñón la artillería...

Había sido una hazaña que recordaba las que habían hecho tres cuartos de siglo antes las tropas de Fernando el Católico en la guerra de Granada. Una hazaña habitual en Álvaro de Bazán: «... como lo soléis hacer...», le reconocería el propio Rey[43].

Porque no fue don García de Toledo el alma de la liberación de Malta, sino Álvaro de Bazán[44].

Bazán volvía de Orán, donde había dejado importantes pertrechos de guerra. Al llegar a Barcelona a fines de junio, cumple las órdenes del Rey y lleva sus galeras a Italia. Pero su viaje no podía ser rápido. En Génova, donde está el 6 de julio, había de embarcar el tercio viejo de Lombardía, mandado

---

[43] F. P. de Cambra, *Don Álvaro de Bazán,* Madrid, 1943, pág. 104.

[44] Es célebre el teatralismo con que Braudel presenta la batalla de Malta. Tras narrar el agotamiento de los turcos y caballeros de la Orden, añade: «Entonces interviene don García de Toledo» (Braudel, *El Mediterráneo,* II, pág. 267).

por don Sancho Londoño; eran 1.500 veteranos, la única fuerza capaz de enfrentarse con los jenízaros. Hasta el 21 de julio no llega a Nápoles. Sería el 5 de agosto cuando se reúne con el resto de las fuerzas que manda don García de Toledo, virrey de Sicilia, en Mesina.

Entonces tuvo lugar el Consejo de Guerra sobre el plan a adoptar para liberar a Malta. Quiere decirse que si los turcos hubieran acertado con su plan inicial, un ataque rápido y por sorpresa sobre Malta, y si no hubiesen encontrado la inesperada resistencia de aquel puñado de defensores de la isla, el socorro español hubiese llegado demasiado tarde.

Aun así, el Consejo de Guerra se mostró indeciso. ¿Podía efectuarse un desembarco en Malta, a la vista de la poderosa flota turca, sin acabar en un descalabro? Sólo Bazán se mostró resuelto. Su plan era sencillo: acondicionar sólo 60 galeras, poniéndolas con el pleno de sus galeotes, y con 10.000 soldados llevar a cabo un desembarco por sorpresa, que liberase a los sitiados.

Cierto, había riesgo; pero algo había que dejar a la buena fortuna.

El plan de Bazán fue, en principio, rechazado. Hubo que esperar todavía quince días para que don García de Toledo, que tenía el mando supremo de aquellas tropas de socorro, se decidiera a secundarlo. El 21 de agosto zarpó la armada de Mesina. El estado de la mar no era bueno y fracasaron en los dos primeros intentos. Pero, al fin, los expedicionarios lograban hacerlo el 7 de septiembre, al mando de don Álvaro de Sande, coronel del tercio viejo de Nápoles; precisamente el que había sido apresado por los turcos en la desafortunada empresa de las Djelbes de 1560[45]. Siete días más tarde Malta era liberada y la flota turca se retiraba derrotada, con grandes bajas, entre ellas el temible Dragut.

Por una vez, la fortuna se había aliado con Felipe II, y aun con toda la Cristiandad, empezando a abrirse el camino de que era posible vencer al Turco en el mar.

La semilla de Lepanto estaba echada.

Fue un acontecimiento seguido con apasionamiento por toda la Cristiandad, como puede reflejarse en el interés mostrado por la reina Isabel de Inglaterra ante el embajador español, Diego Guzmán de Silva, llegando a decirle que hubiera querido ser hombre para haber estado en ella.

> Díxome la Reina muchas palabras y muy graçiosas en loor de V.M. y del socorro que solo había mandado dar a Malta, y que había mandado que por la felice victoria se hiziessen processiones y plegarias por el Reino, y se haría aquí una solemne, a la qual ella se pensaba allar[46].

---

[45] J. Salvá, *La Orden de Malta y las acciones navales españolas contra turcos y berberiscos en los siglos XVI y XVII,* Madrid, 1944.

[46] Diego Guzmán de Silva a Felipe II, Londres, 22 de octubre de 1565 (Archivo de Simancas, Estado, leg. 818, fol. 78; cf. mi *Tres embajadores..., op. cit.,* pág. 153).

La defensa de Malta, pues, como un logro de Felipe II que añadir a la primera época de su reinado, a aquellos años felices en los que se le ve árbitro del Viejo y Nuevo Mundo. Todavía en 1566, temiendo un nuevo ataque turco a la isla, mandaba el Rey reclutar de once mil a doce mil mercenarios alemanes, por tener entendido

> ... por diversos avisos, que el Turco amenaza y tiene determinación de enviar su armada este verano mucho más pujante que el pasado año, a daño de la Cristiandad... [47]

Y en junio de 1566, el virrey don García de Toledo daba orden de que la armada, surta en Mesina, partiese para Malta

> ... a fin de asegurar aquella isla de la armada del Turco, que se dice quiere venir contra ella... [48]

Pero, por una vez, la alarma fue infundada, porque el relevo en la cumbre turca había supuesto una relativa calma en el Mediterráneo.

Algo que buena falta le hacía a la Monarquía católica, que pronto se iba a ver envuelta en las dos temibles rebeliones de los calvinistas en los Países Bajos y de los moriscos granadinos en Las Alpujarras.

EL ALZAMIENTO DE LOS MORISCOS GRANADINOS

El alzamiento de los moriscos granadinos, que hunde sus raíces en las disposiciones tomadas por Felipe II después del Concilio de Trento y que se prolonga hasta 1570, hay que insertarlo en estas páginas, sobre «España *versus* Islam».

Porque hay para pensar que la feliz jornada de Malta influyó sobre las decisiones que se tomaron en relación con los moriscos granadinos en 1566. Aquí los hechos están demasiado seguidos para que sean mera casualidad.

Ahora bien, hubo otros factores, eso es evidente, como la muerte de Solimán el Magnífico en ese año 1566, que abría una crisis en el imperio turco, con la desaparición del otro emperador, el de la Europa oriental, el último gran representante de la época de Carlos V, y eso favorecía una iniciativa de la Monarquía católica y no ir a remolque de los acontecimientos.

De ese modo, Felipe II pudo considerar que era el momento de atender las advertencias de Pío V. En efecto, el Papa había recibido al arzobispo Guerrero (cuya sede era precisamente la granadina) al concluir el Concilio de

---

[47] Felipe II a su embajador en Roma, Luis de Requesens, 18 de enero de 1566 (Archivo de Simancas, Estado, leg. 901, fol. 30).

[48] Instrucciones de don García de Toledo a Juan Andrea Doria de lo que había de hacer la armada rumbo a Malta, Mesina, 14 de junio de 1566 (Colección Navarrete, vol. XII, doc. 60, fol. 390; cf. Jaime Salvá, *La Orden de Malta..., op. cit.,* págs. 346 y 347).

Trento, cuando el arzobispo pasó por Roma antes de su regreso a España. Y el Papa le hizo presente su extrañeza, por cuanto habiendo destacado como lo había hecho, como uno de los prelados más celosos por defender los principios tridentinos, era sin embargo el obispo que regía la diócesis menos cristiana de toda la Cristiandad. Algo que había que remediar urgentemente. Y a su vez Guerrero, al llegar a la corte en Madrid, expuso a Felipe II el asombro de Roma ante el caso granadino.

Pues lo cierto es que los moriscos de Granada seguían viviendo conforme a sus ancestrales costumbres, y lo que era más peligroso, haciéndolo más como musulmanes que como cristianos, pese a que, a partir de los decretos de 1502, ya la religión musulmana había quedado fuera de la ley.

Era un problema viejo que ahora se renovaba, aplazado por Carlos V cuando en 1526 había accedido a que las disposiciones para obligar a los moriscos a abandonar su forma de vida y a insertarse en la comunidad cristiana habían sido suspendidas por cuarenta años.

Eso era mucho tiempo, tanto más cuanto que Carlos V llevaba diez como Rey de España. No cabe duda de que el Emperador se había librado del conflicto, dejándolo en herencia a su sucesor, con toda la carga añadida de lo que suponía esa larga convivencia conforme al modo de ser musulmán.

El arzobispo Guerrero había puesto en marcha la rectificación de su archidiócesis, convocando un sínodo de los obispos de Málaga, Guadix y Almería, para una acción conjunta que pasaba por la ayuda de la Corona. Felipe II decidió entonces, habiendo oído a sus teólogos, que, puesto que el plazo concedido por el Emperador, su padre, había vencido, era preciso imponer los viejos edictos para una aculturación de los moriscos granadinos, no sólo en las prácticas religiosas, sino también en sus ritos y costumbres, incluyendo la propia lengua. Tal fue la sustancia del nuevo edicto promulgado a comienzos del año 1567.

La reacción morisca no se hizo esperar. En principio se apeló, por la vía judicial, ante el nuevo presidente de la Chancillería de Granada, que lo era don Pedro de Deza. En nombre de los moriscos negoció Francisco Núñez de Muley. Su razonamiento se basaba en que resultaba imposible el cumplimiento del edicto a corto plazo, porque los moriscos no conocían la lengua castellana. Y en cuanto a las costumbres populares en trajes y danzas, no había por qué prohibirlas, por cuanto no afectaban a la religión. El criterio de la Monarquía era, por el contrario, que mientras mantuvieran sus propias costumbres se aferrarían también a la religión musulmana de sus antepasados. Pero algunos extremos eran tan fuertes que tenían que provocar la desesperación. El propio cronista Cabrera de Córdoba lo reconoce, en cuanto a la lengua. ¿Cómo podían convivir, si debían emplear la castellana, que desconocían?

> La lengua natural no se podía quitar sin la comunicación racional, no sabiendo la castellana...[49]

---

[49] Cabrera de Córdoba, *Felipe II, op. cit.,* II, pág. 587.

Y eso era tan evidente que durante los primeros meses las autoridades abrieron la mano. Aun así, el descontento era cada vez mayor, traduciéndose en un aumento de los que huían al monte y se alzaban como bandoleros (los monfíes) y en las inteligencias con los corsarios berberiscos, que incrementaban sus incursiones en las costas granadinas.

No había unanimidad en la corte. Mondéjar señaló al Rey que un cumplimiento de los edictos llevaría a un alzamiento, con todas sus graves consecuencias.

De ese parecer fue el Consejo de Guerra. En cambio, el Rey encontró el apoyo del Consejo de Estado.

Entre tanto, un grupo de moriscos más resueltos planeaban ya la rebelión abierta, alertados por un cabecilla decidido: Farax-abén-Farax.

Comenzaron las reuniones secretas de los conjurados en el barrio morisco del Albaicín. Su plan era sencillo: un ataque por sorpresa a Granada, para hacerse con la capital, y envío de emisarios a Marruecos y al bey de Argel para obtener el apoyo de las potencias musulmanas del Mediterráneo. Y para dar mayor fuerza a su alzamiento, eligieron un caudillo, dándole el nombre de Muley Mohamed Abén Humeya.

Se trataba de uno de los miembros más destacados de la nobleza granadina, don Fernando de Córdoba y Válor, caballero veinticuatro de la ciudad de Granada, entonces fugado de la justicia. Con su nuevo título, renegando de su reciente vinculación al bando cristiano, Abén Humeya se proclama descendiente de los antiguos omeyas, reivindicando así, otra vez, un reino musulmán independiente en la España andaluza.

Era como romper la tarea secular de la Reconquista, atentar a la esencia del Estado español, representado por la Monarquía católica. Se podía negociar en cuanto al *status* de la población morisca. Pero la proclamación del nuevo rey moro en Las Alpujarras era toda una declaración de guerra.

Una guerra iniciada por los rebeldes con un audaz golpe de mano sobre la capital granadina, aprovechando las fiestas navideñas. El 25 de diciembre, Farax-abén-Farax entró en la ciudad con un contingente armado bajo las órdenes de los monfíes, poniendo a saco a parte de la ciudad y provocando una tremenda alarma. Sin embargo, no consiguió el alzamiento del barrio morisco del Albaicín y tuvo que retirarse.

¿Cuál era la situación de Granada, la capital del reino, en aquellas fechas? Un documento de Simancas nos permite contestar a esa pregunta. Se trata del censo de calle hita de 1561, hecho, por consiguiente, sólo unos años antes de que comenzara todo este conflicto.

Estos son los datos que nos proporciona:

GRANADA EN 1561 [50]

Parroquias	Casas	Vecinos	Personas de confesión
Iglesia Mayor	(900) [51]	995	(3.500) [52]
Santa Ana	527	643	2.094
Santiago	533	689	2.501
San Gil	376	430	1.604
San Pablo y San Pedro	286	337	1.375
San Andrés	636	822	2.234
San Juan de los Reyes	725	759	2.125
San Yuste	312	366	1.593
La Magdalena	412	531	2.079
San Matías	585	811	2.918
Santa Escolástica	623	764	3.269
Santa Cecilia	490	551	1.720
San José	482	561	1.790
San Miguel	401	407	1.322
San Nicolás	736	806	1.876
San Gregorio	249	269	834
San Luis de Albaicín	374	397	1.037
San Bartolomé y San Lorenzo	257	272	656
Santa Isabel	271	302	1.007
San Cristóbal	651	793	2.230
San Ildefonso	675	759	2.092
San Salvador de Albaicín y San Blas y San Martín	883	946	2.927
Total	**11.384**	**13.210**	**42.783**

Si añadimos una criatura por vecino (los menores de siete años no aparecen recogidos), saldrían aproximadamente los 55.000 habitantes.

Aunque el censo da mucha más información (de la que procuramos entresacar lo más interesante), ya tenemos una primera aproximación. Estamos ante una de las mayores ciudades de la Corona de Castilla y de España entera, sólo superada por Sevilla en esta década de los sesenta, y a nivel de Toledo y de la misma Valencia [53]. Los datos de Simancas nos dan una Granada con algo más de 10.000 casas, con unos 13.000 vecinos y con 43.000 personas de confesión; dato, por cierto, que no aparece en otros censos de calle hita de la época, lo cual, acaso, hay que anotarlo en función de un mayor control religioso.

Asomarnos a ese censo, con los nombres de todos sus 13.000 vecinos, es como pasear por la Granada que vivió el temible alzamiento morisco: sin

[50] Archivo de Simancas, Cámara de Castilla, leg. 2.150.
[51] No aparecen consignadas las casas. Hemos dado una aproximación.
[52] No aparecen consignadas las personas de confesión. Hemos dado una aproximación.
[53] Recordemos que Madrid estaba sólo iniciando entonces su vuelo como capital de la Monarquía, precisamente algo comenzado en ese mismo año 1561.

duda, no pocos entre los que estuvieron implicados o lo desearon, y muchos entre los que temieron el gran desastre. La ciudad contaba con 24 parroquias, siendo las dos más pobladas la de la Iglesia Mayor (entonces todavía en construcción). Recordemos que cuando muere Diego de Siloé, en 1563, ya había dejado terminada la cabecera y gran parte del resto, si bien la fachada no se alzaría hasta un siglo después por Alonso Cano. Contaba con 3.500 personas de confesión, y Santa Escolástica, cercana a Torre Bermeja, también superando los 3.200 vecinos.

Abundan los sederos, la principal industria de la ciudad, aunque los estudiosos hablan de una crisis del sector por las ventajas fiscales concedidas a Murcia, o lo que es lo mismo, los mayores gravámenes que pesaban sobre Granada. Pero también son numerosos los curtidores, que en torno a la Iglesia Mayor son Alonso Rodríguez, Lope Sánchez, Alonso de Ojeda, Francisco de la Fuente, Martín Romero, Cristóbal López, Pedro del Castillo, Juan Sánchez, Antón Martín, Mariano de Mena y Francisco Pacheco; todos linajes evidentemente «de cristianos viejos», como dirían los hombres del tiempo, aunque también otros de mayor protagonismo social, como el doctor Pedro Núñez, abogado, o los mercaderes Francisco Álvarez, Luis de Vélez y Juan Varela, o el licenciado Rodrigo Yáñez. Pero en el mismo corazón de la ciudad, en la parroquia de San Juan de los Reyes, los apellidos moros merodean: Hernando el Guarrad, Isabel Guarahamid, Matías Harahí, María Hamina, Francisco Abenámar, Juan Almaxaí, Hernando el Carmoní, Diego el Carbí, Lorenzo Nacehí... En un caso se dice expresamente: «Luis el mudéxar».

No digamos en el Albaicín, señoreado con la parroquia de San Salvador. La primera casa con que nos encontramos es la de Francisco Jarquín. Se suceden después las de Diego López el Nibelí, Francisco Hernández el Masiní, Francisco el Ramoní y Alonso Hernández el Habaquí. ¡Ya tenemos, pues, uno de los linajes que se harían famosos en la época de la insurrección! El Habaquí, del que tendremos ocasión de referirnos más adelante. Pero no es el único. También topamos con la casa de don Hernando Muley de Fez. Los nombres son cristianos, porque lo exige la ley, pero los apellidos están más en consonancia con los sentimientos y con los viejos linajes moros. También la parroquia de San Martín, correspondiente a esa zona morisca, nos da otro de los linajes de la revolución: es la casa de Farax, con que se inicia la relación. ¿No pensamos al punto en Farax-abén-Farax, aquel en cuya casa se iniciaron las reuniones secretas preparatorias de la rebelión? Es un barrio cien por cien morisco, y, como prueba de ello, cuando hay una excepción se anota cuidadosamente; así, al lado de la iglesia vemos que vive Diego Izquierdo, «cristiano viejo».

Tomemos el modelo *in extenso* de una parroquia: la de Santa Ana, al otro lado del Darro y al pie de la subida a la Alhambra. Contamos para ello con un buen estudio del licenciado Luis Hernández Olivera [54]. Es una parroquia de

---

[54] Luis Hernández Olivera, «La población de Santa Ana en 1561. Aproximación a la estructura demográfica y económica de Granada», trabajo presentado en Salamanca, en el curso 1981-1982.

las linajudas, cuyos vecinos tienen abundante servicio doméstico. Son frecuentes las casas con varias criadas, sin faltar, claro, los esclavos.

Veamos un ejemplo: la casa de García de Pisa, que era veinticuatro de Granada y, por lo tanto, miembro del patriciado urbano. Esta era su familia: doña Ana Osorio, su mujer; sus parientes (hijos o hermanos) vienen marcados por el título de don: doña Magdalena, doña María, doña Catalina, don García, don Esteban, doña Francisca Osorio (posiblemente hermana de la mujer). Se sucede después la relación de las criadas, una acaso familiar: Catalina de Pisa, Juana Ruiz, Inés Rodríguez, María de Morales, Catalina de Morales, María y un esclavo (éste, caso frecuente, sin señalar el nombre).

En el conjunto parroquial aparecen 51 esclavos, predominando el sexo femenino (34 esclavas y 17 esclavos). En cambio, el servicio doméstico se muestra nivelado, siendo casi el sesenta por ciento de la población activa, con 92 criados y otras tantas criadas. Por supuesto, la profesión más numerosa, aparte la del servicio doméstico, es la de sedero, con la que aparecen designados 37 vecinos.

En esta parroquia son muy pocos los moriscos —sólo siete— y tampoco menudean los vinculados al campo —tan sólo un hortelano, un gallinero y dos labradores—. Entre las clases altas, dos veinticuatro, tres doctores, un licenciado, dos alcaides, once escribanos, un médico, el capellán de la Iglesia Mayor y un contador de la Inquisición. En la casa de la cárcel vivía el alcaide, Juan Suárez, con su mujer, dos hijos y una esclava. El escribano Pedro de la Fuente, con tres hijos, un ama, una criada, un esclavo y dos esclavas. El otro alcaide consignado, Francisco de la Paz, vivía con su mujer y un hermano, con el servicio de dos amas, dos criados, dos esclavas y un esclavo.

Hidalgos, pues, como don Jerónimo de Montalvo, de la parroquia de Santa Ana; clérigos, como el licenciado Molina, de la parroquia de Santiago; médicos, como el doctor Sánchez, de la parroquia de San Gil; patricios, como don Pedro de Aguilar, veinticuatro de la ciudad (que vive, por cierto, con su mujer doña Juana, su padre, don Juan de Aguilar, su tía Catalina Álvarez, dos criados, una criada y también con «su negra Isabel», que apunta a otras cosas, amén de las del servicio doméstico), que habita en la parroquia de San Pedro y San Pablo; maestros, como Álvaro de la Villa, que reside en la parroquia de San Yuste; pero también sederos, albañiles, carpinteros y moriscos, éstos sobre todo en el Albaicín, aunque también aparezcan salpicados en otras parroquias. A todos ellos los vemos, de pronto, ponerse en movimiento, ir de sus casas a las iglesias y mercados, deambular por sus calles y plazas, comentar las novedades de cada jornada.

Las nuevas de cada día, y entre ellas la que les preocupa. Los nuevos decretos filipinos sobre los moriscos y sobre la puesta en marcha de aquellos rigurosos decretos de 1526 que el Emperador había dejado en suspenso por cuarenta años. Era el tiempo en que aquel plazo se cumplía. El rigor del Rey, mirando las cosas desde otro plano, con otra perspectiva y, sin duda, pensando en los bienes que podría traer a largo plazo, les tenía suspensos.

Pues para los granadinos de 1566 lo inmediato era lo que contaba. Lo que se les venía encima.

Porque la rebelión estaba en el ambiente, aunque fuera dudoso que venciera; a fin de cuentas, tras los edictos regios estaba todo el poder de la Monarquía[55].

Pero lo que era seguro es que el triunfo del Rey no sería sin conflictos, sin violencias, sin derramamiento de sangre.

La guerra se prolongó así increíblemente, en parte por las desavenencias entre los marqueses de Mondéjar y de Vélez, y también porque para aquella lucha, en riscos tan impresionantes, estaban mejor preparados los rebeldes granadinos. Sólo el que ha penetrado en esa zona tan agreste (Órgiva, Capileira, Trevélez, Válor) puede darse cuenta de sus dificultades.

También, en cierta medida, hay que tener en cuenta el apoyo del mundo islámico; aunque no en gran número, lo cierto es que pequeños contingentes de berberiscos y turcos vinieron a sumarse al combate, no en cantidad como para resultar decisivos, pero sí para alentar a los rebeldes, haciendo más difícil su sometimiento.

De hecho, el propio Rey, alarmado ante la envergadura que estaban tomando los acontecimientos, tomó dos medidas de excepción: la primera, nombrar a su hermano don Juan de Austria como generalísimo de las fuerzas cristianas, a fin de superar las divergencias surgidas entre Mondéjar y Vélez, y la segunda, acercarse él mismo al teatro de las operaciones convocando Cortes en Córdoba el año 1570; sería la única vez que el Rey reuniría las Cortes castellanas fuera de Madrid, desde que en 1561 la había convertido en la capital de la Monarquía. Cadiar y Galera fueron el centro de la resistencia, pero la amenaza morisca llegó hasta el asedio de Órgiva e incluso de sendas intentonas sobre villas costeras tan importantes como Almuñécar y Salobreña.

Ahora bien, las incursiones y las rivalidades también se cebaron en el bando rebelde. Su primer caudillo, Abén Humeya, fue asesinado por Abén Aboo, que se alzó como nuevo rey, nombrando su general a El Habaquí, que también acabaría asesinado por Abén Aboo, deshaciendo de ese modo unas primeras negociaciones de paz con don Juan de Austria, tenidas en mayo de 1570 y protagonizadas por El Habaquí. La insurrección, además, se extendería a la serranía de Ronda.

Fue precisa una durísima campaña, llevada a cabo en pleno verano de 1570, para doblegar a los rebeldes, completando la acción bélica con una de las medidas más despiadadas: la expulsión de todos los moriscos granadinos, sin excepción, incluyendo hasta los mismos reconocidos como cristianos; sacán-

---

[55] Luis de Mármol Carvajal, *Historia de la rebelión y castigo de los moriscos del reino de Granada,* Madrid, BAE, 1946; Diego Hurtado de Mendoza, *Guerra de Granada, hecha por el rey de España don Felipe II contra los moriscos de aquel reino, sus rebeldes,* Madrid, BAE, 1946; Ginés Pérez de Hita, *Guerras civiles de Granada,* Madrid, 1913.

dolos de sus lugares, grandes o chicos, para trasladarlos bajo vigilancia a parte de la Andalucía occidental, a Extremadura y a las dos Castillas.

Medida tan rigurosa conllevaba un alto grado de riesgo: que los moriscos desesperados ofrecieran una mayor resistencia, o que provocaran nuevos alzamientos. Para evitarlo, se disimuló la orden como un alejamiento provisional, de cara al invierno, poniendo como excusa que, al no haberse cogido cosecha alguna (lo cual era cierto en buen número de casos, pues unos y otros practicaron la táctica de la tierra quemada), el hambre sería general y sólo había un modo de socorrerlos: llevándolos lejos, donde la guerra no hubiera dañado las cosechas.

A ese respecto, las órdenes secretas recibidas por los mandos cristianos no dejan lugar a dudas.

Así, la que recibió Alonso de Carvajal, comisario de Baza, el cual había de proclamar que:

> ... por no haberse podido sembrar, a causa de la inquietud que la guerra ha traído consigo, como por la esterilidad del año, se ha reducido esta provincia a tanta penuria que es imposible poderse sustentar en ella, por lo cual..., Su Majestad ha tomado resolución que por el presente los dichos cristianos nuevos se saquen deste Reino y se lleven a Castilla y a las otras provincias donde el año ha sido abundante y no han padescido a causa de las guerras... [56]

Por lo tanto, no el rigor, sino la clemencia, eso es lo que se les anunciaba. Por un lado, la perspectiva del hambre en la tierra; por otro, la Castilla en paz y con bienestar.

> ... donde con gran comodidad podrán comer y sustentarse...

Además, la medida se presentaba transitoria:

> ... se podrá considerar para qué tiempo y cómo se podrán volver a sus casas...

Por otra parte, se podían llevar sus bienes muebles:

> ... sin que se les quiten ninguna cosa dellos...

Y todo, con buena persuasión:

> ... y en esta sustancia se les han de decir todas las buenas palabras que supieren...

---

[56] Citado por Domínguez Ortiz y Bernard Vincent, *Historia de los moriscos. Vida y tragedia de una minoría,* Madrid, Revista de Occidente, 1979, pág. 51.

Pero nadie se llamó a engaño. Era perder sus tierras, su horizonte ancestral, las tierras de sus mayores, y, además, para siempre, embarcándose en un azaroso destino, tanto que la muerte o la vida daría lo mismo. Don Juan de Austria, forzado a cumplir las órdenes del Rey, lo resumiría con una frase compasiva:

> No se niegue —escribía al príncipe de Éboli— que ver la despoblación de un Reino es la mayor compasión que se pueda imaginar.

Agrupados en pequeñas partidas, viejos, jóvenes, mujeres y niños, desharrapados y famélicos, custodiados por fuerzas armadas, su paso por los pueblos en ruta hacia sus nuevos destinos era una estampa de las que encogen el corazón:

> ... es tanta lástima ver la mucha cantidad de niños muy chiquitos y mujeres y la pobreza y desventura con que vienen...[57]

Pobreza y desventura: no se puede resumir mejor la suerte de aquellos vencidos.

Y las preguntas se encadenan. ¿Cómo se atrevió aquella minoría a rebelarse contra el Rey? Entró en juego la desesperación ante el porvenir que les deparaban los nuevos edictos filipinos, eso es evidente. También el creer más en sus posibilidades por el doble efecto de que las fuerzas mayores del Rey se hallaban enfrascadas en objetivos muy lejanos (la rebelión de los Países Bajos estaba en marcha y el duque de Alba al frente de los tercios viejos en Bruselas desde el verano de 1567), y que encontrarían fácil apoyo en el mundo islámico: en el norte de África y en el Imperio turco. Si eso fue así, resultaría que los cabecillas de la rebelión —Abén Humeya, Abén Aboo— contaban con una buena información sobre la situación internacional, si bien sus cálculos en cuanto a la debilidad de la Monarquía y, sobre todo, en cuanto a la ayuda que podían recibir de sus correligionarios berberiscos y turcos se mostraron por debajo de la realidad.

La guerra fue dura, incluso extremadamente cruel. En los primeros momentos los moriscos granadinos, al enseñorearse de gran parte de la sierra, torturaron y mataron sin piedad a los cristianos que apresaron; se pudo hablar de «mártires» cristianos de Las Alpujarras[58]. A su vez, las tropas del Rey, sobre todo en la etapa final, llevaron la guerra a sangre y fuego, buscando a los moriscos rebeldes en los más apartados rincones de la sierra y en ocasiones pegando fuego a las cuevas convertidas en sus madrigueras. Al principio hubo una tendencia a negociar y a tratar con moderación a los rebeldes; fue la postura del marqués de Mondéjar. Pero, en conjunto, el ejérci-

---

[57] Citado por Domínguez Ortiz y Bernard Vincent, *op. cit.,* pág. 52.
[58] Fernández y Fernández de Retana, *La España de Felipe II, op. cit.,* II, pág. 45.

to del Rey siguió pautas de rigor emanadas de la propia corte. Y eso tuvo su reflejo en los cronistas. En este caso, el humanista Diego Hurtado de Mendoza fue el que mejor trató de comprender los rasgos del otro, las razones del vencido.

Porque la cuestión está siempre viva: ¿cómo se debe responder a la violencia? ¿Con el máximo rigor, para erradicar de una vez por todas el problema? ¿Tratando de comprender las razones del contrario, incluso los motivos que le llevaron a la rebelión? Porque la sublevación es un gesto desesperado, y esa desesperación tiene sus motivos, provocados por el que gobierna. ¿Era inevitable la renovación de los duros decretos de 1526? Además, una vez estallada la revuelta, ¿era la represión, sin más contemplaciones, la única fórmula viable? Ya hemos visto que en la corte se oyeron voces más moderadas, pero a la postre triunfaron los implacables.

Ese era el sentir del propio Rey. Si tal aconsejaba a su suegra, Catalina de Médicis, en cuanto a la forma de tratar a los rebeldes de su reino, no podía actuar de otro modo con los suyos propios [59].

La guerra se desarrolló durante los años 1569 y 1570 en una de las zonas más agrestes y montaraces de toda España, que sólo el que las haya recorrido puede tener idea de ellas, siendo su espina dorsal Las Alpujarras, pero llegando en el Norte hasta Galera, en el Este al valle medio del río Almería y sierra de Gádor, en el Sur hasta Berja y Adra (esta ciudad en la misma costa) y en el Oeste hasta la serranía de Ronda.

La insurrección fue tan general y fulminante que, a caballo entre diciembre de 1568 y enero de 1569, prácticamente todas Las Alpujarras y la sierra de Gádor y el curso medio del río Almería cayeron en manos de los moriscos, torturando y matando a la mayoría de los cristianos que cogieron presos, iniciando así una guerra feroz, propia de odios acumulados entre dos etnias; era como volver a una reconquista musulmana de aquel territorio. Sólo la plaza de Órgiva aguantó la embestida, aunque sometida a cerco.

En esos momentos de los principios de enero de 1569, el dominio morisco se extendía por las citadas sierras de Las Alpujarras y Gádor, con sus puntos fuertes en Bubión, Juviles, Paterna, Andarax, Huécija y Benahadux.

La campaña de 1569 se caracterizó por la acción del marqués de Mondéjar, que, saliendo de Granada el 3 de enero, liberó a Órgiva, que estuvo a punto de caer en manos del ejército improvisado por Abén Humeya. Mondéjar hizo de Órgiva el centro de sus operaciones y emprendió una afortunada acción, corriéndose al Este, tomando las plazas moriscas de Bubión, Juviles y Paterna. En Juviles, Mondéjar liberó a ochocientos cautivos cristianos; su llegada a Granada, donde fueron acogidos por la marquesa de Mondéjar, fue una de las estampas más vibrantes de la guerra, que pronto adquirió así un tono de encono tan propio de los enfrentamientos entre cristianos y musulma-

---

[59] Véase, anteriormente, el capítulo 6 de esta segunda parte: «La gran rebelión».

nes, en que ambos luchan por la supervivencia y donde el fanatismo religioso hace imposible la convivencia.

En ese mismo año, el marqués de Vélez, dirigiendo unas fuerzas de milicias urbanas del reino de Murcia —sin duda, por la amenaza de la insurrección granadina, pero también montadas al olor del posible botín—, operó en la sierra de Gádor, tomando Huécija, Andarax y Félix, esta última tras un durísimo asedio. Con más facilidad operó García de Villarroel desde Almería, donde se apoderó con relativa facilidad de Benahadux.

Pese a tales éxitos, la insurrección granadina estaba lejos de ser sofocada. Los moriscos rebeldes seguían manteniéndose fuertes en puntos como Galera, Ohanes, Berja y Adra. No existía un plan conjunto entre los marqueses de Mondéjar y Vélez. Los refuerzos que recibían los rebeldes de turcos y berberiscos, sin ser cuantitativamente considerables, sí eran suficientes para alimentar la rebelión. Todo lo cual obligó al Rey a una reorganización de la lucha, poniéndola bajo el mando único de su hermanastro don Juan de Austria, asistido por Requesens —uno de los hombres de Felipe II, en el que el Rey tenía más confianza—, que además debía vigilar con las galeras de España las aguas del Estrecho, para aislar así a los rebeldes de sus correligionarios norteafricanos.

Que la guerra estaba lejos de terminarse, al inicio de 1570, lo probaba la inquietud existente en la capital granadina. En marzo se extendió el rumor de que el populoso barrio del Albaicín, cien por cien morisco, estaba tramando apoderarse por sorpresa de la ciudad. El temor produjo una terrible reacción en el sector cristiano viejo, con asalto de las cárceles, donde se hallaban presos, por precaución, las principales figuras de los linajes moriscos, y su degüello inmisericorde. Fue, sin duda, una de las jornadas más crueles de toda la guerra. La cual, seguida con firmeza por don Juan de Austria, supuso la toma por asalto de Galera, constituida en el principal reducto morisco; teniendo que vencer tan feroz resistencia, que la puso a saco, aplicando el terrible castigo bíblico: arrasando por completo el lugar y sembrándolo de sal. Más tarde, tomaba Terque y dominaba el valle medio del río Almería, mientras el duque de Sessa se apoderaba de la zona meridional, desde Berja hasta Adra. En la zona de Poniente, alterados los moriscos de la serranía de Ronda, fueron destruidos sus refugios más recónditos por el duque de Arcos. Pero la resistencia morisca no se doblegó hasta entrado el otoño de 1570, con una última campaña, acaso más sangrienta que ninguna, dirigida por don Juan de Austria. Y sin dejar respiro a los vencidos, se procedió a su expulsión.

La dispersión del pueblo morisco granadino, desalojado de su Granada ancestral, fue casi completa. Aquel pueblo, cuyo número los tratadistas cifran entre 150.000 y 250.000, ya drásticamente mermado con el vaivén de aquella implacable guerra de 1569 y 1570, sucumbió en un altísimo porcentaje en el dramático exilio que les fue llevando primero hacia las grandes poblaciones de la Corona de Castilla —en particular, de Andalucía occidental y las dos mesetas—, para dispersarse aún más por los pequeños núcleos urbanos. Durante unos años, los cabildos municipales castellanos fueron anotando cuidadosamente esas llegadas: los moriscos granadinos serían acogidos con gran recelo, como quienes habían protagonizado una guerra violenta y cruel.

Fue la guerra de Las Alpujarras granadinas un episodio terrible de aquel enfrentamiento de la Monarquía filipina con el Islam.

La antesala insoslayable antes de acometer la Santa Liga, que llevaría a las naves del Rey, mandadas por don Juan de Austria, al mayor triunfo cristiano de todo el Quinientos: la jornada de Lepanto.

LA SANTA LIGA. LEPANTO

Cuando el historiador trata de evocar lo que fue la jornada de Lepanto, con aquella España que apenas si hacía unos meses que se había liberado de la guerra de Las Alpujarras y que tenía también puesta su atención —y buena parte de sus fuerzas— en los campos de Flandes, una España por tanto enfervorizada cada vez más con las guerras divinales contra herejes e infieles, al punto se le viene a la imagen lo intentado por Carlos V. También el Emperador había planeado una Santa Liga para lanzar a la Cristiandad, al menos en su versión más representativa del Mediterráneo, a la gran cruzada contra el Islam; en una Santa Liga cuyos protocolos llegaron a firmarse, en donde aparecían también la Santa Sede y Venecia, y donde España cargaba con la mitad del esfuerzo; aunque es cierto que en aquellas fechas —en 1538— también hubo otro signatario que no estaría presente en 1570: Fernando, entonces rey de Romanos y señor de Viena.

Por supuesto, las diferencias serían grandes, aparte la decisiva de que en aquella ocasión el Emperador había tenido que renunciar a sus anhelos de cruzado. Pero, aun con todas las diferencias, que más adelante consignaremos, lo cierto es que, incluso para los protagonistas, algo de aquel modelo estaba operando sobre ellos. Felipe II, al menos, lo dejaría patente en la hora del triunfo. Pues ¿no era como el recuerdo del Emperador lo que le hace pedir a Tiziano que inmortalizase la gesta con un cuadro simbólico sobre el tema? De igual modo que Carlos V tras de Mühlberg haría pintar al genial italiano uno de los más hermosos lienzos que existen —el Carlos V a caballo, del Museo del Prado—, también ahora Felipe II querrá algo similar. ¿Acaso no vive todavía el gran italiano? Pues, pese a que ha transcurrido un cuarto de siglo, Tiziano a sus noventa y cinco años sigue pintando. ¿No era una feliz oportunidad?

Ahí lo tenemos. También podemos admirarlo en el Prado. Cierto, no es un *capolavoro*. En ese sentido, está lejos de lo conseguido por Tiziano años antes, cuando el modelo era Carlos V. ¿Culpa de un pintor ya en el declive de su carrera artística? Pues Tiziano había nacido en 1476, de modo que en 1548, cuando pinta al Emperador, tenía setenta y dos años, lo que hubiera supuesto, en la mayoría de los hombres de su tiempo, el final de su carrera. En todo caso, un final admirable, un canto de cisne. Y, sin embargo, aún seguiría año tras año pincel en mano. De forma que veinticinco años después, en 1573, Tiziano, a sus noventa y siete años, acepta el reto y comienza su pintura ensalzadora de la victoria de Lepanto, que terminaría dos años más tarde y uno antes de su muerte.

Aquí la confrontación es importante, porque nos descubre aspectos de la personalidad del Rey. No se puede pensar en que Tiziano, dada su avanzada edad, se mueva de Venecia. No tendrá ante sí, por tanto, al personaje que va a pintar, y eso sería ya una notable diferencia con lo hecho en 1548, fecha en que el artista se traslada a la ciudad de Augsburgo, donde estaba el Emperador. Y no algo, sino mucho de esa frescura, de esa espontaneidad, de esa corriente vital que inunda el lienzo de Augsburgo, se ha perdido en el pintado en Venecia, donde Felipe II se apresura a mandar al ancianísimo artista un buen cuadro suyo, hecho por Sánchez Coello, para que lo tuviera presente.

Pero ha mandado también un diseño, donde se nos manifiesta la voluntad del Rey. Frente a la magnífica soledad del Emperador, cabalgando lanza en ristre por los campos de Alemania en los que había logrado su brillante victoria de Mühlberg, en donde el héroe irrumpe en la escena sin necesidad de acompañante alguno, soberbio en su sencillez, único y solo personaje, porque suya es la victoria, el esquema filipino varía sustancialmente. De entrada, nada de un personaje único. El Rey lleva en sus brazos al Príncipe, que le acaba de nacer un mes más tarde de recibir la noticia de la victoria aliada. Y Felipe II quiere celebrar ambos hechos, como si el uno presagiara las grandes maravillas que conseguiría el otro. ¡Al fin le ha nacido otro heredero varón, el que confía que haga desvanecer todos los malos recuerdos, los odiosos fantasmas que le atosigan desde la prisión y muerte de don Carlos! Pues Fernando, el primer hijo que le da su cuarta esposa, Ana de Austria, nacería el 5 de diciembre de 1571.

Feliz con su paternidad recobrada, exultante con el doble triunfo, el que le ha deparado su hermano don Juan de Austria en las aguas de Lepanto y el que ha conseguido él en el otro campo de batalla en el que tan experto había sido siempre, el de los lances amorosos, Felipe II idea combinar ambos hechos. De esa forma, Tiziano recibirá instrucciones para pintar al Rey con el heredero en sus manos, alzándolo para recibir de un ángel, que desciende de las alturas en violento escorzo, una palma de victoria con el orgulloso lema de un futuro que se ve seguro: *Maiora tibi*.

Esto es, Lepanto se ha logrado bajo Felipe II, pero todavía habrá más, porque ya Fernando irrumpe en el mundo. Lepanto no era sino un principio.

Claro es que Felipe II, para tal ocasión, quiere ser pintado también armado. Aparecerá con armadura de medio cuerpo y con espada al cinto. Y como signo de la victoria, en el ángulo izquierdo se verá a un turco *encadenado* postrado en el suelo, las manos atadas a la espalda y caído el turbante.

Todo lo contrario de la soledad del retrato del Emperador. Ahora, los cuatro personajes llenan el cuadro, apenas dejan resquicio.

Y había otros contrastes. El más marcado, el del territorio en que nos movemos: frente a la campiña abierta del retrato imperial, donde galopa Carlos V, simplemente un interior; ni más ni menos que un interior, o acaso una especie de pórtico, con unas columnas tras el Rey, entre las que salta un perrillo faldero. ¿Se puede dar una estampa menos marcial?

Sin embargo, Felipe II está pensando en su padre, orgulloso de lo conseguido. Porque él, fiel a su norma de que los reyes debían mandar a sus generales para que hicieran la guerra en su nombre, puede vanagloriarse de haber logrado frente al Turco el sueño perseguido por su padre durante toda su vida: llevar a la Cristiandad a la gran cruzada y alcanzar la victoria.

De ese modo, Felipe II se convierte en el hombre de Lepanto.

Pero ¿cómo se desarrollaron los acontecimientos?

En primer lugar tenemos la etapa previa, la diplomática, la que configura la Santa Liga entre Roma, Venecia y España. Y si el paralelo con la época del Emperador salta a la vista, también las diferencias, porque en este caso no es Felipe II el que la inspira; antes al contrario, al principio se muestra reticente. En esos momentos, el principal protagonista, el alma de la Liga, es el romano: el Papa San Pío V, el Papa santo.

¿Por qué Felipe II tiene esas dudas iniciales? El primer proyecto del Papa incluía en la Liga al Imperio y a Francia, junto con España, Venecia y los Estados Pontificios, lo que era conceder a Francia un protagonismo que estaba muy lejos de corresponderse con su vieja actitud, desde los tiempos de Carlos V, con sus escandalosas alianzas con el Turco.

Tampoco estaba Felipe II tan libre de problemas para atender los requerimientos del Papa en una empresa de tal vuelo. Corría entonces el año 1568, el *annus horribilis* en que Felipe II había tenido que hacer frente al alzamiento calvinista en los Países Bajos y a la rebelión de su hijo en la misma corte.

Así no es extraño que diera a su embajador en Roma, Juan de Zúñiga, órdenes en contra del proyecto:

> En caso de que Su Santidad os tratare de ello, procuraréis de estorbarlo y desviarlo...

Pero en 1569 la situación había cambiado. En los Países Bajos, el duque de Alba parecía tener bajo control aquellos territorios, con la derrota de Orange. En España, la muerte de don Carlos, terrible en sí como drama familiar, había sin duda despejado el problema de Estado. Por otra parte, los moriscos granadinos habían provocado aquel conflicto que ya desde el primer momento se presentaba como muy grave, vinculado además a todo el poderío musulmán en el Mediterráneo, pues se conocían sus inteligencias con turcos y berberiscos, con Constantinopla y con Argel. Por lo tanto, sí podía ser oportuno, e incluso muy conveniente, una Santa Liga que poder oponer a la temible fuerza turca en el mar, máxime que Pío V había modificado su proyecto, manteniendo en la Liga a Roma, Venecia y España, pero dejando fuera a Francia.

Sin duda, Pío V era el más desinteresado de los tres coaligados, pensando únicamente en términos de cruzada; pero para que Venecia y España se aviniesen era preciso que obrasen otros factores. A partir de la guerra de Las Alpujarras, para Felipe II no cabía duda alguna, máxime si se conseguía que los objetivos de la Liga no fueran sólo los del ataque al Imperio turco en el Mediterráneo oriental, sino también a las plazas norteafricanas en manos de los corsarios berberiscos que, en alianza con Turquía, tanto daño hacían a España. Los argumentos de la diplomacia filipina eran de peso: las razias de los berberiscos desde Túnez hasta Argel también amenazaban las costas italianas y, siendo los coaligados hispano-italianos, tenían que ponerlas entre sus objetivos naturales. En ese terreno, Felipe II encontró el apoyo de Pío V.

Las reticencias de Venecia fueron menores, acuciada la República por la necesidad. En ese sentido, Selim II se convirtió increíblemente en el mejor «aliado» de Pío V y de Felipe II, pues con su ataque a Chipre en el verano de 1570 arrojó definitivamente a Venecia en brazos de la Liga.

Los términos del acuerdo final recuerdan los establecidos bajo Carlos V en 1538: la Monarquía católica aportaría la mitad, Venecia un tercio y la Santa Sede un sexto. Ahora bien, como Venecia podía incorporar más número de galeras que la Monarquía católica, eso vendría compensado por las fuerzas terrestres. El plazo de la Liga sería por doce años, aunque es dudoso que nadie creyese en su cumplimiento. Sería ofensivo-defensiva contra el Imperio turco y sus aliados, Trípoli, Túnez y Argel. El mando recaería en la figura designada por la Monarquía católica, pero, en caso de enfermedad, su sustituto sería nombrado por Roma.

En ese momento, ya Felipe II había designado a don Juan de Austria como general de la Mar, cargo que le había dado en 1567; consecuente con ello y con su buen hacer en la guerra de Las Alpujarras, fue nombrado generalísimo de la Liga.

Por una vez, España pudo contar con el hombre adecuado para la tarea a cumplir. Desde ese instante puede decirse que el hombre de Lepanto, más que Felipe II, sería don Juan de Austria. A su lado, como contrapeso de su fogosidad, el Rey puso uno de los hombres de su máxima confianza: don Luis de Requesens.

Por supuesto, algo a tener en cuenta: en caso de victoria, los territorios ocupados serían del que los hubiera poseído antes —cláusula que beneficiaba notoriamente a Venecia— y el botín repartido a razón de la participación.

El momento parecía bueno para Felipe II, con la rebelión de los moriscos granadinos dominada y habiendo terminado su expulsión del reino y su dispersión por Andalucía oriental, Extremadura y las dos Castillas. Igualmente, la ocasión era propicia para don Juan de Austria, cuyo prestigio había subido notoriamente por el triunfo conseguido y porque ya había demostrado sus condiciones de mando como gran soldado, recordando en eso a su padre, el gran Emperador, mucho más que lo podía hacer su hermanastro, el Rey; si bien eso mismo hacía al Rey temeroso —ya que no celoso— frente a la fogosidad de su hermanastro. De allí las ceñidísimas instrucciones que le dio restringiendo sumamente sus funciones de generalísimo y obligándole a una continua toma de consejos de su Estado Mayor, si podemos calificar de ese modo y con una terminología actual a los hombres que Felipe II puso a su lado, entre los que destacaba uno de su máxima confianza: el ya citado don Luis de Requesens.

Una embarazosa situación que provocó la indignación del joven soldado, tomándolo como una humillación, añadida a la negativa de Felipe II de darle el título de Alteza por el que tanto suspiraba.

¿Era también favorable la situación en los Países Bajos? Así suele afirmarse. Sin embargo, un punto negro hay que anotar: los tercios viejos del duque de Alba no estaban bien pagados. Faltaba el dinero, y la pérdida de los galeones que en 1568 llevaban medio millón de escudos para Flandes, a fin de cubrir esas necesidades (pérdida provocada por la audaz intervención de las naves inglesas de William Hawkins, apoderándose del oro español), produciría una crisis económica de funestas consecuencias, al no poder atender el Rey debidamente a los dos frentes que tenía abiertos.

Mas, volviendo a la Santa Liga, hay que decir que don Juan tardó en ponerse en camino.

El 20 de mayo de 1571 se había firmado la Liga. Parecía tiempo suficiente para una gran empresa en el mar contra el poderío turco y sus aliados norteafricanos, a acometer a principios del verano. Las experiencias anteriores, como las mismas de Carlos V ante Túnez y ante Argel, de tan distinto signo, así lo marcaban, pues, finalizado el verano, la mar puede convertirse en el peor enemigo (el 20 de octubre de 1541 había tenido lugar el desembarco de Carlos V sobre Argel, con el desastre conocido). Y no hacía falta llevar la memoria tan lejos. En la campaña del año anterior, en 1570, las galeras de la Monarquía católica destinadas a someter Chipre llegaban a Otranto el 20 de agosto y se reunían con las pontificias el 31. Alcanzaron Rodas, pero demasiado tarde para conseguir algo efectivo. ¿Ocurriría lo mismo en 1571?

Se habla de lentitud, la tradicional lentitud de Felipe II. Lo cierto es que la noticia de la firma de la Liga no llegó a la corte hasta el 6 de junio, y las instrucciones filipinas para su hermanastro aún tardarían veinte días. Es evidente, por tanto, la parsimonia del Rey; de eso no cabe duda. Dado que la Liga y el mando de don Juan se podían tener por seguros, ¿no se podía haber ganado tiempo? Don Juan no podría zarpar de Barcelona para afrontar su destino hasta el 20 de julio. ¿Acaso las delicias de la capital condal aflojaron su ánimo? Nada de eso. Era preciso esperar a sus sobrinos los archiduques Rodolfo y Ernesto, para que regresaran con más seguridad a Viena, vía Génova.

También encontramos aquí otro factor que provoca un retraso: el largo periplo realizado. Tomemos otra vez el modelo carolino. En la campaña de Túnez el Emperador había hecho un primer alarde de sus fuerzas en Barcelona; de allí había partido el 30 de mayo, pero por una ruta más rápida, saltando a las Baleares y de allí a Cagliari, el gran puerto sardo. Cierto que Cagliari es el puerto ideal para una ofensiva sobre Túnez, pero también en la ruta hacia Mesina, que era el puerto donde había de concentrarse la flota de la Liga. En vez de lo cual, don Juan de Austria dobla su recorrido, costeando todo el norte del Mediterráneo occidental vía Génova, donde desembarca a sus sobrinos el 26 de julio y donde permanece hasta el 2 de agosto. Después costea todo el litoral italiano del Tirreno, para hacer su nueva escala en Nápoles. ¡Por aquellas fechas su padre ya había conquistado Túnez! Se comprende la impaciencia del joven caudillo, señalada en el relato de su viaje:

> El 2 de Agosto del golfo de Spezia con 21 galeras y siguiendo mi camino, no quise tocar en Liorna, así para aprovechar el tiempo como para haberme dicho que allí tenía el duque de Florencia muy gran presente que darme... [60]

Por lo tanto, no hay tiempo que perder, ni siquiera para mostrarse diplomático con el duque de Toscana. ¡Hay que aprovechar el tiempo! Esa será la frase del momento. Aun así, no podrá alcanzar Nápoles hasta el 8 de agosto, donde permanecería una semana.

Una estancia prolongada por las necesidades de avituallamiento de las naves, algo que le urge al cardenal Granvela, entonces al frente del virreinato de Nápoles:

> Envié aquella noche —nos informa don Juan— al secretario Soto a entender del Cardenal el estado en que estaban las cosas de mi despacho y a encargarle que con muy grande diligencia se acabasen de aprestar las cosas que se debían embarcar, y tal que no se perdiese una hora de tiempo en mi partida [61].

Pero hay que esperar algo más que naves, avituallamiento y municiones, de todo lo que por otra parte se prodigará la Italia meridional. Algo ha de recibirse, y algo importante de carácter espiritual, simbólico, si se quiere, pero fundamental en una empresa de aquel tipo: el estandarte de la Liga que san Pío V manda a don Juan desde Roma y que le llegará a Nápoles el 14 de agosto. Y la entrega no puede ser privada, ha de ser pública, porque ya toda la Cristiandad está expectante. Todo el mundo cristiano, en efecto, y sobre todo España e Italia, está pendiente de aquella cruzada contra el Turco, pues como tal ha de tenerse y la tuvieron los hombres de aquel tiempo, de forma que el estandarte, con la imagen de Jesucristo en la cruz y con los emblemas de los tres coaligados, le es entregado solemnemente a don Juan en la iglesia de

---

[60] En Fernández y Fernández de Retana, *op. cit.,* II, pág. 79.
[61] *Ibídem.*

Santa Chiara de Nápoles, ante una multitud enfervorizada. Este estandarte puede hoy contemplarse en la catedral de Toledo.

De pronto, el mal tiempo hace su presencia y obliga a don Juan a demorar su salida de Nápoles hacia Mesina, donde ya le aguardaban las doce galeras pontificias y parte de las venecianas. Hasta el 24 de agosto no podrá don Juan embocar el estrecho de Mesina y alcanzar su espléndido puerto, uno de los mejores de todo el Mediterráneo, y etapa obligada de cara a esa empresa hacia el Mediterráneo oriental.

En Mesina, pues, se organiza la magna concentración de la armada de la Liga: las 100 naves de la Monarquía católica (de ellas, 81 galeras), las 48 venecianas, las 12 pontificias, esperándose todavía otras 60 venecianas procedentes de Candía y 6 galeazas, verdaderas fortalezas flotantes, artilladas por babor y por estribor, amén de otras que se fueron incorporando.

Por lo tanto, una jornada para la gran historia, de la que todo el Mediterráneo y aun toda Europa estaban pendientes. Y de su trascendencia eran conscientes sus protagonistas, como cuando don Juan pasó revista a toda la armada o cuando llegó el enviado apostólico, obispo Odelcasco, para impartir el jubileo a toda la tripulación, como a cruzados. Entonces la emoción a buen seguro que les embargó a todos. Ante sí la empresa de buscar a la armada turca, tenida hasta entonces como invencible, y de presentarle cara y luchar con ella hasta el gran triunfo o la terrible derrota; disyuntiva que no podía desconocerse y que, en caso de producirse, traería consigo la gran marejada turca sobre el sur de Italia, sobre las islas italianas o españolas y hasta sobre las tierras levantinas, donde era de temer un levantamiento de los moriscos valencianos.

Todo eso el historiador debe tenerlo presente, si quiere evocar en toda su grandeza, incluso en toda su angustia, aquellas jornadas de la Liga que precedieron a Lepanto.

Y una primera incógnita: ¿sería capaz de aglutinarse aquella escuadra, de mantener una mínima cohesión, dados sus dispares componentes? Segunda cuestión: ¿cuál sería el plan de operaciones a realizar? ¿Recuperar Chipre, entonces en manos de los turcos? (Nicosia se había rendido el 7 de agosto). ¿Caer sobre Túnez o Trípoli? Sin duda, Felipe II y toda España habrían visto con buenos ojos algo de eso, y no digamos el vengar el desastre carolino de Argel ocurrido treinta años antes. Pero ello hubiera sido forzar demasiado las cosas, y muy dudoso que los otros aliados lo consintiesen.

Había un procedimiento seguro para mantener la unidad de las fuerzas navales reunidas en Mesina: proponer un objetivo bueno para todos, que no podía ser otro que el más arriesgado, buscar a la armada turca y combatirla.

Ese sería el plan aconsejado por un experto marino español, don Álvaro de Bazán, y el que don Juan de Austria defendería en el Consejo de Guerra convocado en su *Capitana*.

Primero, tratar de aniquilar la flota turca; después vendrían las acciones sobre tierra firme.

El 15 de septiembre, la flota zarpaba de Mesina hacia Levante, repostaba en Otranto y llegaba el 26 a Corfú. Allí recibe noticias de la armada turca, muy próxima, pues se había refugiado en el segurísimo golfo de Lepanto, y hacia allí se dirigió la cristiana, que alcanzaba Cefalonia el 5 de octubre. ¡Estaban a la vista de Lepanto! Apenas si unas leguas separaban las dos armadas.

Se estaba llegando a las vísperas del gran enfrentamiento.

Fue en esos momentos cuando un grave suceso estuvo a punto de dar al traste con toda la empresa, pues ocurrió que el general veneciano Veniero cortó por lo sano una refriega en una de sus galeras, mandando ejecutar a miembros de un tercio viejo. Medida grave que tenía que haber sido autorizada por el generalísimo don Juan y que produjo tal malestar que se oyeron voces pidiendo retirar toda la armada católica y dejar a los venecianos solos ante el Turco.

Allí intervino prudentemente don Álvaro de Bazán. Por él sabemos, por su carta al Rey, el giro que tomó tan espinoso asunto:

> ... cuando... el general de Venecia nos ahorcó el capitán de infantería y los demás soldados, Su Alteza se volviera con la armada, apartándose de los venecianos con ánimo de hacer la empresa de Castel-Novo...

Obsérvese cómo está presente el recuerdo de Carlos V, y aquella famosa gesta de 1539 en Herzeg Novi.

> ... por el parecer del Comendador Mayor Juan Andrea Doria, don Juan de Cárdona y Pedro Francisco Doria; de que resultaría sin duda perderse toda la armada, retirándose, viniendo ya como venía la del enemigo a buscarnos...

Entonces se produce la intervención de Álvaro de Bazán:

> ... y yo supliqué al Sr. don Juan que el castigo de aquel desacato lo dexare para acabada la jornada...

Puesta a votación la propuesta de Álvaro de Bazán, salió vencedora ¡por un voto! Pero bastó, y la flota buscó al Turco y apuró la victoria.

¿Qué decir de aquella jornada? De entrada, recordar a aquel sencillo soldado que, enfermo como estaba y dado de baja, pidió el alta y hallarse en lo más recio de la pelea, y que con su estilo inconfundible nos dejaría la mejor referencia:

> ... la más alta ocasión que vieron los siglos pasados, los presentes, ni esperan ver los venideros... [62]

Se podía comentar el orden de la batalla, con las galeras de don Juan en el centro; a su derecha, las que comandaba Juan Andrea Doria, y a su izquier-

---

[62] Cervantes, Prólogo a la segunda parte del *Quijote*.

da, las venecianas dirigidas por Barbarigo. En vanguardia, dos galeras venecianas, y en retaguardia, presto a acudir a las partes que más lo requiriesen, don Álvaro de Bazán con 35 galeras, de ellas, 21 españolas.

Fue decisivo el arrojo de don Juan de Austria, su auténtico caudillaje, por todos respetado, y su decisión de buscar la victoria a toda costa. También fue importante la estrategia, como la de cercenar los espolones de las galeras, para ofrecer menos blanco al enemigo, lo que sorprendió a las galeras turcas. Asimismo es de recordar que aquella fue, en buena medida, una batalla mixta, entre naval y terrestre, porque, en cuanto podían, las galeras buscaban el choque y el abordaje, donde los tercios viejos hicieron bueno su merecido título de únicos para el combate cuerpo a cuerpo, arrollando incluso a los temibles jenízaros, que eran la fuerza de choque del Imperio turco.

Aquí pueden insertarse algunas frases de textos escritos hace medio siglo, en los años cuarenta, que ahora conocemos o tildamos como la historiografía triunfalista de los tiempos franquistas.

Hago una selección de un afamado escritor:

> Lepanto —nos dice— fue el más grande de los acontecimientos militares del siglo XVI en el Mediterráneo, el más resonante de todos. En este caso, la fama no ha falseado las perpectivas de la historia. Lepanto fue una inmensa victoria de la técnica y de la valentía. Pero es también una experiencia histórica muy singular.

¿Cómo se nos presenta el hecho? ¿Como un juego impresionante de masas, de acontecimientos que desbordan y que empujan a los hombres? No. Se cantará al héroe y, en este caso, al que sobresale. Porque había que agrandar el papel de don Juan de Austria, del que comenta:

> No cabe duda de que este hombre forzó el destino.

Así pues, nada menos que la vuelta al héroe en su más gloriosa personificación. ¡Oh, estas páginas de los historiadores de los años cuarenta! ¿Debemos alabarlas o censurarlas? Porque no quedaban ahí las alabanzas, como cuando el Generalísimo convirtió aquel haz de galeras de tan distinta procedencia en una armada compacta, lista como un puño cerrado para el combate:

> Cuando quería —nos añade—, don Juan sabía producir una impresión encantadora en quien le abordaba. El brujo desplegó todos sus encantos. ¿Acaso no iba a depender de este primer contacto [63] la suerte de una expedición que tanto le apasionaba? Pero don Juan supo también obrar y, gracias a su dinamismo, lo que era una armada naval dispersa, acabó convirtiéndose en un todo homogéneo...

---

[63] La referencia a su entrevista con los caudillos de las otras formaciones navales, la genovesa y la pontificia.

Y aún quedan por volcarse los mayores elogios para el hombre de Lepanto, de quien se había atrevido a desobedecer las estrictas instrucciones del Rey. Aquí nuestro autor encomiará el entusiasmo de don Juan, y añade:

> No cabe duda de que en este caso don Juan fue el instrumento del destino. Estaba honradamente convencido de que no podía defraudar a Venecia ni a la Santa Sede, sin perder el nombre y el honor...[64]

¿Estamos ante uno de los historiadores oficiales de aquella hora en la España franquista? ¿De un maestro de aquellos días, como Ballesteros Beretta o de alguno de sus discípulos? Posiblemente, entonces oiríamos las peores críticas por tan desaforadas muestras de patriotismo.

Por fortuna, ese autor —y tú, lector avisado, a buen seguro que has caído en ello— no es ni siquiera español. Es el francés Fernand Braudel, uno de los más notables historiadores de la Europa de aquellos años.

Pero, para calificar lo que supuso la hora de la victoria, nada como oír al mayor de los protagonistas de la tropa de combate, un hombre de la generación de don Juan de Austria.

Volvemos, por ello, a escuchar a Cervantes; en este caso, en algunos de sus versos más inspirados (aunque, cierto, no fuera la poesía precisamente su fuerte), cómo canta la victoria:

> A esta dulce sazón, yo, triste, estaba
> con la una mano de la espada asida,
> y sangre de la otra derramada.
> El pecho mío de profundas heridas
> sentía llagado, y la siniestra mano
> estaba por mil partes ya rompida.
> Pero el contento fue tan soberano
> que a mi alma llegó, viendo vencido
> al crudo pueblo infiel por el cristiano,
> que no echaba de ver que estaba herido;
> aunque era tan mortal mi sentimiento
> que a veces me quitó el sentido[65].

Pues una cosa salta al punto a la vista: el entusiasmo del combatiente de a pie, la moral del soldado, el ansia de combatir hasta dar la vida por una empresa que cree santa, y en este caso la defensa de la civilización cristiana frente a la amenaza de la oleada musulmana, personificada entonces por el poderío turco.

Y así se demostró una vez más que la primera condición para vencer es querer ganar, poseer la moral alta del que cree que combate por una causa justa.

---

[64] Fernand Braudel, *El Mediterráneo y el mundo mediterráneo en la época de Felipe II,* México, 1953, II, págs. 368 y 369.

[65] Citado por Astrana Marín, en su edición del *Quijote,* Madrid, s.a., pág. X.

¿Cuáles fueron los resultados de la victoria? En una batalla entre naval y de abordaje, en que tanto juego tuvo la infantería, con cerca de quinientas galeras en el fragor del combate, sobre sesenta mil soldados y cuando menos otros tantos galeotes al remo, en el conjunto de las formaciones militares en lid, el resultado inmediato fue la destrucción de la marina turca, escapando tan sólo relativamente bien librado —para mal de España— el terrible begler-bey de Argel, Euldj-Alí (el Luchalí de los documentos españoles), con treinta galeras. El resto de la armada turca o quedó destruida o en poder de la Liga. Quince mil galeotes cristianos al remo de la armada turca fueron liberados. Pero también no pocos miles de la armada de la Liga, a los que don Juan había prometido la libertad si colaboraban fielmente en el combate; naturalmente, promesa que se podía hacer a quienes estaban al remo como condenados por la justicia. Sobre esto hemos de volver.

Digna es de recoger una muestra de cómo don Juan daba cuenta de la victoria, en este caso al cardenal Espinosa, como presidente del Consejo Real de Castilla:

> Rmo. Sr.: Porque Dios, Nuestro Señor, ha sido servido de dar a la Christiandad tan honrada e importante victoria, como le ha dado en haber vencido en batalla esta armada a la del Turco, enemigo de nuestra santa fee católica, con tanto valor como se ha vencido, de la manera que se verá más particularmente por la relación que aquí va, no puedo dexar de alegrarme con Vuestra merced dello, por lo que see que se holgará, por lo que me quiere. Recibiré contentamiento en que me avise del rescibo desta carta y de su salud, siendo cierto que en todo lo que podré procurar su satisfacción y contentamiento lo haré con muy entera voluntad.
>
> Nuestro Señor la Rma. persona de V. S. guarde como dessea.
>
> De galera, en el puerto de Petela en el golfo de Lepanto a 9 de octubre 1571.
>
> A servicio de vuestra merced.
>
> Don Juan [rubricado].
>
> [P.D. autógrafa] Doy a vuestra merced el parabién desta victoria que Nuestro Señor ha sido servido darnos, como quien holgará de tan felice nueva, lo que es justo. [Rubricada] [66].

La nueva de la victoria fue acogida con gran alegría en toda la Cristiandad. San Pío V, feliz con el éxito de aquella jornada de la Liga, que había sido su gran deseo, pronunciaría una frase de sabor bíblico: *Fuit homo missus a Deo cui nomen erat Joannes.*

---

[66] Citado por Fernández y Fernández de Retana, *op. cit.,* II, pág. 124.

En Venecia se oiría vitorear al pueblo —acaso la única vez en su historia— el nombre de Felipe II, si hemos de creer al embajador español Diego Guzmán de Silva:

> ... por las calles y casas no se decía otra cosa a voces sino viva el Rey Filipo Católico... [67]

En Madrid, que ya llevaba diez años como capital de la Monarquía, no podía dejarse de celebrar la victoria. Las actas del cabildo municipal lo reflejan fielmente:

> En este Ayuntamiento se acordó que a la buena nueva que ayer miércoles, último de Octubre, vino de la victoria que la armada cristiana hubo contra la turquesa, esta noche, después de lo que anoche se hizo, se hagan alegrías... [68]

Y si célebre fue o se hizo la frase del Papa, en cuanto a los designios divinos al mandar un hombre como don Juan de Austria, no menos significativa, en cuanto a su modo de ser, lo fue la reacción de Felipe II, ante el gentilhombre que alborozado le quería dar la buena nueva, sin saber casi más que farfullar:

> Sosegaos, y que entre el correo, que lo sabrá mejor decir.

El famoso «sosegaos» del Rey, que tenía siempre la virtud de descomponer aún más a quien lo oía.

No puede darse de lado el comentario que estas reacciones sugieren. En primer lugar, que en Italia, tanto como en Venecia, se reconocía el papel principalísimo de España en tan grande victoria, y segundo, que, en contraste, don Juan hablaría de la victoria que había dado Dios «a la Cristiandad»; curiosamente, el mismo término empleado por los regidores del cabildo municipal madrileño: «... la victoria que la armada cristiana hubo...»

El desastre de la armada turca y el que desapareciese momentáneamente del Mediterráneo abría posibilidades inmensas para las potencias de la Liga, que poco a poco se fueron esfumando. En principio, lo avanzado de la estación —no olvidemos que la ofensiva se había emprendido en pleno otoño— obligaba a que las galeras de la Liga invernasen, tiempo bien aprovechado por el Turco. ¿Por qué no se prolongó la campaña con un ataque a los Dardanelos y a la misma Constantinopla? ¿O bien con la toma de los Santos Lugares? ¿O golpeando sobre Argel? Se podría haber intentado, y voces se oyeron en

---

[67] En Fernández y Fernández de Retana, *op. cit., II,* pág. 123.
[68] Manuel Fernández Álvarez, *Poder y sociedad en la España del siglo XVI,* Madrid, 1995, pág. 293.

este sentido, voces dadas por algunos de los generales protagonistas. Pero también el riesgo no era pequeño, con lo que el éxito de un día podría convertirse en la catástrofe del siguiente. También jugaron pronto otros factores: Venecia en seguida dio muestras de que prefería ya tratar con el Turco y volver a sus buenas relaciones mercantiles con la Puerta de que tan buenos provechos recibía. La Monarquía católica anhelaba, por su parte, poner fuera de combate los principales nidos de corsarios norteafricanos, y, en definitiva, esa sería la siguiente misión de don Juan de Austria.

A los factores internos desintegrantes de la Liga, que darían al traste con ella dos años más tarde, hay que añadir los externos, en particular la diplomacia francesa, que no se resignaba a perder su viejo aliado. Desde muy pronto la corte de París inició activas gestiones, enviando un embajador especial a Constantinopla con una misión concreta: convencer a los turcos del interés que les reportaría la reanudación de relaciones con Venecia. La muerte de san Pío V, el 1 de mayo de 1572, también contribuyó al cuarteamiento de la Liga. Y Venecia al fin, gracias a la mediación del obispo francés de Dax, firmaba el 4 de abril de 1573 la paz por separado con Turquía, en tales condiciones que en vez de aparecer como una vencedora lo hacía como si hubiera sufrido un duro revés, hasta el punto de pagar indemnizaciones por los daños causados en la campaña, y aumentando su antiguo tributo a la Puerta; en cambio, podía volver a comerciar con todos los puertos del Mediterráneo oriental del Imperio turco.

En 1573, Felipe II autorizó a su hermano don Juan la ocupación de Túnez. Lo que haría en una rápida campaña en octubre de aquel mismo año.

Parecía el único premio visible por la victoria de Lepanto: la recuperación de aquellas plazas que había enseñoreado Carlos V, en particular la famosa de La Goleta, dejando el reino tunecino en manos de un rey feudatario: Muley Hamet.

Tampoco por mucho tiempo. En 1574, con don Juan de Austria fuera de juego en su nuevo destino de Milán, no le resultó difícil a Euldj-Alí adueñarse de nuevo de todo el territorio tunecino, sin que nada pudiera hacer don Juan por recobrarlo.

En 1578 era la diplomacia filipina la que negociaba treguas con el Turco, firmadas por fin en 1581, gracias a las hábiles gestiones de un diplomático italiano al servicio de la Monarquía católica, Margliani.

Todo ello daría amplio material para las burlas y las ironías de los posteriores comentaristas, en particular desde que Voltaire en el siglo XVIII ridiculizó la Liga. ¿Tan gran triunfo con tan pobres resultados? Algo que se sigue repitiendo en todos los manuales de hoy en día, y en parte no sin razón.

Ahora bien, tampoco puede ignorarse lo que Lepanto supuso para la Cristiandad; en primer lugar, que fuera el freno a la agresividad del Turco. Fue a partir de entonces cuando se inició el viraje en aquel forcejeo Cristiandad-Islam. Se podrían volver a recordar los textos de Braudel. A partir de aquel momento, ni Nápoles ni Sicilia temieron ya caer bajo el Turco, y aquello de que con Lepanto «la fama no ha falseado las perspectivas de la historia».

Claro que esto no contesta a todas nuestras interrogantes, empezando por preguntarnos si Felipe II se dio cuenta de la posibilidad que se le daría de adueñarse del Mediterráneo, con el aniquilamiento de la flota turca. Téngase en cuenta que tras la victoria se encontró con cerca de setenta nuevas galeras, como parte del botín de guerra; lo cual, unido a que las suyas permanecían intactas, le había convertido en la máxima fuerza naval del Mediterráneo.

Que Felipe II comprendió la oportunidad que se le ofrecía, lo demuestra su nota en que comenta la carta de su hermano en que le daba cuenta de la victoria:

> ... A mi hermano —señala a su secretario— será bien escribir luego que procure se armen las más galeras de las que se han tomado que se pudiera y que avise lo que en ello se... [ileg.] [69].

Y es aquí donde Felipe II encontró las primeras dificultades. Porque aquellas galeras se habían quedado sin galeotes; recordemos aquellos quince mil cristianos, los quince mil forzados de las galeras turcas a los que don Juan había dado la libertad. Pero no sólo esos, pues también la habían recibido muchos de los galeotes de la armada de la Liga, como ya hemos consignado.

Por tanto, abundancia de galeras pero escasez de remeros. ¿Cómo resolver el problema? ¿Fue Felipe II consciente de ello?

La respuesta, como tantas veces, la teníamos que encontrar en el Archivo de Simancas. Pues, contra lo que pudiera suponerse, sobre ese personaje tan notable como lo fue el galeote en el Mediterráneo del siglo XVI, apenas si los libros de historia dicen algo, incluido sorprendentemente el propio y magno de Braudel.

Por lo tanto, Simancas.

¿Con qué nos encontramos? ¿Con qué se encontró Baltasar Cuart al centrar su memoria de licenciatura en ese tema? [70] Pues bien, la tesis tan divulgada de un Rey receloso de la brillante trayectoria de su hermano, la tesis de un Felipe II envidioso de don Juan de Austria, no concuerda en este caso con los datos que nos dan los documentos simanquinos. Felipe II fue consciente de que Lepanto abría grandes posibilidades a la Monarquía católica de cara al Mediterráneo. De entrada, ordenaría que en todas las ciudades y villas de importancia de Castilla se procediera a la creación de cofradías de hidalgos, por estimar que era ese personaje social el que asumía el espíritu heroico y la cantera de donde debían obtenerse los mejores soldados de la milicia, el fundamento de los tercios viejos. Y eso lo haría en 1572, como pudo demostrar en su tesis doctoral Ana Díaz Medina. ¿Cómo casar, pues, la estampa de ese soberano que está tratando de revitalizar la milicia, al día siguiente de las jornadas de

---

[69] Archivo de Simancas, Estado, leg. 1.134.

[70] Baltasar Cuart Moner, *El galeote. Un aspecto de la historia de la España del Barroco,* memoria de licenciatura leída en la Universidad de Salamanca el 6 de junio de 1972 (inéd.).

Lepanto, con ese otro, supuestamente escamoteador de los triunfos de su hermano? Aquí, por el contrario, el legislador y el soldado parecen darse la mano.

Pero, además, estaba el hecho a que antes aludimos: no podía lograrse el dominio del Mediterráneo, ni siquiera tras Lepanto, sin un incremento sustancial de la armada de la Monarquía católica, una armada compuesta fundamentalmente por galeras.

Ya tenemos el gran personaje del Mediterráneo, un personaje milenario. Las galeras navegan ya en la época del antiguo Egipto. Ellas son las que fundamentan el poderío de Cartago y, por supuesto, de la Roma de Julio César. Y son, apenas sin modificación alguna, las que transportan a los tercios viejos desde España a Italia, las que llevan a Carlos V sobre Túnez, en uno de sus más brillantes triunfos, como serán las que combaten en Lepanto.

Ahora bien, la galera es la nave del Mediterráneo, y el Mediterráneo es abundante en calmas chichas, y para moverlas, cuando cesaba el viento, la técnica aún no disponía de más motor que el puro esfuerzo humano. Y es aquí donde aparece el galeote, ese mísero personaje, el tipo humano de vida atroz —«en cada minuto le es dulce la muerte», diría el autor de *Viaje de Turquía*—, pero imprescindible.

Y esa es la cuestión. Para dominar el Mediterráneo, haciendo buena la victoria de Lepanto, y para conseguir a manos llenas los frutos de aquel éxito, Felipe II tiene que aumentar notoriamente su número de galeras. No le basta con las que tiene en servicio —en torno a ochenta, cien si se tienen en cuenta las de su aliado genovés—, ni con las que obtiene en el reparto del botín de Lepanto. Entonces se capturaron sobre ciento treinta galeras en razonable estado, de las que, conforme a lo capitulado en la Liga, correspondían a la Monarquía católica sesenta y cinco. Y aún se creía que era necesario botar nuevas galeras.

Por lo tanto, más y más galeotes que poner a sus remos. ¿Cómo conseguirlos? ¿En qué número? Recordemos que eran tres los tipos de galeotes: de buena boya —esto es, quienes tomaban voluntariamente ese oficio, con su paga, como hombres libres—, los infieles capturados en acciones bélicas y los condenados por la justicia. Como los primeros eran escasos —muy pocos eran los desesperados que aceptaban voluntariamente aquel género de vida—, los segundos inciertos (como lo eran las acciones en el mar contra turcos y argelinos), lo único seguro era los que el Estado consiguiera a través de la justicia, los delincuentes condenados a diversos años a servir forzados en las galeras. Y como la necesidad era tanta, la inevitable tendencia era caer en los mayores abusos. Recordemos aquella petición de Andrea Doria, tras una afortunada incursión sobre Cherchell, en 1530, de convertir a los cristianos que había liberado en galeotes, para servir al remo en las galeras allí tomadas a los argelinos; petición que ya hemos visto que fue aceptada por Carlos V, por la necesidad que había: «... lo cual nos ha parescido bien...»

La necesidad que no admite ley, incluso para un monarca ordenancista, ni para un rey legislador como Felipe II. Es preciso volver a sus textos e instrucciones, como las que manda al virrey de Nápoles a poco de iniciar su reinado: las galeras tenían que proveerse de galeotes, y por tanto debiera tener cuidado de que la justicia obrase en consecuencia, de modo que:

> ... todos los delincuentes cuyos delictos fueren de calidad que el ponellos en la galera sea suficiente pena y castigo, sean condenados a las dichas galeras...

Entonces, acaso por estar iniciando su reinado, el Rey advierte del cargo de conciencia que supondría el que, acabada la condena, aún se mantuviesen los galeotes al remo:

> ... porque entendemos que los capitanes usan en esto de más libertad y soltura de lo que conviene, y es muy grande cárico de conciencia...[71]

Tal sostenía Felipe II en 1560. Pero en 1572 las circunstancias son otras. Tiene la oportunidad de recoger la herencia del Turco tras Lepanto y convertirse en el amo del Mediterráneo. Pero a condición de que sus galeras, las viejas, las tomadas a los turcos y las nuevas botadas en sus arsenales, cuenten con los galeotes precisos.

Pues lo cierto fue que los astilleros de todos los puertos del Mediterráneo de la Monarquía se pusieron febrilmente a la construcción de más galeras: en Barcelona como en Cartagena, en Nápoles como en Mesina. Se suponía que era preciso alcanzar las doscientas galeras como mínimo. Y no sólo las nuevas requerían galeotes, pues ya hemos visto que las tomadas a los turcos, al tener galeotes cristianos, se habían quedado sin ellos, por la libertad que se les había concedido. ¡E incluso eso era lo que había ocurrido con las galeras de la Monarquía, cuyos galeotes eran en su mayoría antiguos delincuentes cristianos, a los que don Juan había prometido la libertad si contribuían a la victoria! De forma que al día siguiente de Lepanto la carencia de galeotes era alarmante. Téngase en cuenta que esas doscientas galeras a las que se aspiraba requerían como mínimo treinta mil galeotes, pues el tipo medio de galera contaba con veinticinco remos a cada lado, servidos cada remo por tres galeotes, lo que suponía un mínimo de ciento cincuenta galeotes por galera, a los que había que sumar algunos de reserva, para suplir a los heridos o enfermos. El mismo autor del *Viaje de Turquía* nos cuenta que ya se hacían galeras con cuatro galeotes a cada remo, lo cual aumentaba las cifras. Es más, los capitanes de la mar preferían cinco galeotes por remo.

Por lo tanto, una primera necesidad: encontrar el número suficiente de galeotes para tantas galeras, con lo que no bastaba con los cautivos cogidos en Lepanto, que por otra parte hubo que repartir con los otros aliados.

---

[71] Biblioteca Nacional, Ms., leg. 6.722, fols. 106 y sigs.

De ahí la orden de Felipe II a todas sus justicias, tanto de realengo como de señorío, para que se activasen todos los juicios pendientes y para que los delincuentes condenados a galeras fueran inmediatamente enviados a los puertos del Mediterráneo.

Conocemos la orden cursada a las justicias de la Corona de Castilla. Sin duda, otras similares fueron mandadas a las demás plazas de la Monarquía católica en el ámbito del Mediterráneo.

En la mandada a las justicias de Castilla se indicaba:

> ... por quanto para el servicio de las galeras que de presente sostenemos, que son en mucho mayor número de lo que antes solían haber, y para las que de nuevo mandamos armar..., es necesario juntar gran número de forzados y remeros, de que en las dichas galeras hay al presente falta, no pudiendo servir ni armarse sin que de los dichos remeros y forzados haya número suficiente...

Si analizamos, aunque sea someramente, esta orden del Rey, veremos cómo apunta con lo que se encuentra en esos momentos, tras la victoria de Lepanto: con un incremento notorio de sus galeras («que son en mucho mayor número de lo que antes solía haber»), y que, aun así, había ordenado construir más todavía («las que de nuevo mandamos armar»). Estamos ante la prueba del intento regio por alcanzar ese número de galeras (en torno a las doscientas) que le permitieran señorear el Mediterráneo, sin tener que contar con la alianza de Roma, que era pequeña, o de Venecia, que era tan dudosa. Pero, claro está, para eso era preciso disponer de un elevado número de galeotes, como mínimo veinte mil, que se han de obtener por la vía de una justicia expeditiva, que apresurase sus condenas.

Era un abuso manifiesto del poder ejecutivo sobre el judicial, favorecido por el hecho de la total supeditación en el Antiguo Régimen del segundo al primero. Esa es la prueba que custodia el Archivo de Simancas, en una de sus secciones menos exploradas, manejada por la Cátedra de Historia Moderna de Salamanca, y concretamente por el entonces profesor ayudante —hoy titular de Historia Moderna— Baltasar Cuart Moner.

Se trata de unos legados, que yo he tenido en mis manos, donde se comprueba cómo todas las autoridades de la Corona de Castilla responden a vuelta de correo al mandato regio. Se percibe la urgencia del momento y cómo todos tienen conciencia de que se ha abierto para España la posibilidad de convertirse en la gran dominadora de todo el Mediterráneo. ¿Cuáles fueron los resultados? Pues bien, apenas un goteo de delincuentes condenados a galeras, eso sí, por delitos irrisorios. Sólo las respuestas de las ciudades importantes, en especial, claro, donde había Chancillería o Audiencia, dan algunos centenares, como Granada, con 293; Sevilla, con 187; Valladolid, con 72, y La Coruña, con 26 (por cierto, 7 de ellos ingleses). En los demás lugares las cifras son insignificantes: Salamanca, 18; Segovia, 20; Arévalo, 4; Antequera, 3; Tordesillas, 2. En otros casos, la carencia es la respuesta, como lo señalan las autoridades de Aranda de Duero, Alburquerque, Uclés y Villanueva de la Serena. En todo caso, la cifra total no franquea los mil delincuentes condenados a galeras, y eso forzando la máquina judicial y acelerando todas las causas pendientes.

Menos de mil nuevos galeotes; eso suponía que tan sólo cabía poner en el mar siete nuevas galeras. Añadamos —que es mucho añadir— otras tantas por la Corona de Aragón y otras tantas por las piezas italianas. ¿Cuál sería el total? Veinte o veinticinco galeras como máximo. ¡Y posiblemente esas eran las que habían quedado sin galeotes, de la vieja armada hispana, merced a la generosidad de don Juan de Austria! Se comprende que algunos contemporáneos buscasen otros remedios, como el duque de Medina-Sidonia, que proponía echar mano de los mulatos y cubrir con ellos los bancos de las galeras; propuesta totalmente inviable y que desde luego no sería seguida por Felipe II, para quien su poder regio tenía unos límites jurídicos —y morales— que no podía traspasar.

Era su gran desventaja frente al Turco, que en cualquier momento podía hacer una redada de galeotes en su Imperio. Como Ranke señaló en su día, el Turco era el gran señor de esclavos. De forma que frente a las dificultades insuperables de la Monarquía católica, el señor de Constantinopla pudo entregar a Euldj-Alí doscientas nuevas galeras, con todos sus galeotes (que no bajarían de treinta mil), en 1573.

Y en cuanto a Felipe II, una cosa puede ya afirmarse de modo rotundo: no trató de escamotear la victoria a don Juan, ni fue porque los acontecimientos de la Europa occidental le obligaran de pronto a cambiar de frente. Eso sería más tarde. Lo que ocurrió fue que el Rey se encontró con una dificultad insuperable para poner en orden de batalla las galeras con que de pronto se encontró en las manos, y con las nuevas que proyectaba: la escasez de galeotes, que era la desnuda realidad de la España de la época. Pese a sus apremiantes requerimientos, las justicias de la Monarquía apenas si pudieron proporcionarle unos centenares de infelices que poner al remo; muy lejos, pues, de aquellos miles que precisaba su nueva armada. Y tampoco pudo contar con el apoyo de la Liga, porque la muerte de san Pío V, que había sido su alma, los intereses de Venecia y las intrigas diplomáticas de Francia, facilitando el renovado entendimiento de la República véneta con el Turco, hicieron el resto. De modo que Felipe II, por esta razón primordial, tuvo que renunciar a su primer proyecto. Y que historiadores de la talla de Braudel no lo hayan percibido es porque sus auxiliares españoles no le pusieron en la verdadera pista que le hubiera dado la respuesta a esa sencilla pregunta, y porque, en definitiva, algo faltaba en su esquema: analizar en profundidad lo que suponía la galera en el Mediterráneo del Quinientos, con su motor insoslayable: el galeote.

En lo que sí acierta el gran historiador es en refutar la manida tesis de que en Lepanto fueron más los ruidos que las nueces. Lepanto fue un acontecimiento de gran trascendencia y don Juan de Austria su héroe decisivo.

O por decirlo con sus mismas palabras:

> Lepanto fue el más grande de los acontecimientos militares del siglo XVI en el Mediterráneo, el más resonante de todos.

Y añade, con su característico brillante estilo:

> En este caso, la fama no ha falseado las perspectivas de la historia[72].

Pero pocos como un contemporáneo, el padre Juan de Mariana, para describir en cuatro trazos la acción y para resaltar sus resultados. La batalla:

> Era un espectáculo miserable, vocería de todas partes, matar, seguir, quebrar, tomar y echar a fondo galeras; el mar cubierto de armas y cuerpos muertos, teñido de sangre; con el grande humo de la pólvora ni se veía sol ni luz casi, como si fuera de noche...

El triunfo, en fin:

> ... esta victoria fue la más ilustre y señalada que muchos siglos antes se había ganado; de gran provecho y contento, con que los nuestros ganaron renombre no menos que los antiguos y grandes caudillos en su tiempo ganaron...[73]

---

[72] Braudel, *El Mediterráneo...,* II, pág. 352.
[73] Padre Juan de Mariana, *Historia general de España,* ed. Andrés Ramírez, Madrid, 1782, II, pág. 784.

9

LOS AÑOS SETENTA

EL GALEÓN DE MANILA

El año 1571 no es sólo el de Lepanto; también por entonces un gobernante de gran talante fundaba una ciudad de inmenso futuro: Manila. Se comenzaba a consolidar, de esa manera, la implantación del único enclave de la cultura occidental y cristiana en Extremo Oriente, que por algo lleva el nombre del Rey Prudente.

Estamos hablando, pues, de las Filipinas. Y el hombre que gobernó aquellas lejanas tierras, combatiendo, negociando y fundando, fue Legazpi. Pero no es el único nombre a recordar, pues si se pudo consolidar esa penetración hispana en Extremo Oriente, que se mantendría más de tres siglos, fue porque hubo otros navegantes que colaboraron en la empresa. Entre ellos, el más destacado fue el vasco Urdaneta, al que le cupo la gloria de encontrar la ruta de retorno.

Fue una dificultad que los marineros españoles tardaron en superar. La expansión por el inmenso Pacífico —todavía hoy inmenso, no digamos en el Quinientos— partiendo de las costas occidentales de América, bien de las mexicanas, bien de las incaicas, se había iniciado bastante antes.

En efecto, dejadas las expediciones pioneras que salieron de España, como las de Magallanes, Elcano y Jofre de Loaisa, pronto se puso de manifiesto que si alguna tenía éxito, en ese intento de penetrar en el Pacífico y de lograr un asentamiento, eso tenía que ser partiendo de las costas occidentales de América, de cara al ignoto Océano, dada la reducción de tiempo que se lograba; lo cual venía a realzar la importancia de los asentamientos indianos.

Ya Hernán Cortés había mandado a Álvaro de Saavedra, en 1528, en una operación de descubrimiento en el Pacífico; ello entraba en la dinámica de aquel notabilísimo caudillo. Entonces Álvaro de Saavedra alcanzó Nueva Guinea. Y en la década de los cuarenta, bajo el gobierno de uno de los mejores virreyes mandados por Carlos V, don Antonio de Mendoza, partió López de Villalobos, que alcanzó Amboina, y allí murió, siendo asistido por un misionero de excepción, otra de las grandes figuras del siglo: san Francisco Javier; impresionante encuentro de dos figuras españolas del XVI, del navegante y del misionero, del hombre de acción y del santo, cada uno siguiendo rutas distintas hacia el Oeste y hacia el Este, para tener ese encuentro en el fin del mundo en 1546; un año antes de Mühlberg, lo que da idea de la magnitud del empeño español.

Ahora bien, todos esos intentos estaban condenados al fracaso, porque luchaban con una gran dificultad natural que parecía insalvable: lograr el tornaviaje, poder regresar al punto de partida, que permitiese un contacto periódico y asegurase que los expedicionarios no se perdiesen en aquella inmensidad, como lo era el Pacífico para los galeones del Quinientos. ¿Será preciso insistir aquí que harían falta dos siglos para que otro país, en este caso Inglaterra, lograse dominar el Pacífico con los viajes de Cook? Dos siglos de avances náuticos, tanto en las naos, en su velocidad, en su seguridad y en su capacidad para hombres y para víveres, como en el instrumental científico que les ayudara a navegar, y en el cartográfico, que les daba ya con precisión las distancias, las tierras, las corrientes y los vientos.

Pero el hombre del Quinientos navegaba todavía al albur. Lo cual suponía también tener que afrontar otro riesgo: el miedo a lo desconocido, el temor a perderse en aquellas inmensidades sobre las que no había referencias precisas.

El personaje que fijó aquí el destino —como en el Mediterráneo lo estaba haciendo don Juan de Austria—, más que Legazpi, con toda su grandeza, fue Andrés de Urdaneta.

Urdaneta tenía en la década de los sesenta una experiencia impresionante. Y ello porque en realidad estamos ante un representante de la época de Carlos V, con uno de los integrantes de la expedición a las Molucas organizada por el Consejo de Indias en 1525 —el año de Pavía—, expedición dirigida nada menos que por Sebastián Elcano; durante diez años, Urdaneta navegó, negoció, combatió y, en todo caso, consiguió una valiosísima información sobre el vasto territorio que comprendía las que después se llamarían islas Filipinas y las Molucas. Mientras tanto, Carlos V, en un gesto conciliador con Portugal que causó consternación en Castilla, había cedido sus derechos —que eran los del reino— a las Molucas, por el tratado de Zaragoza de 1529. A partir de ese momento, la presencia de Urdaneta en aquella zona resultaba ilegal, y aunque aún se mantiene allí durante algunos años, al fin debe regresar a la Península, como lo hace en 1535. Por lo tanto, estamos ante el que ha realizado el segundo viaje de circunnavegación a la Tierra, si bien en dos etapas interrumpidas por diez años.

Ya entonces pudo observar Urdaneta las peculiaridades de las corrientes y los vientos en el Pacífico central. En 1528, estando en las Molucas, enlazó con la expedición de Álvaro de Saavedra, el que había sido mandado por Hernán Cortés, en un intento de alcanzar la zona de las islas de las Especias desde Nueva España; precisamente, Álvaro de Saavedra trató en dos ocasiones de regresar a Nueva España, siéndole imposible vencer los vientos contrarios, incapaz de encontrar la ruta adecuada.

La fama de Urdaneta en Castilla hacia 1538 era tan grande, que cuando el célebre Pedro de Alvarado —el lugarteniente de Hernán Cortés en la conquista de México— organiza una expedición para explorar en el Pacífico, no duda en buscar su colaboración como piloto mayor de la empresa. Eso le lleva a Nueva España, donde le vemos en los años cuarenta como valioso colaborador en la obra de gobierno del gran virrey Antonio de Mendoza, como corregidor y visitador.

Representante típico de la España descubridora, conquistadora y pacificadora, pero también misionera, Urdaneta deja el mundo para ingresar en los agustinos de México en 1553. Era, a miles de kilómetros de distancia, una réplica de la imagen que poco después daría el mismo Carlos V en España en 1555.

Pero Urdaneta acabaría volviendo a la vida activa, cuando el virrey Velasco proyectó otra expedición en el Pacífico. Autorizada por Felipe II, la expedición no saldría hasta 1564, cuando ya Urdaneta había franqueado ampliamente el medio siglo. Quizá Urdaneta aceptó el nombramiento de piloto creyendo que el objetivo sería la expedición del Pacífico meridional, pero las instrucciones regias marcaban dirigirse a las islas Filipinas —el nombre dado por Ruy López de Villalobos en 1542, en honor del entonces príncipe de Asturias. Sería para pensar lo que un título, un nombre, una designación pueden condicionar un futuro, y hasta qué punto el gesto de López de Villalobos influyó en el ánimo del Rey para no dejar interrumpida aquella tarea descubridora y pobladora. Lo cierto es que la expedición de 1564, dirigida por Legazpi, iba a lograr los dos objetivos básicos: asentamiento y repoblación, con la fundación de Manila de 1571, que hay que considerar como uno de los acontecimientos principales del reinado de Felipe II, conseguido el mismo año de Lepanto.

Algo verdaderamente impresionante. A miles y miles de kilómetros de distancia, los españoles eran capaces de vencer al Turco en pleno Mediterráneo y de poner las bases del único enclave de la civilización cristiana y occidental en el corazón del Extremo Oriente asiático.

Pero para que aquel asentamiento pudiera cuajar era preciso la conexión continua de las Filipinas con España, a través de México. Era por tanto imprescindible encontrar aquella ruta del tornaviaje, tarea en la que habían fracasado sucesivamente Álvaro de Saavedra y Ruy López de Villalobos.

Sería la hazaña de Urdaneta.

El 1 de junio de 1565 partió el galeón pilotado por Urdaneta, con la orden de Legazpi de regresar a Nueva España. Consciente de que en aquellas latitudes la ruta hacia el Este era infranqueable, Urdaneta decidió dirigirse al Norte, tanteando el camino viable. Tuvo que subir así cerca de 30°, desde el paralelo 14°, hasta que en el paralelo 42° encontró la corriente de Kuro Shivo, a la altura del Japón, que le llevó venturosamente hacia el Este, poniéndole sobre las costas californianas. Ya, costeando, llegó sin dificultad mayor a las costas de Nueva España, el 8 de octubre: cuatro largos meses de navegación,

llenos de incertidumbre (sobre todo los primeros, pues si no se hubiera alcanzado la corriente de Kuro Shivo la tripulación hubiera perecido sin remedio),
pero coronados al fin por el éxito.

A partir de entonces, el galeón de Manila, o de Acapulco, sería una realidad, que una o dos veces al año uniría Nueva España con las Filipinas.

Tres años más tarde, y en la capital de México, moría Urdaneta el 3 de
junio de 1568, ese *annus horribilis* del reinado de Felipe II de España, pero
que, contemplado desde la perspectiva de lo que se estaba consiguiendo en
las Indias, toma otros matices.

Logrado el tornaviaje por Urdaneta, ya podía Legazpi fundar Manila
en 1571.

La década de los setenta daba así la réplica adecuada en el Lejano Oriente a lo conseguido en el viejo mundo frenando al Turco en Lepanto.

Pero era también el comienzo de una década que pronto mostraría su faz
sombría a la Monarquía católica, con el recrudecimiento de la cuestión de
Flandes.

LA CUESTIÓN DE FLANDES

No se puede negar que Felipe II echó mano de lo mejor que tenía, entre
sus hombres más allegados, para hacer frente al problema de Flandes: el duque de Alba, don Juan de Austria y Alejandro Farnesio no tuvieron igual
como soldados, y Requesens había probado sus habilidades como diplomático en Roma y no era ajeno, ni mucho menos, a las cosas de la guerra.

Lo que ocurría es que el problema flamenco tenía otras raíces que no podían ser arrancadas por la fuerza de las armas. Era una cuestión que tampoco
dependía mucho de la habilidad negociadora. Requería, en todo caso, valerse
de la una y de la otra, y por eso el que más cerca llegó a obtener el éxito fue
Alejandro Farnesio, sin duda una de las cabezas más claras no ya de la Monarquía católica, sino de todo el Quinientos europeo.

El disparate de Flandes —que como gran disparate hay que tenerlo— estribaba en la pretensión de mantener bajo la misma corona a flamencos y castellanos. Pocas veces se había visto un intento similar de unidad política con
tamaña discontinuidad territorial, teniendo por el medio una nación tan poderosa y tan celosa de la grandeza ajena —pero ¿no es ese el caso de todos los
pueblos?— como era Francia. Acaso la Monarquía católica estaba mal acostumbrada por lo que había logrado en Italia, pero entre los reinos de Cerdeña, Sicilia y Nápoles, por un lado, y España, por otro, no estaba por el medio
ninguna poderosa monarquía, sobre la que hubiera que realizar el gran salto,
sino el mar, que no dividía, sino que unía; aparte de que las condiciones, el
hábitat y los ideales de vida —tanto en la política como en la vida cotidiana—
entre catalanes, valencianos, sardos y sicilianos era mucho más familiar que
no entre españoles y flamencos, pues hasta la misma lengua era más asequible.

Se nos dirá: también era ese el problema en tiempos de Carlos V y pudo afrontarlo, después de superada la fase inicial de reajuste. Sí, pero Carlos V tuvo a su favor su carácter cosmopolita, que le permitió acomodarse al aire de España sin perder su raíz flamenca. Y él mismo comprendió que era oportuno encontrar una solución mejor para sus herederos, como lo prueba lo estipulado en la boda de Felipe II con María Tudor, con aquella cláusula de que sus hijos, si los hubiere, heredarían Inglaterra y los Países Bajos.

El fallo estuvo, claro, en que la solución era incompleta, dejándola a merced de la fecundidad de la Reina, con lo cual Felipe II acabó heredando todo el magno conflicto, larvado desde un principio, desde aquellas jornadas de Bruselas, el 25 de octubre de 1555, cuando Felipe II fue incapaz de dirigirse a los Estados Generales allí reunidos en su lengua, teniendo que delegar en Granvela.

Un problema, por lo tanto, heredado, no buscado. Ahora bien, eso no libera a Felipe II de su responsabilidad como hombre de Estado. Éstos se miden, precisamente, por su capacidad de resolver los más difíciles problemas. La cuestión de Flandes la heredó Felipe II de Carlos V, pero su propia personalidad hizo que pronto tomara un sesgo especial. Y la solución definitiva, o al menos la que aliviaba la tensión, sólo la adoptó al final de su reinado, al desgajar Flandes de la Corona para cedérselos a su hija Isabel Clara Eugenia.

Es evidente que hubo más cosas, y que los problemas políticos no fueron los únicos; también se añadieron los religiosos. La intransigencia de Felipe II, su intolerancia religiosa rayana en el fanatismo —cierto, algo asimismo heredado e incluso señalado como consigna de Carlos V desde Yuste— agravó todos los males, poniendo en su contra a gran parte de la nobleza del país, tanto a la media y baja como a la alta.

Y en eso sí que encontramos una diferencia con Carlos V, lo que distingue al movimiento comunero castellano de la rebelión calvinista de los Países Bajos. En Villalar, Carlos V tuvo a su lado a la alta nobleza, que fue la verdadera vencedora; Felipe II, en cambio, tendrá que llevar al cadalso a los condes de Egmont y de Horn y poner fuera de la ley al príncipe Guillermo de Orange.

El contraste no puede ser mayor.

Acaso me preguntará el lector cómo estoy afrontando esta etapa de la historia, si en pro o en contra de Felipe II, porque tomar una de esas posiciones es ya adoptar una postura política actual, de derechas o de izquierdas, incluso con sus ribetes de patriota o de antipatriota, como si ese pasado histórico fuera patrimonio de un solo sector de la sociedad. Pues bien, en todo caso quiero señalar que estamos ante una etapa de la historia de Europa y que esa es la que queremos escribir; no, pues, la historia de España o de los Países Bajos, sino un aspecto de la historia europea.

Eso nos ayudará a no caer en interpretaciones sesgadas o incompletas.

Es más, la primera conclusión que sacamos es que lo importante a destacar no es tanto la lucha de Felipe II por dominar la rebelión de los Países Bajos, sino la pugna de las Provincias Unidas por conseguir su independencia.

Pues el hecho más notable —posiblemente uno de los de mayor importancia de todo el Quinientos— radica en que es entonces cuando surge una nueva nación, Holanda, que pronto será una de las grandes protagonistas de la historia universal; de modo que, en esta parte, en lugar de hablar del tiempo de Felipe II, bien podríamos decir el de Guillermo de Orange.

De ahí que empecemos recordando a ese personaje.

GUILLERMO DE ORANGE (1533-1584)

Guillermo de Orange, aquel personaje de carácter reservado, que le valió el apelativo de *el Taciturno,* era la figura más eminente de la alta nobleza de los Países Bajos, educado en la corte de Carlos V, quien había visto en él, evidentemente, al futuro gran hombre de Estado, cuya mirada reflexiva supieron captar Antonio Moro y Mierevelt.

Cuando acompaña a Carlos V en la jornada de la abdicación, tenida en Bruselas el 25 de octubre de 1555, Orange tenía veintidós años y era ya una promesa. Tres años después, Felipe II le designa para que forme parte del selecto equipo de políticos que negocian en Cateau-Cambrésis la paz con Francia; por lo tanto, también el Rey se ha fijado en él.

Al marchar el Rey de los Países Bajos, dejando el poder en manos de Granvela, Orange iniciará una resistencia, desplazándose cada vez más a la oposición. Dado que la estructura política montada por el Rey en los Países Bajos descansaba más en hombres salidos de la Administración y de la Universidad, estaríamos curiosamente ante un Orange defensor de viejos intereses nobiliarios, de signo arcaizante, frente a un régimen moderno. Es la etapa que Mousnier denomina la revolución aristocrática. Pero cuando estalla abiertamente la gran rebelión, Guillermo de Orange irá asumiendo poco a poco su papel de líder de un país que lucha por sus libertades; en un principio respetando todavía —al menos, formalmente— la figura del Rey, como si hubiera que liberarlo de quienes le tenían secuestrado, para acabar ya proclamando la libertad de la patria frente a la opresión extranjera y promoviendo que los Estados Generales depongan a Felipe II como señor de los Países Bajos en 1581. Entre esas dos fechas, en esos veinte años que van desde la salida de Felipe II en 1559 hasta esa declaración de 1581, se produce ese profundo cambio de quien intriga solamente por un protagonismo político en la corte de Bruselas, a quien dirige ya la rebelión frente al lejano Rey español.

Sin embargo, el proceso interno se da antes. Parece claro que ya en 1567, cuando el duque de Alba inicia la tremenda represión contra los causantes de los disturbios religiosos de 1566, el príncipe de Orange se refugia en Alemania no sólo para escapar a la justicia del Duque, sino para organizar la lucha armada contra el poder regio. En esa lucha se verá con frecuencia vencido por las superiores cualidades militares de los enviados por Felipe II: Alba, Requesens, don Juan de Austria y Farnesio. Pero a Orange le salvará, en último extremo, su condición de excelso hombre de Estado. Frente a la *Blitzkrieg,* tan buscada por los tercios viejos y por soldados como Alba o don Juan de Austria —que era la que convenía a una Monarquía tan débil en sus finanzas—, aplicará el sistema de prolongar la guerra, a no dejarse abatir por los reveses, a superar los peores desastres, en que ve perecer a algunos de sus mejores colaboradores y a sus mismos hermanos, como será el caso de Luis de Nassau. Y al menos sabrá aplicar la táctica más conveniente al territorio en que se mueve, aprovechar los puntos débiles del enemigo. Dado que se combate en los Países Bajos, sabrá hacer del mar el mejor aliado, llegando a la rotura de los diques, que haga inexpugnables a las ciudades rebeldes, frente a la furia de los tercios viejos; una notable variante de la tierra quemada, tan antigua en los ardides de la guerra. No pudo jugar con los grandes espacios, pero sí con las particularidades de aquellos en que se movía, en que las tierras bajas podían ser anegadas por las aguas del mar, haciendo de las plazas que dominaba verdaderos bastiones inexpugnables, capaces de resistir campañas enteras, como sería el caso del famoso asedio de Leiden.

Cuando lo creyó necesario, supo retirarse a tiempo, aun comprendiendo lo que suponía como pérdida de prestigio, pero consciente de que lo importante era poder mantener la lucha y sabiendo también que el tiempo jugaba a su favor, hasta hacer verdadera la frase de cuán difícil resultaba a la Monarquía castellana poner una pica en Flandes.

LOS FACTORES EN JUEGO

Los historiadores positivistas, formados en las escuelas de Ranke, Gachard o Lavisse, marcaban la nota militar en la larga pugna entre los rebeldes de los Países Bajos y los tercios viejos enviados por Felipe II. En España, esa crónica militar, que había tenido sus clásicos en las plumas de Bernardino de Mendoza y de Carlos Corona, se había plasmado en una farragosa enumeración de lances militares, grandes y chicos, de marchas y contramarchas, de asedios y tomas de plazas, en una serie interminable. Ya historiadores de la talla del francés P. Frédéricq habían sabido dar la interpretación más valiosa de las complicaciones ideológicas —en este caso, religiosas—, pero viendo las implicaciones políticas. De ese modo, la aplicación de los decretos del Concilio de Trento, con una reorganización episcopal que aumentaba el número de obispados en los Países Bajos, era una medida encaminada a un mayor celo por la vida espiritual del pueblo, pero también a un incremento del poder de la Corona sobre la Iglesia, al modo como ya lo tenía en España, al pasar el derecho de presentación de los candidatos a las nuevas vacantes de los cabildos catedralicios a la Corona.

El mismo Frédéricq había constatado algo que después probaría ampliamente el XVII duque de Alba: que el Duque de hierro había cumplido la primera parte del plan cuidadosamente elaborado en la corte madrileña, el de la represión, y que después de poner en marcha el Tribunal de los Tumultos, después de apresar, ajusticiar y desterrar a miles de inculpados, confiscándoles sus bienes, colmado todo ello con la rigurosa sentencia de ejecutar públicamente a los condes de Egmont y de Horn, tras una detención tenida por la opinión pública como odiosa —y no sin razón, pues lo fue al acabar una sesión a la que habían sido honorablemente convocados—, todo ello rematado con fulminantes victorias en el campo de batalla sobre los rebeldes capitaneados por Luis de Nassau y por el propio Orange; tras todas esas medidas de implacable rigor, en lo punitivo, tras las fáciles victorias, en lo militar, con un control casi completo de todo el país, bajo un auténtico régimen de terror, cumplía llevar a cabo la segunda etapa: la representada por la clemencia, a desarrollar por Felipe II:

> ... era parte integrante del programa acordado entre el Rey y el Duque; la llegada del primero a Flandes y, realizadas las ejecuciones, para presentarse [el Rey] como pacificador, hacer olvidar las crueldades y calmar los ánimos, con un perdón general y afirmar así la autoridad del Rey... y obtenido esto, el Duque se retiraría abrumado con el odio universal [1].

Eso es lo que hizo el duque de Alba, cumplir su cruel parte como si se tratara de un deber. Con razón le recuerda a Henri Pirenne la figura posterior de Robespierre:

> Inaccesible al sentimiento..., caminó inflexible a su fin, tranquila la conciencia. El sentido del deber y no la crueldad dictó sus sentencias de muerte, y podría compararse su serenidad de ánimo ante sus víctimas con la de Robespierre. En ambos la sinceridad es tan completa y tan inflexible, y uno y otro reclamaban la responsabilidad de la sangre que hicieron correr... [2].

En efecto, a finales de 1568 el duque de Alba pedía al Rey que cumpliera su parte, presentándose en Bruselas; ejecutado el rigor, era la hora de la clemencia, que sería la que podría asegurar la obediencia [3]. Pero ¿podía hacerlo Felipe II? El error estuvo en proyectar en el otoño de 1566 algo dudoso de efectuar en 1568. Acaso Felipe II fue entonces sincero, cuando afirmó que iría a los Países Bajos. Pero en 1568, después de la muerte de don Carlos en prisión y de la de su esposa Isabel, y tras el inicio de la rebelión de los moriscos granadinos, ¿era ya aconsejable?

---

[1] Discurso de ingreso en la Real Academia de la Historia del XVII duque de Alba, *Contribución al estudio de la persona de don Fadrique Álvarez de Toledo, tercer duque de Alba,* Madrid, 1919.

[2] H. Pirenne, *Historia de Bélgica,* IV, pág. 5.

[3] P. Frédéricq, *Los Países Bajos: luchas religiosas,* en *Historia Universal,* dir. por Lavisse y Rambaud, X, pág. 117.

De ese modo, el duque de Alba hubo de seguir gobernando con la espada los Países Bajos durante otros cinco años.

Fue entonces cuando surgió el problema económico. Probablemente, el duque de Alba proyectaba un sistema de financiación de su ejército con nuevos impuestos en los Países Bajos, pero en todo caso el problema se le agudizó cuando el medio millón de ducados enviados desde España por el mar de Poniente fueron interceptados por la armada inglesa de William Hawkins, el hermano del famoso corsario, en 1568; precisamente, a poco de que John Hawkins, entonces en plena correría por las Indias Occidentales, hubiera sufrido el descalabro de San Juan de Ulúa, en aguas mexicanas.

La expedición de John Hawkins se había iniciado el 1 de octubre de 1567, en Plymouth, llevando las naves bien pertrechadas, en especial de baratijas y de armas, las primeras para trocarlas en el África central por esclavos negros y las segundas para imponer por la fuerza su comercio allí donde llegase. Antes de su partida, John Hawkins visitó al embajador español en Londres, Diego Guzmán de Silva, prometiéndole que no tocaría con su armada en ningún lugar de los vedados por el rey de España en las Indias Occidentales, tanto en las islas como en Tierra Firme.

La expedición estaba costeada, en parte, por la propia Reina, ya que dos de las naves eran suyas, entrando, pues, a la parte de los beneficios que resultaren.

Era el tercer viaje de John Hawkins a las Indias Occidentales, y en él cumplió el itinerario habitual: las Canarias, Guinea, «a las minas nuevas, que están delante de la Mina que llaman de Portugal» [4], y finalmente a las Antillas. El 16 de septiembre de 1568, tras casi un año de navegar, comerciar y piratear, alcanzó San Juan de Ulúa, en el golfo de México. Allí fue sorprendido por la armada española y deshecho, escapando a duras penas, con algún otro de los suyos, entre los cuales hacía su aprendizaje de corsario alguien que se haría justamente célebre: Francis Drake.

Fue una afrenta, de la que los navíos ingleses pronto se tomaron el desquite, cuando a poco las naves de William Hawkins sorprendieron en el mar del Norte a las naos españolas que portaban el dinero para el pago de los tercios viejos del duque de Alba en Flandes, y se apoderaron de ellas y de todo lo que llevaban dentro.

Un duro golpe para los planes de Alba, que se vio precisado a precipitar su decisión de que los Países Bajos soportaran el coste de su ejército.

Es aquí donde entran las consideraciones económicas, ese otro factor que jugó también su importante papel en todo el entramado de la rebelión de los Países Bajos. Algo por lo que se han interesado otros historiadores, que han podido probar la simultaneidad de los disturbios con la crisis de subsistencia que se acusaba en los Países Bajos en los años sesenta.

---

[4] Diego Guzmán de Silva a Felipe II, en *Tres embajadores de Felipe II en Inglaterra, op. cit.*, pág. 159.

A ello no fue ajena la guerra del Norte entre Dinamarca y Suecia, que cerró el comercio del Báltico e interrumpió la importación del trigo. Pero además bajó la demanda de los productos manufacturados, los sueldos cayeron por debajo de los precios y aumentó el paro; un grave cuadro social, en suma, que hace cundir la desesperación en la población neerlandesa y que facilita la tarea proselitista de los predicadores calvinistas. Así, cuando el hambre agota a la población trabajadora, resulta más convincente el argumento preferido por los seguidores de Calvino: ¿podía tolerarse que las iglesias papistas atesoraran tantas riquezas, mientras el pueblo de Dios pasaba tantas necesidades?

Llegó el hambre en 1566. Una brusca subida de precios en agosto de aquel año puso los alimentos por las nubes e hizo cundir la desesperación. Resultado, el estallido de la revuelta, con los saqueos de las iglesias por todo el país, empezando por la rica catedral de Amberes, que vio destruidos, en unas horas, los inapreciables tesoros artísticos que custodiaba.

A su vez, si el factor económico resultó tan importante en la rebelión, también lo sería en el campo gubernamental. El estrangulamiento de la vía del mar del Norte, con el apresamiento de las naos hispanas que llevaban las pagas, el oro para el duque de Alba, forzará al Duque de hierro a tomar la decisión de imponer aquellas cargas en los Países Bajos, que no sólo desató la revuelta, sino que además fomentó el sentimiento nacionalista de repulsa contra la presencia española. Y, como veremos, cuando las remesas de Indias sean menos pródigas, en los años setenta, Felipe II se verá abocado a la quiebra de 1575, los soldados se quedarán sin paga y promoverán su propia revuelta, en este caso poniendo a saco a la opulenta —y, al mismo tiempo, desgraciada— ciudad de Amberes, dejando ya un penoso legado para la historia: «la furia española», esto es, la imagen ya estereotipada de un país opresor. De esa forma, Felipe II se va convirtiendo paulatinamente en algo muy distinto a sus orígenes; ya no será visto como el señor natural, el que había heredado el poder de manos de Carlos V y como tal había sido jurado, sino como el rey extranjero que, desde muy lejos, oprimía al país y cuyo yugo había que sacudir.

Aún había que considerar otros factores, en especial el de la política internacional. Muy pronto, en efecto, se descubrieron los contactos de los rebeldes flamencos con la Europa reformada. Si Orange encontraba refugio en la Alemania luterana y su hermano Luis de Nassau lo hallaba en los hugonotes franceses, con la protección del poderoso Coligny, no pocos eran los que lo conseguían en la corte de la reina Isabel de Inglaterra. Y en ese terreno, Orange se mostraría extremadamente hábil, ayudándose de un medio cada vez más poderoso: la propaganda. Sobre esto volveremos, porque es de particular importancia. De momento, adelantaremos que aquí Orange se mostró muy superior a Felipe II.

En cuanto al apoyo de las otras potencias occidentales a la rebelión, suele señalarse como un resultado de la reacción de esas potencias a las medidas de fuerza adoptadas por Felipe II con el envío del duque de Alba en 1567. Tan poderoso instrumento militar llenó de recelos a unos y a otros, con la consiguiente interrogante: ¿qué objetivo tomaría Alba tras vencer la rebelión? De ahí la gran coalición internacional contra el poderío de Felipe II, para contrarrestar su amenaza. Felipe II no sería sólo el opresor del pueblo flamenco, sino también el que aspiraba a la Monarquía universal, el que amenazaba a las libertades de toda la Europa occidental.

Sin embargo, en este sentido la documentación nos señala otros planteamientos: la conjura existió desde un principio. Ya en 1559, sin duda por temor a los acuerdos firmados entre Felipe II y Enrique II, familias enteras de protestantes flamencos empezaron a refugiarse en Inglaterra:

> Vienen la casa entera —informaba el embajador Quadra a Felipe II—, con sus mujeres e hijos, y tienen sus predicadores...[5]

En noviembre de 1559 eran recibidos por la reina inglesa, quien les alentaba: ella haría todo lo posible por introducir la Reforma en Flandes. Y cuando al año siguiente el tratado de Edimburgo le aseguró en cuanto a la frontera de Escocia, negocia con los príncipes luteranos alemanes: Felipe II en los Países Bajos era ya una amenaza, que se podía combatir. La forma, tanteando por la vía del enfrentamiento religioso:

> Todo lo que urde —avisaba Quadra— es contra V.M., para procurar alterar los Estados de Flandes por vía de religión...

Pero también saltaban los intereses económicos:

> ... discurriendo que algunas ciudades se harían francas...[6]

Para Isabel de Inglaterra ya estuvo claro desde los principios de su reinado: su grandeza sólo podía alzarse a costa de la de Felipe II, debilitando su posición en Flandes, hasta lograr expulsarle. De ahí que apoye la rebelión de la alta nobleza contra Granvela[7].

Claro que Granvela le pagaba en la misma moneda, e Isabel lo sabía, y así lo decía públicamente, que el único que en los Países Bajos la estimaba mal era Granvela:

> ... ahí —en Flandes, informaba Quadra a Granvela el 10 de octubre de 1562— los demás dessos señores no solamente no serán contrarios a la Reina, pero antes ella está cierta que la ayudarán[8].

---

[5] Archivo de Simancas, Estado, leg. 872, fol. 63; cf. mi *Tres embajadores..., op. cit.,* pág. 206.
[6] Quadra a Felipe II, octubre de 1560 (Archivo de Simancas, Estado, leg. 817, fol. 131; cf. *Tres embajadores de Felipe II en Inglaterra, op. cit.,* pág. 207).
[7] *Ibídem,* pág. 208.
[8] *Ibídem.*

En 1563 ya se atrevía Quadra a profetizar desde Londres lo que era un lugar común en la corte inglesa: que los Estados de Flandes se alterarían contra Felipe II y que a la cabeza de la rebelión estaban los principales personajes de la alta nobleza flamenca, empezando por Orange y Egmont:

> ... al Príncipe [Orange] y a Daigmont traen por las bocas y por los púlpitos... [9]

Por lo tanto, se perfilaba una lucha por la supremacía mundial, en la que el factor político venía doblado por el religioso y el ultramarino. Felipe II era el enemigo a batir, como el molesto señor de los Países Bajos, pero también como el que dominaba las rutas oceánicas de Occidente, que eran las anheladas por Inglaterra y Francia, y la vía más segura para hacerlo era minando sus bases, provocando en ellas confictos religiosos.

Era el punto débil de la Monarquía católica hispana, y sus enemigos lo aprovecharon al máximo.

Por eso la solución de la fuerza, a la larga, y tan lejos de sus bases, como las mesetas castellanas, era algo más que ruinosa: inviable.

De ahí la rotación de gobernadores mandados por Felipe II, que por unas u otras razones fueron fracasando, aunque consiguieran éxitos parciales en el campo de batalla, incluso de forma brillante. Y el primero que siguió esa suerte fue el duque de Alba, que, con su maestría táctica, acorraló a Luis de Nassau en Jemmingen, sobre el estuario del Ems, provocando tal descalabro en sus filas que sus soldados sólo tuvieron que golpear, herir y matar, como si se tratara de un terrible entrenamiento, con esta increíble proporción: un muerto en sus filas por cada millar en las enemigas. A poco, y en el otoño de aquel año, el Duque de hierro remató aquella campaña destrozando igualmente al príncipe de Orange, que se había atrevido a plantarle cara en los llanos de Brabante. En campo abierto el duque de Alba, con sus tercios viejos, era el mejor general de su tiempo y contaba con la máquina militar más puesta a punto, de forma que desbarató con suma facilidad al ejército de Orange, provocando otra gran mortandad en sus filas y obligándole a refugiarse otra vez en Alemania.

Durante los años siguientes, el poderío de Alba en Flandes se mostró sin fisuras, y Felipe II pudo creer que había encontrado la fórmula adecuada a la cuestión de Flandes.

No tardó en comprender su error.

Todavía en el 68, al plantearse el problema como el castigo del Rey al pequeño grupo de los radicales iconoclastas, la población asistió, encogida, a la implacable represión montada por Alba, afianzada por su incontestable superioridad militar sobre el príncipe de Orange y sus seguidores. Pero Alba tenía que mantener sus soldados en pie de guerra continuamente y para ello le

---

[9] *Tres embajadores...*, *op. cit.*, pág. 314, nota 177.

hacía falta una cobertura económica. Y ahí se demostraría que el hecho de actuar tan lejos de España, que al final era la base de todo, acabaría convirtiéndose en una dificultad insuperable.

Ya esa lejanía había obligado a Felipe II a mandar por el mar del Norte aquella suma importante destinada al pago de los tercios viejos, antes citada, en unos momentos de penuria económica de la Hacienda regia y cuando la rebelión de los moriscos granadinos agobiaba aún más a la corte. Por eso, cuando las naos de William Hawkins apresaron a la armada española y se apoderaron de ese dinero, el problema económico empezó a argollar al duque de Alba. Era impensable pretender que la Hacienda regia le enviase otra remesa similar. Ahora bien, licenciar a su ejército era quedarse a merced de los rebeldes, siempre prontos a reorganizar sus fuerzas, bien en Alemania, bien en Francia. Aislado de España, cercado por tantos enemigos, Alba llegó a la conclusión de que no tenía más que una salida: que los Países Bajos financiaran su ejército, cargando sobre ellos nuevos impuestos, y en especial el de la alcabala, que tan buenos resultados daba a la Corona en Castilla.

Pero los Países Bajos no eran precisamente Castilla. Pretender recabar un 10 por 100 sobre las compraventas en país tan industrioso era algo que quebrantaba los usos y costumbres tradicionales, que el Rey había jurado mantener, y era castigar a todo el país, como si todos fueran rebeldes. De modo que, de pronto, los Países Bajos se alzaron por doquier contra el Duque.

Ya no se trataba de castigar a unos rebeldes iconoclastas. El problema religioso, y de orden público, se había complicado con el económico. En 1572, los mendigos del mar, que hasta entonces habían buscado su refugio en Inglaterra, se aprovecharon del descontento general para apoderarse de un puerto importante, al tener noticia de que había quedado desguarnecido: se trataba del puerto de Brielle, estratégicamente situado en una isla de la desembocadura del Mosa. Fue como la voz de la libertad. Al punto, la cercana Flessinga también se alzó contra el Rey, y con ella la mayoría de las tierras bajas, favorecidas por su situación entre ríos y canales, donde los tercios viejos se movían con dificultad. Además, en Flessinga hubo algo más que la ocupación de una plaza desguarnecida. En Flessinga, la población, levantada en armas, había aniquilado al pequeño destacamento que la dominaba, actuando con el mismo rigor que había sufrido: los odiados soldados del Duque fueron ejecutados y su jefe ahorcado.

De pronto, todo el territorio al norte del Mosa se declaró en rebeldía: Holanda, Zelanda, Güeldres, Frisia, Utrecht. En toda esa amplia zona, Orange era reclamado para que les gobernase, mientras Luis de Nassau, rehecho tras su anterior traspié, volvía a la carga entrando por el Sur, apoderándose de Mons y de Valenciennes.

De forma que Alba apenas si dominaba más tierra en los Países Bajos que la que pisaba. Todo su anterior poderío y su prestigio como soldado y como gobernante quedaban en entredicho. No sólo se veía amenazado por el Sur, con la pérdida de Mons y de Valenciennes, y por el Norte, con la rebelión de todas aquellas provincias, sino que además también Orange entraba de nuevo en lid, con un ejército no pequeño, reclutado en Alemania —a costa de su propia fortuna—, que le había permitido apoderarse de plazas tan fuertes como Roermond, en julio de 1572. Y en un avance casi incontenible, se había adueñado de Malinas —la antigua corte de Margarita de Saboya— y llegado hasta las mismas puertas de Bruselas.

En tan grave situación, la matanza del día de San Bartolomé, el 24 de agosto de 1572, con la muerte de Coligny y de sus principales seguidores, que metió a París y a buena parte de Francia en un baño de sangre, con la muerte de 7.000 a 8.000 hugonotes, hizo que aflojara la presión internacional sobre Alba y que éste pudiera reaccionar. El 18 de septiembre, Mons era recuperada, el Sur quedaba bajo control de los tercios viejos y el Duque se podía aprestar a la lucha por el Norte. Aún consiguió otras victorias, sobre Malinas y Haarlem —ésta heroicamente defendida por los holandeses—, practicando en todas partes la política del terror más despiadada. Pero los tercios viejos se estrellaron frente a los muros de Alkmaar. Leiden se haría famosa, asimismo, por su legendaria defensa. Los diques eran destruidos y los tercios viejos acorralados por la inundación provocada en las tierras bajas. Y la marina del Rey, mandada por Bossu, era aniquilada en Enkhuizen.

Se iba a cumplir la sentencia militar: quien fuera dueño del mar lo sería de la tierra.

A partir de ese momento, la guerra se prolongaría sin que los tercios viejos pudieran conseguir la victoria definitiva. Eso sería ya inasequible para el poderío de Felipe II, convertido cada vez más en el rey extranjero, mirado como un opresor por los Países Bajos. Los tercios viejos conseguirían, de cuando en cuando, algunos éxitos parciales, en una guerra interminable, que desbordaría con mucho la vida del monarca. Se había puesto en marcha la guerra más larga de la Edad Moderna, una guerra de ochenta años, que no terminaría hasta la paz de Westfalia de 1648, marcada por uno de los grandes principios de la historia: que cuando un pueblo combate con entusiasmo por su libertad, hasta el punto de los mayores sacrificios —como el de provocar la inundación de sus tierras, para minar la fuerza del adversario—, a la larga resulta indomable.

Y de nada serviría que Felipe II reemplazase en 1573 al duque de Alba por Requesens, con una misión más apaciguadora, que llegaba demasiado tarde; o que emplease después la baza de la personalidad que parecía irresistible de su hermanastro, don Juan de Austria, el héroe de Lepanto, en todo caso con excesivas restricciones. Pareció acertar, es cierto, cuando designó a su sobrino Alejandro Farnesio, posiblemente el hombre de Estado más competente de su tiempo, que aunaba el talento del soldado con la habilidad del político; pero él mismo, el propio Rey, se encargaría de arruinar sus prometedores logros, tras la Unión de Arras, imponiéndole tareas tan distintas y tan imposibles como la invasión de Inglaterra o la intervención en Francia, como tendremos ocasión de ver.

Es cierto que los tercios viejos, dirigidos por Sancho Dávila, vencerían en Nimega en 1574, y cuatro años más tarde, el 31 de enero de 1578, en Gembloux con don Juan de Austria. Pero también que la impotencia ante aquella guerra interminable quedaba reflejada en la atroz acción de esos tercios viejos sobre Amberes, con el devastador saqueo de la ciudad durante tres días, a merced de la titulada *furia española,* que bien podría tener otros calificativos más duros.

LA COMPLICACIÓN INGLESA

Desde el ultraje del apresamiento de las naves españolas por William Hawkins, las relaciones con Isabel de Inglaterra se deterioraron de forma notable, hasta el punto de considerarse cada vez más seriamente el proyecto de una posible invasión de las islas.

A ello había contribuido además otro hecho, de singular relevancia, con amplia repercusión en las artes y las letras y en la imaginación de los hombres: las dramáticas peripecias de la reina de Escocia, María Estuardo. Precisamente el año 1568, aquel *annus horribilis* del reinado de Felipe II, fue cuando María Estuardo, derrotada por sus vasallos rebeldes, se vio obligada a refugiarse en Inglaterra, buscando la protección de su prima Isabel.

No vamos a entrar aquí en la serie de lances, algunos todavía de origen harto dudoso, que habían precedido al derrumbamiento del reino de María Estuardo, como los asesinatos de su favorito David Rizzio, o de su marido, lord Darnley, o como sus relaciones con el conde Bothwell. Nos vamos a detener, sin más, en ese momento en el que María Estuardo cruza la frontera entre Escocia e Inglaterra, porque ello repercutiría hondamente en la política internacional.

Y se explica fácilmente: María Estuardo era católica y, a los ojos de Roma, la reina que tenía más derechos a la corona inglesa, dados los orígenes de Isabel, la hija de Ana Bolena, además de la inclinación de Isabel hacia la Reforma. De forma que con su llegada a Inglaterra, aunque entrara pidiendo amistosamente la protección de su prima, María Estuardo se convirtió al punto en algo mucho más serio que una simple refugiada política: en una seria amenaza para la seguridad de Isabel. Conocida la noticia, los católicos ingleses vieron en ella su soberana, y las intrigas empezaron a menudear. Pero no sólo los católicos ingleses.

Los terribles y oscuros sucesos de 1565 y 1567, además del asesinato de lord Darnley, habían convertido a María Estuardo otra vez en reina viuda. Es cierto que hubo rapto y boda de nuevo, esta vez nada menos que con lord Bothwell, a quien todos señalaban como el homicida de Darnley. Pero tras el alzamiento de la nobleza escocesa y la derrota de María Estuardo, Bothwell desaparece. Se decía que había logrado refugiarse en Dinamarca, lo que no dejaba libre del todo a María Estuardo. Pero ¿había sido legal aquel extraño matrimonio? ¿Quién había visto la boda, hecha como a hurtadillas? Y, además, ¿no era cierto que Bothwell estaba ya casado? ¿No había publicado él mismo que su divorcio de su primera mujer era inválido? ¿Y no era él un fugitivo, alguien que contaba tan poco, y que bien podía haber muerto? En suma, pronto se hablaría de María Estuardo como de una reina casadera, entrando en el juego de las especulaciones diplomáticas de todas las cortes de la Europa occidental.

Y, claro es, ocurriendo también eso en la misma España.

Por otra parte, sería María Estuardo la que se pondría inmediatamente en contacto con la embajada española en Londres. Ya lo había hecho tras fugarse del cautiverio escocés en Lochleven, el 2 de mayo de 1568. El mensajero de María Estuardo enviado entonces a la corte inglesa se vio también con el embajador español, Diego Guzmán de Silva. Sus intrucciones eran convencer por esa vía a Felipe II de cuán inocente era de todos los escándalos que se le achacaban, que seguía firme en sus convicciones religiosas y que si encontraba el suficiente apoyo (y el de la corte de España era tan necesario) volvería a triunfar de sus adversarios [10].

No fue así, como es bien sabido. Obligada a refugiarse en Inglaterra, no tarda en comunicarse de nuevo con el embajador español, enviándole a Fleming, uno de sus hombres de confianza. María Estuardo pide consejo a Silva: ¿cómo debía comportarse con Isabel? Ahí estaba ya el tanteo hacia una posible conjura, caso de obtener el apoyo de la poderosa Monarquía católica, cuando el duque de Alba marcaba su poder desde la cercana Bruselas. No hemos de olvidar que estamos en 1568, y que aquella presencia y poderío del ejército mandado por Alba ya suscitaban grandes recelos entre los consejeros de Isabel, llegando a decir Cecil:

> ... que la nación española era extraña y se quería hacer señora del mundo... [11]

Ahora, con María Estuardo en Inglaterra, ¿qué tramaría el poder español? Diego Guzmán de Silva, el embajador de Felipe II, era, sin embargo, contrario a nada que hiciese peligrar la delicada paz que existía entre las dos cortes, y así se lo manifiesta a los emisarios de María Estuardo:

> Yo les respondí que su Reina mostrase gran confianza désta y se gobernase en estos principios de manera que no pudiese tener la Reina causa para dexar de ayudarla o tratarla bien, con algún color... [12]

---

[10] *Tres embajadores..., op. cit.,* pág. 174.
[11] Silva a Felipe II, Londres, 1 de mayo de 1568 (Archivo General de Simancas, Estado, leg. 820, fol. 46).
[12] *Tres embajadores..., op. cit.,* pág. 175.

Con algún color, y por supuesto con el más espinoso de que se entendiesen sus aspiraciones al trono:

> ... que se guardase de dar sospecha de ninguna pretensa a Reino en vida désta...

Curiosamente, pues, el embajador español no conspira contra Isabel, de la que parece haberse ganado la confianza, pese a su condición de clérigo católico, canónigo del cabildo catedralicio de Ciudad Rodrigo y familiar del que había sido todopoderoso ministro de Carlos V, el cardenal Tavera, pero, sobre todo, en relación con la corte de Felipe II, pariente de Ruy Gómez de Silva y, como él, formando parte del partido pacifista, no del belicoso [13].

Quizá por ello, y por su propia condición de persona grata en la corte de Londres, no lo fuera tanto en la de España, que en 1568 decidió su relevo [14]. Es verdad que Silva se lo había pedido al Rey, poniendo como argumento algo que tenía que hacer mella en el ánimo de Felipe II: que las largas embajadas en Londres eran peligrosas para la fe de los ministros, por la carencia de vida religiosa al modo católico:

> La falta de la frecuentación de las iglesias y ordinarias doctrinas y oficios santos resfría la devoción...

Así plantea Silva su cese en la embajada:

---

[13] *Tres embajadores..., op. cit.,* pág. 137.

[14] La embajada de Silva duró desde el 18 de junio de 1564 hasta el 9 de septiembre de 1568. Fue el más hábil de los embajadores que Felipe II tuvo en Inglaterra, sabiendo ganarse la confianza de la reina Isabel y del propio Cecil. Supo solucionar el conflicto del comercio internacional con Flandes y el castigo de no pocos piratas de los que iban a las Indias. Ciertamente, su tiempo se correspondió con la etapa postridentina y con las Vistas de Bayona, que tanto respeto impusieron en la Europa occidental; pero también supo hacer bueno su oficio de conciliador en las diferencias entre las dos cortes, algo reconocido por la reina Isabel, que gustaba de recibirle en términos inusualmente afectuosos. En una de las audiencias que la Reina le concede llega incluso a mostrarle un retrato reciente que le habían hecho, «y era harto bueno», a juicio de Silva, comentándole la Reina, en la versión de Silva (es de suponer que sacada del latín): «Bueno será enviar agora al Rey mi retrato, estando con las espadas en la mano peleando.» Pero añadiendo, para quitar agresividad: «Es verdad que no tienen punta, pues no tratamos sino de navíos...»

En otra ocasión, al no tener adecuado alojamiento Silva en una jornada de la corte al castillo de Windsor, Isabel le da muestras de inusitado afecto: «Cuando llegó a la cámara volvióse a mí y díxome: "¿Cómo no os han dado a vos posada? Los míos lo sentirán de manera que se entienda lo que con vos se debe hacer, y estaréis en mi mesma cámara y os daré mi llave." Y tomóla para dármela. Yo le sosegué...»

Con frecuencia, en las jornadas cortesanas, se hacía acompañar de Silva, dándole muestras de notable privanza, y pesándole por ello su relevo, tomándolo como indicio de un cambio en la política de Felipe II, y en señal de que a la antigua alianza sucedería una abierta hostilidad, preludio de rompimiento, tanto más cuanto que hacía sólo unos meses que el embajador inglés en Madrid, John Man, había sido expulsado. Sobre esto, véase *Tres embajadores..., op. cit.,* pág. 307, nota 127.

A cuya causa me ha parecido suplicar humildemente a V.M. que si hoviese otra parte a donde yo pueda servir, aunque sea de muy mayor trabaxo y cuidado, me mande ocupar en ello...

Para Silva el momento era propicio, porque Inglaterra estaba en sosiego y las relaciones con la Reina eran muy buenas:

... la amistad de la Reina tan entera... [15]

Es claro que, con los otros ejemplos que tenemos sobre el proceder de Felipe II, no acabaremos de saber si la tal petición de Silva no fue precedida de una indicación del Rey para que así procediera, ocultando de ese modo ante la corte sus verdaderos designios. Lo que es indudable, por las pruebas documentales que poseemos, es que el Rey estaba muy quejoso de Isabel, por el proceder del embajador inglés en Madrid, John Man; y el mismo hecho de que Isabel hubiera mandado a España a un antipapista tan radical le había parecido un insulto intolerable. En el orden internacional, y en aquella hora de 1568, no era la Monarquía católica quien tenía que aguantar lo que le viniese encima, sino, en todo caso, lo contrario; así se pensaba en Madrid y así lo creía el propio Rey, y de ese mismo modo se lo hizo saber a Silva, al informarle sobre la expulsión del embajador inglés de la corte: había procedido de forma tan grave en las cosas de la religión, que si no hubiera sido por su cargo habría merecido ser entregado a la Inquisición y que le esperase la hoguera. ¡Nada menos que la amenaza de la hoguera inquisitorial! Era como hacer cierta la propaganda que corría en toda Europa sobre cómo se las gastaba la Inquisición española:

Se dexó decir pública y desvergonzadamente [el embajador inglés, John Man] —y es el Rey quien tal escribe— que sólo yo era el que defendía la secta del Papa, pero que, en fin, el Príncipe de Condé y su religión y secuaces prevalecerían, y que el Papa era un frailecillo hipocritilla, y otras palabras tales que por ellas merescería muy dignamente el castigo que le dieran los de la Inquisición..., si no se tuviera respeto a ser persona pública y ministro de serenísima Reina, con quien yo tengo buena amistad y vecindad... [16]

---

[15] Isabel dio muestras de sentir grandemente la marcha de Silva, tanto por lo que le apreciaba como porque temía que suponía un endurecimiento de la política de Felipe II. *Tres embajadores..., op. cit.,* pág. 189.

[16] Eso ocurría en abril de 1568. En su indignación, el Rey ordena que John Man saliera de la corte: «... he deliberado de no negociar más con él, ni que parezca ante mí, ni que tampoco esté en esta Corte, sino hacerle decir que se vaya a algún pueblo por aquí cerca...» (Felipe II a Silva, Madrid, 6 de abril de 1568, Archivo General de Simancas, Estado, leg. 1.570, fol. 92; cf. mi *Tres embajadores..., op. cit.,* pág. 308, nota 127). Lo cierto es que John Man era conocido públicamente como un hereje radical, de modo que su presencia en España había alarmado a Pío V (Serrano, *Correspondencia diplomática entre España y la Santa Sede bajo Pío V,* Madrid, 1914, I, pág. 244).

A su vez, la expulsión de John Man fue tomada en Londres como una grave ofensa y signo de ruptura de la antigua alianza entre las dos coronas, tal como Cecil señaló, airado, a Silva:

> ... entró en tanta cólera que me dixo que aquella manera de proceder jamás se había tenido con embaxador de ningún Príncipe amigo, salvo en tiempos que se buscan ocasiones de guerra... [17]

Era cuando ya Silva tenía a punto su marcha, dejando tras sí un único aspecto verdaderamente dificultoso: la cuestión de María Estuardo. Silva había sostenido la postura de que la reina de Escocia se mantuviese alejada de cualquier conjura del partido católico inglés contra Isabel; en suma, buscando que no se diera ocasión a una ruptura. Pero ¿cuál sería el comportamiento de su sustituto? ¿Cuáles las instrucciones de Felipe II a su nuevo embajador?

Por la correspondencia de Gerau de Spés, que tal fue el nuevo embajador de Felipe II, se comprueba que el Rey no estaba decidido todavía a un apoyo sin reservas a María Estuardo, fomentando una rebelión del partido católico inglés que hiciera a la escocesa reina de Inglaterra, aunque sí de mantener una relación secreta con María Estuardo; relaciones secretas, sospechadas por la corte de Isabel, que no iban más allá de ayudarla en lo posible a salir de su cautiverio y a reponerla en su trono de Escocia.

Fue Gerau de Spés quien tomó a su cargo alentar a María Estuardo en sus pretensiones a Inglaterra. El 9 de octubre de 1568, a poco de su llegada a Londres, ya escribía a Felipe II:

> ... no sería difícil hacerla soltar [a María Estuardo] y aun mover alguna gran guerra a esta Reina, y no parescería que por parte de V.M. se entiende en ello... [18]

El signo de hostilidad hacia Isabel dado por la corte de Madrid al expulsar a John Man, el relevo de embajadores en Londres, y posiblemente el efecto del impresionante poder que suponía la presencia en Bruselas del duque de Alba con su temible ejército, que con tanta facilidad desbarataba a sus enemigos, todo ayudaba a que el catolicismo inglés levantase cabeza. Los contactos de la nobleza católica inglesa con Gerau de Spés cada vez eran más frecuentes, y la propia María Estuardo se atrevía a cambiar de actitud, pasando de una exiliada que pedía protección y amparo a la Reina, a una conspiradora pura y dura:

> ... diréis al ambajador [Gerau de Spés] —declara a un miembro de la embajada española en Londres que la visita— que si su amo me quie-

---

[17] *Tres embajadores...*, op. cit., pág. 308.
[18] Silva a Felipe II, Londres, 9 de octubre de 1568 (*Codoin*, XC, pág. 139).

re socorrer, antes de 3 meses yo seré reina de Inglaterra y la misa se celebrará por toda ella... [19]

Esperanza compartida por Gerau de Spés ampliamente, que ya antes señalaba al Rey:

> Está la cosa en tal término que a tener esta Princesa favor, quizás le sería fácil, de prisionera, ser libre y reina deste Reino... [20]

Y a principios de 1570, cuando no era la mejor ocasión para España, dado que aún no se había zanjado la rebelión de los moriscos de Granada, y cuando se negociaba la Santa Liga para proceder contra el Turco en el Mediterráneo, es cuando Felipe II se plantea la posibilidad de derrocar a Isabel, incluida la invasión de las islas. Evidentemente no fue ajeno a ello las instancias que a Madrid llegaban de la nobleza católica inglesa. Por entonces, conspiraban ya contra Isabel, buscando la promoción de María Estuardo, figuras como el duque de Norfolk, que incluso aspiraba a casarse con ella, y el conde de Arundel, y se producía a mediados de noviembre de 1569 la rebelión de los condes de Westmoreland y Northumberland contra la reina Isabel.

Tales noticias, que debieron llegar a España ya en diciembre, fueron las que movieron sin duda a Felipe II a tomar en consideración una intervención armada en Inglaterra; pero, conforme a la lentitud de sus decisiones, en principio recabó la opinión del duque de Alba, y pocos podrían poner objeciones a ello, si no fuera la demora con que lo hizo. En efecto, fue el 21 de enero de 1570 cuando el Rey escribía al Duque pidiéndole su parecer. Contra lo que pudiera creerse, Alba se mostró contrario. Su talento como soldado le hacía ver lo desatinado de aquella medida. Era cierto que Isabel había afrentado de forma intolerable a tan gran monarca como era el rey de España:

> ¡Cuánto más se debe resentir el ánimo de V.M. —le dice— siendo quien es, y no habiendo de sufrir de ningún Príncipe del mundo éstas ni otras demasías!

Por lo tanto, Alba, por convicción o por adulación, admite que la grandeza de Felipe II hacía intolerable la conducta de Isabel; pero, prudentemente, añade:

> Pero, señor, de tal manera han de salir los hombres a vengar sus injurias, que no reciban otras mayores yéndolas a vengar [21].

---

[19] En carta de Silva a Felipe II, Londres, 8 de enero de 1569 (*Codoin*, XC, pág. 167).

[20] Gerau de Spés a Felipe II, 12 de diciembre de 1568 (*ibídem*, pág. 154).

[21] Alba a Felipe II, Bruselas, 24 de febrero de 1570, en Tomás González, *Apuntamientos para la historia del rey don Felipe II de España por lo tocante a sus relaciones con la reina Isabel de Inglaterra (1558-1576), op. cit.*, pág. 421.

El Rey preguntaba al Duque en qué manera se podía invadir Inglaterra:

> Y para venir a lo que V.M. me manda en este despacho —las cartas de Felipe II de 21 y 22 de enero del 70—, digo hay tres maneras para invadir el reino de Inglaterra: la primera, ligándose V.M. con el rey de Francia, y hacer juntos la conquista. La segunda, haciéndolo V.M. a su aventura sólo. La tercera, habiendo en Escocia o en Inglaterra algunos sujetos a quien poder fomentar debajo de mano, y que éstos abriesen el camino.

Por esta notabilísima consulta hecha al gran soldado, se nos abre una ventana impresionante por la que nos podemos asomar a la época y a su compleja política. El Duque sigue con los pros y contras de cada una de las tres vías, y por ello confirmamos lo que ya hemos apuntado anteriormente: que en 1559, cuando se estaban firmando las paces de Cateau-Cambrésis con Francia, ya se había discutido la posibilidad de intervenir en Inglaterra para derrocar a Isabel, entonces tan reciente en su reinado, siendo rechazada por el Duque:

> ... no quise entonces admitir la plática al rey Enrico que me la propuso...

Aun así, Enrique II presionó sobre Felipe II, que también la rechazó, siguiendo el parecer de su gran general[22]. Y reiteradas veces —y hay que pensar que desde que el duque de Alba gobernaba los Países Bajos— le habían vuelto los franceses a presionar, reiterándose siempre el Duque en su primer juicio: que aquello no traería más que inconvenientes, tal como había ocurrido en el reino de Nápoles, con referencia clara al tratado de Barcelona de 1493 de los Reyes Católicos con Carlos VIII. Menos dañina sería la segunda vía, pero sin ver que se pudiera lograr:

> ... sería menos dañosa, pero no en que se pudiese tener fundamento...

De forma que sólo restaba la tercera, la de apoyar bajo cuerda al catolicismo inglés y ver si de aquello se sacaba algún fruto. Y de todas formas, el que se supiera que Felipe II aspiraba a domeñar Inglaterra traería la enemiga del resto de la Cristiandad, incluso con invasión de los Países Bajos, de forma que el resultado sería peligrosísimo:

> V.M. sea cierto que la hora que se entendiese que V.M. miraba hacia Inglaterra, tenía huéspedes luego en estos Estados...[23]

---

[22] «... Viendo él —Enrique II— que yo no la abrazaba, escribió a Limoges que lo propusiese a V.M., y habiendo yo escrito mi parescer, V.M. fue servido cortar la plática...»

[23] Tomás González, *Apuntamientos..., op. cit.,* págs. 421 y sigs.

¿Quién animaba a Felipe II en la línea dura de llegar incluso a la invasión de Inglaterra? Al menos una de las personalidades de la corte a quien el Rey más apreciaba, y que conocía bien las interioridades de la corte de Londres: el duque de Feria, aquel que había sido su *alter ego* cerca de María Tudor y su primer embajador con Isabel de Inglaterra. En mayo de 1571 escribía Feria al secretario Zayas:

> Yo entiendo que lo que pretendemos es tener amistad con Inglaterra, porque ser señores della y de Irlanda por ahora no es de emprender, y ya lo fuimos y lo dejamos.

Ahora bien, esa alianza, ¿cómo se podía conseguir si el que detentaba la corona no era católico? Y sin tal alianza, ¿cómo se podría mantener España en Flandes? He aquí, pues, apuntada la cuestión clave: todo lo que ocurría en Inglaterra era de suma importancia para España y su imperio:

> Esta amistad, si el Príncipe —de Inglaterra— no es católico, yo creo que será muy dificultoso de conservar, y por el consiguiente, los Estados del País Bajo...

¿Se podía mantener la paz? Y si la guerra era inevitable, ¿no sería mejor apoyando a los rebeldes católicos?

> Yo temo —añadía Feria— que lo que hacemos para excusar la guerra nos la meterá en casa, y hallarnos hemos perdido los católicos[24], y con las armas en la mano...[25]

Por otra parte, estaba el hecho gravísimo de la ayuda que Isabel prestaba a la rebelión de los Países Bajos.

La peligrosa vecindad que suponía una Inglaterra regida por Isabel y Cecil como amenaza contra Flandes es señalada constantemente por nuestros embajadores. La acusación contra Isabel de apoyar desde un principio los movimientos de los nobles flamencos descontentos es expresada por Gerau de Spés, lo mismo que lo había sido anteriormente por Silva y Quadra:

> Yo tengo por cierto —decía Spés a poco de llegar a Londres— que esta Serenísima Reina ha ayudado a Oranges con dinero, y ahora ayudará al de Condé, y le toma ordinariamente en Amberes.

Y en otro despacho, añadía Spés:

> Más apasionados están los herejes de aquí que los del campo del Príncipe de Oranges[26].

---

[24] Se refiere a los nobles católicos ingleses, levantados contra Isabel.
[25] Feria a Zayas, mayo de 1571 (*Codoin,* XC, págs. 457 y sigs.).
[26] Spés a Felipe II, 30 de octubre de 1568 (*ibídem,* pág. 149).

¿Había incitado el gobierno de Isabel a la rebelión de los condes de Egmont y de Horn y del barón de Montigny contra Felipe II? No deja de ser significativo que en febrero de 1569 Spés informe al Rey de la llegada a Londres de criados de aquellos nobles flamencos, procedentes de Madrid. A cuyo despacho el Rey, que todo lo leía, apuntaría al margen:

¡Ojo! Aunque no sé qué criados están aquí[27].

Pero, en definitiva, y pese a la enemiga creciente del gobierno de Isabel, incrementada por la rivalidad en las aguas del Océano, en la ruta de las Indias Occidentales, Felipe II de momento se atendría al consejo del duque de Alba: aún era más aventurado intentar una intervención directa en las islas.

Lo que, inevitablemente, hacía también cada vez más difícil el sostenimiento en los Países Bajos.

EL RECRUDECIMIENTO DE LA GUERRA

Existen varios motivos que explican las dificultades que tuvo que afrontar el duque de Alba en su misión de Flandes. En primer lugar, no podía ser bienquisto por su condición de noble español, de soldado con fama de mano dura. Sería la primera vez que los Países Bajos se gobernasen por alguien que no era de sangre real. De forma que la primera condición del rey Felipe de ser el señor natural de los Países Bajos se iba a enturbiar, hasta ser suplantada por la impresión que iban teniendo aquellos súbditos de ser gobernados por un extranjero y oprimidos por un ejército de ocupación, un ejército que además tenía fama probada de aguerrido e invencible, pero también de temible y de opresor.

¿Eso sería bueno?

Ya lo había señalado el embajador veneciano Soriano en 1559:

El Rey tiene en España —atención: no en Castilla o en Aragón, en España— un plantel de hombres pacientes, fuertes de corazón y de cuerpo, disciplinados, aptos para las campañas, para las marchas, para los asaltos y para la defensa de las plazas; pero son tan insolentes, tan ávidos de los bienes y del honor de las personas, que se duda si estos bravos soldados han sido más útiles a sus soberanos que no les han hecho daño en sus últimos años; pues así como han sido los instrumentos de sus victorias, igualmente les han hecho perder el corazón y la voluntad de los pueblos, maltratando a éstos. Y el corazón de los súbditos es la mejor fortaleza que puede tener un Príncipe[28].

---

[27] *Codoin,* XC, pág. 192.

[28] Citado por García Mercadal, *España vista por los extranjeros,* II, pág. 180. No de otra manera lo veían algunos españoles, que reconocían aquel peligroso mal, como Arias Montano, en sus

Esa era la idea que Europa tenía de España y de los españoles el año de la paz de Cateau-Cambrésis, según el sentir del embajador veneciano Soriano. Se puede comprender la impresión que produjo que ocho años después el Rey pusiera el gobierno de los Países Bajos en manos de un veterano de las campañas de Carlos V, como el duque de Alba, al frente de un fuerte ejército, en el que destacaban como fuerzas de choque los tercios viejos.

Además de la opresión militar y de la persecución contra los disidentes religiosos, patentes en los severos juicios del Tribunal de los Tumultos, otras medidas agravaron la situación. Aparte del gesto, difícil de explicar, de alzar un monumento para glorificar su obra[29], estaba el temor a que se produjese un intento de unificación lingüística imponiendo el castellano; tal era lo que aconsejaba el erudito español Arias Montano al duque de Alba, iniciándolo con la creación de una cátedra de español en Lovaina, aduciendo el ejemplo de la Roma antigua cuando imponía el latín para «... confirmar su Imperio en la tierra...»[30].

El análisis del pensamiento de Arias Montano nos hace ver que una parte de la opinión pública en España consideraba fundamental el mantenimiento del dominio sobre los Países Bajos. Se partía del principio de que a España le competía la defensa del catolicismo en Europa, como si fuera ya un lugar común:

> Lo cual afirmo —apuntaba Arias Montano— por haberlo ansí oído platicar y afirmar en Italia, Francia, Irlanda, Inglaterra, Flandes y la parte de Alemania en que he andado[31].

Para esa defensa del catolicismo, la posesión de Flandes era fundamental, hasta el punto de que, según Arias Montano,

> ... por ningún género de riesgo, dificultad, interese, respeto ni otra consideración humana se deben desamparar ni dejar perder[32].

Estaba, además, el hecho de que los Países Bajos eran las tierras de más activo comercio de Europa, y se tenía por entendido que el que las dominase aventajaría a los demás Príncipes[33].

Advertimientos sobre los negocios de Flandes: «La soberbia de la nación española es intolerable y su poco término que tiene en cariciar las naciones extranjeras estando entre ellas... Y no digo esto de los principales ministros de una nación, sino de los medianos y de los menores, que cierto usan de demasiada altivez con los otros y esto enajena las voluntades y desbarata el buen curso y buena ayuda de los negocios en gran manera...» (Citado por Morales Oliver, *Arias Montano y la política de Felipe II en Flandes,* Madrid, 1927, pág. 226.)

[29] L. Morales Oliver, *Arias Montano y la política de Felipe II en Flandes,* Madrid, 1927, págs. 141 y sigs.

[30] *Ibídem,* pág. 170.

[31] *Ibídem,* pág. 179.

[32] *Ibídem,* pág. 180.

[33] «... Según la experiencia y noticia de los tiempos todos, el Príncipe de cuya parte está el tráfico y la contratación, es Señor sobre todos los otros aventajado y a quien todos los demás tienen respeto y miramiento» (Arias Montano, cit. por Morales, *op. cit.,* pág. 182).

Por lo tanto, principios ideológicos —la defensa del catolicismo— y económicos —el control del comercio europeo—, pero también tácticos y estratégicos: Flandes como antemural, para frenar la enemistad de los demás pueblos del occidente de Europa y para tenerlos a raya:

> Desde estos Estados se pueden tener a raya todas las tierras de Alemania y se enfrena a Francia y se ata a Inglaterra...

Al contrario, ¿qué podía ocurrir si se perdían?

> ... y no teniéndose esto, siguro no lo está España de Francia e Inglaterra, ni lo están las cosas de Italia...[34]

Por lo tanto, no sólo el Rey, o sus consejeros más inmediatos. Tenemos otros testimonios que, como el de Arias Montano, nos permiten asegurar que existía un importante sector de la opinión pública que a mediados del XVI veía como necesaria, tanto para el mantenimiento del predominio en Europa como para la misma seguridad de España, la presencia en Flandes.

Una locura, sin duda, de la que se tardaría en despertar. Una aventura, al menos, que había que financiar, porque la guerra en Europa era un mal negocio, España cada vez estaba más empobrecida y las Indias eran un recurso azaroso.

Por lo tanto, había que acudir al propio Flandes, sobre todo desde que los envíos de oro en 1568 habían sido apresados por las naos inglesas de Hawkins.

Ese sería el plan del duque de Alba: sostenerse *in situ,* pero con cierta prudencia, en principio. Esto es algo que sabemos también por Arias Montano. Nada de imponer un servicio como la alcabala, que gravase a toda la compraventa, entre otras razones porque los comerciantes flamencos sólo obtenían un 3 por 100, de forma que para ellos sería ruinoso soportar el 10 por 100:

> ... hablando muchas veces con el Duque —es Arias Montano el que nos informa— me dijo que no se echaría diez por ciento sino en las cosas que aquí se consumían en la tierra, como era pan, vino y cerveza, carne y vestidos; mas no en las mercaderías, porque esto es averiguado que de cient suertes de mercadurías, en las noventa no se ganan ordinariamente a tres por ciento.

Tampoco cabía hacerlo en la producción industrial, especialmente en el obraje de paños:

> Pues echarlo en las manufacturas —según Arias Montano— es despoblar la tierra de artífices, como se despobló Lovaina de pañeros...[35]

---

[34] Arias Montano, cit. por Morales, *op. cit.,* pág. 185.
[35] *Ibídem,* pág. 201.

Sin embargo, el duque de Alba acabó imponiendo la alcabala y agudizando con ello el problema flamenco, convirtiéndolo en una sublevación general. ¿A qué se debió tal cambio? Es una pregunta que también se formuló Arias Montano. Para él, la respuesta estaba en que se le hubiera mantenido tanto tiempo como gobernador, habiéndose anunciado ya que sería sustituido por el duque de Medinaceli[36].

Pero en eso Arias Montano estaba equivocado. Bien se podría comprender que materia tan delicada y que tan directamente incumbía al Rey, como la creación de nuevos impuestos, el Duque no se atrevería a ello sin su expreso consentimiento. Pero hubo más, como pudo demostrar G. Parker. Fue del Rey de quien partió la idea. España —y más concretamente Castilla—, que durante el gobierno de Margarita de Parma había estado ayudando a compensar el déficit de los Países Bajos enviando alrededor de los tres cuartos de millón de florines al año, se estaba empobreciendo. En consecuencia, Felipe II, aunque al mandar al duque de Alba en 1567 aún le facilitó más de millón y medio de florines, planeó un cambio sustancial: que los Países Bajos soportaran íntegramente los gastos de gobierno:

> ... es más que necesario dar orden cómo haya renta firme, cierta y perpetua para la sustentación y defensión de esos Estados *sacada dellos mismos,* pues está claro que de aquí no se ha de llevar siempre el dinero... para ello[37].

De acuerdo con eso, Alba impuso el centésimo sobre todas las rentas y logró un subsidio que liberó de momento a la Monarquía de los gastos de Flandes en 1570 y 1571; precisamente los años del triunfo en Las Alpujarras y en Lepanto, y con razón Parker lo resalta[38]. Pero a primeros de 1572 Felipe II apretó al Duque para que impusiese también el décimo sobre las compraventas, y Alba obedeció. El resultado es bien conocido.

Tampoco había ayudado la dureza desplegada por el Duque:

> Pero así —añade Arias Montano— tengo éste haber sido el clavo que ha fijado los corazones de Harlem y Holanda, que primero estaban malos, pero dudosos...[39]

Y esa fue la suerte de Malinas, saqueada por las tropas filipinas mandadas por el hijo de Alba, don Fadrique, en 1573. En Haarlem, que había

---

[36] «Muy de otra manera va el negocio agora en todo este gobierno de lo que iba agora un año, y bien lo temía yo cuando escribía que no me parescía ser de provecho el tener aquí al Duque con el sonido del sucesor...» (Arias Montano, cit. por Morales, *op. cit.,* pág. 202).

[37] Felipe II al duque de Alba, 13 de mayo de 1568, citado por G. Parker, *El ejército de Flandes y el camino español (1567-1659),* Madrid, 1976, pág. 179.

[38] Parker, *op. cit.,* pág. 180.

[39] Arias Montano, *Advertimientos sobre los negocios de Flandes,* en *Codoin,* XXXVIII, págs. 89-98; cit. por Morales Oliver, *op. cit.,* pág. 217.

resistido casi ocho meses el asedio de los tercios viejos, cuando se rindió el 11 de julio, fueron degollados todos sus defensores, salvo los alemanes y 400 de sus patricios, escapando la ciudad del saqueo mediante el pago de 250.000 florines.

Era la guerra llevada a sus últimos extremos; en frase militar, la guerra a sangre y fuego. No cabe duda de que el Duque confiaba en imponerse por el terror.

Fue al contrario. Al atacar Alkmaar, Alba se encontró con una resistencia desesperada. Y la ciudad se salvó además acudiendo al ya célebre recurso heroico, como el que suponía la ruina inmediata: el anegamiento del campo, con la ruptura de los diques. Era el consejo de Orange, imposibilitado de librarla por otras vías, pero que obligó al Duque a levantar el asedio.

Tal hazaña de los sublevados y su victoria naval sobre la flota española mandada por Bossu marcarían ya el cambio de la suerte de las armas: España tendría ante sí una guerra interminable, con éxitos parciales pero con un final inexorable: el desgaste continuo, la ruina, la derrota.

Algo fijado pronto por la conciencia nacional en algunas de sus frases, desde entonces grabadas en la psicología colectiva, como «poner una pica en Flandes», para señalar algo dificilísimo y costosísimo, o como aquella otra:

> España, mi natura;
> Italia, mi ventura;
> Flandes, mi sepultura.

No sería el duque de Medinaceli el sucesor de Alba, aunque llegara a Flandes en 1572, porque el Duque se negó a entregar el mando hasta no recuperar Mons; pero sí lo hizo don Luis de Requesens el 29 de noviembre de 1573.

Requesens era un hombre muy de la confianza de Felipe II, vinculado además al Rey por los servicios de su familia, como hijo de don Juan de Zúñiga —el que había sido ayo del Príncipe en su niñez y adolescencia— y de doña Estefanía de Requesens. Un año más joven que su Rey, Requesens había sido su paje cuanto tenía apenas siete años, y desde entonces siempre muy apreciado tanto por Carlos V como por Felipe II.

Dejando a un lado los cargos y honores conseguidos bajo el Emperador, vemos que también Felipe II le distinguió como hombre fidelísimo y que había mostrado cualidades diplomáticas y militares. Había sido embajador en Roma en 1563 y favorecido, con éxito, la elección de Pío V en 1565. De regreso a España, se le vio asistir a don Juan de Austria, tanto en su cargo de general de la Mar como en sus campañas de Las Alpujarras y sobre todo en la jornada de Lepanto. En 1573, se hallaba como gobernador del Milanesado y parecía la pieza de recambio más apropiada para sustituir al duque de Alba.

A un país en guerra, iba con instrucciones de negociar una solución con los rebeldes menos radicales. Tenía amplia experiencia, tanto diplomática como bélica, contaba a la sazón cuarenta y cinco años y parecía el hombre adecuado para aquella misión.

Sin embargo, no sería capaz de lograrla, porque la resistencia victoriosa de Alkmaar había provocado un gran entusiasmo en el campo rebelde. La actuación de Leiden sería buena prueba de ello.

Y lo que es más admirable: cuando Orange ofreció a Leiden una recompensa, la ciudad pidió ser el asiento de una Universidad.

Estaba claro que Holanda era ya algo más que un pueblo rebelde: tenía espíritu de auténtica nación libre.

En otro lugar lo he comentado: un comportamiento tal marcaba ya un pueblo seguro de su destino, un pueblo que, luchando por sus libertades, era invencible.

Tampoco tuvo éxito Requesens en sus intentos apaciguadores, aunque suprimió el Tribunal de los Tumultos; ni menos en sus negociaciones con Orange, para captarlo de nuevo al servicio del Rey. Eso ya era demasiado tarde. Y aunque tuviera alguna fortuna en varias acciones militares, particularmente en Moock, la escasez de numerario le maniataba demasiado, dándole el penoso resultado de no poder controlar su propio ejército, mal pagado.

A principios de 1575, Requesens veía tan mal la situación («... lo de aquí está en tan estrechos términos...») que aconsejaría al Rey una vuelta a la antigua manera de gobierno, mandando un gobernador de su linaje regio y cediendo en todo, con tal de que se salvara el principio religioso: «... como se salve lo de la religión...» [40]

Pero claro estaba que eso era mantener a los calvinistas fuera de la ley, lo que Felipe II ya no estaba en condiciones de imponer por la fuerza.

Cabe destacar, como indicio de la mentalidad del Rey, que concediendo Felipe II a Requesens que negociara con los rebeldes, reuniéndose los comisionados de una y otra parte en Breda, lo único que Requesens ofreció fue que los protestantes que no quisieran volver al catolicismo pudieran vender sus bienes y exiliarse.

No hay que decir que aquellas negociaciones habían nacido muertas antes de empezar.

La muerte de Requesens el 5 de mayo de 1576 produjo un vacío de poder en los Países Bajos, bien aprovechado por Orange, que el 25 de abril conseguía que Holanda y Zelanda se uniesen en un Estado federativo que le elegiría como mandatario, desvinculado ya de la Corona de España y con derecho a designar un príncipe extranjero como protector de la nueva nación, si así lo exigían las circunstancias; se buscaba de ese modo el amparo de una potencia, dado el poderío de la Monarquía católica de España.

Por parte del territorio aún bajo el dominio español, interinamente sometido al gobierno de un Consejo de Estado, se pidió a Felipe II que nombrase

---

[40] Requesens a Felipe II, Amberes, 9 de enero de 1575, en Kamen, *op. cit.*, pág. 162.

con urgencia un nuevo gobernador y que éste fuese de la familia real, para volver así a la situación anterior a la rebelión y como primera medida que facilitase la pacificación del territorio.

Entonces Felipe II pensó en su hermanastro don Juan de Austria.

Sería una misión que se adivinaba de dificilísimo logro y para don Juan algo perturbador, cuando ya se hallaba en Italia ejerciendo el altísimo cargo de vicario general que le ponía al frente de la Italia hispánica, si bien no con el título de Alteza que tanto ansiaba; algo, de todas formas, podía hacerle más llevadero su nuevo cargo en Flandes: la cercanía a las islas Británicas, de donde los católicos escoceses e ingleses le llamaban, pensando en una boda con María Estuardo, ya por entonces la cautiva de la Reina inglesa.

Pero don Juan de Austria, por una vez cauto, quiso asegurarse el apoyo del Rey, y desoyendo su mandato en aquellos finales del año 75, en vez de marchar a los Países Bajos —como era la reiterada orden regia—, se presentó en la corte de España. Felipe II lo recibió en El Escorial y no le negó su apoyo, aunque tampoco se comprometiera del todo.

Fue suficiente. Don Juan se dispuso a ir en busca de su destino. De momento, y muy de acuerdo con su novelesca vida, para que este capítulo no lo fuese menos, se fue a despedir de aquella que había sido para él como una madre, desde que Carlos V lo había puesto en sus manos, de doña Magdalena de Ulloa, a cuyo cargo quedaría disfrazarle de criado morisco, pues como tal había de ir en el séquito de un noble italiano, Octavio Gonzaga. Y de esa manera, como un criado morisco, atravesó toda Francia.

Importaba ganar tiempo. Y aun así, ya los acontecimientos se habían precipitado. En efecto, y de modo sincrónico a la llegada de don Juan a los Países Bajos, se producía, en aquel noviembre de 1575, el terrible saqueo de Amberes por los tercios viejos —*la furia española*—, que vendría a enrarecer más el ambiente.

Era cuando la situación de la Hacienda Real, no podía pasar por una fase más crítica, lo que imposibilitaba a Felipe II atender las peticiones de ayuda que le hacía su hermano. Pues fue cuando, el 1 de septiembre de 1575, se producía la segunda quiebra de la Hacienda Real, con tan graves resultados que, si hemos de creer a Felipe Ruiz, hizo «estremecer a Europa» [41]. En todo caso, cuando Felipe II había recibido a su hermano ya era consciente de que no podría atender a su necesidades.

Era como si quisiera hacer frente a los problemas de Flandes con el prestigio del nombre de su hermano; o acaso también para hundir en el fracaso inevitable a quien tanta gloria había logrado en el Mediterráneo. Porque lo cierto es que el Rey, contra el parecer de algunos miembros del Consejo de Estado —y concretamente del que más experiencia tenía en los asuntos de Flandes, el duque de Alba—, siguió el consejo de Antonio Pérez.

---

[41] F. Ruiz, «La Banca en España hasta 1782», en *El Banco de España. Una historia económica,* Madrid, 1970, pág. 27.

Don Juan de Austria llevaba órdenes precisas de buscar la vía de la negociación, al modo como antes lo había hecho Requesens. Y en esa línea, aceptar el Edicto Perpetuo, tratar con Orange y licenciar sus tropas, en particular los tercios viejos; eran las condiciones de los rebeldes para reconocerle como gobernador.

De ese modo don Juan pudo entrar en Bruselas, donde también lo hizo Orange.

No sólo ellos dos. A poco llegaba el archiduque Matías. A Felipe II le salía un asombroso competidor, pues el Archiduque pretendía que los Países Bajos se incorporaran a la corte de Viena.

Era todo un reto que Felipe II no podía tolerar. En su día había cedido ante los hechos y renunciado a los acuerdos de Augsburgo de 1551, por los que se suponía que llegaría a recibir la Corona imperial. Pero los Países Bajos los había recibido en herencia de su padre, Carlos V, y Felipe II —que se consideraba de hecho como el protector de la corte de Viena— iba a demostrar que todavía podía sostener la guerra, si ello era preciso. Alejandro Farnesio recibió la orden de regresar con los tercios viejos desde Italia, y con tan admirable refuerzo don Juan atacó a los rebeldes derrotándolos en Gembloux, consiguiendo que gran parte de los Países Bajos del Sur volvieran a la obediencia del Rey.

Tal ocurría el 31 de enero de 1578. Pero, de repente, media Europa creyó que era el momento de intervenir en Flandes. El duque de Anjou penetró por el Sur, con un ejército francés, apoderándose de Mons, aquella plaza por la que tanto había combatido el duque de Alba; y en aquel mismo año de 1578 lo hacía también desde el Este Juan Casimiro, con un ejército costeado por Isabel de Inglaterra.

Era el caos. Y con la falta de dinero, para don Juan, el verse como prisionero en los Países Bajos. De ahí su angustiosa llamada de socorro a Felipe II, enviándole a su hombre de confianza, el secretario Escobedo. Ya veremos el dramático final de su misión, con su alevosa muerte, a la que no fue ajeno el propio Rey. Para don Juan, la noticia de aquel desenlace no podría suponer más que una cosa: que el Rey le había abandonado a su suerte.

No tardaría en caer en una profunda depresión, falleciendo en su campamento de Namur el 1 de octubre de 1578. La causa oficial de su muerte, el tifus. Pero, en realidad, ya se había resignado a dejar una vida tan desatinada. El último deseo sería que sus restos descansaran cerca de su padre, y su última orden al ejército, que aceptasen por jefe a Alejandro Farnesio.

Y curiosamente, Felipe II, magnánimo con el hermano muerto como no lo había sido en vida, dio por buenos ambos hechos: los restos de don Juan fueron repatriados y enterrados en El Escorial, mientras una orden del Rey designaba a su sobrino Alejandro Farnesio —el hijo de Margarita de Parma— como el nuevo gobernador de los Países Bajos.

Para entonces, ya había muerto en una oscura batalla dada en Marruecos (en Alcazarquivir) el rey don Sebastián de Portugal.

Una nueva etapa se iniciaba en la Monarquía de Felipe II.

10
Objetivo: Lisboa.
La unión de Portugal y Castilla
bajo Felipe II

Estamos ante un tema de la gran historia, una de esas materias que aparecen con detalle en todos los manuales escolares y sobre los que se ha volcado abundante material documental a cargo de destacados especialistas.

Es algo que he querido reflejar en el mismo título de este capítulo, pues no se trata de un error o de un descuido el que hable de Portugal y Castilla, en vez de Portugal y España, que para no pocos parecería lo más correcto. Y es que entiendo que lo que se puso entonces en juego fue la conjugación de los destinos de los dos pueblos que tenían en el Quinientos tan marcada proyección ultramarina, dentro de aquella operación de unificación peninsular bajo una sola Monarquía.

Cierto: la unidad política de la Península tenía sus remotos antecedentes, desde los tiempos de Roma y más; si se quiere, desde los de la Monarquía visigoda. Sin embargo, no es menos cierto que desde la Baja Edad Media lo que se plantea reiteradamente no es la unión de España y Portugal, sino de Portugal y Castilla. Por lo tanto, será preciso atenerse a esos precedentes para enfocar adecuadamente lo que ocurre bajo Felipe II y para entender lo que supone Portugal dentro del *idearium* político del Rey Prudente.

De entrada, un concepto equivocado, un error que se desliza con frecuencia y que conviene corregir, es el de presentar una España, la de Felipe II, como potencia política ampliamente desarrollada que se engulle con facilidad un nuevo reino precariamente vertebrado. Porque los hechos nos dicen algo muy distinto.

Y así la verdad es que Portugal se alza como uno de los primeros pueblos del occidente de Europa que saben configurar una potente estructura política, en la línea de los Estados nacionales, que tanto perfilan la Edad Moderna. Desde el siglo XIII vemos a Portugal con todas las características propias de un Estado moderno, con sus fronteras bien delimitadas: 1279, toma de Faro y eliminación de la frontera sur musulmana; 1297, tratado de Alcañices, que fija los límites fronterizos con Castilla. Para entonces ya contaba Portugal con su gran capital en Lisboa, con sus Cortes funcionando en dialéctica política con la Corona, con su centro cultural universitario, pronto pasado a Coimbra, y con su centro religioso de Alcobaça. De forma que el primer Estado nacional de los tiempos modernos no lo configura ni Francia ni Inglaterra ni, por supuesto, España, sino Portugal. Yo escribía en 1986:

> Esa fuerte estructuración nacional permite comprender la fácil superación de la crisis sucesoria producida a la muerte del rey don Fernando en 1383, que encumbrará a la dinastía Avis, con Juan I; situación consolidada en el campo de batalla, con la aplastante derrota de los castellanos de Aljubarrota, la batalla por antonomasia del reino luso, recordada en el célebre monasterio de tal nombre *(Batalha)*. Se ponen así las bases para el impresionante despliegue en Ultramar que los portugueses realizan en el siglo XV...

Por lo tanto, a partir de aquella contundente victoria sobre el otro rey Juan (Juan I de Castilla), se convertiría Portugal en una de las grandes protagonistas de la historia universal, y ello hasta tal punto que, cuando sea Castilla la que caiga en problemas sucesorios, con la dudosa actuación de Enrique IV, el rey luso Alfonso V crea que era el momento de emprender una expansión hacia el Este, invadiendo Castilla, a favor de los que parecían legítimos derechos de la reina Juana, de sobrenombre La Beltraneja.

Alguna vez lo indiqué: lo que se planteó entonces no fue tanto el pleito entre Isabel y Juana como entre una Castilla que quería vincularse a Portugal y otra que quería hacerlo con Aragón. Era evidente que se estaba entrando en la era de las mayores formaciones políticas, pero estaba por ver cuál era la dirección correcta; y si triunfó a la postre la corriente filoaragonesa quizá fuera, entre otras cosas, porque en Castilla subsistía el mal sabor de la derrota de Aljubarrota y, aún más, porque con la unión con Portugal parecía que Castilla era la subordinada. Eso es lo que quiero subrayar: el primer intento serio de unión entre Portugal y Castilla, en la Edad Moderna, arranca de Portugal. Y no sería el único, puesto que cuando los reiterados enlaces entre las dos casas reinantes cristalizan en el nacimiento de un príncipe que parece destinado a heredarlo todo, ese príncipe sería un portugués; su nombre, Miguel, el príncipe jurado heredero por las Cortes de Portugal, de Castilla y de Aragón, al que sólo su temprana muerte en 1500 dejaría fuera de juego. Era el hijo del rey Manuel, *O Venturoso,* y de la princesa Isabel de Castilla, de forma que podría creerse en la euforia portuguesa por aquella perspectiva. No es seguro, sin embargo, que ello fuera así. Justa de la Villa nos indica:

> ... los portugueses que aún conservaban los odios de sus antiguas rivalidades —con Castilla, se entiende—, no veían con tan buenos ojos como en Castilla la perspectiva de esta unión de las dos Coronas.

En cambio, otro era el sentimiento en España si tomamos el testimonio de Juan Ginés de Sepúlveda, donde encontramos este lamento por la muerte del príncipe niño:

> ... Miguel, nacido para esperanza de toda España y de tantos Reinos, murió prematuramente, cuando apenas había cumplido dos años...[1]

Pero, en todo caso, lo indudable es que por aquella vía se estaba superando el anterior forcejeo bélico: la unión de los dos pueblos, no por la imposición de las armas, sino como un resultado de felices alianzas matrimoniales. Porque si algo parece claro es que lo que las dos dinastías pretenden con tan reiterados enlaces es algo más que la amistad entre las dos naciones. Baste el recuento de aquellas uniones: en tiempos de los Reyes Católicos son dos las princesas españolas que toman el camino de Lisboa, Isabel y María. Isabel, en dos ocasiones, pues después de la muerte de su primer marido, el príncipe don Alfonso —el que muere a causa de una caída de caballo en Santarem, provocando una leyenda que perduraría hasta los tiempos de Felipe II—, lo haría con don Manuel el-Afortunado; el cual, cuando enviuda de Isabel, renueva la alianza con Castilla desposando a la infanta María, de la que tendría tantos hijos (entre ellos a Isabel, la futura emperatriz, y a don Luis, el padre de don Antonio, prior de Crato y rival de Felipe II en la década de los ochenta). Y no pararía ahí la inclinación de don Manuel hacia Castilla, pues a la muerte de María renovaría otra vez aquella alianza, con su tercera boda, en este caso con la hermana mayor de Carlos V, doña Leonor. Por ello, hemos de considerar que tanta reincidencia no es obra del azar y que había algo más que una cierta habilidad de los diplomáticos españoles de aquella hora, tanto más que en la siguiente generación prosiguen aquellas alianzas. Sería el momento en el que las Cortes castellanas pedirían al César su boda con una princesa portuguesa, la nieta y homónima de la Reina Católica, en la que era fama que apuntaban todas las virtudes de su ilustre antepasada. Y ese enlace se doblaría con el del rey Juan III de Portugal con la infanta Catalina, la hermana menor de Carlos V. Por último, y para cerrar este recuento de los enlaces entre las dos casas reinantes, recordemos que la tercera generación seguiría iguales derroteros, con la doble boda de Felipe II con María Manuela y de Juana de Austria con el príncipe Juan Manuel de Portugal.

¿Qué podemos concluir a la vista de todo ello, sobre todo si tenemos en cuenta que ya en los primeros momentos se asiste al posible heredero de las tres Coronas, de Portugal, Castilla y Aragón? Como mínimo habría que entender que se tenía conciencia de que aquello podía repetirse y, por tanto, que era el camino para la unidad política de la Península. Es más, yo diría que

---

[1] Juan Ginés de Sepúlveda, *Historia de Carlos V,* trad. y ed. crítica de E. Rodríguez Peregrina, con notas de Baltasar Cuart, Pozoblanco, 1995, I, pág. 31. El texto de Justa de la Villa, en *Diccionario de Historia de España,* Madrid, Revista de Occidente, 1968, II, págs. 1060 y 1061.

era una posibilidad querida y buscada por ambas partes (en la cumbre, cierto, no en los pueblos). En 1499, ya lo hemos dicho, la solución estuvo a punto de inclinarse a favor del príncipe don Miguel de Portugal; en 1554, a la muerte de Juan Manuel, la situación parece favorecer al príncipe don Carlos, lo que ocasionará un intento diplomático de Carlos V, enviando a Lisboa al padre Francisco de Borja (aquel marqués de Lombay que había asistido a la muerte de la emperatriz Isabel). Y cuando sucumbe en Alcazarquivir el rey don Sebastián sin sucesión, las cartas estaban dadas y todos los triunfos se hallaban en manos de Felipe II, que no en vano era «el hijo de la portuguesa». Ahora bien, con el recelo y la oposición de un amplio sector de Portugal, manifestado desde el mismo momento de las bodas de Felipe y María Manuela, cuando el marqués de Villarreal se oponía diciendo «que no convenía que se hiciese, porque era dar Portugal a Castilla» [2]. Obsérvese ese juicio: a Castilla, no a España.

Hemos procurado resaltar lo que parecía estar en el ambiente de aquellas monarquías del Quinientos, lo que parecía corresponder a las corrientes de la época, lo que parecía ser el resultado de los deseos de los dos pueblos. La vecindad entre Castilla y Portugal se había traducido en dos conflictos bélicos de la mayor envergadura, en el siglo que va entre las dos batallas de Aljubarrota (1385) y Toro (1476), de signo distinto, si nos referimos al vencedor, pero similares en cuanto que ambos significaban la apelación a la violencia para lograr la unión; a partir de ese momento y, sobre todo, del tratado de Tordesillas de 1494 [3] ambas Coronas entienden que la garantía de su grandeza histórica estriba en una buena vecindad y en acudir no a las armas, sino a la diplomacia, para resolver sus problemas fronterizos y el reparto de las respectivas zonas de influencia en el ámbito de los descubrimientos geográficos. Es ahí donde, al pactar la concordia, se establece la conveniencia de un entendimiento que permita el afianzamiento portugués en el lejano Este oceánico y la expansión de Castilla en las Indias Occidentales, y véase que otra vez, en ese campo de los entendimientos convenientes y necesarios, para el reparto de las expansiones oceánicas, hemos de hablar de Portugal y de Castilla, y no de Portugal y España.

Ahora bien, en la historia también cuentan los grandes personajes que, precisamente por ello, consiguen un cierto poder decisorio. De ahí que sea el momento de traer a la palestra a Felipe II, con su firme deseo de hacer buenos sus derechos a la Corona portuguesa, cuestión sobre la que el Rey Prudente tenía estímulos muy personales.

De entrada hemos de tener en cuenta que aquella Emperatriz que se despedía en sus cartas de Carlos V en su dulce idioma, con la fórmula «Beijo as maos de Vosa Magestade», hablaba sin duda en portugués con su hijo

---

[2] Carlos V a Felipe II, Yuste, 8 de agosto de 1557 (*Corpus documental de Carlos V*, IV, págs. 339-341).

[3] *Ibídem.*

Felipe; como lo haría también su aya, doña Leonor de Mascarenhas; al igual que el paje portugués que con él jugaba de niño, Rui Gomes de Silva. También en portugués oiría a su primera mujer, la infanta María Manuela. De forma que los recuerdos de su infancia y de su adolescencia le hablaban constantemente de Portugal, de igual forma que sabía que aquellos faraónicos enlaces que habían acometido sus antepasados iban todos encaminados a unir más fuertemente ambas Coronas y, si el caso llegaba, a establecer una misma Monarquía.

Evidentemente, cuando la diplomacia imperial apuntó a una estrecha alianza con la Inglaterra de María Tudor, o cuando Felipe II apostó por la unión con la Francia de los Valois, todo aquello quedó, si no en el olvido, al menos en la simple buena vecindad entre los dos pueblos; aquello de que no hubiese una frontera conflictiva a occidente de Castilla, máxime cuando pareció que el rey don Sebastián se iba afianzando en su trono. Pero la aventura de Alcazarquivir abrió unas perspectivas a las que Felipe II no pudo mostrarse indiferente. Estaba claro que los viejos sueños de la unidad peninsular se ponían otra vez en funcionamiento.

Sería algo que Felipe II tomaría con la mayor seriedad. No era sólo que estuviera apoyado por los mejores derechos; es que, además, estaba ansioso por ejercitarlos. Aquí es el hijo de la portuguesa el que actuará con la mayor decisión.

De ahí que la operación de Lisboa, iniciada poco después de conocerse el desastre portugués de Alcazarquivir, fuera la más personal y la más ilusionada de las emprendidas por Felipe II. Y al punto se vio que caminaba con buena fortuna, porque todos los convocados por el Rey Prudente para aquella misión se prestaron incondicionalmente a cumplir lo que el Rey les iba marcando; tanto la nobleza como el pueblo, a un lado y otro de la frontera, se dieron cuenta de que Felipe II ponía todo su empeño en alzarse con la herencia que parecía poner en sus manos el destino.

Está en todos los relatos tradicionales: la aventura africana, que tan cara le costaría al rey don Sebastián de Portugal, estuvo precedida de una entrevista en la cumbre entre los dos soberanos. Fueron las Vistas de Guadalupe, celebradas en diciembre de 1576. Y también cuentan esos relatos que el apoyo prometido por Felipe II fue lo que acabó de decidir a don Sebastián a pasar el Estrecho, ofuscado por su ansia de adueñarse de Marruecos y de poderse titular como rey de reyes; un sueño que le acabaría costando la vida y que abriría la crisis sucesoria. Por lo tanto, y aplicando la vieja fórmula latina *cui prodest?*, cabe concluir que aquellas entrevistas de Guadalupe estuvieron marcadas por el signo de lo maquiavélico. En suma, un hábil y experimentado monarca alentando a un príncipe alocado que caminaba a su ruina. Sin embargo, aun concediendo a las jornadas de Guadalupe toda su importancia, considero que en la visión tradicional cabe introducir algunas variantes. En primer lugar, porque la operación marroquí, mirada con ojos europeos desde la perspectiva de 1576, no hay que considerarla tan descabellada, como tantos historiadores consideran hoy en día, a toro pasado. No era el vano sueño de grandeza de un príncipe desequilibrado.

En la misma España, después de la toma de Granada, eran no pocos los que creían que era llegada la hora de la réplica, el momento de lanzarse sobre los territorios norteafricanos. Podría recordarse aquí la consigna de la reina Isabel la Católica a sus sucesores marcada en su Testamento: «... e que no cesen de la conquista de Africa...»

O bien, la campaña alentada por Cisneros, que había dado la toma de Orán, con la que se abriría una serie de rápidas conquistas de Fernando el Católico, llevando las armas hispanas hata la lejana Trípoli. Es cierto que Carlos V se había fijado más en el reino tunecino, como salvaguarda de las costas italianas (provocando el malestar de los castellanos, bien reflejado en la correspondencia de la emperatriz Isabel), y que su fracaso ante Argel en 1541 frenó no poco las ansias expansivas de los españoles en el norte de África. Sin embargo, Felipe II planeó a principios de su reinado una nueva ofensiva sobre Argel, que inexplicablemente no fue bien acogida por las Cortes castellanas. En todo caso, como un eco de cierto sector, cabría citar los anhelos de Matías de Venegas, familiar sin duda del embajador Pedro de Venegas, enviado por Felipe II a Marruecos tras conocer el desastre de Alcazarquivir. Por entonces, el Rey estaba muy interesado en prestar ayuda a los nobles portugueses cautivos en aquella jornada, sintiéndose obligado en su condición de monarca más poderoso de la Cristiandad, y también el que debía estar atento a bienquistarse con la opinión pública portuguesa. En todo caso, Matías de Venegas, al percibir las posibilidades abiertas con la guerra civil desatada en Marruecos, comentaba eufórico:

> El Reino está temblando, según dicen. La gente de guerra es bien pagada y mucha, pero hay tanto apasionados, de los que hay en la tierra por el hijo del Moluco que está en Argel, que plega a Dios hagan de manera que nos quedemos con todo [4].

Por lo tanto, el rey don Sebastián se hizo eco del sentir de no pocos de sus contemporáneos: la conquista de Marruecos era factible; otra cosa fue la manera en que se llevó a cabo aquella empresa, sobre cuyos riesgos Felipe II advirtió noblemente a su sobrino.

Sabemos los términos tratados, la presión de don Sebastián para conseguir el mayor apoyo posible, tanto económico como militar, y su deseo de afianzar la alianza entre los dos países proponiendo incluso su boda con la infanta Isabel Clara Eugenia, la hija bien amada de Felipe II. Aun así, queda algo por puntualizar.

En primer lugar, resulta evidente que el mayor interesado en aquella entrevista era el rey don Sebastián, no sólo porque le importaba mucho obtener el

---

[4] Véase mi estudio *Felipe II, Isabel de Inglaterra y Marruecos,* Madrid, 1951, pág. 39, nota 46 bis.

apoyo de España, sino también por asegurarse las espaldas, a la hora de abandonar Portugal, dejando el reino desguarnecido y a merced de un ataque por sorpresa de los tercios viejos castellanos. Pero también debemos tener en cuenta los dos protagonistas de aquellas jornadas de Guadalupe: por un lado, un rey joven, con poca experiencia política y, lo que era más grave, en la misma línea inestable que su primo don Carlos; por otro, un monarca maduro, con más de veinticinco años de práctica al frente del Estado, si contamos desde 1551, año en el que el Emperador le confía el gobierno de España. Y aún me parece más relevante otro matiz, menos destacado de lo que se debiera: el hecho mismo de que Felipe II accediera a entrevistarse con su sobrino, pues no olvidemos que la iniciativa partió de don Sebastián. Pues, en efecto, sería la única vista que Felipe II mantendría con otro soberano, en marcado contraste con la frecuencia con que el Emperador, su padre, había acudido a tales entrevistas en la cumbre. Mientras Carlos V se había visto tres veces con Enrique VIII de Inglaterra, cuatro con Francisco I de Francia, cinco con Clemente VII y dos con Paulo III, siendo huésped de las cortes de Londres y de París, Felipe II rehuyó esa práctica diplomática, prefiriendo enviar a sus representantes, como en las Vistas de Bayona de 1565 concertadas con la reina Catalina de Médicis, en las que delegó en su esposa Isabel de Valois y en el duque de Alba. En este caso, como en el de la guerra, Felipe II prefiere mandar a otros, antes que salir de su corte, bien sean embajadores, bien generales, todo antes que asumir la acción directa. Algo totalmente consciente, pues lo formula como una medida de gobierno a su hija Catalina Micaela, para que convenciera a su marido, el duque de Saboya. Y de hecho, como muestra de su buena fe, también se lo diría a su sobrino don Sebastián, para apartarle de su idea de acaudillar el ejército con que pensaba actuar en Marruecos; esa sería la misión que encomendaría al humanista Arias Montano.

Ahora bien, y en relación con las Vistas de Guadalupe, adonde accede a ir atendiendo a la petición de don Sebastián, eso nos dice hasta qué punto Felipe II está valorando todo lo concerniente a Portugal. Y no existen indicios de que animara a su sobrino a la arriesgada aventura africana, antes al contrario. Pero cuando tuvo noticia del desastre de Alcazarquivir (4 de agosto de 1578, con la muerte de don Sebastián y de buen número de hidalgos portugueses, puso en marcha todo su dispositivo, tanto el diplomático como el bélico, para conseguir la herencia portuguesa como nieto del rey don Manuel el Afortunado.

Otros dos nietos restaban del rey don Manuel el Afortunado: doña Catalina de Braganza, duquesa de Braganza, hija del infante don Duarte, y el prior de Crato, don Antonio, hijo del infante don Luis.

Por lo tanto, tres aspirantes al trono, tres nietos del rey don Manuel, dado que la línea directa del rey Juan III había desaparecido con la muerte de su nieto don Sebastián sin hijos. ¿Por qué Felipe II se creía con mejores derechos?

Era claro. Don Antonio era hijo ilegítimo de don Duarte y de una hermosa conversa; trataría desesperadamente de que el cardenal-infante y ya rey don

Enrique lo reconociera como hijo de legítimo matrimonio, pero sus pruebas no fueron reconocidas como válidas. En cuanto a doña Catalina, su condición femenina la ponía en desventaja por la general norma sucesoria entonces existente —y todavía en vigor—, que daba preferencia a los candidatos varones.

Aunque no todo estaba tan claro. Catalina aducía que sus derechos eran mejores porque procedía de línea masculina, y puesto que su padre don Duarte hubiera sido preferido a la madre de Felipe, la emperatriz Isabel, ella debía ser la aventajada; no valiendo el argumento de la edad (la emperatriz Isabel era mayor que su hermano don Duarte).

Felipe II era el legítimo nieto varón del rey don Manuel el Afortunado; pero Catalina tenía a su favor el ser portuguesa, que no era poco, pues el pueblo, el clero bajo y la Compañía de Jesús estaban a su favor.

Por ello, Felipe II podía aspirar al trono portugués, pero lo que estaba claro, la fuerza de sus argumentos estribaba sobre todo en la de su ejército. Y eso ya lo vieron los contemporáneos, como el padre Mariana, quien, después de pasar revista a los diversos pretendientes y sus argumentos, comenta:

> Todo esto hacía el derecho dudoso, por donde los juristas tuvieron ocasión de escribir largamente sobre el caso, sin que faltase a ninguno de los pretendientes razones ni abogados...

Pero añade, sentencioso:

> Verdad es que las armas estaban en manos del rey Don Felipe que siempre, y principalmente cuando el derecho no está muy claro, tienen más fuerza que las informaciones de los legistas y letrados; y es así de ordinario que entre grandes Príncipes aquella parte parece más justificada que tiene más fuerzas[5].

Sin embargo, no todo iba a ser tan fácil para Felipe II. ¿Dónde estaba la dificultad? En el apoyo popular. Felipe II era el hijo de la portuguesa, Isabel la emperatriz, cierto, pero era el heredero nacido en Valladolid, el castellano. Resultaba evidente que Portugal prefería a un rey nacido en su tierra, a un rey que le pusiese además a resguardo de una temible absorción por aquella Castilla que ya dominaba medio mundo.

A partir de conocerse la muerte de don Sebastián, la diplomacia filipina empezó a moverse en todos los terrenos. Comenzando por obstaculizar los planes de quienes pretendían casar al viejo cardenal-rey don Enrique, que negociaban en Roma las pertinentes dispensas pontificias, y sobre ello Felipe II mandaría urgentes instrucciones a su embajador en Roma, don Juan de Zúñiga.

Había un objetivo que cumplir: que a la muerte de don Enrique se pudiera recoger aquella fabulosa herencia. No era sólo Portugal; también estaba

---

[5] Padre Mariana, *Historia de España, op. cit.,* II, pág. 790.

su inmenso imperio colonial: la ruta de las Indias Orientales, con las plazas de aquella eficaz talasocracia montada en un proceso secular que arrancaba de principios del siglo XV, de Ceuta al castillo de San Jorge de la Mina, al cabo de Buena Esperanza, a Ormuz y a la misma India, a las islas de las Especias e incluso al Brasil. En 1580, ausentes Francia, Inglaterra y Holanda del proceso colonizador, era poner toda América en manos de un solo hombre: el Rey de las Españas, Felipe II. Un poder similar no tendría comparación en el mundo desde los tiempos de Roma hasta nuestros mismos días.

Por lo tanto, era mucho lo que estaba en juego. Y los pretendientes podían escuchar o plantear proposiciones increíbles, como la que oyó Catalina de Braganza de su homónima la reina madre de Francia, de que podía conseguir el apoyo francés si cedía Brasil a Francia.

En aquel torbellino de negociaciones diplomáticas, de preparativos bélicos y de presiones de todo tipo, Felipe II se presentaba como el candidato más firme. Como él diría, había consultado con hombres de ciencia y conciencia, que le habían asegurado que sus derechos eran los mejores e incuestionables. Cuando la muerte de don Sebastián sin sucesión y la avanzada edad del nuevo monarca, el cardenal don Enrique, dejaba abierta la sucesión al trono portugués, Felipe II proclamaría ya a todos los vientos que sus derechos eran los mejores:

> Luego que se entendió la muerte del serenísimo rey de Portugal don Sebastián, mi sobrino, que Dios haya, di orden que, por personas de mucha ciencia y conciencia, así de estos Reinos como de fuera de ellos, se mirase y estudiase el derecho que yo tengo a la sucesión de los Reinos de aquella Corona...

Personas de ciencia y conciencia, letrados, sin duda, y, acaso, teólogos, fueron, pues, los llamados. Y para apartar la sospecha de que su voto estuviera mediatizado por su condición de castellanos, Felipe II acude también a otras personalidades. ¿Y cuál había sido el resultado?

> ... habiéndolo hecho con el cuidado y diligencias que la cualidad del negocio requería —añade el Rey—, fueron todos conformes en que, sin ningún género de duda, me pertenece justa y derechamente, por muchas y evidentes razones y, señaladamente, por ser yo varón y mayor de días y más idóneo que otros para el gobierno que ninguno de los otros que se llaman pretensores... [6]

En su argumentación, Felipe II hace caso omiso del prior de Crato, don Antonio; para él su ilegitimidad le ponía fuera de juego (aunque ya veremos que otros factores se lo volverían a dar, y muy activo). Aquí el Rey alude clara-

---

[6] Felipe II al duque de Medina-Sidonia, San Lorenzo de El Escorial, 2 de agosto de 1579 (cit. por Gabriel Maura, *El designio de Felipe II,* Madrid, 1957, pág. 42).

mente a sus mejores derechos frente a Catalina de Braganza, por su condición de mujer y conforme a las leyes, que en situaciones similares marcan que el varón sea preferido a la mujer. Ambos eran nietos de Manuel el Afortunado, si bien Catalina tenía a su favor que procedía por línea directa, como hija del infante don Duarte, mientras que Felipe II lo era de la emperatriz Isabel.

Era evidente que Felipe II contaba con otro argumento: su inmenso poder; el temor que imponía a sus adversarios la posibilidad de poner en marcha su máquina de guerra sobre Portugal. Cierto que los rebeldes holandeses seguían haciéndole frente, en una sañuda guerra que duraba ya casi quince años y que no tenía indicios de terminar alguna vez; pero también lo era que ella había supuesto para los Países Bajos un asolamiento de sus campos y ciudades, con horribles saqueos de algunas de ellas, de lo que lo ocurrido en Amberes en 1575 era buena muestra.

Ahora bien, para Felipe II ese era un recurso postrero: el de la fuerza e incluso «el espantajo» del terror, como el que utilizará al nombrar al duque de Alba como capitán general de su ejército. Para él, lo ideal hubiera sido que el propio cardenal don Enrique le reconociese como sucesor y que como tal le permitiera entrar en Portugal sin derramar sangre; no, pues, con el posible estigma del invasor-opresor, sino como el buen rey señor natural de sus nuevos vasallos.

Porque lo que resulta curioso es que el temor que había manifestado Isabel la emperatriz en su lecho de muerte en 1539, que entonces se lanzase el Emperador a la conquista de Portugal, se iba a producir precisamente cuarenta años después y por la mano de su hijo. No el emperador-soldado, pues, sino el rey-burócrata y papelero; no el marido, sino el hijo, sería el que acabaría haciendo realidad los temores de la Emperatriz.

Pues, repito, Felipe II tenía un problema: entrar en Portugal sin violencia. Para ello era preciso que el viejo rey Enrique le reconociera su heredero y que las Cortes portuguesas lo confirmaran. El viejo Rey parecía propicio a ello y a tal efecto convocó las Cortes en Almeirín. Los brazos nobiliario y eclesiástico aceptaron, pero no así el popular, muy reacio a ver a un castellano como su nuevo soberano.

El cardenal Enrique nombró cinco gobernadores para que rigiesen el reino a su fallecimiento y llegasen a un acuerdo sobre la sucesión en caso de su muerte, lo cual era de esperar, dada su malísima salud. Pero Felipe II no quería entrar por esa vía negociadora de poner lo que él consideraba su evidente derecho a la Corona portuguesa en manos de ningún jurado.

Y, por una vez, los acontecimientos le cogerían preparado. Pocas veces en la historia de los tiempos modernos reunió rey alguno equipo similar: en el ejército, con figuras como Sancho Dávila y Francés de Álava, y mandado nada menos que por el duque de Alba —y sobre esto volveremos—; en la marina, Recalde y, sobre todo, el marqués de Santa Cruz; en la diplomacia, el portugués Cristóbal de Moura; en el centro del Estado, habiéndose librado ya del traidor Antonio Pérez, el cardenal Granvela; y como auxiliares, la alta nobleza gallega, leonesa, extremeña y andaluza, como los condes de Lemos y Monterrey y como los duques de Alburquerque y Medina-Sidonia presionando sobre sus vecinos y amigos, y, en algunos casos, parientes de la alta nobleza portuguesa del otro lado del Miño, del Duero, del Tajo y del Guadiana.

Aun así, la cuestión era de tal magnitud —no en vano se consideraba a la Corona portuguesa como la más rica de Europa, por sus tratos con las Indias Orientales— que esa Europa no permanecería indiferente. Ni en Londres ni en París se veía despreocupadamente aquel enorme incremento del poderío de la Monarquía católica. Enrique III estaba dispuesto a ayudar a los duques de Braganza si defendían sus derechos frente a Felipe II, y a la pregunta de los Duques de con cuántas fuerzas podían contar, el embajador francés Saint-Gonard le contestó sin vacilación: «Con todas las que sean necesarias»[7].

Más remisa se presentaba Isabel de Inglaterra, quizá temerosa de que Felipe II tomara represalias, apoyando al partido de María Estuardo. Pero el propio papa Gregorio XIII se creyó obligado a intervenir, mandando un legado, con la misión de recoger las aspiraciones de los diversos pretendientes y fallar en consecuencia.

Era una oportunidad no sólo de resguardar la paz de la Cristiandad, ante el temor de una general conflagración, sino también de probar a todos la importancia de la Iglesia como árbitro en los grandes conflictos de la Cristiandad.

Y nada pudo ofender más a Felipe II. La intervención de Roma le ponía en una muy difícil situación, puesto que le llevaba a enfrentarse con el Papa, negándole su poder de arbitraje que podía poner en duda sus mejores derechos.

De ahí la dolorida carta que Felipe II escribió al Papa, cuando la suerte de las armas estaba aún por señalarse y cuando su legado, el cardenal Riarsio, insistía en cumplir su misión de arbitraje; incluso amenazando con retirar a la Monarquía la ayuda económica del subsidio del clero castellano:

> Muy Santo Padre:
> El amor y respeto que a S.S. he tenido, nadie mejor que V.S. lo sabe. Los trabajos que en su Pontificado han pasado por mis Estados también son públicos, y que los más dellos han sido por haber yo tomado tan a pecho la defensa de la Iglesia y extirpar las herejías...

El Rey presentaba sus agravios. Pese a tantos sacrificios como buen rey católico, ¿qué había obtenido?:

> ... cuanto más éstos —los trabajos— han ido cresciendo, más olvido ha mostrado V.S^d. dellos...

---

[7] Citado por Alfonso Danvila, *Felipe II y la sucesión de Portugal,* Madrid, 1956, pág. 223.

Y, finalmente, el intento de mediar en Portugal tan en su daño. Esto había colmado la medida. El Rey, tan respetuoso con Roma, se torna amenazador. ¡No sería la primera vez que los tercios viejos entraran en la Ciudad Eterna!

Y así añade al Papa:

> No puedo dexar de maravillarme y he mandado al marqués de Alcañices que lo represente a V.S^d. y me traiga entendido qué es la causa, para que yo me pueda resolver en cómo se habrá de proceder de aquí adelante por mi parte[8].

Eso ocurría en el mes de agosto de 1580, cuando ya la campaña de Portugal estaba en su momento cumbre.

La muerte de Enrique el 31 de enero de 1580, sin haber dejado asegurada la sucesión a favor de Felipe II, obligaba a preparar la campaña, que había de ser secundada por la marina —especialmente en la toma de Lisboa—, pero que sobre todo tenía que proyectarse como una operación militar a cargo de los tercios viejos. ¿A quién encomendar esa tarea? Hoy, con el recuerdo de tantas lecturas sobre el duque de Alba, la respuesta parece fácil, pero no lo era a la altura de 1580. En primer lugar, estaba la avanzada edad del gran soldado, que rondaba ya los setenta y dos años, y en segundo término, se daba la circunstancia de que Felipe II lo había castigado.

En efecto, el altivo comportamiento del Duque casaba mal con el estilo autoritario de Felipe II. Las relaciones entre el Rey y el soldado fueron haciéndose cada vez más difíciles. De entrada, el pobre resultado de su gobierno en los Países Bajos, aunque no fuera toda la culpa del Duque —su rigor había sido impuesto desde Madrid—, perjudicó su prestigio. De regreso a la corte, sus intervenciones en los Consejos de Estado y de Guerra eran mal recibidas, como cuando advirtió del peligro que suponía mandar a don Juan de Austria sin suficientes recursos en hombres y en dinero, y como acertó en su predicción, pareció quedar más patente la culpa del Rey.

Más escándalo produjo en la corte su negativa a seguir a don Sebastián en su aventura africana, si es que no se le confiaba el mando supremo del cuerpo expedicionario; razonando que todo su prestigio de soldado, probado en tantos años y en tantas campañas, no podía quedar a merced de un joven y atolondrado príncipe. Felipe II, presente en la escena, la cortó en seco, ordenando al Duque su confinamiento en su castillo de Alba de Tormes.

Así las cosas, todo se vino a complicar más con la boda de su hijo don Fadrique con doña María de Toledo sin el consentimiento del Rey. Tales desacatos no los consentía la Corona —baste recordar el castigo sufrido medio siglo antes por Garcilaso de la Vega—, máxime cuando don Fadrique ya esta-

---

[8] En Alfonso Danvila, *Felipe II y la sucesión de Portugal, op. cit.,* pág. 294.

ba comprometido con una dama de la Reina, doña María de Guzmán, cuyo honor —palabra grave en la sociedad de la época— quedaba en entredicho. Y como el Duque parecía implicado, por consentirlo —la boda se había realizado en Alba de Tormes—, el Rey ordenó su confinamiento en el castillo de Uceda. Eso sucedía en 1579.

Ya para entonces, muerto don Sebastián y abierto el problema de la sucesión a Portugal, Felipe II se planteaba las medidas militares que asegurasen sus derechos a la Corona portuguesa. Un aguerrido ejército de 30.000 soldados se fue concentrando en la frontera lusa, en torno a la plaza de Badajoz.

Sólo hacía falta designar a su jefe. Varios nombres sonaban, pero casi todos coincidían: el viejo Duque era la figura adecuada. Felipe II lo consultó con su consejero mayor en los temas de Portugal —aunque no cabe duda de que también lo hizo con Granvela—, Cristóbal de Moura, entonces su embajador en Lisboa. Eso dio lugar a un entrecruce de despachos sumamente reveladores.

Para el Rey, el duque de Alba seguía jugando un papel importante al frente de un fuerte ejército: producía espanto. En su despacho a Moura, Felipe II dejó claro su pensamiento sobre el Duque:

> Yo he pensado harto... lo que allí dice —se refiere a los elogios que el secretario Delgado hacía de Alba— y de una parte y de otra hay bien que mirar en ello...

Y añadía:

> Si ahí le temen tanto, bueno sería para espantajo, que para esto bueno es...[9]

Razonamiento que convencería a Moura, pues era lo mejor que se podía hacer: meter el miedo en el cuerpo a los que en Portugal tuvieran ganas de enfrentarse con el Rey, que quizá ello evitaría la guerra:

> ... Será Dios servido que no sea menester más sino espantajos...[10]

Con lo cual, Felipe II se decidió por fin, que tanto fiaba ya del criterio de su embajador:

> Visto lo que en esto me decis, me he resuelto que él —el Duque— vaya a Estremadura a juntar lo que allí se ha de juntar, que esto no se podía excusar.

---

[9] Alfonso Danvila, *Felipe II y la sucesión de Portugal, op. cit.,* pág. 231.
[10] *Ibídem.*

E incluso en la idea básica: el duque de Alba poniendo espanto en los portugueses:

> Y si ha d'espantar, desde allí lo hará... [11]

Tanteado el duque de Alba por el secretario del Rey, no fuera caso de que su ya precaria salud se lo impidiera, el Duque replicó altivo que jamás pensaría en sus dolencias cuando se trataba de servir al Rey. Pero no se crea que por eso Felipe II le admitió de nuevo en su gracia. Salió de Uceda para incorporarse como capitán general del ejército en Badajoz, sin que se le permitiera entrar en la corte.

Complementarias con las medidas militares fueron las diplomáticas, empezando por las realizadas en la corte del sultán de Marruecos, el vencedor de la batalla de Alcazarquivir, Ahmed El-Mansour (Ahmed el Vencedor) [12]. Felipe II envió a Pedro de Venegas con una brillante embajada, para impresionar al Sultán, y con la misión de rescatar el mayor número posible de los hidalgos portugueses que habían caído prisioneros; pero, evidentemente, con otra secreta: comprobar el estado del país y hasta qué punto era firme el poder de El-Mansour.

En esa línea, y como ocurre con tanta frecuencia, el ánimo de algunos españoles iba más allá de una mera acción diplomática. Matías de Venegas, un familiar del embajador español Pedro de Venegas, haría una relación de aquella embajada y expresaría sus sentimientos de conquista: ya lo hemos visto, aquella especie de baladronada: «El Reino está temblando...»

Que terminaba:

> ... plega a Dios hagan de manera que nos quedemos con todo.

Pero en esas fantasías, hacia 1579, no entraba Felipe II, que bastante tenía con centrarse en la empresa de Portugal. Lo que a Felipe II preocupaba, aparte de ganar crédito en Portugal presentándose como el protector del reino en aquella hora del desastre, era tener noticia cierta de algunos de los principales personajes portugueses que habían acompañado a don Sebastián en su aventura africana.

En efecto, entre ellos estaban dos de los pretendientes al trono luso: Antonio, prior de Crato, y el duque de Barcelos, primogénito de los duques de Braganza.

Antonio, prior de Crato, consiguió su rescate gracias al apoyo del duque de Medina-Sidonia, con lo que el magnate andaluz prestó un flaco servicio a

---

[11] En Alfonso Danvila, *op. cit.,* pág. 231.

[12] El cronista musulmán Nozhet El-Hafi El-Oufrani recoge en términos encomiásticos el tributo rendido por los monarcas de la Europa cristiana a su señor, a raíz de la derrota de Alcazarquivir (véase mi estudio *Felipe II, Isabel de Inglaterra y Marruecos,* Madrid, 1951, pág. 23, nota 19 bis).

su Rey, aunque tratara después de paliarlo prometiendo su intercesión para hacer que el portugués se aviniese a un partido pacífico con Felipe II, oferta que éste rechazaría, aunque no dejando de anotar la tan estrecha amistad que existía entre el pretendiente portugués y el magnate andaluz:

> También os agradezco mucho —le contestaría Felipe II— lo que me advertís cerca del oficio que podríades hacer con don Antonio, mi primo, para le atraer a lo que me conviniese, que he holgado de entender que tengáis con él tanta amistad como decís...[13]

No era la primera vez que el Duque ofrecía sus buenos oficios con el prior de Crato, ni tampoco que Felipe II los desechaba, porque el Rey infravaloraba a su primo, dada su ilegitimidad. Así, desde El Escorial indicaba al Duque el 23 de septiembre de 1579:

> El escribir vos a Don Antonio, mi primo, y al duque de Braganza, me parece que se podrá suspender por agora porque (como habéis sabido) don Antonio ha sido declarado por no legítimo, y así cesa enteramente en su pretensión...

En cambio, importaba al Rey jugar con la carta del duque de Barcelos, a quien El-Mansour había dado libertad, gracias a las buenas gestiones de su embajador Pedro de Venegas. Felipe II ordena a su embajador que llevara a Barcelos a Sanlúcar, lugar del señorío del duque de Medina-Sidonia, y a éste que

> ... le hospedéis, acariciéis y regaléis como a sobrino mío...[14]

No había sido sólo el duque de Barcelos, pues el Rey había conseguido su rescate y el de ochenta hidalgos por 400.000 ducados[15]. Estaba claro que Felipe II quería tener en sus manos un rehén con quien poder negociar, si los duques de Braganza, sus padres, se mantenían hostiles, persistiendo en sus pretensiones a la Corona portuguesa.

De eso no cabe duda alguna. Las pruebas que Felipe II dejó para la historia son tantas como inequívocas. El 11 de octubre daba estas instrucciones reservadas al duque de Medina-Sidonia: debía entretener en su casa al de Barcelos con buenas y amorosas razones:

> ... tales que imagine que no es por detenerle ni por otro fin que de lo que a él mismo le conviene.

---

[13] Maura, *El designio de Felipe II y la Armada Invencible,* Madrid, 1957, pág. 60.
[14] *Ibídem,* pág. 45.
[15] *Ibídem,* pág. 47.

Pero había más, claro está, y el Rey se lo aclara al punto al Duque:

> Y para con vos solo, es esto muy necesario, pues se ha de proce-
> der con el dicho Duque conforme al estado que, de aquí allá, toma-
> ren las cosas de Portugal...

No se olvide que aquello ocurría entrado ya el mes de octubre de 1579, cuando todos los informes apuntaban a un agravamiento de la salud del rey Enrique, que de eso se hace eco Felipe II:

> Y el Rey [Enrique] trae tan quebrada la salud, que podría faltar a
> deshora...

¿Qué pasaría entonces con los duques de Braganza? Felipe II quería estar prevenido:

> Y si de aquí a que llegue el de Barcelos hubiese nueva que obli-
> gue a usar con él de otro término, os mandaré advertir de lo que hu-
> biéredes de hacer, siendo cierto que lo cumpliréis como Yo de vos
> confío.

Medina-Sidonia, como toda la alta nobleza de la Corona de Castilla veci-
na, tenía otra misión que le encargaba el Rey: hacer presente a sus amigos y vecinos de la alta nobleza portuguesa cuán bien les iría si aceptaban de buen grado al rey castellano, y, a la inversa, cuán mal lo pasarían si afrontaban la cólera de Felipe II:

> ... Será bien —le escribía Felipe II el 2 de agosto de 1579— que,
> como de vuestro, y en la forma que os pareciere más a propósito,
> procuréis de dar a entender esta verdad a los portugueses que confi-
> nan con vuesto Estado: los grandes beneficios y comodidades que se
> les han de seguir de juntarse con esta Corona, y los inconvenientes y
> daños que de lo contrario resultarían, que por ser tan notorios los
> unos y los otros no se refieren aquí [16].

Los daños estaban claros: la enemiga del Rey contra los que se le opusie-
sen. ¿Y las ventajas? Acaso el ver más protegidos sus dominios de Ultramar.

Particularmente advierte a quien había de ser uno de sus mayores enemi-
gos en Portugal: el conde de Vimioso, el principal noble portugués que siguió la causa del prior de Crato. También lo sabemos por la correspondencia entre Felipe II y el duque de Medina-Sidonia:

> Pues el conde de Vimioso es vuestro primo —le escribe el Rey el
> 9 de enero de 1580— y tan amigo como decís, será muy a propósito

---

[16] Maura, *op. cit.*, pág. 43.

> que procuréis entender de él y de los que vienen en compañía del Duque, el ánimo que traen, y con color del deudo y amistad que tenéis con él y con su padre diréis, como en secreto y por vía de advertencia, a sus principales criados y amigos...

¿Qué era lo que tenía tan encarecidamente que decirle al Duque? No una pequeña advertencia, sino una clara amenaza: la más fuerte:

> ... que le va la vida en que el rey de Portugal [Enrique] se declare en su favor, porque tendrá la guerra en casa y será la causa de la ruina de aquel Reino.

También se podía ofrecer ventajas a los mercaderes portugueses, en una etapa de auge de los asentamientos en Brasil, por la protección de Felipe II frente a las incursiones de ingleses o franceses. Incluso se jugó con la posibilidad de que la Casa de Contratación pasara de Sevilla a Lisboa[17]. Por lo tanto, cabía la esperanza de una incorporación pacífica. Pero lo cierto fue que el 31 de enero de 1580 moría el rey Enrique de Portugal, sin que las Cortes de Almeirín, por la negativa del brazo popular, declarasen a Felipe II como el legítimo heredero del trono y como señor natural de Portugal. Los cinco gobernadores señalaron al Rey que no debía entrar armado en el reino y que debía esperar su fallo; pero Felipe II no lo aceptó. Por otra parte, aunque los demás candidatos, incluidos los duques de Braganza, se habían avenido a compromisos, no así el prior de Crato, don Antonio, que se veía respaldado por el pueblo portugués. Don Antonio se hizo proclamar rey en Santarem y entró como tal a mediados de junio en Lisboa.

Para entonces, las plazas de Elvas y Olivenza se habían entregado al duque de Alba, quien inició una rápida campaña. El 23 de julio se apoderaba de Setúbal. A poco, los tercios viejos tomaban al asalto el castillo de Cascaes, y su alcaide, Diego de Meneses, era degollado: era la política de sembrar el terror. La victoria de Alcántara le dio al Duque la posesión de Lisboa, bien secundado por la flota de Santa Cruz, aunque le fuera imposible capturar al prior de Crato, que buscó refugio en el norte del país. Perseguido por Sancho Dávila, nada pudo hacer don Antonio ni en Santarem ni en Coimbra ni en Oporto, pero, tras unos meses de andar escondido, logró fugarse a Francia, recabando allí ayuda para su causa.

La victoria de Felipe II parecía completa. Sin embargo, el azar estuvo a punto de impedirla, cayendo enfermo en Badajoz —acaso por un proceso gripal—, lo que casi le cuesta la vida en octubre de 1580; enfermedad que superaría, pero no su mujer, Ana de Austria.

Repuesto el Rey, entraría en Portugal el 5 de diciembre de 1580, rindiéndole pleito-homenaje la alta nobleza portuguesa y en especial sus rivales los duques de

---

[17] Fernando Bouza, *Portugal en la Monarquía hispánica (1580-1640)*. Tesis Doctoral inédita, Madrid, 1986, fol. 631.

Braganza. Convocadas las Cortes portuguesas en Tomar, le juraron Rey el 15 de abril de 1581. A poco, Felipe II proclamó un perdón general con contadas excepciones, como la del conde de Vimioso y la del prior de Crato, don Antonio.

La inesperada muerte de su hijo Diego y la necesidad de que las Cortes portuguesas juraran Príncipe heredero al postrero hijo de Felipe II, el príncipe Felipe, obliga al Rey a permanecer en Portugal hasta entrado el año 1583.

Para entonces, ya había fracasado también la intentona de don Antonio sobre las Azores, siendo derrotada la flota francesa de Strozzi por la española mandada por el marqués de Santa Cruz.

Sería posiblemente la última gran victoria naval de España.

Felipe II regresaba a Castilla, habiendo terminado espectacularmente su operación sobre Lisboa.

El hijo de la portuguesa veía al fin cumplido su sueño.

Pero no todo era perfecto. En realidad, la toma de posesión de Portugal tras la amplia operación militar acaudillada por el duque de Alba —que, por cierto, moriría en Portugal, como Sancho Dávila— dejará ya una imagen viciada: España la invasora, España la opresora.

Algo que acabaría estallando como una bomba de relojería retardada, incrustada en el cuerpo de la Monarquía.

Y, sin embargo, Felipe II trató de asegurar su logro, dando a los reinos de Castilla y Portugal un destino común: la expansión en Ultramar. Y con una consigna: la predicación del Evangelio.

Algo que dejaría señalado en su *Testamento* y en esta solemne forma:

> ... declaro expresamente que quiero y es mi voluntad que los dichos Reinos de la corona de Portugal hayan siempre de andar y anden juntos y unidos con los Reinos de la corona de Castilla sin que jamás se puedan dividir ni apartar los unos de los otros por ninguna cosa que sea o ser pueda...

Atención: Castilla y Portugal unidos, no España y Portugal unidos. ¿Por qué esa unión?

> ... por ser esto lo que más conviene para la seguridad, augmento y buen gobierno de los unos y de los otros y para poder mejor ensanchar nuestra Sancta fe Católica y acudir a la defensa de la Iglesia [18].

* * *

La incorporación de Portugal a la Monarquía católica es uno de los sucesos más destacados del reinado de Felipe II. Sin embargo, tendemos a mini-

---

[18] Felipe II, *Testamento,* ed. crítica de Manuel Fernández Álvarez, Madrid, 1982, pág. 23, cláusula 21.

mizarlo, relacionándolo con la brevedad de aquella unión, que acaba deshaciéndose en 1640, con poco más de medio siglo de existencia. Acaso porque sólo había tenido fortuna acudiendo al recurso de la fuerza, con aquel «espantajo» que era el duque de Alba. Lo cual venía a relacionar la operación de Lisboa con la de los Países Bajos, con la estampa del degüello de los condes de Egmont y de Horn y el Tribunal de los Tumultos incluido.

En otras palabras: el uso de la violencia viciaba ya la incorporación de Portugal. Los portugueses, y más los lisboetas, viendo su patria convertida en provincia, no podían menos de sentirse oprimidos.

Es cierto que entre las dos monarquías existían intereses comunes: la defensa de sus rutas oceánicas frente a los ataques de los otros pueblos de la Europa occidental, ansiosos de incorporarse al banquete que ofrecía Ultramar; así, los embajadores españoles tenían orden de reclamar en Londres contra las incursiones inglesas en las rutas no sólo de las Indias Occidentales, sino también en las reservadas a Portugal [19]. En 1571, un año especialmente significativo, Felipe II (acaso agobiado por la pugna con el Turco) plantea a su sobrino don Sebastián una colaboración de las dos monarquías «en la carrera de las Indias», y viendo a Portugal como la nación hermana, no tiene reparos en señalarle:

> ... lo que me importa que las galeras que andan a cargo de Diego López Siqueyra se junten con las mías para asegurar la flota que viene de Nueva España [20].

Aquí, es el hijo de la portuguesa el que pide ese apoyo a Portugal, como Carlos V lo había pedido a Juan III en la campaña de Túnez. Y, seguramente, ese sentimiento de la identidad de los destinos de castellanos y portugueses, que señala en su *Testamento,* ambos con sus nautas y descubridores, conquistadores y misioneros, fue el que le hizo creer que había una razón superior, un designio de la Divina Providencia por el cual él se convertía en el Rey de los pueblos hispanos, y que ese era el mejor legado que dejaba a sus sucesores.

Sin embargo, no sólo en Portugal —lo cual era obvio—, sino también en Castilla se alzaron voces preocupadas ante lo que podía suponer aquella incorporación, especialmente si iba precedida de una intervención armada.

Porque era un tema que había saltado a la opinión pública. A raíz de la muerte de don Sebastián en Alcazarquivir, no se hablaba de otra cosa, sobre todo en Castilla: la sucesión de Portugal. Basta con confrontar algunos epistolarios. En este sentido, el de santa Teresa (una fuente histórica de primera magnitud) es verdaderamente significativo. Ya a mediados de agosto, quince días después del desastre de Alcazarquivir, la Santa lo refleja en sus cartas:

---

[19] M. Fernández Álvarez, *Tres embajadores de Felipe II en Inglaterra,* Madrid, 1951.

[20] Citado por Fernando Bouza, *Portugal en la Monarquía hispánica (1580-1640),* Tesis Doctoral cit., Madrid, 1986, I, fol. 91.

> Mucho me ha lastimado —escribía al padre Gracián— la muerte de tan católico Rey como era el de Portugal y enojado de los que le dejaron ir a meter en tan gran peligro...[21]

Un año después la noticia más comentada era quién había de ser el sucesor, dada la precaria salud y avanzada edad del viejo rey Enrique, y, sobre todo, si la pugna por la sucesión acababa en guerra. La Santa escribe a un personaje de Évora, nada menos que a su arzobispo, don Teotonio de Braganza, que era su protector, con la excusa de haberle mandado un libro, pero al punto pide noticias sobre la paz, y —como si tuviera ese encargo— le insta a que medie para que no estalle la guerra:

> ... vuestra señoría me manda hacer saber si hay allá alguna nueva de paz, que me tiene harto afligida lo que por acá oyo...

Y añade, afligida:

> ... porque si por mis pecados este negocio se lleva por guerra, temo grandísimo mal en ese Reino y a éste no puede dejar de venir gran daño.

Por lo tanto, peligro de guerra, porque en Portugal alguien se atrevía a cuestionar los derechos del rey Felipe: la Casa de Braganza. Y es a uno de ellos, a don Teotonio de Braganza, a quien la Santa escribe, como quien podía influir en el ánimo del Duque:

> Dícenme es el duque de Braganza el que la sustenta, y en ser cosa de vuestra señoría me duele en el alma...

La Santa pide directamente la mediación de don Teotonio:

> Por amor de Nuestro Señor, pues de razón vuestra señoría será mucha parte para esto con su Señoría[22], procure concierto, pues según me dicen hace el nuestro Rey todo lo que puede, y esto justifica mucho su causa...

Todavía añade a favor de Felipe II

> Por acá dicen todos que nuestro Rey es el que tiene la justicia y que ha hecho todas las diligencias que ha podido para averiguarlo...[23]

---

[21] Santa Teresa al padre Jerónimo Gracián, Ávila, 19 de agosto de 1579 (*Epistolario*, en *Obras completas*, ed. Madrid, 1979, pág. 929).

[22] Esto es, con el duque de Braganza.

[23] Santa Teresa a don Teotonio de Braganza, Valladolid, 22 de julio de 1579 (*Epistolario*, ed. cit., pág. 972).

En aquel año, la Santa estaba en la cumbre de su fama y su mediación no era cualquier cosa. No se trata sólo que comente, afligida, los males que podría traer aquella guerra («El Señor dé luz para que se entienda la verdad si tantas muertes como ha de haber si se pone a riesgo; y en tiempo que hay tan pocos cristianos, que se acaben unos a otros es gran desventura»), sino que procura influir en sus amigos portugueses a favor de su Rey.

En abril de 1580, cuando ya la muerte del rey Enrique precipitaba los acontecimientos, la Santa tiene un recuerdo para las cosas de Portugal:

> Haga que encomienden a Dios —escribe a la madre María de San José, de Sevilla— estos negocios de Portugal... [24]

Después, no encontré ninguna otra referencia de santa Teresa sobre el logro filipino y a su entrada victoriosa en Portugal. Pero está claro que la Santa trató de influir en la Casa de Braganza, a través de su amistad con el arzobispo de Évora, a favor, claro, de Felipe II.

Sorprende, por otra parte, que la resistencia portuguesa no fuera mayor. ¿Tanto efecto había provocado la noticia de que entraban los tercios viejos mandados por «el espantajo» del duque de Alba? Porque también podía pensarse en Portugal que estaba reciente el alzamiento de los moriscos alpujarreños y cómo aquellos montañeses, sin el aparato político de todo un Estado, habían sin embargo resistido al poderío de la Monarquía católica durante tres largas campañas. Los Países Bajos podían ser todo un ejemplo, en este caso de resistencia victoriosa. Y ése era el ánimo que trataba de infundir a Portugal la propaganda inspirada por los partidarios de don Antonio de Crato, de la que curiosamente conocemos una versión española: si a Felipe II tanto trabajo le había costado reprimir la rebelión granadina y si tan perdido tenía todo lo de Flandes, ¿acaso no podían hacer otro tanto y mejor los portugueses?:

> ... pues no somos nosotros para menos ni menos poderosos que los moros desarmados de Granada ni que los flamencos [25].

Por otra parte, Felipe II prometería mucho, pero ¿en qué medida lo cumpliría, después que se viese coronado rey de Portugal? ¿Qué habían hecho sus antepasados? ¿No era bueno recordar cuán falsas habían sido las promesas de aquel otro rey de Castilla, de nombre Fernando, tan admirado en España? Y no había hecho otra cosa Felipe II en Flandes:

> ¿Quién será el fiador que quede por los Reyes? ¿Qué prenda os ha de dar con que os aseguréis dellos? [26]

---

[24] Santa Teresa a la madre María de San José, Toledo, 3 de abril de 1580 (*Epistolario*, ed. cit., pág. 1001).

[25] Citado por Bouza, *op. cit.*, I, fol. 170.

[26] *Ibídem*, fol. 179.

Curiosamente, no era sólo en Portugal donde se alzaban voces contra la anexión propugnada por Felipe II; también en Castilla. El padre Ribadeneyra —eso sí, un destacado miembro de la Compañía de Jesús, que en Portugal se mostraba tan anticastellana (como lo sería, ojo, en 1640)— razonaba de este modo contra la intervención en el reino luso, en carta dirigida nada menos que al cardenal Quiroga:

> Porque demás de ser guerra contra cristianos, amigos y deudos, que son respectos que suelen entibiar y detener los ánimos y enflaquecer los brazos y embotar las lanzas de los que pelean, veo todo este reino de Castilla muy afligido y con muy poca gana de qualquiera acrecentamiento de S.M.... y menos déste, por parecerles que a los particulares dél, o es dañoso o es muy poco provechoso...[27]

Con razón Bouza destaca la importancia de esta prueba. Estamos ante el indicio de una oposición creciente en el reino, que puede encontrarse en otros pensadores de la época, en particular en fray Luis de León. Ahora bien, también estaba presente la otra corriente de opinión, la de los halcones, la de los que, como Martín de Venegas, querían ocupar más y más reinos; en fin, la de don Juan de Silva cuando consideraba que, si la Monarquía no afrontaba aquella empresa, todo su prestigio desaparecería, además de que era la ocasión para que, una vez lograda, el potencial del Rey fuera tal que con más facilidad saliera airoso en todo lo que afrontara[28].

Esto es, Portugal no como un fin en sí, sino también como medio de afianzarse la Monarquía católica en la Europa de los años ochenta.

En ese sentido iba la propuesta oficial desarrollada muy pronto a través del discurso de la Corona ante las Cortes de Castilla en 1579: el reino obtendría grandes ventajas de aquella empresa. Y esas eran evidentes, tanto por el fortalecimiento de la posición de la Monarquía en la política internacional como por las mismas ventajas económicas. De entrada, el control de las Azores permitiría una mayor seguridad en las flotas que regresaban de las Indias; sin olvidar que el reino también se beneficiaría del rico comercio portugués con las Indias Orientales. Esto, claro es, no se precisaba en la propaganda oficial, pero se dejaba entrever como resultado de los beneficios a que se aludía. Y en cuanto a las ventajas en la política internacional estaba el hacer más asequible la reducción de los Países Bajos rebeldes, cortándoles el tráfico de Ultramar; practicando, pues, con ellos una política de bloqueo económico que siglos más tarde se ejecutaría reiteradamente[29].

Pero también se encontraban opiniones harto discrepantes, y quizá más acertadas. Ya hemos visto el voto negativo del jesuita Pedro de Ribadeneyra. Además, el jesuita español señalaba algo que no dejaba de tener su peso: en

---

[27] Citado por Bouza, *op. cit.,* I, fol. 118, nota 1.
[28] *Ibídem,* fol. 71.
[29] *Ibídem,* fol. 75 y sigs.

aquella Monarquía autoritaria, cuanto mayor poder tuviera el Príncipe, más opresión sentirían los súbditos:

> ... quanto mayor y más poderoso fuere S.M. ellos serán menores y valdrán menos [30].

Según Ribadeneyra, Castilla entera estaba cada vez más agraviada contra su Rey: la alta nobleza, el alto clero, el clero secular y regular y, por supuesto, los pueblos, abrumados con las alcabalas. Y era una situación generalmente admitida, la de los exorbitantes impuestos pagados por los pecheros castellanos, tal como lo refleja el temor de los portugueses a que les acaeciera algo semejante: «... decidme: ¿En qué año dejaréis de pagar pechos?» [31]

Era como si se adivinase que no tardaría en imponerse el impuesto de los millones, que tanto daño haría a la economía castellana.

Hoy, con el ejemplo del desmoronamiento de la URSS, lo tenemos muy claro: la España imperial estaba soportando cada vez más una carga económica insufrible que acabaría destruyéndola.

Pero Felipe II sería insensible a esas consideraciones. Probablemente ni se las planteaba. Para él estaba claro que la Divina Providencia le había hecho heredero de la Corona de Portugal y que su deber —aparte de que fuese su anhelado deseo— era hacerlo realidad.

Cierto que sabía que no le bastaría con la primera victoria en el campo de batalla, sino que tenía que atraerse la voluntad de sus nuevos súbditos. También a ellos se les prometerían ventajas sin cuento. Pero, además, Felipe II, atento a no herir la fibra nacional de aquel reino, prometió solemnemente en las Cortes de Tomar que ningún castellano sería nombrado para disfrutar cargo alguno, ni en el reino ni en Ultramar, lo cual lo cumpliría.

No cumpliría en cambio, como es notorio, aquella otra promesa suya de visitar con frecuencia Portugal, de forma —y eso sí fue grave— que a su partida en febrero de 1583 puede decirse que Lisboa perdió su capitalidad y Portugal se convirtió en provincia.

Una provincia que era preciso gobernar de forma satisfactoria, empezando por quién habría de representar al Rey. Estaba claro que para puesto de tamaña responsabilidad había que nombrar a un miembro de la familia real. Cristóbal de Moura aconsejó a Felipe II que designara para ello a la emperatriz María, la cual, viuda de Maximiliano II, llevaba ya algún tiempo refugiada en Madrid. Sin duda a eso respondió el viaje de la Emperatriz a Lisboa, aunque fuese otro el designado.

En su lugar quedaría su hijo, el archiduque Alberto, futuro esposo de Isabel Clara Eugenia.

Definitivamente, bajo el reinado de Felipe II, Portugal se convertía en provincia.

---

[30] Citado por Bouza, *op. cit.,* I, fol. 99.
[31] *Ibídem,* fol. 100.

Pero, curiosamente, de momento eso no provoca una gran oposición. Con toda la popularidad de que gozaba don Antonio, el prior de Crato, lo cierto es que no consigue ni un apoyo mínimamente serio para poder enfrentarse al ejército del duque de Alba, ni con qué defender Lisboa, ni, después, un refugio firme en el norte del país contra las fuerzas de Sancho Dávila. Acaso sea excesivo decir, con Braudel, que Portugal fue abandonado y entregado al invasor, pero lo cierto es que los metropolitanos notaron pronto las ventajas de que desaparecían a sus espaldas las aduanas de los puertos secos, que tan acorralados los tenían contra el mar, y que las colonias, empezando por el Brasil, aceptaron los hechos sin llevar allí la resistencia que don Antonio había iniciado con tan poca fortuna en la Península.

Para la Monarquía de Felipe II se abría una nueva etapa, de cara al Océano. Y para cubrirla adecuadamente, la posesión de Lisboa era fundamental.

Que no se diera cuenta exacta de ello y que regresara a la meseta castellana y a su escondido refugio de El Escorial, fue una decisión asombrosa que le daría harto que sentir. Claro es que no podía abandonar su tierra de siempre, aquellas altiplanicies del interior que le habían visto nacer y de donde sacaba lo mejor de sus recursos en hombres y en dinero. Pero bien podía haber sido fiel a su promesa de volver a Lisboa, tomando, en aquella última etapa de su vida, ejemplo de su padre, siempre tan viajero.

No lo hizo, acaso porque ello forzaba a su carácter, a aquella tendencia tan suya de aislarse de los hombres.

En definitiva, Felipe II era y seguiría siendo el rey enigmático, el reservado, el que tendía al apartamiento del mundo, pero no del poder. Y en ese sentido Lisboa estaba demasiado abierta, no dejaba resquicios para la intimidad.

Precisamente hacia 1583 estaba a punto de ultimarse la obra escurialense, que se terminaría el 13 de septiembre de 1584.

El Escorial frente a Lisboa; el refugio frente a la expansión; el bullicio cortesano de una de las ciudades más animadas de Europa frente al silencio apenas turbado por los cantos de los religiosos; el mar, en fin, frente a las desnudas rocas de las montañas escurialenses. O, si se quiere, el regalo que le había deparado el desastre de Alcazarquivir frente a la obra faraónica en que el Rey había puesto tanto empeño.

En Lisboa, Felipe II podía sentir las añoranzas de su madre la Emperatriz, y aquella dulce habla de Isabel en sus años niños; pero en El Escorial consideraba cifrada su propia vida, el lugar que sería su tumba. El Escorial representaba el reposo de sus antepasados, amorosamente recogidos: su padre, Carlos V, el Emperador; su madre, la Emperatriz, y también ya sus tres mujeres (María Manuela, Isabel de Valois, Ana de Austria), algunos de sus hijos (entre ellos, don Carlos), y hasta aquel hermano tan admirado y tan envidiado, don Juan de Austria.

Lisboa podía ser el futuro, pero hacia 1583 Felipe II pensaba ya en clave del pasado.

De ese modo el Rey meseteño volvió a sus raíces.

El Escorial, antes que Madrid, le estaba esperando. Y tanto es así que el 13 de febrero de 1583 dejaba Felipe II Lisboa y el 24 de marzo de aquel mismo año, apenas cuarenta días después, hacía su reingreso en El Escorial para inspeccionar el avance de sus obras, ya en la última etapa.

A las once de la mañana de aquel 24 de marzo de 1583, Felipe II entraba en su amado refugio, siendo recibido por todo aquel ejército de trabajadores (oficiales de construcción, destajeros y peones), cada uno con sus instrumentos de trabajo, como si se tratara de un alarde de aquel otro ejército, que era el que verdaderamente amaba el Rey y el que sabía dirigir, y no a los tercios viejos tan queridos por su padre[32].

Definitivamente, ese sería su ambiente, su entorno, su condicionamiento.

El Rey meseteño y burócrata volvía a su centro, a su refugio, a su aislamiento.

Y acaso no podía ser de otro modo.

---

[32] P. Julián Zarco Cuevas, *El monasterio de San Lorenzo el Real de El Escorial y la casita del Príncipe,* Madrid, 1955, 8.ª ed., pág. 197.

11

EN TORNO A LA *ARMADA INVENCIBLE* [1]

ALGO PREVIO: DE CÓMO IBAN LAS COSAS EN FLANDES

En 1571, tras haber domeñado la rebelión de los moriscos de Las Alpujarras y después haber logrado la victoria de Lepanto, amén de los buenos resultados que estaba obteniendo el duque de Alba en los Países Bajos, Felipe II podía estar contento: llevaba ya quince años de reinado y el prestigio de la Monarquía no había sufrido merma alguna. Pero a lo largo de la década de los setenta las cosas habían ido empeorando, por el agravamiento del pleito de Flandes. El fracaso final del duque de Alba y la muerte en aquel escenario de dos de sus mejores hombres, Luis de Requesens y Juan de Austria, había hecho decaer los ánimos en España y acrecentado el de las potencias rivales. En Francia, como en Inglaterra y en Alemania, e incluso en la misma Austria, surgían cada vez con más arrojo los que querían intervenir en el avispero flamenco. El francés duque de Anjou, el inglés Leicester, el alemán Juan Casimiro y hasta el austriaco Matías, archiduque de Austria y sobrino de Felipe II, creían que tenían algo que decir, y sobre todo algo que ganar. La disparatada política económica que había desplegado el duque de Alba, a instigación del propio Rey, hizo que en un momento dado don Juan de Austria, gobernador de los Países Bajos en 1577 y 1578, apenas si dominara más terreno que el que pisaba. Las cortes extranjeras, en particular las de Londres y París, ya no se recataban en ayudar a los rebeldes. La Monarquía católica había puesto en evidencia su talón de Aquiles, y sus adversarios iban a aprovecharlo a fondo.

---

[1] Para la *Armada Invencible,* uno de los mejores estudios, con espléndido aparato gráfico, es el de María José Rodríguez Salgado, en el Catálogo de la exposición inglesa dedicada al Centenario, *Armada, 1588-1988. An international exhibition to commemorate the Spanish Armada,* Londres, 1988.

Y de pronto, cuando todo parecía perdido, Felipe II encontró al hombre preciso para recobrar buena parte del terreno perdido: Alejandro Farnesio, el nuevo gobernador a quien don Juan de Austria había ya designado como sucesor, pidiendo a su hermano el Rey que así lo confirmara, como lo hizo.

La ventaja de Farnesio sobre sus antecesores en el cargo estribaba en que reunía las condiciones de un excelente hombre de Estado y las de un brillante hombre de armas. Como soldado, su categoría estaba muy por encima de la de todos sus contemporáneos, a la altura de la que habían estado en períodos anteriores el Gran Capitán y el mismo duque de Alba. Pero lo más admirable es que sabía bien que el problema de Flandes no se resolvía sólo espada en mano, y que, si quería tener unas mínimas posibilidades de éxito, tenía que ser con el apoyo de una parte del país, que le permitiera aparecer como un protector y no como un opresor. Sin duda, el conocer la tierra y sus hombres, desde los años en que había vivido en Bruselas, en la corte de su madre y gobernadora, la hermanastra del Rey, Margarita de Parma, le ayudó sobremanera. Pero sobre todo el hecho de poseer una mente abierta, el ser algo más que un soldado, el haberse formado también en las aulas universitarias de Alcalá de Henares, donde había tenido como condiscípulos al príncipe don Carlos y al propio Juan de Austria, al que sacaba dos años[2].

Por lo tanto, un hombre de mente abierta que, cuando había que negociar, negociaba. En seguida lo demostraría. A los tres meses de haberse establecido gobernador de los Países Bajos, ya había logrado ultimar, con las provincias católicas del Sur, la Unión de Arras (5 de enero de 1579), firmada por las provincias de Hainaut, Douai y Artois, sobre los dos principios básicos: la religión católica, excluyendo cualquier variante de la Reforma, y la obediencia al Rey.

Es evidente que Alejandro Farnesio se vio favorecido por los excesos de los calvinistas. Especialmente intransigentes, crueles e intolerantes habían sido los de la ciudad de Gante, asesinando cientos de religiosos y clérigos o simplemente católicos, sin que Orange hiciera nada por evitarlo, si es que no había incitado a aquella persecución en sus primeros momentos para hacer más necesarios sus buenos servicios. Lo cierto es que la acción de los calvinistas de Gante, estimulados por Dathen, Hembyse y Ryhore, no tuvo nada que envidiar, en su saña contra los católicos, a las persecuciones de heterodoxos llevada a cabo en España por la Inquisición, con hogueras incluidas para quemar vivos a los frailes y monjas que cayeron en sus manos. El propio duque de Aerschot, una de las principales figuras del partido católico en los Países Bajos, fue encarcelado.

La reacción de los católicos, en las provincias del Sur, no se hizo esperar. En los Países Bajos cada vez se identificaba más la independencia con la Reforma, y, en consecuencia, a los católicos no les quedaba otra vía segura que la reconciliación con el Rey.

---

[2] Recuérdese que Alejandro Farnesio era de la misma generación que el príncipe don Carlos.

Eso fue lo que comprendió Alejandro Farnesio, de forma que a los tres meses de iniciarse en sus funciones de gobernador ya había logrado firmar el acuerdo con las provincias de Hainaut, Douai y Artois —la citada Unión de Arras.

A partir de ese momento, la guerra de los Países Bajos iba a tomar otro rumbo. El propio Orange, ante el debilitamiento de sus fuerzas, buscó la réplica a la Unión de Arras con la Unión de Utrecht.

De ese modo, las maniobras diplomáticas pudieron ser más efectivas. Pero no lo habrían sido si no hubieran estado respaldadas otra vez por un ejército victorioso. Es cierto que Holanda, Zelanda, Utrecht, Güeldres y Zutphen se habían comprometido en la Unión de Utrecht, en el mes de enero de 1579, a que cualquiera fuera libre de practicar la religión que desease conforme al espíritu de tolerancia que preconizaba Guillermo el Taciturno, y a luchar por su independencia, rechazando cualquier intromisión extranjera, incluida la de España. Por lo tanto, eso era una primera ruptura oficial de los lazos que se habían mantenido con Felipe II.

Sin embargo, fue entonces cuando la diplomacia española intentó algo sorprendente: captarse a Guillermo de Orange para que volviera a la obediencia de su Rey, o a lo menos para que dejara de acaudillar a los rebeldes de los Países Bajos. Era como un reconocimiento a lo que suponía la personalidad de los grandes líderes en la historia, si bien a aquellas alturas el sentimiento nacionalista era tan fuerte y las circunstancias lo favorecían tanto —alejamiento de las bases de los tercios viejos, proximidad de las potencias enemigas de España (como Francia e Inglaterra), *hinterland* religioso para los reformados en las vecinas tierras del Palatinado alemán— que era dudoso que a un Orange no sucediera algún otro caudillo separatista, como de hecho lo vamos a comprobar.

No es seguro que Orange diera oídos a esas negociaciones para ganar tiempo frente a España, como suele afirmar la historiografía; es bien posible que en ello también incidieran los no pocos personajes que se agruparon al lado de los descontentos católicos y el propio cansancio producido por una guerra a la que no se veía fin, frente al poderío de la Monarquía católica. Y asimismo hay para pensar que, entrado el 79, con el problema sucesorio de Portugal cada vez más acuciante, a Felipe II le interesaba adormecer en la medida de lo posible la cuestión de Flandes, para centrar sus recursos en la campaña de Lisboa.

Por eso es más de admirar el genio militar de Alejandro Farnesio, que, sincrónicamente a las jornadas de Portugal, fuera capaz de tomar plazas de la importancia de Malinas —la antigua corte de Margarita, en tiempo de Carlos V— y sobre todo de Maastricht, tras un largo asedio de cuatro meses, así como de Tournai.

Las maniobras de Orange, al negociar más apoyos a su causa, complicaron en exceso el panorama político. Muchos de los hombres de los Países Bajos no sabían bien a quién tenían que obedecer: si al archiduque Matías, al duque de Anjou o al noble alemán Juan Casimiro. Las ayudas de Francia, Alemania e Inglaterra a los rebeldes, ¿eran desinteresadas? ¿No existía el peligro de caer en otra tiranía, tan grande o mayor que la española? Tal fue lo que pudieron pensar los vecinos de Amberes, tras el intento de los soldados del duque de Anjou por hacerse con la plaza. Fue la «furia francesa», al fin rechazada, pero con miles de muertos, la que acabó por desacreditar el apoyo que Guillermo de Orange prestaba al noble francés.

Eso ocurría en 1583.

Para entonces, algunos sucesos en el campo de la propaganda iban a tener grandes repercusiones, como, por ejemplo, el bando de Felipe II declarando fuera de la ley a Guillermo de Orange, como traidor a su Rey, y poniendo precio a su cabeza, bando hecho público en Maastricht el 15 de marzo de 1581.

La respuesta de Orange no se hizo esperar. El 13 de diciembre de aquel mismo año presentaría ante los Estados Generales de las provincias que le seguían su famosa *Apologie,* que satanizaba al Rey Prudente, en el que concluía:

> Si, por tanto, declaramos que rechazamos el gobierno de tal Rey, incestuoso, parricida y asesino de su mujer, ¿quién podría acusarnos justamente? ¿Cuántos reyes, no habiendo cometido crímenes tan horrendos, fueron barridos de sus reinos y expulsados?

A partir de ese momento, para la opinión pública europea, Felipe II se convertiría en «el demonio del Mediodía». En aquella guerra de papel, guerra de propaganda, Orange fue infinitamente más hábil, logrando su mayor victoria, hasta el punto de que esa imagen del Rey español, sombrío y cruel, capaz de dar muerte a su propio hijo don Carlos y a su esposa Isabel, todavía es la que tienen no pocos europeos. Además Orange, libre ya de toda traba, dado que había sido puesto fuera de la ley, abjuró públicamente de su obediencia al rey de España; y es más: consiguió que los Estados Generales reunidos en La Haya hiciesen lo mismo el 26 de julio de 1581.

Había nacido una nueva nación: Holanda. Hecho que trasciende, y con mucho, lo de aquel reinado. Como también lo supuso, en otro grado, por supuesto, la *Apologie* de Guillermo de Orange, inspirada por él, aunque la pluma fuese la de su capellán, el señor de Villiers, Pierre l'Oyseleur.

En algún otro lugar lo he comentado ampliamente; la lectura de la *Apologie* sorprende por el cúmulo de horrores que se vuelcan sobre el Rey Prudente: bígamo —como casado ya en la adolescencia con Isabel de Osorio—, pero sobre todo la grave acusación de haber matado a su tercera esposa, Isabel de Valois, así como al príncipe heredero don Carlos, empujado el Rey por su lujuria, al querer desposar con Ana de Austria, boda dificultada por el parentesco; de ahí que, para forzar la mano a Roma, el Rey perpetrara el asesinato no sólo de su mujer, sino también de su único hijo varón, para poder argumentar la necesidad de una nueva boda que solucionara el grave problema sucesorio abierto con la muerte de don Carlos.

Margarita de Parma recordaba por su carácter enérgico a su padre, Carlos V, y supo gobernar los Países Bajos incluso dominando la sublevación de 1566, pero Felipe II la relevó por el duque de Alba para iniciar la etapa de represión. Museo de Bellas Artes (Bruselas)

Isabel Clara Eugenia era la hija predilecta de Felipe II y su gran soporte anímico desde la muerte de Ana de Austria en 1580 y la marcha a Saboya de Catalina Micaela en 1585. La Infanta muestra orgullosa en su mano diestra la imagen del Rey, mientras posa su otra mano sobre la enana Magdalena Ruiz, curioso personaje de la Corte citado con frecuencia por el rey en sus cartas. Retrato de Isabel Clara Eugenia por Sánchez Coello. Museo del Prado (Madrid)

La figura del duque de Alba está siempre vinculada a la del Rey. Gran soldado, pero de implacable rigor como gobernante, venía a representar así ese rasgo de Felipe II más dado a la intolerancia que a la clemencia. Sería «el espantajo» que el Rey emplearía ya en los Países Bajos, ya en Portugal. Retrato del duque de Alba, por Sánchez Coello. Palacio de Monterrey (Salamanca)

La matanza de los inocentes de Brueghel el Viejo suele verse como el testimonio de una actuación de la soldadesca española, e incluso el viejo capitán que la manda podría recordar al duque de Alba; sin embargo, si el cuadro fue pintado en 1566, habrá que pensar que refleja una realidad de la época más que una denuncia contra el dominio español

Nicolás Perrenot de Granvela, obispo de Arras, y después cardenal, fue uno de los mejores legados que Carlos V dejó a Felipe II. Apartado sin embargo de la Corte, no sería sino en 1579 cuando el Rey le llamó a Madrid, convirtiéndose entonces en el gran ministro de la Monarquía. Retrato de Granvela por Antonio Moro. Museo de Historia del Arte (Viena)

Guillermo de Orange, *el Taciturno* o *el Silencioso,* fue el más tenaz enemigo del Rey, desde el alzamiento iconoclasta de los Países Bajos de 1566. Pero también hay que recordarlo como un gran estadista, fundador de una nueva nación, Holanda, de papel tan decisivo en la historia de Europa. Retrato por Antonio Moro. Galería Real (Kassel)

Este príncipe, que parece mirarnos no sin recelo, primo y cuñado de Felipe II, mantuvo siempre una actitud de desconfianza hacia la Corte de Madrid desde que en 1551 creyó que se le quería desplazar de la sucesión al Imperio. Sin embargo se avino a que se educaran en España buena parte de sus hijos, como el archiduque Alberto (después marido de Isabel Clara Eugenia) y Rodolfo II (éste entre 1561 y 1571), posteriormente emperador. Retrato de Maximiliano II por Antonio Moro. Museo del Prado (Madrid)

Don Juan de Austria, el héroe de Lepanto, es también el que debe gobernar los Países Bajos entre 1576 y 1578, mal asistido por el Rey, en unos años enturbiados por el oscuro asesinato de Escobedo, su secretario. Retrato por Sánchez Coello en el monasterio de San Lorenzo de El Escorial

Plano de la batalla de Lepanto en el Archivo General de Simancas

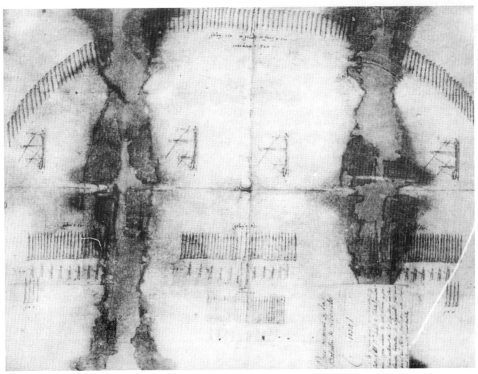

El rey encarga al viejo pintor Tiziano, ya nonagenario (n. 1477), el cuadro que vendría a recordar la gran victoria de Lepanto. Aquí la comparación con el Carlos V en Mühlberg es casi obligada; sin embargo, bien porque Tiziano estaba ya en decadencia, bien porque el personaje no le inspirase, lo cierto es que está lejos de la grandeza del cuadro imperial. Obsérvese la esperanza de Felipe II, o su arrogancia, al unir aquella victoria a su hijo Fernando para el que augura mayores triunfos

Armadura ecuestre de Felipe II.
Real Armería de Palacio (Madrid)

Sello de Felipe II. Archivo Histórico de la Ciudad (Barcelona)

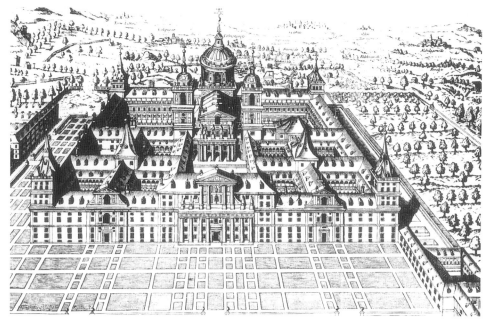

A través de los siglos el Real Monasterio de San Lorenzo de El Escorial se presenta al viajero como la más recia evocación de un reinado y de la personalidad de aquel Felipe II que lo fundó. Grabado del siglo XVIII por Andrés Jiménez

Aunque sólo fuera por la espléndida biblioteca que incorporó al monasterio de San Lorenzo, Felipe II debiera ser recordado como gran mecenas de las Letras, como también lo fue de las Artes

Benito Arias Montano, bibliotecario en el monasterio de San Lorenzo. Del *Libro de Retratos* de Francisco Pacheco. Fundación Lázaro Galdiano (Madrid)

Evidentemente, en el fondo, de lo que se trataba era de la imperiosa necesidad de justificar la rebelión del vasallo contra su Rey y señor natural. Esa justificación sólo se podía conseguir si las maldades del Rey eran tan enormes que incluso obligaban a ello.

En otras palabras, satanizar a Felipe II era salvar, ante la opinión pública, la conducta del rebelde que se alzaba contra Felipe II. Si en el bando del Rey se ponía a Orange al margen de la ley, por su rebelión contra su señor natural, señalando precio a su cabeza, en la justificación del vasallo, el Rey se convertía en el odioso demonio del Mediodía y Orange en un héroe popular.

En definitiva, la guerra entre la Monarquía católica y los Países Bajos se pasaba del campo de batalla, entre los soldados de una y otra parte, a una guerra de propaganda, una guerra de papel que acabó desplazando del primer plano a la militar.

Y en esa guerra de propaganda, Orange fue notoriamente más hábil, acaso también porque la opinión pública europea estaba deseando ennegrecer la figura del soberano español, como un modo de minar su incontrastable poderío. En qué medida ese ennegrecimiento afectaría al propio país, constituye una parte de lo que vendría a llamarse la leyenda negra, y es algo que en su momento trataremos con más detalle. Pero, a mi entender, que tras otro intento de asesinato de Orange por un mercader vizcaíno, Gaspar Anastro —que trataba así, beneficiándose de la recompensa prometida por Felipe II, de remediar su desastrada hacienda—, al fin lo lograse un fanático borgoñón, de nombre Baltasar Gérard, no benefició en nada al Rey Prudente, dando a la nueva nación holandesa su mártir de la patria, poniendo de manifiesto, además, el odioso sistema utilizado por Felipe II para acabar con sus adversarios. A la lista de los Egmont, Horn, Montigny y tantos otros, se añadía ahora el de Orange, quien al sentirse herido de muerte tuvo unas últimas palabras de recuerdo para su sufrido país:

> Mon Dieu, ayez pitié de mon âme...

Y con una voz, debilitada ya por la muerte, terminó con aquella súplica que sigue golpeando en el corazón de sus compatriotas, atravesando ya los siglos:

> Mon Dieu, ayez pitié de ce pauvre peuple[3].

Por lo tanto, y en ese intento de ver la época no con los ojos de un español a la vieja usanza, sino con los de un europeo, buscando la historia común, la historia de Europa, es obligado aquí hacer un alto para enaltecer la figura de Guillermo el Taciturno, o Guillermo de Orange.

---

[3] Véase el impresionante relato que hace Wedgword en su vieja biografía, todavía útil, *William the Silent,* Londres, 1967, pág. 256.

El príncipe de Orange supo oponer a todas las adversidades un formidable espíritu de resistencia, que quedaría simbolizado en la defensa de Leiden, para cuya salvación no dudó en acudir al supremo recurso de romper los diques alzados con tanto esfuerzo frente al mar, para inundar los campos, obligando a levantar el cerco a los tercios viejos españoles.

Admirable cosa fue, y digna de ser recordada, que cuando Leiden fue visitada por Guillermo de Orange, le pidiera como recompensa la fundación de un centro universitario. Estaba claro que un pueblo así resultaba invencible.

Si del soldado Guillermo de Orange sólo podemos decir que su mejor virtud fue mantenerse en pie, pese a tantas derrotas, muchas más cosas pueden afirmarse de él como estadista. En ese terreno estuvo a la altura de los mejores hombres de Estado de su tiempo.

Su obra, el surgimiento de una nueva nación independiente, desgajándola de la Monarquía católica de Felipe II, quedó bien afianzada a su muerte. Para lograrlo, Guillermo de Orange mantuvo relaciones con Isabel de Inglaterra, con los príncipes protestantes alemanes y con los hugonotes franceses.

En ocasiones, logró ayuda de la propia corte parisina. En cierto momento consideró que la salvación podía venir del acatamiento de los Países Bajos al duque de Anjou, personaje que estuvo lejos de responder a sus esperanzas.

En un principio procuró mantener la ficción de que no luchaba contra el Rey, sino contra el mal gobierno, y en esa línea lanzó su *Justificación* de 1568; pero al ser proscrito por Felipe II en 1581, y su cabeza puesta a precio, respondió con su *Apologie,* desligándose públicamente de la obediencia que hasta entonces había reconocido a Felipe II.

Para justificar tal actitud, dado que el alzamiento contra su señor natural era considerado como algo ignominioso por la época, hubo de presentar a Felipe II como el personaje más malvado que se había conocido en la historia, dando así pie a la famosa leyenda negra filipina.

Se trató, ya lo hemos dicho, de una lucha de propaganda, para ganarse a la opinión pública europea, batalla ganada ampliamente por Guillermo de Orange. Y esa fue otra nota de sus condiciones de estadista.

No pocos compatriotas suyos se vieron defraudados ante sus retiradas militares o ante alguna de sus acciones políticas —en especial, cuando apoyó tan calurosamente la candidatura del duque de Anjou—. En ocasiones, sus tropas cometieron tantos excesos, tantos pillajes y tal cúmulo de atrocidades como los que se achacaban a los españoles.

Su *Apologie* contiene tal suma de falsedades, ya lo hemos indicado, que conturbó incluso a no pocos adeptos y familiares suyos, como al mismo Juan de Nassau. Pero, tomado todo en su conjunto, su labor de estadista fue tan tenaz, su espíritu de resistencia tan indomable, su entrega a la causa de la libertad de su patria tan radical, que, cuando se retiró a Delft en 1583, pudo aceptar, como un hecho que respondía a la realidad de las circunstancias, el título de conde hereditario de Holanda y Zelanda, núcleo de la nueva patria que con tanto tesón había ido alzando.

Precisamente, sería en su refugio de Delft donde hallaría la muerte, víctima del atentado que contra él cometió el borgoñón Baltasar Gérard.

Era el 10 de julio de 1584. Y no es una frase meramente retórica añadir ahora que las Provincias Unidas lloraron su muerte como la del padre de la patria.

En eso estribó su grandeza. La guerra con España estaba muy lejos de terminar, pero era una realidad que una nueva nación, en paz o en guerra, formaba ya parte de la historia de Europa.

En eso, repito, se basó su grandeza, porque cuando se analizan los requisitos que precisan los movimientos revolucionarios para triunfar, y en qué medida se hallaban en los Países Bajos hacia el 1559 (año en que Felipe II abandona aquellas tierras, para encerrarse en Castilla), se echa de ver lo que tuvo que esforzarse Guillermo de Orange para ver cumplida su ambición.

De los dos factores sociales primordiales en aquellos tiempos (nobleza y ciudades), vemos a la nobleza en parte mediatizada por la acción anterior de Carlos V, con su captación al servicio de la Casa de Austria; por otra parte, tampoco puede afirmarse que la nobleza formase entonces un cuerpo homogéneo.

Había notorias diferencias entre la alta y la baja nobleza. También se apreciaban diferencias y rivalidades entre los burgos: ciudades comerciales y marítimas, como Amberes y Amsterdam; ciudades fabriles, donde los gremios mantenían su pujanza, como Gante o Brujas; ciudades cortesanas, como Bruselas y Malinas; ciudades episcopales, como Lieja, o universitarias, como Lovaina.

Estaba el hecho, además, de la inoperancia política de los Estados Generales, aún muy lejos de constituir un verdadero poder político que aglutinase a las ciudades, al modo como el Parlamento en Inglaterra o las Cortes en la Corona de Castilla.

También habría que tener en cuenta otros requisitos: el nacionalista, el ideológico y el religioso.

Si hemos de creer a J. W. Smit, en su importante ensayo sobre la revolución de los Países Bajos —importante, pero en ocasiones farragoso[4]—, el sentimiento nacionalista era todavía muy impreciso. No se había convertido aún en la expresión de un conjunto de ideas comunes a un pueblo o —como diría Ortega— en un proyecto colectivo que aunase las diversas fuerzas de los Países Bajos.

En cuanto a lo ideológico, si entendemos por tal la aspiración a la libertad, la veían de muy distinto modo los nobles y los comerciantes, las ciudades y los campesinos. Y por lo que hace al factor religioso, sin duda el más fuerte en aquella Europa conmocionada por las doctrinas de Lutero y de Calvino —pero también por las consignas de los padres tridentinos—, los Países Bajos

---

[4] J. W. Smit, «La revolución en los Países Bajos», en *Revoluciones y rebeliones de la Europa Moderna,* Madrid, Alianza Editorial, 1972.

estaban profundamente divididos entre los que seguían y entre los que renegaban de la vieja religión; siendo un número insignificante los que, como Guillermo de Orange, aspiraban a la libertad de conciencia.

Es a la luz de esos condicionamientos como se puede medir la obra de Guillermo de Orange. Guillermo el Taciturno, o Guillermo el Grave (pues creo que lo otro es una mala traducción), supo avivar el sentimiento nacionalista que apuntaba en su pueblo, eficazmente ayudado, eso es cierto, y bien a su pesar, por el duque de Alba y por los tercios viejos.

Aquel sentimiento nacionalista incipiente se mostró unido a la hora de aborrecer al extranjero, que hollaba armado sus tierras y sus ciudades. El dicho de que las madres asustaban a sus pequeños, recalcitrantes al sueño, con la amenaza de que llegaba el duque de Alba, se transforma así en algo más que en una anécdota más o menos pintoresca.

Guillermo de Orange supo también aunar a la nobleza media y baja, dando su apoyo a los «pordioseros del mar». Más difícil le resultó conciliar a católicos y calvinistas, teniendo que afianzarse finalmente en estos últimos, conforme lo permitía la misma coyuntura internacional. Este es un extremo que debe tenerse en cuenta: la revolución de los Países Bajos no fue sólo un conflicto interno de un Estado —en este caso, de la Monarquía católica—, sino un episodio importante, dentro de la confrontación que a escala europea estaban llevando a cabo las fuerzas católicas y las reformadas.

Dado que Guillermo de Orange se había alzado contra Felipe II, sus aliados naturales eran Isabel de Inglaterra, los príncipes protestantes alemanes y los hugonotes franceses, y, por eso mismo, su base principal en los Países Bajos tenía que estar entre los adeptos a la Reforma.

Donde demostró Guillermo de Orange su auténtica valía como hombre de Estado fue, a mi juicio, en su explotación de la coyuntura internacional, para hacer frente a la Monarquía filipina, que entonces —y es algo que no debe olvidarse— constituía la potencia más poderosa de Europa.

En ese terreno, Guillermo de Orange supo hacer uso de la propaganda con tal éxito que fue un adelantado para su tiempo. Con ello logró atraerse la opinión pública de la Europa nórdica, lo que no parecía fácil; en definitiva, era un rebelde contra su señor natural, cosa que los poderes constituidos miraban en todas partes con malos ojos, como un mal que pudiera propagarse. En ese sentido, como ya hemos indicado, su *Justificación* de 1568 y, sobre todo, su *Apologie* de 1581 resultaron decisivas.

Es cierto que Guillermo de Orange no fue capaz de alzar un verdadero ejército nacional al servicio de su revolución, pero sí comprendió la importancia de la incipiente marina de guerra que estaban creando los «pordioseros del mar», sobre todo después de la captura de los puertos de Brielle y Flessinga, en 1572.

Tampoco fue capaz de enfrentarse con acierto a los tercios viejos mandados por el duque de Alba o por Alejandro Farnesio, pero sí de liberar ciudades cercadas, como Leiden, por el procedimiento de la inundación de aquellas tierras *baxas,* al igual que otros generales habían acudido al sistema de la tierra quemada para impedir el avance del enemigo.

Se ha dicho, y con razón, que una potencia económica altamente desarrollada como los Países Bajos no podía estar dominada por un sistema como el de la Monarquía católica, con su centro de poder radicado en una Castilla de grandes señoríos feudales.

En suma, con la revolución de los Países Bajos asistimos a una de las primeras revoluciones burguesas contra una sociedad feudal; pero el hombre que aglutinó todas esas posibilidades fue Guillermo de Orange.

Está claro que muchas otras fuerzas coadyuvaron a su triunfo, sin perder de vista al propio clan familiar de los Nassau; en su misma *Apologie* recordó Guillermo de Orange que había perdido tres hermanos en la lucha por la liberación de su patria. Pero también es cierto que esas fuerzas y, por supuesto, el clan familiar le miraban como a su jefe indiscutible. Asimismo, padre de la patria holandesa fue el título que los habitantes de Delft le concedieron cuando, el 10 de julio de 1584, Baltasar Gérard consumó su magnicidio.

Hay historiadores que señalan que la muerte de Orange favoreció a Alejandro Farnesio, ayudándole en su ofensiva militar. De forma que el 10 de julio de 1584 se perpetraba su muerte, y un año más tarde, en 1585, tras un difícil y prolongado asedio, Farnesio tomaba Amberes, afianzando su posición en los Países Bajos; pero, a la larga, la estampa de aquel insigne hombre de Estado, muerto por su país, sería decisiva, como aglutinadora de unos sentimientos nacionales que ya no podrían ser sojuzgados por una potencia extranjera.

Lo que sí sugiere la conquista de Amberes en 1585 por Alejandro Farnesio, cuya importancia resulta evidente, es que Felipe II pudo hacer un alto en su política internacional y cambiar algunas cosas.

Es conocida su jubilosa reacción cuando le llegó la noticia a su retiro escurialense: salió precipitadamente de su recoleta cámara para darle la noticia a su bienamada hija Isabel Clara Eugenia.

Ese año de 1585 está marcado, además, en la historia de Felipe II, por aquel sacrificio que hizo desposando a su hija Catalina Micaela con el duque de Saboya, Carlos Manuel, boda realizada en Zaragoza el 11 de marzo. La triste despedida que hace el Rey a su hija, a la que acompaña en su viaje hasta Barcelona, el 13 de junio de 1585, bien reflejada en su *Epistolario,* que tendremos ocasión de comentar ampliamente, nos obliga a preguntarnos sobre tamaño sacrificio, que además parecía llevar incorporado una notoria merma de prestigio al consentir una boda tan desigual, la de la hija del monarca más poderoso de su tiempo con el jefe de una casa ducal de escaso relieve. Y parece claro que la explicación está precisamente en que todo se hace en función de los Países Bajos y de asegurar el camino español de los tercios viejos, sitos en Italia, para continuar la lucha en tierras de Flandes.

Y, como haciendo bueno ese sacrificio, Alejandro Farnesio conseguía al fin entrar en Amberes en agosto de 1585.

¿No parecía el momento de que Felipe II, en paz con el Turco, teniendo sosegados sus dominios de Italia y afianzado su poderío sobre Portugal, buscase ya un remedio al problema de Flandes, que llevaba casi veinte años poniendo en zozobra a la Monarquía?

Pero ¿cuál era la solución? Había una radical, aprovechando el prestigio de las victoriosas campañas de Alejandro Farnesio: declararle como el nuevo príncipe de los Países Bajos. ¿No era, acaso, nieto del gran Carlos V y quien mejor había heredado sus dotes de soldado y de diplomático, de hombre de Estado en suma? Y a ese nuevo señor de los Países Bajos se le podía dejar la misión de hacer las paces con las provincias rebeldes, con aquella nueva nación de Holanda, ya tan afianzada en su independencia.

Eso hubiera liberado a la Monarquía católica de una carga cada vez más insufrible y le habría permitido enfocar con más precisión sus objetivos como la potencia marítima por excelencia, con su doble vertiente hacia las Indias, tanto Occidentales como Orientales.

Pero eso hubiera sido el plan de un verdadero hombre de Estado, cosa que estaba fuera del alcance de Felipe II.

LOS SUCESOS DE INGLATERRA: LA CUESTIÓN DEL AMPARO A MARÍA ESTUARDO

La época de las buenas relaciones entre Felipe II e Isabel de Inglaterra hay que llevarla al tiempo de la embajada de Diego Guzmán de Silva, uno de los diplomáticos más firmes con los que pudo contar el Rey Prudente. Es cierto que Guzmán de Silva se vio favorecido por la situación internacional. Eran los años de las Vistas de Bayona, del aniquilamiento de los hugonotes en la Florida, de la victoria sobre el Turco en Malta.

A partir de 1568, las cosas empezaron a cambiar. No ayudó nada la mala gestión diplomática del nuevo embajador español, el catalán Gerau de Spés. La presencia de María Estuardo en Inglaterra provocó inmediatamente una cascada de conjuras contra Isabel, en las que el embajador español estaba siempre presente. Fueron los años del alzamiento de la nobleza del norte de Inglaterra —los duques de Westmoreland y Northumberland— en 1569, de la excomunión de Isabel por Pío V en 1570, de la conjura de Ridolfi en 1571, que llevaría a la ejecución del duque de Norfolk, como antes, a cientos de los católicos implicados en el alzamiento de 1569. El embajador español, Gerau de Spés, fue expulsado, como en España lo sería el inglés, y la situación se haría más tensa, con la ayuda también cada vez más descarada y más frecuente de Isabel a los rebeldes de los Países Bajos y de Felipe II a los católicos irlandeses o ingleses.

A todo lo cual había que sumar los conflictos provocados en el mar por las incursiones de los marinos ingleses en las Indias Occidentales. Baste recordar que serían los años de los famosos corsarios Hawkins y Drake. La desastrosa incursión de ambos marinos en 1568, con el fracaso sufrido en las costas mexicanas de San Juan de Ulúa, no les desanimaron; antes bien, les incitaría a proseguir en ellas, ya por venganza, ya por el convencimiento de que con mejor preparación su éxito sería seguro, y así se produjo la expedición de 1572 con la toma del oro indiano en la zona del istmo panameño, y sobre todo la celebérrima de 1577 a 1578, en la que Drake saqueó gran número de ciudades hispanas en las Indias Occidentales y dio la vuelta al mundo.

Al comienzo de los años ochenta, Felipe II e Isabel de Inglaterra habían restablecido las relaciones diplomáticas. El nuevo embajador español, don Bernardino de Mendoza, no era, sin embargo, la figura adecuada para ayudar a que la paz se mantuviera. Captado por María Estuardo, fomentó en lo posible las conjuras contra la reina Isabel, en particular la de Throckmorton, por lo que sería expulsado.

Pero todo da la impresión de que Bernardino de Mendoza la había buscado, como una forma de hacer más difícil la paz entre las dos naciones. El modo en que cuenta a Felipe II lo sucedido está rezumando soberbia e indignación y, hasta si se quiere, ánimo de venganza.

Estamos en Londres y en 1584. Los ministros isabelinos comunican a Mendoza que la Reina había ordenado su expulsión, como castigo por el apoyo que había prestado a los católicos ingleses rebeldes, y que bien podía contentarse y darse por satisfecho con que la Reina fuese tan benévola y no le castigase más severamente.

Entonces Mendoza empezó a bravear:

> ... me encendió la cólera...

De entrada, que nadie le pidiese cuentas, pues sólo a su Rey y señor tenía que dárselas:

> ... por lo cual no pasase adelante ninguno dellos si no fuese con la espada en la mano...

Tomaba a burla las amenazas de que la Reina pudiera castigarle:

> ... que lo de castigarme la Reina era risa para mí...

Por lo tanto, no sólo no tenía miedo, sino que era él quien pasaba a las amenazas:

> Pues no le había dado satisfacción siendo ministro de paz, me esforzaría de aquí adelante para que la tuviese de mí en la guerra...

Ya estaba pronunciada la palabra clave, la amenaza mayor, la expresión que cada vez estaba más en el ambiente: la guerra, por fin:

... palabra que han rumiado ellos entre sí... [5]

Y como se le siguiera acusando de haber alborotado el reino con sus conjuras a favor de María Estuardo, tiene una réplica digna de aquel siglo imperial:

> ... don Bernardino de Mendoza no ha nascido para revolver Reinos, sino para conquistarlos... [6]

Pero lo cierto era que Mendoza, en efecto, había apoyado secretamente a la nobleza católica inglesa y a la propaganda religiosa que realizaban los jesuitas ingleses formados en los colegios que en los Países Bajos y en España había alzado Felipe II. Eran aquellos seminarios de católicos ingleses formados en Douai, en Reims y en Valladolid, que dieron figuras de la talla de Campion, de Parsons y de Allen. Se jugaba con el proyecto de casar a María Estuardo con don Juan de Austria. Se barajaban posibilidades de asesinar a la Reina. Se conseguía el apoyo firme de Roma, donde el papa Gregorio XIII había heredado el entusiasmo belicista que había animado a Pío V. Se conseguía incluso que María Estuardo declarase heredero de sus derechos al trono inglés a Felipe II.

Se agudiza, en suma, el conflicto entre las dos naciones, todavía más cuando un cuerpo de ejército mandado por el favorito de la Reina, Leicester, desembarcó en los Países Bajos en 1585, y cuando, aquel mismo año, las naves de Drake asolaron las Indias Occidentales, entrando y saqueando plazas como Santo Domingo y Cartagena de Indias.

Fue suficiente: Felipe II empezó a considerar en serio la posibilidad de deshacerse de una vez por todas de tan molesto enemigo, planeando la invasión de la isla.

Aún vivía don Álvaro de Bazán, marqués de Santa Cruz, el héroe de las islas Terceras, y Felipe II le encargó un proyecto, como marino experto, de la invasión.

EL PROYECTO DEL MARQUÉS DE SANTA CRUZ

La ruptura con Inglaterra y el envío de la *Armada Invencible* es el suceso más grave de nuestra historia y acaso el más destacado de todo el Quinientos europeo. Es la bisagra del Imperio español. Hasta el 88 todo es crecimiento. Estaba, cierto, el cáncer de la cuestión de Flandes, que requería la

---

[5] Bernardino de Mendoza a Felipe II, Londres, 26 de enero de 1584 (Archivo de Simancas, Estado, leg. 839, fol. 3).

[6] Bernardino de Mendoza a Felipe II, Londres, 31 de enero de 1584 (*ibídem,* fol. 6).

operación quirúrgica que liberara al cuerpo de la Monarquía de aquel mal. Pero lo que verdaderamente afectará al Imperio será el enfrentamiento con Inglaterra.

Por lo tanto, un tema de la historia política, pero un asunto de la máxima importancia, incluso para la historia universal, como pudo ser el de las campañas de Napoleón a principios del siglo XIX.

Una vieja cuestión, por otra parte, pues la especial situación en que se colocaba Inglaterra al advenimiento de Isabel, la hija de Ana Bolena, en seguida provocó los recelos de un sector, al menos, de la corte —y no sólo de la española—. Quien haya leído los despachos que mandaba desde Londres el entonces conde de Feria, en aquellos finales del año 1558 y principios de 1559, sacará la conclusión de que veían en la Reina y en su equipo de gobierno —Cecil, sobre todo— una amenaza creciente que era necesario resolver por la vía de la fuerza.

Era una tentación, no sólo para España; también para Francia. Conforme al esquema medieval, un rey cismático podía ser desposeído por Roma y destronado por otro fiel soberano. Y no había que acudir a ejemplos medievales. ¿Acaso no lo había hecho Fernando el Católico con los príncipes de la Casa Albret de Navarra? ¿Y no estaban de acuerdo, por una vez, las dos potencias de la Cristiandad, Francia y España, para pactar la suerte de la Europa occidental? Me refiero, claro está, a la paz de Cateau-Cambrésis. Entonces, ¿por qué no hacerlo sobre Inglaterra? Pasados los años, ya lo hemos visto, el duque de Alba lo seguiría recordando:

> Acuérdome —escribía al Rey en 1570— que estando yo en Francia en rehenes [7], el Rey Enrico [8] platicó conmigo en la materia...

Comunicado al Rey, Felipe II pidió su parecer al Duque:

> ... y fue en sustancia que si bien al principio podría tener alguna buena apariencia, yo no veía por diversos respetos que se pudiese escapar de caer a la fin en grandes disputas y dificultades... [9]

En 1570, poderosísimo el Duque en los Países Bajos y en marcha el plan Ridolfi para reducir a Isabel, incluso por vía del asesinato, también se vuelve a plantear la posible invasión de Inglaterra, aunque tampoco Alba lo veía muy claro. Porque no se trataba sólo de invadir y vencer en los primeros embates, sino de mantenerse en lo conquistado. ¿Y cómo hacerlo si no se contaba con el apoyo del país? Los mismos católicos ingleses que pedían so-

---

[7] A principios de 1559.

[8] Enrique II.

[9] El duque de Alba a Felipe II, 23 de febrero de 1570, en Tomás González, *Apuntamientos para la historia de Felipe II, op. cit.,* pág. 440.

corro, ¿iban más allá del destronamiento de Isabel? Con razón lo señalaba el Duque en 1570:

> Dejo otra duda que tengo —le añadía a Felipe II— que si bien los católicos de Inglaterra piden socorro, yo he entendido que ellos no lo querrían tan grande que se pusiesen en peligro de ser reducidos a sujeción de Príncipe extranjero... [10]

Pero si en 1570 las posibilidades de montar una invasión no eran pequeñas, pronto se irían esfumando, por el recrudecimiento de la insurrección en los Países Bajos. Cuando los «pordioseros del mar» se apoderaron de Brielle, a principios de 1572, estaba claro que el duque de Alba bastante tenía que hacer con mantenerse en Flandes, para pensar en invadir otros reinos, y menos el que ya se mostraba tan poderoso en el mar como era el de Inglaterra.

Es cierto que la presencia de Juan de Austria en los Países Bajos en 1576 pudo permitir nuevos planes, o, si se quiere, nuevos sueños, como era el de la boda de don Juan con María Estuardo. Por entonces, la Reina escocesa contaba treinta y cuatro años y estaba en la plenitud de su belleza, mientras don Juan de Austria andaba por los treinta. Gran pareja, pues, el vencedor de Lepanto y la reina cautiva.

Pero aquello no era más que un sueño. De entrada, estaba por ver el que Felipe II viera con agrado y apoyara tal encumbramiento de su hermanastro. Era evidente que, sin ese apoyo, don Juan nada podía hacer, como así ocurrió, en efecto.

Pero como las medidas apaciguadoras no daban resultado, Isabel no sólo permitía sino que alentaba las incursiones de sus marinos en las aguas de las Indias Occidentales, con ataques devastadores a las plazas españolas y a los cargamentos de las flotas hispanas, y además socorría a los rebeldes flamencos y, tras las jornadas de Portugal, al prior de Crato, pues la tensión fue creciendo hasta tal punto que todo el mundo se preguntaba cuánto tiempo soportaría el rey de España tantos ultrajes.

Entonces, aprovechando la victoria del marqués de Santa Cruz en las islas Terceras, fue cuando en verdad se presentó la mejor de las ocasiones para dar el golpe sobre Inglaterra. Fue el propio Marqués quien se lo propuso al Rey. ¿No era el momento de culminarlo todo, golpeando sobre Inglaterra? Pues la rueda de la fortuna pide aprovechar la ocasión, cuando se muestra propicia:

> Las victorias tan cumplidas como ha sido Dios servido dar a V.M. en estas islas —escribía el marqués a Felipe II—, suelen animar a los Príncipes a otras empresas. Y puesto que Nuestro Señor hizo a V.M. tan gran Rey, justo es que siga ahora esta victoria, mandando lo necesario para que el año que viene se haga la de Inglaterra... [11]

---

[10] El duque de Alba a Felipe II, 23 de febrero de 1570, en Tomás González, *Apuntamientos para la historia de Felipe II, op. cit.,* pág. 440.

[11] Citado por Fernando P. de Cambra, *Don Álvaro de Bazán,* Madrid, 1943, pág. 256.

El Marqués, vencedor de los franceses y de portugueses en las Azores, daba un respiro al Rey: que todo se preparase para la siguiente campaña. El año 1584 debía ser el de la conquista de Inglaterra. Él se encontraba con aliento suficiente para llevarla a cabo; otra cosa era, claro, que la empresa resultara factible, aunque era cierto que el momento parecía mejor que si se demorara otros cuatro años.

Santa Cruz se veía como otro Julio César invadiendo victorioso las islas, y trata de llevar su entusiasmo hasta la recoleta celda de su Rey. ¡No podía perder aquella oportunidad!:

> Pues se halla tan armado y con ejército tan victorioso, no pierda V.M. esta ocasión y crea que tengo ánimo para hacerle Rey de aquel Reino y aun de otros... [12]

Alguna mella debió de hacer en Felipe II el entusiasmo de su almirante, como se desprende de su respuesta: todavía era pronto para decidirse, pero, en todo caso, daba órdenes para iniciar los preparativos:

> Cosas son en que no se puede hablar con seguridad desde agora —le contesta—, pues dependen del tiempo y ocasiones que han de dar la regla después...

Pero le añadía, probando que la idea empezaba a gustarle:

> Mas por sí o por no, mando hacer la provisión de bizcocho que venga de Italia y dar la prisa que se puede a la fábrica de galeones y al asiento de las naos de Vizcaya... [13]

Hoy lo sabemos, lo sabían también los contemporáneos: Felipe II no era estadista rápido para la ejecución de sus proyectos. De ese modo, fue pasando el tiempo antes de que el marino recibiera órdenes concretas de su Rey. En 1585 llegó la nueva de la toma de Amberes y, acaso espoleado por ello, el Rey acabó pidiendo al Marqués que le mandara un estudio pormenorizado para la invasión de Inglaterra.

No fue cosa fácil, pero al fin Santa Cruz cumplió el encargo de su Rey y de forma tan detallada que llenan cincuenta folios de su despacho.

Un despacho firmado en Lisboa el 27 de marzo de 1586, de tanto interés, que nos obliga a que lo estudiemos con el mayor cuidado.

Se trataba de un gigantesco proyecto, dejado a cargo de las piezas hispanas e italianas del Imperio, como puede verse por el cuadro de la página siguiente.

---

[12] Fernando P. de Cambra, *op. cit.,* pág. 256.
[13] *Ibídem,* pág. 257.

MARINA		España	Italia	Portugal	Otras	TOTAL
1.	Naos gruesas..........................	80	20	20	30	150
2.	Urcas de carga	40	—	—	—	40
3.	Naos pequeñas	200	—	120	—	320
4.	Galeras..................................	20	20	—	—	40
5.	Galeazas...............................	—	6	—	—	6
6.	Fragatas................................	—	20	—	—	20
7.	Falúas...................................	—	20	—	—	20
8.	Barcas de desembarco..........	—	—	200	—	200

GENTE DE GUERRA

1.	**Infantería**		**55.000**
	Infantería española...	23.000	
	Infantería portuguesa.......................................	5.000	
		28.000	
	Infantería italiana	15.000	
	Infantería alemana..	12.000	
	Total	**55.000**	

2.	**Caballería**...		**1.200**
	Hombres de armas de Castilla.........................	400	
	De las mesnadas nobiliarias andaluzas.............	400	
	Caballos ligeros de Castilla	200	
	Arcabuceros a caballo castellanos	200	
		1.200	

3.	**Artillería**..	**4.290**
4.	**Aventureros**	**3.400**
5.	**Gente de mar**	**24.822**
6.	**Galeotes**...	**9.800**
	Total..	**98.512**

Como se ve, todo se confiaba a la acción de la infantería, donde, por primera vez acaso, los tercios viejos —que generalmente solían ser minoría [14]— aquí eran los más numerosos, hasta suponer con los 5.000 portugueses (también señalados como españoles) más del 50 por 100 del total. En cambio, las cifras de caballería y artillería parecen harto exiguas. Y en cuanto a la marina, da la impresión que Santa Cruz valoraba todavía el papel de las galeras en el Océano, como si en él pesara aún la tradición marinera del Mediterráneo. Pero, en todo caso, la alta proporción del esfuerzo encomendado a España resulta evidente.

En cuanto a los bastimentos, cabe decir lo mismo: la mayoría del bizcocho, del vino, del tocino, del queso, del atún, de la carne de vaca, de las habas, de los garbanzos, del aceite, del vinagre, del arroz y de los ajos se esperaban de los dominios hispanos.

En el material de guerra se nivelaba más la balanza; no cabe duda de que Milán era una de las ciudades de mayor producción de armas de Europa, y eso tenía que notarse. De todas formas, en este apartado no siempre aparecen citados los lugares de donde se esperaba la provisión del armamento, lo que impide mayor precisión.

En cambio, donde los cálculos pueden apurarse es respecto a la financiación de la empresa. El Marqués daba un costo total de 3.801.287 ducados, más 298 maravedíes (que hasta ahí llegaba la meticulosidad de su despacho), cargándolo de la siguiente manera:

	Ducados	Maravedíes
Reino de Nápoles	780.725	125
Reino de Sicilia	221.266	250
Ducado de Milán	209.777	150
Total	**1.211.768**	**525**
Y para Castilla	**2.589.519**	**140**

Estaba bien claro: el soporte financiero descansaba sobre todo en la Corona de Castilla, pero obteniéndose un importante respaldo de las tres piezas principales italianas, mientras que nada se esperaba ni de la Corona de Aragón, ni de Portugal, ni de los Países Bajos.

Dejando aparte las importantes referencias para el valor de las subsistencias y para la estructura interna del ejército y de la marina, esto nos prueba que Felipe II iba ya inclinándose al empleo de la fuerza para resolver el pro-

[14] Así lo eran en las campañas de Carlos V de 1546 y 1547. (Véase sobre esto mi edición crítica de las *Memorias de Carlos V,* en *Corpus documental de Carlos V, op. cit.,* pág. 535, nota 158).

blema de la rivalidad con Inglaterra, aunque lo llevara todo con la lentitud en él característica. El despacho del marqués de Santa Cruz respondía a la petición de Idiáquez de 24 de enero de 1585; de forma que a los pocos días de la nueva incitación de Santa Cruz (aquella carta suya de 13 de enero del 86), en que volvía a señalar la imposibilidad de mantener la paz con Inglaterra y las amenazas que se cernían para la Monarquía por la enemiga inglesa, tanto en los Países Bajos como en las rutas oceánicas, «porque estos inconvenientes y aun otros suceden a los Príncipes que se empeñan en guerras defensivas» (máxima que no tardaría en hacer suya el Rey); a los pocos días, Idiáquez comunica ya al Marqués que el Rey desea un plan preciso y secreto. Y el Marqués se pone a ello con tanta furia —si es que no lo tenía ya medio compuesto— que dos meses después, el 27 de marzo del 86, le enviaba a Felipe II el plan de invasión de Inglaterra, a efectuar en el 87.

En el juego de sus vacilaciones, Felipe II ordena a Santa Cruz que de momento lo olvide y que se dedique sin más a la limpieza de la ruta de las Indias de corsarios que tanto la fatigaban; ésa era la situación a principios de abril. Pero cuando Santa Cruz se dispone a ese cambio de rumbo, nueva contraorden: ¡Inglaterra ha de ser el objetivo! Aunque con una notable diferencia, frente a lo que proponía Santa Cruz: él se había de limitar a facilitar el asalto de los tercios viejos de Alejandro Farnesio; mientras éste (que nunca la había proyectado ni deseado) sería el encargado de la conquista y no él. ¿Dónde quedaban los sueños del Marqués? Aquella arrogante afirmación todavía tan reciente, cuando en enero del 86 había enfatizado a su señor:

> ... crea [V.M.] que tengo ánimo para hacerle Rey de aquel Reino y aun de otros...

Ánimo para emprender la conquista y, con ella, recoger la gloria del vencedor o asumir la derrota del vencido; pero no para quedar reducido a figura secundaria, de forma que, teniendo que afrontar todos los riesgos de la mar, fuera otro el que se llevase los triunfos de la tierra.

A partir de ese momento, Felipe II sería el que cada vez entraría en un frenético afán de que la empresa se acometiera, mientras que el marino nunca encontraría ya oportuna la ocasión para ejecutarla.

Por supuesto que en el ánimo del Rey jugaron otros estímulos. Para mí, el más importante fue la muerte de María Estuardo.

Tras un proceso dudoso, en cuanto a las posibilidades de defensa de la Reina escocesa, ésta se vio involucrada en la trampa tendida por el gobierno de Isabel, en particular Cecil, en la llamada conjura de Babington, de la que Cecil tenía conocimiento preciso paso a paso. La dignidad con que María Estuardo acogió su trágico destino supuso al menos salvar su imagen para la posteridad y, curiosamente, preparar el camino para que su hijo, Jacobo, ya rey de Escocia, acabase heredando también Inglaterra, procediendo así a la unión ya indisoluble y en términos de paridad de ambos reinos.

Tal ocurría en Fotheringay el 8 de febrero de 1587.

Para Felipe II era un motivo de disipar sus dudas. El testamento de María Estuardo le favorecía y ya podía encontrar el apoyo de Roma. El camino para que su hija la infanta Clara Eugenia fuera la nueva reina de Inglaterra estaba libre.

Sólo que para que ese sueño del Rey fuera realidad era preciso vencer antes una pequeña dificultad: a la marina inglesa, la marina de Hawkins y Drake, la marina que defendía a la reina Isabel. Un pequeño obstáculo que se iba a mostrar insuperable.

Pero volvamos al plan de invasión. Ya hemos visto cuál era el de Santa Cruz, planteado en 1583, a raíz de su victoria en la isla Tercera sobre la armada francesa de Strozzi: capitanear una fuerte flota, que transportara un ejército de 60.000 soldados, hacer el desembarco en cualquier punto de las costas inglesas y conquistar aquel reino. Y todo de su mano: la dirección de la armada y el mando del ejército.

Pero en 1587, cuando Felipe II se decide al fin por la ofensiva contra Inglaterra, tiene otro pensamiento. Por supuesto, Santa Cruz sería su almirante y dirigiría la *Armada Invencible,* pero su misión sería otra: simplemente, limpiar el canal de la Mancha para permitir el salto de los tercios viejos de Alejandro Farnesio sobre Inglaterra. Pues ¿acaso no tenía a la mano al mejor general de Europa? ¿Cómo iba a prescindir, en aquella decisiva batalla, de su mejor espada?

Era un razonamiento impecable, pero tendría un fallo. A partir de ese momento, el entusiasmo de Santa Cruz se enfrió. Era como robarle su gran proyecto, la empresa que le equipararía con los grandes capitanes de la historia.

Precisamente, eso es lo que se refleja en su correspondencia con el Rey, con aquel Felipe II hasta entonces tan indeciso y de pronto acometido de unas frenéticas prisas, mientras que el Almirante, antes tan entusiasta, se vuelve repentinamente desorientado y encogido.

De entrada, quien dio el primer golpe no fue Santa Cruz, sino Drake, presentándose de improviso el 29 de abril en Cádiz, entrando en su hermosa bahía, moviéndose a su antojo sin miedo a los cañones de las fortificaciones gaditanas ni a sus barcos, incendiando a su placer no pocos de ellos y llenando de pánico a una población irresponsablemente inerme, que se había aglomerado para ver quiénes eran los que entraban en el puerto, como si se tratara de una fiesta; en suma, un Drake que había impuesto su ley, demostrando la notoria superioridad de los barcos ingleses en tres decisivos aspectos: velocidad, potencia y coraje; velocidad de las naves, potencia de su artillería y coraje de su tripulación, desde el primer marino —Drake— hasta el último.

Es algo de lo que no nos cabe duda alguna, pero sobre lo que tampoco debieron de tenerla ni el rey Felipe ni sus consejeros.

En efecto, los relatos de los testigos de aquellos sucesos, informes enviados en seguida a la corte, lo dejaban bien de manifiesto:

Miércoles 29 días del mes de abril llegó a esta ciudad —narra un gaditano, testigo del acontecimiento— la armada de Inglaterra, general Francisco Drake. Fueron descubiertos estos navíos a la hora del mediodía...

Pero nadie recelaba nada:

... fueron entonces mirados con poco cuidado...

Ni siquiera cuando Drake inició su cañoneo:

... aún no se acababan de desengañar que eran enemigos...

¿Quién podía atreverse a atacar Cádiz, la poderosa ciudad del rey Felipe? Esta confianza y la audacia del marino inglés consumaron el desastre:

Tanto era el descuido que había y confianza de que ningún enemigo se atreviera entrar en la bahía...

El propio gaditano espectador del ataque inglés constata el contraste entre las galeras hispanas y los galeones comandados por Drake:

La entrada de la Armada [inglesa] fue con la mayor presteza y arrogancia que jamás deben haber hecho corsarios, así por la bondad de sus navíos como porque el viento era tan fresco...

Esto es, naves ligeras, naves marineras; todas bien artilladas. El resultado, que Drake, con una temible potencia de fuego y con su velocidad de maniobra, pudo ir y venir a su antojo por la bahía gaditana, incendiar las naos españolas y llevarse todo el botín que quedó a su merced, siendo inútil el intento de repeler el ataque por parte de las galeras del Rey:

Las galeras, habiéndose prevenido de pólvora, munición y gente, intentaron cañonear al enemigo, siendo ya las ocho de la mañana [del día siguiente]. Apenas habían alzado el hierro y dado la primera boga cuando uno de los galeones [ingleses], al parecer el más grande y fuerte, que tenía bandera de capitana y estaba el primero y más cerca de la ciudad, disparó y jugó su artillería (que la traía y todos sus navíos de la buena que se podía hallar en otros), pues con ella alcanzaba más que la de las galeras...

En el largo relato del cronista gaditano se insiste una y otra vez sobre la superioridad de los navíos de Drake:

Los bateles o lanchas del enemigo corrían por toda aquella parte de la bahía, franca y libremente...

Tan seguro de su poder estaba Drake, que no corrió a refugiarse en Inglaterra; le bastó con mandar allá sus presas, quedando vigilante con el grueso de su armada en las costas del sur de Portugal:

> ... pareciéndole que no había a la sazón quién le pudiese ofender ni resistir [y] ser sus navíos ligeros con buena gente de mar...[15]

¿Qué era lo que había producido ese resultado tan favorable a la marina inglesa? ¿Tan poco habían servido a Felipe II y a sus consejeros los cuatro años pasados en las islas, cuando Felipe era el rey consorte, marido de la reina María Tudor?

La diferencia empezó a notarse a partir de una acertada medida de la reina Isabel, cuando, bien avanzado su reinado, decidió poner los asuntos de la marina real en manos de uno de sus marinos más competentes: John Hawkins. Eso ocurrió en 1578, cuando ya Isabel se hizo a la idea de que el enfrentamiento con la Monarquía filipina iba a ser inevitable.

El año 1578 es particular: el de la muerte del rey don Sebastián. Se avecinaba la anexión de Portugal por Felipe II. Y en ese caso, la anterior rivalidad hispano-inglesa no podía menos de incrementarse hasta extremos insufribles, de forma que Isabel decidió prepararse. Su fuerza tenía que estar en el mar. ¿No había sido ése el consejo que le había dado Felipe II a principios de su reinado? Así que la Reina eligió al hombre adecuado para la tarea precisa: John Hawkins, que lo cumplió a la perfección. Nada de barcos para llevar soldados; si era el caso, los propios marinos podían desdoblarse en operaciones de tierra adentro y bien armados. Pero los buques eran eso: naos de marinos, todo lo contrario a las galeras. John Hawkins, tan práctico en las cosas de la mar, desde los años cincuenta, ideó un nuevo tipo de galeón más bajo de puente, fortísimamente artillado en sus dos bandas y muy maniobrero: en suma, el más veloz y con más capacidad de fuego de su tiempo.

Era llevar a la mar el axioma de los capitanes en tierra, desde que habían aparecido las armas de fuego: quien consiga mayor potencia de fuego será el que tendrá la victoria en la mano. A esa notable superioridad de sus cañones añadió Hawkins la velocidad de sus naves. Por lo tanto, algo que iba a permitir a la flota inglesa esquivar el abordaje de las naos españolas, evitando que los soldados de los temibles tercios viejos pudieran convertir una batalla naval en una contienda terrestre, como habían hecho en Lepanto.

George Macaulay Trevelyan describe muy bien la tarea lograda por John Hawkins:

> Los críticos —nos dice—, aferrados a los conceptos de la vieja escuela, clamaban por la construcción de buques dotados de una superestructura inexpugnable por asalto, pero de difícil maniobra,

---

[15] Publicado por Maura, *El designio de Felipe II,* págs. 181-203.

proporcionando albergue a multitud de soldados, que consumirían los almacenes de provisiones...

Frente a los tales, anclados en el pasado, John Hawkins tuvo el valor de innovar:

> Hawkins no quería tener ni uno más de tales castillos. A pesar de las protestas, construyó los navíos de la Reina bajos de bordo, largos en proporción a su manga, de fácil manejo y poderosamente artillados... [16]

Puede pensarse que con Drake y con su audaz incursión sobre Cádiz estuvo a punto de que se desvelara el secreto. De hecho, los relatos de su brillante victoria y sobre la humillación infligida a la marina filipina en Cádiz llegaron a la corte de Madrid. ¿Qué habría pasado si el Rey y sus consejeros hubieran aprendido la lección, cambiando sus planes? ¿Qué habría sucedido si la *Armada Invencible* hubiera variado su táctica y mejorado sus naos, acordes con los nuevos tiempos? Evidentemente, era un peligro, aunque también puede pensarse que la acción de Drake podía llevar a Felipe II a dejar en el olvido su proyecto de invasión de Inglaterra.

Pero nada de eso ocurrió. Felipe II, siempre con la mentalidad providencialista, seguro de que él era el Rey marcado por la mano divina, mientras que Isabel era poco menos que la hija del diablo, firmemente convencido de que aquella empresa era santa, no tuvo ni la menor vacilación.

¿Cómo dudar de algo si tenía a Dios a su favor?

Y con esa mentalidad, no dejaría de apretar a su Almirante para que se hiciese a la mar, precisamente cuando Santa Cruz, que tenía buena noticia de lo ocurrido en Cádiz, cada vez dudaba más en hacerlo.

Los despachos cruzados entre ambos, en aquellos meses de mayo del 87 a febrero del 88, son reveladores. Y su atenta lectura acaba con la leyenda de que la *Armada Invencible* sufrió tamaño descalabro porque al morir Santa Cruz se quedó sin su jefe.

Asomémonos a esas cartas cruzadas entre el Rey y el Almirante, a raíz de la humillación de Cádiz. El 25 de mayo de 1587, Felipe II urgía al marino:

> Para salir con brevedad os encargo que os déis la prisa posible, que acá se hace lo mismo en procurarse que os llegue presto todo lo que de fuera ha de ir, así de Castilla como del Andalucía, y también lo que viene de Italia...

No sólo hombres, vituallas, naves y armas; también el nervio de toda campaña, de forma que en la misma carta el Rey añade:

---

[16] G. Macaulay Trevelyan, *Historia social de Inglaterra,* México, FCE, 1984; 1.ª ed. inglesa, 1962, pág. 213.

... [os] va buen golpe de dinero...[17]

El Consejo de Guerra era de la misma opinión que el Rey, aunque también parecía no haber aprendido nada de la jornada gaditana:

> No se debe negar que el atrevimiento del enemigo no sea muy grande...[18]

Había que castigar, y pronto, aquella afrenta, juntando la mayor armada posible, pero sin cambiar absolutamente nada: naos de alto porte, galeras y galeazas de España y de Italia era lo que se prometía al Almirante.

Pero fueron transcurriendo los meses sin que Santa Cruz se moviese de su refugio de Lisboa, y pasó el verano.

A mediados de septiembre, llegó a Felipe II una nueva noticia de Flandes: Alejandro Farnesio había tomado La Esclusa. Esa sí que era una oportunidad para dar el gran salto sobre Inglaterra. Alejandro Farnesio recibiría la orden de mantener en pie su ejército, pese a que apuntaba el otoño, y «... a la lengua del agua...».

A su vez, a Santa Cruz le llegaban órdenes estrictas de partir con su armada al canal de la Mancha, para limpiarlo de las naves inglesas y permitir el paso de los tercios viejos de Farnesio. La orden era precisa:

> ... el Marqués no se divierta a más que asegurarle el paso...

Cierto, ya todo sería de cara al invierno, con los riesgos de navegar en tales fechas por el canal; pero, puesto que la empresa era de Dios, nada había que temer. ¿No se estaba repitiendo el error de Carlos V medio siglo antes, cuando intentó, «gastada la estación», la empresa de Argel? Siempre el providencialismo, siempre el creerse los preferidos de Dios y siempre la ceguera de aquellos reyes:

> Bien se ve que es harto aventurar —escribía Felipe II al cardenal Alberto, su virrey en Lisboa— navegar con gran armada en invierno, y más por aquel canal y sin tener puerto cierto. Mas las otras causas que hacen tomar esta resolución[19] vienen a ser de más peso...

Y añade lo increíble:

---

[17] Felipe II a Santa Cruz, Aranjuez, 25 de mayo de 1587, en Enrique Herrera Oria, *Felipe II y el marqués de Santa Cruz en la empresa de Inglaterra según los documentos del Archivo de Simancas,* Madrid, 1946, págs. 104 y 105.

[18] El Consejo de Guerra a Felipe II, Madrid, 26 de mayo de 1587 (*ibídem,* págs. 105 y 106).

[19] Se refiere a emplear cuanto antes los aprestos de guerra, que el tiempo iba consumiendo o deteriorando, sin fruto alguno.

... y el tiempo, Dios, cuya es la causa, se ha de esperar que le dará bueno de su mano... [20]

Y pasó septiembre sin que Santa Cruz se moviera. En octubre, el Rey se lo ordena ya apretadamente, a través del Cardenal-virrey:

> Que S.M. quiere ver que le desea servir en que haga de manera que a los veinte o veinte y cinco déste, sin tardar un día más, salga del río de Lisboa...

Ni por esas. El Rey no quiere dar la cara directamente y de nuevo encarga a su Virrey que espolee al Marqués:

> Lo que S.M. es servido que el Señor Cardenal Archiduque diga cuarta vez de su parte al marqués de Santa Cruz.

¡La cuarta vez que el Rey daba sus órdenes, sin ser obedecido! Algo inaudito; y no de otra manera lo refleja el texto:

> Que se le hace cosa nueva, porque nunca lo esperó del Marqués, que cuando había de venir el aviso del día cierto de la partida, según se le tiene encargada, lo más de sus cartas sean dificultad y dilaciones...

¿Habría algún modo de espolearle? ¿Acaso con que todo fueran flaquezas del Marqués? ¿O quizá su repugnancia a servir de instrumento para que Alejandro Farnesio concluyera su obra? El Rey tocará estos puntos, y siempre a través de su Virrey:

> Que le advierta si se encarga de salir luego [21], cuán de veras conviene que lo haga, sin dar lugar a que se diga que muestra tibieza ninguna, y con cuanta conformidad y buena correspondencia con el duque de Parma... [22]

Pese a lo cual Santa Cruz, eso sí, a vuelta de correo, sigue con sus vacilaciones:

> Quanto a la brevedad con que V.M. manda que salga el armada, como estamos ya en invierno, no puedo prometer cosa cierta... [23]

---

[20] En Herrera Oria, *op. cit.,* pág. 114.
[21] «Luego», con el sentido de «muy pronto».
[22] Herrera, *op. cit.,* pág. 121.
[23] Santa Cruz a Felipe II, Lisboa, 15 de octubre de 1587 (*ibídem,* pág. 122).

¡Pero no era verdad! La carta iba fechada a 15 de octubre. Así que el Rey insiste a los seis días —por tanto, nada más llegarle la del Marqués—, y, ahora sí, haciéndolo directamente:

Mirad que en esto no haya falta ni dilación...

¿No estaba cercano el veranillo de San Martín, trayendo un respiro antes del verdadero invierno? Así se lo recuerda el Rey, y hasta con esos mismos términos:

... ni se nos pase en ninguna manera este veranillo de San Martín que parece que ha comenzado...

Y le pone fechas precisas:

... porque no se sufre poner en la partida un día más de dilación de hasta 2 ó 3 de noviembre, cuando mucho... [24]

¿Con qué se excusará ahora Santa Cruz? Pues con el tiempo:

El tiempo ha desayudado, por lo que ha llovido... [25]

Carta que se cruza con la del Rey de 30 de octubre en que vuelve a insistirle que su partida no podía dilatarse más [26]. Y tres días después, no aguantando la espera, otra vez le vuelve a la carga:

... confío de vos que después de haber visto por mis cartas pasadas las veras con que esto deseo, habréis hecho de manera que se hayan ganado muchos días y con el primero [27] espero que me aviséis el día cierto de la partida... [28]

Pero ese correo, tan esperado, por el que Felipe II debía conocer que la Armada había zarpado, no le llega. Eso hace que el tono del Rey suba un punto. Se adivina la cólera regia ante la desobediencia de su Almirante. Y el 9 de noviembre le escribe:

Y así os encargo y mando que sin falta hagáis aderezar aquel número de navíos... Y para salir de dudas y ir sobre fundamento cierto, me avisad el día preciso en que pensáis tener a punto el dicho número de naos que a los 2 de Noviembre ordené... [29]

[24] Felipe II a Santa Cruz, 21 de octubre de 1587 (en Herrera Oria, *op. cit.,* pág. 123).

[25] Santa Cruz a Felipe II, Lisboa, 29 de octubre de 1587 (*ibídem,* pág. 124).

[26] Felipe II a Santa Cruz, 30 de octubre de 1587 (*ibídem,* pág. 125).

[27] Correo.

[28] Felipe II a Santa Cruz, San Lorenzo, 2 de noviembre de 1587 (*ibídem,* pág. 127).

[29] Felipe II a Santa Cruz, San Lorenzo, 9 de noviembre de 1587 (*ibídem,* pág. 128).

¡Ya había pasado medio año desde que en el mes de mayo le había instado a hacerlo! Ahora sí que se había dejado escapar el veranillo de San Martín. Ahora sí, mediado noviembre, el invierno se echaba encima, y el Rey no puede menos de quejarse por no haber sido obedecido:

> Y a lo que de nuestra mano decís del riesgo y ventura a que se va, navegando en medio del invierno..., tampoco hay que responder más de sentir este peligro, *que quizás no fuera tanto a haberse hecho luego en llegando...* [30]

Mas, como los días iban pasando, el peligro no era sólo el invierno, sino también que, con tanta dilación, los víveres almacenados para la Armada se estropeasen y que los marinos y soldados enfermasen:

> Sólo os acuerdo aquí —escribía el angustiado Rey— el peligro que se corre de que a poco más que se tarde, enferme toda la gente de mar y guerra y pegue la mala salud a la gente de la tierra y consuma la vitualla en el puerto y falte para el viaje y que se acabe el dinero, con que pasaría todo con tan grave daño y vergüenza... [31]

¡Por los clavos de Cristo!, que el Almirante fijara una fecha de una vez por todas. Pero lo que el Rey temía, ocurrió: empezó a enfermar la gente de la expedición [32]. Aun así, el 12 de diciembre el Marqués da una primera fecha: en veinte días tendría aparejada la Armada para su salida [33]. Eso hubiera supuesto hacerlo a finales de año.

No fue así. El Rey se lamenta, impotente. El enemigo había tenido todo el tiempo del mundo para prepararse, y el factor sorpresa se había perdido. Es más, existía el riesgo de que fueran ellos, los ingleses, los que atacasen España:

> ... que sería daño y vergüenza intolerable [34].

De forma que estaba decidido: en cuanto el Marqués recibiese un propio del Rey —sería el conde de Fuentes—, saldría a la mar sin más excusa. Orden a la que Santa Cruz contestó que ya tenía fijada la fecha del 1 de febrero, pero no dejando de advertir otro fallo y grave, pues escaseaba el dinero:

> ... la falta que hay de dinero para pagar la gente de mar y guerra y navíos... [35]

---

[30] Felipe II a Santa Cruz, El Pardo, 16 de noviembre de 1587 (en Herrera Oria, *op. cit.,* pág. 129). Se refiere a que hubiera partido Santa Cruz a su regreso de las Indias, a mediados de septiembre.

[31] Felipe II a Santa Cruz, El Pardo, 30 de noviembre de 1587 (*ibídem,* pág. 134).

[32] Santa Cruz a Felipe II, Lisboa, 4 de diciembre de 1587 (*ibídem,* pág. 136).

[33] Del mismo al mismo, Lisboa, 12 de diciembre de 1587 (*ibídem,* pág. 140).

[34] Felipe II a Santa Cruz, Madrid, 18 de enero de 1588 (*ibídem,* pág. 156).

[35] Santa Cruz a Felipe II, Lisboa, 23 de enero de 1588 (*ibídem,* pág. 157).

Eso Felipe II lo sabe. De ahí su exhortación a las Cortes de Castilla para que hicieran un último esfuerzo:

> Pues no va en ello menos que la seguridad de la mar y de las Indias y de las flotas dellas, y aun de las propias casas [36].

Pero, naturalmente, ya el Rey no se fía de su Almirante y le manda su emisario, con instrucciones personales. En suma, la destitución de Santa Cruz ya era un hecho y su relevo por el duque de Medina-Sidonia.

Lo que ocurrió fue que Fuentes se encontró con lo inesperado: con un Almirante gravemente enfermo, enfermedad que podemos sospechar que en parte se debía a ver cuán distinto a lo que pretendía era lo que se estaba fraguando y a qué dudosa aventura le empujaba su Rey. De todas formas, fiel a su actitud con Felipe II, también Santa Cruz puso trabas a la misión de Fuentes: que se había de esperar a las naves surtas en Sevilla, replicándole Fuentes:

> Mirad mi instrucción y veréis que aun de las urcas habéis de dejar las que no fueren muy a propósito, por no aguardar a poner las demás a punto. Volvió a pasar los ojos tres veces por el remate de mi comisión, no sé a qué fin: halléle en la cama... [37]

Pero ya la salud del Marqués, tan gastada, no daba para más. El 9 de febrero fallecía, y las cosas de la Armada tomaron un rumbo inesperado: que a su frente se pusiera un hombre que jamás había navegado y que nada entendía ni de mar ni de guerra.

Que tal sería la peregrina decisión de Felipe II al nombrar al duque de Medina-Sidonia como sucesor de Santa Cruz en el mando de la Armada.

Ese sería el último capítulo de la más desacertada y desventurada historia, aunque, si se quiere, guardando cierta lógica con el planteamiento de que todo debía salir bien, puesto que la Armada era cosa de Dios.

¿Cómo lo tomó el Duque? ¿Cómo recibió la noticia de verse designado para aquel destino que le había de hacer entrar en la gran historia? Sabemos que un excelente marino, ya incorporado a la escuadra, Juan Martínez de Recalde, ansiaba tal ascenso, y así se lo había expresado al Rey cuando se produce la muerte de Santa Cruz:

> ... que con verdad puedo decir que en aquella mar no tiene V.M^d., de mi calidad, persona que más plática sea y más la haya navegado... [38]

---

[36] Citado por Kamen, *op. cit.,* pág. 289.

[37] Fuentes a don Cristóbal de Moura y a don Martín de Idiáquez, Lisboa, 30 de enero de 1588 (Herrera, *op. cit.,* pág. 160).

[38] Juan Martínez de Recalde a Felipe II, Lisboa, 13 de febrero de 1588, en Herrera Oria, *op. cit.,* pág. 167.

Pero otros eran los planes del Rey, y así Recalde ni siquiera sería designado para consejero del nuevo almirante de la Armada, el duque de Medina-Sidonia.

El 16 de febrero le llega al Duque la noticia de su nombramiento, que le deja estupefacto. ¿Cómo podía pensarse en él, si no entendía nada de las cosas de la mar? Tan marinero era, que se mareaba cuando subía en una nave. Tampoco andaba bien de salud. Además, ¿qué condiciones tenía él para dirigir una empresa de aquella magnitud? Al secretario Idiáquez confía sus limitaciones:

> ... quisiera tener las partes y fuerzas que para el mucho servicio serán forzosas...

Pero ¿cuál era la realidad?

> ... Señor, yo no me hallo con salud para embarcarme, porque tengo experiencia de lo poco que he andado en la mar, que me mareo...

No era una mera disculpa, un remilgo de quien tratara de disimular su apetencia de mando. Era la misma verdad. Por ello, tan gran disparate era aceptar el cargo, que su propia conciencia le hacía protestar:

> ... porque siendo una máquina tan grande y empresa tan importante, no es justo que la acepte quien no tiene ninguna experiencia de mar ni de guerra, porque no lo he visto ni tratado...

Si lo hiciera, en nada podría tomar decisión cierta y clara, teniendo que orientarse por otros, sin saber qué consejo seguir:

> Y así, Señor, todas las razones que hago son tan fuertes y convinientes al servicio de S.M^d., que por el mucho [servicio] no trataré de embarcarme..., que he de dar mala cuenta, caminando en todo a ciegas y guiándome por el camino y parecer de otros, que ni sabré cuál es bueno y cuál es malo, o quién me quiere engañar o despeñar...

E insiste con el secretario:

> Y así entiendo que S.M^d., por lo que es su grandeza, me hará merced, como humildemente se lo suplico, de no encargarme cosa de que ciertamente que no he de dar buena cuenta, porque ni lo sé ni lo entiendo, ni tengo salud para la mar, ni hacienda que gastar en ella[39].

---

[39] Medina-Sidonia a Idiáquez, Sanlúcar, 16 de febrero de 1588, en Maura, *op. cit.*, págs. 241 a 244.

¿Cómo se puede entender que, tras esas advertencias, el Rey todavía pensara en el magnate andaluz para dirigir la *Invencible?* Cierto que la última disculpa de Medina-Sidonia —lo de no tener hacienda— podía sonar a que se le recompensara bien por tamaño servicio, pero no bastaba para dejar de confrontar en qué medida era práctico en cosas de mar y de guerra. En todo caso, sin esperar a más averiguaciones, Felipe II le ordenó que saliese al punto para hacerse cargo del mando de la Armada surta en Lisboa, y con toda presteza para emprender la jornada el 1 de marzo[40].

La orden del Rey, fechada a 18 de febrero, se cruzó con la carta del Duque a Idiáquez, pero después pudo anular su orden y no lo haría. Y no hay forma de comprender qué llevó al Rey a tamaño disparate, poniendo no ya la victoria, sino la misma suerte de vida o muerte de tantos miles de hombres en persona tan inhábil. Sólo puede acudirse a la frase de los antiguos: que los dioses ciegan a los que quieren perder.

Eso sí, no dejó el Rey de encarecer al Duque la importancia de la misión, de tal modo que, si no fuera lo que importaba su presencia en la corte, él mismo se hallaría en ella.

Es un fragmento digno de recogerse, aunque sea dudosa la sinceridad regia:

> Y creed que de tal manera considero la importancia de esta jornada —le dice al agradecerle que al fin aceptase el mando—, que si yo no fuera menester tanto acá, para acudir a lo que para ella y otros muchos casos es menester, holgaría mucho de hallarme en ella...

¿Cómo podía decir tal cosa quien por entonces hacía saber a su yerno, el duque de Saboya, que los reyes no debían ir a la guerra, sino mandar a sus generales? Porque si hubiera victoria, sería también para él, y si derrota, podía cargar su desprestigio al debe del general vencido[41].

Y de su propia mano añadiría en posdata:

> Muy confiado estoy que, con vuestro gran celo y cuidado, os ha de suceder todo muy bien; y no puede ser menos en causa tan de Dios como ésta. Y con esto y lo que aquí se os dice, no hay por qué llevéis cuidado de nada[42].

Evidentemente, la seguridad de tener a Dios a las espaldas podía llevar a tan desatinada decisión. Acaso, también, porque Felipe II confiara en que la

---

[40] Felipe II al duque de Medina-Sidonia, Madrid, 18 de febrero de 1588 (Maura, *op. cit.,* págs. 244 y 245).

[41] Felipe II a Catalina Micaela, San Lorenzo, 27 de agosto de 1586, en *Cartas de Felipe II a sus hijos,* ed. crítica de Fernando de Bouza, Madrid, 1988, págs. 113 y 114.

[42] Felipe II a Medina-Sidonia, Madrid, 11 de marzo de 1588, en Maura, *op. cit.,* págs. 247 y 248.

Armada no tendría que combatir con la inglesa para cumplir su misión de facilitar a Farnesio su paso a Inglaterra. Y así, al augurarle la victoria, pues llevaba tan gruesa Armada, le añade:

> Esto del combatir se entiende si de otra manera no se puede asegurar al duque de Parma, mi sobrino, el tránsito para Inglaterra; que pudiéndose sin pelear asegurar este paso, por desviarse el enemigo o de otra manera, será bien que hagáis el mismo efecto conservando las fuerzas enteras [43].

Lo demás es historia conocida y particularizada miles de veces [44]. Medina-Sidonia zarpó de Lisboa con la flota el 20 de mayo de 1588, con 130 naos, de ellas en torno a 12 galeras; una flota más de guerreros que de marinos, pues los soldados sobrepasaban con creces a los marineros: alrededor de 19.000 de los primeros frente a 8.000 de los segundos. A la altura de La Coruña, recios temporales la pusieron a punto de perderse, llevando a Medina-Sidonia, seguro ya del desastre, a suplicar al Rey que desistiera de la empresa, tomando algún acuerdo con la reina Isabel, y eso en estos apretados términos:

> Ir a cosas tan grandes con fuerzas iguales no convendría, cuanto más siendo inferiores como hoy lo están, y la gente no tan práctica como convendría, ni los oficiales... Y así crea V.M. que esto está muy flaco. Y no engañe a V.M. nadie con decirle otra cosa.

De ahí su lamento:

> ¿Cómo se va bien a esta empresa con lo que se lleva?

Y su petición:

> ... remediando estos inconvenientes que se ofrecen con tomar algún medio honroso con los enemigos o asegurando más esta jornada [45].

Pero no fue oído, y hubo de seguir su rota-derrota a las aguas del canal. Entre el 21 y el 25 de julio tuvieron lugar los combates con la armada inglesa que mandaban Howard y Seymour. Y ocurrió lo previsto por el Duque: la superioridad naval inglesa era tal que jamás pudieron los españoles acercarse a ella, sufriendo mucho con la fuerza artillera del contrario. En su informe al

---

[43] Instrucciones de Felipe II a Medina-Sidonia (Maura, *op. cit.,* pág. 250).

[44] Para seguir la ruta de la Armada con sus diversas incidencias y los sucesivos mapas ilustradores, lo mejor es el notable trabajo ya citado de María José Rodríguez Salgado, *Armada...,* *op. cit.,* págs. 233 y sigs.

[45] Medina-Sidonia a Felipe II, 24 de junio de 1588 (Maura, *op. cit.,* págs. 258-261).

Rey sobre la batalla entablada, el Duque pone de manifiesto lo sucedido: una y otra vez las naves españolas trataron de abordar a las inglesas, sin conseguirlo. Valiéndose de su mayor velocidad, las inglesas desarbolaban a las españolas con su fuego de artillería, al que inútilmente contestaban las españolas, incluso en su desesperación con sus mosquetes y arcabuces. Refugiada en el puerto de Calais, mostró ser incapaz de permitir el proyectado paso de Farnesio a las islas, quien se negó a intentarlo en tan precarias condiciones. La táctica inglesa de hostigar a la Armada con brulotes, con peligro de que las llamas la abrasasen, obligó a Medina-Sidonia a dejar su refugio, internándose en el mar del Norte, como resolución desesperada, bien reflejada en su despacho. Todo parecía mejor a enfrentarse de nuevo con la armada inglesa:

> Esta armada —escribía Medina-Sidonia al Rey el 21 de agosto— quedó tan destrozada y desbaratada que pareció ser el mayor servicio que podía hacer a V.M. el salvarla, aunque fuese aventurándola tanto como en este viaje se hace, por ser tan largo y de tanta altura.

Sin embargo, Alejandro Farnesio le propuso otro plan, que Medina-Sidonia no aceptó: que invernase en puertos de la Hansa, lo que permitiría ganar las islas que dominaban los rebeldes de los Países Bajos y posibilitaría rehacerse a la Armada para un nuevo intento contra Inglaterra, y de ese modo abandonar un proyecto tan peligroso, como era dar aquel rodeo de las islas Británicas, navegando por el siempre alborotado mar del Norte:

> ... que pues había perdido el Canal, sin poca esperanza de volver a él, no tomase tan largo camino por el Mar del Norte armada tan maltratada, como al cierto mostraban los mejores galeones de ella perdidos [46].

Sombrío futuro, pues, con aquella rota-derrota por el mar del Norte, dando tan gran rodeo, bordeando las costas de Escocia, para regresar a España. Pero ¿acaso no era eso mejor que enfrentarse de nuevo con la armada inglesa? Ese sí que sería desastre seguro:

> ... pues habiendo faltado la munición y los mejores bajeles, y habiéndose visto lo poco que se podía fiar de los que restan y ser tan superior el Armada de la Reina en el género de pelear de ésta, por ser su fuerza la del artillería y los bajeles tan grandes navíos de vela, y la de V.M. sólo en la arcabucería y mosquetería tenía ventaja. Y no viniéndose a las manos, podía valer esto poco, como la experiencia lo ha demostrado [47].

---

[46] Cabrera de Córdoba, *op. cit.,* III, pág. 301.
[47] Medina-Sidonia a Felipe II, 21 de agosto de 1588, en Maura, *op. cit.,* pág. 263.

Ese era también el testimonio de un oficial de la Armada, mandado a Idiáquez:

> El enemigo nos aventajaba mucho en barcos mejores que los nuestros, mejor diseñados con mejor artillería, artilleros y marinos[48].

El 23 de septiembre, Medina-Sidonia entraba en el puerto de Santander con los restos de la Armada, después de terribles sufrimientos y de navegar por mares desconocidos, casi sin provisiones ni agua, dando la vuelta a las islas Británicas y a Irlanda. Cuatro días después daba cuenta a Idiáquez del desastre sufrido en términos tales que evidencian, mejor que ninguna otra prueba, la increíble imprudencia del Rey al encomendarle la empresa, y todo el disparate en que su fanatismo metió a la Monarquía. Y el Duque se lo reprocha al Rey clara y abiertamente, en la carta al secretario, que sin duda tampoco estaba sin culpa:

> Mi falta de salud se va continuando y así para ninguna cosa soy de provecho. Y en ninguna manera, cuando la tuviera muy entera y muy firme, me embarcara. Porque S.M. no se ha de servir de que yo me acabe tan sin género de provecho a su servicio, por no saber de la mar ni de la guerra. Así V.S. me tenga por olvidado en todas estas materias y le suplico, pues Nuestro Señor no se sirvió llamarme a esta vocación, no se me ponga en ella; pues ni con mi conciencia ni con mi obligación podré cumplir, como tantas veces lo tengo apuntado a V.S., a quien suplico, con las veras todas que pueda éste su servidor, que con mucha entereza me favorezca en esta pretensión con S.M. tan justa. Pues de su ánimo y clemencia espero que no querrá que se acabe quien con tantos veras ha deseado servirle y procurándolo.

¿Confiaba realmente Medina-Sidonia en que a Felipe II le quedara un átomo de sentido común o de bondad? Parece que no las tenía todas consigo, pues al secretario le hace la suprema confidencia: estaba dispuesto a desobedecer al Rey, si no le daba licencia para irse a su casa, aunque le costase la vida:

> Y en las cosas del mar, por ningún caso ni por ninguna vía trataré de ellas, aunque me costase la cabeza, pues será esto más fácil que no acabar en oficio que ni sé ni entiendo...

Y terminaba, angustiado:

> Estoy con tanta flaqueza que no puede ir ésta de mi mano, ni puedo pasar de aquí[49].

---

[48] Citado por Kamen, *op. cit.,* pág. 291.

[49] Medina-Sidonia a Idiáquez, 27 de septiembre de 1588 (Maura, *op. cit.,* págs. 265 y 266).

De ese modo acabó la disparatada empresa de Inglaterra, que Felipe II no quiso acometer en tiempos de Pedro Menéndez de Avilés, cuando las fuerzas eran superiores, o con Santa Cruz, tras la euforia de la victoria de las islas Terceras, para hacerlo a la muerte del gran marino, supliéndolo de mala manera con quien ni quería, ni sabía: con aquel pobre duque de Medina-Sidonia que se mareaba al subir a un barco.

Así que no sabe uno de qué maravillarse más, si de la resignación del vasallo o de la imprudencia del Rey y de sus consejeros, en particular del secretario Idiáquez.

Pero aún es preciso plantearse algunas otras cuestiones, como en qué medida el desastre del 88 afectó a la Europa occidental; quizá también, entrando en el terreno de los providencialistas, si fue bueno o malo tal resultado, y no me refiero tan sólo a los cortados por el patrón de la corte filipina. Se puede suponer que Isabel y sus cortesanos lo vieran como un signo divino de que se hallaban en el buen camino, y en cierto sentido tenían razón para pensar así. Las rutas del mar estaban abiertas y ésas asegurarían la grandeza de Inglaterra. Y para conseguirlo habían seguido los pasos correctos: la adecuada preparación para la guerra que se avecinaba, poniendo a un hombre como John Hawkins al frente de la reorganización de la armada y con tiempo suficiente: en 1578, cuando ya se veía venir que la incorporación de Portugal a la Corona filipina era cosa de poco tiempo y, con ello, el enfrentamiento abierto entre los dos Estados. Porque constatar un hecho no es nada, o casi nada, si no nos lleva a las oportunas reflexiones. Como europeo, o simplemente como hombre, tengo que constatar que el desastre del 88 vino a demostrar que el ingenio se impuso a la fuerza bruta, y que, desde luego, la derrota de la España inquisitorial abrió caminos espléndidos a la Europa libre y aventurera para su expansión por todo el mundo y para la creación de sociedades más justas, salvando los estrechos principios que aherrojaban a la sociedad europea. Los mismos hombres aquejados del providencialismo podían mirar en España el 88 como un castigo divino. Si Dios había vuelto las espaldas a España sería porque algo había que cambiar.

Sin embargo, todo siguió igual. A lo sumo, el Rey dio en pensar, como hemos de ver, que era culpable por el *affaire* Antonio Pérez, cuyo proceso seguía estancado.

Y eso, aunque verdad, no era entrar en el fondo de la cuestión.

Conocida es la frase atribuida al Rey de que no había mandado su Armada a luchar contra los elementos. Cierta o no, la verdad es que las furiosas tormentas del golfo de Vizcaya y del mar del Norte hicieron mucho daño a las naos españolas, en gran parte porque tales navíos no estaban preparados para navegar en aquellas aguas, ni tampoco sus marineros, en buena medida acostumbrados al Mediterráneo; pero, evidentemente, la causa principal del desastre estribó en que la *Armada Invencible* era muy inferior a la inglesa, en esos dos aspectos ya comentados: velocidad y potencia de fuego. La Armada del Rey estaba pensada para un acercamiento al enemigo que permitiese el abordaje, donde pudieran jugar los arcabuces y los mosquetes de los tercios viejos; así había ocurrido en Lepanto, con un resultado excelente.

Pero Lepanto era el pasado, el tipo de guerra naval en que se aplicaba la táctica terrestre. Y con la *Armada Invencible* nacería una nueva era de la guerra naval, la que utilizaba con toda su fuerza las naos, donde el marino era el principal y casi único protagonista.

¿Hubo culpables del desastre? No, en verdad, el duque de Medina-Sidonia, que bien había advertido al Rey que nada entendía de las cosas del mar, ni tampoco sabía bien de quién aconsejarse. Felipe II mandaría castigar a su consejero principal, Diego Flores Valdés, por cuya culpa se había perdido la capitana de don Pedro de Valdés, al no querer socorrerla, pérdida que dañó la moral de la *Armada Invencible,* aunque es muy dudoso que el hecho fuera determinante, como entendieron algunos de los protagonistas:

> ... se perdió la nave de Valdés, a vista de la Armada —se narra en un relato de un anónimo testigo de vista—, que debió ser harta lástima y no pequeño el daño, pues los enemigos crescieron de ánimo y a los del Armada de V.M^d. no se le debió de aumentar, pues luego anduvo el murmurio y voz por el Armada: ningún navío se empeñe, que pues cabeza d'escuadra no se ha socorrido, ¿a quién librarán del peligro en que se pusiere? [50]

Es muy posible que esa denuncia hecha al Rey le llevara a ordenar la prisión de Diego Flores Valdés en el castillo de Burgos. Pero está claro que el gran culpable era otro, y que no había que salir de la corte para encontrarlo. Ahora bien, curiosamente, Felipe II no asumiría ningún sentido de responsabilidad, como no había que entrar en consideraciones sobre si se había perdido prestigio:

> ... pues en lo que Dios haze y es servido, no hay que perder ni ganar reputación [51].

Pero la voz popular sí le culparía, como podría comprobarse en los curiosos sueños de Lucrecia, esa mujer de la época de Felipe II que tanto inquietó a la Inquisición, y en la que puede sentirse

> ... la voz de esos españoles para los que las aventuras militares del rey en el exterior sólo trajeron mayores impuestos y un nivel de vida más bajo al país [52].

Y algo más: una creciente desesperanza donde anidarían los Guzmanes, los Alfarache y los Quijotes.

---

[50] En Herrera Oria, *op. cit.,* pág. 169.
[51] En Kamen, *op. cit.,* pág. 291.
[52] Richard R. Kagan, *Los sueños de Lucrecia. Política y profecía en la España del siglo XVI,* Madrid, 1991, pág. 189.

12
LA ÚLTIMA DÉCADA

LA CONTRAOFENSIVA INGLESA

Animada por el rotundo éxito obtenido en el mar sobre la *Armada Invencible,* Isabel de Inglaterra apoyó una acción ofensiva contra España. No sólo era un acto de castigo; se trataba de poner al prior de Crato en el trono de Portugal, con la expectativa de obtener importantes plazas de ocupación, el libre comercio con las Indias Orientales y un tratado de alianza perpetua entre las dos coronas. Aparte de esas miras de política estatal, la empresa se proyectó como una operación económica por acciones suscrita por particulares, en la cual la Reina entraba como una de las principales accionistas, aportando una importante cantidad. Al frente de la flota iba Drake. Un cuerpo expedicionario de 20.000 soldados dirigidos en parte por veteranos de las guerras de los Países Bajos, mandado por Norreys, tenía a su cargo batir a los españoles y conseguir la conquista de Portugal para don Antonio. Era evidente que las fuerzas de tierra no estaban en consonancia con las marinas, sin duda confiando en que Portugal se alzaría contra los españoles para recobrar su independencia. Pero los resultados fueron muy otros.

La flota inglesa zarpó el 13 de abril de 1589. La primera plaza que atacó fue La Coruña, confiando en una fácil captura, con el botín consiguiente. No les fue difícil el penetrar en el puerto y realizar el desembarco, pero, cuando intentaron el asalto a la ciudad, se encontraron con una fuerte resistencia, no sólo por parte de la escasa guarnición, sino por todo el pueblo, incluidas las mujeres, entre las que destacó por su heroísmo la famosa María Pita. Después de dos semanas de encarnizados combates, los ingleses desistieron de tomar la ciudad, reembarcando para lanzarse sobre su objetivo principal: Lisboa.

Tampoco en tierra portuguesa los resultados fueron favorables a los ingleses. Realizaron el desembarco en Peniche, a unos 60 kilómetros al norte de Lisboa, pero, cuando aquellas tropas mal preparadas se acercaron a las murallas lisboetas, fueron fácilmente derrotadas. El Virrey, cardenal Alberto, demostró que en tierra la superioridad del ejército español —los temibles tercios viejos— seguía siendo aplastante. Por otra parte, los portugueses no respondieron a las esperanzas que en ellos tenía puesto el prior de Crato, don Antonio, de forma que toda la expedición constituyó un rotundo fracaso, pereciendo la mayor parte de los invasores. Para Isabel de Inglaterra supuso también un rudo golpe en su economía, por el dinero que había puesto y por los siete barcos que había mandado.

Para España vino a ser como un alivio, como una cierta recuperación de su moral de combate, tras el penoso efecto del desastre del 88.

Y hubo más. Durante cinco años, Isabel de Inglaterra mantuvo fuera de su gracia a Drake, con lo que el Imperio español logró un cierto respiro, porque sin Drake los ataques ingleses a la ruta de las Indias Occidentales eran mucho menos temibles.

En efecto, la flota inglesa enviada por la Reina en 1590 al mando de Hawkins volvió sin provecho alguno, y lo mismo le ocurrió a la capitaneada por Howard en 1591, que se situó en las Azores para sorprender a los galeones de las Indias, teniendo que retirarse ante la reorganizada escuadra española, que tres años después del 88 parecía haberse recuperado, al menos en parte, con el resultado, además, de la captura de uno de los principales galeones ingleses, el *Revenge,* que serviría como modelo para la modernización de la flota hispana.

Tantos tropiezos debieron hacer comprender a Isabel que no tenía sentido dejar fuera de juego a su mejor marino. Drake resultaba insustituible para ese tipo de intervenciones en la ruta de las Indias Occidentales. El único que podía acercársele era John Hawkins, cuya experiencia databa de más antiguo. Y así la Reina comisionó a los dos para lo que debía ser la más formidable empresa que atacase al Imperio español en el corazón de la América central. Pero les dio un mando compartido, cometiendo así el primer error.

La acción se proyectó para el verano de 1595. Precisamente en ese año una flotilla española —a la vieja usanza, por lo demás, pues llevaba alguna galera— atacó la costa de Cornualles, desvalijando algunos pequeños lugares. La operación tuvo escasa envergadura, pero la noticia alarmó a Isabel. ¿Había sido capaz Felipe II de rehacerse ya, tras el desastre sufrido siete años antes? ¿Sería aquello el anuncio de la temida invasión de los tercios viejos? Por si acaso, la Reina ordenó a Drake y a Hawkins que patrullasen toda la costa, por si aparecía el grueso de la flota española. El resultado fue que la empresa para estrangular la ruta del Imperio español no se inició hasta finales de agosto.

En efecto, fue el 28 de agosto de 1595 cuando la armada que mandaban Drake y Hawkins zarpó hacia las Indias Occidentales. Su primer objetivo fue Las Palmas de Gran Canaria, siendo ése también el primer fracaso de los expedicionarios. Además, y eso fue importante, algunos ingleses cayeron prisioneros de los españoles y por ellos se supo cuál era el objetivo de la expedición.

Por tanto, al fallar el factor sorpresa, las principales ciudades hispanas de las Indias Occidentales fueron avisadas y prepararon su defensa. Por consiguiente el ataque inglés, tanto en Puerto Rico como en Cartagena de Indias, fue rechazado. Por otra parte, ya había fallecido Hawkins, que, a sus sesenta y tres años, no resistió las penalidades de aquella travesía. También fueron derrotados los corsarios en su intento de apoderarse de Panamá, además de que, en la retirada, a la altura de Portobelo, moría asimismo Drake, el 28 de enero de 1595.

En plena derrota, la expedición inglesa, habiendo perdido ya a sus dos jefes y la mayor parte de sus buques y de sus hombres, sólo tenía un objetivo: regresar con los supervivientes a Inglaterra. A punto estuvo de impedirlo la escuadra española mandada por Bernardino de Avellaneda, que trató de cerrarle el paso al oeste de Cuba. Pero Avellaneda no era Martín de Recalde ni Pedro Menéndez de Avilés, y fracasó, de forma que Thomas de Baskerville, que era el nuevo jefe de la escuadra inglesa, logró forzar el paso y volver a Inglaterra en la primavera de 1596.

De todos aquellos últimos años de lucha, Isabel sacó en conclusión que resultaba más fácil y más provechoso un ataque directo a España. De ese modo se montó el nuevo ataque a Cádiz, en aquel mismo año de 1596. Felipe II apenas si había hecho nada por mejorar sus defensas. Es más, las dejó al cuidado de Medina-Sidonia, «con imperdonable contumacia», en frase certera de Aguado Bleye. De forma que la flota anglo-holandesa, con un cuerpo expedicionario mandado por el último favorito de la Reina, el conde de Essex, entró en la bahía a su antojo y tomó la ciudad y el castillo al primer embate, mostrando ya claramente el declive en que había caído el Imperio español.

Todas esas acciones en el sur de España, por la puerta hispana que siempre ha sido Andalucía, podían suponer también el preparativo de una invasión a la contra: el asalto a España por su secular enemigo marroquí, favorecido en este caso por la ayuda de la marina inglesa.

FELIPE II, ISABEL DE INGLATERRA Y MARRUECOS

La historia de las relaciones entre Isabel de Inglaterra y los sultanes de la dinastía Saadiana de Marruecos es punto apenas tratado hasta nuestros días. En el mejor de los casos, la investigación se limita a indicar el aspecto comercial de estas relaciones; se menciona la fundación, en el año 1585, de la Barbary Company, pero como la suerte de esta compañía comercial fue bien desgraciada, no parece pertinente a la mayor parte de los historiadores extenderse mucho sobre sus noticias.

La causa del olvido en que cayeron estas relaciones que ahora queremos estudiar puede ser debido al secreto con que se intentaron mantener. Isabel de Inglaterra no estaba interesada en aparecer, a los ojos de las demás potencias cristianas, como aliada del Xerif de Marruecos. Por eso, los cronistas de la época apenas si las mencionan; nada se refiere en la obra inglesa de William Camden (*Annales. The true and royale history of... Elizabeth, Queen of England, France and Ireland,* Londres, 1625), ni tampoco en la del musulmán Nozhet El-Hafi El-Oufrani [*Histoire de la Dynastie Saadiènne au Maroc (1511-1670)*, trad. franc. por Houdas, París, 1889], ni en las historias españolas de Cabrera de Córdoba (*Felipe II, Rey de España*, Madrid, 1601-1612). Los trabajos posteriores siguieron reflejando esta omisión. Es preciso llegar a nuestro siglo, con la importantísima publicación documental realizada por el conde de Castries (*Sources inedites pour l'Histoire de Maroc*, París, 1918), para que se descubra este nuevo aspecto del reinado de Isabel, del que se hacen eco ya algunas obras posteriores, como el breve y preciso estudio realizado por el profesor francés Ch. André Julien sobre el reinado de Ahmed El-Mansour, en su *Histoire de l'Afrique du Nord* (París, 1931), o en la monumental historia de Tenison sobre la Inglaterra isabelina (*Elizabethan England*, Londres, 1936), en la que se apunta todo el interés del aspecto marroquí[1].

Como Throckmorton preveía, Portugal se alarmó notablemente ante los repetidos viajes de los nautas ingleses a las costas de Berbería, y sobre todo cuando les vieron descender hasta las riberas donde se alzaba el castillo de San Jorge de la Mina, en el golfo de Guinea, jalonando así la ruta de Portugal hacia las Indias Orientales. Esto produjo una seria reclamación del rey portugués, por mediación primero del embajador ordinario de Felipe II en Londres[2] y después mediante la embajada especial dirigida por Manuel Daraujo (en el año 1561), proseguida por otra de João Pedro Damtas, quien llegó a Inglaterra en mayo de 1562.

João Pedro Damtas expuso, en una Memoria detallada, las razones alegadas por su rey para recabar el derecho al monopolio del comercio con el África occidental[3]. Y ante la réplica del Consejo inglés, que defendía el sagrado

---

[1] Datos interesantes proporcionan siempre los Calendar of State Papers-Foreign Office y Colonial Series. Hemos de hacer alusión al corto, pero no por ello menos interesante, estudio esbozado por Carmen Martín de la Escalera, «Marruecos en la política peninsular de Isabel de Inglaterra» (*Rev. de Estudios Políticos*, vol. XVI), en el que resalta la importancia estratégica que Marruecos tuvo para nuestra Península en el reinado de Felipe II.

[2] El 25 de noviembre de 1558 escribía el entonces conde de Feria —el primer embajador de Felipe II en la corte de la reina Isabel de Inglaterra— a su señor: «... he visto lo que V.M. me manda escrebir acerca de la nave Miñona, que fue a la Mina, y en cobrar la artillería y ropa que tomaron los deste Reyno en la nave Raposa de Portugal... Veré de hazer lo que pudiere, aunque, en verdad, no quería comenzar a tractar negocios de que éstos recibiesen desgusto, o por mejor dezir, no quisiessen hazer» (Archivo General de Simancas, Estado, leg. 811, fol. 95). Es decir, que ya el conde de Feria alcanzaba la oposición que tendría que vencer para impedir el comercio inglés con África. A las instancias posteriores de don Álvaro de la Quadra respondió el Consejo inglés con una solemne proclamación —lanzada el 11 de octubre de 1561—, en la que se declaraba el derecho de Inglaterra a mezclarse en la ruta «hacia Etiopía y tierras descubiertas por los portugueses». La reina Isabel no quería ofender al soberano portugués, pero tampoco «quitar a sus suietos la libertad que tenían de yr a procurar su provecho donde lo hallassen...» (carta de don Álvaro de la Quadra a la princesa de Parma, 6 de diciembre de 1561; Archivo General de Simancas, leg. 815, fol. 114). Las costas de la Guinea ya habían sido visitadas, en 1528, por William Hawkins, padre del famoso pirata John Hawkins (el *Aquines* de los despachos españoles contemporáneos).

[3] Public Record Office (P.R.O.), State Papers, Foreign, Elizabeth, XXXVIII, págs. 59 y 60. Esta documentación inglesa, estudiada y recogida por el conde de Castries en su *op. cit.* (*Sources inédites pour l'Histoire du Maroc*).

derecho de todos los pueblos al libre comercio de los mares, Damtas lanzó lo que era una tremenda acusación, en aquellos tiempos de luchas religiosas enconadas, afirmando que el mayor beneficio que los comerciantes ingleses obtenían al traficar con Marruecos procedía de la venta —contra las leyes divinas y humanas— de estaño y demás metales propios para la construcción de cañones, así como de gran número de armas ofensivas y defensivas; ello había traído consigo el que los infieles estuvieran, incluso, mejor armados que los propios portugueses, y que la Corona lusa hubiera perdido la plaza de Santa Cruz del Cap de Guir (Agadir), y que se viera sitiada la plaza de Mazagán por un ejército xerifiano de 120.000 hombres bien pertrechados[4].

El poco éxito de la vía diplomática condujo al camino de las represalias, quienes a su vez ocasionaron la inevitable ruptura de relaciones y la supresión total del comercio entre ambos pueblos, que cesó en 1569. Tal situación, sin embargo, era notablemente nociva, lo mismo para los intereses de Portugal que para los de Inglaterra, y pronto surgieron nuevos intentos de avenencia. En 1571 acudió a Inglaterra el caballero florentino Francesco Giraldi, comisionado por el monarca portugués; las relaciones diplomáticas que se entablaron versaron entonces, principalmente, sobre Marruecos, pues los comerciantes ingleses declararon a Cecil que preferían que continuara interrumpido su tráfico con Portugal, antes que cesar el que desarrollaban con el imperio xerifiano. Además, Inglaterra no podía admitir que la suspensión del comercio con las posesiones portuguesas afectase a Berbería, donde Portugal sólo poseía tres plazas fuertes: Ceuta, Tánger y Mazagán. Francesco Giraldi exigía, por su parte, que en el tratado se declarase como cláusula general la prohibición del comercio inglés con dichas posesiones portuguesas, sin especificar nombre alguno, asegurando que su señor no protestaría jamás contra el tráfico que los ingleses hiciesen con Marruecos. Pero esta solución no podía agradar a la reina Isabel, pues, como el comerciante inglés T. H. Wilson hizo observar a Cecil, mientras el rey luso sólo quedaba así obligado por una simple promesa verbal, Isabel de Inglaterra lo estaría por una estrecha cláusula oficialmente reconocida[5].

Ya hemos señalado la importancia que Marruecos iba a lograr con el más importante de los sultanes de la dinastía Saadiana, en los finales del siglo XVI. Una serie de sucesos, encadenados, hicieron posible cambios extraordinarios. Pues la batalla de Alcazarquivir trajo consigo la muerte de don Sebastián; la

---

[4] En la Memoria enviada por João Pedro Damtas a la reina Isabel, de la que se conserva una copia francesa, se dice: «... il [Damtas] desire que V.M. sçache maintenant les biens et profictz que la nation angloise et la françoise et aultres ont faict en Affrique et en Barbarye, depuis vingt ans en ça, pour gagner à cent pour cent en leur voyages: ce est d'aporter au Charif, contre les lois divines et humaines, si grande quantité d'armes offensives et defensives, estain et metaulx propres à la fondition de l'artillerye, lances, armes, que les sarrazins sont à present mieux armez, artillez et monitionnez que les Chretiens» (P. R. O., State Papers, Foreign, Elizabeth, XXXVIII, 113; orig.).

[5] British Museum, Harleian Mss, 6.991, f. 26; orig.

falta de heredero directo del desgraciado monarca luso preparó el problema de la sucesión a la Corona de Portugal, cuya resolución vino con su sometimiento al rey castellano; esto provocó, a su vez, la huida del pretendiente don Antonio, el prior de Crato, quien pronto fue recibido en las cortes de París y de Londres, y a quien Isabel presto dio promesas de reintegrar de nuevo en su trono. He aquí cómo la batalla de Alcazarquivir tuvo, en sus últimas consecuencias, un notable influjo sobre los destinos de Inglaterra y España. Especialmente, cuando los rumores de la creación de una escuadra fabulosa por parte de Felipe II alarmó a Isabel y ésta creyó llegado el momento de dar un mayor apoyo a don Antonio, buscando al efecto la alianza política de Ahmed El-Mansour. Mas éste iba a ser el soberano de mayor habilidad política de la dinastía Saadiana; su norma, mantenida constantemente, fue proseguir apartado de la rivalidad anglo-hispana, y limitar su cooperación a los planes de Isabel a vagas promesas verbales, a no ser —como veremos— en los últimos años de su reinado.

Ciertamente, la situación de Marruecos era excelente, como base de apoyo para una intervención en Portugal; comprendiéndolo así don Antonio, comisionó en 1588 a Gaspar de Agram para representarle en la corte del Sultán. Al enviado portugués declaró El-Mansour sus deseos de que el prior de Crato ocupase Portugal[6]. Iguales promesas hizo al agente que Isabel tenía en su corte, Henry Roberts, e incluso llegó a hablar de despachar un embajador propio para que en Londres cerrara una estrecha alianza con Isabel y con don Antonio; pero retrasó su salida, porque entonces corría ya el verano de 1588, se conocían los grandes preparativos marítimos de Isabel y de Felipe II, y las cosas habían de variar mucho, según fuese uno u otro quien venciese en el mar.

Mas en noviembre de aquel año, fecha en la cual El-Mansour tenía ya noticia del desastre de la *Armada Invencible,* Henry Roberts, el agente inglés, obtuvo su pasaporte para regresar a Inglaterra, y con él es enviado, por el Sultán, el embajador especial prometido a la reina inglesa: Merzouk-Rais.

El 2 de noviembre de 1588 embarcaban Henry Roberts y Merzouk-Rais en el puerto marroquí de Agadir. Una fuerte tormenta les puso en peligro de zozobrar, pero al fin, con el nuevo año 1589, anclaban en las costas de Cornwall, y el 12 de enero hacían su solemne entrada en la capital del Támesis.

He aquí las proposiciones que llevaba Merzouk-Rais: que su señor asistiría a Isabel con hombres, víveres y dinero en su lucha contra el enemigo común, Felipe II, y que sus puertos permanecerían abiertos a los barcos ingleses. Sugería, como plan de campaña para facilitar la invasión de Portugal, el establecer una flota inglesa en el estrecho de Gibraltar, flota que recogería los socorros marroquíes y obligaría al rey castellano a desguarnecer Portugal para defender Andalucía, dando así la ocasión deseada por don Antonio. En cuanto

---

[6] Carta de El-Mansour a Isabel de Inglaterra, Marruecos, 29 de marzo de 1588 (P. R. O., State Papers, Foreign, Royal Letters, vol. 22, núm. 16).

llegase la flota inglesa, El-Mansour se obligaba a entregar 150.000 ducados como ayuda económica[7].

A cambio de aquellos ofrecimientos, el Xerif esperaba conseguir de Inglaterra los elementos necesarios para formar su marina de guerra. El que triunfó en la audaz expedición al Sudán tenía, sin duda, grandes proyectos para aumentar su poderío, tanto por tierra como por mar. Su ayuda a las pretensiones de don Antonio venía dada, como ya había observado el cronista español contemporáneo Antonio Herrera,

> ... porque también el moro juzgaba, por razón de Estado, tener al Rey de España en diversión...[8]

Isabel, por su lado, condicionaba su ayuda al Sultán, en las cosas de la mar, a la que él prestara a la armada inglesa que se destinaba a la conquista de Portugal. Pues conviene recordar cómo, al ser destrozada la *Armada Invencible,* don Antonio creyó llegada la hora de recobrar la corona. A ese propósito presentó un memorándum al primer ministro inglés, Cecil, detallando el plan de invasión. Robert Cecil, el hijo del insigne estadista, estudió con detenimiento las posibilidades que ofrecía dicho plan, los partidarios con que podía contar don Antonio en Portugal e incluso los socorros que la armada inglesa podría recibir del sultán marroquí. Pues los ofrecimientos del embajador Merzouk-Rais hicieron forjar en Londres la opinión de que El-Mansour era un firme aliado.

A la inversa, cuando se produjo la desastrosa intervención en Portugal, Isabel culpó del desastre a El-Mansour, por no haber acudido a tiempo, conforme a sus promesas, al auxilio del ejército inglés.

No se desiste, empero, de formar una alianza política con el sultán de Marruecos. Por eso, al partir de Londres Merzouk-Rais, don Antonio hace que le acompañe Juan de Cárdenas, alias *Ciprian,* mandando Isabel al capitán Ousley. Pero cuando Cárdenas quiso conseguir una entrevista con el Xerif, se encontró ante continuas dilaciones. Aquí El-Mansour aparece tan hábil para escurrirse, sin comprometerse ni desligarse, como lo había sido Isabel con Felipe II en los primeros años de su reinado. Primeramente, Cárdenas es retenido veintiún días en Safí. Cuando logra llegar a la corte de Marruecos, ha de esperar cerca de un mes antes de hacer entrega de sus credenciales y, después, quince días más para entrevistarse con el Sultán. En esta audiencia, El-Mansour elude una clara respuesta sobre su ayuda a don Antonio, dilatándola, para finalmente concedérsela días más tarde por su jefe de renegados; con él declara

---

[7] British Museum, Lansdowne Mss., LIX, fol. 1; orig. Cf. con el interesante ensayo de C. Martín de la Escalera, «Marruecos en la política peninsular de Isabel de Inglaterra», *Rev. de Estudios Políticos,* vol. XVI.

[8] Antonio de Herrera, *Historia General del Mundo,* vol. III, pág. 166.

que enviará el dinero prometido cuando Isabel y don Antonio le anuncien el comienzo de la lucha en Portugal[9].

La verdadera causa de las dilaciones de El-Mansour hay que buscarla en su decisión de enfrentar a Isabel con Felipe II, sin meterse él mismo en la brega. Tenía la seguridad de que el rey castellano no llegaría a una ruptura, por temor a que entonces se decidiese a cooperar con don Antonio; mas, por su parte, El-Mansour conocía que en España vivían dos príncipes moros de sangre real, el hermano y el hijo del destronado El-Meslouk, y, a su vez, no osaba despertar la enemiga de Felipe II.

No pasaban desapercibidos para nuestro monarca estos manejos diplomáticos en contra suya; los conocía por sus agentes en Inglaterra, que vigilaban los pasos de don Antonio. Don Bernardino de Mendoza, nuestro hábil y experto diplomático, que por entonces estaba como embajador en Francia, hubo de lanzar la acusación en la corte parisina de que Isabel buscaba el apoyo del Turco y del xerif de Marruecos para luchar contra su señor[10].

En realidad, la conjura contra Felipe II alcanzó un grado mayor, pues se quiso hacer partícipe de ella a Enrique IV. Era la unión de todos los enemigos de Felipe II, cristianos y musulmanes: el Turco, el sultán de Marruecos, Isabel de Inglaterra, Enrique IV de Francia y don Antonio, el prior de Crato. Para ello, Isabel —bajo las incitaciones del pretendiente portugués, y llevada de su propio interés— despachó una segunda embajada a El-Mansour, dirigida por Edward Prynne, embajada que don Antonio puso en conocimiento de Enrique IV, pidiéndole al mismo tiempo su auxilio y rogándole que —al modo de Isabel— interviniese en su favor cerca del sultán marroquí[11].

Entre tanto, Edward Prynne desembarca en Safí el 12 de abril de 1590. En la capital de Marruecos salió a darle la bienvenida, en nombre del Sultán, el judío Cheik Rutty. Recibido por El-Mansour, pudo oír de sus labios las más fervientes protestas de amistad hacia su reina y señora, junto con la promesa de dar una rápida respuesta a su embajada. Mas pasó el tiempo sin que a Prynne le fuera dado conseguir una segunda entrevista; en cambio, no pudo menos de observar detalles que le hicieron sospechar de la sinceridad de las manifestaciones del Xerif. Así, por ejemplo, tres comerciantes ingleses fueron muertos

---

[9] Cárdenas a Walsingham, La Playa, 8 de octubre de 1589: «... the capten of his Renegades was appointid to acquaint me with the sayd answer, being in effect that, whensover her M. and the King of Portugal would write unto his master, that, the yeare of the date of their letters the warre should begynne agayn in Portugal, he would delyrer the somme of money promisid» (P. R. O., State Papers, Foreing, Barbary States, XII; orig.).

[10] Carta de John Wolley a Walsingham, Greenwich, 19 de diciembre de 1588 (P. R. O., State Papers, Domestic, Elizabeth, CCXIX, 33; orig.).

[11] Beauvoir-La-Nocle y De Fresne a Enrique IV, Londres, 3 de marzo de 1590: «Nous avons promis au dit roy don Antonio de faire entendre a V.M. le desir qu'il a d'etre accompagné du testmoignane de vostre amitié, pour la ferme asseurance qu'on luy a donné que, si V.M. envoyé vers le dit Roy de Maroco et luy promet de vouloyr ayder le dit Roy don Antonio, il en sera beaucoup plus hardi et affectionné à l'acquit de ses promesses» (British Museum, Egerton Papers Mss., 6, fol. 48; orig. Cf. Francis-Henry Egerton, *The life of Thomas Egerton...*, pág. 325).

por un español, sin que la justicia xerifiana decapitara al culpable[12]; otros mercaderes ingleses fueron detenidos y dos de ellos ajusticiados, sin que Prynne pudiera hacer nada en su favor. Edward Prynne llegó a pensar que sólo la entrada de Enrique IV en París, o una demostración de la amistad que unía a Isabel con el Gran Turco, podía estimular a El-Mansour, haciéndole cambiar de actitud[13].

Pues, por lo pronto, la respuesta de El-Mansour a las presiones de Isabel de Inglaterra constituye una hábil jugada diplomática:

> Vuesa carta —reza la traducción española contemporánea de la carta arábiga que despachó a la reina inglesa— con vueso embyado capytam Here[14] resebymos e la resebymos con mumcho comtemto e plazer. E emtemdimos delha lo que dyzeys por el Rey dom Amtonho: que él le dixo que nos le aprometymos de mandarle hum Embaxador de nuesa Caza Real, que se fuese de manera para que le ayegase alhá el dynero que pydyó de nos, le ayudásemos con elho prestado. Lo que em elho pasa es que nos ayamos aprometydo al Embaxador del Rey dom Antonho, el que agora está aquy en nuesa Corte[15], que su voshotros le ayudásedes para este año con todo lo que pydyere, amsy de juente como de molysyóm, estomces le mamdaryamos nueso Embajador de nuesa Caza Real, como pydyó e vos dixo[16].

Aparte de que El-Mansour no creía muy prudente enfrentarse de un modo descubierto con Felipe II, la expedición que preparaba entonces al Sudán le ataba las manos para actuar de otra manera y le ofrecía una amplia disculpa para diferir su ayuda al pretendiente portugués[17]. Su conducta hizo entrar en recelos a Isabel, quien, por consejo del propio Prynne, le escribió una enérgica carta, de la que a continuación copiamos algunos párrafos:

[12] Al llegar a Marruecos la noticia de la derrota de la *Armada Invencible,* los comerciantes ingleses, holandeses y franceses organizaron una verdadera «manifestación» por las calles de la ciudad africana. De esta guisa llegaron ante la casa del español Diego Marín, quien, herido en su amor patrio, salió al encuentro de ellos, acometiéndoles auxiliado por sus criados; se libró una verdadera batalla campal, a resultas de la cual murieron tres comerciantes ingleses. Diego Marín fue puesto en prisión por el Xerif, y encarcelado estuvo hasta el año 1600. Ciertamente, su delito no era un vulgar asesinato. (Véase la obra de fray Marcos de Guadalajara, *Prodición y destierro de los moriscos,* Pamplona, 1614, fol. 83 v.)

[13] «I ame in some hope thatt, if we have ones newes that the Kings of France ys in Paris, thatt thes Kinge will doo some good thinge» (Prynne a J. Stanhope, Marruecos, 12 de junio de 1590. P. R. O., State Papers, Foreing, Barbary State, vol. XII; orig.

[14] Inexplicable deformación del apellido inglés Prynne.

[15] Mathias Becudo.

[16] Carta de El-Mansour a Isabel, Marruecos, 23 de junio de 1590 (P. R. O., State Papers, Foreing, Royal Letters, vol. II, núm. 11; era traducción española de la carta arábiga que procede de la misma corte xerifiana).

[17] Sobre esta expedición, véase el interesante trabajo de Emilio García Gómez, «Españoles en el Sudán», *Revista de Occidente,* 1935, vol. L, págs. 93-117; reimpr. después por la *Rev. de Est. Pol.* bajo el título «Cuando los españoles conquistaron el Sudán», 1943, V, donde se cita la bibliografía más importante sobre el tema.

... desque os uvimos el año passado rogado, por cartas y otros recaudos, diéssedes socorro al Rey don Antonio, para cobrar su estado de Portugal, qual prometisteis de cumplir por cartas y por dicho del qu'embiastes por Embaxador[18], de manera qu'el dicho Rey don Antonio os embió a su hijo don Christobal, por peño de que cumpliría los conciertos que con vos uviese asentado, aviendo Nos (con la opinión que teníamos de que, conforme a vuestras promesas, emiaríades socorro de gente y de dinero a Portugal) hecho, por lo que a Nos tocava, un armada de muchos navíos y embiado en ella, para la dicha empressa de Portugal, un exército que juntamos con mucha costa, sucedió que no acudísteis a tiempo con el dicho socorro que de vos s'esperava, por donde se vino a perder la ocasión y comodidad que se offrescía de poner el dicho Rey en su estado...

Le acusa luego de ayudar más a los españoles que a los ingleses, y añade:

Pero también, por otra parte, sino quiserdes conceder lo que con tanta razón os pedimos, allende que Nos tendremos occasión de hazer otro tanto menos caso de vuestr'amistad, sabemos también de cierto qu'el Gran Turco, el qual usa de mucho favor y humanidad con nuestros vassallos, no tendrá por bien que los maltrateys, por dar contento a los españoles[19].

Con esta velada amenaza de enemistarle con el Gran Turco[20], se hacía eco Isabel de lo que era opinión general en España: que posponía los intereses universales de la Cristiandad a los suyos propios. Cumpliendo con esta norma de conducta, envía una carta en latín a Constantinopla, en septiembre de 1590, con un mensajero del prior de Crato, Francisco Caldeira de Brito; en dicha carta pedía Isabel al Gran Turco que presionase sobre El-Mansour para que auxiliara a don Antonio, haciéndole ver el peligro que suponía para todos los reyes la ambición de Felipe II, quien pretendía alcanzar la monarquía universal[21]. Pero, aunque Amurath III cumple, en parte, lo pedido por Isabel, la Liga general contra el monarca castellano no acaba de concertarse por entonces. Y ello porque El-Mansour temía mucho más las ambiciones del señor de Constantinopla que las del fundador de El Escorial.

---

[18] Merzouk-Rais.

[19] P. R. O., State Papers, Foreing, Royal Letters, vol. II, núm. 18; minuta. Obsérvese cómo el español se había convertido en la lengua de los diplomáticos, incluso de las naciones hostiles a España.

[20] Ya anteriormente El-Mansour se había visto en peligro de una lucha con Amurath III, incitado éste por las ambiciones del beglerbey de Argel, Euldj-Alí, el cual consideraba, de este modo, posible extender su dominio hasta Berbería. Una acertada embajada, enviada a tiempo, logró desviar el peligro por El-Mansour.

[21] Carta de Isabel al Turco, Londres, 24 de agosto de 1590: «... Regis Hispani potentiam, qui, cum plura regna, quam regere rite queat, possideat aliorum tamen ita ambitiose armis invadit, ut orbis universi imperium affectare videatur» (British Museum, Cotton Mss., Nero B. VIII, fol. 60; orig.).

LA INTERVENCIÓN EN FRANCIA

En Francia, las guerras civiles religiosas parecían no tener fin. Católicos y hugonotes se perseguían con saña, sin dar lugar a que un espíritu de tolerancia —como el representado por L'Hôpital— pudiese imponerse. Destacaba entre los católicos la familia de los Guisa, mientras que el almirante Coligny sobresalía en el bando hugonote. Trágica fue la noche de San Bartolomé en París, el 24 de agosto de 1572, con una sublevación de las masas católicas y matanza de los calvinistas, imitada en otros lugares de Francia. En 1574 subía al trono, tras la muerte de Carlos IX, el duque de Anjou, luego Enrique III. Pero, como carecía de descendencia, se perfilaba como nuevo rey de Francia Enrique de Navarra —Enrique de Borbón—, de clara vinculación protestante. Eso produjo la creación de una fuerte Liga católica en Francia, para impedir que en el trono de san Luis se instalase un hereje.

Y aquí entraría en juego la política española en los últimos años de Felipe II.

Ya desde 1585, año en que se constituye la Liga [22], Felipe II decide apoyarla con todas sus fuerzas, empezando por un respaldo económico que estaba muy por encima de las posibilidades hispanas: medio millón de ducados anuales. Y eso no era todo, pues los principales personajes de la Liga eran también pensionados por el Rey.

Lo cual quiere decir que el monto anual de la ayuda de Felipe II a la Liga, a partir de 1585, venía a doblar los servicios votados por las Cortes castellanas, que ascendían a 400.000 ducados. Eso da idea del enorme esfuerzo del Rey, hecho a costa del sufrido pechero castellano. Como veremos, eso acabaría por provocar la reacción de un sector, enmarcado claramente en una oposición a la política religiosa del Rey; política que sería imposible de mantener si no fuera por las fuertes remesas de plata procedentes de las Indias, que en ese período tuvieron un notorio aumento, como puede verse comparando los totales de la primera mitad del reinado con los de la segunda (en números redondos):

1561-1580		1581-1600	
1561-65	11.200.000	**1581-85**	29.375.000
1565-70	14.150.000	**1586-90**	23.830.000
1571-75	11.900.000	**1591-95**	35.185.000
1576-80	17.250.000	**1596-1600**	34.430.000
Totales	**54.500.000**		**122.820.000**

---

[22] En realidad, firmada el 31 de diciembre de 1584.

De forma que si la media anual de los primeros veinte años del reinado estaba en torno a los dos millones y medio de ducados, la de la segunda mitad pasaba de los seis millones. Cierto que las remesas meramente regias eran bastante inferiores, pero también con un aumento similar:

REMESAS REGIAS DE INDIAS [23]
(en ducados)

1561-1580	1581-1600
15.500.000	36.500.000

Por lo tanto, a partir de 1581 el tesoro del Rey fue recibiendo esas importantes inyecciones en torno a 1.800.000 ducados anuales.

No cabe duda de que fue América la que financió la política religiosa del Rey.

Ahora bien, esa política no era sino una parte de la que Felipe II tenía en la Europa occidental. Apoyando a la Liga, incluso en el enfrentamiento que el duque de Guisa tuvo en París con las fuerzas reales en la primavera de 1588, Felipe II conseguiría maniatar a Enrique III e imposibilitarle de cualquier maniobra en pro de Isabel de Inglaterra, cuando ya la *Armada Invencible* se aprestaba en Lisboa. Todo bien reflejado en un despacho del embajador español en París, Bernardino de Mendoza, que el 25 de mayo de 1588 escribía al Rey:

> Quedan las cosas tan rotas [en Francia] que se podrán mal acomodar, y el Rey imposibilitado para asistir a la de Inglaterra en ninguna manera [24].

Pero si la división interna de Francia ayudó a los preparativos de la *Armada Invencible,* el fracaso de ésta no podía menos de repercutir en el país galo. En efecto, al conocer el desastre español, Enrique III consideró que podía dar un golpe de fuerza contra la Liga, convocando a su caudillo, el duque de Guisa, a palacio, donde su guardia le daría muerte el 23 de diciembre de 1588. Pero no consiguió su propósito; antes al contrario, la guerra civil se encendió con más furia y él mismo sería víctima de otro magnicida.

En este caso, el regicidio cometido por un joven dominico, Jacobo Clemente, que, logrando acercarse a Enrique III, lo asesinó asestándole una puñalada en el vientre, el 1 de agosto de 1589.

---

[23] Hamilton, *El tesoro americano, la revolución de los precios en Europa, 1501-1650,* Barcelona, 1975, pág. 47.

[24] Aurelio Viñas, «El último Valois y Felipe II» *(Bol. Bl. Menéndez Pelayo,* 1926, VIII, págs. 320-332; 1927, IX, págs. 39-46).

Como dos años antes con la muerte de María Estuardo, también ahora la de Enrique III abría nuevas perspectivas —aunque engañosas— a Felipe II. Dado que el heredero del trono era un calvinista, Enrique de Borbón —futuro Enrique IV—, Felipe II planeó que su hija la infanta Clara Eugenia fuera proclamada reina de Francia, como nieta de Enrique II, y ordenó a Alejandro Farnesio que dejara los Países Bajos y apoyara con sus tropas en París la candidatura de su hija.

Algo bien apreciado por los propios protagonistas de los tercios viejos, como aquel Carlos Coloma que, en 1588, está luchando en Flandes a las órdenes de Alejandro Farnesio y que, en su relato sobre *Las guerras de los Estados Baxos desde el año 1588 hasta el de 1599,* nos dirá que, cuando más acorralados parecían estar los rebeldes, vino a salvarles el verse obligado Farnesio a librar aquellas otras campañas que le había ordenado el Rey.

Y Coloma comenta:

> Y creese que vieran bien presto su ruina si no se dividieran las fuerzas españolas a otras empresas, yendo a buscar enemigos fuera de casa, cuando se tenían más fuertes y más pertinaces dentro della...

Y con los amargos días vividos, añade:

> Consejo tan dañoso como lo ha mostrado la experiencia...

Y no queda ahí, que todavía vuelca este duro reproche contra el Rey:

> ... [consejo tan dañoso] indigno de que lo tome ningún príncipe prudente, por poderoso que sea...[25]

Por lo tanto para aquel soldado, Carlos Coloma, Felipe II estaba lejos de ser el Rey Prudente con que lo titulaban las crónicas, y así lo declara.

De esa forma, otra vez volvió a cegarse Felipe II. Es cierto que en el caso francés no se chocaba con las dificultades insalvables de llevar allí a los tercios viejos mandados por Farnesio, como había sido el caso de Inglaterra; pero pensar que se podía conseguir que Francia aceptase una princesa española era una quimera, y no sólo porque había que cambiar la ley sucesoria, la famosa ley Sálica, que excluía a las hembras del trono, sino porque eso hubiera sido reconocer la supremacía hispana. ¿Y dónde quedaría la *grandeur* de la Francia?

Los acontecimientos de Francia invitaban a la intervención de España. París estaba en poder de la Liga, Carlos X —el viejo cardenal— había muerto y Enrique de Borbón avanzaba sobre la capital como el nuevo rey, venciendo a su paso al ejército de la Liga en Ivry. París resistía, reforzada con pequeños contingentes mandados por Alejandro Farnesio y alentados los parisienses

---

[25] Carlos Coloma, *Las guerras de los Estados Baxos...,* Madrid, ed. 1948, BAE, pág. 5.

por el legado pontificio, Gaetano, y por el nuevo embajador español, aquel Bernardino de Mendoza que había sido expulsado de Londres por Isabel de Inglaterra. Aun así, parecía inminente su caída en poder de Enrique IV.

Y Felipe II tomó una determinación: ordenar a Alejandro Farnesio que liberase París, aunque, por supuesto, con la pretensión de que su hija fuese la nueva reina de Francia.

En las instrucciones de Felipe II se indicaba a sus agentes en Francia que debían hacer comprender a la Liga la conveniencia de presentar un rey que oponer a Enrique IV.

Se añadía en las instrucciones filipinas:

> De aquí se podrá pasar a insinuarles diestramente los derechos de la Señora Infanta Clara Eugenia...

Se argumentaría, claro, que la ley Sálica no era más que una invención carente de fundamento, aunque todo debiera llevarse con mucho tacto:

> ... váyase en todo esto con el tiento que conviene, para no enconar la materia, sino descubrir tierra y ánimos.

Un plan que tenía que apoyarse en la fuerza y con urgencia, pues estaba claro que si Enrique IV entraba en París ya sería imposible derrocarle. De ahí que Felipe II ordenase a Farnesio que liberase la capital de Francia.

De forma que Alejandro Farnesio, que ya se había repuesto del quebranto que para él había supuesto el proyecto de invasión de Inglaterra, tenía que dejar otra vez los Países Bajos, con riesgo de perderlo todo, para combatir por algo tan problemático como el desplazar a Enrique IV del trono francés. Y Alejandro Farnesio, orgulloso de su obra, se lo hizo ver al Rey, consiguiendo en principio una demora, aunque no por mucho tiempo. A mediados de julio de 1590, Farnesio recibía la orden terminante de acudir a la liberación de París.

Y con un arranque, que venía a probar cuán había perdido sus dotes de gobernante, añadía el Rey:

> ... y si se pierde entre tanto Flandes, mío es[26].

Alejandro Farnesio cumplió la orden del Rey. Entró en Francia con lo mejor de sus tropas y, aunque no era superior en contingentes a los que tenía Enrique IV, le obligó a levantar el cerco de París, tomó para la Liga las plazas de Lagny y Corbeil y regresó victorioso a Bruselas a principios de diciembre de aquel mismo año (1590).

Aún tuvo que acudir otra vez Alejandro Farnesio a Francia, en la campaña de 1592, liberando Rouen, asediada por Enrique IV, tomando Caudebec y entrando por segunda vez en París; pero a su regreso a Flandes enfermó de muerte, falleciendo en Arras el 3 de diciembre de 1592.

---

[26] Citado por Fernández y Fernández de Retana, *La España de Felipe II, op. cit.,* II, pág. 501.

Estaba claro que, con aquella pérdida, también se acababan las posibilidades —si es que alguna vez las hubo— de que Isabel Clara Eugenia fuera reina de Francia.

Poco pudo hacer el embajador español, Bernardino de Mendoza, en su exhortación a los Estados Generales reunidos en París. Antes al contrario, el Parlamento de París proclamaría por unanimidad la vigencia de la ley Sálica, excluyendo así terminantemente a la Infanta española.

A poco, Enrique IV abjuraba de su pasado calvinista y podía entrar en París, convertida ya para siempre en la capital del nuevo rey Borbón.

Era aquello que se haría tan famoso de que París bien valía una misa.

EL PROCESO DE ANTONIO PÉREZ
Y LAS ALTERACIONES DE ARAGÓN [27]

El proceso de Antonio Pérez enturbia, con sus graves consecuencias, los últimos años del reinado de Felipe II, por las evidentes implicaciones que salpican al monarca.

No se trata sólo de las traiciones del secretario del Rey, aprovechándose

---

[27] En cuanto a la validez de la documentación que poseemos sobre el proceso de Antonio Pérez, tanto en los Mss. de La Haya como en la inserta por el secretario en sus *Relaciones,* últimamente rechazada por algunos autores, como Kamen, reverdeciendo los argumentos de antiguos panegiristas del Rey (como J. Fernández Montaña, con sus estudios *Nueva luz y juicio verdadero sobre Felipe II,* Madrid, 1882, y *De cómo Felipe II no mandó matar a Escobedo,* Madrid, 1910), basándose sobre todo en que se trata de copias y no de documentación original; y, en el caso de Antonio Pérez y de sus *Relaciones,* de ser parte interesada, que trata siempre de culpar al Rey para su propia exculpación, bastaría repetir la argumentación del que sigue siendo quien más a fondo ha estudiado esa cuestión: Gregorio Marañón. Pues resulta evidente que las copias no son, por ese único hecho, desechables, sino que obligan a un detenido análisis interno y a la confrontación con otra documentación, para admitirlas o desecharlas parcial o totalmente. Y lo mismo cabe decir de las *Relaciones* de Antonio Pérez, que hay que examinar con el máximo cuidado, pero que tampoco se pueden desechar. De hecho, sabemos que Antonio Pérez tenía en su poder valiosísima documentación. ¿Acaso no fue uno de los objetivos del Rey el conseguir que la entregara, siendo precisamente eso uno de los motivos por los que se prolongó tanto el proceso del secretario? Y siendo así, ¿cómo nos podemos asombrar de que Antonio Pérez la acabase publicando? Claro que trataría en ocasiones de manipular su contenido y que averiguarlo es el no pequeño reto con el que se ha de enfrentar el historiador. Pero ¿es que no es ese su oficio?

Aparte de eso, no hay que olvidar que contamos además con la pieza capital: con una copia, de principios del siglo XVII, de la *Causa criminal* incoada por Rodrigo Vázquez de Arce contra Antonio Pérez, por orden de Felipe II, donde se insertan piezas tan reveladoras como las cartas del confesor regio, fray Diego de Chaves, al secretario, y, sobre todo, el billete de Felipe II sobre su conocimiento de la muerte de Escobedo mandada por Antonio Pérez. Y como señala Marañón, que es quien la publica en su estudio sobre el secretario, esta copia de 1608 «es de autenticidad inequívoca, por la enorme cantidad de datos absolutamente coincidentes con cuanto conocemos de aquellos sucesos y con todos los otros documentos seguros de la época» (Marañón, *Antonio Pérez, op. cit.,* pág. 988). La *Causa criminal* ocupa 181 páginas en la obra de Marañón, y su lectura, farragosa como toda la prosa procesal, no puede ser más reveladora para esclarecer aquel turbio suceso, dejando patente la responsabilidad regia *(ibídem,* págs. 989-1169).

de su puesto privilegiado. Hubo algo más, y más grave: que las rivalidades entre Antonio Pérez y Juan Escobedo, aquél secretario del Rey y éste de don Juan de Austria, con peligro de que Escobedo descubriera los delitos de Antonio Pérez, habían llevado a éste a eliminar a su antiguo amigo, convertido en peligroso delator. Y para obrar más sobre seguro, Antonio Pérez consiguió nada menos que el apoyo del Rey, convirtiéndolo así en su cómplice. De todo ello poseemos hoy pruebas irrecusables.

Por lo tanto, Antonio Pérez, un asesino, y Felipe II, cómplice de aquel asesinato. ¿Cómo pudo llegarse a tal extremo?

Es evidente que Felipe II llegó al convencimiento de que la supresión violenta de Escobedo venía obligada por razón de Estado, y que él, como rey, tenía la facultad, para evitar males mayores, de dictar esa sentencia sin proceso ni defensa del encausado, dejando a asesinos a sueldo que la ejecutaran.

Esa tesis —en definitiva, la aplicación de un estricto absolutismo, dejando al Rey la facultad de condenar a muerte a sus súbditos, sin más límites que su conciencia y sin más responsabilidad que ante Dios y la historia— era compartida por un sector de la corte, y acaso de la sociedad, pero no por todos. Ciertamente, tal pensaba el confesor del Rey, fray Diego de Chaves, que en carta al secretario, escrita en el otoño de 1589, lo dejaba bien claro:

> ... y para esto le advierto —le decía—, según lo que yo entiendo de las leyes, que el Príncipe seglar, que tiene poder sobre la vida de sus súbditos y vasallos, como se la puede quitar por justa causa y por juizio formado, lo puede hazer sin él, teniendo testigos; pues la orden en lo demás y tela de los juyzios es nada para sus leyes, las quales él mismo puede dispensar...[28]

Ahora bien, el mismo confesor ponía algún reparo a esa doctrina, pues añadía a continuación:

> Y quando él [el Príncipe] tenga alguna culpa en proceder sin orden, no la tiene un vasallo que por su mandado matasse a otro...[29]

Ya hemos visto hasta qué punto la escuela de Salamanca, y concretamente fray Luis de León, negaba ese derecho absoluto del Príncipe, marcando el pecado mayor de que quien más ejemplo debía dar fuera el que vulnerase la ley, por el mayor pecado del escándalo que todo ello llevaba implícito.

Con lo cual, una cosa puede afirmarse: el procedimiento del Rey no cabe justificarlo como algo propio de la época. De entonces también era fray Luis, y su curso *De Legibus* lo dictó en el viejo Estudio salmantino en 1571.

---

[28] Antonio Pérez, *Relaciones,* ed. cit., París, 1598, págs. 65 y 66. También aparece en los papeles de La Haya y, sobre todo, en la *Causa criminal* tan apuradamente estudiada por Marañón, de forma que no cabe dudar de su autenticidad (cf. Marañón, *Antonio Pérez, op. cit.,* pág. 356, nota 1).

[29] *Ibídem.*

Aún hay algo que añadir, que comentar y que preguntarse: ¿cómo pudo Felipe II dar tanto poder y entregar su confianza a un hombre de tan pobres prendas morales como Antonio Pérez? Porque esa sí que fue su responsabilidad directa. Y de la venalidad, de la extrema corrupción de aquel personaje, no existe duda alguna de que el Rey estaba informado. Era *vox populi,* algo comentado en toda la corte. Su fastuoso tren de vida hubiera hecho entrar en sospecha a cualquiera.

Entre los cargos que se le hicieron en el proceso, se dice textualmente:

> Que teniendo poca hacienda al tiempo que comenzó a ejercer su oficio de secretario, después acá que lo ha tenido y ejercido, a causa de las muchas dádivas y presentes que ha recibido, se ha podido tratar y se ha tratado espléndida y costosamente, en su casa y fuera de ella, teniendo muchos criados y caballos, acémila y coches, jugando cuantiosa y constantemente mucho dinero, gastando ordinariamente en cada año, según la común estimación, ocho y diez mil ducados[30]; y con esto está muy rico y tiene mucha hacienda en casas, juros, alhajas, joyas y preseas y ha podido emplear y ha empleado en censos más de 50.000 ducados, haciendo los contratos y poniendo los dichos censos para más disimulación en cabeza de tercera persona, en todo lo cual ha dado mucha nota, escándalo y murmuración al pueblo, en gran deservicio de S.M^d. y poca reputación de sus ministros...[31]

Ahora bien, eso en 1578 —el año del asesinato de Escobedo— no era cosa de ayer. Antonio Pérez había ingresado en el servicio del Rey en la década de los sesenta, tras un buen aprendizaje con su padre, Gonzalo Pérez, que moría en 1566, quedando vacante la Secretaría de Estado, entonces escindida en dos: la del Norte y la de Italia, a la que quedó vinculado Antonio Pérez en 1567, tomando posesión de su cargo en 1568. Tenía entonces veintisiete años y ya había llegado a la cumbre de la burocracia filipina. Quizá eso le ofuscó, ensoberbeciéndole en demasía. Pero lo que quiero indicar es que, cuando trama en 1578 aquella inicua muerte de Escobedo, llevaba ya más de diez años al servicio de Felipe II, en la forma que se ha descrito: escandalizando con su corrupción al pueblo y sin que Felipe II se inmutara por ello.

Cuando don Juan de Austria es enviado por Felipe II como gobernador a los Países Bajos, es conocida su ambición. Evidentemente, hubiera deseado tener el apoyo suficiente del Rey para liberar a María Estuardo y convertirse en el rey de las islas. Incluso pensó en la boda con la propia Isabel de Inglaterra, entrando don Juan en el juego de un enviado de la Reina, de lo que informaría a Felipe II:

> Y acabamos esta plática, él con alabarla [a Isabel] y yo con pedirla su retrato y diciendo que si las cosas de aquí tomasen asiento, como esperaba, iría privadamente a besarla la mano.

---

[30] Alrededor de los 250 millones de pesetas de 1998.
[31] Citado por Marañón, *Antonio Pérez,* Madrid, 1951, II, pág. 357.

A lo que Felipe II, alarmado, anotaría al margen: «Mucho decir fue esto»[32]. Pero ¿hubo algo más? ¿Tramó don Juan zafarse de la tutela de su hermanastro, el Rey? Si hemos de creer a Marañón, autor de un apasionante estudio, no hubo nunca traición en don Juan, pero sí amargura por verse abandonado en los Países Bajos, sin hombres y sin recursos.

Pero Felipe II dudó de su hermano, y en esas dudas entraron al 50 por 100 su carácter receloso y las insinuaciones que le deslizaba Antonio Pérez. El resultado fue que el Rey entró en un ignominioso juego por el que animaba a su secretario a escribir despachos a Flandes dejando malparado al Rey, para tratar así de provocar confidencias que pusieran al descubierto los tratos secretos que se le suponían a don Juan.

De eso es de lo que tenemos pruebas verdaderamente insólitas, que ponen al desnudo el tortuoso personaje en que se estaba convirtiendo el Rey, probablemente desde que había sufrido el *annus horribilis* de 1568, esto es, desde que se vio traicionado por su hijo don Carlos. Aquella rebelión dejó marcado a Felipe II. Si no había podido confiar en su mismo hijo, ¿en quién podría hacerlo?

Pero veamos esas pruebas.

En una ocasión, Antonio Pérez escribía a Flandes sobre el Rey: «Es un hombre terrible.»

Ahora bien, no lo haría a espaldas del Rey, sino con su pleno conocimiento, pues, sorprendentemente, Felipe II supervisaba aquella correspondencia, la comentaba, aprobándola o imponiendo matices. En aquella ocasión, tal modo de aparecer como persona de susto le pareció perfecto, anotando al margen, pues se trataba de una minuta:

> Este capítulo va muy bien así y lo que decís en él, también[33].

Empero, en ocasiones, las supuestas ofensas del secretario le parecían pequeñas, para provocar a don Juan a que entrase en el juego de sus agravios sobre el Rey. Y así pide un envite mayor para aquella afrentosa apuesta, e insiste al secretario:

> Decid más.

¿Por qué? El propio Rey nos lo dirá:

> Para ver el ánimo de la respuesta[34].

He aquí —y sobre ello volveremos— uno de los aspectos que más diferencian a Felipe II de su padre, el Emperador. Carlos V, el rey-soldado, tenía otro planteamiento de su conducta, aquello de ser fiel a la palabra dada, lo del

---

[32] Citado por Marañón, *op. cit.,* pág. 243.

[33] En Marañón, *op. cit., Obras completas,* VII, pág. 257.

[34] *Ibídem;* cits. en la ed. de las *Relaciones y cartas de Antonio Pérez,* por Alfredo Alvar, Madrid, Turner, 1986, I, Introducción, pág. 17.

concepto de la lealtad, del sentido caballeresco de la existencia, como admirador que era de los libros de caballerías.

No era ese el caso, evidentemente, de Felipe II. Le encantaban los procedimientos tortuosos, como cuando obligó a Granvela a pedir su retiro, en realidad decidido por él; o cuando manda a don Juan a Flandes, sin recursos —algo que le señaló el duque de Alba—, dando pie a que se murmurase que lo hacía así para que se estrellara. Y le complacía, porque él se fue haciendo, con los años y con los desengaños, más y más desconfiado, más y más tortuoso.

Era tortuoso, pero también implacable. Diríase que, desde la prisión de su hijo Carlos, ya nada le espantó y nada hizo temblar su mano. A partir de 1568, las muertes de los que le hacían frente, y muertes violentas, se van sucediendo. Dejando aparte el caso de don Carlos —en todo caso, muerto en prisión—, van sucediéndose las de los condes de Egmont y de Horn, del barón de Montigny —éste en Simancas, a garrote, y claro, sin que pudiera defenderse en su proceso—, Orange, Lanuza, duque de Villahermosa y conde de Aranda. También, no lo olvidemos, la de Escobedo. Y aun, lo que resulta más grave, la de una pobre morisca a la que veremos que la justicia achaca un intento de envenenamiento de Escobedo y la condena a muerte —sentencia que se cumpliría—, sin que el Rey, enterado como estaba de todo el terrible asunto, hiciera nada por salvarla. Él, mejor que nadie, sabía que era inocente. Pero siendo presa de su propio tenebroso sistema, tuvo que callar, por lo mismo que oyó complacido que Escobedo había muerto, aunque hubiera sido a manos de unos matones y no procesado por la justicia[35].

Porque, según su entender, lo más importante era el secreto y que él, como Rey, pudiera mantenerse al margen.

Con este preámbulo, veamos cómo se desarrollan los hechos: la conjura mortal contra Escobedo, las reclamaciones de los familiares, el largo proceso de Antonio Pérez, con sus asombrosos vaivenes, que tan pronto le ponían en libertad como le volvían a hundir en la prisión; la incidencia en todo ello de la *Armada Invencible,* la fuga del secretario, su refugio en el reino de Aragón, las habilidades del Rey para sacarlo de la protección de aforado, haciendo intervenir a la Inquisición; el motín popular de Zaragoza, la postrera fuga de Antonio Pérez a Francia, el envío de fuerzas de Felipe II al reino de Aragón y las sangrientas represalias tomadas por el Rey cuando somete a la ciudad rebelde.

Sin duda, estamos ante uno de los puntos más reveladores de la transformación que se iba produciendo en el carácter de Felipe II. El *affaire* Antonio Pérez nos retrotrae al de Escobedo, que por su conexión con don Juan de Austria nos lleva también a las extrañas relaciones del Rey con su hermanastro.

---

[35] Felipe II hubiera preferido —según Marañón— otro sistema, como el del veneno, y no hay pruebas de que aprobara lo ordenado por Antonio Pérez, «pero esta conclusión no excluye el que hubiera aceptado, en principio, la conveniencia de matar a Escobedo sin proceso...» (Marañón, *op. cit.,* pág. 371).

Antonio Pérez y Juan de Escobedo se habían formado en el círculo buro-crático de Gonzalo Pérez y, por tanto, en el partido del príncipe de Éboli. Ambos mostraron pronto su habilidad para los negocios; más sagaz Antonio Pérez, más brusco Juan de Escobedo, al que por ello le sacarían pronto el apodo de *Verdinegro,* con el sentido de la época del que tenía un carácter de-sapacible. A Antonio Pérez, por supuesto, como hijo o ahijado de Gonzalo Pérez —que era el único secretario de Estado a principios del reinado de Fe-lipe II—, o incluso como hijo ilegítimo de Ruy Gómez de Silva, que era el ru-mor que corría por la corte, le tocó la mejor parte del pastel, a la muerte de Gonzalo Pérez, convirtiéndose en el más importante secretario de Estado.

Para tal fin le había preparado con todo esmero Gonzalo Pérez, envián-dole a las mejores Universidades europeas: Alcalá y Salamanca en España, Lo-vaina en los Países Bajos, y Venecia y Padua en Italia; pero después, metién-dole de lleno en los secretos de la burocracia filipina, y tanto como nos muestra aquella confidencia de Gonzalo Pérez al cardenal Granvela, queján-dose del duque de Alba:

> Téngole prevenido un sobrino [fórmula de los clérigos para refe-rirse a los hijos] que sabrá vengarme de todos los lazos que me arma; criélo con sumo cuidado y le voy instruyendo poco a poco en el ma-nejo de los negocios. Es mozo de grande ingenio y espero que saldrá excelente en este arte.

Y a fe que Gonzalo Pérez tuvo buen ojo, pero es de advertir que su ense-ñanza era de todo, menos del sentido ético de la existencia. Criaba un político sin escrúpulos que le vengase, y así salió él.

A la muerte de Gonzalo Pérez, la Secretaría de Estado se dividió en dos, ocupando Antonio Pérez la de Italia y la del Norte Gabriel Zayas. Escobedo, por tanto, quedaba desplazado. Pero obtuvo cierta compensación, al conse-guir —y por medio de Antonio Pérez— el puesto de secretario de don Juan de Austria.

Ahora bien, tal puesto se le ofrecía como persona de confianza del clan de Éboli y con una misión concreta: actuar de espía, de forma que el Rey estu-viera bien informado del comportamiento y de los proyectos de don Juan de Austria. Lo cual ya nos alumbra sobre los tejemanejes de la corte y sobre los recelos regios respecto a su hermanastro. Por lo tanto, en principio Escobedo asumió el papel de ser un confidente, introducido en el círculo más íntimo de don Juan de Austria. Pero a su vez, y esto es lo que complica más la situación, Antonio Pérez hacía creer a don Juan que él era el que tenía en la corte ese papel de confidente a su favor, que le apoyaba en sus peticiones al Rey, e in-cluso un espía de lo que pudiera tramarse en su contra; esto es, Antonio Pérez entró en el juego que más le apasionaba: el de convertirse en un espía doble, engañando a las dos partes. Un juego enormemente peligroso, pero que satis-facía a su tortuosísimo carácter y con la seguridad que le daba el ser mucho más inteligente que el Rey Prudente y que su atolondrado hermano, que no pasaba de ser un buen soldado, con las ambiciones propias del que se sabía hijo de Carlos V.

Ocurrió que Escobedo, cuando don Juan pasó a gobernador de los Países Bajos, se convirtió en un verdadero secretario de su amo, con la particularidad de que hizo suyas sus ambiciones: o que se le apoyara desde España para tener un papel de primer orden en aquella Europa del Norte —se entiende, la posible invasión de Inglaterra, liberación de María Estuardo y boda con la Reina escocesa, con todo lo que eso suponía—, o que se le llamase a la corte para tener en España el protagonismo que le correspondía, incluso en la escala sucesoria al trono. De ese modo, de espía en la corte de Bruselas pasó a ser el mayor espoleador de los sueños de don Juan, lo que le llevó a presentarse en Madrid en 1577 —comisionado, por supuesto, por don Juan de Austria, aunque posiblemente a petición propia— para presionar al Rey y conseguir lo que ya un año antes había planteado: el apoyo para su intervención en Inglaterra, liberando a María Estuardo, y el ascenso en la corte con el título de Infante, lo que le daría ya acceso al derecho de sucesión al trono en el grado correspondiente. Y eso tenía sentido, desde el punto y hora que se le había reconocido oficialmente como hijo del Emperador. Pero a tanto no iba a llegar jamás la generosidad de Felipe II.

En junio de 1577 volvía por segunda vez Escobedo a la corte para pedir el apoyo del Rey. Para entonces, Felipe II, de carácter irresoluto, estaba enteramente bajo la influencia de Antonio Pérez, especialmente hábil para hacerle aceptar como propias las sugerencias que le iba presentando.

Y eso pronto se puso de manifiesto cuando Escobedo llegó a la corte. Sin duda, Antonio Pérez se vio ayudado por las intemperancias de Escobedo. De entrada, Escobedo le escribió al Rey una carta poco menos que exigiéndole que llamase a la corte a don Juan:

> ... y servir allí a V.M., que éste, y no gobiernos, es su lugar...

No contentándose con darle una lección, cosa harto fuerte para el Rey, Escobedo se atrevió a más, nada menos que a recordar al Rey que don Juan era hijo del Emperador:

> ... entretanto que V.M. no le da estado, como a hijo de su padre y hermano de V.M...

Aquello parecía exigencia, más que súplica, y por si cupiera alguna duda, Escobedo añadía este gesto de altivez:

> Y sepa V.M. que me huelgo de verle con tan honrados pensamientos[36].

---

[36] Citado por Marañón, *Antonio Pérez, op. cit.,* pág. 228. También en Marañón la confidencia de Gonzalo Pérez a Granvela, I, pág. 20.

Es entonces cuando entra en acción Antonio Pérez, con su juego de doble espionaje y con sus billetes a Escobedo, en que ponía malparado al Rey, no ya con conocimiento del propio monarca, sino instigado por Felipe II, o, al menos, de forma que el Rey lo aceptó con gusto. Ejemplo de ello, la carta que Antonio Pérez escribió a Escobedo tachando a Felipe II de «hombre terrible», cuyo borrador fue aprobado por el Rey:

> ... no me ha parecido bien —escribía Antonio Pérez a Escobedo— que se pueda apretar por ahora [al Rey] en esta materia, porque no perdamos crédito con él para otras cosas, que, como vuestra merced sabe, es *hombre terrible,* y si entra en sospecha de que fuimos con fin particular en lo que decimos, no acertaremos el golpe[37].

¡De manera que Antonio Pérez propone a Escobedo todo un plan astuto para engañar al Rey, y, para darle más crédito, no duda en dejar al Rey malparado, con aquello de su terrible carácter!

Y el Rey —ya lo hemos visto— ve el borrador y anota complacido al margen:

> Este capítulo va muy bien así y lo que decís en él, también[38].

Escobedo no sólo se hacía insoportable al Rey con sus exigencias para don Juan de Austria; también tenía sus propias peticiones, entre ellas, y como alcaide del castillo de San Felipe en Santander (nombramiento antiguo, que había conseguido cuando todavía vivía Ruy Gómez de Silva), le pidió al Rey la alcaldía de la Peña del Mogro, con ánimo de fortificarla; pero caería en una trampa, pues Antonio Pérez convenció al Rey de que lo que pretendía era tener en las manos una puerta para que su señor pudiese invadir España, una vez conseguida Inglaterra. Esto es, que la desmesurada ambición de don Juan de Austria, fomentada por Escobedo, le convertía en el mayor peligro que se cernía sobre el reinado de Felipe II.

Por consiguiente, Felipe II iba convenciéndose de que lo primero que había que hacer para salvar aquella peligrosa crisis de Estado era deshacerse de Escobedo.

Todo ello ayudado por las intemperancias del secretario de don Juan. En una ocasión, mandó una nota al Rey, con tales tonos, que provocó la ira regia, quien —conforme a su costumbre— anotaría al margen:

> Escobedo me ha enviado hoy ese pliego, que pensé que fuera algo de bueno, y así lo abrí en el camino. Debió de querer, aun en él, darme cuidado y desabrimiento, por no perder la nueva costumbre.

Y añade, enojado:

---

[37] Marañón, *op. cit.,* pág. 244.
[38] *Ibídem.*

Cierto que si me dijera de palabra lo que escribió, que no sé si me pudiera contener[39].

A su vez, el imprudente, por no decir temerario, Escobedo escribía estas comprometedoras palabras a Antonio Pérez, como si fueran uña y carne:

Estoy por ahorcarme, y ya lo habría hecho, si no me guardase para verdugo de quien tanto mal me hace[40].

Y a Antonio Pérez le faltaba tiempo, conforme a su condición de doble espía, de mostrar el escrito a Felipe II.

Tan ostensiblemente se mostraba Escobedo en sus importunidades al Rey que se hicieron del dominio público, hasta el punto de ser recogidas por Cabrera de Córdoba en su notable crónica del reinado:

... no desistía —Escobedo— punto de importunar al Rey por el despacho de don Juan y breve provisión de dinero, de manera que le era molesto, porque le enseñaba papeles libremente escritos[41]... Y el Rey decía que era terrible... Y así le mandó el Rey [a Antonio Pérez] dijese a Escobedo se moderase en el escribir, porque si lo que escribió lo dijera de boca, no sabía si pudiera contenerse para no descomponerse con él[42].

Así se fue enrareciendo el ambiente en la corte contra Escobedo.

Hasta que se fraguó su muerte.

Si hemos de creer a Antonio Pérez, por lo que contaría después en sus *Relaciones,* hubo una consulta del Rey con el marqués de los Vélez y Antonio Pérez, siendo partidario el Marqués de que se suprimiera a Escobedo por vía de veneno, de forma que nada trascendiese —y sobre todo a don Juan— de lo allí tramado, sino que pareciera que era por consecuencia de una venganza privada. Si hubo tal consulta, es difícil de probar, pero lo que sí es seguro es que el Rey estaba al tanto de casi todo, y de ello dejaría pruebas terminantes, como hemos de ver[43].

Por supuesto tendremos que plantearnos en qué medida los soberanos del Quinientos creían tener derecho a disponer de la vida de sus súbditos, sin mediar proceso alguno. Pero volviendo ahora al asesinato, Antonio Pérez lo fraguó por librarse de las amenazas de Escobedo, antes asiduo de la casa del

---

[39] Marañón, *op. cit.,* pág. 269.

[40] *Ibídem.*

[41] «Libremente escritos», con arrogancia.

[42] Cabrera, *op. cit.,* II, pág. 305.

[43] De casi todo, porque, si seguimos a Marañón, no lo estuvo del cambio de planes de Antonio Pérez de sustituir el veneno por la estocada, lo que explicaría que «sin mentir completamente ninguno de los dos, pudiera decir el monarca que la muerte se hizo sin mandarla él y Pérez que el Rey se la había ordenado» (Marañón, *op. cit.,* pág. 359).

príncipe de Éboli (que había muerto en 1573), pero mal recibido por su viuda, la célebre Ana de Mendoza; mientras, en cambio, resultó notorio a Escobedo la confianza extrema con que Antonio Pérez entraba y salía de aquel palacio. Y llevado de su fuerte carácter, debió amenazarle, tanto más que sospechó que Antonio Pérez no era su fiador ante el Rey.

Y eso le perdió.

No distraeremos ahora este relato con lo que pudo ocurrir entre la princesa de Éboli y el Rey, con la versión de que hubieran sido amantes, o si lo fueron después la princesa y Antonio Pérez [44]. Lo que resulta evidente es que éstos abusaron de su privilegiada posición, como señala Marañón, para vender secretos de Estado, y acaso también por ambiciones familiares de la Princesa en la cuestión de Portugal. De lo cual Escobedo debió sospechar algo, alguna noticia, amenazando con delatarles.

Eso, repito, fue lo que le condenó. Para ir sobre seguro, Antonio Pérez ideó una trama complicada: hacer creer al Rey que don Juan tenía fantásticos planes, no sólo con Inglaterra y con María Estuardo, sino con el propio trono de España, y que Escobedo era su inductor.

De ese modo, Antonio Pérez convertía al Rey en su cómplice; juego peligrosísimo que le acabaría costando caro.

No sabemos todos los detalles, pero sí lo bastante como para reconstruir lo ocurrido.

Por tres veces intentó Antonio Pérez acabar con Escobedo por la vía del veneno; la primera, en su casa de campo «La Casilla»; la segunda, en su morada madrileña, y la tercera, en la propia vivienda de Escobedo. La primera vez el veneno apenas si hizo efecto; en la segunda ocasión, ya de regreso a su casa, Escobedo no se encontraba bien, pasando mala noche, hasta el punto de llamar al médico, mas nadie sospechó nada; pero la tercera vez los efectos fueron más alarmantes, los médicos diagnosticaron envenenamiento, con lo que acudió la justicia. ¿Y con qué se encontraron en casa de Escobedo? Pues con una morisca que servía en la cocina. Entonces ya no se calentaron más la cabeza, poniéndola en prisión. Pero, claro, a Escobedo no le bastaba con que la justicia hubiera encontrado aquella supuesta culpable, y presionaba para que se descubriese quién la había mandado. ¡Alarma en Antonio Pérez! Véase cómo se lo indica al Rey:

> Aquel hombre Verdinegro dura en su flaqueza y nunca acabará de levantarse. Harto cuidado traigo, de más de una manera, como le dije a Vuestra Majestad. Y ha dado en que saquen a la esclava quién se lo mandó, como si ella lo supiese.

Con lo cual, también el Rey se alarmó, y así le contesta:

---

[44] Sobre la princesa de Éboli, véase más adelante, en la parte tercera, el capítulo titulado «El Rey y la Princesa».

No es bueno en lo que ha dado el Verdinegro, porque quizás ha-rán[45] a la esclava decir lo que se les antojare[46].

De forma que se prefirió dejar morir en el suplicio a aquella inocente, antes que se descubriera lo tramado. Y aquí sí que cuadra bien el viejo refrán castellano de «mejor sostenello antes que enmendallo».

El triple fracaso de envenenar a Escobedo no desanimó a los conjurados, sino, al contrario, decidieron actuar sobre seguro utilizando los servicios de unos asesinos a sueldo. El cronista Cabrera de Córdoba nos da sus nombres: Juan Díaz, el alférez Enríquez y hasta un miembro de la nobleza: García de Arce, señor de la casa de Guilar y Arce.

¿Cómo lo tomó el Rey? También nos lo transmite el cronista:

> Estaba el Rey enfadado y ofendido de Escobedo, ambicioso y libre en pedir y advertir fuera de lo que le tocaba, entrometido, presumido y de sí demasiado satisfecho... y así, no desplació al Rey su muerte violenta[47].

Pero pronto se complicaron las cosas, porque fue imposible hacer de aquellos asesinos a sueldo hombres discretos, lo que obligó a Antonio Pérez a dos nuevas muertes, por aquello de que los muertos no hablan.

Era como una bola de nieve, y al secretario le fue imposible acallar el creciente rumor de ser el instigador de aquellas violencias. Y creyendo que tenía bien cogido al Rey, pensó que la mejor manera de enfrentarse con la «maledicencia» pública era que el Rey le diese públicas muestras de su apoyo. Esto es, que de ese modo el Rey diese la cara, pues al apoyar a su secretario no era declararle inocente —cosa que nadie creería—, sino era dar a entender la verdad del hecho: que el mismo Rey lo había aprobado. Y así le llegaron al Rey billetes de Antonio Pérez como el siguiente:

> He deseado, Señor, muestras externas para el mundo y los amigos, que de las internas V.M. me tiene favorecido más de lo que merezco[48].

Era entrar por una vereda peligrosísima y de todo punto inesperada para Felipe II, cuando ya la familia del muerto clamaba justicia, apoyada por el otro secretario del Rey, enemigo declarado de Antonio Pérez, Mateo Vázquez.

[45] Los jueces, claro.
[46] Citado por Marañón, *op. cit.*, págs. 365 y 366. No se puede dudar de este documento porque no sólo aparece en las obras de La Haya, sino también en el llamado Proceso de la Enquesta y en los presentados por Antonio Pérez ante el Tribunal de Aragón (*ibídem*, pág. 366, nota 1).
[47] Cabrera, *op. cit.*, II, pág. 449.
[48] Citado por Marañón, *op. cit.*, pág. 386.

Una situación muy bien reflejada por Marañón en una de las páginas más inspiradas de su estudio sobre el desleal secretario:

> Tal era —nos dice Marañón— la situación de Felipe II a la semana del homicidio. Antonio Pérez le había complicado en su responsabilidad y, a favor de ella, le pedía mercedes y protección especiales... Si atendía a Antonio Pérez, la murmuración subiría, como una marea, hasta el trono... Si castigaba a Antonio Pérez, su conciencia comprometida se condenaría a sí misma; sin contar con el peligro de que Antonio Pérez pudiera evadirse de Castilla y exhibir las pruebas de su colaboración, que indudablemente guardaba. Ese fue el nada leve dilema que se planteó aquel Rey...[49]

Transcurrieron unos meses hasta que en octubre de 1578 la muerte de don Juan de Austria y la llegada a la corte de sus papeles, en la primavera de 1579, vinieron a demostrar al Rey cuán lejos estaba su hermano de traicionarle y alzarse contra él. Por lo tanto, Antonio Pérez le había engañado, de forma que lo que podía tomarse como una dura, pero necesaria medida adoptada por razón de Estado, se convertía en un siniestro asesinato. Se comprende la desazón íntima de Felipe II, aquello que luego resumiría en su acusación contra Antonio Pérez: que jamás vasallo alguno había cometido tan gran traición y deslealtad como lo había hecho contra él Antonio Pérez.

También hizo mella en el ánimo del Rey la carta de don Juan de Austria pidiéndole justicia, poco antes de su muerte, y en la que se afligía porque por haberle servido Escobedo había recibido aquella cruel violencia:

> ... con justa razón puedo imaginarme —se quejaba al Rey— haber sido causa de su muerte, por las que V.M. mejor que otro sabe.

¡De forma que don Juan apuntaba al propio Rey! Al menos, como conocedor del culpable:

> No señalo parte —añadía don Juan—, mas tengo por sin duda lo que digo, y como hombre a quien tanta ocasión se ha dado y que conocía la libertad con que Escobedo trataba el servicio de V.M., témome de dónde le pueda haber venido...[50]

Entre tanto, la presión de Antonio Pérez se hacía cada vez más insufrible, llegando hasta amenazar al Rey con ponerle al descubierto si algo le ocurría:

> ... plegue a Dios que de camino no me lleve alguna pieza del arnés de las mejores; y así quiero juntar todos los papeles que tengo de aquel

---

[49] Marañón, *op. cit.,* pág. 387.
[50] Don Juan de Austria a Felipe II (*ibídem,* II, pág. 899).

hombre y los míos, para que se puedan ver y si he añadido o qui-
tado...[51]

Porque Antonio Pérez, aunque temerario, había procurado guardarse las
espaldas conservando los documentos en los que más comprometido aparecía
Felipe II. Eso explicará una de las notas más sorprendentes de ese asunto: lo
mucho que se prolongó el proceso de Antonio Pérez, que se inició en 1579 y
no se concluiría hasta 1590.

En el verano de 1579 Felipe II estaba inmerso en una de las empresas
más caras para él, o quizá la mayor de todas: la sucesión de Portugal. Le era
preciso reorganizar todo su aparato de gobierno central, si había de dejar que
la justicia actuase contra el desleal secretario y contra su cómplice en materia
de la venta de secretos de Estado, aquella tan conocida suya, como antigua
dama de Isabel de Valois y como viuda de su amigo de la infancia (Ruy Gómez de Silva), es decir, Ana de Mendoza, princesa viuda de Éboli, sin duda
también culpable de maquinar el asesinato de Escobedo.

Una situación insostenible, como lo refleja esta confidencia de Felipe II
al presidente Pazos, hecha el 7 de mayo de 1579:

> No puedo acabar de aquietar bien mi conciencia... En este tiem-
> po me confesaré y comulgaré y encomendaré a Dios para que me
> alumbre y encamine, para que tome en pasada Pascua la resolución
> que más convenga a su servicio y al descargo de mi conciencia y bien
> de los negocios...

Hasta aquí las tribulaciones de un Rey que ya sabe que ha sido engañado
y traicionado. A partir de entonces, su rabia contenida y sus amenazas:

> ... aunque ya me lleva un poco ver que este negocio anda en público,
> que no podía ser menos tratándose de una mujer. Y que será muy
> mal ejemplo y mucha desautoridad ver que por tales caminos y for-
> mas se salen con lo que se les antoja. Y les vale el haberme querido
> tomar en el mayor tiempo de necesidad y por hambre[52], que es cosa
> que ha parecido muy mal y con que se ha perdido mucho crédito
> conmigo[53].

Esa carta de Felipe II demuestra que para entonces, y en relación con los
documentos que le habían llegado de don Juan de Austria desde Flandes, se
plantea el Rey la prisión de aquella extraña pareja. Para sustituir a Antonio
Pérez en los asuntos de Estado pensó en Granvela, entonces en Roma, y, con-

---

[51] Antonio Pérez a Felipe II, enero de 1579, en Marañón, *op. cit.,* I, pág. 462.

[52] Se refiere a que eso ocurría cuando se había abierto la crisis de Portugal.

[53] Felipe II al presidente Pazos, 7 de marzo de 1579 (Archivo General de Simancas, Patronato Ecl., leg. 10; en Muro, *La princesa de Éboli,* Madrid, 1879, Ap. 30).

forme a su modo de ser, disimuló su golpe, despachando con Antonio Pérez en la forma habitual, sin descubrir su propósito, hasta la llegada del cardenal a Madrid.

El 28 de julio llegaba Granvela, y aquella misma noche eran prendidos por la justicia Antonio Pérez y la princesa de Éboli.

Algo que, pese a toda su astucia, Antonio Pérez no se esperaba. Ahí el Rey sorprendió por una vez al secretario.

El asombro, el estupor general, el escándalo provocado en la corte fue mayúsculo. ¿Qué ocurría en aquel reinado? ¿Qué estaba pasando para que, con un extraño ritmo en torno a los diez años, se produjeran acontecimientos de tamaña magnitud, como jamás se había visto en la corte del Emperador? En 1559 era el arzobispo primado, Carranza, el detenido. En 1568 tocaba el turno al Príncipe heredero, quien moriría el mismo año en la prisión. Igualmente, en ese mismo año eran ejecutados en Bruselas los condes de Egmont y de Horn, la flor y nata de la nobleza de Flandes. En 1578, Escobedo es asesinado. Y ahora le llegaba la prisión nada menos que al propio secretario del Rey, hasta el día anterior el que parecía todopoderoso ministro de Felipe II, y a la princesa de Éboli, una de las damas más notables de la corte, si es que no era la principal, después de la Reina. Todo esto ocurría en el reinado de Felipe II y a instigación suya.

Era para pensar que algo olía mal en la corte y que el propio Rey, el denominador común de tantos desastres, tenía la culpa de tanto desatino.

En este caso, Felipe II trataría de justificar su conducta:

> Aseguro que los delitos de Antonio Pérez son tan graves como nunca vasallo los hizo contra su rey y señor[54].

El Rey confiesa el engaño en que había caído, envuelto en las redes de las deslealtades de su secretario:

> Todas las cosas que él dice dependen de las que me decía a mí, tan ajenas a la verdad, aunque con las cartas que descifraba tan falsamente me las hacía creer, con lo que respondía yo, algunas veces, a propósito de lo que escribía[55].

Con todo, y no fue sorpresa menor en la corte, el castigo de los culpables, pese a ser tan grave su delito, se hizo esperar. Antonio Pérez volvió incluso a entender en los papeles de Estado y no parecía sino que el Rey le iba a volver a su gracia. Con lo cual la gente no sabía qué pensar, aunque cada vez maliciando más del Rey y de su propia culpabilidad, como se comprueba por testimonios del tiempo:

---

[54] Citado por Marañón, *op. cit.,* I, pág. 256.
[55] *Codoin,* XV, pág. 435; citado por Marañón, *op. cit.,* I, pág. 351.

> Si va a decir verdad —confesaría el padre Hernando del Castillo— de nadie estoy tan escandalizado como de S.M., cuya autoridad y cristiandad es y ha de ser para estorbar semejantes cosas y proveer no pasen a más.

Pero como nada se hacía, el buen religioso se sumía en un mar de confusiones:

> Y pues las sabe —el Rey— y entiende, no sé ni veo ni entiendo con qué conciencia disimula el castigo y el remedio[56].

Mas no serían semanas ni meses lo que tardaría en llegar la sentencia, sino años, probablemente porque Felipe II quería que el secretario acabase de entregar toda la documentación comprometedora que había ido guardando. Pero eso era lo que precisamente Antonio Pérez no haría jamás, sabedor de que con ella tenía su mejor defensa. Y lo cierto es que en el nuevo proceso que se le abrió (el llamado proceso de visita), el acento se puso en sus deslealtades de Estado, no en el asesinato de Escobedo.

Así se llegó al año 1587. Tanto tiempo hizo creer a no pocos —incluso a la emperatriz María, ya en Madrid— que la rehabilitación de Antonio Pérez era cosa de días, puesto que cada vez era pedida más su opinión en las cosas de Estado. No se olvide que Felipe II había perdido ya a Granvela, que era la pieza de recambio que había buscado para apartar a Antonio Pérez.

Pero los preparativos de la *Armada Invencible* hicieron pensar al Rey que era preciso ponerse a bien con Dios, cuya era la causa, reavivando el proceso. Y más intensamente en 1589, a raíz del desastre de la Armada. Pues por su misma ideología providencialista, si estaba seguro de que Dios apoyaría la empresa, por la misma razón el desastre había que tomarlo como un signo de la cólera divina. ¿Qué es lo que había hecho mal? ¿Dónde estaba su culpa?

De ese modo, inesperadamente, en 1589 se avivó el proceso de Antonio Pérez[57]. El Rey le ordenó que hablase, sin escudarse en ningún pretexto, como el de guardar silencio por librarle de cualquier salpicadura.

Y así pasó a los jueces que llevaban el proceso la siguiente nota, donde Felipe II viene a confesar cómo era sabedor de la muerte cometida:

> Podéis decir a Antonio Pérez de mi parte, y si fuese menester mostrarle este papel, que él sabe muy bien la noticia que yo tengo de haber hecho él matar a Escobedo y las causas que dijo que había para ello...

Por lo tanto, el Rey da cuenta de que Antonio Pérez le había notificado el asesinato de Escobedo, justificándolo por algunas poderosas razones. ¿An-

---

[56] Fray Hernando del Castillo a Mateo Vázquez, 7 de julio de 1579, en Muro, *op. cit.,* Ap. 45.
[57] Esa es la tesis de Marañón, que parece satisfactoria (*op. cit.,* I, págs. 454 y 462).

tes o después del asesinato? Evidentemente, tuvo que ser antes, pues Antonio Pérez no se hubiera atrevido a ello sin la previa licencia del Rey, al menos sin su tácito consentimiento («el que calla, otorga»). Lo cual concuerda con lo afirmado por Antonio Pérez, en un escrito en que por una vez parece que dice la verdad —aunque no toda la verdad—. El texto reza así:

> Es de saber que el Rey Católico, por causas mayores y forçosas y muy cumplideras a su servicio y corona, resolvió que el secretario Juan de Escobedo muriese sin preceder prisión ni juicio ordinario, por notorios y evidentes inconvenientes de grandes riesgos en turbación de sus Reinos si se usara de cualquier medio ordinario en aquella coyuntura, y de mayores si se difiriera la execución... Cometió el cuidado de la execución de la muerte a Antonio Pérez, como a persona que era depositario y sabidor de las causas y motivos della [58].

Lo que no dice Antonio Pérez es que el Rey había llegado a esa decisión convencido por su propio secretario de que las alarmantes ambiciones de don Juan de Austria, incluso de rebelión contra el Rey, venían inducidas por Escobedo. Cuando Felipe II descubra esa falsedad se dará cuenta de hasta qué punto había sido manipulado por su desleal secretario y cómo una muerte por razón de Estado (siempre de dudosa moralidad) se convertía en un vil asesinato, con la agravante de que en el intermedio la justicia había ejecutado a una pobre morisca, de cuya inocencia el Rey era consciente.

El Rey quería que Antonio Pérez confesase no solamente haber perpetrado la muerte, sino también que declarase cuáles eran las razones que había dado, para que se pudiera saber si había motivo suficiente para ello, por razón de Estado, o si el Rey había sido engañado y todo había sido una trampa del desleal y traidor secretario. De forma que el Rey añadía:

> Y porque a mi satisfacción y a la de mi conciencia conviene saber si estas causas fueron bastantes o no, que yo le mando que os las diga y dé particular razón de ellas y os muestre y haga verdad las que a mí me dijo, de que vos tenéis noticia, porque yo os las he dicho particularmente, y todo lo que en este negocio ha pasado, para que habiendo entendido [lo] que así os dijera y razón que os diere de ello, mande ver lo que convendrá [59].

Ni por esas. Antonio Pérez era extremadamente hábil en sortear las más difíciles situaciones, respondiendo con frases de oscuro sentido. En expresión de Alfredo Alvar, una vez más hizo «alarde de su capacidad de desconectar a cualquiera» [60]. ¡Y así pasó otro año! Sería entrado ya 1590 cuando fue puesto

---

[58] Antonio Pérez, *Relaciones,* París, 1598, págs. 5 y 6.
[59] En Marañón, *op. cit.,* I, pág. 471.
[60] Alfredo Alvar, Introducción cit. a las *Relaciones y cartas de Antonio Pérez,* I, pág. 27.

a tormento. Aguantó hasta la octava vuelta de los cordeles. Entonces se desmoronó:

> ... por las plagas de Dios, acábenme de una vez! —tal es la anotación del escribano—. ¡Déjenme, que cuanto quisieren diré! [61]

A partir de ese momento le esperaba el cadalso, salvo que el Rey le indultara, por su derecho de gracia. También aquí parece que Felipe II, una vez más, se mostró irresoluto, pues cuesta trabajo creer que, habiendo sido hecha la confesión de Antonio Pérez el 23 de febrero, no se le hubiera aplicado la rigurosa sentencia de ser ahorcado, después de ser arrastrado por las calles públicas de la corte, y su cabeza cortada y expuesta al pueblo [62].

Pero nada de rapidez, ni siquiera en aquellos instantes finales. Ni tampoco de vigilancia extrema de tan peligroso personaje, auténtico enemigo público número uno de la Monarquía filipina.

Al contrario, sus guardianes consintieron que su mujer, Juana Coello, le atendiese en una supuesta enfermedad —posiblemente cierta, pero también hábilmente prolongada—, lo que le permitió a Antonio Pérez preparar cuidadosamente su fuga. En principio, naturalmente, de su cárcel madrileña, pero también con todos los detalles de la ruta a escoger —la de Aragón, como es sabido, de donde él era natural—, por aquello de que la justicia castellana no podía intervenir en tierra aragonesa, aparte de que la frontera con Francia deparaba otra garantía de libertad si, pese a todo, las cosas se ponían feas. Una ruta que además se inutilizaría, poniendo fuera de juego los servicios de posta, para que resultara más difícil la persecución del fugado.

Pero veamos primero la fuga de la cárcel madrileña. ¿Cómo fue? De lo más sencillo: según una versión popular, dando su mujer todo un banquete a carceleros y prisioneros, del que pronto se retiraría a su cámara Antonio Pérez, pretextando su precaria salud, y mientras los carceleros se banqueteaban, lograba Antonio Pérez la ansiada libertad. Quintana nos narra otra: la cárcel de Antonio Pérez daba a una vivienda, alquilada por sus amigos, pudiendo así el secretario pasar fácilmente de una a otra; mientras su mujer, que tenía licencia para dormir con él, «rogó a los guardas que no le despertasen por fingir que estaba indispuesto la noche antes; por lo cual no les hizo novedad la tardanza, hasta que el silencio del aposento les avisó del engaño».

El estupor que ello produjo en Madrid no es para descrito.

En primer lugar, en la corte, siendo el más afectado el Rey. Según un cortesano —el conde de Luna—, «fue maravillosa» la pena del Rey [63].

---

[61] Alfredo Alvar, *op. cit.,* I, pág. 27.

[62] Tal era la sentencia contra Antonio Pérez: «... pena de muerte natural de horca y a que primero sea arrastrado por las calles públicas en la forma acostumbrada. Y después de muerto le sea cortada la cabeza con un cuchillo de hierro y acero y sea puesta en lugar público» (en Marañón, *op. cit.,* II, pág. 589).

[63] *Ibídem,* pág. 477; cf. Quintana, *op. cit.,* pág. 342.

En cambio, el pueblo madrileño —que empezaba a distanciarse del responsable máximo del desastre de la Armada— aplaudió, asombrado, la gesta de la esposa, Juana Coello, como principal artífice de aquella fuga. Esa es la versión, al menos, que encontramos en Jerónimo de Quintana, que por entonces contaba ya veintiún años y que pudo recoger después en su *Historia de Madrid* un suceso vivido plenamente por él, de forma que su testimonio tiene gran valor, constituyendo una de las partes más interesantes de su obra.

En Quintana encontramos los detalles de aquella insólita prisión; insólita tanto por ser el personaje que era como porque durante los doce años que se mantuvo su proceso abierto siguió realizando en gran medida sus funciones de secretario, y eso desde la misma cárcel, como si no hubiera nadie capaz de sustituirlo.

No silencia Quintana los aspectos de aquel sombrío caso que parecían inculpar al propio Rey, y así nos dice que, puesto Antonio Pérez al tormento, acabó confesando su participación en el asesinato de Escobedo, pero con la atenuante de haberlo hecho por orden regia:

> ... confesó que la hizo, pero mandado del Rey...

Y atención a esto: nadie parece poner en duda que aquello era cierto. Los mismos jueces que entendían en el proceso de Antonio Pérez no se escandalizan ante tamaña declaración; sólo aprietan al secretario para que confiese los motivos de aquella decisión regia, respuesta que Antonio Pérez eludiría hábilmente:

> ... respondió que eran tan secretas, que al mismo Rey no convenía se declarasen...

Con lo cual, otra vez nos llenamos de asombro, porque ahora nos encontramos con que es el propio Felipe II quien no cuestionó tal versión de los hechos. Solamente insistirá, él mismo, en que declarase Antonio Pérez aquellas causas, obteniendo siempre del reo la misma respuesta: su fidelidad al Rey le obligaba al silencio,

> ... escogiendo más el padecer [en el tormento] que el quebrantarla...

Todo lo cual arranca a Quintana este notable comentario:

> Y si eso fuera así, más digno [era]de remuneración que de castigo [64].

---

[64] Jerónimo de Quintana, *Historia de Madrid, de su antigüedad, nobleza y grandeza,* Madrid, 1629, pág. 342 (existe una reedición facsímil, Ediciones Ábaco, Madrid, 1984).

De igual modo hay que reseñar la admiración que despierta en Quintana el comportamiento de la mujer de Antonio Pérez, aquella Juana Coello que había sido tan decisiva a la hora de favorecer la fuga del desleal secretario; admiración del cronista en la que no podemos menos de encontrar, implícito al menos, un reproche al Rey, cuando Quintana se hace eco del sentir popular, ese tribunal incorruptible:

> ... el vulgo, a lo menos que sabe callar poco, aunque sea con riesgo de enojar a quien debiera temer, creyendo, como entonces se dixo, que ella [Juana Coello] había sido la principal causa de la libertad de su marido, encarecía notablemente el hecho..., alabando más el valor puesto por obra a vista del peligro, encareciendo otros el amor grande, que fue el autor de tan notable hazaña... [65]

Estamos, por tanto, ante una «notable hazaña», a juicio del pueblo: la valiente intervención de Juana Coello, consiguiendo la fuga de su marido, exponiéndose a las iras del poder regio. Una sencilla mujer burlando a la justicia, en un caso en el que el reo estaba directamente enfrentado con el todopoderoso —y temible— Rey; no era extraño que el pueblo quedase maravillado. Pero en esa misma maravilla se puede encontrar una censura de esa opinión pública al Monarca que tan mal había sabido elegir su secretario, dando tanta confianza y poder a un hombre a quien a la postre calificaría de tan indigno.

Era para pensar que en aquella ocasión, como mínimo, habría que tachar al Rey de sumamente *imprudente*.

En suma, aquel pueblo de Madrid, que había estado detrás de Felipe II en el drama del encarcelamiento del Príncipe heredero, censuraba su modo de proceder en el turbio asunto del secretario traidor, Antonio Pérez, cuya prisión estaba tan estrechamente ligada a la alevosa muerte de Escobedo.

Organizada con tanto éxito su increíble fuga, Antonio Pérez llegó a Calatayud, donde se refugió en el convento de los dominicos. Ya estaba en el reino de Aragón, a salvo de la justicia castellana, donde él esperaba poder maniobrar con fortuna frente al Rey. Conocía bien sus posibilidades, por su origen aragonés. Y lo primero que hizo fue invocar esa condición y acogerse a sus privilegios, para que su caso fuera visto por el justicia mayor de Aragón.

La réplica de Felipe II, pasados los primeros momentos de estupor, fue bordear aquella delicada situación, poniendo el asunto en manos de la Inquisición. Ya no se trataba, al menos de momento, de seguir su proceso político, sino de iniciar uno nuevo de tipo religioso, acusando al fugado de herejía. Ya en Zaragoza, Antonio Pérez pasó así a las cárceles inquisitoriales.

Era provocar al pueblo, al grito de la defensa de sus libertades. Se asistió a un forcejeo, con un ambiente tan tenso, que el propio Virrey aconsejó la vuelta de Antonio Pérez a la cárcel de los manifestados, con una auténtica explosión popular. Y a la inversa, el reiterado intento de los inquisidores por

---

[65] Jerónimo de Quintana, *op. cit.*, pág. 342.

hacerse de nuevo con Antonio Pérez, conforme la presión que recibían de la corte, provocó ya el tumulto popular el 24 de septiembre de 1591.

Fue la libertad, y para siempre, de Antonio Pérez, que, tras unos días de permanecer oculto en Zaragoza, logró atravesar los Pirineos y refugiarse en Francia.

A partir de ese momento, no dejaría de intrigar en las cortes de Francia y de Inglaterra, contra su Rey y señor natural, hasta su muerte en 1611.

Entre tanto, a Felipe II le restaba una papeleta y no fácil: la represión del motín aragonés.

No era fácil, ciertamente. El reino de Aragón pasaba por una situación difícil, de pugnas entre montañeses y llaneros; los primeros, cristianos, y los segundos, moriscos. Al socaire de esas tensiones creció el bandolerismo, siendo famoso Lupercio Lastras. Tampoco faltaban las mismas tensiones entre la Corona y los grandes señores. En especial, en torno a la zona fronteriza del condado de Ribagorza, cuyo señorío reclamaba el duque de Villahermosa. Hasta la corte llegaron informes de tratos del Duque con los hugonotes franceses, lo que podía convertir al condado en un peligroso portillo para una eventual invasión francesa, por lo que Felipe II decidió negociar con Villahermosa, a fin de que el condado pasase a la Corona, a cambio de una fuerte compensación económica. Se llegó a un acuerdo firmado precisamente en 1591, el año de la fuga de Antonio Pérez.

Y estaba la cuestión del posible nombramiento de virrey en figura de extranjero, algo que había estado negociando Felipe II precisamente en aquellos años a través del marqués de Almenara, negociador con tan mala mano que produjo un hondo malestar en Zaragoza, con un ambiente muy sensibilizado a que se estuviese preparando una merma de sus fueros y privilegios.

Por lo tanto, la llegada del desleal secretario no hizo sino alterar aún más la situación. Y cuando se produjo el alzamiento de Zaragoza, Felipe II entendió que no podía esperar más y que tenía que intervenir enviando un ejército que reprimiera los tumultos.

Pues por primera vez desde los tiempos de las Comunidades y las Germanías en los años veinte, estallaba un conflicto interno en España que podía poner en pie de guerra a todo un reino [66].

Las alteraciones de Zaragoza habían sido un triple ultraje para la Corona, porque, además del alzamiento en sí contra el Rey, habían permitido la fuga de Antonio Pérez y provocado la muerte del enviado del Rey, el citado marqués de Almenara. El segundo tumulto, el 24 de septiembre de 1591, había sido todavía más grave que el del 24 de mayo. La intervención del justicia mayor, don Martín de Lanuza, era evidente, pues incluso había acogido en su casa al fugado Antonio Pérez. Y lo mismo ocurría con su hijo y sucesor en el

---

[66] A este respecto no cuenta el alzamiento de Las Alpujarras, por su carácter vinculatorio al sector morisco.

cargo, don Juan de Lanuza, y dos de los miembros más destacados de la alta nobleza aragonesa: el duque de Villahermosa y el conde de Aranda.

El Rey tenía preparado desde aquel verano el instrumento militar para reprimir en un momento dado el alzamiento aragonés: en la villa fronteriza de Ágreda, Alonso de Vargas montaba un pequeño ejército de 15.000 infantes y 2.000 caballos, más un pequeño tren artillero de doce cañones. No era muy numeroso, y Alonso de Vargas se quejaba de la impericia de las tropas, malas para el combate, y de que los recursos facilitados por el Rey no fueran muy sobrados. En la documentación que custodia Simancas sobre los uniformes que se preparaban para los soldados se indica por mano del provisor:

> Estos vestidos, de mi parescer no se deben dar assí enteros a la gente de guerra, porque no todos lo han menester todo enteramente, sino dar a cada uno aquello de que más necesidad tiene, y que se aprovechen de lo que ellos traen... [67]

Por su parte, los fueristas trataban de organizar su propia milicia con la que resistir al ejército real, pidiendo ayuda a todo el reino, e incluso a los otros dos de la Corona de Aragón: Cataluña y Valencia. De Cataluña confiaban obtener fuertes contingentes de infantes y cañones, pero a la hora de la verdad nadie se atrevió a enfrentarse con la cólera del Rey.

Y así, Alonso de Vargas pudo franquear la frontera aragonesa el 8 de noviembre y entrar cuatro días después en Zaragoza sin apenas disparar un tiro, pues las milicias fueristas se dieron pronto a la fuga.

Una verdadera *Blitzkrieg,* pero no tanto como para apoderarse de Antonio Pérez, a quien don Martín de Lanuza había sacado de Zaragoza para que pudiera pasar a Francia. Y aunque se hallaba todavía en el reino de Aragón cuando Alonso de Vargas entraba en Zaragoza, no le fue difícil franquear la frontera francesa el 24 de noviembre de 1591.

Y comenzaron las justicias del Rey. La orden que llevaba Vargas era terminante: que, sobre la marcha, el justicia mayor don Juan de Lanuza fuera preso y degollado, y Villahermosa y Aranda, enviados a prisión a fortalezas de Castilla; Villahermosa, al castillo de Burgos, y Aranda, al de la Mota, en Medina del Campo, donde morirían a los pocos meses. Hubo perdón general, pero con muchas excepciones, y la Inquisición abrió proceso a 500 inculpados.

Eso significa que el terror se abatió sobre Zaragoza. El enviado del Rey, don Juan Velázquez, lo deja bien reflejado en su informe a la corte de 10 de mayo de 1592, que custodia Simancas.

Es un largo escrito, en el que se dice de los zaragozanos que, tras el degüello de Lanuza:

---

[67] Archivo General de Simancas, Estado, leg. 168.

... quedaron como los que escaparon del diluvio, confusos, absortos y espantados...

Prudentemente, Velázquez aconseja al Rey que era el momento de dictar un perdón general. Y así: «... todos quedarán con temor y con amor...»[68]

Entendió Felipe II que algo más había que hacer, y era presentarse en persona en Aragón. Acaso sería ésa la lección aprendida de su ausencia de Flandes. En todo caso, convocó Cortes en Tarazona en 1592. Hubo cambios constitucionales, pero no desde Madrid, sino aprobados en aquellas Cortes, y eso fue importante para las dos partes. El justicia mayor sería de designación regia y los acuerdos de las Cortes ya no se tomarían por unanimidad, sino por mayoría. Las Cortes, agradecidas a la templanza del Rey, le concedieron un notable servicio de 700.000 libras jaquesas y reconocieron al príncipe Felipe como el heredero del trono.

De ese modo, iniciado con tan malos auspicios el conflicto aragonés, tuvo un final satisfactorio, con el único saldo negativo de que el gran culpable, Antonio Pérez, lograse su intento de burlar la justicia del Rey, exiliándose en Francia.

LOS ÚLTIMOS AÑOS DEL REINADO

El examen de la última década del reinado de Felipe II nos depara la imagen de una España que bracea desesperadamente contra un mar cada vez más furioso, como si todos sus males se vieran incrementados a raíz del desastre del 88. A los tradicionales enemigos, holandeses e ingleses, se van añadiendo otros, dentro y fuera de la Monarquía. En parte, provocados por la política del Rey, lo cual no deja de ser asombroso. La norma de evitar los segundos frentes, que su padre el Emperador había seguido escrupulosamente a lo largo de su vida[69], era despreciada; no de otra manera se entiende la orden filipina a su mejor soldado, Alejandro Farnesio, para que abandonara Flandes y entrara en Francia, en aquel quimérico intento de convertir a la infanta Isabel Clara Eugenia en reina, lo que daría por resultado que cuando Enrique IV ascendiese al trono buscara su seguridad aliándose con ingleses y holandeses y declarando la guerra a España en enero de 1595. Y por si fuera poco, es en esos años cuando estallan en el interior sucesos tan graves como la fuga de Antonio Pérez, con las alteraciones del reino de Aragón, y la conjura del pastelero de Madrigal para hacerse con Portugal.

---

[68] Archivo General de Simancas, Estado, leg. 169, fol. 295.

[69] Cierto, una norma no siempre conseguida, como cuando tuvo que enfrentarse en 1526, bien a su pesar, con la Liga de Cognac, integrada por el Papa, Francia e Inglaterra; pero lo general es que veamos al Emperador combatiendo aisladamente con los franceses, los turcos o los protestantes alemanes, no con todos a la vez.

De esas tres guerras encendidas en el exterior (la marítima contra Inglaterra, la antigua contra los rebeldes holandeses, que pasaba ya del cuarto de siglo, y la nueva contra Francia), la inglesa era la más peligrosa, porque en esa pugna por la supremacía en el mar estaba la suerte del mismo Imperio. Cabía renunciar a los Países Bajos, negociando con los rebeldes, y reanudar la paz con Francia, devolviendo las conquistas logradas; pero más difícil era disuadir a los ingleses, cuya creciente prosperidad estaba en relación directa con su comercio exterior y, en buena medida, con el que realizaba con las Indias Occidentales. De ahí los esfuerzos de Felipe II por recomponer su armada, así como de fortificar más y más las principales plazas americanas, enviando allí a su mejor ingeniero militar, el italiano Antonelli, con el resultado de la impresionante fortificación de Puerto Rico, Cartagena de Indias y La Habana [70].

Así las cosas, el ataque inglés en 1589 a la Península fue como un respiro, porque permitió ganar tiempo al Rey, poniendo la lucha en el lugar que le era más propicio; no en el mar, sino en tierra. Además, en los primeros combates en torno a La Coruña pudo contar también Felipe II con la reacción popular, con el despertar de un fuerte patriotismo, bien simbolizado en la figura legendaria de María Pita. Más difícil lo tuvo el cardenal Alberto, virrey de Portugal, para defender Lisboa, que era el verdadero objetivo de la expedición inglesa mandada por John Norrys y por Francis Drake, que trataban de alzar Portugal a favor del pretendiente portugués don Antonio de Crato [71], pero pudo triunfar también, demostrándose que todavía en tierra firme los tercios viejos resultaban invencibles.

No fueron más eficaces las expediciones marítimas inglesas enviadas a las Indias Occidentales en 1590 y 1591, pese a ser dirigidas por algunos de sus mejores marinos, como Hawkins, Frobisher y Howard. La de 1590 regresó a Inglaterra de vacío y la de 1591 hubo de combatir ya con la armada española, que empezaba a rehacerse, con el resultado, como hemos visto, de perder uno de sus mejores navíos, el *Revenge,* que permitiría a la marina española conocer los logros técnicos de la armada inglesa, mejorando en adelante sus efectivos.

Acaso por ello, temió Isabel que Felipe II tanteara con más fortuna otro intento de invasión; quizá porque los informes que recibía de sus espías agrandaban la amenaza, quizá —y es lo más propable— porque de ese modo mantenía la tensión interna, excitando el patriotismo popular a su favor. Por

---

[70] Con ello se seguía la política iniciada por Pedro Menéndez de Avilés, el más notable marino con que pudo contar Felipe II, que ya había hecho de La Habana una plaza fuertemente fortificada, había establecido el sistema de convoyes armados entre España y las Indias y que incluso había iniciado la construcción de astilleros en América, como el mismo de La Habana, con el objetivo de que las Indias hispanas contasen con fuerzas propias que le permitiesen rechazar las incursiones enemigas (J. H. Parry, *El Imperio español de Ultramar,* Madrid, Aguilar, 1970, págs. 227 y sigs.).

[71] La victoria inglesa, colocando a don Antonio en el trono de Lisboa, hubiera supeditado Portugal a Inglaterra al modo como lo sería un siglo más tarde por el tratado de Methuen de 1703; tal era el pacto suscrito entre don Antonio e Isabel.

todo ello, Isabel desplegó una doble acción ofensiva en los siguientes años de 1595 y 1596, la primera contra las Indias Occidentales, en busca de sus tesoros, y la segunda contra la misma España, con un golpe de mano sobre Cádiz.

La primera prometía los mejores resultados. Al frente de la fuerte armada mandada por la Reina iban sus dos mejores marinos: Hawkins y Drake. Sin embargo, ya hemos visto que los resultados fueron muy pobres. Rechazados en la mayor parte de los sitios que atacaron, tanto en Las Palmas de Gran Canaria como en Puerto Rico y en Cartagena de Indias, perdiendo a sus dos jefes, a punto estuvo el resto de la expedición de verse atrapada por la flota española enviada para repeler la agresión, mandada por Bernardino de Avellaneda.

Más fortuna tuvo la empresa siguiente, con una fuerte flota anglo-holandesa de 39 barcos de guerra y 70 transportes, al mando de Howard y Raleigh, con un pequeño contingente de tropas —veteranos en su mayoría de las guerras de Flandes— acaudilladas por Essex. Ya hemos comentado esta acción. Ahora me interesa destacar que el objetivo primordial señalado por la Reina era el destruir la flota que Felipe II preparaba, según sus informes, para un nuevo ataque contra Inglaterra. Y el asalto a Cádiz fue tan afortunado para los ingleses que a punto estuvieron de quedarse con la plaza, de donde hubiera sido difícil desalojarles, dadas su manifiesta superioridad naval, la caída en picado del poderío español y la peculiar situación de la bella ciudad gaditana. Sólo las disensiones entre los jefes ingleses, en especial entre Howard y Essex, evitaron tamaño desastre. Se comprende que Felipe II, sacando fuerzas de flaqueza, intentase responder a esa ofensa con acciones punitivas sobre la misma Inglaterra o socorriendo a los rebeldes irlandeses, a lo que respondieron las expediciones de Martín de Padilla de 1596 y 1597, dos de ellas en el mes de octubre, condenadas de antemano a ser desbaratadas por las tormentas. Sólo la mandada en febrero de 1598 logró alcanzar Calais, entonces en manos españolas, provocando una cierta alarma en la corte de Isabel.

Para entonces, Felipe II estaba ya tan acabado que lo único que cabía esperar de España era la noticia de su muerte.

No mejor era el balance de lo que estaba ocurriendo en Flandes, desde que la muerte de Alejandro Farnesio, en diciembre de 1592, había privado a la Monarquía católica de su mejor soldado. El mismo hecho del rápido relevo de sus sucesores marca ya la inestabilidad que se estaba produciendo en aquel frente: conde de Mansfeld, archiduque Ernesto, conde de Fuentes y, al final, el archiduque Alberto. Iban desapareciendo los últimos grandes veteranos de la escuela del duque de Alba, como Mondragón y Verdugo. A la inversa, en el campo holandés surgía un soldado de primer orden: Mauricio de Nassau, bien flanqueado en la política por un auténtico hombre de Estado: Oldenbarnevelt. De ese modo, la joven república holandesa afianza sus fronteras: Nimega (1591), Geertruidenberg y Groninga (1593). En la toma de Geertruidenberg, Mauricio de Nassau resucita la vieja táctica romana de los asedios, poniéndose a la altura de los grandes capitanes de la historia. Y a poco, la subida al trono de Enrique IV en Francia despejaba ya para ellos todos los problemas.

Unos problemas que se incrementaban para España. Las tropas españolas tenían que desalojar París en 1593, que abría sus puertas al año siguiente a su nuevo rey. Y en enero de 1595, Enrique IV declaraba la guerra a España, con lo cual un nuevo frente se abría a las sufridas fuerzas españolas. Una alianza entre la Inglaterra de Isabel, la Holanda de Mauricio de Nassau y la Francia de Enrique IV aclaraba cualquier duda que hubiera existido sobre las posibilidades hispanas en aquellos territorios, pese a que el conde de Fuentes aún conseguía algún triunfo aislado, como la toma de Calais y de Amiens en 1596, ésta pronto recuperada por Enrique IV [72].

Por fortuna para España, la alianza entre Isabel y Enrique IV tenía sus fisuras. Isabel reprochó a su aliado francés que se hubiera plegado al Papa, abjurando de sus principios calvinistas. Por otra parte, esperaba recuperar Calais, como precio a la ayuda que le estaba prestando. Era demasiado para el galo. «Prefiero ser despojado por mis enemigos que por mis amigos», se le oyó responder. Y puesto que ya estaba en buenas relaciones con Roma, atendió las sugerencias del papa Clemente VIII para hacer las paces con España.

Para la Francia de Enrique IV era algo muy conveniente, de cara a una reorganización de la Monarquía bajo la nueva dinastía de los Borbones. Para la España de Felipe II era una auténtica necesidad, si en verdad aquel Rey tan acabado quería dejar las cosas medio arregladas a su heredero y sucesor Felipe III.

Y así se firmó la paz de Vervins el 2 de mayo de 1598, por la que España devolvía todas las conquistas hechas en el norte de Francia durante los últimos años. De ese modo, Calais volvió a ser francesa.

Una paz acogida por los veteranos españoles como una afrenta. ¿Para eso se había derramado tanta sangre? El capitán Diego de Villalobos y Benavides lo dejaría bien reflejado en sus *Comentarios de las cosas sucedidas en los Países Baxos:*

> Y aunque a los españoles, deseosos de retener en sí las tierras y plazas que habían ganado en Francia, les pareció fuerte el volverlas, para la duración de la paz... [73]

Para el pueblo español era otra cosa. Siempre había anhelado la paz con Francia. Esa era la razón de la popularidad que había rodeado desde su llegada a Isabel de Valois, como prenda de aquella paz tan ansiada.

---

[72] «España no estaba ya comprometida simplemente en aplastar una rebelión o en intervenir en una guerra civil, estaba enzarzada en una guerra abierta contra las mayores potencias de Europa occidental. Esta guerra no podía ganarla ya...» (H. G. Koenigsberger y G. L. Mosse, *Europa en el siglo XVI,* Madrid, Aguilar, 1974, pág. 282).

[73] Los *Comentarios* de Diego de Villalobos y Benavides se publicaron por primera vez en Madrid, 1611, y se refieren al último lustro del reinado de Felipe II. El párrafo citado, en el folio 158 v.

Y para Felipe II era algo imperioso y urgente, para despejar el futuro, tan incierto, de su hijo Felipe, cuando ya sentía que tenía el tiempo muy contado.

Poco más hemos de decir para terminar esta segunda parte dedicada a los acontecimientos, pues ya es un período en el que campea pronto la larga y penosa enfermedad y muerte del Rey, que abordaremos en la última parte.

En las Cortes castellanas de 1590 pediría Felipe II aquel durísimo servicio de los ocho millones de ducados a pagar en seis años, que tanto quebrantaría la economía de Castilla, y que tan protestado sería. En Ávila, concretamente, aparecieron pasquines, el lunes 21 de octubre de 1591, puestos en las puertas de la catedral y en otros sitios públicos de la ciudad, con gran alarma del corregidor, que lo era don Alonso de Cárcamo, el cual se presentó a uña de caballo en El Escorial, para dar cuenta de ello personalmente al Rey. Felipe II lo tomó a gran ofensa contra la dignidad regia, y aunque Ávila no había sido la única en protestar, quiso castigarla más severamente, recordando que había sido la que había protagonizado la farsa de 1465, contra su antepasado Enrique IV, y una de las que más se había significado en las alteraciones de las Comunidades[74]. En consecuencia, envió al doctor Pareja de Peralta, rigurosísimo alcalde de corte, para que en el término de cuarenta días averiguara lo sucedido y castigara a los culpables. El resultado fue el proceso sumarísimo de dos nobles patricios abulenses, don Enrique Dávila, señor de Navalmorquense y Villator, y don Diego de Bracamonte; de un clérigo, Marcos López, cura de la iglesia de Santo Tomé; del licenciado Valdivieso, médico; del licenciado Daza Cimbrón, de don Santiago Cimbrón y de Antonio Díaz, escribano de número. El 17 de febrero de 1592 se ejecutó la sentencia sobre don Diego de Bracamonte, que fue degollado públicamente, tras el afrentoso caminar al cadalso. También fue condenado a muerte don Enrique Dávila, pero, de momento, encerrado en Turégano. El clérigo Marcos López (tras doble proceso, entendiendo también un juez mandado por el Nuncio) y el escribano Antonio Díaz, a diez años de galeras, y los demás, a diversas penas pecuniarias[75].

Tanto rigor produjo estupor en Ávila. Su eco llegó a la corte, y Felipe II, por si el alcalde Pareja se hubiera pasado, ordenó a su cronista Cabrera de Córdoba que realizara otra investigación.

El resultado lo sabemos por el propio Cabrera, que aquí nos da un testimonio directo. Encontró a la ciudad de Ávila muy agraviada, pues al ser muchas otras ciudades del reino tan culpables como ella en sus protestas contra el nuevo servicio, sólo ella había sido castigada con tanto rigor. Y al comunicárselo así Cabrera al Rey, obtuvo la siguiente respuesta:

---

[74] Así se lo declaró Felipe II al cronista Cabrera de Córdoba, *Historia de Felipe II, op. cit.,* III, pág. 505.

[75] *Crónica de Ávila,* m. anónimo del XVI, RAH, 11/8544, fol. 260/262 v.

> Agora sabéis y saben ellos que donde están enseñados a llevar el decir al hacer, no se ha de aguardar a que se hagan[76].

Esto, que parece un trabalenguas, hay que entenderlo de este modo: Ávila había dado muestras de su carácter rebelde (el Rey haría alusión entonces a la «farsa» de 1465 contra Enrique IV y al apoyo que había dado al comunero Padilla en 1520); por lo tanto, estaba acostumbrada a protestar contra las decisiones regias («enseñados a llevar el decir al hacer»). Y, conforme a la máxima de gobierno de Felipe II de atajar cualquier protesta desde su inicio, había ordenado el castigo, para cortar de raíz cualquier rebelión («no se ha de aguardar a que se hagan»).

Por consiguiente, el rigor implacable siguió siendo la nota del gobierno de Felipe II, dentro y fuera de España, hasta los últimos años de su reinado.

Es una etapa llena de zozobras, con un clima de desesperanza, vivido por la generación derrotista del 88, cuando las guerras se suceden en el norte de Europa, cada vez con menos capacidad de lucha de la Monarquía; sin faltar los graves sucesos internos, como la conjura del célebre pastelero de Madrigal, según se ha de ver en la tercera parte de esta obra. Por primera vez se echan en falta las buenas cabezas. Ya no hay soldados de la talla de Alba o Farnesio, ni marinos como Pedro Menéndez de Avilés o Santa Cruz. Cada vez escaseaban más los hombres y los recursos, en una Castilla sumida en la miseria, desilusionada y hambrienta, en la que germina la formidable corriente literaria de la novela picaresca, que no en vano el *Guzmán de Alfarache* de Mateo Alemán se publica en 1599, a los pocos meses de la muerte de Felipe II.

Es también cuando en las Cortes castellanas, que debaten los nuevos servicios pedidos por el Rey, se oye al fin una voz de protesta: ya estaba bien de tantas guerras con media Europa: con Flandes, con Francia y con Inglaterra. Y todas en nombre de la religión, cuando Castilla estaba sumida, cada vez más, en la miseria.

De forma que las Cortes castellanas pedirían encarecidamente al Rey:

> ... que V.M., como rey natural y verdadero señor, nos vaya a la mano y de tal manera mida nuestra posibilidad que, no agotándose, podamos ir cobrando fuerzas para servir en las ocasiones que se ofrecieren...[77]

Unas Cortes en las que se oiría ya esa advertencia sobre la necesidad de cambiar la política exterior, con tanto derroche de fuerzas y de dinero en las guerras de religión:

> ... que pues ellos se quieren perder, que se pierdan.

---

[76] Cabrera, *op. cit.,* III, pág. 505.
[77] Recogido en mi libro *Política mundial de Carlos V y Felipe II,* Madrid, CSIC, 1966, pág. 262.

Porque daba la casualidad de que un reinado como el de Felipe II, que se había iniciado bajo los auspicios de una paz general (la de Cateau-Cambrésis, tan bien acogida por el país), que parecía como una revisión a la política belicista de Carlos V, estaba cayendo en unas guerras que parecían no tener fin y en un Estado presidido por un monarca ya viejo, tan combatido por la gota, que le era imposible firmar sus documentos y tenía que usar una estampilla.

Ante esa situación, el pueblo castellano, usando una vez más de su ingenio para tantos infortunios, lo resumiría todo con un juego de palabras:

Si el Rey no muere, el Reino muere[78].

---

[78] Tal aparece también en los sueños de Lucrecia, el personaje del reinado de Felipe II estudiado por Kagan, en uno de sus trabajos más interesantes (Richard L. Kagan, *Los sueños de Lucrecia, op. cit.,* pág. 102).

PARTE TERCERA

EL HOMBRE Y EL REY

1

El príncipe de las Españas

En el invierno de 1527, a mediados del mes de enero, una extraña comitiva atraviesa lentamente, de sur a norte, la zona meseteña de Castilla. Es un buen golpe de gente que ha salido de Granada. Se trata de un cortejo regio. Más que regio, imperial, pues en su centro y bien custodiada está la litera donde va nada menos que la emperatriz Isabel. La acompañan, naturalmente, las damas de la corte, los continos de palacio y la guardia real, que la protegen de cualquier evento.

Las jornadas son breves y los porteadores se relevan cada hora. En cuanto se llega a un lugar razonable, aunque sea una villa modesta, o incluso una aldea, el cortejo se detiene para pasar la noche al resguardo de las terribles heladas meseteñas. Pues toda precaución es poca para salvaguardar la salud de la Emperatriz, siempre tan frágil, y más cuando lleva en su seno el fruto de su primer hijo.

¿Qué es lo que ha impulsado al emperador Carlos V a dejar su refugio granadino, ese lugar paradisíaco donde había anunciado que pensaba pasar el invierno? Algo sin duda verdaderamente grave ha tenido que ser, para forzarle a exponer a su mujer, la Emperatriz, a tan fatigoso viaje en lo más crudo del invierno, poniendo a riesgo no sólo su salud, sino también la feliz gestación de ese heredero por el que todo el reino suspira.

Algunos lo saben de cierto, no pocos lo sospechan: ha llegado a Castilla una penosa nueva que hace cundir la alarma. Pues hacía sólo unos meses, en pleno verano del pasado año de 1526, el turco Solimán el Magnífico había infligido una terrible derrota al rey Luis II de Hungría en los campos de Mohacs, no lejos de Budapest. Y eso, pese a la distancia, afectaba muy de lleno al Emperador, por cuanto que su hermana María estaba casada con el rey húngaro, que en aquella batalla perdió trono y vida. Budapest había sido ocupada por los turcos, lo cual ponía a Viena en primera línea y a merced de la próxima ofensiva de Solimán. ¡Viena, la corte de los Austrias, en peligro! Viena, donde estaba el infante don Fernando, el hermano del Emperador, el infante nacido en Alcalá de Henares.

Al llegar aquella mala nueva a Granada, Carlos V reúne su recién creado Consejo de Estado para oír a sus consejeros, pues algo hay que hacer, y pronto. Y todos sus consejeros coinciden: el César debía partir de inmediato para el corazón de Castilla y tomar las medidas oportunas. Su luna de miel debía dar fin, pues a Carlos le tocaba comportarse como el Emperador de una Cristiandad amenazada. Era preciso convocar a las Cortes castellanas, a ser posible en Valladolid, y advertir a la alta nobleza y al alto clero para afrontar cualquier sacrificio.

Tal fue la consulta del Consejo de Estado tenida en noviembre de 1526. Es más: los consejeros instaban a Carlos V a que llegase a un acuerdo con el rey de Francia y que solicitase el apoyo de todos los príncipes de la Cristiandad, empezando por los reyes de Inglaterra y Portugal, pues eran sus parientes, por sus enlaces con las dos Catalinas: Enrique VIII con Catalina de Aragón, la tía del Emperador, y Juan III con aquella Catalina, la hija póstuma de Felipe el Hermoso y la más pequeña, por tanto, de las hermanas de Carlos V.

Es más, aquellos consejeros, para hacer frente a tamaño peligro, pedían al Emperador que mandase todo su ejército sito en Italia para que acudiese en defensa del infante don Fernando, aunque ello supusiese poner en peligro la causa del Emperador en aquellas tierras, porque no debía proseguir la guerra entre cristianos cuando tan grande era la amenaza de aquel enemigo de la Cristiandad:

> Asimismo suplican a V.M. con instancia que tenga por bien de mandar que toda la gente e aparejo de guerra que está en Italia, vaya lo más brevemente que ser pudiere para el socorro del señor Infante y resistencia de los enemigos de la fee, porque es grandísimo el daño que se sigue de tener guerra, aunque sea justa e justísima, contra christianos, entrando los enemigos de la fee y estando tan adelante...

E incluso, poniéndose en lo peor, añadían:

> ... porque aunque V.M. reciba daño al presente, fará grandes efectos en servicio de Dios e defensión de la fee e del antiguo patrimonio de sus pasados...

Bien es cierto que, guardando algo la ropa, concluían:

> ... siendo esto sin notable perjuicio de los negocios de V.M. [1]

En todo caso, había que ponerse en marcha. Y de ese modo, Carlos V e Isabel dejan Granada. Adiós a su luna de miel. El Emperador se adelanta, sin duda porque no soporta caminar tan lentamente y acaso también para no

---

[1] Consulta del Consejo de Estado, noviembre de 1526 (Archivo de Simancas, Estado, Castilla, leg. 141, fol. 7; original. Cf. *Corpus documental de Carlos V, op. cit.,* I, pág. 118).

agravar los problemas de alojamiento de un cortejo tan numeroso; pero vuelve con frecuencia a desandar lo andado, para pasar el resto de la jornada, él personalmente, al lado de su esposa. Eso es lo que ocurre cuando está a la vista de Valladolid, que da marcha atrás, para reunirse con Isabel, que había llegado a Segovia, acompañándola ya hasta la villa del Pisuerga, aunque entrasen en ella por separado.

Era el 22 de febrero de 1527, como anotaría el embajador polaco Dantisco:

> Llegó aquí la señora Emperatriz a 22 del pasado mes de febrero, conducida desde Granada hasta aquí en una litera, siempre a hombros de 24 hombres [2].

Una entrada que llamó la atención, volcándose el pueblo al paso de la litera de la Emperatriz hasta su llegada a la casa-palacio de Pimentel. Tanta era la gravedad de su paso, que más parecía un cortejo fúnebre que el de aquella joven señora, lo que hace comentar a Dantisco: «Nunca vi un espectáculo semejante...»

A partir de su acomodo en la casona-palacio de Pimentel, la Emperatriz ya no saldría a la calle hasta llegado su parto. Su embarazo era la gran noticia para Castilla, seguido con expectación por la corte y por el pueblo día a día. Al fin, el 21 de mayo el Emperador podía dar la tan esperada nueva a su pueblo, en carta a las ciudades de Castilla, a cargo del secretario Francisco de los Cobos, que rezumaba alegría. Iba dirigida a todos los vecinos, en sus diversos grados: al cabildo municipal, a la media y pequeña nobleza («caballeros y escuderos»), a los artesanos de los diversos oficios («los oficiales») y, por último, «... a los omes buenos...».

Y el texto, conforme a suceso tan venturoso, de esos tan escasos que cosecha el hombre a lo largo de su vida, y que en esta ocasión tocaba no sólo a Carlos V como nuevo padre de familia, sino, por su alcance, al país entero:

> Porque sé el placer y alegría que dello habréis, os hago saber que ha placido a Nuestro Señor de alumbrar a la Emperatriz y Reina, mi muy cara e muy amada muger...

A continuación, la noticia tan esperada:

> Parió hoy martes, veynte y uno del presente, un hijo...

Ya la Corona tiene un heredero, y un heredero nacido en el corazón de Castilla la Vieja. Y consciente del momento histórico que eso supone, el Emperador hace un ofrecimiento a los cielos, como solicitando su apoyo:

---

[2] Antonio Fontán y Jerzy Axer, *Españoles y polacos en la Corte de Carlos V,* Madrid, 1994, pág. 196.

Espero en Dios que sea para su servicio y gran bien destos Reinos. A Él plega que sea para que yo le pueda mejor servir, pues para
este fin lo he deseado[3].

Sin duda, palabras de un gran rey.

Tenemos, pues, el gran acontecimiento que toda España anhelaba: el nacimiento del Príncipe heredero, que hispaniza de una vez por todas a la dinastía. Y como la nueva es tan notoria, las campanas la llevan por todo Valladolid, primero, para saltar después por toda España, hasta llegar a los últimos
rincones del país.

Así es como llegó hasta Villoruela, una pequeña villa cercana a Salamanca, donde su párroco lo anotaría emocionado en los libros sacramentales y de
la siguiente forma:

> In nomine Domini: Manifiesto sea a todos los que la presente vie-
> ren y oyeren cómo en el año de mil e quinientos e veinte e siete años,
> a veinte y dos días del mes de Mayo, nasció el hijo del emperador
> don Carlos, muy serenísimo rey y emperador, e de la serenísima Rei-
> na y Emperatriz, nuestros señores, e llamóse el príncipe de Castilla
> don Felipe. E por ser verdad, yo, el bachiller... [ileg.] lo firmé de mi
> nombre[4].

Incluso con su error en cuanto a la fecha exacta del nacimiento del Príncipe, comprensible en una noticia que llega posiblemente por boca de algún
viajero que había estado presente a la jornada del bautizo, la anotación del
párroco de Villoruela tiene el valor de mostrarnos con qué júbilo se recibió la
nueva hasta en los rincones más recónditos del país, así como el título que el
pueblo da al recién nacido: *Príncipe de Castilla*.

Pues no hacía tanto tiempo que Castilla, la Castilla comunera, había sido
derrotada. Pero ahora, con el nacimiento del príncipe Felipe en Valladolid,
otra vez se podía pensar que estaba en alza. Y lo cierto es que Carlos V notifi-
có dos días después el suceso a Barcelona que a Úbeda, con un texto que difie-
re poco del castellano, pero que merece la pena de ser consignado:

> El Rey.
> Amados y fieles nuestros: A Nuestro Señor ha placido alumbrar a
> la serenísima Emperatriz, nuestra muy cara y muy amada muger, con
> un fijo, que parió a los XXI del presente. La qual, aunque ha pasado
> harto trabajo, queda ya, loores a Dios, muy buena. Plegará a la divina
> bondad que deste fructo que ha sido servido de darnos, succederá

---

[3] Carlos V a la ciudad de Úbeda (Archivo Municipal de Úbeda; cf. Fernández y Fernández
de Retana, *España en tiempo de Felipe II, op. cit.,* I, pág. 12).

[4] Archivo parroquial de Villoruela, Libro sacramental siglo XVI, fol. 38. Como nadie esperaba que
al Príncipe se le pusiera el nombre de Felipe, esto nos indica que el cura de Villoruela tarda en enterarse unos veinte días, dado que el bautizo fue el 5 de junio y la nueva no pudo llegarle antes del 9.

mucho servicio suyo, establecimiento de beneficio público y reposo de nuestros Reinos y señoríos.

Avisámosvos dello por vuestro contentanmiento y para que deis gracias a Dios por tanto beneficio.

Data en Valladolid a XXIII de Mayo de MDXXVII.

Yo, el Rey[5].

Algunas diferencias deben anotarse: en primer lugar, ya puede darse a conocer cuán laborioso había sido el parto, porque se podía añadir que la Emperatriz estaba recuperada. Y lo que es más importante: la referencia a que con el nacimiento del heredero se aseguraba el reposo de la Monarquía. Era uno de los hechos que justificaban la existencia de las monarquías hereditarias, pero también parece sentirse el eco de las difíciles y turbulentas jornadas de las Comunidades de Castilla, ante un Rey mirado con sospecha. Ahora la dinastía se ha hispanizado y todo va a ser distinto. Por eso se puede hablar del reposo del reino.

Y también, lo hemos destacado, se hace público el penoso parto de la Emperatriz. En efecto, iniciándose el parto a medianoche, duraría dieciséis horas, naciendo el Príncipe a las cuatro de la tarde, sin un quejido de la madre, pese a que la comadrona le instaba a ello, incluso para facilitar el parto, a lo que contestó:

Non me faleis tal, porque eu morrerey, mais non gritarey.

Entereza increíble de la Emperatriz que trascendió de las paredes de la cámara imperial, que pronto se comentó en los pasillos del palacio, que saltó a la calle y que fue conocida por el pueblo. Y el pueblo la admiró por ello. Valladolid, el primero. Porque vivió aquellas jornadas con particular intensidad; como si dijéramos que estuviera ocurriendo en la casa de al lado. No olvidemos que la familia imperial no estaba alojada en ningún apartado alcázar. No existía alcázar regio en Valladolid; de ahí que los grandes acontecimientos de la familia real, cuando transcurren allí, tengan por escenario viviendas de los grandes señores de la villa. Enrique IV había nacido en la casa de las Aldabas y los Reyes Católicos se habían desposado en la de los Viveros. Ya hemos dicho que Carlos V e Isabel se habían instalado en la casa de Pimentel, una casona-palacio contigua a la iglesia de San Pablo, que todavía puede verse. Por lo tanto, viviendo más de lleno la vida de la villa y, a su vez, sus vecinos conociendo más de cerca los avatares de la familia imperial.

No podía ser de otro modo. Valladolid contaba entonces en torno a los 7.000 vecinos[6], que, traducido en habitantes, serían alrededor de los 30.000.

---

[5] Archivo Histórico de Barcelona; cf. en M. Fernández Álvarez, *La España del emperador Carlos V, op. cit.*, pág. 415.

[6] Según el censo de 1530, 6.500 vecinos (B. Bennassar, *Valladolid en el Siglo de Oro*, Valladolid, 1983, pág. 158).

Podría parecer poca cosa, pero no para la época. De hecho, Valladolid era la ciudad más poblada de toda la meseta superior. Ahora bien, la presencia de la corte se hacía notar de forma casi aplastante. Al aparato del Estado, con la serie de Consejos, había que añadir todo lo que suponía la corte, con sus continos del Rey y con las damas de la Emperatriz, la nube de cortesanos —con no pocos Grandes y sus respectivas clientelas— y la guardia real. Y entre los Grandes, en aquellas fechas, se hallaban el condestable de Castilla, don Íñigo de Velasco, los duques de Alba y de Béjar, los condes de Salinas y de Haro, los marqueses de los Vélez y de Villafranca. Añádanse no pocos representantes del alto clero, empezando por don Alonso de Fonseca, arzobispo de Toledo, y los embajadores de casi toda la Europa occidental.

Todos aposentados en una villa entonces de escasas dimensiones.

En efecto, el núcleo urbano de aquel Valladolid del Quinientos se extendía entre el colegio dominico de San Gregorio y la iglesia de San Pablo, al Norte, y la rúa de Cantarranas, al Sur (pronto desbordada por una creciente expansión de la villa hacia el Mediodía), con la iglesia señera de Santa María la Antigua, al Este, dejando una franja de seguridad frente al río Pisuerga, al Oeste, marcando el río una frontera apenas tímidamente alcanzada; sería la zona de huertas que aprovisionaban a la urbe.

Estamos en un Valladolid de casas bajas, las más de ellas de adobe y ladrillo, entre las que se erguían, de cuando en cuando, las casonas palaciegas de la alta nobleza, de algunos altos cargos de la corte y de los más encumbrados de las finanzas y del comercio; abundando, por supuesto, las iglesias y los conventos, algunos verdaderamente notables, con sus hermosas fachadas, como la de San Pablo. La Universidad aún no había alzado su portada dieciochesca, pero sí el impresionante Colegio Mayor de Santa Cruz, la espléndida fundación del cardenal Mendoza. Pero, en su conjunto, ese Valladolid estaba lejos de ser el que admirarían los viajeros en los años setenta, tras la cuidadosa reconstrucción que siguió al terrible incendio de 1561, que transformaría la villa conforme a un notable plan urbanístico.

Pero eso sería medio siglo después. El Valladolid de 1527 lo conocemos por las descripciones de los viajeros que llegan a la villa a principios de siglo, como el flamenco Antonio de Lalaing, un cortesano que acompaña a Felipe el Hermoso en 1501, que la alaba como «la mejor villa de Castilla», comparándola con Arras:

> Esta ciudad —nos dice— está bien pavimentada, muy poblada y con mucho comercio. Se asienta en un valle bastante fértil de trigo y viñedos. Cerca de ella corre el río llamado Pisuerga[7].

---

[7] Antonio de Lalaing, «Primer viaje de Felipe el Hermoso a España», en García de Mercadal, *Viajes de extranjeros por España y Portugal, op. cit.,* I, pág. 455.

Para Lorenzo Vital, el cronista del primer viaje de Carlos V a España, Valladolid era tan grande como Bruselas, aunque con más bajo nivel de vida, pues la mayoría de sus casas eran de adobe y muy pocas de piedra. Admira, eso sí, las fachadas de San Gregorio y San Pablo («las más bellas y ricas que se podrían encontrar»)[8].

Sería en la zona palaciega de la villa, cercana a San Pablo, donde nacería el príncipe Felipe, en la casona-palacio de Pimentel. En los quince días que transcurrieron hasta su bautizo, fijado para el 5 de junio, los comentarios mayores del pueblo, y aun de la corte, giraron en torno al nombre que debía ponerse al Príncipe. La mayoría deseaba que fuese Fernando, para recordar no sólo al Rey Católico, sino también a aquel otro gran rey del medievo que tanto había destacado en la Reconquista, Fernando III el Santo. De forma que, si hemos de creer al cronista Sandoval, cuando el cortejo regio entró en la iglesia de San Pablo, e incluso mientras duró la ceremonia del bautizo, el propio duque de Alba no cesaba de decir en voz alta: «¡Hernando ha el nombre!»

No sería así, porque Carlos V tenía muy claro que debía honrar la memoria de su padre y, de ese modo, el Príncipe se llamaría Felipe, nombre muy poco frecuente hasta entonces en España y que después sería uno de los más populares.

El acto se desarrollaría con un impresionante despliegue cortesano. Estamos ante uno de los momentos en los que la Monarquía tiene la oportunidad de afianzar su poderío, de incrementar el fervor popular, situaciones que no se pueden dejar escapar. Se trataba del bautizo del Príncipe que había de heredar la Corona más poderosa de la Cristiandad, y eso tenía que quedar de manifiesto.

Sacando la criatura por uno de los balcones del palacio de Pimentel (cuya reja aún se guarda quebrada, como recuerdo del acontecimiento), el cortejo se pone en marcha. A su cabeza, el Condestable y el duque de Alba portando al recién nacido. Detrás, sus padrinos, el duque de Béjar y la reina Leonor, la hermana mayor del César. A continuación, los condes de Salinas y de Haro y los marqueses de Villafranca y de los Vélez, llevando los diversos utensilios que habían de manejarse en la ceremonia.

Ante la puerta de San Pablo aguarda el arzobispo de Toledo, don Alonso de Fonseca.

Y se inicia el solemne ritual. Ante un gesto del Arzobispo se detiene el cortejo, para oír la obligada pregunta: ¿qué buscaba aquella criatura en el sagrado templo? Contestando en su nombre los padrinos: la fe. Entonces se abren las puertas de la iglesia para dar paso al cortejo hasta la pila bautismal, donde se procede al bautizo.

Acabado el acto religioso, el rey de armas da el grito, una y otra vez repetido, que resuena en el ámbito de la iglesia y que trasciende al exterior, donde se agolpa la multitud:

[8] Laurent Vital, «Viaje de Carlos V a España», en García de Mercadal, *Viajes de extranjeros..., op. cit.,* I, págs. 708 y sigs.

> ¡Don Felipe, por la gracia de Dios,
> príncipe de España!

Era claro que Carlos V, como cualquier otro hombre, quería honrar la memoria de su padre, muerto en plena juventud.

También, aunque no como un plan premeditado, sino como algo que respondía a lo que la Corona debía hacer en casos semejantes, el Emperador desplegó el mayor boato, que las crónicas, como la de Sandoval, nos relatan con tanto detalle y tan prolijamente, que su lectura produce fastidio. Pero que prueban que la corte cumplía con su papel, para afianzar su poder sobre el pueblo, como había ocurrido con la boda del Emperador. Es a partir de entonces cuando Castilla acepta ya de buen grado el mandato imperial, notando a su vez la hispanización creciente del Emperador; algo a lo que, sin duda, contribuían también los increíbles éxitos guerreros en el exterior, como la victoria de Pavía o como la prisión del rey de Francia.

De esta manera, el príncipe Felipe, con su nacimiento, afianzaría la política imperial de su padre, Carlos V, algo que, en buena medida, puede interpretarse en las cartas en las que el Emperador anunciaba el hecho, como en la mandada a Úbeda:

> Espero en Dios que sea para su servicio y gran bien destos Reinos.

O como aquello otro señalado en la de Barcelona:

> Plegará a la divina bondad que deste fructo que ha sido servirnos de darnos, sucederá mucho servicio suyo, establecimiento de beneficio público y reposo de nuestros Reinos y señoríos.

Como el Emperador lo resumiría en su carta a Úbeda: «... pues para este fin lo he deseado...»

Para el bachiller de Villoruela, lleno de un fervor hacia su tierra meseteña, sería «el príncipe de Castilla». Pero, en verdad, era mucho más, el primer príncipe nacido desde hacía un milenio, desde los lejanos tiempos visigodos, que estaba llamado a heredar toda España. E incluso en plural, las Españas, como andando el tiempo él mismo lo marcaría en su sello: *Philippus, Hispaniarum Princeps*.

Lo que venía a recordar el grito del rey de armas en el día del bautizo:

> ¡Felipe, príncipe de las Españas!

2
Bajo la tutela materna

Durante doce venturosos años, Felipe II irá creciendo bajo el amparo de la emperatriz Isabel.

No tenemos ningún retrato fiable de la Emperatriz. El más conocido, el de Tiziano que posee el Museo del Prado, fue pintado por encargo de Carlos V, cuando el Emperador, ya viudo, comprobó, a su pesar, que no se había hecho ninguno a su esposa y que, por tanto, carecía de ese soporte que le recordase la imagen de la mujer que había querido tanto.

Pues el matrimonio imperial, forjado por puros intereses diplomáticos, acabó sorprendiendo a todos por lo pronto que se convirtió en una pareja enamorada. Y ese ambiente hay que recordarlo al tratar de la infancia del Príncipe.

No poseemos ningún cuadro de la Emperatriz hecho en vida, es cierto; Tiziano tuvo que guiarse por un camafeo y por la información recibida de la corte. Y como cuando pinta el retrato de Isabel, ésta hacía años que había muerto, un poco de ese aire evanescente, de ese hecho de haber trascendido del mundo real, quedó ya en el lienzo y se transmite al espectador. Uno piensa de inmediato en una tierna mujer de unos treinta años, llena de dulzura, con algo de esa saudade portuguesa, un no sé qué de melancolía, como si la Emperatriz hubiera de soportar un destino duro, e incluso adverso, al que hay que sobreponerse. También pensamos de inmediato en aquel esposo suyo, siempre yendo y viniendo, tan viajero, tantas veces ausente y en continuo peligro de la vida.

Porque de Carlos V sí que tenemos cuadros y bustos donde escoger, desde la época juvenil, como el hecho por Van Orley, de la National Gallery de Edimburgo, o como la serie realizada por Tiziano, entre los que destaca la obra maestra del César a caballo, lanza en ristre, cabalgando por los campos de Mühlberg, que podemos admirar en el Museo del Prado. Pero para nuestro propósito de evocar la familia imperial, es otro Carlos V el que hay que traer a la memoria: el del Emperador a sus treinta y dos o treinta y tres años, de gallarda apostura cortesana, espada al cinto, barba cerrada y bigote sombreando su cara, el cuerpo descansando sobre la pierna izquierda, y la derecha ligeramente avanzada, con elegante gorra tocando su cabeza y regio ropaje de acuchilladas mangas. Estamos ante un César dominador del mundo, el que hace poco ha hecho retroceder al Turco ante Viena, que posa acompañado de su fiel perro, seguro de sí mismo, con el cetro cogido firmemente con su mano diestra.

La serenidad inefable del cuadro de Isabel aúna simbólicamente —acierto indudable del artista— la fragilidad del cuerpo de la Emperatriz con la dulzura de un carácter soñador, de quien está con la mente absorta por lo leído en el libro que porta en la mano siniestra.

Y esa es la cuestión que primero debiéramos recordar: la estampa familiar de un hogar presidido por la Emperatriz, una mujer, a fin de cuentas, que lamenta, como si fuera la esposa de un marino, las constantes ausencias de su marido, el Emperador. Un hogar en que se echa en falta, año tras año, al hombre de la casa, siempre viajando o guerreando por medio mundo. De eso tendremos ocasión de hablar.

Porque los hechos aquí son suficientemente reveladores. Entre mayo de 1527, cuando nace el príncipe Felipe, y mayo de 1539, en que muere la Emperatriz, Carlos V no cesa de viajar, ausentándose de su casa y corte. Cierto, llevando consigo parte de la corte, pero no a la mujer y a los hijos, que poco a poco van naciendo, al chocar amoroso de los cónyuges en los intervalos hogareños del César. Durante un año, el Emperador tuvo a su lado a la Emperatriz y al príncipe Felipe; pero ya a finales de abril de 1528 los deja en Madrid para caminar hacia Valencia, donde llega a principios de mayo, no regresando hasta el 3 de agosto; eran todavía ausencias de tres a cuatro meses. Pero al año siguiente, en 1529, sería otra cosa. Carlos V se dispondría a una de sus mayores empresas, acordándose de que era emperador de Europa, y que sus obligaciones iban más allá de gobernar España y de ser el *pater familiae* de su casa y hogar. En consecuencia, como debe ser coronado emperador por el papa Clemente VII —con el que al fin ha hecho las paces—, y como debe ordenar las cosas de Italia, negociar con los luteranos en Alemania y defender Viena frente al Turco, sale de la corte y de España para emprender largas travesías por mar y por tierra, con inciertos resultados y con evidentes riesgos.

También esa estampa del padre viajero y guerrero, librando difíciles batallas diplomáticas y bélicas, presidirá el hogar en que crece el príncipe Felipe. Carlos V no regresaría hasta entrado 1533, para ausentarse de nuevo en 1535, con la empresa de Túnez en el horizonte; volvería en 1537, pero incluso ese año haría una nueva escapada, para verse con Francisco I en Aigues-Mortes. Y eso sin olvidar que cuando estaba en España también iba y venía por sus reinos hispanos, como cuando en 1534 visitó casi todas las ciudades de las dos Castillas.

Por lo tanto, lo suyo, lo de casi siempre, será ese hogar presidido por Isabel; lo extraordinario, la noticia es que llega el Emperador. El Príncipe apenas si tiene conciencia de su persona, en aquella primera gran ausencia de 1529; ni siquiera cuenta entonces los dos años. Cuando le vuelve a ver, en 1533, el Príncipe está a punto de cumplir los seis años. Ya veremos que va con su madre y su hermana María a esperar al gran viajero a Barcelona, y es entonces cuando se fija de verdad en su retina la imagen del padre, glorioso y vencedor, el padre que es Rey y Emperador, el padre que es el primer personaje de la Europa cristiana, rey de reyes, espectacular en su grandeza.

EN EL HOGAR DE LA EMPERATRIZ

A los ocho años, Felipe II asiste de nuevo a la marcha del Emperador, su padre, y es testigo ya consciente de las penas de su madre, con aquella otra larga ausencia que dura otros dos años más. Se podría esperar que las treguas firmadas con Francia en 1537 permitieran una larga estancia de Carlos V en el hogar imperial, para sosiego y bienandanza de la sufrida esposa. Pero no fue así.

Y no lo fue porque, en aquella ocasión, y debido a un mal parto, quien se iría para siempre sería la propia Emperatriz.

Pero de lo que no cabe duda es que el Príncipe niño crece en palacio bajo la mirada vigilante y amorosa de su madre, Isabel.

Una época de la que poseemos algunos documentos muy ilustrativos.

Sabemos, por ejemplo, que la peste obliga a la familia imperial —incluido el propio Carlos V— a dejar Valladolid el 23 de agosto de 1527, cuando el Príncipe tenía sólo tres meses y dos días, porque las gentes en la villa del Pisuerga «... morían de peste»[1].

Era la terrible peste que diezmaba a los pobres y que obligaba a huir a los ricos y poderosos.

De momento, la familia imperial buscó refugio en Palencia, realizando el viaje en cuatro jornadas, en cuatro breves etapas de unas dos leguas, para no fatigar en demasía a la Emperatriz y para extremar los cuidados del Príncipe, todavía tan tierno.

Conocemos esas etapas: salen de Valladolid el 23 de agosto y pernoctan en Cabezón con la corte. Haciendo siempre jornadas de tarde, al día siguiente duermen en San Martín de Valvení. El domingo, en Cevico de la Torre. El lunes, por llegar ya a Palencia, la comitiva regia se pone en camino por la mañana, hace alto a mediodía en Villaviudas y a la noche entran en Palencia. Por tanto, dando un ligero rodeo, que sólo cabe explicar por escapar de lugares que estuvieran dañados por la peste.

Imaginémonos, pues, la estampa, tantas veces repetida: el césar Carlos yendo con su cortejo por los caminos polvorientos de España o del resto de la Europa occidental, en jornadas de dos o tres leguas, pernoctando la mayoría

---

[1] Foronda y Aguilera, *Estancias y viajes de Carlos V,* Madrid, 1914, pág. 295.

de las veces en modestísimos lugares, en ocasiones auténticas aldeas, donde sería difícil encontrar acomodo para el primer personaje de Europa; acaso alguna casona de un vecino acomodado. Cabezón era un poco mayor, beneficiándose de la cercanía de Valladolid y de su paso sobre el Pisuerga; pero San Martín de Valvení sólo contaba con 104 vecinos, según el censo de 1591. Esto es, una aldea, el corazón de un medio rural. Y no eran mucho mayores Cevico de la Torre y Villaviudas, de donde se comprende que tenían ardua tarea los aposentadores regios para acondicionar medianamente los caserones que el vecindario ponía a su disposición.

Esto es, que saldría muy verdadera aquella declaración carolina, expresada en el discurso de la Corona ante las Cortes de Castilla de 1520, de que había aceptado la dignidad imperial

> ... con obligación de muchos trabajos y muchos caminos... [2]

En suma, estamos ante una corte nómada, como si se tratara de montar continuamente la tienda de campaña.

Eso también se grabó en el ánimo del Príncipe desde sus primeros años. ¿Y no tendríamos ya aquí una explicación al horror que sentiría después, pasados los años, a cualquier viaje? ¿No estará aquí germinando ya el fuerte deseo de Felipe II por hacer de su corte algo fijo, y pasar del nomadismo a lo sedentario? En aquel continuo ir y venir por los pueblos, a que le obligaba el incesante afán de Carlos por cambiar de sitio, se está incubando la futura suerte de Madrid, como corte fija y estable de España.

Carlos V pasa de Palencia a Burgos por convocar los Consejos en una de las principales ciudades de Castilla:

> S.M. vino de Valladolid a Palencia, por respeto que morían de peste, y agora ha venido a esta ciudad [de Burgos] por se juntar con los Consejos y Corte [3].

Hizo el viaje en cuatro jornadas: el 11 durmió en Torquemada, el 12 en Palenzuela, el 13 se desvía de pronto hacia el Este, dejando el camino directo de Burgos, para entrar en Lerma, donde descansó hasta el miércoles 16, y el 17 hacía su entrada en Burgos. Obsérvese, pues, que de los pequeños lugares donde el César se ve obligado a pernoctar sale a escape, pero cuando llega a una villa de cierto fuste, como Lerma, se permite el lujo de un descanso mayor, para reponerse de aquellos trabajosos caminos.

A partir de 1527, una de las noticias solicitadas y comunicadas con más asiduidad sería ya la pequeña vida cotidiana del Príncipe, al amparo de la

---

[2] Discurso de 1520 ante las Cortes de Castilla, en Francisco de Laiglesia, *Estudios históricos*, *op. cit.*, I, pág. 339.
[3] En Foronda, *op. cit.*, pág. 297, nota 1.

Emperatriz. El embajador de Fernando, Martín de Salinas, será uno de los primeros en dar cuenta de ello. El 21 de octubre de 1527 escribía a Viena:

> S.M. la Emperatriz y el Príncipe están buenos, gracias a Dios...[4]

No descansaría mucho tiempo la corte en Burgos. Todavía en pleno invierno —que en la meseta de Castilla la Vieja se prolonga en ocasiones hasta bien entrado abril—, sale Carlos V camino de Madrid. El 20 de febrero pernocta en Lerma, se desvía después a Peñafiel, donde duerme el 24, para pasar la sierra por Somosierra y Buitrago y entrar el 7 de marzo en Madrid.

Por supuesto, la Emperatriz y el Príncipe iban a un ritmo más lento[5].

Entre Madrid y Toledo, por lo tanto, la Emperatriz y los hijos que le van llegando; mientras que Carlos V va y viene por sus reinos de Castilla y Aragón, con lo que durante la misma etapa hispana de Carlos V, en esos años veinte, ya empieza la Emperatriz a sentir las ausencias conyugales que ha de soportar, mal que bien, pues no en vano es la esposa del César.

Y se inician los grandes actos oficiales. En Madrid son convocadas nuevas Cortes de Castilla (aunque no habían pasado los tres años reglamentarios), para jurar al príncipe Felipe como heredero del trono, ceremonia que tiene lugar el 19 de abril de 1528, cuando la Emperatriz lleva muy adelante su segundo embarazo (ya de siete meses), pese a lo cual se presenta en público con su hijo Felipe, que aún no había cumplido su primer año.

A finales de abril de 1528, la Emperatriz vio marchar a Carlos V para las Cortes de la Corona de Aragón. Aunque el lugar designado era Monzón, Carlos V se dirigió primero a Valencia, cuya capital aún no había visitado, y donde pasó la primera quincena de mayo. Después, yendo por Sagunto, Morella, Alcañiz y Caspe, entraría en Monzón el 31 de mayo.

Era un constante ir y venir. De cuando en cuando, el Emperador se tomaba unas treguas y dedicaba alguna jornada a la caza[6]. Pero, al fin, estaba en España y la Emperatriz sabía que su ausencia no duraría más de unos meses.

Otra cosa fue cuando le vio marchar el 8 de marzo, camino de Italia. Entonces sí sabía la Emperatriz que el viaje sería asaz largo, los peligros grandes y el regreso harto dudoso. Ella quedaba con sus dos hijos pequeños, Felipe y María, y embarazada de un tercero, que le nacería en octubre. El Emperador la dejaba, además, al frente del gobierno de España, lo que no era carga pequeña para aquella joven mujer que entonces contaba veintiséis años.

---

[4] En Foronda, *op. cit.*, pág. 297.

[5] Hoy, los movimientos del Emperador, sus continuos caminos en cualquier estación del año, los conocemos con toda precisión, día a día, gracias a la obra monumental de Foronda. Pocos libros ayudan a penetrar en ese aspecto del Emperador, el de sus «muchos trabajos y muchos caminos». Manuel Foronda y Aguilera, *Estancias y viajes de Carlos V,* Madrid, 1914, pág. 714.

[6] 29 de mayo de 1528: «El Emperador comió yendo de caza, cenó y pernoctó en Alcolea de Cinca», en Foronda, *op. cit.*, pág. 309.

No cabe pensar que el Príncipe, al que aún faltaba mes y medio para cumplir los dos años, guardara memoria de la despedida paterna; pero sí fue creciendo, durante los cuatro años siguientes, en un ambiente hogareño con la añoranza del padre lejano, con las melancolías y los lloros de la madre. Acaso le quedaría el recuerdo del nacimiento de su nuevo hermano, Fernando, en octubre de 1528, pues para entonces ya contaba con dos años y medio. Pero su compañera de juegos era su hermana María, con la que le uniría siempre un entrañable amor fraterno, vencedor de la distancia y del tiempo, que les volvería a unir al final de sus vidas, entrada la década de los ochenta.

Sí tuvo que notar el Príncipe un suceso amargo: la muerte de su hermano Fernando, ocurrida el 13 de julio de 1529.

Fue una muerte apenas recordada por los contemporáneos y silenciada después por los historiadores. Sin embargo, tuvo sus consecuencias negativas, pues en principio estaba destinado a ser mandado muy pronto a Bruselas, para criarse en la corte de Margarita de Saboya, la *bonne tante* del Emperador.

En efecto, cuando Margarita tiene noticia de su nacimiento, en el otoño de 1528, escribe al punto una notable carta a la Emperatriz en la que le declara sus esperanzas, conforme lo que le había prometido el Emperador, su sobrino:

> Señora: Yo he sabido cómo ha plazido a Dios de os dar un lindo hijo —escribe Margarita a la Emperatriz— a los 22 de noviembre, y que vos y vuestro fruto estáis en buena disposición, de lo cual yo doy muchas gracias a Nuestro Señor, que ha fecho esta gracia al Emperador y a vos, de que ciertamente todos le somos obligados...

Hasta aquí, la mera carta formularia de enhorabuena por un acontecimiento familiar tan jubiloso, como el nacimiento de un hijo. Pero Margarita quería más, deseaba recordar a la Emperatriz la promesa que tenía de Carlos V, y así añade, como temerosa de que se olvidara:

> ... y por mi parte no me pudieran venir nuevas que tanto deseara. Porque, según lo que prometió S.M., yo tengo esperanza que éste será mi hijo y caña para mi vejez que me vendrá a consolar de la pena que yo tengo cada día...

Pero ¿consentiría la madre apartarse de su hijo? Margarita lo teme y encuentra una solución: ella animaría a Carlos V a que volviese pronto a España y cumpliese de nuevo como marido:

> Así os ruego, Señora, que no me queráis contradecir, y yo solicitaré tanto más a S.M. cuando le viese, que os vaya a ver, para que comience otro, que gracias a Dios él no ha menester otra cosa sino hijos para poseer los grandes Reinos y tierras que Dios le dio [7].

---

[7] Margarita a Isabel, Bruselas, 15 de diciembre de 1529 (*Corpus documental de Carlos V*, I, págs. 185 y 186).

Según esto, el infante Fernando estaría destinado a educarse en la corte de Bruselas para heredar después los Países Bajos. Hubiera sido una solución que habría evitado a Europa una de sus cuestiones más graves y peor resueltas: el problema de Flandes.

Pero aquí, como en tantas otras ocasiones, la muerte haría su oficio, eliminando esa bonísima solución. El 13 de julio muere el infante Fernando, cuando aún no había cumplido el año. Poco después, el 30 de noviembre, lo haría Margarita de Saboya, sin duda harto afligida por la pérdida de aquel niño del que tanto esperaba.

Por supuesto, el dolor fue mayor en la corte de la Emperatriz, a quien la muerte de su hijo provocó tanta pena, que la obligó a guardar cama. En cambio, Carlos V lo tomó con una serenidad que asombra. En sus *Memorias* sólo deja constancia escueta de la noticia:

> ... supo [en Bolonia] cómo la Emperatriz había parido a Fernando, su segundo hijo, de cuya muerte tuvo nuevas el año siguiente en Augsburgo... [8]

Escribió, sí, a la Emperatriz, con una carta impersonal, como dejada a la inspiración de su confesor, para que aprovechara la ocasión para las oportunas reflexiones sobre la vida y la muerte:

> El fallescimiento del infante, nuestro hijo, habemos sentido, como era razón —le escribe desde Augsburgo el 31 de julio de 1530—, pero pues Nuestro Señor, que nos lo dio, lo quiso para sí, debemos conformarnos con su voluntad y darle gracias y suplicarle por lo que queda. Y así os ruego a vos, Señora, muy afectuosamente que lo hagáis y olvidéis y quitéis de vos todo dolor y pena, consolándoos con la prudencia y ánimo que a tal persona conviene...

Eso sí, le enviaba a un gentilhombre de su casa y corte, para que la visitara [9].

No cabe duda: Carlos V, enfrascado en las grandes empresas de Europa, en conflicto abierto con los príncipes luteranos en Alemania y con la amenaza siempre latente del Turco sobre Viena, apenas si tiene tiempo para pensar en aquel hijo que le había nacido estando ausente y que se le había muerto sin siquiera conocerlo.

Para el príncipe Felipe era perder al hermano varón que nunca tuvo; un hueco que nunca llenaría el hermanastro don Juan de Austria, siempre mirado con recelo.

---

[8] Carlos V, *Memorias,* ed. cit., pág. 56.
[9] Carlos V a Isabel, Augsburgo, 31 de julio de 1530 (*Corpus documental de Carlos V,* I, pág. 231).

Sus juegos serían con su hermana María, en aquella corte que se movía entre Madrid, Toledo y Ocaña, siempre huyendo de la peste. La Emperatriz, entre tanto, agobiada con los cuidados de tener a su cargo el gobierno del reino y con las penas de las pocas cartas que recibía de Carlos V. Los pequeños, con tres y dos años, jugando o porfiando, que es también como un juego inevitable.

Tenemos referencias de ello y por las mismas asistimos a esos juegos y a la vigilante atención de la Emperatriz, en una línea de austeridad que no deja de llamar la atención.

Es lo que nos cuenta el 15 de noviembre de 1530 desde Ocaña, donde estaba entonces la corte, la marquesa de Lombay, doña Leonor de Castro, dama que era de la Emperatriz y que vivía todos los menudos acontecimientos de la familia imperial:

> Pasan el tiempo el Príncipe y la Infanta en invidias sobre quien tiene más vestidos, aunque la Emperatriz no se los quiere dar de tela de oro, siquiera para vestir los domingos.

Para entonces, Felipe, con sus tres años corridos, anunciaba su afición a la caza, que la marquesa recoge humorísticamente, diciendo al Emperador:

> El Príncipe está muy contento con su sayo y un capote de monte que tiene. Pide cada día a la Emperatriz que vaya a Aranjuez, y con este vestido y con una ballesta que tiene, amenaza tanto a los venados, que me parece que cuando V.M., con bien venga, no hallará ya qué matar [10].

Ocurrencias más o menos graciosas de niños, que, al ser el Príncipe el protagonista, se aireaban más. Siempre nos vemos sorprendidos al comprobar cómo un niño, que no levanta un palmo, tiene de pronto observaciones que parecen de mayores. Hacia 1531, cuando Felipe andaba ya por los cuatro años, se vio acosado por una dama de la corte que le importunaba para que admitiese un nuevo paje:

> ... nunca quiso —el Príncipe—, y decía que tenía muchos, que no lo podía tomar, que lo diesen a su hermana que no tenía ninguno. Dijéronle que ella no tenía pajes tan presto. Respondió enojado: «Pues busca otro Príncipe, que por estas calles los hallarás» [11].

Un príncipe tiene siempre grandes privilegios, aun desde niño; eso está claro. Entre otros, el de ser quien organiza los juegos:

---

[10] Archivo General de Simancas, Estado, Castilla, leg. 20, fol. 257.
[11] Don Pedro de Mendoza, primer ayo de Felipe II, a Carlos V; véase mi libro *Economía, Sociedad y Corona*, Madrid, 1964, págs. 175 y 176.

Su pasatiempo es ordenar justas a los niños, y las lanzas son velas encendidas, y paran los encuentros en el doctor Villalobos, donde vienen a morir...

Desde pequeño se muestra buen comedor, tanto que tiene que imponer su autoridad el médico para cortar los excesos [12]. Movido, inquieto, a veces demasiado, tiene que intervenir la Emperatriz, quien no duda en corregir al hijo, de reprenderle y aun de azotarle, si al caso viene, no sin lloros de alguna dama melindrosa de la corte:

Es tan travieso —sigue informándonos su ayo— que algunas veces S.M. —la Emperatriz— se enoja de veras. Y ha habido azotes de su mano, y no faltan mujeres que lloran de ver tanta crueldad.

Al fin se hizo el viaje que el Príncipe pedía a su madre, de Ocaña a Aranjuez. Era como una excursión, dada la poca distancia entre los dos lugares, de apenas algo más de una legua, siendo todo el camino recto, en ligera caída al valle del Tajo. Acompañada de sus hijos, la Emperatriz iba en una de las carretas del tiempo, pues aún no se habían generalizado los coches, ya habituales en la Europa central y en los Países Bajos, de lo que, por cierto, tenía noticias la Emperatriz, suspirando por ellos:

La Emperatriz —escribía el ayo Gonzalo de Mendoza— anduvo en carretas más de 2 leguas y está muy bien. Preguntábame cómo eran la de Flandes, deseando tener de ellas.

Don Pedro recordaba las que había tenido a su servicio la tía del Emperador y gobernadora de los Países Bajos, Margarita de Saboya, y se lo dice a Carlos V para que las mandara a España:

V.M. debe mandar que traiga Domingo de la Cuadra un par de carros de los de Madama, que haya gloria, o de otros si los hubiere mejores, y caballos para ellos...

Eso hubiera supuesto tal cambio, tal mejora, tan ponerse al día en la técnica de vencer la distancia y de mejoría en los viajes, que Gonzalo de Mendoza añade:

... será la cosa con que más se holgará [la Emperatriz]... [13]

El Príncipe iba feliz, a sus cuatro años, caballero en una cría de mula,

---

[12] «... suele S.A. enojarse algunas veces —con el doctor Villalobos— porque no le quiere dar de comer todo lo que quiere» (carta cit. de don Pedro de Mendoza a Carlos V).

[13] Cit. por Fernández y Fernández de Retana, *op. cit.*, I, pág. 70.

despertando la envidia de su hermana María, no sin temor de la Emperatriz, que deseaba verle a seguro llevándole consigo en su carreta. Es una pequeña estampa de la niñez del Príncipe que nos narra su ayo, don Pedro González de Mendoza:

> El Príncipe fue con S.M. [a Aranjuez] —le escribe al César— y anduvo en su mulica solo y hallóse muy bien. En el campo comió mejor y durmió que lo hacía en el lugar. No podían con él que entrase en las carretas con S.M.; deseaba que llevasen allá a la señora Infanta, que se halla muy bien en su compañía, por donde me parece que no será mal galán [14].

Por supuesto, llevando siempre a un lado y a otro quien lo vigilase, para evitar cualquier accidente. En otra ocasión, la Emperatriz salió con sus hijos a Illescas, desde Toledo, atravesando la plaza del Zocodover y pasando por la calle real del Arrabal a buscar la puerta Antigua de la Bisagra, para salir al camino de Madrid; yendo el Príncipe niño caballero en su mulica, diciéndole cosas a la Emperatriz, ufano de ir así cabalgando. Eso sí, siempre bien escoltado por Francisco de Borja —el futuro santo— y por González de Mendoza, con el pueblo agolpado en las calles para verlo pasar:

> ... la gente cargó tanto para velle —nos cuenta González de Mendoza—, que no se podían hender las calles, diciendo a S.M. cosas para reir y muy alegre de verse cabalgando...

En suma, una infancia venturosa, criándose bien el Príncipe [15]. Porque de los grandes personajes de la historia queremos conocer esos detalles. Son menudencias, naderías, aspectos de la vida cotidiana de la corte, que aquí alumbran también esa necesidad del poder de hacer pública su presencia, de popularizar la Monarquía, de asegurar la adhesión a los sentimientos dinásticos. De ese modo el pueblo se olvidaba un poco de sus miserias y vivía con la familia imperial sus altibajos: las buenas nuevas, como la boda o el nacimiento de los príncipes; las tristísimas, como la muerte del infante Fernando, o simplemente las cotidianas, como un día de campo de la Emperatriz y sus hijos. Y en ese sentido puede decirse que la familia imperial cumplió ese aspecto de atender a la opinión pública con el mayor esmero, compensando con ese ir y venir entre villas y ciudades, pero también entre los pueblos más escondidos de Castilla, lo que ahora se hace aprovechando los grandes medios de difusión.

Sitios preferidos serían Medina del Campo —donde pasarían la Emperatriz y sus hijos casi diez meses, de diciembre de 1531 a agosto de 1532— y el

---

[14] En J. M. March, *Niñez y juventud de Felipe II;* citado por mí en *Economía, Sociedad y Corona,* Madrid, 1963, pág. 176.

[15] «Hoy ha salido a ofrecer sus años —comenta González de Mendoza—, que son cuatro y parece de más...» *(ibídem).*

alcázar de Segovia, donde permanecerían en el otoño de 1532. Pero después el lugar preferido de Isabel sería el alcázar madrileño, donde ya había estado entre noviembre de 1532 a mayo de 1533, y donde despediría al César en mayo de 1535 y allí permanecería hasta junio de 1536.

En 1533, una gran noticia conmovió a la corte: el inminente regreso del Emperador. Hacía cuatro años que Carlos V había salido de España para aquella coronación suya en Bolonia. El tiempo transcurrido era mayor que el convivido con la Emperatriz, pues a los dos años y medio de las bodas imperiales había partido Carlos V para Italia. Eso sí, en términos populares, había cumplido con Isabel: ¡en dos años y medio le había hecho tres hijos!

La ausencia no había disminuido el hondo cariño de los esposos, algo tan raro en los matrimonios de Estado, que aquí se logró a la perfección. Los médicos que atendían al Emperador señalaban su alicaimiento y, como presa de una extraña enfermedad que no acertaban a curar, opinaban, al fin, que la cura la tenía en la mano la Emperatriz cuando el César regresase a su lado.

> Y así le aconsejan los médicos —en 1532— que trabaje de volver a España para que acabe de sanar [16].

Por lo tanto, puesto que el regreso se anunciaba para el mes de abril, había que ponerse en camino. El viajero llegaría por mar a Barcelona y quería tener allí esperándole a su mujer y a sus hijos.

¿Habría sido cierto que Margarita le había hecho su recomendación? Aquello que había escrito en 1530 a la Emperatriz:

> ... yo solicitaré tanto más a S.M., cuando le viese, que os vaya a ver, para que comience otro, que gracias a Dios él no ha menester otra cosa sino hijos...

Un viaje muy largo, ciertamente, en la perspectiva del Príncipe niño, que entonces aún no había cumplido los seis años. El 17 de febrero Isabel salía con sus hijos de Madrid, por la ruta interior: Guadalajara-Medinaceli-Calatayud-La Almunia-Zaragoza-Igualada-Barcelona, donde se hallaba ya a finales de marzo. Aún había de esperar un mes al Emperador, que, habiendo embarcado en Génova el 9 de abril, llegaría a Rosas el 21, dejaría ya la flota y —atención al dato—, cogiendo el servicio de postas, entraría en Barcelona por tierra el 22. ¡De forma que hizo aquellas 22 leguas en dos jornadas! He ahí un dato revelador. La pasión amorosa llevó a Carlos V en volandas.

La seca prosa documental lo deja bien reflejado:

> S.M. tomó tierra el 21 de Abril en Rosas en su condado de Rosellón, donde desembarcó acompañado del duque de Alba, conde de

---

[16] Véase mi estudio «La emperatriz Isabel», en *Boletín de la Real Academia de la Historia*, t. 190, mayo-agosto 1993, pág. 225.

Benavente y otros gentileshombres de su cámara y tomó la posta al encuentro de la Emperatriz que se hallaba en Barcelona [17].

Y al día siguiente:

S.M. el Emperador y Rey nuestro señor entró en esta ciudad [de Barcelona], viniendo por la posta, dejando en Rosas la escuadra que le había traído. Hizo su entrada entre nueve y diez de la mañana [18].

¡Por lo tanto, había estado cabalgando día y noche! De otro modo hubiera sido imposible tal hazaña, que de todas formas parece casi increíble, pues si el caminante no solía pasar de los 25 kilómetros diarios (unas cuatro leguas), el jinete sin prisas nunca lo doblaba. Había que referirse al correo del Rey para encontrarse con más de los 100 kilómetros diarios, y eso es lo que haría Carlos V precisamente en un verdadero alarde, al cubrir el trayecto de Rosas a Barcelona en veinticuatro horas.

Al fin el Príncipe tenía ante sí al Emperador, su padre, al hombre cuyas ausencias tantas lágrimas costaba a su madre. Para el niño, una estampa nueva, una figura desconocida, grande, inmensa; pues siempre lo es el padre para los hijos pequeños, ¡qué no sería para Felipe cuando el que veía era además el Emperador, reverenciado por todos!

Durante mes y medio la familia imperial residió en Barcelona. La ciudad era grata para Carlos V. Allí le había cogido, catorce años antes, la noticia de su elección al Imperio y había podido comprobar la satisfacción de los *consellers,* orgullosos de que por unos meses Barcelona se convirtiera en la capital del imperio carolino.

La convocatoria de las Cortes de Aragón en la villa de Monzón obligó a Carlos V a salir de Barcelona a mediados de junio, dejando en la Ciudad Condal a su mujer y a sus hijos. No andaba buena la Emperatriz, siempre de frágil salud, y eso obligó al Emperador a visitarla a principios de julio [19]. La gran duración de las Cortes tiene a Carlos V en Monzón el resto del año, para unirse con su familia en Zaragoza a mediados de enero de 1534. En pleno invierno se traslada la corte a Toledo, en cuyo alcázar parece que van a gozar de cierta calma.

No será así. De nuevo le entra a Carlos V el ansia de ir y venir por sus reinos, y en el mes de junio se embarca en la empresa de visitar las principales ciudades y villas de Castilla y León, dejando en Toledo a su familia. El 13 de junio estará en Alba; el 17, en Salamanca, donde parará cuatro días para acudir al Estudio y escuchar a sus maestros; el 23 lo vemos en Zamora, donde

[17] Cit. por Foronda y Aguilera, *op. cit.,* pág. 374.
[18] *Ibídem.*
[19] Visita de Carlos V a la catedral de Barcelona el 2 de julio para dar gracias por la mejoría de la Emperatriz (Foronda, *op. cit.,* pág. 377).

tendrá un recibimiento espectacular[20]; el 26, en Toro; el 29, en Valladolid, donde reposará veinte días; el 27 de julio, en Palencia, donde tendrá su estancia más larga, sorprendentemente, de más de dos meses, permaneciendo allí hasta el 5 de octubre, y el 10 de octubre, de nuevo en la meseta inferior, ya en su alcázar madrileño, donde vuelve a reunirse con la Emperatriz. Pero ya para entonces había llegado la noticia a España de la pérdida de Túnez, a manos de Barbarroja, lo que ponía a Italia en tremendo peligro, en especial a los reinos de Nápoles y Sicilia.

Y otra vez los deberes imperiales se imponen a los sentimientos familiares. El 2 de marzo, Carlos V dejaba familia y corte para encaminarse a Barcelona.

Estaba en marcha su gran empresa contra Barbarroja para recuperar Túnez.

En aquella ocasión, el príncipe Felipe contaba ya casi ocho años. A partir de ese momento, tendría ya bien clara la estampa de su padre, el rey-viajero y el rey-soldado, el Emperador de Europa, que anteponía sus deberes imperiales a sus sentimientos familiares.

Era cuando apuntaba la primavera de 1535. Y, como le había aconsejado su tía Margarita, de nuevo dejaba Carlos V a la Emperatriz con «el encargo» de un nuevo hijo, que llegaría puntual el 24 de junio.

Por segunda vez Carlos V se hallaría ausente en esos delicados momentos en que su mujer, la Emperatriz, de suyo tan frágil, tenía una hija: la futura Juana de Austria.

Pero las victorias logradas en Túnez no traerían el regreso del Emperador. Sabemos el desconsuelo de la Emperatriz. Carlos V le había prometido que al acabar aquella campaña regresaría de inmediato a España, para pasar con ella el invierno. En vez de lo cual, con un horizonte internacional cada vez más complicado, el Emperador cambia de planes.

Consciente de lo mucho que su decisión afectaría a la Emperatriz, le insta a mostrar su entereza.

Es una carta entrañable, acaso la más íntima de las escritas por Carlos V a su mujer. Es cuando, con un tono personal y directo, le dice la frase que deja entrever tantas cosas de aquella pareja enamorada:

> Por eso, Señora, no son menester aquí soledades ni requiebros. Ensanche ese corazón para sufrir lo que Dios ordenare...[21]

Era que estaba en marcha su visita a Roma de 1536, su vehemente alocución ante Paulo III y el Colegio cardenalicio, en que acusaría tan duramente a

---

[20] Véase mi estudio «Zamora en tiempos de Carlos V», en *Actas del I Congreso de Historia de Zamora,* III, Zamora, 1991, págs. 449 y sigs.

[21] Carlos V a Isabel, Nápoles, 20 de febrero de 1536 (*Corpus documental de Carlos V, op. cit.,* I, pág. 474).

Francia por perturbar la paz —su famoso discurso pronunciado en español, que duraría casi una hora, y que dejaría asombrados a todos los presentes—, su difícil campaña contra Francia, en aquel verano, y su retroceso al Milanesado. De forma que sólo en diciembre de 1536, casi dos años después, Carlos V regresa de nuevo a España. En esta ocasión, no estarán a esperarle la Emperatriz y sus hijos.

En efecto, Carlos V tiene un proyecto familiar más ambicioso: pasar las Navidades con los suyos al lado de aquella pobre desventurada, su madre, Juana la Loca, que llevaba tantos años recluida en Tordesillas.

Esa es la razón por la que Isabel, la Emperatriz, con sus tres hijos —Felipe, María y Juana—, se dirige a Tordesillas a mediados de diciembre, para aguardar allí al Emperador. Fueron diez días, sin duda, especialmente emotivos.

¿Sabía el Príncipe algo de la existencia de aquella pobre enferma? A sus nueve años tuvo que impresionarle su abandono y soledad. Acaso por ello, como veremos, tendría después con ella particulares atenciones: la visitaría en los momentos más importantes de su juventud, como a raíz de su primera boda con la princesa María Manuela de Portugal; o cuando se dispone a embarcar, para efectuar su segunda boda con la reina María Tudor de Inglaterra.

Fue en 1537 cuando ocurrió aquel suceso que nos cuenta doña Estefanía de Requesens, la esposa de don Juan de Zúñiga, el ayo del Príncipe:

> Dos dies a que lo Princeps y sis altres xisc feren una travesura en lo aposento del Emperador, no sent allí don Juan [de Zúñiga], de que Su Majestat se enutjà molt ab son fill y los altres.

Para mí esta es una de las más vivaces y simpáticas estampas del Príncipe niño, cuando ya rondaba los diez años: lo vemos capitaneando un grupo de sus pajes e irrumpiendo temerariamente en la cámara imperial, sin respeto al protocolo. No menos vivaz es la estampa de aquella pelea entre dos de sus pajes, uno de ellos el que sería después tan importante personaje de la corte, Ruy Gómez de Silva; en el ardor de la lucha, uno de los golpes cambió de destino, cayendo sobre el Príncipe. No pocos cortesanos consideraron aquello como una grandísima ofensa a la dignidad intocable del heredero de la Corona y clamaron por un adecuado y severo castigo, con intervención incluso de la justicia.

Entonces sucedió lo que me parece verdaderamente importante: la intervención decisiva de la Emperatriz —estaba ausente el Emperador—, que no consintió ningún castigo, pues no había culpables:

> ... porque aquellos eran muchachos y rapaces, y no era menester que otra Justicia entendiese en ello [22].

---

[22] Citado por mí en *Economía, Sociedad y Corona, op. cit.,* pág. 178.

Tal decisión, dictada por el sentido común, nos prueba el talante humano de la Emperatriz, bien acreditado en el prudente gobierno del reino durante las continuas ausencias del Emperador; de forma que, en los doce años que vivieron casados, fue más el tiempo en que Castilla estuvo gobernada por Isabel que por Carlos.

Por lo tanto, una infancia, del Príncipe, con las continuas ausencias del padre, el Emperador, pero con la serena presencia de la Emperatriz, madre y gobernadora de aquel hogar donde crecía el príncipe Felipe junto a sus hermanas María y Juana. Y en una corte donde la Emperatriz mantenía su serenidad, pese a la oposición de algunos Grandes, que habrían querido que el Emperador les hubiera dejado al frente de la Monarquía, y no a «la portuguesa». En especial, el Almirante —acaso recordando su antiguo cargo de gobernador durante las Comunidades— se consideraba muy agraviado:

> ... no cesa de continuar a decir y escrebir y procurar con Grandes y otras personas cosas escandalosas y contra la reputación de la gobernación de estos Reinos... [23]

Pero el Almirante no lograría su propósito. Antes al contrario, Carlos V confiaría cada vez más en las dotes de su esposa, como se comprueba en el poder que le dejó en 1535 para que gobernara la Corona de Castilla en su ausencia. Allí proclama el Emperador:

> ... la experiencia que tenemos de su buena y loable gobernación y administración en la dicha ausencia pasada que hicimos... [24]

De forma que la Emperatriz había mostrado su amor a Castilla y, a su vez, Castilla entera la amaba, reverenciaba y acataba como su buena señora:

> ... el amor que a estos nuestros Reinos y súbditos tiene, ... que así por consiguiente es dellos amada, reverenciada y acatada... [25]

Pero quizá debiéramos añadir una pregunta, para hacernos una idea más cabal sobre la corte en cuyo seno transcurrió la infancia y la niñez del príncipe Felipe: ¿estamos ante una corte sencilla en su trato? Si tenemos en cuenta que sería en 1548 cuando Carlos V impone la etiqueta borgoñona en la corte de Castilla, estaríamos tentados a pensar que en la época anterior, en los tiempos de la emperatriz Isabel, sería tan sencilla como lo había sido bajo los Reyes Católicos, y que las complicaciones vendrían después. También abundan en

---

[23] Isabel a Carlos V, Tordesillas, 8 de agosto de 1532, en Mazarío, *Isabel de Portugal, op. cit.,* pág. 351.

[24] Se refiere a su partida de España en 1529.

[25] Poder de Carlos V dejando a la emperatriz Isabel como gobernadora de la Corona de Castilla, Madrid, 1 de enero de 1535 *(Corpus documental de Carlos V, op. cit.,* I, pág. 411).

esa idea algunos de los trazos que hemos marcado, como cuando veíamos a la Emperatriz castigando por su mano las travesuras del Príncipe, su hijo.

Sin embargo, ha de tenerse en cuenta que la corte siempre es la corte, y que la etiqueta de una casa imperial siempre tiene que suponer algo fuera de lo corriente. Y que las cosas no eran tan sencillas bajo la emperatriz Isabel, lo sabemos por un testigo directo; en este caso, fray Antonio de Guevara, el reputado humanista de aquellos años. Pues precisamente Guevara, y atendiendo a una curiosidad manifestada por un amigo suyo (el marqués de los Vélez), acerca de cómo eran las comidas públicas de la Emperatriz, hace una viva descripción, poniendo de relieve todo el aparato cortesano y el rígido ritual que las presidía, con un doble precio y no pequeño: que la Emperatriz comiera en silencio y sola, y que lo que comiese lo fuera frío:

> A lo que decis —contesta Guevara al marqués de los Vélez— qué come y cómo come la Emperatriz, séos, señor, decir que come lo que come frío, y al frío, sola y callando, y que la están todos mirando...

Porque la Emperatriz había impuesto una nueva costumbre, al modo de su país:

> Sírvese al estilo de Portugal: es a saber, que están apegadas a la mesa tres damas y puestas de rodillas, la una que corta y las dos que sirven, de manera que el manjar traen hombres y le sirven damas...

Esa era la escena pública, ante el resto de las damas de la corte, bien entretenidas mientras tanto en discretear con los caballeros que las cortejaban, y, a las veces, con demasiado parloteo:

> Todas las otras damas —sigue Guevara describiendo la escena— están allí presentes en pie y arrimadas, no callando sino parlando, no solas sino acompañadas; así que tres de ellas dan a la Emperatriz de comer y las otras dan bien a los galanes qué decir...

Una etiqueta, rígida para quien representaba el poder, y abierta para el resto de la corte, que llama la atención de Guevara. Y así comenta asombrado:

> Auctorizado y regocijado es el estilo portugués...

En ocasiones, el contraste era tanto y el parloteo de damas y galanes tan atrevido, que acababa provocando el enojo de la Emperatriz[26].

---

[26] «Aunque es verdad que algunas veces se ríen tan alto las damas y hablan tan recio los galanes, que pierden su gravedad y aun se importuna S.M.» (Fray Antonio de Guevara al marqués de los Vélez, Medina del Campo, 18 de julio de 1532, en *Epístolas familiares,* libro primero, ed. J. M. de Cossío, Madrid, 1950, I, págs. 115-117.)

Eso ocurría en 1532, cuando Carlos V estaba ausente, en tierras del Imperio, preparando la defensa de Viena, tan amenazada por el turco Solimán el Magnífico.

Por esas fechas, el Príncipe niño contaba cinco años, y aquellas escenas maternas sin duda las vivió y quedarían grabadas en su mente. Era una corte presidida por «la Emperatriz doña Isabel, mi señora y madre», como muchos años después la titularía Felipe II en su Testamento.

3
JUEGOS Y ESTUDIOS

Todos los *Espejos de Príncipes, Nortes de Príncipes* y libros similares de adoctrinamiento regio, que abundan desde la Baja Edad Media, se plantean la formación del futuro Rey, con mayor o menor elocuencia, en parecidos términos: acerca de lo religioso (lo que lleva aparejada una moral), sobre una formación cultural (complementaria, por supuesto, de los principios religiosos), además de una formación caballeresca (que, a su vez, presupone unas artes marciales y cortesanas, pero también un código de conducta). Aunque todo ello estuviera estrechamente vinculado, evidentemente, la formación religiosa tenía la primacía, abrumadoramente en la primera etapa de la formación del Príncipe y manteniendo siempre su rango primero (aunque ya no el tiempo que se le dedicara) en el resto de esa preparación principesca.

Hemos hablado de etapas en la formación del Príncipe: niñez, adolescencia, comienzos juveniles de la vida adulta. Pero convendría puntualizar que todo con un ritmo distinto al actual, acaso porque también las esperanzas de vida eran mucho más cortas. Baste recordar lo que Carlos V advierte a Felipe II cuando está a punto de cumplir los dieciséis años:

> También, hijo, habéis de mudar de vida y la comunicación de las personas. Hasta agora todo vuestro acompañamiento han sido niños y vuestros placeres los que entre tales se toman. Daquí adelante no habéis de allegarlos a vos, sino para mandarles en lo que han de servir. Vuestro acompañamiento principal han de ser hombres viejos y de otros de edad razonable, que tengan virtudes y buenas pláticas y exemplos, y los placeres que toméis sean con tales y moderados.

Y le añadía, para que no le cupiera duda alguna de cuánto había de cambiar su vida, cuando aún no había cumplido los dieciséis años:

> ... pues más os ha hecho Dios para gobernar que para holgar.

La buena crianza del Príncipe corrió a cargo de su ayo, Pedro González de Mendoza, durante sus años infantiles; después, esa tarea quedaría encomendada a don Juan de Zúñiga, uno de los nobles castellanos en quien más confianza tenía el Emperador, el cual le titula «... vuestro reloj y despertador...» [1]; clara alusión a cómo debía regirse su vida diaria, con disciplina.

Y eso era lo difícil. ¿Cómo sujetar a un muchacho a un cierto código de conducta, cuando ese muchacho es príncipe y, por tanto, el futuro rey? Don Juan de Zúñiga lo sabría hacer, pero no sin riesgo de cobrarse la animadversión de Felipe, como en parte parece que sucedió, si nos atenemos a esta referencia del propio padre, el Emperador, que así se lo recordaría andando los años al Príncipe:

En lo de don Juan habrá poco que decir, porque le conocéis. Y aunque él se os figura algo áspero, no se lo debéis de tener a mal...

Parece claro: don Juan de Zúñiga era el único que se atrevía a poner las peras a cuarto al Príncipe. Y Carlos V, temeroso de que, si él faltaba, su hijo acabara desplazándolo, le añade:

... antes debéis tener muy cierto que el amor que os tiene, deseo y cuidado de que seáis tal cual es necesario le hace apasionarse en ello y tener esta reciera, y por eso no debéis de dexar de quererle mucho y honrarle y favorecerle y mostrar todo contentamiento dél [2].

El reverso de la medalla era el clérigo Juan Martínez, *Silíceo,* antiguo profesor de la Universidad de Salamanca, a quien se le encomendó la tarea de enseñar al Príncipe las primeras letras; un hombre de limitadas luces, ayudado —eso sí— por dos humanistas de más talla: Honorato Juan y Juan Ginés de Sepúlveda.

Silíceo, pues, no era el preceptor ideal: fanático en sus principios religiosos, era tolerante en exceso con la disciplina de los estudios de su principesco alumno.

Y eso Carlos V lo sabía. Lo que asombra es que lo mantuviera en tan importante tarea junto a su hijo:

En el obispo de Cartagena conocéisle y todos lo conocemos por muy buen hombre... [3]

Evidentemente, su bondad no se cuestionaba, pero ¿era suficiente como para ser el preceptor del Príncipe? Ahí entraban las dudas del Emperador:

---

[1] *Corpus documental de Carlos V,* I, pág. 102.

[2] Instrucciones de Carlos V a Felipe II de 1543 *(ibídem,* pág. 112).

[3] Silíceo sería sucesivamente obispo de Cartagena y arzobispo de Toledo (sucediendo aquí nada menos que a Tavera) y cardenal; pero no, en cambio, inquisidor general, como lo habían sido tantos predecesores suyos en la silla toledana.

> Cierto —añade— que no ha sido ni es el que más os conviene para vuestro estudio.

Silíceo era blando; con él no existía disciplina, porque prefería dar gusto a su alumno antes que entrar en conflictos. De eso Carlos V era consciente:

> ... ha deseado contentaros demasiadamente...[4]

Lo grave del caso estribaba para el Emperador en que Silíceo era, además, capellán mayor del Príncipe y su confesor. ¿Acaso sería tan indulgente en materias de conciencia?

> No sería conveniente que en lo de la conciencia os desease tanto contentar como ha hecho en el estudio...

Eso, siendo un muchacho, tenía una importancia menor; pero, para quien había de convertirse en el *alter ego* del Emperador, la cosa cambiaba:

> Hasta aquí no ha habido inconveniente —continúa el César—; de aquí adelante lo podía haber y muy grande. Mirad lo que os va en ello, porque no es más que el alma, y va mucho que a los principios de la edad conviene comencéis a tener buena conciencia y reformada...

¿Solución? Que Silíceo dejase su puesto de confesor, que debería ejercitar «un buen fraile»[5].

Algo de los temores de Carlos V se traduce en los informes mandados por Silíceo al Emperador.

Por ejemplo, en la carta al Emperador escrita en febrero de 1536, cuando el Príncipe contaba ocho años largos (cumpliría nueve tres meses después), Silíceo empieza ya a darle clases de gramática. ¿Y con qué se encuentra?, pues que al Príncipe se le acumula de tal modo la tarea, que le libera de la escritura:

> Ha comenzado su estudio de gramática el Príncipe. Sabe ya todos los nominativos y comienza las conjugaciones...

Nominativos y conjugaciones, esto es, declinaciones, conjugaciones... Estamos en los comienzos de la gramática latina, que es la disciplina que se asigna al clérigo Silíceo, que también le daría la castellana. En cuanto al bueno del ayo Zúñiga, sin duda lo mantenía todo bajo su control, como informa Silíceo en otra carta a Carlos V:

> Al Comendador Mayor de Castilla [Zúñiga] ha parecido que para después de Navidad comience *su gramática...*

---

[4] *Corpus...,* pág. 114.
[5] *Ibídem.*

Por lo tanto, Silíceo ha enseñado a su discípulo las declinaciones y empieza con las conjugaciones; esto es, da su clase, acaso diaria, de latín al Príncipe, pero no se atreve a más, no confiando en la capacidad del alumno, o por encontrar tal resistencia que no se atreve a contrariarle. Pues ¿quién tiene más autoridad, el maestro sobre su discípulo, o el Príncipe sobre su súbdito? Y así, disculpándose, Silíceo añade:

> ... porque son difíciles estos primeros principios hele suspendido por algunos días en el escribir, por esto: porque los sepa antes que los aborrezca...

Cierto que también le daba clase de lectura, «en latín y en romance», y estaba asimismo el imprescindible catecismo [6]. Pero la escritura quedaría lamentablemente rezagada, y eso sería un fallo que ya no se remediaría.

Más revelador es el informe siguiente de Silíceo, cinco meses después, en que alaba al Príncipe, pero hábilmente desliza la confidencia sobre su principal carencia. De ese modo, contentaba al poder y se cubría las espaldas.

La carta es de 16 de julio de 1536:

> S.C.C.M[d].: El estudio del Príncipe, quanto a la gramática [latina], ha sido algo penoso, porque se le ha hecho dificultoso el tomar de coro. Ya, bendito Dios, va mostrando más voluntad y más provecho, porque comienza ya a gustar del artificio de la gramática...

¿Qué es lo que tanto trabajo le costaba al Príncipe aprender «de coro»? Sin duda, las declinaciones y las conjugaciones, conforme al sistema memorístico que primaba en la educación de la época. Si bien para Luis Vives, aquí como en tantas cosas adelantado para su tiempo, eso había que desterrarlo [7].

Pero sigamos con el informe de Silíceo a Carlos V:

> En lo demás de su salud y virtuosa conversación sé decir que cada día crece y da mucho contentamiento a los que le conversan...

Es como cambiar de tema, para dar una de cal y otra de arena: el estudio, regular; el comportamiento, bueno. Y entonces es cuando, al comparar los estudios de la infanta María con los del Príncipe, se escapa —o se desliza— este comentario sobre la mala escritura del Príncipe:

> La Infanta en el leer se ha detenido más que el Príncipe, *aunque en el escribir se le da mejor...* [8]

---

[6] «En lo de leer por latín, por romance y en rezar va muy adelante...»

[7] Luis Vives, *Ejercicios de lengua latina,* dedicados al príncipe Felipe, en *Obras completas,* ed. cit. de Lorenzo Riber, II, pág. 889.

[8] Archivo General de Simancas, Estado, 38, fol. 264, en Fernández y Fernández de Retana, *op. cit.,* I, pág. 116.

Esa poca afición del Príncipe a los estudios es también lo que parece deducirse de una carta de Juan Ginés de Sepúlveda a Honorato Juan, cuando el Príncipe ya era todo un señor casado aunque sólo contase con dieciséis años. En la carta, escrita el 4 de febrero de 1544, Sepúlveda le pregunta a su colega y amigo si el Príncipe se había congraciado ya con las musas, de las que se había alejado por su boda. Y le aconseja que no se le debía cargar en exceso con el estudio de las letras, dado que debía andar por los difíciles y abruptos caminos montañosos de la sierra de Guadarrama[9].

También sabemos por el propio Ginés de Sepúlveda, en este caso en carta escrita al Príncipe, que era él quien enseñaba a Felipe II la arqueología —y, sin duda, las artes—, dándole cuenta de sus hallazgos por la tierra de Valladolid y recordándole la varita de hierro romana que en su día le había entregado para que conociera el modo de medir las distancias que tenían los antiguos romanos[10].

Para entonces —verano de 1536— ya Carlos V había puesto casa al Príncipe, colocando a Zúñiga a su frente.

No fue fácil. Zúñiga no se creía con fuerzas suficientes para tal tarea, sobre todo si había de ser fiel a su norma de conducta: austeridad y disciplina. No desear cargo tan importante, que le elevaba al primer puesto palaciego, ya dice mucho de la honestidad de aquel caballero:

> S.M. me mandó el día de Reyes [de 1535] que estuviese al servicio de su hijo; yo le dije todas las inhabilidades que para ello tenía, especialmente la de la gota. Todas quiso que se pospusiesen...

De ese modo comentaba Zúñiga con su suegra la confianza que Carlos V ponía en su buen obrar. Así pasó Zúñiga de ayo a mayordomo mayor de la casa del Príncipe. A partir de 1535, no dejará prácticamente ni un momento al Príncipe, durmiendo incluso en su cámara, con lo que Carlos V hace seguir a su hijo el sistema educativo que él mismo había tenido, pues sabemos que de muchacho también dormía Chièvres en la suya[11].

Desempeñar el cargo de ayo y después de mayordomo mayor del Príncipe era convertirse en la primera figura de la corte, tras la familia imperial; en la primera figura del personal palatino. Y ese rango le quiso dar oficialmente Carlos V, de forma que antes de salir del alcázar madrileño para aquella cru-

[9] La carta, recogida y traducida por Ángel Losada, *Epistolario de Juan Ginés de Sepúlveda*, Madrid, 1966, pág. 83.

[10] Juan Ginés de Sepúlveda a Felipe II (sin fecha, posiblemente de 1544), en la *op. cit.* de Ángel Losada, págs. 84 y 85.

[11] Cuando en 1517 impone ese sistema de cuidado personal a su hermano Fernando, recuerda el que tenía con él Chièvres: «... queremos que los dichos Clavero o Mosur de Laxao, el uno de ellos duerma siempre con él en su cámara..., como haze Mosur de Gebres en la nuestra, porque cuando despertare, si quisiere, tener con quien hablar» (Carlos V a los cardenales Cisneros y Adriano, Middelburg, 7 de septiembre de 1517; *Corpus documental de Carlos V, op. cit.,* I, pág. 76).

zada de Túnez, Carlos hizo saber a la corte que todos debían obedecer a Zúñiga, quien así no sólo cuidaba de la educación del Príncipe, sino que ayudaba a la Emperatriz en la buena marcha de la vida palaciega.

Por lo tanto, la formación del Príncipe quedando sobre todo a cargo de dos personajes: Zúñiga, en cuanto a los aspectos que entrañaban al futuro caballero y gobernante (sin descuidar su aplicación al estudio, como la gramática castellana), y Silíceo, en lo relativo a la mayoría de sus conocimientos: religión, lo primero, con el catecismo aprendido de coro, latín y matemáticas (las cuatro reglas).

Unas designaciones desiguales. Zúñiga cumplió mejor que Silíceo, como el propio Carlos V reconocería más tarde.

Habría que referirse también a otros personajes que intervinieron en la educación del Príncipe. Junto a don Juan de Zúñiga, que tenía a su cargo el adiestrarle en los ejercicios de caballería, sin descuidar la caza, y junto al de humanistas (Silíceo, Honorato Juan y Juan Ginés de Sepúlveda) que le enseñarían lo más elemental de las letras y de las ciencias, desde el latín hasta las matemáticas y la historia, tenía que haber otros maestros para materias como la danza y la música. Cuestiones que evidentemente no fueron olvidadas. Y así en la documentación de 1539 nos encontramos citado a Diego Fernández, «maestro de bezar a danzar» [12]. Maestro de tocar la vihuela lo era en la corte Luis de Narváez, destacado compositor de aquel tiempo, que precisamente daba a luz en 1538 su *Delphín de música de cifras para tañer vihuela* [13]. Sabemos también que por aquellas fechas uno de los capellanes del Príncipe era Damián de Talavera, «que fue cantor de la Emperatriz» [14]. Asimismo nos encontramos con Francisco de Soto, «músico y organista», y sobre todo con una de las principales figuras de la música renacentista hispana, Antonio de Cabezón, el organista ciego que con su suave música serenaba el ánimo del Príncipe, al que acompañaría en su viaje por Europa entre 1548 y 1551, y al que Felipe II llegaría a valorar tanto, que mandaría hacer su retrato para tenerlo en su cámara; sin duda, para guardar su memoria, tras su muerte en 1566, tan sentida por el Rey, que si no cambió su carácter, al menos le privó de aquel benéfico influjo en las horas adversas de 1568 [15].

Así va creciendo el Príncipe. Mientras vive su madre, la Emperatriz, todo está bajo control, nada está en demasía. Incluso el golpe desafortunado y ocasional e imprevisto que acaba en el rostro del Príncipe, y que a punto estuvo de costarle un ojo, se resuelve satisfactoriamente, sin represalias odiosas. Es el mismo Príncipe el que suplica que no se castigue a los culpables, uno de los cuales, Ruy Gómez de Silva, era particularmente querido por el ofendido.

---

[12] Higinio Anglés, *La música en la Corte de Carlos V,* Barcelona, Consejo Superior de Investigaciones Científicas, 1944, pág. 86.

[13] *Ibídem,* pág. 89.

[14] *Ibídem,* pág. 87.

[15] *Ibídem,* págs. 88 y sigs.

Pero no hacía falta esa intervención, porque allí estaba la Emperatriz para apaciguar a los que clamaban recios castigos, mostrando más sentido que ninguno de los palaciegos; aquello era cosa de muchachos, en que no tenía por qué intervenir otra justicia que la suya, y no como Emperatriz, simplemente como la madre y ama de la casa.

Conocemos otras anécdotas que nos hacen presumir que en Felipe apuntaban buenos y nobles sentimientos, que acaso debieran haber sido fomentados. Con candorosa admiración nos dan cuenta de ellas sus panegiristas, como Fernández y Fernández de Retana. No son en absoluto despreciables, con tal de que no las extrapolemos y no las pasemos como una impronta ya, una cualidad del futuro Rey. El Príncipe niño, el Príncipe todavía muchacho podrá parecernos un buen chico, en la concepción que podemos tener de otro cualquiera, dentro del ámbito familiar.

Que fuera después un rey bondadoso, es otro cantar. Cuando el Príncipe se ponga el manto real, su carácter se transformará. Dejará sus sentimientos de ternura para su intimidad, en el entorno familiar y en sus retiros frente a la Naturaleza —esos bosques de El Pardo y de Valsaín, esas florestas de Aranjuez, esas montañas grandiosas de El Escorial—, pero se librará muy mucho de que le debiliten, de que le hagan flaquear en sus funciones regias.

Por qué extraños caminos un príncipe risueño y afectuoso se convierte en un rey duro e implacable, será algo que tendremos que analizar.

Veamos algunos de estos casos más comentados de la niñez del Príncipe. Dos tan sólo, por más significativos; uno que muestra la vinculación del Príncipe a los suyos, el afecto que les guardaba, la confianza que en ellos ponía, y el otro, que apunta hacia el que será el monarca inflexible.

En cuanto a lo primero, esa anécdota del Príncipe que se entretenía arrojando piedras por la ventana; juego como mínimo peligroso, pero al que tan dados han sido los muchachos en todos los tiempos y de cualquier condición que fueran.

Bien, vemos al Príncipe arrojando piedras por la ventana y posiblemente con algún blanco concreto. A entender del piadoso Fernández y Fernández de Retana, eran «piedrecillas». Es posible. Y también que lo hiciera sin más pretensión que el puro entretenimiento.

Pero la puntería del Príncipe no es muy certera y una de las piedras, en lugar de encontrar el vacío, rebota en el suelo y alcanza a uno de los pajes, uno de los preferidos del Príncipe, a Luis de Requesens, quien sale lastimado en un ojo. Eso provoca la reacción del Príncipe, que acude con sentimiento a comprobar el daño ocasionado a su compañero de juegos, al tiempo que arroja apesadumbrado el resto de las piedras, diciendo: «¡Ya no tiraré más!»[16]

¿Surge de allí el profundo afecto del Príncipe hacia Luis de Requesens, el futuro embajador en Roma y gobernador de los Países Bajos? ¿Estamos ante

---

[16] Fernández y Fernández de Retana, *op. cit.,* pág. 104.

una de las cualidades del futuro Rey, la de apoyar y dar su confianza a los que se le han mostrado sumisos y a su albedrío desde la infancia, desde esa edad en que tanto fía el hombre de la amistad?

Una vez que asuma todo el poder, el inmenso poder que supone la realeza en las monarquías autoritarias, Felipe II se encontrará cada vez más solo. Y únicamente confiará plenamente en aquellos que ha probado y sentido como amigos en sus años mozos.

En todo caso, un aspecto sugestivo del futuro Rey; ese aspecto del Príncipe, muchacho, amigo de sus amigos, compartiendo con ellos juegos y trabajos.

Veamos ahora el otro caso que queríamos comentar. Nos lo refiere su ayo, y después mayordomo mayor, don Juan de Zúñiga. Lo cuenta en carta al emperador Carlos V. No es una aventura del Príncipe, es un juicio sobre su carácter, cuando el Príncipe rondaba los diez años:

> El temor de Dios en él es tan natural, que en su edad yo no lo he visto mayor [17].

Es evidente que Zúñiga lo relata como un encendido elogio de su principesco alumno, sin caer en la cuenta del aspecto peyorativo de la cuestión.

No tenemos por qué dudar del aserto de Zúñiga. Estamos seguros, como él, de ese gran temor del Príncipe hacia Dios.

Y esa es la cuestión. Otra vez nos encontramos ante la figura de Silíceo —¿quién, si no?—, confesor del Príncipe, el que le adoctrina férreamente en religión y enseña malamente en las letras. El clérigo que posteriormente, cuando salta al arzobispado de Toledo, dará muestras de la más extrema intolerancia, imponiendo el Estatuto de limpieza de sangre. Es él, sin duda, el que inculca en Felipe II no la imagen de Dios padre, del Dios de la bondad y del amor, sino del Dios terrible, del Dios del Sinaí, del Dios justiciero e implacable con los que se desvían de sus normas, tal cual las concebía, claro está, el limitado clérigo.

> El temor de Dios en él es tan natural...

Pues ¿acaso no se le enseña al Príncipe que será el día de mañana el Rey, y que el Rey es la viva estampa de Dios en la tierra? Por lo tanto, la conclusión es clara: de igual modo que él teme a Dios, le deben temer a él sus vasallos. Los dictados del Rey deberán ser obedecidos a rajatabla como lo son los del mismo Dios. Y quien así no lo haga, recibirá su pronto y recio castigo.

Eso traerá consigo que el Príncipe vaya teniendo un acusado sentido de la responsabilidad y que pronto tendrá como norma —lo hemos de ver— que el oficio del rey es gobernar, y que gobernar es administrar justicia; recta justicia, podría añadirse.

---

[17] Fernández y Fernández de Retana, *op. cit.,* pág. 118.

Pero también la otra conclusión: que cuando sea rey, nadie se atreva a ir contra sus decisiones, so pena de la vida.

En suma, por ese extraño camino nos encontraremos ante un Felipe II más ceñido a las máximas de Maquiavelo —aunque no lo hubiera leído jamás, pero acaso estaba en el ambiente— que a las de Erasmo.

Aquello de:

> Si el Príncipe ha de escoger entre ser amado y ser temido, escoja el ser temido...

En todo caso, una etapa juvenil que bien podría tenerse por venturosa si no hubiera terminado tan bruscamente con la muerte de la Emperatriz. De salud quebradiza, Isabel no se había repuesto ya tras el difícil parto del infante don Juan en octubre de 1537, con el agravamiento de la pena por su pronta muerte a los pocos meses. Igualmente difícil se presentaba su nuevo parto en la primavera de 1539, pese al optimismo de la mayoría de los médicos de la corte. Sólo el doctor Villalobos parecía temer lo peor, si bien por su condición de converso le resultaba arriesgado enfrentarse con la opinión de sus colegas cristianos viejos. Y así, en una carta al poderoso Cobos escrita el 28 de abril de 1539 sobre la salud de la Emperatriz, deslizaba una frase que hace meditar:

> ... porque no querría ser tan entremetido que me acusaran de muy agudo, que hay mil maliciosos que luego echan la culpa al puto de mi agüelo... [18]

Dos días después, sin embargo, el mismo Villalobos apreciaba, conjuntamente con el doctor Alfaro, una mejoría en la salud de la Emperatriz, que había superado unas tercianas [19]. De todas formas, que la situación era grave y que como tal se tenía, viene confirmado por las procesiones de disciplinantes que recorrían las calles de Toledo para impetrar la curación de Isabel [20].

Todo en vano. El 1 de mayo, tras parir un niño muerto, fallecía la Emperatriz. Durísimo golpe para el Emperador:

> Nada me puede consolar... [21]

No fue menor el sufrido por el Príncipe, a sus doce años mal conta-

---

[18] Carta recogida en el *Corpus documental de Carlos V, op. cit.,* I, págs. 548 y 549; pienso que su lectura, con aquello de la «agudeza» de los conversos, haría las delicias de Américo Castro.

[19] *Ibídem,* pág. 549.

[20] Santa Cruz, *op. cit.,* IV, pág. 27.

[21] Carlos V a su hermana María, Toledo, 2 de mayo de 1539; cf. mi libro *La España del emperador Carlos V, op. cit.,* pág. 631.

dos [22]. Asiste al funeral celebrado en San Juan de los Reyes y preside la comitiva fúnebre, que, partiendo de Toledo, llevaría el cuerpo de la Emperatriz a su primer enterramiento de Granada. Pero antes de que la comitiva dejara la ciudad imperial, el Príncipe hubo de apartarse, recluyéndose en una iglesia a vivir a solas su dolor, como su padre lo había hecho en el convento de la Sisla.

Sin duda, sus pocos años no le permitían mucho más.

---

[22] En realidad, no los cumpliría hasta el 27 de aquel mes de mayo. Al Príncipe le cogió la triste nueva en Madrid, donde estaba acompañando a su padre, lo que hace pensar que ninguno de los dos tenía por inminente el fatal desenlace (cf. en Mazarío, *op. cit.*, pág. 188).

4

INICIÁNDOSE EN EL PODER

La muerte de la Emperatriz, en mayo de 1539, no detuvo el continuo viajar de Carlos V y, con ello, las ausencias del hogar en que se formaba el Príncipe heredero. Carlos debe acudir a los Países Bajos, para remediar los males provocados por la rebelión de Gante, su ciudad natal, y lo hace atravesando Francia, pasando después por Alemania y organizando desde allí su malhadada empresa de Argel de 1541, no regresando a España hasta entrado el mes de noviembre.

El 1 de diciembre desembarca Carlos V en Cartagena. Para entonces, Felipe II contaba ya catorce años. Era hora de pensar en la formación del heredero. Ese sería, a partir del aquel momento, uno de los principales objetivos del Emperador.

Naturalmente, durante ese período Carlos V no dejó de la mano la educación de su hijo. Como soberano de su tiempo, tenía los mismos recelos de sus contemporáneos hacia el papel de la mujer en la política y, en consecuencia, centraba en su heredero todas sus esperanzas de una sucesión normal, de un *alter ego* que le ayudase en un momento dado en el gobierno de su vasto Imperio y que acabase por coger el relevo.

Y la primera nota a consignar: en el cuidadoso plan escogido para la formación del futuro rey, Carlos V sigue el modelo marcado por los Reyes Católicos con el príncipe don Juan: la castellanización de la dinastía. Carlos V pone su hogar en Castilla; tan sólo en una ocasión sale a su encuentro y le espera en Barcelona toda su familia, con la emperatriz Isabel y sus dos hijos, Felipe y María. Pero eso es un breve paréntesis. El hogar imperial, aquel presidido, en las ausencias del Emperador, por Isabel y donde se crían —y se educan— sus hijos, está siempre en Castilla, y preferentemente en la zona meseteña: en Valladolid, Toledo o Madrid. Los preceptores, el ayo y los consejeros que en su día educan, vigilan —incluso riñen— y asisten a Felipe, son todos castellanos: el clérigo Silíceo —más tarde arzobispo de Toledo, que así pagaría Carlos V a quienes bien le servían—, los humanistas Honorato Juan y Juan Ginés de

Sepúlveda, el conde de Miranda, Juan de Zúñiga —que sería su severo ayo—. Igualmente, los consejeros que le deja en 1543, cuando le inicia en el gobierno de España, también son castellanos: Tavera, el cardenal; Cobos, el secretario de Estado, y el duque de Alba, el soldado.

Constato un hecho; no lo alabo. ¿Puede considerarse acertado tal planteamiento, cuando el Príncipe había de señorear tan distintos —y tan distantes— reinos? El propio Carlos V alcanzó ese peligro, como nos lo prueba su preocupación porque el Príncipe aprendiese correctamente el latín, y así, en sus célebres Instrucciones de 1543, le señala:

> ... porque veis quantas tierras habéis de señorear, en cuántas partes y cuán distantes están las unas de las otras y cuán diferentes de lenguas; por lo cual, si las habéis y queréis gozar, es *forzoso ser dellos entendido y entenderlos,* y para esto no hay cosa más necesaria ni general que la lengua latina. Por lo cual, yo os ruego mucho que trabajéis de tomarla, de suerte que después, de corrido, no os atreváis a hablarla. Ni sería malo también saber algo de la francesa, mas no querría que, por tomar la una, las dexárades entrambas [1].

De forma que el César tiene muy claro el problema: un rey debe entender y ser entendido por sus súbditos. ¿Acaso no era lo que ya le habían advertido los procuradores de las Cortes castellanas en 1518?

> Otrosí, suplicamos a V.A. que nos haga merced de hablar castellano, porque haciéndolo ansí muy más presto lo sabrá, y V.A. podrá mejor entender a sus vasallos y ellos a V.A. [2]

Tanto los vasallos como el Rey emplean el mismo razonamiento y hasta el mismo vocabulario. Se trata de «entender» y de «ser entendido», si es que se quiere gobernar bien. Es más, Carlos V es consciente de que a su hijo se le podía plantear idéntico problema, sólo que invertido, al que él había sufrido cuando llegó a Castilla: él, un soberano cuya lengua era la francesa, con vasallos molestos y alborotados porque ni siquiera hablaba el castellano. Y el amargo resultado había sido el estallido de las Comunidades, que tantos quebraderos de cabeza le habían traído. ¿No le ocurriría algo similar a su hijo, cuando apareciese, como nuevo príncipe soberano, por los Países Bajos? De ese modo, con un cierto aire profético, Carlos le recomienda a su hijo que aprenda el francés:

> ... ni sería malo también saber algo de la francesa...

Recomendación mediatizada, porque Carlos teme que el mucho trabajo desanime al discípulo, así que acaba echando fuera la sugerencia. ¿Latín y

---

[1] *Corpus documental de Carlos V, op. cit.,* II, pág. 99.
[2] *Cortes de los antiguos reinos de León y de Castilla,* Madrid, 1882, IV, pág. 261.

francés al tiempo? ¿No sería demasiado para el joven Príncipe? ¡Quedémonos, pues, sólo con el latín! [3]

> ... mas no querría que, por tomar la una, las dexárades entrambas...

En verdad que Carlos V no confiaba excesivamente en la afición a los estudios de su hijo. Ni tampoco había acertado con el preceptor, el futuro cardenal Silíceo, del que ya hemos visto que tenía un pobre concepto como profesor:

> ... todos le conocemos por muy buen hombre; cierto que no ha sido ni es el que más conviene para vuestro estudio. Ha deseado contentaros demasiadamente...

Silíceo tenía un currículum notable, como quien había estudiado en la Sorbonne parisina —acaso Carlos V pensó en él para que enseñara algo de francés al Príncipe— y como profesor del Estudio salmantino; su trato, afable, pudo engañar también al Emperador; en el fondo, era un clérigo de cerrada intransigencia, como lo probó con la citada implantación de los Estatutos de limpieza de sangre en la catedral de Toledo, cuando accedió al altísimo puesto de arzobispo de la mitra toledana [4].

En cuanto a los dos humanistas escogidos para enseñar al Príncipe, Honorato Juan y Juan Ginés de Sepúlveda, ambos eran de los cualificados de su tiempo; pues ya había muerto Alfonso de Valdés en 1532. Quizá se hubiera podido pensar en Luis Vives, que ya lo había sido de la princesa María, la futura María Tudor, y que en 1538 había dedicado precisamente sus *Exercitatio linguae latinae:*

> A Felipe, hijo heredero del emperador Carlos...

No cabe duda de que Luis Vives soñó con aquella posibilidad. Eso es lo que le lleva a escribir sus 24 diálogos en latín, para ejercitar a la juventud en el empleo de aquella lengua —entonces todavía viva en los círculos cultos— en las cosas de la vida cotidiana, no como árida gramática. Precisamente, el diálogo 19 se titula: *El príncipe niño (Princeps puer),* en el que, claro, el príncipe se llama Felipe.

En su dedicatoria, Luis Vives deja traslucir sus deseos:

---

[3] Es natural el juicio adverso de Ludwig Pfandl, al considerar «incomprensible e imperdonable aquella negligencia en la formación del príncipe Felipe». Ludwig Pfandl, *Felipe II,* Madrid, 1942, pág. 52.

[4] Sobre el debate promovido por el Estatuto de limpieza de sangre impuesto por Silíceo en la catedral de Toledo, véase Marcel Bataillon, *Erasmo y España,* México, 1950, II, págs. 311 y sigs., nota 2.

Escribí este primer ejercicio para la práctica de la lengua latina, la cual, como espero, será útil a los niños, y parecióme bien dedicároslo a vos, que sois un príncipe niño...

Y añade Luis Vives, donde apunta aún más su deseo de hacer méritos en la corte imperial y su añoranza de España:

... así por la suma benevolencia de vuestro padre para conmigo, como porque al formar vuestro ánimo para las buenas costumbres, mereceré bien de España, que es mi patria... [5]

El que compone esos ejercicios latinos, para que sirvan a la educación del Príncipe, y que espera de ese modo alcanzar «bien de España», es claro que está pidiendo a gritos ser llamado a la corte imperial, como maestro del heredero de la Monarquía católica.

Pero no fue así, como es bien sabido.

En vez de Luis Vives, fueron llamados Honorato Juan y Juan Ginés de Sepúlveda, el primero como profesor de matemáticas y el segundo como historiador, pues desde 1536 era cronista de Carlos V [6], que acaso fue el que inició al Príncipe en el conocimiento y en la afición a las bellas artes, y en particular la pintura [7]. Pero Sepúlveda se insertaba en la línea dura del pensamiento español. Conocido es su enfrentamiento con el padre Las Casas, preconizando la servidumbre del indio y, en consecuencia, justificando las opresiones de los conquistadores. Y no deja de ser asombroso que el Emperador, que aprueba la doctrina lascasiana, mantuviera a Sepúlveda como profesor de su hijo.

¿Llegó Felipe II a dominar el latín? Al menos, a entenderlo con cierta soltura, si hemos de creer a Silíceo, que en 1540, cuando el Príncipe contaba trece años de edad, le acompaña en su visita al Estudio de Alcalá de Henares; el Príncipe asiste a diversas clases de los profesores, y tan contento de entenderles, que se le fue el tiempo sin sentir:

... oyó lo que leían y puede creer V.M. —refiere Silíceo a Carlos V— que a todos los entendió, sino fue al que leía hebraico. Y holgó tanto en los oir y entender lo que decían que ningún trabajo le fue todo el tiempo que los oyó, que serían más de tres horas... [8]

Ahora bien, que el latín sirviera para entenderse con sus diversos pueblos a él sujetos, era dudoso. En latín podría el Príncipe entender a los humanistas

---

[5] Luis Vives, *Obras completas,* ed. y trad. de Lorenzo Riber, Madrid, 1948, II, pág. 881.

[6] Juan Ginés de Sepúlveda, *Obras completas. I: Historia de Carlos V,* vol. 1, Salamanca, ed. 1995 de E. Rodríguez Peregrina, con introducción de Baltasar Cuart, págs. XXXI y sigs.

[7] Fernández y Fernández de Retana, *España en tiempo de Felipe II, op. cit.,* I, pág. 98.

[8] J. M. March, *Niñez y juventud de Felipe II,* Madrid, 1941, I, pág. 72.

y a los diplomáticos, en sus cartas credenciales, pero eso no le permitía comprender a los pueblos que regía. En esa línea sólo dominó sus dos lenguas maternas: la de su Castilla natal, la castellana, y la que hablaba su madre, la Emperatriz, el portugués. En este idioma oiría a su madre, sus mimos o sus advertencias; en portugués también a su ama, Leonor de Mascarenhas, y en lengua lusa jugó y riñó a las veces con su compañero de infancia Ruy Gómez de Silva. Asimismo en portugués, en fin, amó y fue amado por su primera mujer, aquella chiquilla de dieciséis años, la princesa María Manuela de Portugal, con la que se desposó en 1543. De ahí que, cuando años más tarde se entreviste en 1578 en Guadalupe con su sobrino, el joven rey don Sebastián de Portugal, Felipe II no precise de intérprete alguno.

Por lo tanto, enseñanza, entonces centrada básicamente en humanidades, y formación del carácter, mediante una disciplina en el horario de trabajo del Príncipe. Pero faltaba algo, y algo importante, en la vida de un futuro soberano: las tareas de Estado, el arte de conocer a los hombres; la política, en suma.

Esa fue la tarea que asumió directamente Carlos V, en su afán de hacer de su hijo un futuro rey; para mí, una de las facetas más destacadas del Emperador, que nos da otra vez esa pauta suya de político honesto y responsable.

Pues durante su nueva estancia en España, la última como rey-emperador, Carlos V se preocupó de dirigir personalmente la preparación de su hijo, como el futuro soberano y como el que había de continuar su obra. Convocaría Cortes de los reinos de Aragón, Barcelona y Valencia para que fuera jurado como heredero, venciendo la resistencia que suponía el que su madre, doña Juana, que era la viuda Reina, todavía viviese.

Sin duda, le fue incorporando a las tareas de gobierno y adoctrinándole en el trato de los hombres, tan difícil en los reyes, que han de saber cuándo se deben poner el manto real y mantener en todo momento la compostura. Comenzando, sin duda, a dejarle entrever los arduos problemas de Estado. E incluso animándole a que se asomara a la vida de la milicia.

Porque Carlos V no comprendía la realeza sin esa faceta, al modo de los grandes caudillos de la Antigüedad. Era, por otra parte, la concepción propia de la sociedad renacentista. La imagen del rey-soldado no era sólo dada por Carlos V. Antes que él la había dado en España Fernando el Católico y en Francia Francisco I —que por esa causa había sido el gran prisionero, el gran derrotado de Pavía—, y sin olvidar a Solimán el Magnífico, el otro emperador, señor de Constantinopla y conquistador de Belgrado y de Buda.

Porque una de las reflexiones que nos hacemos, al comparar a Carlos V y a Felipe II, es el contraste entre el rey-soldado y el rey-papelero, entre el que amaba las armas y el que sólo parecía disfrutar entre papeles. Pero también debiéramos preguntarnos, porque parece de sentido común, si Carlos V, que tan a fondo tenía todo lo que suponía el mundo caballeresco, no hizo nada por conseguir que su hijo también entrara por la senda de las armas.

Pues bien, en 1542, a poco de su azaroso regreso tras el desastre de Argel, Carlos V dio prueba de ello. Dado que Francisco I de Francia había encendido la guerra por todos los frentes, atacando las fronteras de España tanto en el País Vasco como en Cataluña, Carlos V decidió que su hijo Felipe, entonces ya de quince años, se iniciara en las cosas de la guerra, y como había encargado al duque de Alba que frenara la ofensiva francesa en Cataluña, con él mandó a su hijo.

Era un riesgo, pero un riesgo que Carlos V juzgó que había que correr, confiando sin duda en la pericia de su capitán. Y, en efecto, los combates duraron poco, batiéndose en retirada los franceses.

De forma que la guerra apenas si mostró su faz al Príncipe. Los franceses optaron por la prudente retirada, al anuncio del acercamiento de los tercios viejos del duque de Alba; pero a su vez el Duque, con la grave responsabilidad de llevar consigo aquel muchacho, heredero de la Corona, no se lanzó a una ofensiva, que tantos peligros conllevaba.

Por lo demás, todos sabían que la suerte de las armas no iba a decidirse en la frontera catalana. Ese era un frente secundario. Quienquiera que pretenda doblegar a Francia, cosa siempre harto difícil, sabe que el único camino, la vía directa que puede llevar a la victoria, la ruta triunfal es la que apunta a París.

Y para ello hay que atacar desde Bruselas. Para Carlos V no había otra solución. De ahí su nueva marcha de España, como hemos de ver.

Pero, en general, puede decirse que Felipe II acompañó a su padre a lo largo de casi todo 1542 —menos los días pasados con las tropas de Alba y el invierno de 1543—. En febrero le acompaña en Valladolid, donde se celebran Cortes. En junio le sigue por tierras de La Rioja y de Navarra. En julio cae enfermo con tercianas en Monzón. El 9 de agosto se despide de su padre, para visitar el frente catalán, amenazado por los franceses; será la primera experiencia militar del Príncipe, en un frente muy poco activo. Por lo demás, pronto volverá al lado de su padre, para recorrer los reinos de la Corona de Aragón y ser jurado como Príncipe heredero. Ya hemos comentado las dificultades que Carlos V tuvo que vencer. Y está claro que en el ánimo imperial influía entonces la necesidad de dejar las cosas bien sentadas, pensando ya en su pronta ausencia.

Las Navidades de 1542 Felipe las pasaría con su padre y hermanas en Alcalá. Y, finalmente, el 3 de marzo vería la partida del Emperador.

Era en el verano de 1542. A poco, reunidas las Cortes aragonesas en Monzón, el Príncipe sería jurado heredero. Y aunque hubo que vencer resistencias, ayudó no poco al Emperador el mostrar a su hijo que volvía victorioso de la guerra fronteriza con Francia en la raya del Rosellón [9].

Pasada la tregua invernal, Carlos V tuvo que tomar una difícil decisión: dejar de nuevo España para hacer frente a tantos enemigos como se estaban

---

[9] La participación del Príncipe en la campaña de Perpiñán, recogida en la Crónica de Sepúlveda (cit. por Fernández y Fernández de Retana, *op. cit.,* I, pág. 157); Kamen la cuestiona en su biografía sobre el Rey (*op. cit.,* pág. 10, nota 32).

conjurando contra él en el norte de Europa; al rey de Francia, por supuesto, pero también al duque de Clèves y a los príncipes protestantes alemanes de la Liga de Schmalkalden.

Dejar de nuevo España. Precisamente algo contra lo que se habían manifestado las últimas Cortes castellanas celebradas en Valladolid en 1542, a lo que Carlos V había contestado: que no lo haría, salvo en caso de necesidad extrema,

> ... porque su voluntad y su edad le invitaban más a reposar que a viajar...[10]

Promesa pronto incumplida, como es notorio. Ahora bien, cuando se decida a ello, en la primavera de 1543, ya su hijo está a punto de cumplir dieciséis años y se le puede dejar al frente de la Monarquía en su ausencia.

Ha llegado la hora de que el Príncipe ocupe, gradualmente, el puesto que antes había desempeñado tan eficazmente la Emperatriz; la hora de hacer de su hijo su *alter ego*.

Hay que hacerle madurar, y presto. ¡A saber si volverá a verle!

> Me meto y hago este viaje, el cual es el más peligroso para mi honra y reputación, para mi vida y para mi hacienda que pueda ser...

Estamos acostumbrados a contemplar esa escena como la protagonizada por Carlos V, el sempiterno viajero y soldado que afrontaba su última aventura bélica. Pero ahora hay que pensar en el joven Príncipe, en aquel muchacho de dieciséis años no cumplidos que ve marcharse a su padre intuyendo que sobre sus hombros iba a caer el gobierno de la Monarquía.

Carlos V deja la corte castellana a principios de abril y hasta un mes después no manda a su hijo las famosas Instrucciones fechadas en Palamós los días 3 y 4 de mayo. Y de forma inesperada, puesto que esa parada no estaba programada por el séquito imperial.

En efecto, han sido las malas condiciones de la mar y los vientos adversos los que han obligado al César a recalar en Palamós. En la obligada inactividad es cuando medita sobre su hijo y cree necesario mandarle unas instrucciones confidenciales para su buen gobierno. Y no porque antes de su partida no le haya dicho lo esencial de palabra, sino porque siempre es bueno confirmarlo todo ello con unas instrucciones escritas que pueda tener a mano. ¿Qué es lo que le advierte?

En sus Instrucciones de 1543, las públicas y las secretas, deja Carlos V trazado el perfil del Príncipe cristiano, tal como él lo veía. Cinco años más tarde, en 1548, las completa con una amplia panorámica sobre la política internacional, que en algunos casos sirve para complementar y para refrendar esa visión de las normas a que debía sujetarse el Príncipe.

---

[10] Foronda, *op. cit.*, pág. 511.

Las Instrucciones carolinas pronto tuvieron una amplia difusión, por la sencillez de su *idearium,* lejos de las dobleces que habían trascendido del *Príncipe* según Maquiavelo. Las de 1548 hay que achacarlas, en una primera redacción, a Nicolás Perrenot de Granvela, que era el consejero más cualificado de Carlos V en materia de política internacional, como parece suponerlo la existencia de una copia en el archivo de los Granvela, sito en Besançon; lo cual no prueba la ausencia de Carlos V, sino la sintonización del consejero con el *idearium* carolino. En cuanto a las de 1543, más importantes a estos efectos, habría que pensar en la influencia española. En algunos momentos hace recordar a Alfonso de Valdés y a su príncipe ideal, el buen rey Polidoro, de su *Diálogo de Mercurio y Carón;* pero Alfonso de Valdés había muerto hacía demasiado tiempo —en 1532—, de forma que habría que considerar que las similitudes se deben a aquella parte de formación erasmista que anidaba en Carlos V. Y por su misma índole, por su carácter reservado, cuando no secreto, hay que pensar en una obra directa del Emperador, bien manifiesta además en la forma espontánea, que la alejan de una redacción a cargo de un secretario, siempre con estilo más depurado.

En 1543. Ese es el año en que Carlos V considera que es necesario dejar a su hijo con esas advertencias y esos consejos. La razón se comprende. Habiéndose agravado la situación internacional, y ante la reanudada hostilidad de Francisco I de Francia, Carlos V debe acudir al norte de Europa, donde la amenaza es más fuerte, y debe dejar a su hijo al frente de España. No era la primera vez que esto sucedía, pues ya había tenido que hacerlo en 1539; pero entonces el Príncipe sólo tendría un gobierno simbólico —contaba doce años—, quedando como verdadero lugarteniente el cardenal Tavera. Además, la situación también era distinta. En 1539, Carlos V dejaba España sólo para castigar la rebelión de su ciudad natal, Gante, y partía estando en paz con Francia, hasta el punto de que sería huésped en París de Francisco I. En cambio, en 1543 esa paz se había esfumado. Las perspectivas eran malas, como si pareciera que la buena estrella de Carlos V, que hasta entonces había lucido en sus empresas, comenzara a debilitarse. El recuerdo del reciente desastre en la campaña de Argel podía hacer pensar que hasta Dios había dejado de la mano a Carlos V. Y todo ello se refleja en los acongojados términos del escrito carolino [11]. Al pedir el amparo divino para su viaje, añade el Emperador:

> ... el cual es el más peligroso para mi honra y reputación, para mi vida y para mi hacienda que pueda ser; plega a Él que no lo sea para el alma, como confío que no será, pues lo hago con buena intención para proveer los medios que pudiere para remediar lo que me tiene dado y no dexaros, hijo, pobre y desautorizado, por donde después terníais gran razón de quexaros de mí...

---

[11] El de las Instrucciones secretas.

Después de lo cual, y como si fuera dictando su pensamiento a un fiel secretario —como probablemente ocurrió, y habría que pensar en Cobos—, Carlos V añade más esperanzado:

> ... aunque creo que siempre ternéis consideración de pensar que lo que he hecho ha sido forçosamente para guardar mi honra, pues sin ella menos me pudiera sostener y menos os dexara[12].

Tres son las Instrucciones que Carlos V da a Felipe II en 1543. Las primeras están firmadas en Barcelona, el 1 de mayo de 1543, poco antes de salir el César de España. Son las públicas, según el obligado trámite de la política interna, cada vez que el Emperador dejaba España, similares por tanto a las dejadas en 1529 y 1535 para la Emperatriz y en 1539 para el cardenal Tavera[13]. En ellas se detallaba la forma en que se había de seguir para la buena marcha de la máquina administrativa, en los diversos Consejos por los que se gobernaba la Monarquía.

Pero algo inesperado iba a ocurrir. Habiendo partido la flota imperial de Barcelona, una fuerte tormenta la obligó a refugiarse en el pequeño puerto de Palamós, donde, ante la forzosa inactividad, Carlos V aprovechó para dictar el 4 de mayo sus segundas Instrucciones a su hijo, éstas ya personales, de tono moral, que posiblemente tenía ya pensado realizar, y que bien habrían podido ser el contenido de su primera carta, una vez finalizado su viaje, o al menos, tras su primera etapa, ya en Génova. Instrucciones personales, pero no secretas, pues quedaban a cargo del ayo del Príncipe, don Juan de Zúñiga, para que las leyera en su presencia, el cual tendría además el cuidado

> ... de acordaros las cosas en ella contenidas, todas las veces que él viere que fuere menester[14].

Así las cosas, y como la demora en Palamós se prolongara, dos días más tarde Carlos V dictaría sus terceras Instrucciones a Felipe II; serían las secretas y, sin duda, las más importantes, por la gravedad de su contenido, hasta el punto de que es posible que fueran escritas de su propia mano, sin intervención de secretario alguno. De forma que el César pedirá a su hijo la máxima reserva, que las tuviera bajo llave y que ni la propia María Manuela —recordemos que ya estaba concertado el primer matrimonio de Felipe II con la princesa de Portugal— las conociese:

> ... y así la ternéis secreta y debaxo de llave, sin que vuestra mujer ni otra persona la vea.

---

[12] *Corpus documental de Carlos V, op. cit.,* II, pág. 105.
[13] *Ibídem,* I, págs. 148 y 414; II, págs. 43 y sigs.
[14] *Ibídem,* II, pág. 103.

Y todavía, machaconamente, Carlos V insiste al final, en posdata, sobre el extremo cuidado de que nadie las supiese. El Emperador era consciente de lo grave que sería su conocimiento por terceros:

> Ya veis, hijo cuánto conviene que esta carta sea secreta y no vista de otro que de vos, por lo que va en ella y digo de mis criados por vuestra información. Por eso os encomiendo mucho que en esto vea yo vuestra cordura y secreto, y que de ninguno sea vista ni aun de vuestra mujer.

Incluso había un riesgo que, aunque remoto, había que tener en cuenta. ¿Qué ocurriría si el Príncipe enfermara de muerte? Tremenda perspectiva, que Carlos V, sin embargo, se ve obligado a considerar:

> Y porque todos somos mortales, si Dios os llevase para sí, no os descuidéis de ponerla en tal recaudo que ella me sea vuelta cerrada, o quemadla en vuestra presencia.

Y en la cubierta se añade la recomendación, en este caso con notorio riesgo de abrir el apetito de los que así podían conocer esta última advertencia, posibilidad evidente y que daría lugar a que el secreto se rompiese pronto, como hemos de ver:

> Hijo, ésta es una carta y instrucción que os envío para informaros en cosas que tocan a vuestro bien y servicio y de que os podéis aprovechar mucho durante esta mi ausencia, y principalmente si Dios dispusiese de mí en este viaje. Tenedla muy secreta y no la fiéis de otro que de vos sólo... [15]

Felipe II, el Príncipe, aún no había cumplido los dieciséis años. ¿No era demasiado muchacho para tan gran responsabilidad? Carlos V era consciente de ello:

> ... no embargante que vuestra edad es poca para tan gran cargo, todavía se han visto algunos de no mayor edad que por su ánimo, virtud y buena determinación se han mostrado tales, que sus obras han sobrepujado su poca edad y experiencia...

¿Pensaba Carlos V en sí mismo? A los seis años se había visto ya proclamar conde de Flandes, por la muerte de su padre Felipe el Hermoso; y a la propia edad de Felipe II, mes más, mes menos, heredero de la Monarquía católica, con participación decisiva ya en los problemas de Estado, como aquel tan particular de declararse rey junto a su madre, Juana la Loca. Y eso hacía

---

[15] *Corpus...*, II, pág. 118.

hombrear, y tal le ocurriría a su hijo, tanto más cuanto que iba a tomar nuevas responsabilidades, puesto que también pronto se desposaría con la princesa de Portugal:

> ... habéis ya de pensar —reflexiona Carlos V— que os hacéis hombre y con casaros tan pronto y dexaros yo en el gobierno que os dexo, anticipáis mucho el tiempo de serlo, antes que por ventura vuestra corpulencia y edad lo requieren.

¿Cuál es el modelo de príncipe que Carlos V presenta a Felipe? ¿Cuáles las cualidades que deben adornarle? Ante todo, sentido de la responsabilidad. Atrás quedaba la etapa de los juegos:

> También, hijo —le advierte—, habéis de mudar de vida y la comunicación de las personas.

Era hora de cambiar radicalmente de vida. Aquello que ya hemos señalado y que es el momento de recordar:

> Hasta agora, todo vuestro acompañamiento han sido niños y vuestros placeres los que entre tales se toman. De aquí adelante no habéis de allegarlos a vos, sino para mandarles en lo que han de servir.

Los consejeros de edad madura, las personas discretas, los hombres formados debían ser sus nuevos acompañantes:

> Vuestro acompañamiento principal ha de ser de hombres viejos y de otros de edad razonable, que tengan virtudes y buenas pláticas y exemplos, y los placeres que tomaréis sean con los tales y moderados...

Todo lo cual se resumía en la sentencia final, que quedaría grabada en el Príncipe para siempre:

> ... pues más os ha hecho Dios para gobernar que para holgar.

Y una orden precisa: ¡Fuera bufones!

> ... no haréis tanto caso de locos [16] como mostráis tener condición a ello, ni permitiréis que vayan a vos tantos como iban... [17]

---

[16] *Locos,* esto es, bufones.
[17] *Corpus documental de Carlos V, op. cit.,* II, págs. 99 y 100.

Sentido de la responsabilidad, sentido del oficio de rey; su deber, gobernar, no holgar. Esa norma, que tan penosamente vulnerarían los reyes holgazanes del XVII —especialmente, Felipe III—, sería fielmente observada por Felipe II. Pero gobernar como un príncipe cristiano, con amor a la justicia y respeto a la religión. Y lo de la religión no quedaría en la mera observancia de los mandatos de la Iglesia —aunque también se recomienden—, sino, y sobre todo, en cuidar su unidad, persiguiendo la herejía, como perturbadora del orden social. Para ello, la fórmula perfecta para Carlos V era favorecer a la Inquisición, dicho incluso con esos términos:

> Nunca permitáis que herejías entren en vuestros Reinos. Favoreced a la Santa Inquisición...

Se confunden, pues —como en más de una ocasión he tratado de aclarar desde hace años—, los que indican que fue el relevo de Carlos V por Felipe II el que trajo un recrudecimiento del espíritu inquisitorial. La consigna ya está dada por Carlos V, y reiterada más tarde, desde su retiro de Yuste, en dramáticos términos.

Algo que ya señaló hace medio siglo Marcel Bataillon en su magistral estudio *Erasmo y España* [18].

No cabe duda: en su nivel de religiosidad, Carlos V fue un hombre de su tiempo, tan intransigente como lo fue Ignacio de Loyola, o, en el área reformada, Calvino. Fue incapaz de superar aquella barrera de intolerancia, y eso lo transmitió a su hijo.

Más imperecederas son sus normas sobre la justicia:

> Hijo, habéis de ser muy justiciero y mandad siempre a todos los oficiales della que la hagan recta y que no se muevan ni por afición ni por pasión, ni sean corruptibles por dádivas ni por ninguna otra cosa, ni permitáis que en ninguna manera del mundo ellos tomen nada, y al que otra cosa hiciese mandadle castigar...

Naturalmente, eso rezaba, en primer lugar, para el propio Príncipe:

> Y nunca conozcan los ministros della que por amor, afición, enojo o pasión os movéis, ni mandáis cosa que sea contra ellos. Y si sentís algún enojo o afición en vos, nunca con ése mandéis ejecutar justicia, principalmente que fuese criminal...

Justo, pues, pero no cayendo en el rigor. ¿Cómo evitarlo? Acomodando la justicia con la clemencia:

> Y aunque esta virtud de Justicia es la que nos sostiene a todos, imitando a Nuestro Señor, que de tanta misericordia usa con noso-

---

[18] Marcel Bataillon, *Erasmo y España, op. cit.,* II, págs. 317 y sigs.

tros, usad della y mezclad estas dos virtudes, de suerte que la una no borre la otra, pues de cualquiera dellas de que se usase demasiadamente, sería hacerla vicio y no virtud.

Algo sacado de su propia experiencia, cuando no oído a sus graves consejeros, como podía ser el caso del cardenal Tavera. Y, ciertamente, mejor expresado en su Testamento de 1554, tal vez porque se valió en ese caso de algún humanista de su entorno, como el secretario Idiáquez, del que sabemos que había sido muy valorado por el propio Luis Vives [19].

> Que con todo corazón ame la Justicia.

Pero no una recomendación genérica, como podía hallarse en cualquier espejo de príncipes, sino con expresa referencia a los pobrecillos del reino, en términos más bien propios de los primeros libros de caballerías, los que —al menos, algunos de ellos— gustaba leer Carlos V. Y así, añade en el referido Testamento a su hijo:

> Y señaladamente le encomiendo la protección y amparo de las viudas, huérfanos, pobres y miserables personas, para que no permitan que sean vexados o presos, ni en manera alguna maltratados de las personas ricas y poderosas, a lo cual los reyes tienen grande obligación.

Texto que yo comentaba, cuando realicé la edición crítica del *Testamento de Carlos V:* «Frente a frente el puñado de poderosos y la muchedumbre de las "miserables personas", Carlos viene a reconocer los atropellos de los primeros y proclama el deber de la Corona de proteger a los segundos» [20],

> ... a lo cual los reyes tienen grande obligación.

Entonces dudaba de que el texto carolino representase algo más que una formulación de principios, reiterada de generación en generación. Lo cierto es que Felipe II la insertará en su propio Testamento, casi sin alterar su texto:

> Y que de todo corazón ame la Justicia y haya en su protección y amparo las viudas, huérfanos, pobres y miserables personas, para no permitir que sean vexadas ni oppresos [21], ni en manera alguna maltratados de las personas ricas y poderosas, lo cual es propio oficio de reyes [22].

---

[19] Luis Vives, *Dedicatoria a Idiáquez,* en su escrito «Redacción epistolar», en *Obras completas,* ed. cit. de Lorenzo Riber, II, pág. 841.

[20] Manuel Fernández Álvarez, *Testamento de Carlos V,* ed. crítica, Madrid, Ed. Nac., 1982, pág. XXIV.

[21] *Oppresos,* y no *presos,* mejorando el estilo de Carlos V.

[22] Manuel Fernández Álvarez, *Testamento de Felipe II,* ed. crítica, Madrid, Ed. Nac., 1982, pág. XV.

Sin duda, el final del texto filipino gana en belleza y expresión.

Aquello de que amparar a las miserables personas era «propio oficio de reyes».

Pero no bastaban los grandes principios, era preciso ponerlos en práctica, y para ello había una norma inmejorable: la cuidadosa elección de los ministros que habían de impartir justicia.

> Habéis de tener muy gran cuidado en mirar que se nombren muy buenos corregidores...

Todavía faltaba algo: la cuidadosa elección debía completarse con la no menos estricta preocupación de cómo ejercían sus funciones. En este sentido, Carlos mantiene en todo su rigor la sabia decisión de sus abuelos maternos, los juicios de residencia; algo que competía al Consejo Real, como Tribunal Supremo de la justicia de Castilla:

> ... al Presidente y Consejo Real ordenaréis que se desvelen en tomar bien las residencias... [23]

Pero un buen gobernante, en la retina de los pensadores de la época, no es sólo el que administra buena justicia, escogiendo bien a sus ministros; es, sobre todo, aquel que no descansa en el gobierno, que reina y gobierna, que no cede la tarea a segundos, a los que el pueblo llamaría privados o favoritos. Y eso lo tenía muy claro Carlos V, como se lo indica al Príncipe, tras advertirle sobre las ambiciones de los principales consejeros que había dejado a su lado; del propio cardenal Tavera había que desconfiar:

> El Cardenal de Toledo —le dice— entrará con humildad y santidad...

Pero Felipe no debía fiarse. No por ello —porque le diera tan santa impresión— debía hacerle su privado:

> ... no os pongáis en sus manos solas ni agora ni en ningún tiempo, ni de ningún otro, antes tratad los negocios con muchos y no os atéis ni obliguéis a uno solo, porque aunque es más descansado, no os conviene, principalmente a estos vuestros principios...

¿Está pensando el Emperador en sus comienzos con la privanza de Chièvres, que tan impopular le había hecho en España? Posiblemente. En todo caso, le añade:

---

[23] Instrucciones privadas citadas de 1543 (*Corpus documental de Carlos V, op. cit.,* II, págs. 95 y 96).

... porque luego dirían que sois gobernado y por ventura, que sería verdad, y que el a quien tal crédito cayese en las manos se ensoberbecería y se levantaría de arte que después haría mil hierros. Y, en fin, todos los otros quedarían quexosos[24].

Por eso precisamente le da un serio consejo: ¡nada de Grandes en el Consejo Real! Ni siquiera aquel duque de Alba, que parecía tan fiel a la Corona; las pinceladas con que el Emperador nos presenta al ambicioso —y gran soldado— son de mano maestra:

El duque de Alba quisiera entrar con ellos[25], y creo no fuera de bando sino del que le conviniera. Y por ser cosa del gobierno del Reino, donde no es bien que entren Grandes, no lo quise admitir, de que quedó no poco agraviado. Yo he conocido en él, después que le he allegado a mí, que él pretende grandes cosas y crecer todo lo que él pudiere, aunque entró santiguándose muy humilde y recogido...

Si así había intentado engañar al Emperador, ¿no lo pretendería también con el Príncipe? Tal temía —y con razón— Carlos V. Por eso le advierte a su hijo:

¡Mirad, hijo, qué hará cabe vos, que sois más mozo!

También le insiste una vez más: ¡cuidado con la Grandeza!:

De ponerle a él ni a otros Grandes muy adentro en la gobernación os habéis de guardar...

Igualmente, como si se tratara de una situación de escabrosa política de nuestros días —aunque tales cosas han ocurrido y ocurrirán siempre—, le pone sobre aviso de que intentarían seducirle por todos los medios, incluido, claro, el de las mujeres:

... porque por todas vías que él y ellos pudieren os ganarán la voluntad, que después os costará caro; y aunque sea por vía de mujeres creo que no lo dejará de tentar, de lo cual os ruego guardaros mucho[26].

¿Planteaba Carlos V tales acusaciones por propia experiencia? Todo hace pensarlo.

En cuanto al secretario Cobos, era fiel o, al menos, por tal lo tenía Carlos V, y gran trabajador, aunque ya iba notando el paso de los años. Se le acusaba de corrupto, pero el César más lo achacaba al ansia de medrar de su mujer:

---

[24] *Corpus documental de Carlos V, op. cit.,* II, pág. 109.
[25] Con Tavera y Cobos en el Consejo Real.
[26] *Ibídem.*

> Bien creo —le dice Carlos V a su hijo— que la mujer le fatiga y es causa de meterle en las pasiones, y aun no dexa de darle mala fama quanto al tomar, aunque creo que no toma él cosa de importancia; baste que unos presentes pequeños que hacen a su mujer, le infamen[27].

¡Luego había presentes, esto es, sobornos! Y en cuanto a pequeños...; bien, no era eso lo que se decía, corroborado por la imponente fortuna amasada por aquel hombre de origen oscuro, de que tantas pruebas dejó en Úbeda, su ciudad natal; díganlo, si no, los palacios alzados por él y los suyos, como el admirable de las Cadenas o la Capilla del Salvador. Los mejores arquitectos y artistas del tiempo, los Siloé, Vandelvira y Berruguete (Alonso), trabajaron para él y los suyos, como si se tratara de una familia principesca.

En Valladolid aún quedan muestras, en el patio renacentista del palacio que frente a la iglesia de San Pablo alzó Cobos hacia 1526. Y no se limitó a palacios; dio en coleccionar castillos, comprándolos a nobles medio arruinados, como otros coleccionan porcelanas o barcos, particularmente en su provincia de Jaén (castillos de Sabiote y Canena), como si quisiera hacer de aquella tierra su reino particular. Para ello no le bastaban sus ingresos declarados, aunque fuesen grandes. Su venalidad era del dominio público y la recogen los cronistas. Gómar lo proclama:

> Era codicioso y escaso y tomaba presentes con ambas manos que lo enriquecieron demasiadamente.

Santa Cruz lo retrata con frase más lapidaria:

> Fue muy absoluto en ejercer su autoridad y muy disoluto en robar[28].

No cabe duda: Francisco de los Cobos y su sobrino, auxiliar en las materias de Estado y de Hacienda, se dejaban sobornar.

Carlos V no lo ignoraba. Nos lo dice el embajador veneciano Navagero, siempre tan bien informado:

> El Emperador sabe esto y lo tolera[29].

Y, en verdad, es el propio Carlos quien lo confiesa, aunque minimizando el hecho:

> Basta que unos presentes pequeños que hacen a su mujer le infamen.

---

[27] *Corpus...*, II, pág. 110.

[28] Citados por Keniston, *Francisco de los Cobos, secretario de Carlos V,* Madrid, 1980, pág. 349.

[29] *Ibídem.*

¿Por qué entonces se cree obligado a llamarle la atención?

Yo le he avisado dello. Creo se remediará [30].

Pero el resultado no es otro sino el de que los grandes consejeros dejados por Carlos V alrededor de su hijo, clérigos como nobles o burócratas, no eran sino unos políticos ambiciosos y con pocos escrúpulos, a la hora de hacerse con el poder, con el mayor posible, con todo el poder.

Por cualquier medio, y no sólo Cobos, sino todos los demás. Carlos V lo sabe y se lo advierte al hijo:

> Bien creo que trabajará de granjearos, como todos lo harán, y como ha sido amigo de mujeres, si viese voluntad en vos de andar con ellas, por ventura antes ayudará que estorbaría... [31]

Los otros clérigos, Silíceo y Valdés, no eran gran cosa; figuras mediocres, que por esos extraños caminos que recorren los ambiciosos, aunque sean incompetentes y necios, logran hacer fortuna en cualquier tiempo. Sólo se salvaba Loaysa, el cardenal de Sevilla, pero tan viejo ya, que más estaba para irse a su diócesis que para servir al lado del Príncipe:

> No hablo en lo del Cardenal de Sevilla —le dice Carlos V—, por que él está ya tal, que estaría mejor en su iglesia que en la Corte; él solía ser muy excelente para cosas de Estado...

Una figura noble y digna, por tanto, pero ya una reliquia del pasado.

Alguien contaba, sí, y era Zúñiga, el ayo fiel, después mayordomo mayor. El único en el que, de verdad, confía el Emperador. Y así lo dejaba como «el reloj y despertador» cabe el Príncipe, para que le tuviera alerta en cuanto a sus obligaciones y su buen quehacer. Porque el propio Silíceo, aquel clérigo, ya obispo de Cartagena, a quien el Emperador había encomendado la misión de dirigir su enseñanza, ¿qué había hecho?

Y esa es la imagen que de todos aquellos graves personajes queda ya grabada en la retina del Príncipe. ¿Dónde dirigir su mirada confiada? ¿Se comprende que a partir de ese momento el Príncipe sienta una invencible desconfianza hacia los hombres, que de verdad ya no confíe más que en sus amigos de la niñez, como Ruy Gómez de Silva o Luis de Requesens, o en sus propios familiares más probados?

Ahora bien, en esa formación del Príncipe hubo algo más que papeles (instrucciones o correspondencia); también se dieron conversaciones entre padre e hijo, exhortaciones sobre el comportamiento moral, prevenciones

---

[30] *Corpus documental de Carlos V, op. cit.,* II, pág. 110.
[31] *Ibídem.*

sobre los riesgos políticos. Esto, que podría suponerse por puro sentido común, lo sabemos por Carlos V y por el propio Felipe II, que en ocasiones recuerda los consejos que le había oído al Emperador.

En cuanto a Carlos V, él mismo alude a ellos en sus Instrucciones de 1543, como cuando quiere justificar su marcha de España:

> ... he determinado de executarla —su partida—, como en Madrid os dije...

Y de nuevo, recordándole sus pláticas hechas en la villa del Manzanares:

> Como os dixe en Madrid, no habéis de creer que el estudio os hará alargar la niñez...

Por último:

> Ya se os acordará de lo que os dixe de las pasiones, parcialidades y casi bandos que se hacían o están hechos entre mis criados...

Lo que ocurre es que en la obligada estancia que ha de padecer en Palamós al César le entra la inquietud de no bastar con lo que de palabra ha dicho a su hijo y que es necesario complementar aquellas instrucciones verbales con otras escritas, de forma que siempre las tuviera a mano, sobre todo si la muerte le asaltaba y el Príncipe, ya Rey, se veía reducido a su único parecer.

Tal le advierte en sus Instrucciones muy secretas y para él sólo, que le escribe el 6 de mayo, y donde así se lo advierte:

> En lo que me queda que acordaros de lo que os dixe en Madrid, demás de lo que está contenido en mi otra carta...

Y en cuanto al Príncipe, así lo recordaría años más tarde en nota autógrafa puesta a un escrito de su secretario Eraso, sobre el cuidado que había que tener en prometer algo a los que le acosaban con peticiones:

> Vos sabéis —le señalaba— cuán enemigo soy de prometer aun lo que puedo cumplir...

Y le añade, con la referencia expresa a su padre:

> ... porque es una lección que aprendí de S.M., muy muchos años ha que me lo dixo, y heme hallado muy bien cuando lo he cumplido y muy mal de lo contrario... [32]

---

[32] Felipe II a Eraso, Bruselas, 20 de febrero de 1559; autógrafo al margen de una minuta de carta a la princesa Juana (Archivo General de Simancas, Estado, Castilla, leg. 13, fol. 28; cf. *Corpus documental de Carlos V, op. cit.,* II, págs. 18 y 19).

Estamos, por tanto, ante el recuerdo de un consejo dicho de propia voz hacía tiempo («muy muchos años ha que me lo dixo»). ¿Cuándo? Posiblemente en 1542, o cuando Carlos V tiene cabe sí al Príncipe, en tierras del Imperio, tras su viaje de 1548.

Pero, por supuesto, lo más decisivo fue la paulatina incorporación del Príncipe al poder. Ello se inició en 1539, se formalizó en 1543, se redondeó en 1548 con el viaje al Imperio y se consagró ya cuando Carlos puso el gobierno de España en manos de Felipe II en 1551.

En 1539, el primer paso. Naturalmente, entonces sólo de forma simbólica. Felipe II tenía doce años y no podía ser de otro modo. Acababa de morir la Emperatriz y al Emperador le era forzoso ausentarse de España, porque le habían llegado correos de los Países Bajos con la mala noticia de la rebelión de su ciudad natal, Gante, y Carlos V no podía dejar pasar por alto tal ofensa. Forzoso le era, pues, abandonar España. Ya no tenía como *alter ego* a su esposa, y el hijo era todavía un muchacho; pero ¡qué remedio! En sus *Memorias* recordaría aquel difícil momento, y en tales términos que bien se comprende que los mejores especialistas carolinos las tengan por auténticas, aunque no poseamos el original:

> ... no obstante que veía al Príncipe, su hijo, ser aún muy mozo para quedar gobernando en su ausencia, lo que la Emperatriz acostumbraba hacer..., se determinó a partir de España dejando por primera vez al Príncipe, su hijo, aunque mozo, en el gobierno de los dichos Reinos...[33]

Se tiende a minimizar las Instrucciones carolinas a Felipe II de 1539 (yo mismo lo he hecho), deslumbrados los estudiosos con las impresionantes de 1543, y aun con las de 1548; sin embargo, en algo deben valorarse, por cuanto por primera vez el Príncipe recibe algunos consejos paternos dados de forma grave y solemne, que evidentemente debieron hacer mella en su ánimo. Así, cuando le encarga sus futuros deberes como gobernante, y no sólo de cara a sus reinos, sino frente a toda la Cristiandad.

Estamos ante el Emperador, ante el Carlos V que siempre se plantea el gobierno de Europa en términos de toda la colectividad cristiana y no de un mero país:

> Y que tenga siempre, en cuanto en él será [posible], principal respeto al bien público y universal de la Cristiandad, gobernando y administrando los Reinos, tierras y vasallos en que sucederá, en justicia y policía[34].

---

[33] *Memorias* de Carlos V (*Corpus documental de Carlos V, op. cit.,* IV, pág. 588); la sintonía de este párrafo con el discurso de la Corona ante las Cortes de 1542 marca a las claras la concordancia de origen.

[34] Archivo General de Simancas, Patronato Real, leg. 26, fol. 56; copia.

Para entrar en detalles de crítica interna —está claro que el texto corresponde a una mala versión de un borrador francés, y que *policía* hay que entenderlo por buen gobierno[35]—, se aprecia el notable afán de Carlos V por el bien general de Europa que trata de inculcar a su hijo; máxime cuando le insta a que mantenga la paz con Francia, olvidándose de los agravios que había recibido de su rey, Francisco I:

> Cuanto al rey de Francia, nuestro cuñado, Dios sabe que Nos no habemos sido promotor de las guerras pasadas entre nosotros y que dellas nos ha siempre en grand manera desplacido y de los males e inconvenientes que han sucedido, y que habemos buscado todos los medios para obviarlos y para volver en amistad con él. Y pues que por la divina voluntad y clemencia ella[36] se ha reintegrado, Nos amonestamos, requerimos y esortamos [*sic*] al dicho Príncipe, nuestro hijo, que haga todo lo que le será posible convenientemente para conservarla, confirmarla y stablecerla con el dicho señor Rey y sus hijos.

Con lo cual, se incorpora otra consigna: el respeto a las otras monarquías de Europa, y concretamente a la de Francia y al papel que en Europa le correspondía:

> En esto señaladamente el dicho Príncipe, nuestro hijo, haya y tenga muy grande y continuo cuidado y respeto, así por la honra y servicio de Dios y *bien público de la Cristiandad y respetando el lugar que el dicho señor Rey y sus hijos tienen en ella...*

Y por ello, lo mejor era olvidar y no buscar culpables por las guerras y desventuras habidas. De esa forma expresa se lo pide Carlos V a Felipe:

> Y por estas consideraciones señaladamente el dicho Príncipe olvide enteramente todas las cosas pasadas entre el dicho señor Rey y Nos, teniendo que Dios lo haya permitido, y *imputándolo a la desgracia de los tiempos...*[37]

No cabe duda: en la Europa soñada por Carlos V no había lugar a una sumisión de las demás naciones, sino a su respeto. Y habrá que sopesar en qué medida ese *idearium,* esa manera, en suma, de entender lo que debía ser la Europa cristiana influyó sobre el futuro rey de las Españas.

Por lo demás, la documentación de Simancas deja bien claro que el gobierno de Felipe en 1539 fue enteramente nominal. Sería el símbolo del

---

[35] Cf. mi anotación al documento en el *Corpus documental de Carlos V, op. cit.,* II, págs. 33 y sigs., y notas 8, 9 y 45.

[36] La amistad, claro; otro giro que rechina un poco.

[37] Instrucciones de 1539 (*Corpus documental de Carlos V, op. cit.,* II, págs. 32 y sigs., sobre todo las págs. 33 y 34).

poder, pero todo el aparato gubernativo, las consultas y las decisiones pasarían por otras manos. En 1539, Carlos V dejaría España bajo el gobierno del cardenal Tavera; directamente, el de la Corona de Castilla, pero también la supervisión de lo que ocurriera en la Corona de Aragón[38].

Otra cosa sería, por supuesto, en 1543.

Poco a poco el Príncipe fue haciéndose con el gobierno de España, como lo demuestra la documentación que custodia Simancas, convirtiéndose en el *alter ego* que tanto precisaba y tanto anhelaba Carlos V. De los informes que le llegan, acaso al que más crédito da es al del viejo cardenal de Sevilla, García de Loaysa; sus buenas noticias de cómo llevaba Felipe II las tareas de gobierno le confortan:

> Holgamos mucho —le contesta el Emperador— que la gobernación desos Reinos vaya también como decís, y así esperamos que se continuará...[39]

Era la misma buena impresión que tenía Tavera:

> El Príncipe —escribía el cardenal a Carlos V al mes de su partida— ha comenzado a usar de los poderes que V.M. le envió, y en lo que hasta agora se ha visto, tiene más cuidado y buena manera en los negocios de lo que su edad demanda; y tengo esperanza de que cada día ha de dar a V.M. mayor contentamiento[40].

También Silíceo, como podía suponerse, volcaría sus elogios:

> Da muestras en su gobernación que será tan justo y provechoso a la República quanto V.M. desea...[41]

Con lo cual, algo a destacar: Felipe II entra muy pronto por la senda marcada por su padre, aquella de entender en las cosas de gobierno. Carlos V le manda sus Instrucciones desde Barcelona y Palamós a principios de mayo. Llegarían a su poder a mediados de mes. Y ya, a principios de junio, Tavera empieza a dar cuenta al Emperador de que el Príncipe había comenzado «... a usar de los poderes que V.M. le envió...».

Tal era la situación cuando se preparaba su boda con la princesa María Manuela de Portugal.

---

[38] Instrucciones de Carlos V a Tavera, Madrid, 10 de noviembre de 1539 (Archivo General de Simancas, Patronato Real, leg. 26, fol. 54; original. Cf. *Corpus documental de Carlos V, op. cit.,* II, págs. 48-50).

[39] Carlos V al cardenal de Sevilla (Archivo General de Simancas, Estado, leg. 399, fol. 66).

[40] Tavera a Carlos V, 8 de junio de 1543 (*ibídem,* leg. 60, fol. 195; original).

[41] Cit. por Juan M. March, *Niñez y juventud de Felipe II, op. cit.,* I, pág. 74.

5
«UN GALÁN DESTA VILLA»[1].
LA BODA

En 1539, Carlos V, al plantearse la boda de su hijo, piensa en una princesa de Francia, Margarita, o de la dinastía navarra de los Albret, casa real filial de la francesa. Eso en 1543 queda ya desterrado. No se puede pensar en ningún acercamiento a Francia, antes al contrario, dado el estado de guerra existente, cuyo fin se mostraba tan incierto.

Pero Carlos V tiene la idea de que su hijo, si ha de quedar al frente de la Monarquía hispana, como su *alter ego,* debe casarse, con lo que ganará en hombría. Será como su espaldarazo definitivo a su entrada en la edad viril.

¿Por qué se decidió el Emperador por la princesa María Manuela de Portugal? El Archivo de Simancas nos proporciona, una vez más, la prueba: por la urgencia de conseguir dinero con que hacer frente a los crecidos gastos de la guerra contra Francia. Juan III de Portugal había prometido dotar a su hija María Manuela con 300.000 ducados, de los que 150.000 los pagaría en las ferias de Medina de 1543. Y sobre ello debate el Consejo de Hacienda:

> En lo que toca a los ciento y cincuenta mill ducados que el rey de Portugal ha de dar en la presente feria...[2]

Pero también influyó en Carlos V la necesidad de afianzar su alianza con Portugal, para tener seguras las espaldas a la hora de emplearse a fondo en las guerras del norte de Europa.

Negociada la boda en el otoño de 1542, el contrato matrimonial se firmaba el 1 de diciembre de aquel año por el embajador español don Luis Sarmiento de Mendoza.

---

[1] «¡Ay!, un galán desta villa» es el conocido romance asturiano estudiado por Ramón Menéndez Pidal, *Flor nueva de romances viejos,* Madrid, 1950, págs. 101 y 102.

[2] Archivo General de Simancas, Estado, leg. 60, fol. 72; cf. mi libro *La España de Carlos V, op. cit.,* pág. 701.

Hubo una primera ceremonia oficial, una boda por poderes, realizada el 12 de mayo de 1543, llevando la representación del Príncipe el embajador Sarmiento de Mendoza. Pero aún pasaría todo el verano antes de que se consumase el matrimonio. Todavía el 10 de octubre se esperaba que la Princesa llegase a la frontera a finales de mes[3].

Y en ese período de tiempo el Príncipe empieza a gobernar España. Sin duda, según los consejos del equipo de ministros que le había dejado su padre, pero señalando ya también su propia condición, y en todo caso presidiendo las reuniones de Estado e iniciándose en todos sus problemas. Nada firmará que primero no haya meditado.

Desde entonces, las cartas cruzadas entre el padre y el hijo, entre el Emperador y el Príncipe heredero, constituyen la mejor fuente para conocer ese período.

Cobos nos dará cuenta de ello:

> Vista esta necesidad —de financiar la guerra—, Su Alteza juntó a los del Consejo de Estado y de la Hacienda, para ver qué servicio podría haber...[4]

Las difíciles materias de Estado quedan en manos de un príncipe joven, máxime con una guerra tan encendida y con el peligro añadido de una ofensiva turca; todo ello, además, con la ausencia del Emperador e incluso sin sus noticias, cosa que alarma y entristece al Príncipe:

> No podría V.M. creer la pena con que estoy —es el príncipe Felipe el que tal se lamenta— de haber tantos días que no tengo cartas de V.M...[5]

No obstante, lo que más le excita, hasta el punto de olvidar guerras y ausencias, es su próxima boda. Apenas hay dinero para nada, pero es preciso encontrarlo donde sea para festejar a la novia y para mandarle las regias joyas que tan alta princesa se merece:

> Yo mostré al Príncipe las joyas que V.M. señalaba para que diese a la Princesa —ahora es Cobos quien lo refiere—, y está bien contento dello, y mucho más de la joya que de parte de V.M. se ha de dar a la Princesa, después que se haya efectuado su casamiento.

Pero no sólo joyas. ¿Acaso no es preciso poner nueva casa a los desposados? El mismo Cobos se lo recuerda al Emperador, como si se tratara de advertir a un padre cualquiera de lo que estaba en juego:

---

[3] Felipe II a Carlos V, Valladolid, 10 de octubre de 1543 (Archivo General de Simancas, Estado, Castilla, leg. 60, fol. 252; cf. Fernández y Fernández de Retana, *op. cit.,* I, pág. 182).

[4] Cobos a Carlos V, Valladolid, 7 de agosto de 1543 (*Corpus documental de Carlos V,* II, pág. 151).

[5] Felipe II a Carlos V, Valladolid, 26 de agosto de 1543 (*ibídem,* pág. 161).

Es necesario comprar alguna tapicería —le advierte—, camas y otras cosas y otros gastos que se han de hacer, como para hombre que se va a casar...[6]

Eso sí, con moderación en el gasto, ya que los tiempos eran tan malos[7]. Por lo tanto, la boda próxima, esto es, la otra guerra, la del amor, tanto más excitante cuanto que para el Príncipe es todavía un misterio, si es cierto lo que le confesó a su padre:

... mas porque tengo por cierto —es Carlos quien habla— que me habéis dicho verdad de lo pasado y que me habéis [sic] cumplido la palabra hasta el tiempo que os casáredes...[8]

Y aún le añade que sobre tal materia no haga caso a los que le dirán mil necedades:

Yo os ruego, hijo, que se os acuerde de que, pues no habéis, como estoy cierto que será, tocado a otra mujer que la vuestra, que no os metáis en otras bellaquerías después de casado...[9]

De modo que el Emperador, como un padre cualquiera, ha tenido una conversación íntima con su hijo. El Príncipe le asegura que es virgen y le promete mantenerse tal hasta su boda, y el padre le exhorta a que tal haga.

¿Cuántas veces no habrá tanteado, preguntado, comentado sobre el amor con sus pajes? En especial con aquel Ruy Gómez de Silva, ¡que le lleva once años!, y que por tanto tiene que estar al cabo de la calle de qué cosa es la mujer y cuál es la vida amorosa.

¡Y ahora el padre le advierte que en ello hay riesgo, y peligro de la vida!

... muchas veces pone tanta flaqueza que estorba a hacer hijos y quita la vida...

Y no son habladurías. Ahí estaba el caso, mil veces contado, de lo que le había ocurrido al príncipe don Juan, el hijo de los Reyes Católicos, algo que Carlos V, como todos, tiene en la memoria:

... y quita la vida, como lo hizo al Príncipe don Juan por donde vine a heredar estos Reinos.

---

[6] Cobos a Carlos V, Valladolid, 7 de agosto de 1543 (*Corpus documental de Carlos V, op. cit.,* II, pág. 156).
[7] «Hacerse ha con toda la moderación que ser pudiere, que todo esto es gasto, pues su consignación no basta a amparar lo ordinario» (*ibídem*).
[8] *Instrucciones* cits. de Carlos V (*ibídem,* pág. 100).
[9] *Ibídem,* pág. 101.

Para evitarlo, Carlos V pone dobles guardianes: a Zúñiga cabe el Príncipe y a los duques de Gandía junto a la Princesa. Pues el quid de la cuestión estribaba en que los recién casados no estuvieran mucho tiempo juntos, que no se produjera entre ellos una explosión erótica como la que había destruido a su madre, doña Juana. Porque en otro caso, ¿quién podría frenar a una pareja joven?

> El remedio es —razona Carlos V— apartaros della —de su mujer— lo más que fuere posible, y así os ruego y encargo mucho que, luego que habéis consumado el matrimonio, con cualquier achaque os apartéis y que no tornéis tan presto ni tan a menudo a verla, y cuando tornáredes, sea por poco tiempo...

Esa era la regla que había que cumplir y la que debían recordar Zúñiga al Príncipe y los duques de Gandía a la Princesa.

Porque ¿dónde había ocurrido la muerte del príncipe don Juan? Pues en Salamanca, donde, precisamente, Felipe ha de consumar su boda con la princesa María Manuela. ¿Puede haber algo más estimulante?

Una excitante aventura, desde luego. Y la primera pregunta salta al punto: ¿cómo sería la princesa María Manuela? Tiene la edad de Felipe, y eso ya es importante. Y otro dato a tener en cuenta: María Manuela es portuguesa, como lo era la Emperatriz, la madre de Felipe, lo que da confianza al Príncipe, que claramente declara a su padre que prefiere ese enlace al de aquella princesa de Francia, Margarita de Valois, de la que había oído hablar.

Aun así, todavía era importante saber a qué atenerse. ¿Cómo era la Princesa? ¿Alta, baja, gorda, flaca? Porque al Príncipe no le ha llegado ningún retrato de su prometida, como entonces solía hacerse.

Así que Luis Sarmiento, su embajador en Lisboa, tendrá que mandarle una descripción detallada de la novia, que tal lo requiere la impaciencia del Príncipe. Y Sarmiento le informa:

> Es tan alta o más que su madre, muy bien dispuesta, más gorda que flaca, y no de manera que no le esté muy bien. Cuando era muchacha era más gorda. En palacio, ninguna está mejor que ella.

Si ése era el aspecto físico, ¿cuál era el carácter? Porque cosa recia es desposar con una mujer de fiera condición.

Sarmiento tranquilizará al Príncipe:

> Dicen todos que es un ángel de condición y muy liberal...

Muy liberal, esto es, muy generosa. Prosigue Sarmiento:

> Muy galana y amiga de vestir bien. Danza muy bien... y también sabe latín y, sobre todo, es muy buena cristiana. Y según sus mujeres,

es muy sana y muy concertada en venille su camisa, después que tuvo tiempo para ello, que dicen que es lo que más vale para tener hijos [10].

El embajador se cree obligado a descender a esos detalles: *venille bien la camisa,* o sea, tener muy normal su menstruación. Es una especie de espionaje de palacio, para asegurar algo tan importante en cualquier boda, pero fundamental en las regias: asegurar la sucesión.

Una información que no bastará al Príncipe, que querrá ver con sus propios ojos a su prometida antes de que le sea presentada oficialmente. La comitiva principesca había de entrar en Castilla por Elvas y Badajoz y, bien escoltada por la embajada española presidida por Silíceo y por el duque de Medina-Sidonia, ascendería por toda Extremadura (Alburquerque-Alcántara-Coria), para entrar ya en el señorío del duque de Alba. A su encuentro, si bien disfrazado, salió el Príncipe, entonces en Valladolid, y antes de que la Princesa entrase en Salamanca, donde debían celebrarse los esponsales, procuró verla sin ser visto. Lo que parece muy normal, tanto que el propio Príncipe se lo refiere a su padre, el Emperador:

> Partí desta villa de Valladolid, a efectuar lo de mi casamiento, a principios de Noviembre, y desde Cantalapiedra, que es cinco leguas de Medina del Campo, me adelanté por la posta para ir a ver a la Princesa por el camino, porque pareció que era bien hacerlo así, llevando en mi compañía al duque de Alba, al almirante de Castilla, conde de Benavente, don Álvaro de Córdoba, don Juan de Acuña y don Antonio de Rojas...

De forma que no es meramente un gesto personal, aunque es de suponer que el Príncipe lo deseara, sino algo que formaba parte del ritual, y por eso no lo hace solo y a escondidas, sino acompañado de lo mejor de su cortejo, como si se tratara de los obligados testigos de aquella operación y los únicos dignos de ella, y de ahí que particularice sus nombres al Emperador.

Felipe y su cortejo franquean la sierra de Béjar para hacer alto en la casa de campo que el duque de Alba poseía en Abadía, y de la que todavía quedan tan notables restos. Y a poco de allí, en la ruta de la plata, en el lugar de Aldeanueva del Camino, se apostan para ver pasar el cortejo de la Princesa. De todo lo cual el Príncipe informa a su padre. No se trata de una acción irreflexiva, propia de la juventud, sino, porque el protocolo lo pide, de que el Príncipe manifieste públicamente sus ansias por ver a la que pronto será su desposada. El Príncipe sentiría, probablemente, deseos de conocerla; pero, aunque así no fuese, tenía que dar muestras claras de ello:

> Y así llegué con ellos —con su cortejo; es el Príncipe el que sigue informando a su padre— al lugar de La Abadía, que es del duque de

---

[10] Cit. por Fernández y Fernández de Retana, *op. cit.,* págs. 180 y 181.

> Alba y de allí fui a Aldeanueva, donde vi a la Princesa sin que ella me
> viese. Luego me vine a un lugar a dos leguas de Salamanca [11] y esperé
> que llegase la Princesa, que fue martes 14 de Noviembre, donde fue
> recibida con muy grande regocijo...
> Estuve a ver la entrada y fuime a dormir a un monasterio de San
> Jerónimo, que está fuera de la ciudad [12].

El anónimo del manuscrito de la Real Academia de la Historia nos presenta toda la fastuosa ceremonia del casamiento hecho en Salamanca: el apoteósico recibimiento a la Princesa, con los diversos arcos triunfales —entre ellos, por supuesto, el de las Escuelas mayores—, el suntuoso cortejo de la Princesa, su alojamiento en Salamanca y el encuentro oficial de los novios, yendo el Príncipe a la sala donde le esperaba la Princesa.

¿Y cómo era la Princesa? El manuscrito de la Real Academia coincide con la descripción del embajador Sarmiento: graciosa de cara, pero poco apuesta de cuerpo, con tendencia a la obesidad, que el testigo anónimo insinúa como «algo gordilla»:

> Es S.A. de un rostro algo anchuelo, que tira a francesa, tiene aire
> destos nuestros Príncipes, que bien parece que son parientes; *es algo
> gordilla,* de buen color y de buen rostro gracioso... [13]

Sospechamos algo de desencanto en el Príncipe. En todo caso, cumplió su deber, acudió a la sala donde le esperaba su prometida y se hicieron los ceremoniosos saludos que exigía el protocolo:

> Se fue [el Príncipe] para el aposento de la Princesa, que estaba
> riquísima en su trono, con sus catorce damas ricamente vestidas. Entraron todos los señores y caballeros delante y besaron las manos a la
> Princesa... y luego llegó el Príncipe y salió la Princesa de su estrado
> hasta el medio de la sala y juntos se hicieron sus humillaciones, y dadas las manos se fueron a sentar a su estrado, y pacificada algo la gente, llegó el Cardenal [Tavera] y allí desposólos, y luego tocaron los
> menestriles y toda la música y anduvieron danzas y duró hasta media
> noche y danzó el Príncipe y la Princesa, y así se fueron a cenar y a
> dormir...

Al día siguiente, gran madrugón. El cardenal dijo la misa a las cuatro de la mañana y los veló. Nada de prisas. La ceremonia religiosa duró dos horas y media.

Era ya la hora de los desposados:

---

[11] Posiblemente, Aldeatejada.
[12] Cit. por Fernández y Fernández de Retana, *op. cit.,* I, pág. 189 y 190.
[13] Real Academia de la Historia, Col. Salazar A-48, fols. 34-35 v.; cf. *Corpus documental de Carlos V, op. cit.,* II, pág. 177.

> Casi hasta las 6 y media se acabó todo y se fueron los Príncipes juntos de las manos al aposento de la Princesa, donde quedaron y durmieron y holgaron, hasta que el Príncipe vino a su aposento..., reposando hasta las doce del día, que se levantó y vistió y salió a comer a la una, vestido de colorado muy recamado y enredado de oro... [14]

Por lo tanto, «folgaron» los Príncipes dos o tres horas en aquella mañana de noviembre, hasta que Felipe, fiel a las instrucciones paternas, se apartó de su joven esposa, para reposar después de tanta brega en su aposento durante tres o cuatro horas.

Y esas fueron las bodas principescas consumadas en Salamanca.

Durante aquella semana no cesaron los festejos: los saraos, las justas, las corridas de toros... Por supuesto, el Príncipe sacó tiempo para visitar las Escuelas. Ya estaba allí, como alumno, un muchacho que, andando el tiempo, se haría famoso, y no sólo en Salamanca, sino también en España y aun en el mundo entero; un joven que había ingresado en la orden agustina y que podría dar nombre al siglo, lo mismo que su Rey. Se llamaba fray Luis de León.

El lunes los Príncipes salieron de Salamanca para fijar su corte en Valladolid, capital de la Monarquía, bajo esta regencia (que como tal la llaman los documentos del tiempo) de Felipe. Su ruta: Alaejos, Tordesillas, Simancas... En Tordesillas hicieron un alto. ¡Allí estaba la reina de las Españas!, aquella desventurada Juana. A buen seguro que María Manuela llevaba la orden de su madre, Catalina, de visitarla y de contarle cómo la encontraba, porque la reina de Portugal no dejaba de recordarla. ¡Y a saber cómo soportaba la reina cautiva su terrible soledad! Pero no sólo sería deseo de María Manuela. Observaremos que, después de su muerte, Felipe también iría de cuando en cuando a visitar a la abuela.

Para Juana la Loca, la visita de sus nietos fue el último momento de dicha, de explosión de ternura, de asidero a los lazos familiares. Las crónicas cuentan que la Reina hizo bailar a sus nietos, aquellos muchachos de dieciséis años, y que «disfrutó harto» con su presencia.

Después, para ella, la soledad, la interminable soledad, que aquella visita vino a romper por una jornada [15].

En cuanto a los Príncipes, ¿su vida conyugal siguió bajo el control marcado por Carlos V? ¿Fue eficaz la difícil misión de Zúñiga? Los documentos nos hablan de camas separadas y de distanciamientos temporales.

Pero también de instrucciones de Catalina, la madre de la novia, que desde Lisboa se preocupaba de que su hija no engordase.

En su prudencia, no fiándose de ser obedecido en sus instrucciones, Carlos V llega a ordenar la separación a gran distancia: el Príncipe, que siguiera

---

[14] Manuscrito de la Real Academia, cit. (Corpus documental de Carlos V, op. cit., II, pág. 179).
[15] Manuel Fernández Álvarez, Juana la Loca, Palencia, 1994, pág. 223.

en Valladolid; pero que su mujer, María Manuela, invernase en Madrid. ¡Así se eliminaban los problemas!

No lo veía tan claro Zúñiga, para quien aquel violento remedio podía volverse en contra:

> A mí parésceme —se atreve a sugerir al Emperador— que apartándolos algún tiempo las noches y guardándolos siempre los días, que estarían mejor en un lugar, que no tan apartados...

Pues la cuestión estaba en que, si se les alejaba mucho y por tanto tiempo, podía ser que diesen en la guerra del sexo con más furia:

> ... que sería gran desasosiego del Príncipe, y cada vez que llegase, sería con tal deseo que sería muchas veces novio en el año... [16]

Hubo, al menos, camas separadas de noche y sólo entrevistas públicas de día. Y algo más: una creciente indiferencia del Príncipe hacia su mujer, que el bueno de Zúñiga achacaba a «empacho y poca edad». Pero a Carlos V le llegaron noticias más alarmantes: al Príncipe empezaban a gustarle las salidas nocturnas. Eran sus «desórdenes» juveniles, con el desvío tan notorio hacia la princesa María Manuela, que a Carlos V le llegan los avisos por todas partes:

> De la desorden que hay..., le he reprendido..., porque dado que por el presente no fuese ello de mucho inconveniente, serlo ia para adelante, si en esto se hiciese hábito y constumbre...

Y en la misma carta, el Emperador se lamenta de los desvíos de su hijo:

> Lo mismo he hecho y haré ahora en lo de la sequedad que usa con su mujer en lo exterior, de la cual me pesa mucho..., y no deja de entenderse por otras partes... [17]

Todo parece indicar que Felipe había iniciado ya su vida amorosa con una de las damas de sus hermanas, posiblemente con Isabel de Osorio. De todas formas, en febrero de 1545, cuando recibe la reprimenda paterna, podía excusarse con que él ya había cumplido.

En efecto, para entonces el embarazo de su mujer era ya evidente. Y el emperador Carlos V se haría eco de ello, con gran satisfacción:

> Sea mucho enhorabuena su preñado —el de María Manuela—, del cual me he holgado, como es razón.

---

[16] Zúñiga a Carlos V, Valladolid, 16 de agosto de 1543 (Archivo General de Simancas, Estado, Castilla, leg. 60, fol. 206).

[17] Carlos V a Zúñiga, 17 de enero de 1545; cit. por Fernández y Fernández de Retana, *op. cit.,* I, pág. 213.

Tal escribía Carlos V a Felipe II en posdata autógrafa, el 13 de enero de 1545. Y el César añadía, complacido:

> Habéislo hecho mejor de lo que yo pensaba, porque os daba otro año de término... [18]

En efecto, engendrado en el otoño de 1544, nacería el futuro príncipe don Carlos el 8 de julio de 1545. Y cuatro días después moría la princesa María Manuela, a consecuencia del difícil parto sufrido y, posiblemente, por una infección mal curada.

Pues el parto había sido «trabajoso», como sabemos por el propio Príncipe, que al día siguiente del alumbramiento lo comunica al Emperador:

> La Princesa continuó su preñado con salud hasta que ayer a media noche plugo a Nuestro Señor alumbrarla con bien de un hijo, y aunque tuvo el parto trabajoso, porque duró cerca de dos días, ha quedado muy buena... [19]

Pero no tan buena. Sepúlveda, tan cercano a la corte, puntualiza:

> Se complicó por culpa de las comadronas que, por ignorancia y necia condescendencia, le cambiaron la camisa y no la vendaron con la debida presión ni le administraron lo demás que la costumbre prescribe en estos casos; de donde, siguiéndose la fiebre, a los cuatro días murió...

De forma que el Príncipe pasó de la gran emoción de convertirse en padre —si bien con sus dieciocho años puede que no lo sensibilizara plenamente— a la condición de viudo. ¡Extraña situación! La Princesa no había sido, a buen seguro, la mujer de sus sueños. ¡Demasiado gruesa para recordarle a su madre, pese a su nacionalidad portuguesa! Pero, a fin de cuentas, era en aquel cuerpo joven donde el Príncipe había explorado a la mujer y se había iniciado en la vida amorosa, y eso ya era mucho. De forma que bien le podemos creer cuando escribe dolorido a su padre, para darle cuenta de aquella desgracia. Se disculpa de haberlo hecho en principio por mano de Cobos, y le añade en carta del 13 de agosto —un mes largo, por tanto, después de aquella muerte—:

> Yo no scribí entonces a V.M. porque la congoxa y pena con que estaba de haber recibido una tan gran pérdida no me dio lugar a ello... [20]

---

[18] Carlos V a Felipe II, 13 de enero de 1545 (*Corpus documental de Carlos V, op. cit.,* II, pág. 332).

[19] Felipe II a Carlos V, Valladolid, 9 de julio de 1545 (*ibídem,* pág. 400). Ruy Gómez, enviado por Felipe II a Carlos V, referiría al Emperador «el trabajo que pasó en el parto» (*ibídem,* pág. 401).

[20] Felipe II a Carlos V, Valladolid, 13 de agosto de 1545 (*ibídem,* págs. 407 y 408).

La noticia afectó tanto o más al Emperador, que al final se consolaba pidiendo a los cielos que al menos conservase la frágil salud del recién nacido.

Precisamente de aquel Infante, después príncipe don Carlos, que tanto daño haría al padre:

> Estando hecho este despacho —le dice a su hijo desde Worms, el 2 de agosto de 1545— y para partir don Juan de Figueroa con él, llegó el correo con el aviso del fallecimiento de la Princesa, y ya podéis considerar lo que lo habré sentido, así por lo mucho que con razón la quería como por la pena y congoxa que os ha dado.

Y le añade, como temeroso de que no quedara allí aquella desgracia:

> Bendito sea Nuestro Señor por todo lo que hace y a Él plega de guardar lo que queda, que no es poca parte de consolación saber cuán cristianamente acabó y que el Infante quedase en buena disposición. Plega a Dios de guardarle, como es menester, y pues lo sucedido es obra de su mano, debémonos conformar con su voluntad. Y así os ruego lo hagáis y miréis mucho por vuestra salud, tomándolo con la prudencia que se debe... [21]

Y así Dios lo guardó, sin duda, pero para harta fatiga y hartos trabajos del padre, pues, al engendrar a don Carlos, Felipe engendró algo más que a su hijo: a la más radical oposición que conoció en su reinado.

---

[21] Carlos V a Felipe II, Worms, 2 de agosto de 1545 (*Corpus documental de Carlos V, op. cit.,* II, pág. 407).

6
LA FORMACIÓN DE UN REY

El examen de la correspondencia entre Carlos V y Felipe II, a partir de 1543, prueba sin lugar a dudas que el Emperador quería meter al Príncipe de lleno en las cuestiones de Estado. Y no porque esa correspondencia fuera dirigida al hijo, en su mayor parte, pues los despachos pasados a limpio por el secretario de turno, llevando la mera firma del Emperador, no son prueba suficiente; bien podían pasar directamente a la Secretaría del Príncipe y a los correspondientes consejeros. Pero la voluntad de Carlos V era otra: que Felipe convocara a los Consejos, en particular el de Estado, y que en su presencia se discutiesen los principales problemas pendientes.

Y no sólo eso. En apremiantes posdatas, Carlos insta a su hijo a que se tomen las decisiones pertinentes, en particular el envío de dinero y de soldados. Son posdatas autógrafas, tras las que se adivinan los agobios del César y la presión que debieron ejercer sobre el príncipe Felipe. Pero eso muy pronto, desde el mismo año 1543, en que Carlos V sale de España. Veamos seguidamente algunas muestras.

El 27 de octubre de 1543, tras su victoria sobre el duque de Clèves, pero todavía con las armas en la mano para combatir a Francisco I en la frontera norte de Francia, Carlos V se ve bloqueado por la falta de dinero con que hacer frente a aquella campaña, y después de larga carta a su hijo, le añade en posdata autógrafa:

> Hijo: vos veréis lo que en ésta os escribo y estoy muy cierto que viendo cuanto me va en ello, que haréis todo lo que podréis como [el] buen hijo es obligado, para no dexar [a] vuestro padre en necesidad en tal coyuntura...

Sigue apremiándole en un largo párrafo, para terminar aludiendo a que no se podía perder la oportunidad de redondear su triunfo, tras la brillante campaña de aquel verano contra las fortalezas del duque de Clèves:

Pues Dios lo ha hecho tan bien, es necesario ayudarle para que lo acabe mejor y que con la honra que agora me ha dado me dé en lo de por venir el fruto y provecho que de tal Señor se puede esperar. Para esto, esforzaos por hallar de ayudarnos y no os descuidéis ni dexéis de enviar el dinero y soldados que os he escrito... [1]

Un mes más tarde, el 15 de noviembre, nueva carta de Carlos V a Felipe II con otra apremiante posdata autógrafa del Emperador:

Hijo: Por lo de arriba veréis la honra y merced que Nuestro Señor me ha hecho... En fin, como quiera que las cosas vayan y Dios las ordenare, sea por seguir la victoria o por resistir a los ímpetus de los enemigos, lo que os tengo escrito no se puede ni debe excusar ni creo que en tal tiempo y necesidad no me faltarán aquellos Reinos, pues creo que los otros harán lo que deben y todos lo han hecho hasta aquí. Y así, hijo, os torno a encargar que mostréis en esto cuanto buen hijo me sois... [2]

El 14 de febrero de 1544, una vez más Carlos V escribe a su hijo otra posdata autógrafa, apremiándole en términos similares y siempre con aquel apelar a sus sentimientos filiales para que le socorriese [3]. En cambio, las cartas en que Carlos V resuelve los asuntos que se le plantean desde España no llevan posdata alguna. En suma, confía ya en su hijo para ese gobierno de España, en su capacidad como *alter ego,* y Felipe II lo acusa satisfactoriamente; aunque no deje de hacer presente a su padre lo difícil que era mandarle siempre más y más dinero.

Uno de los primeros asuntos espinosos que Felipe II hubo de tratar fue el conficto desatado entre el duque de Alba y el marqués de Aguilar, en torno a los lances de la guerra con Francia y la defensa de la frontera catalana. Carlos V había nombrado al duque de Alba su capitán general en España. Por su parte, el marqués de Aguilar era virrey de Cataluña y sus despachos contenían una cláusula en que se le reconocía como capitán general en el Principado. Sobre esa base, el Marqués se negaba a admitir órdenes del Duque, celoso de sus prerrogativas virreinales, aunque ya Carlos V le había advertido de sus limitaciones; posiblemente, suponiendo que con el inexperto Príncipe podía hacerse fuerte. Y el Príncipe no pudo menos de acusar el golpe: «Hanos puesto en gran confusión...» [4]

Por suerte, también hubo de atender Felipe otras cosas de más enjundia, como la entrevista entre Carlos V y Paulo III, con la negociación de una estre-

---

[1] *Corpus documental de Carlos V, op. cit.,* II, págs. 172 y 173.
[2] *Ibídem,* pág. 183.
[3] *Ibídem,* pág. 209.
[4] Felipe II a Carlos V, Valladolid, 7 de agosto de 1543 *(ibídem,* pág. 148).

cha alianza con la casa Farnesio, a cambio de la venta del ducado de Milán. Ante tal noticia, el Príncipe, a sus dieciséis años, convoca al Consejo de Estado:

> Yo hice luego juntar los del dicho Consejo de Estado como V.M. me lo envió a mandar, y en mi presencia se leyeron las razones que V.M. mandó escribir allá...[5]

Precisamente es en esa carta cuando Felipe alude a las pláticas mantenidas con su padre, antes de la partida de Carlos V de España[6].

En ocasiones, en la prosa cancilleresca se desliza un sentimiento familiar:

> No podrá V.M. creer la pena con que estoy de haber tantos días que no tengo cartas de V.M...

Tal se lamentaba Felipe II en carta a Carlos V el 26 de agosto de 1543[7].

Pero no por ello abandonaba los asuntos de Estado, en especial la defensa de los intereses de España —y concretamente de Castilla—, tan empobrecida por los continuos socorros enviados a Carlos V. De forma que en la misma carta en que le da cuenta de sus desposorios, también señala Felipe II a su padre que había convocado al Consejo de Estado para platicar sobre las peticiones imperiales:

> ... se platicó en Consejo de Estado en mi presencia y todos fueron de parescer que no hacían lo que debían a V.M. si, como fieles vasallos y súbditos no le avisaban de todo lo que acá pasa y de las grandes y extremas necesidades que se ofrescen y del poco o ningún remedio que hay para ellos...

En suma, que era urgente que Carlos V cerrara la paz con Francia:

> ... mayormente pudiéndola hacer con tanta ventaja y reputación, estando —Carlos V— poderoso y con las armas en la mano...

Felipe II y el Consejo de Estado pedían al Emperador que se ciñera en sus ambiciones a sus posibilidades. Y se lo dicen con lenguaje llano:

> Y así yo —señala valientemente el Príncipe—, conosciendo lo mismo que ellos y el afección y celo con que se mueven, de su parte y de la mía, lo suplico a V.M. cuan encarecidamente puedo, y que tome esto que aquí digo con la intención y sinceridad de ánimo que se escribe...

---

[5] *Corpus...*, II, pág. 136.
[6] «... lo que a su partida me había dicho...» *(ibídem,* pág. 149).
[7] *Ibídem,* pág. 161.

Después de tan prudente preparación, aquel príncipe de dieciséis años lanza su andanada, a buen seguro compuesta por su secretario, posiblemente por Vázquez de Molina, pero leída, meditada y firmada por él:

> Lo cual no se hace por poner estorbo a V.M. en sus grandes pensamientos, los cuales son de su imperial valor, sino por traerle a la memoria la cualidad de los tiempos, la miseria en que está la república cristiana, las necesidades de sus Reinos, los daños que de tan grandes guerras se siguen, por más justas que sean, y el peligro en que están por estar las armadas enemigas tan cerca [8], y la poca forma que hay para resistir y proveer en tantas partes, para que, mirándolo todo, con su grandísimo juicio, tome en ello la resolución que viere más convenir [9].

Y como Carlos V parecía sordo a esos argumentos, Felipe II los reiterará en septiembre del mismo año de 1544, y aun con más apretados términos: era tan urgente hacer la paz, por estar Castilla tan necesitada y exhausta

> ... que no sé con qué manera de palabras se lo pueda encarescer...

Nuevamente, Felipe II indica a su padre que debía limitar sus ambiciones:

> ... acá no paresce que se puede dexar de acordárselo para que, desengañado de lo de adelante, pueda medir las cosas según lo que se podrá y no según sus grandes pensamientos... [10]

Cierto: cuando Carlos V abre al fin las negociaciones de la paz de Crépy y pide el parecer de su hijo en cuanto a la alternativa de ceder al francés Milán o los Países Bajos —como dote a su hija María, para su matrimonio con un hijo de Francisco I—, Felipe II acusa conmovido esa valoración que el padre hace de su juicio:

> ... beso las manos a V.M. cuan humildemente puedo por querer entender mi parecer y voluntad en cosa tan importante, en lo cual V.M. ha mostrado el amor y respeto que me tiene, y yo lo estimo en lo que es razón... [11]

Pero no por ello deja de insistir en el mismo tema: Castilla estaba al borde de la mayor de las penurias. Eran los famélicos años cuarenta, tan bien reflejados en el *Lazarillo de Tormes:* «... por ser los años contrarios...» [12]

---

[8] Alude a la llegada de la armada turca a los puertos franceses del Mediterráneo.
[9] *Corpus documental de Carlos V,* II, págs. 192 y 193.
[10] *Ibídem,* págs. 270 y 271.
[11] *Ibídem.*
[12] *Ibídem,* pág. 313.

Existe un curioso enfrentamiento entre el Carlos V todopoderoso, tras las victorias sobre Clèves y después de haber forzado a Francisco I a la paz de Crépy, el Carlos V que consigue de Paulo III la apertura del Concilio de Trento y que se prepara para el asalto a la temible Alemania de la Liga de los príncipes protestantes (la Liga de Schmalkalden), y el Felipe II que a sus dieciocho años en 1545 ya gobierna con pulso firme los reinos de España. Una polémica, un enfrentamiento escrito poco conocido. Carlos V insiste una y otra vez en que se le envíen más y más dineros, sacándolos por los medios y arbitrios que sean; mientras que Felipe II se muestra cada vez más reacio y al mismo tiempo más consciente de los agobios del pechero castellano y, en general, de todo el país. Sobre todo cuando, pese a que ya se ha firmado la paz con Francisco I, aún persiste Carlos V en sus apremios. El Emperador llega a decirle a su hijo que Castilla debía tomar buena nueva de lo que se estaba haciendo en Francia y de los sacrificios a que estaba llegando aquel país, a pesar de que tenía parte de su reino invadido y que la guerra había asolado su tierra; mientras que España había tenido la guerra fuera de casa:

> Hijo, vos veréis lo que arriba digo y creed que sy a esta vez no se haze de lo imposible pusible, que es impusible poder sostener los negocios que tengo en manos y que no puedo soltar ny escusar y no piense nadye que con faltarme en ello y en tal tiempo fuesse esso remedyable, antes serya dar conmigo y con la carga tan redonda en el suelo que nunca nos levantaryamos. Tomen todos exemplo en lo que haze un reyno comido de amigos y enemigos y que ha sostenydo tantos exércytos en él. Y pues los míos no son comidos ny passan estos trabajos, no me la den mayor que mis enemigos me lo han podydo dar. Esforçaos, hijo, y mandad a todos que se esfuerçen porque no cayamos todos en tan grande inconvenyente en el cual verdaderamente cayese sy no soy socorrido y bien presto y no lo haziendo no solamente me dan forma como buelua allá, mas hazerse ha de manera que será cerrarme el passo de poder bolver y el modo de poder estar ny acá ny en ninguna parte. Vos veréys lo que he mandado añadir sobre la venyda de Juanetín Dorya y la paga y entretenymiento de las galeras del príncipe Dorya. Esto es cosa tan necessarya que no se puede en ninguna manera del mondo [sic] escusar, y por esto hazed y mandad a todos que entiendan en ello de manera que no haya falta.

> Yo el Rey.
> [Rubricado] [13]

Ante ese requerimiento, Felipe II tiene la réplica pronta: no era justo comparar una nación con otra, porque cada una tenía sus propias costumbres y sus propios privilegios, que había que respetar; aparte de que, mientras el

---

[13] *Corpus...*, II, pág. 343.

campo francés era muy rico, otro era el caso de España. Sorprendentemente, en unos tiempos en que los cronistas solían continuar con las famosas *Laudes Hispaniae,* al modo como lo había hecho un milenio antes san Isidoro de Sevilla, los hombres del equipo del Príncipe (los que sin duda redactan aquella carta que ya hemos comentado) dicen al Emperador la cruda realidad: Castilla era pobre:

> Y porque viene a propósito no quiero dexar de decir a V.M. que la comparación que hace del servicio quel reino de Francia ha hecho agora a su Rey, estando consumido de amigos y enemigos, no es igual para en todos los Reinos, porque demás que la fertilidad de aquel Reino es tan grande que lo puede sufrir y llevar, la esterilidad destos Reinos, es la que V.M. sabe, y de un año contrario queda la gente pobre de manera que no pueden alzar cabeza en otros muchos. Cada Reino tiene su uso, y en aquél es la costumbre servir de aquella manera, y en éstos no se sufriría usar de la misma, porque también se ha de tener respecto a las naciones, y según la cualidad de la gente, así ha de haber diferencia en el tractamiento, mayormente, que estos Reinos sirvieron el año pasado con cuatrocientos y cincuenta cuentos, que es una notable suma, y que con lo que pagan de otras cosas ordinarias y extraordinarias la gente común a quien toca pagar los servicios, está reducida a tan extrema calamidad y miseria que muchos dellos andan desnudos sin tener con qué se cubrir. Y es tan universal el daño, que no sólo se extiende esta pobreza a los vasallos de V.M., pero aún es mayor en los de los señores que ni les pueden pagar sus rentas, ni tienen con qué. Y las cárceles están llenas y todos se van a perder. Y esto crea V.M. que si no fuese así, que no se lo osaría escribir[14].

De igual manera Felipe se atreve a dar al Emperador este consejo, cuando conoce que quiere hacer la guerra a la Liga de Schmalkalden: cuidado con ello, máxime si Carlos V se fiaba del apoyo que le había prometido el Papa:

> Beso las manos a V.Mt. por lo que manda auisar del estado de los negoçios públicos y de los que se ha tractado con el Papa, y de la buena voluntad y conformydad que en él se halla para seguyr y ayudar a V.Mt., specialmente en la buena reduçión y remedyo de los desuiados de la fe, que tanto conuyene a la Christiandad, en lo qual V.Mt. haurá tenydo y terná delante las consideraçiones y buen paresçer que tan grande y arduo negoçio requiere. Y de acá no podemos dezir más de suplicar a Nuestro Señor que dé a Su Santidad y a V.Mt. tal camyno, medios y fuerças como son menester para tan grand remedio, y acordar a V.Mt. que myre mucho, como se cree que lo haze, lo que en esto emprenderá, para que sea con la seguridad y fuerças que para su buena salida son menester, que aunque sea bien usar, como V.Mt. dize, de la voluntad y ayuda que agora offresçe Su Santidad, estas

---

[14] *Corpus...,* II, pág. 357.

cosas a las vezes suelen faltar, y después el peso y trauajo de todo podría quedar sólo a V.Mt. [15]

En esa paulatina maduración de Felipe como futuro rey, hay que anotar
también la progresiva desaparición de los consejeros que el Emperador había dejado a su lado; unos consejeros que, tras la meditada lectura de las advertencias paternas, pondría ya en entredicho. Cabría preguntarse por qué
el Emperador los mantuvo en el poder, con el recelo que le inspiraban; quizá porque no tenía posibilidad de sustituirlos por otros mejores y porque algunos de ellos, aun con sus defectos, eran verdaderamente imprescindibles:
Tavera, como cardenal e inquisidor general, al frente de un aparato represivo que se tenía como totalmente necesario; Cobos, por su habilidad en el
manejo de las cosas de Hacienda; el duque de Alba, por su pericia como
soldado.

De esos altos personajes, seis de los más destacados fueron desapareciendo del entorno del Príncipe. En 1545 muere Tavera, provocando en Felipe II
un gran sentimiento:

> El día que se acabaron las honras de la Princesa le sobreuino al
> Cardenal de Toledo una calentura tan liuiana que no se pensó que
> fuera nada, después le fue cresçiendo de manera que le acabó en siete
> días, y al primero deste [mes] por la mañana fue Nuestro Señor servi-
> do de llevársele para sy, de que me desplugo, aunque acabó muy
> bien, porque V.Magd. perdió en él un muy gran serydor y yo le que-
> ría mucho por esto y su autoridad y experiençia ayudaua mucho en
> los negocios [16].

En 1546 les toca la suerte a Loaysa, Zúñiga y Osorno. La muerte de Zúñiga fue una gran pérdida para el Príncipe, reflejada por el mismo Cobos:

> Ha sido una gran pérdida —escribe a Carlos V—, así para el ser-
> vicio de V.M. como del Príncipe. Yo tenía con él tanta compañía y
> buena amistad, que he sentido mucho su falta, y más agora, por ha-
> ber quedado solo en todo [17].

Y al año siguiente es Cobos quien muere. En ese mismo año el duque de
Alba deja el escenario español, donde ya no hace falta su presencia, dada la
paz con Francia, para acudir al lado del Emperador y asistirle en la campaña
del Elba, donde jugaría tan decisivo papel en la victoria de Mühlberg, precisamente recordada en los frescos de su torreón de la villa de Alba.

---

[15] *Corpus...,* II, págs. 418 y 419.

[16] *Ibídem,* pág. 408.

[17] Cobos a Carlos V, 3 de julio de 1546 (Archivo General de Simancas, Estado, Castilla,
leg. 73, fol. 141; cit. por Fernández y Fernández de Retana, *op. cit.,* I, págs. 226 y 227).

Por consiguiente, ya no quedan al lado del Príncipe más que figuras secundarias, como Silíceo o Fernando de Valdés, de quienes tan pobre concepto tenía el Emperador.

Puede decirse que, desde ese momento, a sus veinte años, Felipe es ya quien controla, de hecho y de derecho, todo el gobierno de España.

Sin embargo, su formación política aún tendría que pasar un nuevo grado: el *grand tour,* el gran viaje por la Europa entonces dominada por Carlos V desde Bruselas, adonde el César le llamaría en 1548.

Precisamente, cuando el Emperador estaba preparando un cambio espectacular en el orden sucesorio al Imperio.

7
EL GRAN VIAJE

La muerte, esa gran provocadora del cambio histórico a su manera, hizo también su labor en los años mozos de Felipe II. No sólo arrebatándole la madre a los doce años y empujándole a un primer plano, en las largas ausencias de Carlos V, o dejándole sin su pareja seis años después, sino además llevándose a los más eminentes de los hombres de Estado que Carlos V había dejado a su lado.

Ya hemos visto que Felipe II daba cuenta a su padre de la inesperada muerte del cardenal Tavera, no porque no tuviera años, puesto que había nacido en 1472 y contaba por tanto con setenta y tres, edad avanzada para la época, sino por ese hecho misterioso y esa angustia especial que provoca cualquier muerte, y más, claro, si es la de un ser cercano. Da la impresión de que Felipe, pese a las prevenciones de su padre, había tomado ley al viejo cardenal.

Eso ocurría en 1545. Un año después el que moría era Zúñiga, el buen ayo, algo gruñón, pero tan adicto a la casa imperial, tan seguidor del Príncipe; aquel que se había resistido al cargo y que a duras penas podía cumplir con aquella norma de no perder nunca de vista al Príncipe:

> Crea V.M. —escribía al Emperador en 1536, cuando el Príncipe aún no había cumplido los nueve años— que cuando la tengo [la gota] que la siento doblada por la falta que hago en el servicio del Príncipe; que, como acá dixe a V.M., para este cargo eran menester mejores pies para servir a S.A.; y después que le conozco, aún hallo que no bastaban ser sanos los pies y no muy ligeros [1], según cuán presto trasvalla S.A. cámaras, que no hay quien le haga andar al paso de la ordenanza...[2]

---

[1] «... no bastaban ser muy ligeros», se entiende.
[2] En March, *Niñez y juventud de Felipe II, op. cit.,* I, pág. 230.

En tres años, ¡cuántos cambios!: 1545, muere el cardenal Tavera; 1546, fallece el ayo Zúñiga; 1547, el duque de Alba deja la corte para incorporarse al ejército imperial que combatía en Alemania, y también en este año muere el todopoderoso ministro Cobos, el que controlaba todos los asuntos de la Hacienda. De forma que en poco tiempo, cuando el Príncipe pasaba de los dieciocho a los veinte años —de la adolescencia a la edad viril—, es también cuando se produce ese proceso de liberación, de desprendimiento de aquellas ligaduras a que le había sometido el Emperador.

Poco a poco el Príncipe iba siendo más libre, más dueño de sus decisiones y de su destino. Teniendo, claro está, su propio equipo de gobierno.

Serían los hombres del Príncipe, los ministros del futuro poder que se perfilaba en la España de mediados de siglo.

No cabe duda de que esos años que el Príncipe estuvo gobernando España en ausencia de su padre, esos once años entre 1543 y 1554, en los que pasó de ser un muchacho de dieciséis años a un hombre de veintisiete, fueron decisivos en la formación de su carácter. La correspondencia cruzada con el Emperador en ese período de tiempo, tan útil, tan básica para conocer la política internacional, y que ya comentamos en su momento, poco nos dice en cuanto a los aspectos íntimos del futuro rey.

Entre 1543 y 1554, en esos once años se desliza la última etapa imperial de Carlos V; un Carlos V que ya ha renunciado a sus sueños de cruzado y que sólo aspira a restablecer la unidad espiritual de Europa, con la reducción del protestantismo. Algo que parece estar a punto de conseguir, tras su brillante victoria en Mühlberg sobre la Liga de los príncipes protestantes alemanes de Schmalkalden, pero que acabará esfumándose.

¿Qué supone esa etapa para Felipe II? Ante todo, ya lo hemos dicho, aquella en la que entra en la edad viril, a golpe de duros choques, empezando por su pronta viudez. Aquí debiéramos distinguir los dos planos: el político o público, el del *alter ego* del Emperador, cada vez más metido en los graves y complicados casos de Estado, y el íntimo y privado, el de las emociones, alegrías y pesares de un Príncipe que pronto dejaba atrás su vida juvenil.

Ambos son dos planos poco esclarecidos, porque en ese período de tiempo la figura del Emperador lo eclipsaba todo. Y sin embargo, son fundamentales para comprender al futuro rey, su carácter, sus ambiciones, sus logros y sus fracasos.

En el plano público, sin detallarlo demasiado, porque ya se ha tratado anteriormente, sí cabe recordar al menos que Felipe II tiene conocimiento directo del sufrimiento del pueblo de Castilla, ante la presión fiscal a que le somete Carlos V. Y trata de remediarlo. Es una estampa del Príncipe que bien se podría titular como la de defensor del pueblo.

Bastaría recordar aquel comentario que hace a su padre sobre las calamidades que está sufriendo Castilla hacia 1545:

La gente común a quien toca pagar los servicios, está reducida a tan extrema calamidad y miseria que muchos dellos andan desnudos, sin tener con qué se cubrir...[3]

Esto es lo que sabemos también por otros mil conductos: la miseria que se estaba abatiendo sobre el campo de Castilla. ¿No es lo que se refleja en el relato del *Lazarillo?* Lo hemos comentado demasiadas veces para que sea necesario repetirlo.

Pero al lado de eso, junto a esa estampa del joven Príncipe conmiserativo de los males y quebrantos de su pueblo, está también la otra de las ambiciones filipinas: hacia 1547, y acaso como resultado de la aplastante victoria imperial en Mühlberg, Felipe II entra en la dinámica de ambicionar el Imperio. Ya es el Príncipe heredero de las Españas, y, después de las reformas carolinas, sabe que se convertirá en duque del Milanesado; como en señor de los Países Bajos.

Ahora bien, ¿por qué no también en emperador? ¿Por qué había de ir la Corona imperial a la rama de Viena? ¿Acaso no era él el hijo de Carlos V? Y así empezó una desafortunada aventura, que llevó a los acuerdos familiares de Augsburgo de 1551, que tanta alarma produjeron en Alemania, hasta el punto de provocar la rebelión de Mauricio de Sajonia de 1552.

Una desafortunada aventura que se concretó, de momento, en la llamada imperial. Si Felipe II había de ser algún día emperador, preciso era que conociese las tierras alemanas y que fuese conocido de sus futuros súbditos.

Se dice también que el César ha estado en peligro de muerte, y que ante esa perspectiva quiere dejarlo todo bien atado. Lo que no cabe duda es de que quiere legar además a su hijo algo muy precioso: su experiencia en el trato con las demás naciones. De ahí que encargue a la cabeza más clara de su equipo, Nicolás Perrenot de Granvela, la redacción de esa panorámica sobre la política internacional que conocemos con el nombre de Testamento político de Carlos V, o Instrucciones a su hijo Felipe de 1548[4]. Allí todo se pormenoriza: la escurridiza paz con Francia; la compleja situación de Italia, con particular atención al Papado, a Génova y a Venecia; las perspectivas inglesas; la alianza que se quisiera indestructible con la otra rama de la Casa de Austria, la de Viena; el norte de Europa, con los países bálticos; las Indias, con toda su problemática; incluso las relaciones con el otro imperio, el de Solimán el Magnífico, con el cual había entonces treguas firmadas.

Un documento verdaderamente importante. No sólo como lección política, sino también moral. Porque Carlos V no dicta normas de tipo práctico, tal

---

[3] Felipe II a Carlos V, Valladolid, 25 de marzo de 1545 (*Corpus documental de Carlos V, op. cit.,* II, pág. 357).

[4] La existencia de un texto francés de estas Instrucciones entre los papeles de la familia Perrenot en la Biblioteca de Besançon parece indicar esa hipótesis (véase mi libro *Política mundial de Carlos V y Felipe II,* Madrid, 1966, págs. 3 y 6).

como las que había propugnado Maquiavelo treinta años antes, sino tendentes a buscar la paz y la armonía en la Cristiandad. De todo el documento trasciende un hálito de honestidad política que impresiona[5].

Pero al mismo tiempo, el César, a través de un correo de excepción, el duque de Alba, envía a su hijo, para que prepare el viaje por el resto de sus dominios, la orden de cambiar el estilo de la corte, imponiendo la etiqueta borgoñona. Eso era transformar la sencilla corte castellana por la aparatosa que regía en Bruselas. Un intrincado sistema de nuevos cargos y nuevas funciones que hacían más solemne la vida de la corte, que venían a resaltar aún más las figuras de la familia real, como símbolo del poder, pero que las apartaban también infinitamente más del país, con la agravante de un alto coste económico.

Uno siente fastidio ante la tediosa lectura de aquella serie de cargos y de sus atribuciones: el chambelán o mayordomo mayor, con su larga serie de mayordomos menores que le secundaban; el primer sumiller de Corps o camarero mayor; el caballerizo mayor, el capellán mayor —a su vez con gran número de otros capellanes bajo sus órdenes—, el aposentador de palacio, el maestro suntuario, los capitanes de las distintas guardias (la alemana, la española y la flamenca), el cuerpo médico, y todo el servicio de escaleras abajo, empezando por los monteros de cámara. Todo se pone a punto para la partida del Príncipe. Es el nuevo aparato cortesano que ha de rodearle. Y como si se tratara de un ensayo general, el 15 de agosto —el día de la Virgen— se hace un primer intento, una presentación con la comida pública del Príncipe, algo que nos particularizan los cronistas, como Cabrera de Córdoba:

> En el día de la Asunción al cielo de Santa María Madre de Dios, comió —el Príncipe— en público, con las ceremonias solemnes, ornamentos de mayordomos, gentiles hombres de boca, reyes de armas, maceros y ballesteros de maza, cantores, ministriles, trompetas, atabales, ...[6]

Una fastidiosa relación, pero que tiene su sentido. El Emperador quiere presentar a su hijo a los ojos de Europa y quiere hacerlo impresionando a todos con aquel aparato de grandeza. No podía corresponder otra cosa al vencedor de Clèves, al que había impuesto al francés la paz de Crépy, al que había aniquilado a los rebeldes alemanes en Mühlberg, al Emperador, en suma, de la Cristiandad.

Y así se inició el gran viaje del príncipe Felipe en 1548, cuando tenía veintiún años, que con tanto detalle nos particulariza el cronista Calvete de Estrella[7].

---

[5] Sobre esto, véase mi *Política..., op. cit.,* págs. 123 y sigs.

[6] Citado por Fernández y Fernández de Retana, *España en tiempo de Felipe II, op. cit.,* I, pág. 251.

[7] Juan Cristóbal Calvete de Estrella, *El felicísimo viaje del... príncipe don Phelippe... desde España a sus tierras de la baxa Alemania, con la descripción de todos los Estados de Brabante y Flandes,* Amberes, 1552.

Con esa edad, Carlos V ya había cruzado el Océano dos veces y ya conocía, aparte de los Países Bajos y de España, Inglaterra y Alemania. Por lo tanto, era hora de que el Príncipe conociese y se diese a conocer por Europa entera.

El Príncipe salió de España con un brillante cortejo. ¡El país estaba al borde de la ruina, pero el Príncipe tenía que ir como quien era: como el heredero de la Monarquía más poderosa de su tiempo! Se trataba también del prestigio, esa palabra tan equívoca, por el que se cometerían tantos disparates.

De entrada, fue cuando Carlos V creyó necesario hacer aquel cambio en el ceremonial palatino de la corte castellana. ¡Una corte demasiado sencilla! El Príncipe tenía que presentarse como su heredero, como el símbolo del poder en su más alto grado. De forma que el duque de Alba sería comisionado para llevar a España las nuevas instrucciones imperiales de cómo se había de reorganizar la corte de su hijo.

Y no deja de ser curioso que fuera el duque de Alba, aquel cuyo esfuerzo había sido tan decisivo en la victoria imperial de Mühlberg, el que ahora fuese el designado para poner en marcha la reforma del ceremonial palatino, en el cual él asumiría el cargo principal, como director de orquesta de aquella nueva música: el de mayordomo mayor.

No entraremos en detalles de la nueva etiqueta borgoñona, ya comentada ampliamente en otro lugar de esta obra. Sí debiéramos reflexionar, en cambio, en qué medida aquel nuevo ceremonial presionó sobre el Príncipe, influyendo en su carácter.

Conocida es la tesis de Ludwig Pfandl: el implantamiento de la etiqueta borgoñona respondía a un plan que estaba en relación con el aparato del poder, con la necesidad de hacer más sagrada y más inviolable la figura del futuro rey. En una interesante confrontación con los antecedentes más remotos y más lejanos, Pfandl rememora las sugestivas interpretaciones de Frazer en su famoso libro *La rama dorada*.

En definitiva, ¿con qué nos encontramos? ¿Felipe II tomó las nuevas disposiciones como un simple mandato paterno, para preparar mejor su viaje a los Países Bajos, donde debía conocer y ser conocido por sus nuevos vasallos? Es cierto que ya Carlos V ha desechado la idea de ceder los Países Bajos a su hija María, cuya boda ha concertado con el archiduque Maximiliano, su sobrino, el hijo de su hermano Fernando. Es cierto que en su ánimo está presente, por tanto, el que su hijo sea quien reciba aquellos dominios tan ricos, y tan ligados a él, como las tierras que le habían visto nacer. Pero con ello, aparte de las mil adversidades que sobrevendrían —y que, curiosamente, él mismo había vaticinado—, ocurriría que de ese modo, para no desentonar en los Países Bajos, el Príncipe acabaría haciéndolo en España. Aparte de que su carácter tendiera al hermetismo, lo que no cabe duda es de que el nuevo ceremonial palatino le iría aislando cada vez más de su pueblo castellano.

El día en que se encerrara en El Escorial, ese aislamiento se haría definitivo. El Rey dejaría de ver y de ser visto por el pueblo.

Pero, de momento, para aquel joven de veintiún años lo que estaba en perspectiva era su viaje a los Países Bajos. Un largo viaje que iba a durar medio año. Porque en vez de hacerlo buscando la costa del mar Cantábrico, y alguno de sus puertos, como el de Laredo, que era el de más fácil acceso desde Valladolid, y a sólo cinco o seis jornadas desde la villa del Pisuerga (lo que hubiera puesto a Felipe II, con otras tres o cuatro jornadas, en las tierras de Flandes), se prefirió la ruta a través de Italia y Alemania, con la demora que eso suponía.

¿Cuál fue la razón? ¿El que Felipe II conociese aquel ducado de Milán, del que su padre el Emperador le había hecho ya propietario?

Esa sería una de las razones, pero no la única ni la más poderosa. Estaba la sucesión al Imperio.

Es decir, el ansia de Carlos V, que en 1548 aparecía como el gran señor de Europa, como Emperador de hecho y de derecho, sin que nadie pareciera poder oponerse a su señorío, para que fuese su hijo Felipe el que lo heredase todo, y no sólo la Monarquía católica de las Españas.

Todo y, por tanto, también el título imperial.

Que fuera el hijo, y no el hermano, el nuevo emperador. O, al menos, que Felipe se insertase debidamente en la línea sucesoria, puesto que Fernando, como rey de Romanos, ya no podía ser desplazado.

Pero ¿fue todo idea de Carlos V? Así se creía hasta hace poco. Hoy, sin embargo, estamos en condiciones de establecer que fue Felipe II el que forzó a su padre, apremiándole con su propia ambición: él quería ser el gran heredero y, por tanto, conseguir también la Corona imperial.

Esta circunstancia sí que obligaba al viaje de Felipe II por el norte de Italia y por el corazón de Alemania.

Y también a algo más. Pues ¿quién podía hacerce cargo del gobierno de España, con la doble ausencia de Carlos V y de Felipe II? Sin duda, la infanta María, que en 1548 cumplía los veinte años. Pero no ella sola. Es entonces cuando Carlos V decide el matrimonio de María con su sobrino Maximiliano, a quien Fernando le cede el título de rey de Bohemia, y que deberá ir a España para desposar a su prima carnal y para hacerse cargo, junto con su esposa, de la regencia del país[8]. Así se produce ese trasvase momentáneo que recuerda el que se había realizado treinta años antes, cuando Carlos V llegaba a España, procedente de los Países Bajos, y Fernando salía de España para asentarse en Viena.

El viaje de Felipe II se proyecta, por tanto, como un acto de propaganda política. Hay que deslumbrar a Europa, y muy particularmente a italianos, alemanes y flamencos. Eso explica el boato desplegado, aquellas impresionantes jornadas en que cada gran ciudad rivalizaba en los festejos de acogida, como forma de hacer méritos con el nuevo poder que se anunciaba.

En ese sentido, ¿qué supuso para Felipe II aquel viaje? Aparte de que formara parte de un plan para acceder al Imperio, plan que cristalizaría en los

---

[8] Rafaela Rodríguez Raso, *Maximiliano de Austria, Gobernador de Carlos V en España,* Madrid, 1963.

acuerdos familiares con la otra rama de los Austrias de Viena (pues eran, evidentemente, los damnificados por la ambición filipina), acuerdo firmado en Augsburgo en 1551 y que desembocaría en tan notorio fracaso, estaba el hecho inmediato de la puesta en marcha de aquella principesca comitiva de más de tres mil viajeros, entre el séquito del Príncipe, lo mejor de la nobleza de Castilla, con sus clientes y servidores, y los cerca de mil quinientos miembros de la guardia que los protegía.

Algo para ser recogido en las crónicas del tiempo, cual sería el cometido del cronista oficial de la corte, Calvete de Estrella. Pero, a fin de cuentas, viaje largo y fatigoso desarrollado a lo largo de seis meses, entre el 2 de octubre, en que el Príncipe parte de Valladolid, y el 1 de abril, en que se realiza el encuentro con el padre en su palacio de Bruselas.

Ya lo hemos indicado: no es sólo el Príncipe. Es lo más destacado de la alta nobleza castellana, como si se tratara de una invasión de Europa, a la que ya consideraran dominada y vencida. Allí se pueden ver a los duques de Alba y de Sessa, al almirante de Castilla, al conde de Cifuentes, a miembros del alto clero, como don Pedro de Castro, obispo de Salamanca, y a una nube de otros caballeros de menor cuantía.

Se trata, pues, de una jornada triunfal en la que todos quieren brillar y participar, donde la presencia es un triunfo y la ausencia un grave pecado; algo que se refleja en las intrigas de los que no pueden ir por sus propios medios, sino con el apoyo de la Casa Real. Tal es el caso de Gonzalo Pérez, que agradece al todopoderoso ministro Granvela, porque «bien sabe» que se lo debe a él [9]. De igual modo, los ministros españoles cercanos a la ruta por donde ha de pasar el Príncipe se apresuran a acudir, como el embajador Juan de Mendoza, que el 23 de octubre de 1548, cuando todavía faltaba un mes para la llegada de Felipe II al Milanesado, escribe desde Venecia a Granvela:

> Alguna vez he scripto a V.S. sobre mi salida a besar la mano al Príncipe de España... [10]

Es ese el personaje y ese es el título: el *Príncipe de España,* el Príncipe de la potencia admirada por algunos, odiada [11] por otros, pero, sin duda, por todos respetada.

Hay además movilización de tropas, pues en cuanto el Príncipe pise las tierras de Italia, y haga su ruta por Austria y Alemania, es conveniente una demostración adecuada de fuerza. Y así don Álvaro de Sande camina con su tercio viejo hacia el Milanesado a mediados de octubre, procurando, eso sí, que sus soldados no cometan desmanes al pasar por tierras de Venecia. Pero

---

[9] Manuel Fernández Álvarez, *Política mundial de Carlos V y Felipe II,* Madrid, 1966.

[10] Biblioteca de Palacio, ms. 2.281, s.f.

[11] «Estos señores venecianos —escribía el cardenal de Jaén desde Trento, el 10 de noviembre de 1548— deben de haber miedo a esta venida de S.A...» *(ibídem).*

con arrogancia, si es que encuentran oposición en algún momento, como le ocurre al franquear lugares del duque de Urbino, que bravea mandándole emisarios para que siguiese otra ruta, a lo que Álvaro de Sande se niega:

> Respondiéronme —los emisarios del duque de Urbino— que sería parcialidad. Yo dixe que no había por qué se pensase tal, y que pagando los soldados lo que comían, no era el daño tan grande que no se recompensase con dexarle nuestros dineros. Quisiéronme dar a entender que me estorbarían el paso y creo que se sintieron de que me reí...[12]

Por lo tanto, su tercio viejo da suficiente confianza a Álvaro de Sande para reírse de todo un duque de Urbino, señor de una de aquellas notables cortes italianas del Renacimiento, meta de no pocos artistas —pintores, escultores, arquitectos—, como lo fue para nuestro Pedro Berruguete, el pintor de Paredes de Nava.

Mientras tanto, el Príncipe avanzaba lentamente entre constantes fiestas —banquetes, justas, saraos—, como en cada gran ciudad se preparan a su paso y en su honor. Y esto ya en la propia España, lo que hace que el viaje sea lento en demasía. En cinco días, Felipe se pone en Zaragoza, pasando por Peñafiel, Aranda y Calatayud. Antes de entrar en Barcelona, hace la obligada visita a la montaña santa, a Montserrat, y en la Ciudad Condal se aloja en casa de doña Estefanía de Requesens, la viuda de su ayo don Juan de Zúñiga, honrándola así y mostrando una de sus cualidades: el respeto hacia las figuras de la anterior generación que habían servido a su padre y a él mismo. Pero le cuesta un triunfo embarcar ya en las galeras rumbo a Génova, pues el mar se muestra muy revuelto, y hace recordar, con temor, aquel otro otoño de hacía siete años, que tan contrario había sido a los planes del Emperador:

> El Príncipe nuestro señor ha que llegó aquí diez días —informa el marqués de Aguilar a Granvela desde Castellón de Ampurias, el 29 de octubre de 1548—, y a causa de hallar hecho después acá el más recio tiempo que jamás en esta tierra se ha visto, y estar la mar alterada, se ha diferido su embarcación...[13]

La alarma es general. Desde la otra orilla, en Génova, el cardenal de Coria, que se había desplazado desde Roma, se muestra inquieto. La causa, el temporal que azota esa zona norte del Mediterráneo:

> El tiempo hace tal, que no se puede expresar cosa cierta en la venida de S.A. Yo ha ya algunos días que estoy aquí y con mucha alegría de venir a hacer la reverencia que debo a S.A...[14]

---

[12] Álvaro de Sande a Granvela, Milán, 14 de octubre de 1548 (Biblioteca de Palacio, ms. 2.281, s.f.).

[13] Marqués de Aguilar a Granvela, Castellón de Ampurias, 29 de octubre de 1548 (*ibídem*).

[14] Cardenal de Coria a Granvela, Génova, 4 de noviembre de 1548 (*ibídem*).

Pues lo cierto es que el temporal arrecia de tal modo, que los pasajeros van y vienen de las galeras a tierra, en la zona cercana a Perpiñán:

> Salimos a la mar —ahora es Raimundo de Tassis el que informa a Granvela—, 25 ó 30 millas. El tiempo no dio lugar a más y volvimos a esperar que el tiempo se asegurase...

Tal escribía el 4 de noviembre desde Collioure, con la perspectiva azarosa de lo que entonces era navegar por el Mediterráneo con tiempo tan incierto:

> Toda la Corte tiene salud y [a] algunos les va bien por el mar y a otros mal...

Entre los más «dañados» estaba el duque de Alba, muy propenso al mareo cuando embarcaba[15], en contraste con el Príncipe, animoso, sabiéndose el gran protagonista de aquellas jornadas y sobre quien se fijaban entonces los ojos de toda Europa:

> Sé decir que S.A. —sigue con su informe Raimundo de Tassis— se halla muy bien y hace muy buen marinero...[16]

Pasado el golfo de León, no sin ciertas dificultades, con un cambio de tiempo que hizo temer lo peor, ya el resto de la navegación fue más sencilla. Génova, entonces bajo el señorío de los Doria, los viejos aliados del César, les hizo gran acogida y les permitió recuperar bríos:

> Aquí nos detenermos —escribía Gonzalo Pérez el 26 de noviembre— hasta reparar algo, que para poder seguir tan largo viaje no será poco menester[17].

Era el primer examen, la primera prueba pública ante Europa, después de haber salido de España. ¿Con qué resultado? Óptimo, si hemos de creer al cardenal de Coria, aunque está claro que es el cortesano el que tiende a la alabanza sin límite al hijo de su señor; él había sido testigo

> ... lo que por fama había entendido de la real persona de S.A., y en oír la satisfactión que tienen todos los señores y hombres públicos que aquí han concurrido...

---

[15] «A ninguno de quantos van en esta galera hace tanta impresión la mar como al duque de Alba, que le trata muy mal, cualquier tiempo que haga...» Gonzalo Pérez a Granvela, Aigues Mortes, 11 de noviembre de 1548 (Biblioteca de Palacio, ms. 2.281, s.f.).

[16] Carta citada de 4 de noviembre de 1548.

[17] Gonzalo Pérez a Granvela, Génova, 26 de noviembre de 1548 (Biblioteca de Palacio, ms. 2.281, s.f.).

Pero ¿no estaría detrás de todo ello que el mundo entero se precipitaba a mostrarse rendido ante el heredero del todopoderoso César?

> ... me he holgado —prosigue el cardenal de Coria— de ver esta venida, con tanta autoridad de S.M., que cierto en todo se muestra el gran poder que tiene en las voluntades de todos... [18]

Gonzalo Pérez se expresa de forma similar, pero atento ya a distinguir entre los amigos y los enemigos. En todo caso, la palabra clave será, como en el texto del cardenal de Coria, satisfacción. De modo que en su carta por esas fechas, de 14 de diciembre de 1548, le escribe a Granvela sobre cómo el Príncipe había dado:

> ... grandísima satisfacción a todos los embaxadores destos Príncipes y potentados que le han venido a hablar, y tienen grande expectación de lo que haya de ser adelante, que los amigos se huelgan y los que no lo son le temen, y los unos y los otros se admiran de su buena manera y seso en tan poca edad...

Por cierto, un dato a consignar: también en tierra el tiempo podía ser mal enemigo, hasta el punto de que el temporal de nieve les había bloqueado en Alejandría, con tres días de nevadas, «las más terribles que nunca se vieron» [19].

Resulta evidente: tras las brillantes victorias de Carlos V sobre la Liga de Schmalkalden, Europa contemplaba temerosa la aparición de su hijo Felipe en escena. ¿Qué pretendía el Emperador? ¿Qué su hijo? Porque ya nadie lo tomaba como un muchacho indeciso, dócil a las indicaciones de su padre, o a merced de los dictados de sus consejeros. Quien se asome al Archivo de Simancas podrá confrontar que a partir de 1549 ya todo el mundo, todos los cortesanos, todos los políticos, todos los embajadores que quieren algo, se dirigen al Príncipe. Carlos V está ya demasiado gastado y muy lejos del verdadero centro de poder, que es la Monarquía católica, y dentro de ella España, e incluso, si se quiere precisar, la Corona de Castilla. Todo se pide ya a través del príncipe Felipe y confiando en su apoyo. Las órdenes que se esperan son «de S.M. y de V.A.». Y todo lo que se hace es para agradar «a S.M. y a V.A.» [20].

Porque Felipe II se ha convertido plenamente en el *alter ego* de Carlos V.

Después de su estancia en Milán, una de las etapas importantes de aquel viaje, Felipe II se encaminó por la llanura lombarda, para buscar los pasos

---

[18] Cardenal de Coria a Granvela, Génova, 9 de diciembre de 1548 (Biblioteca de Palacio, ms. 2.281, s.f.).

[19] Gonzalo Pérez a Granvela, Tortosa, 14 de diciembre de 1548 *(ibídem).*

[20] Véase, por ejemplo, la serie de cartas y peticiones de diversos personajes hechas a Felipe II en 1549, a lo largo de su viaje a Flandes (Archivo General de Simancas, Estado, leg. 77).

alpinos que le llevarán a Trento, Innsbruck y Munich. En Milán fue el huésped del gobernador, aquel notable personaje italiano, Fernando de Gonzaga, que tanto había destacado en el ejército imperial durante las campañas contra el duque de Clèves y en la cuarta guerra contra Francisco I de Francia, y que durante tantos años había servido al Emperador como virrey de Sicilia; sin duda, el ministro italiano de más prestigio en la corte imperial, del que se decía, sin embargo, que había sido el promotor del asesinato de Pier Luigi Farnese, el hijo natural del papa Paulo II y duque de Parma.

> Salió de Milán a los 7 deste —informa Gonzalo Pérez— y fue tan bien festejado y hospedado allí por el señor Fernando y la Princesa [21] que no pudo ser más. Todos quedaron con gran soledad de su partida... [22]

Al entrar en el ducado de Mantua se asiste a una movilización de la nobleza del norte de Italia, lo mismo que a la llegada a Génova o a Milán; en este caso, acompañando al duque de Mantua el de Ferrara, lo que obliga al Príncipe a demorarse en cada etapa más de lo que pensaba:

> ... en el camino no se puede dar más prisa, por satisfacer a los que le piden —al Príncipe— que pare, que no se puede excusar... [23]

Así justificaba Gonzalo Pérez a su señor, cuando, después de tres meses de la salida de Valladolid, aún no se habían dejado atrás las tierras de Italia. ¡Y todavía había que pasar por Trento, Innsbruck, el ducado de Baviera y las ciudades de la Alemania meridional!

Trento. Allí esperaban a Felipe II los grandes personajes alemanes: el cardenal de Augsburgo, Mauricio de Sajonia y el duque de Baviera. De forma que una nueva parada se imponía:

> Allí —en Trento— se deterná [Felipe] algún día, y en Baviera lo mismo.

Y añadía Gonzalo Pérez, ya con cierto optimismo:

> Después no me paresce que hay donde parar [24].

En la región de Trento, y en su honor, el cardenal despliega tres mil infantes de guerra

---

[21] Ferrante Gonzaga había sido promovido por Carlos V a príncipe de Molfetta (Nápoles).
[22] Gonzalo Pérez a Granvela, Mantua, 16 de enero de 1549 (Biblioteca de Palacio, ms. 2.277, s.f.).
[23] Gonzalo Pérez a Granvela, Mantua, 17 de enero de 1549 (ibídem).
[24] Ibídem.

> ... los cuales dispararon todos para hacer salva y dar contentamiento a S.A...[25]

Era como un sueño. Todos, grandes y chicos, competían en honrar al Príncipe, en festejarle, en rendirle tributo y pleitesía. ¡Y Felipe contaba entonces veinte años!

> S.A. no entiende sino en holgar —aquí la información es de Raimundo de Tassis, mucho más gráfica que la del secretario Gonzalo Pérez—. Saliéronle a recibir el duque Mauricio y el Cardenal de Augusta, que habían venido a besarle las manos, y los cardenales de Trento y Jaén y todos los Obispos que aquí habían...

Esto da que pensar. Pues mientras Paulo III había ordenado que el Concilio abierto en 1545 se trasladase a Bolonia el 11 de marzo de 1547, seguían manteniéndose en Trento los obispos adictos a Carlos V; con lo cual, y con los graves acontecimientos de la muerte de Pier Luigi Farnese el 17 de septiembre de 1546 y la publicación por la Dieta imperial de Ratisbona del *Interim* el 15 de mayo de 1548, la tensión entre Carlos V y el papa Paulo III llegaba a su *maximum*.

Por lo tanto, en esos últimos meses del pontificado de Paulo III, la opinión alemana veía con buenos ojos el antagonismo del Emperador con el Papa, en particular el sector inclinado a un entendimiento con la Alemania luterana. Pero para los obispos españoles que seguían en Trento la situación resultaba harto difícil, entre su fidelidad al Rey y su obligación hacia el Papa, y de eso hay notorias pruebas documentales.

Pero de momento a Raimundo de Tassis le importa más dejar constancia del aspecto festivo del viaje del Príncipe, y lo hace de modo gráfico, que hace pensar en el Príncipe mozo que disfruta todo lo que le da entonces la vida:

> Hase detenido [en Trento, el Príncipe] cuatro o cinco días banqueteando a las damas...

En cuanto a prisas, no había nada que hacer:

> ... si caminamos desta manera, no se llegará allá tan presto como se pensaba...[26]

Banquetes y bailes que no cesan, antes aumentan, cuando Felipe II entra en el Tirol y tiene ocasión de verse con sus primas, las archiduquesas de Austria, ¡que entienden el español!

> Hase holgado con sus primas estos tres días...

---

[25] Raimundo de Tassis a Granvela, 23 de enero de 1549 (Biblioteca de Palacio, ms. 2.277, s.f.).

[26] Raimundo de Tassis a Granvela, 28 de enero de 1549 *(ibídem)*. Algo similar, pero más comedido y con más loas al Príncipe, en la carta de Gonzalo Pérez a Granvela de igual fecha y en el mismo legajo.

Es Raimundo de Tassis el que nos da la noticia, desde Innsbruck, el 7 de febrero de 1549. Y añade:

> Ha habido en palacio grandes danzas y S.A. ha bailado con todas las señoras infantes y muchas damas...

Pero no sólo banquetes y saraos; también la caza, esa gran diversión de los reyes, a que tan aficionado era el Príncipe:

> ... ha ido a caça a una casa de placer que tiene cerca de aquí el Rey...

Caza mayor, en las montañas nevadas de los Alpes, que estamos en Innsbruck y en pleno invierno:

> Acá hace mucho frío y hay grandes nieves... [27]

Asimismo caza —y también con nieves, por supuesto— en Baviera, más los consabidos banquetes durante los cinco días que el Príncipe es festejado en Munich por el Duque [28].

Entrada triunfal del Príncipe en Augsburgo el 21 de febrero de 1549, acompañado del cardenal de Trento y del duque Mauricio de Sajonia; el sajón, incorporándose por la posta, tras visitar Milán y Venecia, acaso tanteando el antiguo compañero de armas de Carlos V posibles alianzas en la rebelión que estaba fraguando [29].

Tocaba el turno a las viejas ciudades imperiales de mostrar su sumisión al hijo del Emperador:

> Somos ya pasados de Augusta y Ulma, donde S.A. ha sido muy bien visto y todos los de su Corte muy bien aposentados y con mucha voluntad recibidos, y aún más en Ulma que en Augusta. Presentándole copas doradas con algunos florines dentro. Y ciertamente por España no se pudiera caminar con tanta seguridad y concierto y con tanta satisfactión de todos y con tanta reputación... [30]

Otra vez la palabra reputación. Pero no deben echarse en saco roto aquellas aparentes muestras de respeto y deferencia del duque Mauricio de Sajo-

---

[27] Raimundo de Tassis a Granvela, Innsbruck, 7 de febrero de 1549 (Biblioteca de Palacio, ms. 2.277, s.f.).

[28] «S.A. está muy bueno y en Munich se estuvo cinco días, porque el Duque le traxo a caça. Y hizo tan mal tiempo de aire y nieves que aunque quisiera salir antes no pudiera. Cenó con el Duque y la Duquesa y el Duque mozo y la Infante y otros muchos caballeros, dos noches...» Raimundo de Tassis a Granvela, Augsburgo, 21 de febrero de 1549 (*ibídem*).

[29] *Ibídem.*

[30] En Foronda, *op. cit.,* pág. 608.

nia: cuando pasen tres años y se conozca en España su rebelión y su intento de apoderarse de Carlos V, la indignación del Príncipe sería fortísima y su desconfianza hacia los hombres no hará sino aumentar.

De momento, sin embargo, lo que Felipe II constata es la sumisión de aquellas ciudades, después de haber sido vencidas en las campañas de 1546 y 1547; de forma que su paso por Augsburgo, Ulm, Spira y otros lugares de Alemania, informa a su cuñado Maximiliano y a su hermana María desde Namur, había sido

> ... con mucha demostración de amor, conforme a la grande obediencia que a S.M. tienen...

Eso da confianza a Felipe. Se siente en todo ya el sucesor del Emperador, y hablará a su cuñado como a un segundo, como a quien le debe obediencia. Que él es el hijo del César, mientras que Maximiliano lo es sólo del rey de Romanos. Y así, le da órdenes sobre cómo debía gobernarse España en su ausencia, tanto de las cosas principales como de las que no lo eran tanto; del estado de defensa de plazas como Perpiñán o de las obras del alcázar madrileño. O bien, y eso era más delicado, de lo que se debía decir a los Grandes que se consideraban agraviados por el trato que recibían de la Chancillería. El tono del Príncipe es el de quien se ve ya con el poder firmemente en sus manos:

> He holgado mucho de entender que se haya proveído lo que toca a la paga de la gente que está en Perpiñán y lo de la gente de las fortalezas...

O bien:

> Cuanto al agravio que pretenden los Grandes que se les hace en la Chancillería, me ha parescido bien lo que les habéis enviado a decir de vuestra parte y de la mía... [31]

Al fin, Felipe entra en los Países Bajos. Se acerca el día en que podrá abrazar a su padre, después de tanto tiempo, aquellos seis años, desde que le vio partir en la primavera de 1543. Pero Carlos V está atenazado por la gota, postrado en su lecho, incluso sin poder salir de su cámara, ni aun para ir al encuentro del hijo, no ya a la ciudad cercana, sino ni siquiera a las puertas de su palacio de Bruselas. De forma que el Príncipe, penosamente impresionado, ha de apresurarse por las escaleras y pasillos de palacio para echarse conmovido a los pies del Emperador.

---

[31] Felipe II a Maximiliano y María, Namur, 30 de mayo de 1549, por lo tanto, el día anterior a su encuentro con el Emperador (Archivo General de Simancas, Estado, leg. 503, fol. 211; original).

Un testigo de la escena nos lo cuenta, y la emoción del momento se transmite a su relato:

> ... el cual —el Príncipe— corrió a ver a S.M. y arrodillado, se echaron después en los brazos, con grandes transportes de gozo...[32]

Terminaba el protagonismo de Felipe II. A partir de ese momento, acompañaría a su padre, el Emperador, en su visita a las principales ciudades de los Países Bajos.

De esa etapa, lo más significativo a destacar, dentro de esta parte sobre la biografía del Príncipe, sería el emotivo recuerdo a la madre, a los diez años de su muerte, con los solemnes funerales que Carlos V le dispensó en Bruselas, exequias presididas por el Emperador en compañía de su hijo[33]. A partir de ese momento, se sucedieron los grandes festejos por las ciudades de los Países Bajos, los banquetes, los bailes y las cacerías; fiestas entre las que destacaron las organizadas por María de Hungría en sus regios sitios de Binche y Mariemont en honor de su sobrino[34].

Una vez en Augsburgo, se repetirá la imagen de un Carlos V gotoso, que apenas si puede moverse de su sillón, tal como nos lo dejaría para la memoria el pincel de Tiziano en el cuadro que custodia la pinacoteca de Munich, con un Felipe interviniendo en saraos y justas, de las que hasta ganó alguna que otra, con un Carlos V que se tiene que conformar con verlas desde las ventanas de su cámara[35].

Allí en Augsburgo se iba a intentar persuadir a la rama de Viena para modificar el orden sucesorio al Imperio, con la inclusión del príncipe español; aquello que daría lugar a los acuerdos familiares de Augsburgo de 1551, conseguidos tras muchas presiones sobre Fernando y Maximiliano, necesitando acudir a la reina María de Hungría, y que tan funestos resultados iba a dar, con el debilitamiento del bloque de los Austrias, bien aprovechado por Enrique II de Francia y por el duque Mauricio de Sajonia en 1552 para poner en entredicho el poderío de Carlos V sobre Europa.

Algo estudiado con todo detalle en otra parte de esta obra.

Para el príncipe Felipe, tras su regreso a España en el verano de 1551, una cosa era cierta: que el relevo de su padre, tan quebrantado en sus fuerzas, era ya cosa de tiempo. De unos pocos años.

El relevo generacional estaba en el aire que se respiraba.

Aparte de eso, ¿qué es lo que aquel gran viaje reportó para el Príncipe, y, en primer lugar, para su formación? Porque es a esa edad cuando tales experiencias resultan más fructíferas. Felipe II lo inicia cuando tiene veinte años,

---

[32] En Foronda, *op. cit.*, pág. 608.
[33] *Ibídem*, pág. 609.
[34] *Ibídem*, pág. 611.
[35] *Ibídem*, pág. 620.

o, si se prefiere, al final de la adolescencia, y lo concluye tres años después, en plena edad viril. Ha tenido la experiencia de su peligroso viaje por el Mediterráneo, con la mar alborotada; ha caminado por países desconocidos, con gentes de muy distintas costumbres; ha visto ciudades deslumbrantes (Génova, Milán, Innsbruck, Munich, Augsburgo, Bruselas), y ha estado en contacto directo con la gran política, al conocer a hombres de Estado ya famosos en su tiempo: Ferrante Gonzaga, el cardenal de Trento, el duque Mauricio...

Pero algo ha fallado. Diríase, en primer lugar, que Felipe II, más que ver, ha sido visto. No se trató de un viaje de turismo al modo actual. Él era la gran noticia, como próximo heredero de la poderosa Monarquía regida por Carlos V. Él, Felipe, venía ya a representar el futuro, un personaje clave en la segunda mitad del siglo. De ahí que la gente se precipitara a verle, que saliera a su paso, tanto grandes y chicos, y todos, o casi todos, ocultando sus pensamientos, esforzándose en conocer más que en ser conocidos. Felipe asistió desde el primer momento, nada más poner los pies en la costa ligur, a un desfile de personajes como enmascarados, que no cesaban de hacerle saludos ceremoniosos y de mostrarse aduladores con sus gestos, puesto que el idioma se convertía en un obstáculo.

Porque, en efecto, la cuestión del lenguaje era un problema. El señor de Europa, aquel Carlos V ahora postrado en su lecho de Bruselas, atenazado por la gota, había tenido el don de las lenguas: el francés, el español, el italiano y, acaso no tanto, el alemán, aunque sí lo entendía.

Sin embargo, en marcado contraste, Felipe únicamente sabía el español meseteño, el castellano, y acaso algo del latín que le había enseñado su maestro Silíceo.

Por tanto, en esas condiciones, Felipe pasó por el norte de Italia (Génova, Milán, Mantua) todavía defendiéndose un poco, ya que los italianos de la época estaban acostumbrados a entenderse con los españoles. Pero una vez franqueados los Alpes, ya inmerso en el mundo germánico, la lengua se convertiría en una barrera difícil de romper, a duras penas con un traductor al que aluden los documentos:

> En lo de los títulos —escribía Gonzalo Pérez a Granvela a punto de dejar Italia—, pues no llegaron a tiempo para Italia, bastará que se guarde la cerimonia con los de Alemania, que miran, según me dicen, mucho en ellos. Acá de la misma manera habemos scripto a estos Príncipes y Repúblicas [lo] que su S.M. suele, quitado Nostris et Imp. Sac., porque esto era impropio. Pero ha sido de manera que toda Italia muestra satisfacción. Placerá a Dios que de la misma manera saldremos de Alemania, *con ayuda del Doctor que es venido...* [36]

Y hubo algo más que el idioma, para separar al Príncipe de sus anfitriones, en particular alemanes y flamencos. En los banquetes no se comportaba

---

[36] Gonzalo Pérez a Granvela, Mantua, 17 de enero de 1549 (Biblioteca de Palacio, ms. 2.277, s.f.).

como uno más, pronto casi ebrios, cuando no borrachos completos. El Príncipe se mantenía así distante, frío, sin entrar de lleno en la gran república de los borrachos. También se decía de él que no era un esforzado caballero en las justas, hasta el punto de desvanecerse en una de ellas. En cambio, sus relaciones con el sexo femenino eran excelentes, acaso demasiado para los parientes que habían de sufrirlo. De ahí el juicio lapidario del embajador italiano Soriano:

> ... poco grato agl'italiani, ingratissimo alli fiamingli ed odioso ai tedeschi [37].

Embarazado con el idioma, poco comunicativo con el gesto, distanciado por la altivez del carácter, antipático por su repugnancia a la bebida, poco gallardo en justas y torneos —aunque se prepare algún éxito parcial por sus anfitriones, sobre todo, curiosamente, cuando puede verle el Emperador, como en las jornadas de Augsburgo de 1550—, sólo triunfante en el juego amoroso con las damas de las cortes de turno (lo cual, claro, le haría todavía más odioso a los hombres), el Príncipe resultará en todas partes malquisto, un extraño que no comparte las normas del grupo, un intruso; en suma, y si se tiene en cuenta que se rumorea que aspira a suceder a su padre en el Imperio, un odioso extranjero al que nadie entiende y que a nadie comprende.

Esto significa una sola cosa: un mal balance. Y cuando Felipe II vea fracasado su plan de sucesión imperial y que los príncipes alemanes —y el mismo Mauricio de Sajonia, el antiguo compañero de armas del Emperador— se rebelan contra su padre, su cólera estallará incontenible, hasta proferir amenazas, cosa rara en él:

> Algún día espero que estos nuestros enemigos han de pagar lo que hacen. Y el abrirme las cartas no ha sido poca parte para desear esto... [38]

Porque las cartas del Rey son sagradas como el mismo Rey. Era un desacato gravísimo que añadir a la rebelión contra el Emperador.

Ya sólo quedaba refugiarse en España, en el corazón de las tierras que le veían como su Príncipe y donde tenía algo que particularmente le atraía.

Por tanto, a esperar en Castilla el relevo en el poder, gobernando otra vez España, y cerca además de lo que por entonces más le atraía; por supuesto, una mujer: Isabel de Osorio.

No obstante, antes tendría que librar con su padre, el Emperador, la última batalla como candidato al Imperio.

---

[37] Citado por R. B. Merriman, *Carlos V, op. cit.,* pág. 243, nota 24.
[38] Felipe II a Maximiliano II, Madrid, 8 de junio de 1552 (Haus, Hof und Staastsarchiv, Viena, Spanische Hof Korrespondenz, leg. 1, fol. 52; autógrafa).

8
ASPIRANTE AL IMPERIO

En 1538, levantadas las espadas y cuando la paz parecía asegurarse entre Carlos V y Francisco I, y cuando la Santa Liga entre la Santa Sede, el Emperador y Venecia parecía un hecho [1], quiso María que quedase una huella permanente de su amor a la dinastía. Todavía hoy el viajero puede admirar en la iglesia de San Miguel y Santa Gúdula, de Bruselas, las magníficas vidrieras construidas aquel año, sobre diseños de Van Orley, uno de los pintores de más predicamento en la corte de los Países Bajos. La más importante de ellas está dedicada al emperador Carlos V, pero en otras sucesivas de la capilla de los Austrias están representados los demás miembros de la dinastía. Venía a ser como el símbolo del predominio logrado por la Casa de Austria sobre Europa, y de su entrega en pro de los intereses de la Cristiandad.

Tal predominio parecía más firme que nunca a raíz de la decisiva victoria de Mühlberg sobre las tropas que mandaba Juan Federico de Sajonia, príncipe elector y una de las cabezas más destacadas de la Liga protestante de Schmalkalden. En efecto, aquella victoria había sido, en gran parte, la de los

---

[1] Aunque luego tuvieran tan pobres resultados, pues sólo se consiguió la toma de Castelnuovo, en la costa dálmata (1538), perdida un año más tarde ante la acometida de Barbarroja. De tal suceso conserva una interesantísima relación el Archivo Real de Bruselas (sección État-Audiencie, 1. 1520, f. 278). Sin embargo, Carlos V había seguido con sumo interés los preparativos de la Santa Liga, pareciendo decidido a ponerse a su frente para llevar la guerra al Turco en sus mares, contra lo que le disuadía su hermana María, dejando al final el proyecto por la falta de cooperación que encontró en sus aliados. Sobre la euforia española con motivo de la Santa Liga es notable prueba la carta del embajador español en Venecia, don Luis de Soria, de 16 de febrero de 1538, dirigida a María (Arch. G. Royaume, E-A, 434, 17). Del deseo de Carlos V de ponerse al frente de la cruzada contra el Turco se hace eco el embajador en Roma, marqués de Aguilar: «... para la empresa contra el Turco, a la cual S.M. quiere ir en persona...» (Carta a María, 11 de marzo de 1538; Arch. G. Royaume, E-A, 50, 51. Cf. Jover Zamora, *Carlos V y los españoles,* Madrid, Rialp, 1987, págs. 360 y sigs.) Pero María hace ver a Carlos V que si emprendía aquella jornada, Francia daría por rota la tregua de Niza; tal era la impresión que había sacado de su entrevista con Francisco I y Leonor (María a Carlos V, Avesnes, 28 de octubre de 1538; Arch. G. Royaume, E-A, 50, 98).

principales personajes de la dinastía austríaca, bajo la suprema dirección del Emperador: Fernando, rey de Romanos, había cabalgado junto a Carlos V en aquella empresa bélica, y la aportación de María desde los Países Bajos y de Felipe desde España había sido de verdadera importancia. En el verano de 1547, la fuerza de aquella dinastía sobre Europa no tenía igual. Si los tercios viejos habían llevado el peso de la batalla, la caballería ligera húngara de Fernando había realizado prodigios en la consumación de la victoria. Los recursos en hombres y en dinero de la dinastía, aglutinados bajo la enérgica acción de Carlos V, se habían mostrado muy superiores a sus adversarios. Sin embargo, todo ello tenía un serio peligro: el de la falta de continuidad. Pues, en definitiva, los diversos miembros de aquella familia representaban a otros tantos pueblos, dentro de los cuales operaban importantes fuerzas centrífugas: Fernando y su hijo Maximiliano, al conjunto de Austria, Hungría y Bohemia; Felipe, a Castilla y Aragón, con sus adherencias italianas y americanas —y africanas—; María, a los Países Bajos —que entonces habían de vincularse más estrechamente a la Monarquía católica—. Sólo el Emperador mantenía la nota cosmopolita. Por lo tanto, era de temer que con su muerte su obra se cuartease. Y hoy sabemos muy bien que fue cuestión que se planteó muy seriamente el Emperador, en especial cuando se sintió gravemente enfermo aquel invierno. De entonces arranca su conocido Testamento político de 1548, dirigido a su hijo Felipe y muy fidedignamente recogido por el cronista Sandoval[2]. Allí se puede ver su preocupación por trabar más estrechamente las dos ramas de la dinastía, para que perdurase su predominio sobre Europa. Naturalmente, no buscaba Carlos un mero aseguramiento material, sino que pretendía lograr de ese modo la unidad moral de la Cristiandad y su fortalecimiento contra los peligros que la amenazasen, tanto internos —en especial, la herejía— como externos —sobre todo, la amenaza turca—. Uno de los factores de sus últimas victorias había sido la colaboración de su hermano Fernando, que era además —por rey de Romanos— el sucesor al Imperio. Pero cuando Fernando fuese Emperador, ¿no tendría necesidad, a su vez, de la colaboración del conjunto de fuerzas que se agrupaban tras de su hijo Felipe? ¿No se desvincularía de repente Castilla de los afanes imperiales, si de algún modo no se la interesaba más directamente? Pues más de una vez el propio Carlos había tenido que hacer frente a las quejas de sus vasallos castellanos, resentidos al ver consumidos los hombres y el dinero del reino en empresas que parecían serle ajenas. ¡Cuánto más ocurriría aquello si el Emperador dejase de ser su señor natural! He ahí la cuestión grave que era preciso prever, antes que los acontecimientos desbordasen a los hombres.

Aunque este planteamiento del problema parece que existió en el ánimo de Carlos V en las postrimerías de 1548, una de las cuestiones que han sido más debatidas por los especialistas de la época es el del punto de arranque de

---

[2] B. Beinert, *El Testamento político de Carlos V de 1548. Estudio crítico,* en *Homenaje de la Universidad de Granada a Carlos V,* 1958, págs. 209-218.

los nuevos planes sucesorios. ¿Obró Carlos V por propio impulso? ¿Fue movido a ello por la ambición de su hijo Felipe, deseoso de verse coronado algún día emperador? Las pruebas documentales aportadas a este respecto por Bucholtz[3], Lanz[4], Döllinger[5], Gachard[6] y Druffel[7] no resuelven la cuestión[8]. Existen indicios que hacen sospechar que los primeros en plantear la cuestión sucesoria al Imperio fueron Fernando y Maximiliano, deseosos de asegurarla en su casa de una vez para siempre. En todo caso, una cosa parece a todas luces evidente: y es que la escasa salud del Emperador en el invierno de 1547-1548 desencadenó una serie de cálculos y de proyectos políticos, con miras a la futura vacante imperial, lo mismo en Valladolid que en Viena. Ya hemos señalado los afanes unitarios que animaban a Carlos V. A Fernando le preocupaba, sobre todo, asegurar la sucesión al Imperio para su hijo Maximiliano. Por su parte, Felipe tenía asimismo poderosas razones que esgrimir a su favor. ¿No era, acaso, el hijo primogénito del Emperador? ¿Por qué había de verse postergado en el futuro a su primo Maximiliano? Encontrados argumentos e intereses opuestos provocarían una áspera pugna familiar que acabaría dando al traste con el edificio alzado por Carlos V con tanto esfuerzo y denuedo. Pero citando a esta serie de elementos del drama, no mencionamos a todos los que intervinieron en aquel conflicto familiar, del que parecía depender la futura suerte de Europa. Pues hubo otro que dedicó sus esfuerzos por llevar la concordia y evitar la ruptura: esa fue la labor realizada en aquella crisis por la reina María.

EL PLANTEAMIENTO DE LA CUESTIÓN SUCESORIA

En 1548 la Dieta de Augsburgo había reunido a los tres hermanos (Carlos, Fernando y María) en la vieja ciudad imperial. Después de aquella otra reunión de Innsbruck de hacía dos décadas, podían los tres hacer un balance satisfactorio de aquella fructífera alianza familiar: en orden los Estados patrimoniales, la paz con Francia y el Turco, sosegada Italia, sometido el Imperio e iniciado el Concilio. Era el predominio de Carlos y Fernando, a occidente y a oriente de Europa, en lo que no poca parte había tenido María (recuérdese su contribución no sólo a la obra de Carlos V, sino también a la defensa de

---

[3] W. Bucholtz, *Geschichte der Regierung Ferdinands des Ersten,* Viena, 1831-38, 9 vols.

[4] K. Lanz, *Korrespondenz des Kaisers Karls V.,* Leipzig, 1844-1846, 3 vols.; del mismo, *Staatspapiere zur Geschichte des Kaisers Karls V.,* Stuttgart, 1845.

[5] J. J. J. Döllinger, *Dokumente zur Geschichte Karls V., Philipp II. und ihrer Zeit aus Spanischen Archiven,* en *Beiträge zur politischen, kirchlichen, und Kulturgeschichte,* I, Ratisbona, 1862.

[6] P. Gachard, *Charles-Quint,* en *Biographies Nationales,* Bruselas, 1872, págs. 523-960.

[7] A. von Druffel, *Beiträge zur Reichsgeschichte 1546-1555,* Munich, 1873, 4 vols.

[8] Véase también, sobre este punto, Heinrich Lutz, «Schlusswort: Zusammenhänge und Perspektiven», en VV.AA., *Das Römisch-Deutsche Reich im politischen System Karls V.,* dir. por Heinrich Lutz, Oldenbourg, 1982, págs. 278 y sigs.

Viena en 1532) [9]. Fue entonces, en aquellas jornadas de Augsburgo de 1548, cuando Fernando propuso que se negociase la sucesión de su hijo Maximiliano para el Imperio, prometiendo que una vez conseguida llevaría consigo la designación de Felipe como vicario imperial en Italia [10]. Antes de dar su consentimiento quiso Carlos conocer la opinión de su hijo Felipe, ordenando al señor de Granvela (Nicolás Perrenot) que escribiese a la corte castellana. Probablemente existió una correspondencia directa entre el Emperador y su hijo, hoy por hoy desconocida, aunque sí conocemos los resultados por las cartas cruzadas entre Granvela y el duque de Alba: Felipe indicaba a su padre la conveniencia en demorar lo pedido por su tío, temiendo que con ello se perjudicase la situación de la Monarquía católica en Italia, cuando sus príncipes supiesen que el Imperio acabaría siendo para Maximiliano, estando evidente además la hostilidad latente de Enrique II de Francia. En realidad, esa respuesta reflejaba la opinión del Príncipe y la de sus principales consejeros. Hay que concluir que Castilla había sido ganada ya por la idea del Imperio, y que ahora no sólo no se oponía a que su señor fuera el Emperador, sino que deseaba que persistiera aquella vinculación personal, pasando al heredero del trono. Por eso se consideraba la pretensión de Maximiliano como un peligro. La hispanización de Carlos V por aquellas fechas estaba ya tan consumada, que se adhirió plenamente a las sugerencias de Castilla, si no es que ya habían germinado en su mente. Por lo pronto, respondió a su hermano Fernando que era preciso esperar la llegada de su hijo Felipe, demorando la resolución hasta entonces [11] e indicando que era cuestión delicada que podía provocar rencillas entre los príncipes de las dos familias [12], respuesta con la que pareció conformarse el rey de Romanos [13].

Fue entonces cuando empezó a extenderse el rumor por toda Europa de que el Príncipe de España proyectaba no ya sustituir a Maximiliano, sino al propio Fernando, para suceder a Carlos V en el Imperio. Según Gachard, tal fue la ambición que se despertó en Felipe, y para cumplir su deseo fue por lo que se puso en camino hacia el Imperio a fines de 1548 [14]. No he podido encontrar ninguna prueba concluyente a favor de esta tesis; sí, en cambio, algunas de que tal rumor lo propalaron los príncipes electores y el embajador francés en la corte imperial, Marillac, rumor que Fernando llegó a creer seria-

---

[9] María anunciaba a Carlos V, el 3 de agosto de 1532, el envío de las fuerzas de los Países Bajos, que acaudillaban Condé, Buren y Brederode (Arch. G. Royaume, E-A, 47, 110).

[10] Gachard, *op. cit.,* pág. 787.

[11] El suceso, recordado en esos términos por Carlos V, en las instrucciones a Chantonnay, enviado a Viena en julio de 1549 (Haus, Hof und Staatsarchiv, Viena, sección Belgien, P. A. 6, fajo 2.º, vol. 112; cf. Druffel, *op. cit.,* I, 315, pág. 242).

[12] Bucholtz, *op. cit.,* IX, pág. 731 (Fernando a María, 15 de julio de 1550, donde recuerda el suceso).

[13] Granvela a María, 7 de mayo de 1548: «Le Roy a très bien pris la réponse du Prince, et volontairement s'est accordé de différer la chose, dont l'Empereur a eu bien grand contentement...» (Gachard, *op. cit.,* pág. 787).

[14] *Ibídem,* pág. 788.

mente, hasta el punto de escribir alarmado a María el 29 de marzo de 1549. María le tranquilizó: mientras viviesen él y el Emperador, nada se innovaría y nada se trataría sobre su sucesor sin contar con él[15].

Difícil resulta admitir que Felipe llegase a pensar en sustituir a su tío, o que Carlos tomase en serio tal cambio, máxime cuando ninguna prueba directa existe sobre tal supuesto. Los rumores propalados por Marillac y los príncipes electores no hacían más que responder a un deseo de disminuir el prestigio del Emperador, cuyo poderío sobre el Imperio les inquietaba sobremanera. Pero como el viaje de Felipe II al Imperio había traído consigo el desplazamiento de Maximiliano a Castilla, para gobernar aquellos reinos en su ausencia, los recelos de Fernando no hicieron sino aumentar. Ya en la vieja biografía de Bucholtz se recogen muchos testimonios, procedentes del Haus, Hof und Staatsarchiv de Viena, sobre el estado de ánimo del rey de Romanos. Como ocurre con frecuencia, también en este caso los rumores dislocaban la verdad, sin dejar por ello de influir sobre la marcha de los acontecimientos. Por eso, pese a la carta tranquilizadora de María, Fernando hubiera preferido que su hermano Carlos abandonase aquel proyecto; pero Carlos V, bien llevado de su propio deseo, bien incitado por la ambición de Felipe II, se decidió a proseguir las negociaciones. A poco de la llegada de Felipe II a Bruselas, envió al señor de Chantonnay a la corte de Viena; Chantonnay debía obtener la aquiescencia de Fernando para una próxima entrevista con el Emperador, a fin de resolver la sucesión al Imperio, asegurándole al tiempo que nada se haría en su perjuicio ni sin su conocimiento[16]. Pero Chantonnay tenía ante sí una difícil misión, tanto más cuanto que a los antiguos recelos de Fernando se añadía el hecho de la incorporación de los Países Bajos a la Monarquía católica, pues sin duda en un tiempo abrigó Fernando la esperanza de que el Emperador los cedería a su hija María, la esposa de Maximiliano[17]. Por su parte, la corte imperial tenía motivos para sospechar que Maximiliano había roto lo pactado por su padre en Augsburgo, negociando secretamente con los príncipes electores a favor de su candidatura, cuestión sobre la que el Archivo de Bruselas conserva una curiosa carta de Fernando en que procura disculparse. Se trata de uno de los pocos documentos que escaparon a la requisitoria hecha a finales del siglo XVIII por el gobierno austríaco para llevarse la documentación referente a Fernando al Archivo de Viena[18]. Fue entonces cuando la reina María se creyó obligada a intervenir, escribiendo personalmente a Fernando una carta llena de agitación, ante el temor de que se produjese la ruptura entre los dos bloques familiares. Según María, era Felipe el que pre-

---

[15] Gachard, *op. cit.,* pág. 789.

[16] Instrucciones citadas de 1549.

[17] Fernando a María, Praga, 27 de julio de 1549 (Druffel, *op. cit.,* pág. 321); cf. carta de Fernando a Carlos V de igual fecha (Druffel, *op. cit.,* I, pág. 320, extractada; el original, en Haus, Hof und Staatsarchiv de Viena, Belgien, P. A., fol. 99; carta autógrafa).

[18] Praga, 2 de diciembre de 1549 (AGR, E-A, 97, 149).

sionaba constantemente sobre Carlos V, mientras éste se hallaba vacilante respecto a lo que se había de hacer en la cuestión sucesoria y, sobre todo, sin querer decidir nada antes de entrevistarse con su hermano. Aconsejaba María a Fernando que ni él ni su hijo Maximiliano diesen muestras de oponerse a los planes del Príncipe, pues ello sería tanto como provocar la eterna enemistad de Felipe y la ruina de las dos Casas, añadiendo un argumento probablemente oído en la corte de Bruselas a Carlos o a Felipe: que puesto que Carlos había preferido a Fernando, cuando en 1531 había promovido su elección a rey de Romanos, por encima de su propia sangre, análogo sacrificio podía hacer ahora Fernando[19]. Fue probablemente María la autora del plan de sucesión alternada (Fernando-Felipe-Maximiliano)[20]. A continuación viene el viaje de Carlos V a través de Alemania, acompañado de su hijo Felipe y de los dos Granvela. Nicolás Perrenot se hallaba entonces bastante enfermo —no tardaría en morir—, pero aun así Carlos consideró necesaria su presencia en Augsburgo para asegurar la negociación con su hermano, lo cual era el mejor homenaje a sus condiciones de diplomático, aunque sería fatal para el viejo servidor del César[21]. Fue entonces, al remontar el Rin, cuando Carlos dictó sus *Memorias* a su ayuda de cámara Van Male; Carlos V disfrutaba sus últimas horas de plenitud o, por mejor decir, de fortuna[22]. A partir de entonces todo empezó a torcérsele.

Tenemos noticia del comienzo de aquellas negociaciones familiares por la correspondencia que el obispo de Arras mantuvo con María: Fernando esquivaba a los ministros de Carlos V para no comprometerse en la cuestión sucesoria, alegando en cambio constantemente la necesidad de que su hijo Maximiliano regresase de España[23]. Como siempre que las negociaciones entraban en vía muerta, la corte imperial acudirá a la reina María pidiendo su intervención, pues por lo pronto el primer resultado del forcejeo con Fernando fue que el rey de Romanos se desentendiese de la política imperial en Alemania, con un enfriamiento notorio hacia su hermano el Emperador. Pero esa actitud, en lugar de abrir los ojos a Carlos sobre lo peligroso de su proyecto, le hizo aferrarse más a él, viendo en su hijo el verdadero continuador de su obra[24].

A finales de agosto de 1550, se reunieron los dos Granvela y el duque de Alba con el príncipe Felipe y acordaron aconsejar a Carlos V que llamase a su

---

[19] Bucholtz, *op. cit.,* IX, pág. 495 (carta de María a Fernando, Bruselas, 1 de mayo de 1550); cf. Brandi, *Carlos V,* Madrid, 1943, pág. 492.

[20] Juste, *op. cit.,* pág. 174.

[21] Gachard, *op. cit.,* pág. 796; cf. Brandi, *op. cit.,* pág. 493.

[22] Según la tesis de Otto Waltz. Véase mi estudio sobre las *Memorias* de Carlos V, en *Hispania,* t. XVIII, Madrid, 1958, pág, 701, y, sobre todo, mi edición crítica de las *Memorias* del Emperador (Madrid, 1960), insertas también en el *Corpus documental de Carlos V* (Salamanca, t. IV, 1979, págs. 459-567).

[23] Arras a María, Augsburgo, 25 de agosto de 1550 (AGR, E-A, 125, 57; autógrafa).

[24] «Et même selon que notre jeune seigneur prend les choses...», comentaba el obispo de Arras en carta a María, Augsburgo, 22 de julio de 1550 (Druffel, *op. cit.,* I, pág. 450).

hermana María para que influyese con su presencia directa sobre Fernando, pues «sans V.M. il n'y a gran espoir de pouvoir venir au bout», como decía Arras a la Reina[25]. El Archivo de Bruselas guarda las cartas de este período del obispo de Arras a María, en las que se hace eco de las de la Reina; para María la negociación era muy difícil, siendo necesario recomendar a Felipe la máxima prudencia y llegando a una fórmula con Fernando, accediendo al regreso de Maximiliano, siempre y cuando su mujer continuara en Castilla mientras durasen las negociaciones de Augsburgo[26]. El 10 de septiembre llegó María a la vieja ciudad imperial para secundar con la mayor reserva posible los esfuerzos del Emperador y sus ministros[27]. Pero los esfuerzos de la reina viuda de Hungría fueron inútiles: Fernando se aferró a su postura de no querer tratar nada en ausencia de su hijo Maximiliano. El 26 de septiembre volvía María a dejar Augsburgo, accediendo Carlos V a llamar a Maximiliano. La Reina no podía estar tanto tiempo ausente de los Países Bajos, aunque ya entonces se comprendía que para las negociaciones finales sería de nuevo necesaria su ayuda.

Entre tanto iba creciendo amenazadoramente el descontento entre los príncipes alemanes, cada vez más alarmados por los proyectos que se atribuían a Carlos V.

> Toda Alemania —informaba el embajador francés Marillac al condestable de Francia Montmorency— parece no tener otra esperanza de salir de las dificultades en que se encuentra que a través [de Francia]; y así, señor, en el camino y aquí [en Augsburgo] muchos diputados de las ciudades y Príncipes me han declarado abiertamente que no podían alegrarse bastante de que el Rey [Enrique II] estuviera en paz por todas partes, para poder enfrentarse —directa o indirectamente— con los deseos del Emperador. Por lo que si [Enrique II] se propone mostrar de alguna manera su buena voluntad a la cuestión alemana, es ahora cuando sería más oportuna...[28]

Por el mismo tiempo empezaba Mauricio a negociar en Francia su traición al Emperador[29]. Sin embargo, Enrique II no se atrevía a declarar su voluntad, considerando muy fuerte aún la posición de Carlos V. Sólo existía una posibilidad de debilitarle, declara a su embajador Marillac: y era aprovechando su disputa con Fernando por la cuestión sucesoria al Imperio[30].

Una oportunidad que Francia y los príncipes protestantes alemanes sabrían aprovechar de modo bien cumplido. Fernando había advertido al Emperador

---

[25] Carta citada de 25 de agosto de 1550; véase *supra* nota 23.
[26] De ese sentir se hace eco Arras en carta de respuesta a las de María, Augsburgo, 31 de agosto de 1550 (AGR, E-A, 125, 61; autógrafa).
[27] Gachard, *op. cit.,* pág. 800.
[28] Druffel, *op. cit.,* I, pág. 459 (traduzco el texto francés).
[29] *Ibídem,* pág. 468.
[30] Enrique II a Marillac, Arties, 10 de agosto de 1550 *(ibídem).*

—a través de María y con ocasión de la embajada de Chantonnay, de julio de 1549— sobre las desagradables consecuencias que podía tener la pretensión de Felipe al Imperio, en perjuicio de los derechos de su casa. Viendo que la cosa seguía adelante, no dudó en buscar el apoyo de los electores y de los príncipes del Imperio, sabiendo lo contrarios que se mostrarían a tener en el futuro como emperador a un príncipe español[31]. A su vez, Maximiliano estaba al tanto desde España de todo lo que se debatía en Augsburgo, y se preparaba cultivando por su cuenta la amistad de los príncipes alemanes[32] y aun la del enemigo tradicional de su casa, el rey cristianísimo de Francia. Considerando que la época de Carlos V pertenecía ya al pasado, procuraba colocarse con habilidad en la nueva situación.

EL FINAL DE LAS NEGOCIACIONES DE AUGSBURGO

El 1 de noviembre de 1550 salía Maximiliano de España. Quedaba en Castilla, de gobernadora, su esposa María. En cuanto Carlos V tuvo noticia de su próxima llegada a la ciudad de Augsburgo, se apresuró a llamar a su hermana, la reina viuda de Hungría, pues falto ya del concurso del viejo Granvela, recién fallecido, sentía cada vez más la necesidad de su ayuda. La realidad era que las relaciones con el rey de Romanos se mostraban cada vez más difíciles, hasta el punto de que Fernando se encerraba en una constante oposición, y no ya por lo que se refería al negocio de la sucesión al Imperio, sino asimismo en otros asuntos de interés general. Así, cuando Carlos quiso plantear en la Dieta la cuestión de la rebeldía de la ciudad de Magdeburgo, Fernando exigió que se antepusiese su petición al Imperio de ayuda contra el Turco, en la guerra de Hungría, en particular para la defensa de Transilvania[33]. La rebeldía de la rama menor llenó de profundo dolor a Carlos V[34].

---

[31] Fernando a María, Viena, 29 de marzo de 1550 (Bucholtz, *op. cit.*, IX, pág. 730). Sobre la actitud de Fernando, he aquí el testimonio del embajador francés Marillac: «Sire, me ha parecido deber añadir —escribe a Enrique II— aquí lo que he oído sobre el caso del Rey de Romanos, el cual, en resumen, ha declarado suficientemente su voluntad sobre lo que ya hace tiempo se intentaba de él, que renunciara a la sucesión del Imperio... Pues en primer lugar ha enseñado a los Electores que están aquí y a otros que me lo han asegurado, las cartas que recibió del Emperador desde que estuvo [Carlos V] en Bruselas, por las que el dicho señor se justificaba con él sobre lo que se sabía en Alemania que en su perjuicio quería [Carlos V] hacer el Príncipe de España, su hijo, Rey de Romanos...; por medio de cuyas cartas, Sire, el Rey de Romanos no solamente anula todo lo que los ministros del Emperador, su hermano, han practicado en este sentido, pero incluso en todo lo que ahora quieren aquí hacer, a fin de que los Electores no les escuchen, sino en aquello en lo que él [Fernando] consienta...» (Carta desde Augsburgo, 29 de julio de 1550; Druffel, *op. cit.*, I, pág. 458. Traduzco el texto francés.)
[32] Rafaela Rodríguez Raso, *La contienda Maximiliano-Felipe en la sucesión imperial de Carlos;* véase *Hispania*, LXXIII, pág. 737.
[33] Fernando a Carlos V, 14 de diciembre de 1550 (Lanz, *Korrespondenz, op. cit.,* III, pág. 11).
[34] Carlos V a María, 16 de diciembre de 1550 (*ibídem*, pág. 15): «... je vous puis certifier que je n'ai jamais tant senti ni ne sens chose que le Roy de France mort ne m'avait fait, ne ce que cestuici me voudrait faire, ni toutes les braveries dont le Connestable use à present, comme... les termes de quoy le Roy, notre frère, use envers moi...»

En una Memoria redactada hacia el mes de febrero de 1551, que Lanz atribuye al obispo de Arras, y escrita para tener a la reina María al tanto de todo lo negociado, se plantea el estado de la cuestión. Empieza la Memoria por enumerar las condiciones que debería poseer el que fuera sucesor del Emperador y del rey de Romanos, y alza la interrogante de si era posible asegurarle la sucesión en vida de aquellos dos soberanos. Parte del principio de la existencia de dos jefes políticos de la Cristiandad (el Emperador y el rey de Romanos), representantes de las dos ramas de la Casa de Austria. Justifica la política de la vinculación de la dignidad imperial a la Casa de Austria por ser la que con su poderío mejor podía enfrentarse con los enemigos del Imperio, combatir al Turco y auxiliar a la Santa Sede, defendiendo la religión católica en el Imperio. Al examinar las condiciones que debían reunir los emperadores, concluye con que se daban casi todas tanto en Felipe como en Maximiliano. Era cierto que Felipe tenía en contra suya no conocer la lengua alemana y pertenecer a la nación española, odiada en Alemania; pero esas habían sido las circunstancias de Fernando, que sin embargo había llegado a rey de Romanos. Para el autor de la Memoria —que sin duda nos refleja los sentimientos de la Cancillería imperial—, tanto si el Imperio iba a parar a manos de Felipe como a las de Maximiliano, el uno tendría necesidad del otro; así era conveniente negociar a tiempo cuál había de ser el designado como sucesor, para que el otro quedase en puertas, y la unión de las dos ramas de la Casa de Austria tan firme como en los tiempos de Carlos V y Fernando [35]. Tal idea, que parece propuesta por María y que acaba siendo tan cara a Carlos V (y que recuerda las soluciones políticas que se tantean en la época del Bajo Imperio Romano), tenía ante sí dos dificultades que vencer: por una parte, la oposición de Fernando y Maximiliano; por la otra, los recelos de los príncipes alemanes. Asombra que Carlos V no atisbara la grave situación en que se metía. Quizá fuera así porque quien se lo advirtió —Fernando— había sido el primero en mover la cuestión sucesoria. ¿Por qué lo que resultaba factible para Maximiliano se transformaba en un imposible para Felipe? Evidentemente, Maximiliano era un príncipe nacido y educado en tierra alemana, que el pueblo alemán miraba como salido de su propia sangre, aunque su padre hubiera sido un español (el proceso de germanización de Fernando es paralelo al de hispanización de Carlos). Pero el Emperador no dio la debida importancia a los sentimientos nacionales, quizá por el doble trasplante afortunado en los principios de su reinado, cuando él, nacido en Gante, logra hacerse con el pueblo español, mientras su hermano Fernando —nacido en Castilla— abandona para siempre su tierra natal para regir los destinos de Austria, Hungría y Bohemia. El mismo hecho del éxito conseguido en 1531, al lograr la elección de Fernando como rey de Romanos, provocó una excesiva confianza en el ánimo de Carlos V, sobre las posibilidades de maniobras políticas, al margen de las inquietudes nacionales de los pueblos. De ahí que se decida a dar los

---

[35] Lanz, *Staatspapiere Kaisers Karls V.*, pág. 450; cf. Brandi, *op. cit.*, pág. 492.

Países Bajos a Felipe y que ahora intente su incorporación al Imperio, como segundo coadjutor. Con ello, sin embargo, no sólo hería los sentimientos nacionales del pueblo alemán, sino que alarmaba profundamente a los príncipes del Imperio, tanto católicos como protestantes, temerosos de perder su libertad de acción. De esa manera ayudaría Carlos V a fraguar una peligrosa conjura de privilegiados, que tendría el incondicional apoyo de Francia y el calor popular. Por eso, cuando se provoca la rebelión, los príncipes —lo mismo que Enrique II de Francia— emplearán como término principal de propaganda que combatían en pro de las libertades del pueblo alemán; y aunque en realidad lucharan también por sus propios intereses, no fueron pocos los que les creyeron.

En esta etapa final de las negociaciones familiares de Augsburgo desaparecen las indiscreciones de Fernando de la primera fase. Ni los informes del embajador francés, que era el más interesado en saber lo que se debatía entre la familia imperial, ni los del embajador veneciano, que tan bien informado solía estar siempre, nos aclaran la cuestión [36]. Es preciso examinar la documentación original que guarda el Archivo de Viena para darse cuenta del sinfín de entrevistas, de proposiciones y de contraproposiciones formuladas por las dos partes interesadas a lo largo del mes de febrero y principios de marzo de 1551 [37]. Es en ese sentido donde destaca la labor realizada por la infatigable reina viuda de Hungría, alma de la concordia entre las dos partes. La mayoría de los papeles conservados de aquellas negociaciones son de mano de María y Fernando. A menudo son notas casi ininteligibles, por las que María cita a su hermano o le indica algún punto que ha de tener en cuenta. Lentamente se ve cómo María va venciendo la resistencia sorda del rey de Romanos, quien acaba cediendo, poniendo sólo como condición que a la propuesta de Felipe como futuro emperador, a enviar a los príncipes electores, fuera unida la de su hijo Maximiliano como rey de Romanos. Otra cuestión quiere Fernando dejar bien sentada, antes de dar su conformidad a los planes sucesorios del Emperador: que cuando él heredara la dignidad imperial, ni Felipe ni Maximiliano se habían de entrometer en el gobierno del Imperio más de lo que Fernando les concediese por su propia voluntad. Cláusula curiosa, porque indica el temor de Fernando a que se le quisiera limitar en el futuro su libertad de acción como emperador. Es el segundón que sueña toda su vida con ser la primera figura y con la gloria —y la responsabilidad— del primogénito, y que cuando está cerca de ver colmados sus deseos, teme que todo le sea escamoteado [38]. Exigía además Fernando que se le prometiese la asistencia de la Monarquía católica en su lucha por la ocupación de Transilvania, ayuda frente al Turco, asistencia también en los conflictos que se le pudieran presentar en el Imperio y el matrimonio de Felipe con una de sus hijas. Condiciones acepta-

---

[36] Brandi, *op. cit.,* pág. 495; cf. Druffel, *op. cit.,* III, págs. 161 y sigs.
[37] Haus, Hof und Staatsarchiv de Viena, P. A. 85, fols. 24 y sigs.
[38] *Ibídem,* fol. 61; Druffel, *op. cit.,* III, pág. 177.

das en términos generales por Carlos V, claro que supeditándolas a lo que hiciera Fernando.

Respecto a lo que había de ocurrir cuando Fernando obtuviese la dignidad imperial, una cosa exige a su vez Carlos V, haciéndose eco del sentir de sus vasallos de la Monarquía católica: que a Felipe le reconociese su tío el Vicariato del Imperio en Italia. Esta era una de las cuestiones que más encarecía la diplomacia española, como coronamiento al medio siglo de esfuerzos bélicos y económicos realizados por Castilla en Italia, siguiendo y ampliando la política italiana de la Casa de Aragón durante la Baja Edad Media. Y es posible que a ello respondiera, en el fondo, todo el interés por el Imperio de Felipe, príncipe de España, que vendría a refrendar tal dominio. Y que era una de las cuestiones más arduas se echa de ver en la resistencia ofrecida por Fernando, quien lo consideraba como una desmembración del Imperio y dar el gobierno del Milanesado con plenos atributos a los españoles, en perjuicio suyo cuando fuese emperador. El prestigio del título imperial, razonaba Fernando, procedía de Italia, y el pretender de él tal cosa era estimar que no sabría ejercer tan adecuadamente sus funciones imperiales como sus predecesores [39]. Para comprender mejor este forcejeo es preciso tener en cuenta que Fernando siempre había estado a la mira de la posesión del ducado de Milán y que hacía muchos años que se lo había pedido a su hermano Carlos V como premio a su cooperación desde Austria en las guerras contra Francisco I, desde los mismos tiempos de la batalla de Pavía. A la muerte del condestable de Borbón había vuelto Fernando a reiterar su petición a Carlos V [40]. Aunque no consiguiera sus propósitos, no olvidaba Fernando a Italia, como no la olvida nadie que viva en Viena. Para el austríaco, Italia supuso siempre un país prodigioso, lleno de recuerdos históricos. A ese respecto, Fernando actúa como lo había hecho su abuelo paterno, Maximiliano —y, por cierto, con idéntica mala fortuna—, y en la cuestión de que más tarde, siendo ya emperador, se resista a todas las peticiones de Felipe II sobre el vicariato de Italia, hay que ver latentes las mismas razones [41].

Por otra parte, Fernando sabía que contaba con el apoyo de grandes y chicos, de la nobleza y del pueblo alemán, en su enfrentamiento con Carlos V. Cuando llegó Maximiliano, su hijo, a la ciudad imperial de Augsburgo —el 10 de diciembre de 1550— fue notoria la satisfacción en todo el Imperio. El mismo cardenal de Augsburgo declaró por entonces al embajador véneto, al referirse al tema del día (las negociaciones de los Austrias sobre la sucesión),

---

[39] Notas de María sobre las objeciones de Fernando al vicariato de Italia para Felipe II (Haus, Hof und Staatsarchiv, P. A. 85, fol. 86; autógrafas de María. Cf. Druffel, *op. cit.,* III, pág. 191).

[40] Fernando a Carlos V, Praga, 31 de mayo de 1527 (Bauer-Lacroix, *Die Korrespondenz Ferdinands I.,* II, pág. 67).

[41] Embajada de Quadra a Fernando I, de mayo de 1558 (Archivo General de Simancas, Estado, leg. 649, fol. 162: «Instrucciones a don Álvaro de la Quadra de lo que había de tratar con el Emperador»; véase mi obra *Tres embajadores de Felipe II en Inglaterra,* Madrid, 1951, págs. 55 y 273, nota 2).

que Alemania no aceptaría ningún príncipe extranjero y que confiaba en que Fernando y Maximiliano no accedieran a que Felipe II fuera propuesto para coadjutor del Imperio, cuyo mandato siempre provocaría alzamientos [42]. Y en términos semejantes se expresaba uno de los electores del Imperio: el arzobispo de Tréveris. En esas condiciones, y sabiendo que todo el país estaba pendiente de lo que hicieran, tanto Fernando como Maximiliano mostraban abiertamente su disconformidad con la corte imperial. Todos los esfuerzos de Felipe II por atraerse a Maximiliano resultaron inútiles. Por el obispo de Arras —quien se lo comunicaba a la reina María— sabemos la esquivez que manifestaba Maximiliano en las jornadas cortesanas, lo mismo que en las cacerías, ante los intentos de Felipe por llegar con él a una situación cordial. No se le pasaba por alto a Carlos V lo que ocurría,

> ... et le sent S.M. encore qu'elle ne le démontre, étant très bien advertie des diligences qu'en ce fait Monseigneur notre Prince et de ce que le dict Roy s'en dislongue [43].

En tal ambiente, Carlos V es cuando se decide a volver a llamar a María —el 16 de diciembre de 1550—, la cual entró de nuevo en Augsburgo el 1 de enero de 1551. Las primeras negociaciones de la Reina con el rey de Romanos fueron estériles, hasta el punto de provocar la cólera de María, quien vivamente reprochó a Fernando que se dejara guiar por malos consejeros para encerrarse en una actitud que podría ocasionar la ruina de su casa. Fernando trató de apaciguarla, enviándole a Maximiliano y dándole él mismo explicaciones: si se oponía a los deseos de Carlos V y Felipe, era —le dijo— porque entendía que iba contra el juramento que había prestado cuando había sido elegido rey de Romanos, no habiendo memoria de que en vida del Emperador y del rey de Romanos se eligiese un tercer personaje como coadjutor, cosa que era contraria a la costumbre y a lo dispuesto en la Bula de Oro. No había razón —añadía— que probase su necesidad, y los príncipes electores no lo aprobarían, con lo que todo terminaría en desprestigio del Emperador, existiendo incluso el peligro de que si se les forzaba a que diesen su consentimiento, acabarían en clara rebeldía, buscando un emperador fuera del Imperio (con lo que Fernando aludía claramente al rey de Francia y a las negociaciones de los príncipes alemanes con Enrique II) [44].

En tal réplica se nos descubre Fernando: todo lo que contesta a María sería lo que acabaría ocurriendo. Pero no por otra causa, sino porque probablemente ya para entonces Fernando se había puesto de acuerdo con los príncipes electores para rechazar hasta donde le fuese posible la propuesta imperial y sólo en último término otorgar un consentimiento forzado que le

---

[42] Gachard, *op. cit.*, pág. 804.
[43] *Ibídem,* pág. 806.
[44] *Ibídem,* pág. 807.

permitiese estar al margen de los acontecimientos que se desarrollasen a continuación. Probablemente, Fernando no quería que las cosas llegasen a peores términos, y de ahí su primer intento de disuadir a Carlos V. Pero tampoco estaba dispuesto a perder su popularidad y la de su casa en el Imperio si la actitud imperial provocaba una revuelta en Alemania.

Eso tuvo que obligar a Fernando, y aún más a Maximiliano, a un doble juego; manteniendo, por una parte, relaciones lo más cordiales posible con los príncipes electores y haciendo ver ante ellos la presión que estaban sufriendo, y, por otra, sin llegar a una ruptura con Carlos V, pero dejándole que se las arreglara solo con las consecuencias que tuviese su plan de sucesión. Con arreglo a tales normas, Fernando acabará firmando los acuerdos de 9 de marzo de 1551 —sucesión alternada al Imperio de las dos ramas de la Casa de Austria—, pero no librará ninguna batalla para que se hiciesen efectivos, manteniendo una postura neutral a la hora de la revuelta contra el Emperador; incluso negándose a darle acogida en Viena cuando Innsbruck resultó demasiado peligroso para Carlos V. Así se convirtió Fernando en el negociador entre las dos partes, porque con ambas guarda las formas; pero Carlos V no le perdonó ya su deserción y contra él profirió multitud de quejas.

Con tal espíritu se llega al acuerdo de 9 de marzo de 1551 entre las dos ramas de Austria, firmado en Augsburgo, por el que Fernando se comprometía a procurar la elección de Felipe como rey de Romanos, y éste a su vez —en su día— la de Maximiliano[45].

La reina María, pese a todos sus esfuerzos, no consiguió más que evitar la ruptura abierta. A partir de entonces vendría una etapa de relaciones sin roces aparentes, pero en la que seguía subsistiendo el resentimiento de la rama fernandina, que se creía postergada y atropellada.

---

[45] Döllinger, *op. cit.,* págs. 168 y 169-175; cf. Lanz, *Staatspapiere...,* págs. 462, 477, 482 y 483, y Druffel, *op. cit.,* I, pág. 595; III, págs. 161 y sigs.

9

GOBERNANDO ESPAÑA

Con su periplo por tierras del Imperio, Felipe II puede decirse que había completado su formación. Había sido un largo viaje, de medio año de duración, entre la salida de Valladolid, el 2 de octubre de 1548, hasta su encuentro en Bruselas con su padre, Carlos V, el 1 de abril de 1549. Una larga ruta que el Príncipe había seguido en cuatro grandes tramos: en primer lugar, el hispano, entre Valladolid y Barcelona; otro, el marítimo, entre Barcelona y Génova; después vino el alpino, casi todo italiano, entre Génova e Innsbruck, pasando por Milán, Mantua y el Trentino, y, finalmente, el germano, arrancando de Innsbruck, para, después de atravesar el sur de Alemania, finalizar en Bruselas. Este largo viaje se completaría con el acompañamiento a Carlos V durante otros dos años, de 1549 a 1551, hasta su regreso a España, una vez negociado el acuerdo familiar de sucesión al Imperio.

Como puede comprobarse, Felipe II no siguió la vía más directa entre Milán y Bruselas, para encontrarse con Carlos V. No cabe duda de que en ese rodeo por Innsbruck y la Alemania meridional había un deseo de Carlos V: que su hijo fuera conocido en el Imperio, porque, evidentemente, ya estaba en marcha ese nuevo plan sucesorio.

Largo y dilatado viaje, que por razones del protocolo resultó lentísimo y, por tanto, frecuentemente se tornaría en fastidioso; pero, a fin de cuentas, una experiencia única, con aquel franquear naciones diversas, aquella entrada en poblaciones famosas y cargadas de historia —hasta entonces conocidas únicamente de oídas—, como Génova, Milán, Innsbruck, Augsburgo o Bruselas, en las que estaba presente la compleja alma europea, con presencia también en las distintas lenguas que Felipe II iba sucesivamente escuchando: italiano, alemán, francés...

No cabe duda: el proceso de formación política del Príncipe estaba llegando a su término. Sin olvidar lo que tuvo que suponer asistir al lado de su padre a las deliberaciones del Consejo de Estado, verle de cerca cómo gobernaba Europa, en el momento cenital de su poder, e incluso escuchar de sus labios mil advertencias sobre la manera de negociar con los hombres y con los pueblos.

En mayo de 1551, Felipe II, después de dejar en Augsburgo a su padre, regresa a España. Estaba a punto de cumplir los veinticuatro años.

Era ya todo un hombre y, sin duda, todo un gobernante, convertido en aquel *alter ego* que Carlos V tanto deseaba y necesitaba. El que podía gobernar, prácticamente con plenos poderes, España.

Todo lo cual no podía menos de reflejarse en las nuevas Instrucciones paternas de 1551. Sus diferencias con las de 1543 son notorias.

Veámoslo en este cotejo, en dos casos concretos: en el aprovechamiento de las penas de cámara y en la provisión de los oficios de justicia que vacaren:

1543	1551
Asimismo, por que lo de las penas de Cámara está muy perdido y no se puede hacer libranza que se cumpla, mi voluntad es que no se dé cédula de penas de Cámara sino fuere para salarios y ayudas de costa ordinarias que acostumbran darse, y para alguna cosa o limosna, merced o gratificación que parezca que conviene hacerse.	Asimismo porque lo de las penas de Cámara está muy perdido y no se puede hazer librança que se cumpla y las que están dadas se venden y malbaratan y el dicho Príncipe ha sido de pareçer que esto se remedie y prouea y dé orden cómo dello se pueda sacar alguna cosa cierta y ordinaria, sobre lo qual se escriuió a los Reyes de Bohemia, mis hijos, los días pasados, informarse ha del estado en que esto está y mandará que se tome breue resolución en ello y se haga la instrucción neçesaria para el Reçeptor general. Y por estas causas es mi voluntad que no se dé cédula en penas de Cámara sino para los salarios y ayudas de costa ordinarias que se acostumbran darse, y para alguna cosa o limosna merçed o gratifiçación que parezca que conuiene hazerse teniendo fin a lo que de palabra le diximos cerca desto.

Se ve, en este caso concreto, cómo el Emperador atiende a las indicaciones de su hijo. Estamos ante el *alter ego,* el corregente que tanto precisaba Carlos V. Véase cómo se observa esto, cuando se trata de la provisión de cargos de justicia:

1543	1551
Que provea todos los oficios de justicia que vacaren, con parecer del muy Reverendo Cardenal de Toledo y del Presidente del Consejo, y del Comendador Mayor de León del mi Consejo de Estado, escepto los Presidentes y Oidores de los Consejos y Chancillerías y regente de Navarra, gobernador de Galicia y Asistente de Sevilla y Corregidor de Toledo, que estos solamente reservo para mí; los cuales ha de consultar con parecer de susodichos, enviándole memorial de las personas que pareciere, para que yo elija de ellas las que fuere servido.	Que prouea todos los officios de justicia que vacaren, con parecer del Presidente del Consejo y quien más le pareciere, hallándose Juan Vázquez, como lo suele, estar ecebto de los Presidentes y Oidores y alcaldes y fiscales de los Consejos y Chacillerías y Regente de Navarra, Gouernador de Galizia y Asistente de Sevilla, que estos solamente reseruo para mí; los cuales me ha de consultar con su parecer, hauiendo comunicado y visto primero el memorial de las personas que ocurrieren, para que yo elija dellas las que fuere servido.

Por lo tanto, en el primer caso se pasa de una orden expresa del Emperador («... mi voluntad es...») a recoger ya el juicio del Príncipe («el dicho Príncipe ha sido de parecer...»). Y en el segundo, a que las vacantes de justicia, antes cubiertas por Carlos V, tras la consulta hecha al cardenal Tavera, a Fernando de Valdés y a Cobos, ahora se hacía escuchando únicamente a Felipe II.

Era todo un reconocimiento del cambio operado, como no podía ser menos. Carlos V tenía que recordar que a la edad del Príncipe él ya gobernaba sus inmensos dominios directamente, como soberano casi absoluto, salvo en las tierras del Imperio.

Por entonces Felipe sellaba sus cartas con este significativo título: *Philippus, Hispaniarum Princeps.*

Sería ese Príncipe de las Españas el que, al volver a la Península, pondría su corte en Madrid. Va y viene entre Madrid y Toro, siendo Madrid centro de gobierno, y Toro (en que tenía su pequeña corte su hermana Juana y su hijo Carlos), donde sabemos que le atraía por entonces fuertemente una dama de su hermana: Isabel de Osorio.

Por consiguiente, Toro sería la ciudad para holgar, en el máximo juego para ese hombre ya de veinticuatro años, el de la vida amorosa, y Madrid, el lugar de trabajo, que para el Príncipe no era otro, claro, que el de gobernar España. Y es justo que anotemos que, para ese gobierno de España, Felipe ya ha escogido Madrid diez años antes de que, como Rey, la convirtiese definitivamente en corte de las Españas.

En 1551, Carlos V le ha dejado con plenos poderes al frente del gobierno de los reinos hispanos, como su lugarteniente general y gobernador, señalando a la Corona de Castilla y a todas sus autoridades y súbditos que habían de acatar todas sus órdenes, sin limitación alguna:

... le reverenciéis y acatéis como a persona que tiene nuestras veces y lugar y que representa nuestras personas reales, y hagáis y cumpláis sus mandamientos según que él los dixere y mandare por scripto o por palabra..., sin poner en ello excusa ni dilación alguna, y sin dar, a ello otro entendimiento ni interpretación ni declaración y sin nos más requerir, ni consultar ni esperar sobre ello otro nuestro mandado... [1]

Y por si quedaba alguna duda, se remachaba con esta expresa declaración imperial:

... como si Nos, por nuestras mismas personas o por nuestras cartas firmadas de nuestros nombres, lo dixéremos, ordenásemos y mandásemos.

Cierto que Carlos V, en restricción privada, merma un tanto esos poderes; así, por ejemplo, el César se reservaba la provisión de las vacantes de los obispados hispanos, tanto en España como en Indias, así como los oficios de las principales ciudades de Castilla, señaladas por este orden: Sevilla, Córdoba, Toledo, Burgos, Valladolid, Segovia, Salamanca, Jaén y Madrid, lo mismo que los magistrados de las Chancillerías, los consejeros de los distintos Consejos y los altos cargos de gobernador de Galicia y asistente de Sevilla [2].

¿Con qué se encuentra Felipe II al llegar a España? Tras cruzarse en Zaragoza con el cortejo de su hermana María y su cuñado Maximiliano, que regresaban a Viena, y tras pasar por Navarra, donde en Tudela sería jurado por aquel reino como su heredero, entró Felipe II en Castilla, llegando a Valladolid el 1 de septiembre de 1551. Para entonces ya tenía noticia de la amenaza turca sobre Trípoli y de la declaración de guerra de la Francia de Enrique II, que así reanudaba las viejas rencillas promovidas por Francisco I.

Trípoli había sido cedida en 1530 a la Orden de San Juan, junto con Malta, pero aun así su pérdida —ocurrida a mediados de agosto de aquel año de 1551— fue muy sentida en España, porque representaba aquella época de ímpetu que había protagonizado Fernando el Católico, y era como un mal augurio de las dificultades que se avecinaban para la España de Felipe, aparte de lo que suponía como desprestigio para la Monarquía.

Pero más grave era el recrudecimiento de la enemiga francesa, sobre todo después de que con la paz de Crépy de 1544 y la muerte de Francisco I en 1547 parecía que eso pertenecía ya al pasado. Con un vigor inesperado y con unas ansias de desquite increíbles, la Francia de Enrique II arremetió por todas partes contra el predominio del viejo Emperador. Bien informado, sabedor el rey francés de que las negociaciones de Augsburgo entre las dos ramas de la Casa de Austria habían provocado el desvío de la rama vienesa (el rey

---

[1] *Corpus documental de Carlos V, op. cit.,* III, pág. 307.
[2] Restricción al poder de Felipe II, Augsburgo, 23 de junio de 1551 (*ibídem*, págs. 308 y sigs.).

de Romanos, Fernando, y su hijo Maximiliano) y al tanto también del profundo descontento suscitado en toda Alemania por la noticia de que se tramaba el acceso al Imperio del Príncipe español, consideró que era su oportunidad. Había llegado la hora de vengarse de su afrentoso cautiverio en España sufrido en los años veinte, de su custodia en Pedraza de la Sierra, a raíz del tratado de Madrid, cuando había servido como rehén ¡a los siete años!, en tanto que su padre Francisco I recobraba la libertad.

De esa forma, Felipe llegaba a una España sacudida otra vez por la guerra con Francia, que parecía que no tenía fin. La armada francesa hacía estragos, tanto en el Mediterráneo como en las costas del Cantábrico, cogiendo por sorpresa a naves y mercancías. En el mismo puerto de Barcelona había entrado, apoderándose de todas las naos que encontraron, y otro tanto hicieron en sus correrías por el Cantábrico; de forma que Felipe II se incorporó al gobierno con la urgencia de convocar al Consejo de Estado, tomando ya resueltamente las decisiones pertinentes, como gobernador del reino y lugarteniente del Emperador, su padre. Y lo primero, ordenar la adecuada réplica contra todos los franceses y sus bienes que se pudieren apresar. No espera, naturalmente, a consultarlo con el Emperador. Él toma esas decisiones tan graves sobre la marcha:

> ... visto que los franceses habían quebrado la paz y que demás de haber hecho este asalto [3], prendían los súbditos de V.M. y les secuestraban los navíos y bienes que tenían en Francia, *proveí* que lo mismo se hiciese en estos Reinos...

Reúne a toda prisa, nada más llegar a Valladolid, al Consejo de Estado y al de Hacienda, para decidir las otras medidas a tomar y para comprobar el dinero con que contaba.

Difícil situación: no sólo no había dinero, sino que tampoco se encontraban remedios para superar la situación. ¡Y eso cuando afrontaba por primera vez, como auténtico *alter ego* del Emperador, el gobierno de Castilla!

Y el Príncipe no puede menos de quejarse a su padre:

> ... Dios sabe la pena y cuidado que a mí me queda dello y del questo dará a V.M., pero no es bien que dexe de saberlo, pues lo de aquí está a beneficio de lo que los enemigos querrán hacer, que demás del daño que podrían rescibir estos Reinos, yo sentiría mucho, hallándome en ellos, no poder resistirlos y ofenderlos, como sería razón, siendo hijo de V.M... [4]

El hijo, por lo tanto, quiere tanta gloria como el padre, sólo que le faltan recursos para conseguirla. Por una vez, le hierve la sangre.

---

[3] El del puerto de Barcelona.
[4] *Corpus documental de Carlos V, op. cit.,* III, pág. 361.

Aún más cuando a la primavera siguiente tiene noticia de que el duque Mauricio, a quien su padre tanto había favorecido dándole el electorado de Sajonia, se había rebelado contra el Emperador, estando a punto de apresarle en su refugio de Innsbruck.

Carlos V envía un mensajero de calidad a su hijo, Manrique de Lara. ¡Necesita más españoles en sus filas, poner en pie de guerra a España, tener a punto sus fieles tercios viejos! Los que ya están adiestrados en Italia y los que se recluten en España. Y, naturalmente, necesita dinero.

Y cosa asombrosa: aquella Castilla al borde de la miseria, la Castilla golpeada por años de pertinaz sequía y esquilmada por las exigencias imperiales, la Castilla del *Lazarillo,* responde con generosidad y manda de nuevo sus altivos hidalgos y no regatea en esa ocasión su oro. Manrique de Lara volverá de inmediato junto al Emperador, que ya se ha fugado de la trampa de Innsbruck, y lo hará con 2.000.000 de ducados [5] sacados de los últimos ahorros de Castilla: de las Chancillerías, de los monasterios, de la Casa de Contratación, incluso de particulares. La Iglesia —arzobispos y obispos— prestó 83.000 ducados; entre ellos, el obispo de Salamanca, que dio 5.000 ducados, escribiendo

... que quería servir a S.M. con ellos sin que se le pagasen [6].

La nobleza castellana también acudió al envite, prestando 164.266 ducados, destacando el duque de Escalona, que aportó 80.000 ducados. A ello había que sumar otros 45.000 ducados también prometidos por los Grandes de Castilla. Finalmente, estaban los mercaderes, entonces vinculados preferentemente a los dos Consulados de Burgos y de Sevilla, dando los de Burgos 12.000 ducados; en cambio, asombrosamente, no se consiguieron los 20.000 solicitados a los de Sevilla, acaso escarmentados los mercaderes sevillanos por el dinero de Indias incautado por la Corona.

En algún caso hubo intentos de engaño, como el de don Juan de Córdoba, que ofreció 10.000 ducados en pan para las tropas que se alistaban, y no hubo forma de tomarlo porque «... estaba començado a dañar...».

Pero, en general, Castilla respondió con generosidad ante el aprieto del Emperador, en aquella peligrosa crisis de 1552. El propio Príncipe se ofreció con su persona. Hace votos porque aquellos príncipes alemanes, que «... pagan tan mal las mercedes de V.M.», fueran

... castigados como merece tan grande ingratitud y desacato...

Añadiendo, enfervorizado:

... y quisiera hallarme allí para servir a V.M. en esta jornada... [7]

---

[5] Véase mi libro *Política mundial de Carlos V y Felipe II, op. cit.,* pág. 148.

[6] *Corpus documental de Carlos V, op. cit.,* III, pág. 468. Se trata casi exclusivamente de la Iglesia castellana, con sólo dos representantes de la Corona de Aragón: los arzobispos de Zaragoza (10.000 ducados) y Valencia (8.000).

[7] Felipe II a Carlos V, Madrid, mayo de 1552 (*ibídem,* pág. 423).

Se hacía eco del sentir de buena parte de sus súbditos. Uno de ellos, el obispo de Cuenca, gran personaje del momento, como presidente de la Chancillería de Valladolid (y uno de los que habían prestado 10.000 ducados), no pudo contener los sentimientos que le alborotaban, y de su propia mano cogió la pluma y escribió al Príncipe, instándole a penetrar con gente de guerra en Francia, pues el mundo estaba pendiente de lo que haría:

> Muy alto y muy poderoso señor: Los días pasados, cuando besé a V.A. las manos en Toro, por no dar a V.A. pesadumbre, no le dixe algunas cosas que aquí diré, para que V.A. las tome como de hombre que le ama más que a sí mismo y que desea que V.A. en todo exceda a todos los reyes y príncipes del mundo.

¿Qué era lo que agobiaba al buen obispo? Que ante la rebelión de los príncipes alemanes y la renovada enemiga de Francia, Felipe II no diera muestras de su ánimo, acudiendo gallardamente en ayuda de su padre, el Emperador:

> Lo primero es que V.A. está en trance, según las cosas presentes, de ganar o perder reputación del valor de su persona para siempre; porque por ventura no se ofrecerá en la vida otro tiempo ni ocasión tan grande como agora para mostrar su valor y poder. Y V.A. tenga entendido que se habla en esto y que todos esperan lo que V.A. hará, y que en esto especialmente y en otras cosas le miran a las manos...

¿Qué esperaba el país de su Príncipe? ¿Qué Castilla entera, a juicio del obispo? Puesto que el negocio era también suyo y que aquella guerra era también su guerra, afrontarla gallardamente:

> Dizen que V.A. debía de apercibir a todos los Grandes y prelados del Reino para que estuviesen apercibidos a punto de guerra, para que cuando fuesen llamados con las lanças que son obligados, y lo mismo a las ciudades, villas y lugares del Reino porque si V.A. quisiere entrar poderosamente por Francia, lo pudiere hacer...

En ello estaban en juego, además de la salvación de la causa por la que luchaba el Emperador, el prestigio y hasta la misma honra del Príncipe:

> ... [y] ganase crédito y fama, porque todos los Príncipes le temiesen, y hiciese afloxar al francés en lo de Italia, Flandes y Alemania...

Y todos en Castilla le ayudarían, máxime que era la primera empresa que acometía el Príncipe,

> ... en favor de su Rey y de su ley, que son las dos cosas porque se ha de poner la vida y la hacienda...

¿Qué había movido al buen obispo a carta tan vehemente? Él mismo nos lo dirá:

> Todo esto he dicho como hombre de poca experiencia en cosas de guerra, con el celo que tengo a las cosas de nuestra fe y con el amor que tengo a V.A. y pena de oír lo que ha sucedido a S.M^d... [8]

Ese era el propósito de Felipe II, como lo sospechaba uno de sus más allegados, Ruy Gómez de Silva, que ya en mayo de aquel año escribía a Eraso:

> S.A. queda con tanta pena de lo que acá se pudiera pensar, que cierto no sé si ha de hacer alguna cosa de su persona... [9]

Pero Carlos V no lo consintió, por puro sentido de su máxima responsabilidad. El envite era demasiado fuerte y no quería que, por su culpa, el Príncipe corriese tan gran riesgo de derrota, siendo la primera empresa bélica en que se metía. En consecuencia, le manda un correo propio, don Juan de Figueroa, para disuadirle [10].

Probablemente hubiera sido suficiente aquel volcarse de Castilla para levantar de nuevo al hasta aquel momento invicto Emperador, si un enemigo más fuerte no lo estorbara: aquella gota que le atenazaba últimamente, dejándole bloqueado e incapaz de dirigir su ejército.

Porque, y hay que insistir en ello, la reacción de Castilla fue impresionante. Baste el ejemplo dado por el duque de Alba y seguido por muchos otros. Cuando, el 10 de mayo de 1552, llega a Madrid la noticia de la rebelión del duque Mauricio y del riesgo que había corrido el Emperador de ser cogido prisionero en Innsbruck, manda su propio correo a Carlos V para darle ánimos. Pronto estaría a su lado:

> Plega a Dios —le escribe, como su antiguo compañero de armas— que cuando lleguemos hallemos a V.M. con la salud que la Cristiandad ha menester, que con ella no habrá cosa que no se acabe [11].

Mas no pudo ser. Esa, la salud del César, fue a la postre la que faltó, y así la campaña preparada para el verano de 1552 hubo que prolongarla peligrosamente. La ciudad de Metz, que los franceses habían tomado al principio de la guerra, fue cercada, pero todo tardíamente. Algo anunciado por el propio Carlos V, que se veía impotente, postrado por la gota al llegar a Landau:

---

[8] *Corpus documental de Carlos V, op. cit.,* III, págs. 459 y 460; autógrafa.

[9] Archivo General de Simancas, Estado, Castilla, leg. 89, fol. 131; autógrafa. Cf. mi libro *Política mundial de Carlos V y Felipe II, op. cit.,* pág. 148, nota 292.

[10] *Ibídem,* págs. 150 y 151.

[11] *Ibídem,* pág. 148.

... allí me dio la gota, de manera que no pude excusar de detenerme diez y siete días, que ya veis el inconveniente que se seguiría...

Tal escribía, apesadumbrado, Carlos V al Príncipe, desde su campamento ante Metz, el 25 de diciembre de 1552.

Y no era para menos, porque la campaña, tan aplazada, no pudo dar más que un pobre resultado, teniendo finalmente Carlos V que levantar el cerco de Metz, con el consiguiente desprestigio.

A partir de ese momento, refugiado en los Países Bajos, tuvo que resignarse a estar a la defensiva, frente a los furiosos ataques de los franceses contra su tierra natal.

Para paliar sus males, el Príncipe proyectó su paso a los Países Bajos, previa su nueva boda con otra princesa portuguesa, aquella prima suya: la princesa María, la hija de Manuel el Afortunado y de doña Leonor de Austria.

Era, a todas luces, un intento de alegrar las arcas imperiales, harto marchitas [12].

Tal ocurría en 1553, el año de la muerte de Eduardo VI de Inglaterra y también el del encumbramiento al trono inglés de María Tudor.

¡Pero María Tudor, la hija de Catalina de Aragón, era católica y estaba soltera!

¿Cómo desaprovechar tal ocasión? Una princesa siempre palidece ante una reina. En el juego diplomático de Carlos V la cosa no tenía dudas. El francés le había sorprendido con un ataque traicionero, rompiendo la paz sin motivo, sólo por revancha. Y se sabía que también apostaba, en la otra guerra, en la diplomática, por cerrar alianza matrimonial con la nueva reina.

Así que Carlos, a fin de cuentas, tenía la ocasión de nivelar la balanza, consiguiendo en el terreno diplomático lo que se le había escapado en el campo de batalla.

ENTRE TORO Y MADRID: EL AMOR DE SU VIDA

Felipe II vuelve a España transformado. De momento, teniendo en cuenta la perspectiva de 1551, regresa como algo más que como el heredero cierto de la Monarquía católica: como el futuro Emperador, el que había de suceder en el Imperio a su tío Fernando, lo que, por ley de vida, no tardaría en exceso. E incluso quién sabía si las cosas no rodarían de forma que sucediese directamente al padre. A fin de cuentas, si él había nacido en Valladolid, no menos castellano era Fernando, nacido en Alcalá de Henares.

De cara a sus súbditos hispanos, Felipe II vuelve, pues, más firme, más seguro de sí mismo, más confiado en su futuro, aunque los acontecimientos posteriores desencadenados en Alemania desvanezcan esa euforia.

---

[12] Sobre la boda con la princesa María de Portugal, cf. *Corpus documental de Carlos V, op. cit.*, III, págs. 592 y sigs.

Pero eso será después. En 1551, y ya de regreso de nuevo a España, Felipe trae nuevas instrucciones, nuevos poderes de su padre, y en todo se refleja la mayor autoridad de que es investido.

Felipe II tiene toda la confianza de su padre, Carlos V. La época de la adolescencia ha quedado atrás. Tiene veinticuatro años. Está en plena edad viril. Y a su alrededor han desaparecido los viejos ministros de Carlos V, aquellos que el Emperador había puesto a su lado en 1543. Ahora, alrededor del Príncipe, no hay más que hechuras suyas, como Ruy Gómez de Silva, su fiel consejero portugués; como Luis de Requesens, su amigo de la infancia, o como Gonzalo Pérez, su secretario de Estado.

Un Príncipe todopoderoso que ya perfila cambios importantes, empezando por el asentamiento de la corte.

En efecto, a partir de 1551 Madrid será el centro de trabajo del gobernante, la futura capital de la Monarquía, con una corte cansada de tanto trasiego y que contempla las ventajas de convertirse en sedentaria.

Porque Felipe es, sin duda, un Príncipe devoto de su padre, y su respeto filial es evidente. Pero eso no quiere decir que no observe —o que no le hagan observar— que no pocas cosas deben cambiar. Y una de las primeras y más decisivas sería esa, tanteada ya a su regreso en 1551, cuando pone su asentamiento fijo en el alcázar madrileño, olvidándose de Valladolid, aunque fuera la villa que le había visto nacer. Entonces estaba lejos de pensar en la fundación de El Escorial, de forma que hay que anotar otras razones, como la existencia de un alcázar propio y la cercanía de los bosques de El Pardo, que le permitía dedicarse a su afición preferida: la caza. Sin olvidar las florestas de Aranjuez.

Sin embargo, observamos otra circunstancia más personal: el Príncipe está enamorado.

En efecto, hoy día no tenemos ninguna duda sobre la primera pasión amorosa del Príncipe, que arrancaba ya de los años anteriores a su viaje al Imperio. Es aquella dama de la corte de su hermana doña Juana, que lo había sido antes de su madre, la Emperatriz: Isabel de Osorio. Por lo tanto, una hermosa mujer que lleva unos años al Príncipe y que le deslumbra cuando aún es un adolescente, probablemente incluso cuando todavía estaba casado con la princesa María Manuela, pues la fascinación venía de atrás, de los últimos tiempos de la corte de la Emperatriz.

Ahora bien, Isabel de Osorio ha pasado a dama de la pequeña corte que en Toro tiene la princesa Juana junto con don Carlos, el hijo de Felipe, entonces un niño de seis años. De forma que en cuanto puede, como haría cualquier otro enamorado, Felipe trueca Madrid por Toro, que se está convirtiendo ya en la capital donde está su familia —su hermana y su hijo— y, sobre todo, donde está su enamorada.

El 12 de julio de 1551, llegaba Felipe II a España. Dos meses después, a mediados de septiembre, ya se encontraba en Toro. Allí no dejaría del todo los problemas de Estado; eso era imposible. Y lo demuestra su despacho al

Emperador de 27 de septiembre, un largo despacho porque Francia ha roto de nuevo la paz y hay que prepararse activamente para la guerra; sobre todo porque existe el peligro cierto de un ataque de la armada turca.

Ahora bien, la estación ya está gastada, así que los asuntos de la guerra no impedirán a Felipe II trasladarse quince días después a Toro, planteándose en adelante su esquema de vida: en Toro, para sus placeres, y en Madrid, que definitivamente desplaza a Valladolid, para su trabajo de gobernante. En mi estancia en Viena de 1960 pude encontrar en el Haus, Hof und Staatsarchiv esta significativa carta de Felipe II a su primo y cuñado Maximiliano, fechada en Toro el 16 de septiembre de 1551:

> Ayer vine aquí, adonde me pienso holgar ocho o diez días, para irme después a trabajar a Madrid... [13]

Ahí está marcado el plan de vida de un Príncipe del Renacimiento, repartido entre el trabajo y el ocio, entre el gobierno de la Monarquía y la vida amorosa. Como Príncipe responsable, consciente de sus obligaciones, dejará el lugar de sus placeres, pero lo hará con la típica queja de los enamorados:

> Hicimos antier el torneo que escribí —otra vez confía el Príncipe sus sentimientos a Maximiliano— y yo me hallé tan desalentado, que luego me salí dél.

Y aún añade, desconsolado:

> Y otras nuevas no sé decir, sino que he partido de Toro con grandísima soledad... [14]

¿No estamos ante el lamento de los enamorados? Sufrir soledades y no tener requiebros es también lo que encontramos en aquella carta de Carlos V a Isabel de 20 de febrero de 1536, cuando tiene que darle la mala noticia de que no puede cumplirle su promesa de regresar a España, tras terminar la campaña de Túnez.

La soledad de Carlos V lejos de Isabel, la Emperatriz. Pero ¿quién era aquella otra Isabel que tanto alborotaba los pensamientos del Príncipe?

Eran amores bien conocidos, hasta el punto de que el eco de ellos alcanza a la corte de Bruselas y que a ellos haga referencia Guillermo de Orange años más tarde en su célebre *Apologie,* si bien dislocando sus términos y poniéndola como su primera esposa, para así acusarle de bígamo, por desposar después con la princesa María Manuela de Portugal; disparate gordísimo en el

---

[13] Felipe II a Maximiliano II, Toro, 16 de septiembre de 1551 (Haus, Hof und Staatsarchiv, Viena, Spanische Hof Korrespondenz, leg. 1, fol. 23; autógrafa).

[14] Felipe II a Maximiliano II, La Mota de Medina, 29 de septiembre de 1551 (*ibídem,* fol. 29).

que no hay que insistir, que no hubiera podido escapar a la mirada de Carlos V, que pasó aquel año de 1542 y primavera de 1543 en perpetua compañía de su hijo. Más verosímil es que el Príncipe iniciara su vida amorosa con Isabel, como consuelo y compensación frente al poco atractivo de su mujer, aquella gordezuela princesa portuguesa que le había deparado el destino[15].

En todo caso, en 1551 esos amores obligaron a Felipe II a ir y venir entre Madrid y Toro. El otoño lo pasará gobernando España desde la villa del Manzanares, pero en cuanto tiene un resquicio libre, tanto en Navidad como en Semana Santa, se planta en Toro[16].

Unos amores a los que nos gustaría asomarnos, conocer más detalles, observar a través de ellos la reacción de Felipe II, los matices de su carácter. En principio sabemos que no fueron pasajeros, pues en 1557, cuando el que se ha convertido ya en rey de la Monarquía católica y en rey consorte de Inglaterra, se acuerda todavía lo bastante de su amante como para concederla, desde su asentamiento de Bruselas, nada menos que un juro de heredad de dos millones de maravedíes sobre las rentas de Córdoba, lo que permitirá años después a Isabel de Osorio comprar a la Hacienda regia los lugares de Saldañuela y Castelbarracín, donde fundaría un señorío.

La villa de Saldañuela, cercana a Burgos, aún evoca esos amores: el fuerte torreón, la elegante galería y el espléndido balcón renacentista nos hablan de un gusto refinado, cortesano y principesco.

¿Hubo hijos de esas relaciones? Es bien posible, y eso explicaría aún más la generosidad del Rey desplegada en 1557.

Isabel de Osorio. Isabel era su nombre, y ese hecho fortuito, que fuera el mismo nombre de la madre tan amada, a buen seguro que influiría en la elección del Príncipe, cuando entre las damas de la Emperatriz atisbó a aquella hermosa mujer cuyo nombre le hacía recordar a su madre.

Hemos dicho que no parece verosímil que el Príncipe hubiera desposado en sus años mozos a Isabel de Osorio, ni antes de su boda con María Manuela, cuando tenía catorce o quince años (tal como afirma Guillermo de Orange), ni después, en la década de los cuarenta, cuando enviuda y se va convirtiendo en el *alter ego* del Emperador. Eso hubiera sido ir demasiado lejos frente a la política dinástica marcada por Carlos V y en contra a lo que, como Príncipe de las Españas, se entendía entonces que debía ser su boda, en todo caso estrictamente dirigida y orquestada por el jefe de la dinastía.

En definitiva, era impensable ni que Carlos V diera tal licencia ni que Felipe II llevara a cabo algo que suponía, en la mentalidad cortesana de la época, como un grandísimo quebranto de sus deberes dinásticos y del respeto y obediencia que debía a su padre, el Emperador. Y se probaría por mil testimo-

---

[15] Para mí, el comentario de los ministros de Felipe II en torno a la boda con Isabel de Valois, de que entonces sí que no podía tener quejas el Rey, iba referido no sólo a lo que había supuesto su matrimonio con María Tudor, sino también con María Manuela de Portugal.

[16] Haus, Hof und Staatsarchiv, Viena, Spanische Hof Korrespondenz, leg. 1, fols. 37 y 44.

nios, sin olvidar el tan evidente de cómo Felipe acepta, sin protesta alguna, su boda en 1554 con María Tudor.

Ahora bien, señalado esto, es preciso también comentar un texto del fidedigno cronista Cabrera de Córdoba, que había servido directamente al Rey y que estaba al tanto de no pocas de sus interioridades. Cabrera de Córdoba, al reseñar en 1588 la muerte de Isabel de Osorio, añade:

> Año de 1588: muerte de doña Isabel de Osorio, que pretendió ser mujer del rey don Felipe II; que ella tanto se ensalzó por amarlo mucho...[17]

Por lo tanto, si hemos de creer al cronista, no sólo Guillermo de Orange, sino la propia Isabel de Osorio se consideró esposa del Rey. ¿Cómo puede ser esto? ¿Qué explicación tiene? ¿Se trata de que Isabel de Osorio tomó demasiado al pie de la letra las expansiones amorosas de Felipe II?

Lo que no cabe duda es de que nos encontramos ante un profundo amor.

Esta década de los cuarenta y principios de los cincuenta nos hace pensar en un Príncipe dócil —«es como cera blanda», diría Estefanía de Requesens—, clemente en la justicia (el que perdona en Salamanca a un reo de muerte a requerimiento de la desconsolada madre, que se lo pide, abrazada a sus rodillas, según nos refiere Cabrera de Córdoba), defensor de su pueblo, cuyas tribulaciones le afligen (y así se lo señala una y otra vez a su padre, el Emperador), enamorado, e incluso valiente, queriendo ponerse al frente de los tercios viejos hispanos, para acudir en socorro de su padre, tan acorralado por los acontecimientos que sacuden al Imperio en la crisis de 1552.

En efecto, también esa faceta de los años jóvenes, que nos muestran a un Felipe II tan distinto del que luego irá perfilándose al choque de los acontecimientos, salta a nuestra vista.

---

[17] Cabrera de Córdoba, *Felipe II, Rey de España,* III, libr. IV.

10
LA AVENTURA INGLESA

En 1553, Carlos V está en repliegue sobre los Países Bajos, atento ya a defender sus tierras natales, olvidado de recuperar las plazas del Imperio perdidas por la ofensiva de Enrique II, e incluso renunciando a sus últimos planes sobre Alemania; tanto en lo relativo a que Felipe II heredara en su momento el título imperial, como por lo que se refiere a conseguir domeñar a los príncipes alemanes.

Era una situación defensiva, un poco a la desesperada: al menos, salvar los Países Bajos del acoso francés.

En ese mismo año de 1553, Felipe II tiene órdenes concretas de acudir junto a su padre. Para ello era necesario resolver la cuestión de quién quedaría al frente del gobierno de España en su ausencia, puesto que María se hallaba en Viena y no cabía pensar en ella, tras la ruptura del acuerdo familiar de Augsburgo y las reticencias de Maximiliano, y Juana estaba en Lisboa como mujer del príncipe Juan Manuel de Portugal. Por lo tanto, era conveniente que Felipe II se desposara de nuevo, para lo que había una princesa a punto: aquella María de Portugal, la hija de Manuel el Afortunado y de Leonor de Austria, prima carnal, por tanto, del príncipe Felipe, de la que se esperaba una dote sustanciosa.

¿Qué era lo que movía al Emperador a volver a llamar a su hijo? Para mí que, conociendo el grave estado de su madre, Juana la Loca, entiende que pronto habría ocasión para su retirada del poder y para que se cumpliera el relevo en la cumbre que tanto anhelaba, pero en el que no podía pensar mientras viviese su madre. Aquella fórmula de: «Doña Juana, Reina de Castilla, etcétera, y Don Carlos, su hijo...», había dado resultado, pero no se podía poner en marcha otra similar, en la que en vez del hijo apareciese el nieto.

Estaba claro. Era preciso esperar. Por otra parte, las noticias de Tordesillas, los achaques de la Reina madre y aquella otra enfermedad irreversible, la de su avanzada edad para la época (había cumplido ya los setenta y tres años), hacían prever que aquella situación duraría poco.

Por consiguiente, había que prepararse adecuadamente. Asimismo, como siempre, era obligado reunir buena cantidad de dinero:

> Y como V.M. dice que el principal fundamento della —la ida a los Países Bajos— es ir muy bien proveído de dineros, se mirará y trabajará y tratará los que podré haber y juntar, y de dónde y cómo y a qué tiempo...[1]

Un escollo difícil de superar:

> ... me tiene con la pena y congoxa que es razón, por no poder proveer a V.M. como quisiera...[2]

Esa era la situación en Castilla cuando un nuevo acontecimiento estaba ya trastocándolo todo.

El 6 de julio de 1553 moría Eduardo VI de Inglaterra. Se sucedieron unos días confusos, dada la pretensión del lord protector Somerset de hacer coronar a lady Juana Grey. Pero a finales de mes el panorama se había aclarado: María Tudor había sorteado con gran valor las primeras dificultades y podía sentirse segura como reina de Inglaterra. El apoyo del pueblo de Londres había sido decisivo.

¡Una reina soltera! Sin duda, nada moza, pues había nacido en 1516. Y no eran los únicos defectos, pues las continuas privaciones, el temor constante, la adolescencia pasada en una corte tan violenta como la de su padre, Enrique VIII, aquel arbitrario y sangriento monarca, el apartamiento en que había vivido María y la propia incertidumbre ante su vida, hicieron de aquella princesa una mujer ajada antes de tiempo.

¡Pero era una reina! La soberana de una de las naciones históricas de Occidente y de uno de los tres pueblos más poderosos de la Cristiandad, cuya alianza se disputaban los monarcas del continente, ya fueran franceses, ya españoles, ya austríacos.

Algo a tener en cuenta. Y así lo pensaron al punto los círculos diplomáticos de París y de Bruselas, de Madrid y hasta de la propia Viena. Sobre todo cuando, tras las primeras jornadas inciertas, en que se podía suponer que el Lord protector saldría victorioso en su intento por colocar en el trono a Juana Grey, se vio a una María Tudor animosa, acudiendo al pueblo londinense para ganarse su apoyo como la legítima heredera de su hermano Eduardo VI.

Una oportunidad que había que aprovechar y que Carlos V lograría. Acorralado como se hallaba por las continuas ofensivas francesas contra sus tierras de los Países Bajos, desmoralizado como lo estaba con su prestigio im-

---

[1] Felipe II a Carlos V, Madrid, 18 de mayo de 1553 (*Corpus documental de Carlos V, op. cit.*, III, pág. 593).

[2] Del mismo al mismo, Valladolid, 12 de noviembre de 1553 (*ibídem*, pág. 623).

perial tan dañado por la rebelión de su antiguo aliado en Alemania, Mauricio de Sajonia, y por su fracaso ante su intento de recuperar Metz, que le había arrebatado, junto con Toul y Verdún, Enrique II de Francia, el Emperador comprendió que el ascenso de María Tudor podía depararle un desquite, al más alto nivel, en aquellos postrimeros años de su reinado.

De ese modo, Felipe II tuvo una inesperada noticia. Dado que aquella alianza inglesa era tan importante para el futuro de la Monarquía, y teniendo en cuenta que Carlos V estaba ya tan gastado —aunque, en principio, hubiera sido el candidato idóneo, por la edad y porque ya había sido el propuesto en los anteriores acuerdos matrimoniales entre las dos casas, en los años veinte, cuando todavía vivía Enrique VIII y Carlos V aún estaba soltero—, Felipe II debía aceptar la presentación de su candidatura.

Lo cual plantearía al Príncipe no pocos problemas. En septiembre de 1553 tenía casi ultimado su matrimonio con la princesa María de Portugal. Al fin, Juan III había alargado la dote de su hermana hasta los 400.000 ducados[3]. Por fortuna, la flota de las Indias (cinco naos de Tierra Firme y cuatro de Nueva España) había arribado en octubre con buena cantidad de dinero: unos 3.000.000 de ducados, de ellos, 456.888 para las arcas imperiales[4].

Por otra parte, se ve a Felipe II con ánimo de gobernar con ideas propias, rectificando viejas posturas de su padre, incluida aquella tan poco afortunada de haber vendido las Molucas por el tratado de Zaragoza de 1529. ¿No era conveniente revocar aquel acuerdo? Al Príncipe le aseguraban que cada año el rey de Portugal sacaba de aquel comercio pasado el millón de ducados. ¡Y eso un año tras otro! Sin embargo, su padre lo había vendido por 350.000 ducados. ¡Bonito negocio!

Está claro el reproche del hijo en su advertencia al padre:

> Lo del Moluco está de la manera que V.Mt. sabe, y por la copia de la scriptura, que está otorgada cerca dello entre V.Mt. y el rey de Portugal, que va con ésta, verá V.Mt. que en cualquier tiempo que se vuelvan al rey de Portugal los 350.000 ducados que dio, parece que queda libre, y de la manera que fue declarado en tiempo de los Reyes Católicos y el rey don Juan de Portugal[5].

¿Se podía mantener aquella cesión? ¿No era el momento de recobrar lo perdido? Tal pensaba el Príncipe:

---

[3] Felipe II a Carlos V, Valladolid, 2 de septiembre de 1553 (*Corpus documental de Carlos V, op. cit.,* III, pág. 607).

[4] Felipe II a Carlos V, Valladolid, 2 de noviembre de 1553 (*ibídem,* págs. 626 y 627). En cambio, había que renunciar al dinero ofrecido por el negrero Ochoa, cuyo estanco de esclavos no sería permitido por la Junta de teólogos, no por respeto a la libertad del negro, sino por atentar contra los intereses de los demás negreros (*ibídem,* pág. 615).

[5] Naturalmente, se trata de Juan II (muerto en 1495), el que había firmado con los Reyes Católicos el tratado de Tordesillas de 1494, que regulaba las áreas de navegación de castellanos y portugueses, y que venía a dejar las Molucas en el ámbito castellano.

Y pudiéndose V.M. aprovechar de la venta de la especería no es cosa que se debe perder porque me certifican que vale al rey de Portugal más de un millón de ducados en cada año...[6]

Era también cuando Felipe II ya está gobernando de hecho España, procediendo directamente a la designación de los más altos cargos que iban quedando vacantes, como el de virrey de Cataluña, para el que nombra al marqués de Aguilar:

... le he proveído del dicho cargo —notifica a su padre—, teniendo por cierto que V.Mt. será bien servido dél[7].

Para esas fechas, ya Carlos V había mandado a Inglaterra uno de sus mejores diplomáticos, Simón Renard, y había conseguido inclinar el ánimo de María Tudor a su matrimonio con Felipe. No había sido fácil, sobre todo por la resistencia de la corte inglesa a ver a su reina casada con un extranjero; pero, al final, la diplomacia imperial logró la victoria, sorteando la enemiga de los franceses y hasta la rivalidad de su hermano Fernando, que quería poner a un hijo suyo en el trono de Londres.

Y Felipe II es advertido a principios de diciembre de 1553: María Tudor se mostraba cada vez más partidaria del pretendiente español:

He tenido cartas de Inglaterra —le escribía Carlos V a su hijo desde Bruselas el 3 de diciembre de 1553— en que afirman que aunque por parte del rey de Francia y del embajador de Venecia y otros se hacía toda la instancia posible por impedir y estorbar la plática del matrimonio entre vos y la serenísima Reina, todavía está en los términos que os he avisado y se confirma cada día más su buena voluntad...[8]

De forma que era hora de ir aprestando las cosas. Y entre ellas, la armada que había de llevar al Príncipe y a su cortejo. Pero ¿qué cortejo? ¿No existía el peligro de que media Castilla quisiera embarcarse con el Príncipe? ¡Cuidado con esto!

Y en lo de los Grandes y otros caballeros principales que han de venir con vos en esta jornada, como es razón, os lo remito, mirando sean de edad y que más os satisfarán. Solamente os ruego les prevengáis de dos cosas: la una, que vengan con moderación y de manera que puedan durar y no hagan en breve tiempo los gastos que suelen que los fuerçe a tornarse. Y la otra, que traigan criados honrados...[9]

---

[6] Felipe II a Carlos V, Valladolid, 12 de noviembre de 1553 (*Corpus documental de Carlos V, op. cit.,* III, págs. 629 y 630).

[7] *Ibídem,* pág. 631.

[8] *Ibídem.*

[9] *Ibídem,* págs. 636 y 637.

En cuanto al dinero, las Indias se habían portado tan bien, que el Príncipe podía ir muy rico; según el consejo de Carlos V, Felipe II podía llevar consigo un millón de ducados, y que fuera «... en oro cumplido...».

Sí, las Indias se estaban portando a las mil maravillas:

> ... de que habemos holgado, porque será a coyuntura para lo de vuestra pasada acá... [10]

Se mantenía la duda en cuanto a quién había el Príncipe de dejar en Castilla gobernando España. Felipe II pensaba en su propio padre, pero la idea no debió agradar al Emperador; realmente, hubiera sido inusual que el padre representara a su hijo, y Carlos V lo orilla [11].

Inesperadamente, la solución llegó de la Península. El 2 de enero de 1554 moría el príncipe Juan Manuel de Portugal, el esposo de la princesa Juana, la hija menor del Emperador. Y aquella joven viuda paría dieciocho días después un niño, el futuro rey don Sebastián de Portugal. ¡Por lo tanto, aquella viuda podía volver a Castilla! Que el príncipe niño quedara al cuidado de sus abuelos. Esa sería la misión que a toda prisa se encomendó a Luis Venegas de Figueroa, y doña Juana obedeció, acaso por su sentimiento de estar al servicio de la dinastía, quizá por su afán de protagonismo, ante aquella ocasión de gobernar la nación más poderosa de la época; posiblemente, por los dos motivos entrelazados.

Una dificultad aún: ¿qué se debía decir a la corte portuguesa? ¿Qué, en especial, a la princesa María, la hija de Leonor de Austria, aquella cuya mano se había solicitado y que ahora se olvidaba? El Emperador tendrá la respuesta:

> Y en lo de la infanta doña María en que también habló —el embajador de Portugal Bernardo de Zamora— apuntando su descontentamiento y la causa que tenía, habiendo pasado tan adelante la plática del matrimonio, le replicamos —es Carlos V quien escribe a Felipe II— lo necesario, sin querer justificar ni ahondar en la materia, en lo del cumplimiento de la dote y en lo demás, porque cuando estas cosas son pasadas, lo mejor es disimular... [12]

Evidente confesión de cuán mal se había tratado a la portuguesa y de que era difícil o, por mejor decir, imposible una clara satisfacción: «... lo mejor es disimular...» [13]

---

[10] Carlos V a Felipe II, Bruselas, 30 de diciembre de 1553 (*Corpus documental de Carlos V, op. cit.,* III, pág. 643).

[11] *Ibídem,* págs. 645 y 646.

[12] Carlos V a Felipe II, Bruselas, 13 de marzo de 1554 (*ibídem,* pág. 667).

[13] La cuestión portuguesa se agravaba por el hecho de que el infante don Luis de Portugal —hermano de la emperatriz Isabel y, por tanto, tío de Felipe II— había pretendido desposarse con María Tudor y convertirse en el rey consorte de Inglaterra, para lo que había pedido el apo-

Y se puso en marcha el cortejo, acaso el más fastuoso de la historia de España. Allí estaban las cabezas principales de la nobleza castellana: el almirante de Castilla, los duques de Alba y Medinaceli, los condes de Feria, Olivares, Fuensalida y Chinchón, los marqueses del Valle y de Pescara, y don Antonio de Toledo. Iba, por supuesto, el íntimo amigo desde la infancia de Felipe, Ruy Gómez de Silva, y como secretario, Gonzalo Pérez.

Era sólo la cumbre de un impresionante cortejo, pues cada uno de esos Grandes se hacía acompañar de una pequeña corte ¡Había que deslumbrar a los ingleses! El propio Felipe daba por descontado que, en conjunto, serían en torno a los tres mil. ¿Y cuántos no irían como aventureros, al olor de una jornada que se asemejaba a una conquista? Era como si se pensara: nuestro Príncipe se adueña del lecho de la Reina y nosotros de sus tesoros.

Precisamente lo que Carlos V temía que se produjera. Pero los hechos estaban así, y el propio Felipe II lo reconocía al embajador Simón Renard:

> En lo que scribís que la Serenísima Reina querría saber la gente que irá en nuestro acompañamiento y servicio, no se podría decir lo cierto, pero todavía no dexarán de ir hasta tres mill personas de nuestra Casa y Corte, sin la gente que irá para seguridad de la armada, que serán hasta otros seis mill, [y] sin la gente mareante...

¿Aquello no se parecía más a una invasión? ¿Acaso se confiaba en el deslumbramiento, en el efecto de aquel millón de oro? Carlos V lo tenía muy claro, que los españoles fueran a dar, no a recibir:

> Con este [correo] —le dice a su hijo— se os envía copia de un memorial que, con comunicación de la dicha Serenísima Reina, se han hecho de las personas a quien se ha de dar pensiones y en qué cantidad; paresce que debe ser en vuestra Casa, porque conoscan que de vos resciben la gracia y beneficio y que os han de servir y seguir... [14]

Dos cuestiones, por tanto: cómo había de quedar la gobernación de Castilla y de qué forma se había de hacer el viaje a Inglaterra. En cuanto a lo primero, no cabe duda: Carlos V nombrará a Juana, su hija, como lugarteniente y gobernadora, pero no por *motu proprio,* sino inducido por Felipe; y en relación a la segunda cuestión, el viaje no se podía demorar porque la Reina lo estaba deseando y los peligros de novedades en Inglaterra crecían. Esa era la impresión del Emperador, que merece algún comentario.

---

yo de Carlos V. Así pues, la decepción de Portugal fue enorme: no sólo don Luis era desbancado por Felipe II en Londres, sino que era desdeñada la princesa María. Un doble ultraje, difícil de olvidar. De forma que, cuando Leonor de Austria regresó con Carlos V a España y llamó a su lado a su hija, ésta se negó a salir de Portugal.

[14] Carlos V a Felipe II, Bruselas, 13 de marzo de 1554 (*Corpus documental de Carlos V, op. cit.,* III, pág. 662).

Pues en cuanto a dejar a Juana en Castilla se aprecian las reticencias del Emperador, no muy contento del modo en que se había comportado Juana en Portugal. En los despachos de Carlos V se aprecia que no tenía demasiado buen concepto de su hija pequeña y que le preocupaba el que hiciese algo indebido, tanto en el gobierno del reino como en el de su casa. De forma que para lo uno y lo otro le pide a Felipe II que la atase corto.

> Y pues conocéis que la Princesa es más ativa [15] y entonces ovo tales desórdenes, mirad que dexéis expresamente proveído que no sólo ella se temple en lo que ha de proveer, para los del Consejo que se lo han de consultar...

Y añade, en cuanto a la corte de la Princesa:

> Y miraréis si conviene que estuviese cerca de su persona alguna mujer principal de edad y buen exemplo..., y que se le modere la Casa, que soy avisado que para lo que tenía en Portugal había menester 40.000 ducados cada año, que es cosa desordenada [16].

Cierto: Felipe II tenía mejor concepto de su hermana, así que rebate las acusaciones paternas [17] y al fin impone su criterio, si bien procurará dejarla bajo severo control del equipo de gobierno que quedaba en Castilla, en particular del secretario Juan Vázquez de Molina [18]. También, tanto o más que por el fraternal deseo de verse con su hermana, por la exigencia de puntualizarle algunos extremos del gobierno que le dejaba, Felipe II acude a esperarla a la frontera, en Alcántara, desoyendo los apremios del Emperador para que sin más dilación embarcase para Inglaterra:

> ... yo habré de salirle al camino por la posta y vella y comunicalle algunas cosas que converná advertilla. Y no fuera razón dexar de vella por tan pocos días, quanto más que no se perderá tiempo porque mandaré partir mi casa y irla he alcanzar por la posta [19].

---

[15] Más que María; Carlos V está comparando las dos hijas y recordando el otro gobierno de María y Maximiliano de 1548.

[16] Carlos V a Felipe II, Bruselas, 30 de abril de 1554 (*Corpus documental de Carlos V, op. cit.,* IV, pág. 40). Como se ve, el Emperador tenía un juicio no muy favorable del comportamiento de su hija, en cuanto a su capacidad de gobierno, en las cosas de España y en las de su misma corte, en contraste con la imagen que últimamente se ha querido dar de doña Juana.

[17] Felipe II a Carlos V, Valladolid, 11 de mayo de 1554: que el Emperador estaba mal informado sobre la princesa Juana, y concretamente rebatiendo que su casa de Portugal saliese por 40.000 ducados: «... de la casa que agora tiene [la Princesa], por donde verá y entenderá V.M. que no le han dicho lo cierto en que montaba cada año 40.000 ducados» (*ibídem,* pág. 54).

[18] Instrucciones de Felipe II a Juana de Austria, La Coruña, 12 de julio de 1554 (*ibídem,* págs. 105 y sigs.): «... que la dicha Princesa no firme sino por mano de los Secretarios que quedan señalados.»

[19] Felipe II a Carlos V, Valladolid, 11 de mayo de 1554 (*ibídem,* pág. 46).

Por supuesto, los veintisiete años eran lo que al Príncipe le permitían aquellos alardes de coger una y otra vez la posta, el medio más rápido de la época, aunque, con mucho, también el más fatigoso.

Para entonces Felipe II había mandado ya a un emisario especial a la corte de Londres, el marqués de Las Navas, su mayordomo, con carta de su mano para la Reina y con un regio presente, acaso la famosa perla Peregrina, que era una de las rarezas del tesoro real[20].

Felipe II hizo su viaje saliendo a recibir a la princesa Juana, su hermana, en Alcántara, para ir con ella a visitar a la abuela Juana, aquella pobre Reina que se consumía lentamente en Tordesillas, donde llevaba recluida tantísimos años; visita que hay que interpretar como algo más que por un sentimiento familiar de los dos nietos hacia su abuela. Para mí, Felipe tiene un encargo de su padre, o acaso se lo plantea él mismo: conocer con más seguridad el estado de la pobre loca, y si era ya inminente su evasión de este mundo, dejando de una vez por todas el camino expedito para aquel relevo en la cumbre por el que ya suspiraba Carlos V.

En Tordesillas se separarían ambos hermanos; Juana con dirección a Valladolid, donde pondría su corte, y Felipe hacia La Coruña, donde al fin embarcaría a mediados de julio para dirigirse a Inglaterra.

Eso sí, a Inglaterra no iría sólo como Rey, sino también como hombre; no sólo el obediente hijo del Emperador, sino aquel que tanto gustaba de la vida amorosa.

Y como era harto dudoso el que en ese terreno la reina María Tudor le diera las satisfacciones que anhelaba, se llevaría consigo aquellas pinturas eróticas encargadas a Tiziano, en las que no es difícil ver o adivinar al propio joven Rey, y que no dudamos de que también se recogía, con el disimulo de los relatos mitológicos, a su propia enamorada, a Isabel de Osorio.

El maravilloso cuadro de *Dánae recibiendo la lluvia de oro,* una de las obras maestras de la pintura del Quinientos, está ofrecido por Tiziano a Felipe II en carta fechada el 23 de marzo de 1553; por lo tanto, se trata de un encargo del Príncipe antes de conocer su futuro destino inglés. Y la pregunta salta, al momento: ¿fue sólo un deseo de poseer ese cuadro erótico, con la mera referencia al tema mitológico? ¿O quiso Felipe II, encubriéndolo con ese pretexto, que el mejor pintor de cámara de su tiempo hiciera el desnudo que le recordara para siempre a su enamorada? Se nos dirá: Tiziano no conoció a Isabel de Osorio. Pero eso no es totalmente seguro. Desconocemos si entre aquella nube de acompañantes o con aquel nutridísimo cortejo del Príncipe en 1548 no iría Isabel de Osorio. Y aunque así no fuera, por el temor de Felipe II a que llegase la noticia al Emperador, bien podía Tiziano acometer aquel encargo, sin haber visto a la retratada, como lo hizo, en un plano distinto,

---

[20] Pero no es la que luce María Tudor en el retrato de Antonio Moro (y rectifico aquí lo que apuntaba en el *Corpus documental de Carlos V, op. cit.,* IV, pág. 45, nota 32), pues el cuadro de Antonio Moro se pintó en 1554, para ser mandado a Felipe II antes de su ida a Londres.

pero sin conocer a la persona, cuando retrató a la otra Isabel, a la Emperatriz, nueve años después de su muerte.

También debe tenerse en cuenta: estamos ante el cuerpo desnudo de una mujer concreta, en el momento de entregarse al amor, no de una figura estereotipada.

Y lo que resulta significativo: es el príncipe Felipe el que hace el encargo al artista de una pintura erótica, cuyos rasgos son recogidos por la documentación del Rey que custodia nuestro Archivo de Simancas, como pudo confrontar Fernando Checa:

> Uno de los amores de Júpiter cuando en lluvia de Oro vino a amar a Dánae [21].

Pero es más revelador el otro cuadro erótico que por esas fechas encarga Felipe II a Tiziano: *Venus y Adonis.* Aquí el comentario que hace Lafuente Ferrari es un punto de referencia obligado.

En el cuadro de Tiziano, sabemos que el pintor prometió enviárselo al Príncipe en 1553, posiblemente por un encargo hecho dos años antes, durante la estancia de Felipe II en Augsburgo en la primavera de 1551. Y es muy revelador que al demorar Tiziano su obra hasta 1554, cuando Felipe II ya está en Inglaterra, el Rey-Príncipe pida que se lo manden a Londres.

Esto, en la biografía del Rey, en la visión del hombre, es algo que hay que destacar.

Porque resulta evidente que Felipe II quiere tener consigo, en esa etapa tan desabrida de su matrimonio con María Tudor, aquella pintura que le traía a la memoria sus amores con Isabel de Osorio. En el cuadro, ¿con qué nos encontramos? Con una hermosa mujer desnuda (Venus-Isabel), de espaldas al espectador, que se esfuerza en sujetar a su amado (Adonis-Felipe II), cuya mano siniestra sujeta a dos perros de caza. Es el tema mitológico: la diosa griega trata de retener al hermoso Adonis, que se dispone a ir a la cacería donde encontrará la muerte, por el ataque de un feroz jabalí.

Es evidente que tal tema no está encargado al azar. Si Felipe II quiere tener esa visión de su amada, está claro que en Adonis quiere que el pincel de Tiziano le tome a él como modelo. En suma, que el pintor capte una escena de la vida amorosa del Príncipe, disimulándolo bajo el simbolismo del tema mitológico. Y por algo el rostro de Adonis, inclinado hacia Venus, permite la semejanza sin llegar a una precisión que podría parecer escandalosa; pero si comparamos este cuadro con el retrato que Tiziano hizo a Felipe II en 1551 en Augsburgo, hemos de reconocer que el parecido existe: de entrada, Adonis es un joven rubio en el que, como en el retrato de Augsburgo, se apunta bigote y barbilla.

---

[21] Citado por Fernando Checa, *Felipe II, mecenas de las Artes,* Madrid, 1992, pág. 475, nota 81.

Pero Felipe II, ya lo hemos señalado con el detalle que se merece, no descuida sus deberes con su nueva esposa, María Tudor, con la que intercambia los retratos de rigor: por su parte, envía a la corte de Londres el que le había hecho Tiziano en 1551, mientras que recibe de la reina inglesa el famoso cuadro de la mujer con la rosa roja.

Aquí el arte viene en ayuda del historiador.

Veamos primero el retrato de Felipe II. Es el que pintó Tiziano en la primavera de 1551, durante la estancia del Príncipe en Augsburgo. Por lo tanto, cuando tenía veinticuatro años. Y acaso porque todavía aspiraba al Imperio, donde tan temibles eran las ofensivas del Turco, aparece armado de caballero y espada al cinto, si bien el casco y los guanteletes de hierro quedan sobre una mesa cercana. No es todavía más que el heredero, y ese hecho de sumisión al Emperador, su padre, parece que trasciende del cuadro; pero, y quizá por ello, más propicio para enamorar a la reina inglesa, a quien al fin sería mandado desde Bruselas, pues al principio Felipe II se lo envió a su tía María de Hungría. Y aunque nos parezca un cuadro soberbio, no agradó a Felipe II, acaso porque hubiera deseado encontrarse más arrogante, más dominador. De hecho, sabemos que se quejaría a María de Hungría: «Si hubiese tiempo, yo se lo tornaría a hacer.»

Pongámoslo frente a frente del retrato de María Tudor hecho por Antonio Moro, precisamente para Felipe II.

Sin duda, es un excelente retrato, aunque no sea el de una hermosa mujer. Es el retrato de la reina María Tudor, el de la reina de la rosa roja en su diestra mano, desbordante de joyas, desde la diadema que luce sobre el tocado hasta las pulseras y anillos, pero sobre todo por el regio cordón anudado al talle y la soberbia perla que cuelga de su cuello, que bien pudiera ser la famosa perla Peregrina ofrecida por Felipe. Todo, como si de ese modo se quisiera compensar la falta de belleza de un rostro prematuramente ajado y carente de encanto, que más despierta la compasión, como de un ser desvalido, que la admiración por la hermosura que el artista no puede reflejar; aunque, eso sí, esté orgulloso de su obra, y por eso la firma bajo la bocamanga derecha de la Reina: «Antonius Mor pingebat 1554».

Presentados los dos principales personajes, vayamos al encuentro, con aquel desembarco español en Inglaterra de 1554.

Ya hemos comentado el regio cortejo que consigo llevaba Felipe II; era el ceremonial borgoñón que había impuesto Carlos V a la corte castellana. Mayordomo mayor, el duque de Alba. Entre el rico ropaje de Felipe, cinco trajes de corte, a cuál más lujoso. ¡Y un cofre lleno de joyas, que se decía eran para regalar a manos llenas! Los Austrias hispanos estaban decididos a demostrar que no habían tenido por móvil, en aquella boda, enriquecerse a costa de los ingleses, sino al contrario. Felipe II llevaba consigo un tesoro cercano al millón de ducados, y los Grandes que le acompañaban también iban bien provistos; todos querían competir en su «grandeza», de forma que en Castilla empezó a faltar el dinero, pues se habían quebrantado todas las normas que prohibían la saca de moneda del reino. Y eso lo sabemos por el propio Felipe II, que el 11 de mayo de 1554, en las vísperas de su viaje a Inglaterra, escribía desde Valladolid a su padre, el Emperador:

> Con llevar yo hasta 870.000 ducados, de más de 200.000 ducados que se habían gastado en el armada, poco más o menos, y con lo demás desto llevaré para mi gasto ordinario y con lo que llevarán los que fueren conmigo y con lo que se sacará a hurto y con lo que han sacado de algunas licencias que V.M. ha dado y el embaxador de Génova otorgado en los asientos que ha hecho por mandado de V.M., el Reino quedará muy falto de moneda...[22]

Y ya hemos visto que el Emperador le había mandado a su hijo un *Memorial,* consultado con María Tudor, de los personajes de la corte inglesa que debían recibir pensiones, insistiendo Carlos V en que el Príncipe debía dejar claro que tales pensiones las recibían de su mano.

¿Qué temía entonces el inglés medio? La propaganda francesa, hábilmente montada por el embajador Noailles, aireaba los viejos temores: Inglaterra perdería su libertad, el español la metería en sus incesantes guerras en el exterior e introduciría la espantosa Inquisición en el interior. Estaba, sí, el contrato matrimonial, que limitaba grandemente la posible influencia del rey consorte en el reino, y que parecía que daba todas las ventajas a Inglaterra: el hijo que tuvieran heredaría no sólo Inglaterra, sino también los Países Bajos, e incluso, si moría don Carlos, la propia España. Por otra parte, se especificaba con toda precisión que Inglaterra permanecería neutral en las temidas —y constantes— guerras entre Francia y España.

Ahora bien, por encima de los tratados estaban los soberanos, y sin duda era lo que animaba a Carlos V. ¿Acaso no iba a poder influir Felipe II sobre su esposa? Y eso que el Emperador no pudo más que intuir el grado de enamoramiento a que llegaría María Tudor. Pero algo debió barruntar cuando, al notificar a su hijo los términos del contrato matrimonial, que parecía tan desfavorable para Castilla, le indicaba:

> Vos deberéis prestar juramento de respetar las leyes y privilegios de Inglaterra...

Eso era lo que, en principio, debía hacer Felipe II; pero su poder sería muy otro, porque María Tudor le sería propicia para cambiar las cosas. Y así le añadía el Emperador:

> ... pero la Reina en confidencia nos asegura que secretamente se hará todo conforme a nuestra voluntad, y Nos la creemos[23].

---

[22] *Corpus documental de Carlos V, op. cit.,* IV, pág. 48.
[23] Citado por Martin Hume, *Reinas de la España antigua, op. cit.,* pág. 206, nota.

De momento, el Emperador es prudente: que Felipe II no dé ni el menor indicio de querer meter a Inglaterra en la guerra con Francia; tal es la consigna que le manda a fines de junio de 1554, cuando sabe que está a punto de embarcar para Inglaterra:

> Y habéis en todo caso de excusar que no se apunte ni platique —en las consultas con María Tudor y su Consejo— que queréis traer ingleses —a los Países Bajos—, porque no piensen ni sospechen que venís con fin de ponerles y meterlos en guerra...

Y añadía:

> ... antes, que habéis de procurar continuamente por vuestra parte que estén en paz y quietud y que no se vaya contra la neutralidad... [24]

En el esquema imperial lo que contaba, sobre todo, era establecer una firme alianza entre Inglaterra y la Monarquía católica, aunque fuera a costa de que los Países Bajos se desgajaran en el futuro de España; eso hubiera sido suficiente para contrarrestar el poderío francés.

Ahora bien, eso estaba condicionado a que la Reina tuviera sucesión, que naciese algún hijo de aquel enlace. Cuando se vio que toda aquella trama diplomática era vana, Felipe II cambió de idea: ¡al menos, que su sacrificio sirviera para algo! Y ese algo sería el apoyo inmediato en la guerra contra Francia, cuando la alianza entre Enrique II y el papa Paulo IV lo ponía todo más difícil, como hemos de ver.

De momento, cuando la armada española llega a las costas inglesas, a mediados de julio de 1554, Felipe II se apresta al desembarco en Southampton con su impresionante cortejo: en torno a las 3.000 personas, quedando en la armada un pequeño ejército —pequeño pero aguerrido— de 6.000 soldados, en principio destinados a incorporarse al frente activo que Carlos V sostenía en la frontera con Francia, pero probablemente también para advertir a los ingleses que el Príncipe que llegaba a sus costas era un poderoso señor y que cualquier desacato podía costar caro.

Sin embargo, de momento todo transcurrió normalmente, desde el recibimiento al Príncipe en Southampton por el enviado de la Reina, sir Anton Browne, hasta la recepción oficial en palacio por la propia María Tudor.

Pero ¿cómo se entenderían? He ahí una de las claves del problema planteado. ¿No debe todo buen monarca estar atento a las necesidades y a los deseos de su pueblo? ¿Y cómo puede hacerlo si desconoce su idioma? Tal había sido la reclamación de los castellanos cuando llegó a sus tierras un soberano extranjero, de nombre Carlos. Y tal ocurría ahora, aunque el problema fuera

---

[24] Carlos V a Felipe II, Bruselas, 29 de junio de 1554 (*Corpus documental de Carlos V, op. cit.*, IV, pág. 101).

menor, dado que el nuevo soberano era sólo rey consorte. Aun así, no pudo menos de causar mál efecto que la gente escuchara a sir Anton Browne, el noble enviado por la reina María Tudor, que se dirigía a Felipe II en latín, para ofrecerle un presente regio: un hermoso caballo blanco enjaezado de terciopelo carmesí y oro[25].

Asistamos al encuentro de los dos novios: anhelado por la Reina, que al fin parecía salir del túnel de sus angustias y de sus soledades, y temido por el Príncipe, que ya era Rey, pues Carlos V le había cedido el título sobre Nápoles. Y hagámoslo de manos de un gran historiador inglés, uno de los primeros grandes hispanistas dados por el Reino Unido, hoy poco menos que desconocido, de nombre Martin Hume.

Inglaterra acogió a la comitiva española con una lluvia pertinaz, que empapó a Felipe hasta el punto de tener que cambiarse de traje, antes de pasar a ver a la Reina[26], y que le provocaría un fuerte resfriado. En Winchester, tras oír misa en su catedral, fue visitado en su alojamiento por el conde de Arundel para notificarle que la Reina le aguardaba:

> Al entrar Felipe II —es Martin Hume quien describe la escena—, la Reina se paseaba con impaciencia. Estaba, como de ordinario, magníficamente ataviada, con muchas joyas sobre su vestidura de negro terciopelo, alto talle y basquiña de argentada labor.

Hubo besos, a la usanza de ambos pueblos: el galante del beso en la mano, según la costumbre española, y el de la boca, al gusto inglés. Y ya María Tudor puede decirse que mostró cuán vulnerable era:

> De la parte de ella —otra vez Martin Hume es quien escribe—, desde el primer momento fue todo amor. La pobre dama, famélica de amor toda su vida, traicionada y vejada por los que más obligados estaban a mostrarle rendimiento, dotada de un espíritu reconcentrado en sí misma, había encontrado al fin en aquel joven hermoso y apuesto, y 10 años más joven que ella, un ser a quien amar sin temor ni falta...[27]

Un historiador de nuestros días, acaso el que ha escrito la mejor biografía sobre Felipe II, lo resume de este modo, en cuatro palabras: «... Mary who adored him...»[28]

No es vana referencia de una crónica social. Está claro que el grado de influencia que Felipe II pudiera conseguir sobre María Tudor era importante

---

[25] Recojo textualmente el párrafo de Martin Hume, en un libro poco conocido por la historiografía española, pese a su valor: *Reinas de la España antigua, op. cit.,* pág. 213.

[26] *Corpus documental de Carlos V, op. cit.,* IV, pág. 120.

[27] Martin Hume, *op. cit.,* pág. 215.

[28] Pieter Pierson, *Philip II,* Londres, 1975, pág. 29.

de cara a que la aventura inglesa fuese afortunada. En ese sentido, Felipe II amplió con creces su cometido, y Carlos V, su padre, lo había de reconocer. A su mismo campamento de batalla le llega por todas partes esa información:

> ... del contentamiento y satisfacción que todos me certifican que tienen allá —en Inglaterra— de vuestra persona y del buen tractamiento y acogimiento que les hazéis... [29]

El protagonismo de Felipe II irá creciendo en la gran política europea. Ya no es el mero hijo obediente del Emperador, el simple ejecutor de sus órdenes. Carlos V le ha cedido el reino de Nápoles y le ha dado el ducado de Milán; algo para ponerle a nivel de su esposa, la reina de Inglaterra. No es un príncipe español el que desembarca en las costas inglesas, no únicamente el heredero de las Españas. Es ya el que tiene la decisión en sus manos de lo que ocurra en Italia, aunque siempre consulte con su padre. Y eso se percibe al punto, en dos cuestiones importantes: en la política a seguir en Italia, ante la nueva situación planteada en Siena, y en el comportamiento de la corte inglesa con la princesa Isabel, la hermanastra de María Tudor, la hija de Enrique VIII y de Ana Bolena.

En cuanto a lo acontecido en Siena, es preciso remontarse a 1552 para comprenderlo. La crisis política, a escala europea, abierta con el doble asalto del rey francés, Enrique II, y del príncipe alemán Mauricio de Sajonia al poderío de Carlos V tuvo su inmediata repercusión en la pequeña república italiana, donde el partido popular, apoyado por Francia, se alzó contra la oligarquía nobiliaria aliada con el Emperador. La revuelta alarmó a Carlos V, porque Siena podía convertirse en un punto conflictivo, un paso estratégico que en manos de Francia podía tanto cortar las comunicaciones entre el Milanesado y el reino de Nápoles como facilitar las antiguas incursiones francesas sobre Italia. Pero la reacción de la Monarquía católica tardó en producirse, sin duda por haberse volcado en el apoyo a Carlos V en Alemania y en la campaña contra Enrique II, cifrada en el asedio a Metz, y también porque la muerte en 1553 de don Pedro de Toledo, el virrey de Nápoles, al que se le había encomendado la misión de someter a Siena, dificultó las cosas, hasta el punto de que en 1554 el problema seguía en pie.

En 1554, cuando Felipe II estaba dando un paso más en su protagonismo político, Italia ya había sido puesta en sus manos por el Emperador. No sólo por el reino de Nápoles, hábil gesto que ponía al Príncipe al nivel debido frente a la reina de Inglaterra, sino también por la cesión del gobierno del Milanesado, que en agosto de 1554 Felipe II se apresura a tomar en sus manos:

> Habiendo de enviar una persona a Lombardía y al Estado de Milán, para que en cumplimiento de la merced que V.M. me ha hecho

---

[29] Carlos V a Felipe II, Saint-Omer, 20 de agosto de 1554 (*Corpus documental de Carlos V, op. cit.*, IV, pág. 120).

de dexarme la administración del Estado de Milán entienda en lo que allí se habrá de hacer en mi nombre...

Así escribía Felipe II a su padre desde Richmond, el 17 de agosto de 1554 [30]. Con igual autoridad quiere intervenir desde aquel momento en el conflicto de Siena, que se prolongaba en demasía; incluso enfrentándose con su padre, pues el Emperador deseaba una solución pactada, mientras Felipe II piensa ya en un control por la fuerza de los principales enclaves de la zona, que resolviese de una vez por todas la cuestión.

Para Carlos V eso tenía un inconveniente: que se acusase al nuevo rey de prepotencia, de un deseo de aumentar sus dominios, con lo que todos los pequeños potentados de Italia entrarían en recelos y sería dar la razón a la propaganda francesa. Aparte del gasto insufrible para la Monarquía.

¿Cuál sería la respuesta del Príncipe? ¿Someterse al criterio del Emperador? En absoluto. En una carta, no exenta de pasión, respetuosa en la forma pero enérgica en el fondo, Felipe II marcaría con firmeza su postura: él nada deseaba en cuanto a nuevos dominios, pero Siena en manos de Francia ponía en peligro la seguridad de Nápoles, y eso no lo iba a consentir:

> Si no nos queremos engañar —escribe Felipe II al Emperador—, bien podemos entender que ya estando en estos términos franceses, no se pueden echar de allí si no es con la fuerça...

¿Avasallador de otros dominios? Cierto, era una acusación que había que afrontar:

> Yo querría mucho justificar mis actiones para con todo el mundo de no pretender Estados ajenos, y para con V.M. no sólo las actiones, más aún los pensamientos; pero también querría que se entendiese de mí que he de defender aquello de que V.M. me ha hecho merced, y que tanto trabajo de su persona y sangre de sus súbditos le ha costado.

Y la razón era clara:

> Muy entendido está ser el estado de Sena la principal y derecha puerta para ofender el rey de Francia al Reino de Nápoles y asimesmo el baluarte para su defensa. Y siendo esto ansí, no puede nadie con razón juzgar que lo que se pretende con justo título para defender lo propio, y no más, sea ambición de nuevos señoríos... [31]

---

[30] *Corpus documental de Carlos V, op. cit.,* IV, pág. 118.
[31] Felipe II a Carlos V, Londres, 16 de noviembre de 1554 *(ibídem,* págs. 117 y 118).

Se pondría en marcha por tanto, desde Inglaterra, la operación militar y diplomática que daría por resultado la anexión de Siena al Estado aliado de Toscana, con el establecimiento de una serie de guarniciones en puntos clave de aquella costa; serían los presidios toscanos, en manos españolas, de que tendremos ocasión de hablar.

Mientras tanto, Felipe II seguía en Inglaterra su política de atracción de la corte inglesa y de apoyo a María Tudor para la recatolización del reino y su reincorporación al seno de la Iglesia romana.

Un móvil que era un lugar común en Castilla, tomando así como una misión a lo divino el enlace de su Príncipe con María Tudor y la consiguiente marcha a Inglaterra.

Tal se puede constatar por la documentación de la época. Cuando san Francisco de Borja intenta reducir el alterado ánimo de la reina Juana, la pobre reclusa de Tordesillas, que había dado en inquietantes manifestaciones religiosas, en apariencia heterodoxas, le argumenta que, puesto que su nieto Felipe había aceptado el sacrificio de su boda con María Tudor, para ayudar a la conversión de Inglaterra, sería en gran daño de su misión si allí se supiera la forma en que vivía ella —la reina Juana— en Castilla:

> ... qué dirían los que con él vivían —en Inglaterra— sino que, pues S.A. vivía como ellos sin misas y sin imágenes y sin sacramentos, que también podían ellos hacer lo mismo, pues en las cosas de la fe católica lo que es lícito a uno es lícito a todos...[32]

El mismo hecho del acompañamiento de Felipe II, con aquel escogido grupo de teólogos —entre los que destacaba Carranza—, da idea de que ese era uno de los objetivos principales de la misión que se llevaba a Inglaterra.

En su breve reinado en Inglaterra, de poco más de cuatro años, Felipe II tuvo que afrontar tres problemas principales, dos de ellos de inmediato, el tercero provocado por las circunstancias, después del relevo del Emperador; y esos tres problemas eran la cuestión religiosa en Inglaterra (su reingreso en la Iglesia de Roma), la sucesión y la neutralidad inglesa en la guerra entre la Monarquía católica y la de Enrique II.

En la cuestión religiosa, la intervención de Felipe II estribó en principio en aportar el equipo de teólogos españoles, entre los que destacaba el dominico Carranza, después arzobispo de Toledo, y más tarde procesado por la Inquisición. En la represión llevada a cabo por María Tudor y su gobierno, menor sin duda que la realizada en los anteriores reinados de su padre, Enrique VIII, y de su hermano Eduardo VI, la Reina se ganó el epíteto de María *la Sanguinaria* por la posterior historiografía inglesa, efecto sin duda del hecho de que al fin Inglaterra, bajo Isabel —la hija de Ana Bolena—, volviese

---

[32] Véase mi libro *Juana la Loca,* Palencia, 1994, pág. 235.

a romper con Roma, convirtiéndose en una de las cabezas de la Reforma en Europa.

En todo caso, Felipe II tuvo también un papel importante en el primer desenlace. Cuidó de que el cardenal Reginald Pole, legado de Roma para la reincorporación de Inglaterra al seno de la Iglesia romana, aguardase en los Países Bajos hasta el momento oportuno. Y el Rey estuvo presente, por supuesto, en las jornadas posteriores, hizo públicos votos porque todo se resolviese de acuerdo con los deseos de la Reina y, cuando al fin se proclama aquel retorno de Inglaterra al catolicismo, lo comunica feliz a España; a su hermana Juana le expresaría su contento:

> ... la alegría que por ello hemos sentido...

Se sentía, Felipe, satisfecho de haber logrado aquella misión, que era la que España —y no sólo Carlos V— había puesto en sus manos:

> Sabemos el gozo que os producirá —añade a su hermana, al darle la noticia—, y también a todos en España[33].

Y así era la verdad. Incluso Juana veía en ello la vía abierta para que también se redujese a la fe de Roma la misma Alemania, retornando de ese modo la antigua unidad de la *Universitas Christiana*:

> Nuestro Señor ha sido servido encaminallo para que por la mano de Vuestras Altezas se haya acabado un negocio tan grande en tanto servicio suyo y bien desse Reino y de nuestra religión, y que se haya abierto camino para tener esperanza que lo de Alemania podrá tener remedio...[34]

De modo que el retorno de Inglaterra se tomó como particularísima victoria del príncipe Felipe, y de esa manera se celebró en toda España, empezando por la corte, donde hubo

> ... procesión solemne, en que se halló el Señor Infante [don Carlos], mi sobrino, y los Grandes y perlados que aquí estaban[35].

Pero vinculado al problema religioso estaba el de la sucesión. Felipe, como María Tudor, sabían perfectamente que para que aquella reconversión de Inglaterra fuese duradera, para afianzar su obra, era preciso dar un heredero a la Corona. Ese era el cálculo, evidentemente, de Carlos V cuando planeó

---

[33] Fernández y Fernández de Retana, *La España de Felipe II,* I, pág. 360.

[34] Juana a Felipe II, Valladolid, 10 de febrero de 1555 (*Corpus documental de Carlos V, op. cit.,* IV, pág. 188).

[35] *Ibídem,* pág. 189.

la alianza matrimonial con la Casa Tudor. Y en un principio surgieron esperanzas, el rumor corrió: la Reina estaba embarazada.

Falsa esperanza, que el tiempo se encargó de esfumar. De modo que Felipe II se planteó otra alternativa: si no surgía el anhelado heredero, ¿quién sucedería a la Reina? Una pregunta tanto más razonable cuanto que la salud de María Tudor no era buena.

Sabemos la respuesta, que otra vez marca ya el protagonismo de Felipe: la protección a la princesa Isabel, en contra de los consejos del Emperador. Una protección que valió para salvar a la Princesa no sólo tras la conjura de Thomas Wyatt, sino también la de Dudley.

Algo que le sería reprochado por la España inquisitorial, representada en este caso por el cronista Cabrera de Córdoba:

> El Consejo condenó a muerte a Isabel —recoge el cronista de Felipe II— mas el Rey no quiso se ejecutase, aunque disgustó a la Reina, diciendo que era muchacha y engañada... Y Dios la guardó para que le inquietase, gastase y diese cuidadosa vejez, por haber antepuesto la comodidad del señorío guardando la que fue enemiga de la Iglesia Católica, de cuyo nacimiento, crianza y mala vida había perversos efectos...

Y añade, sentencioso, el cronista Cabrera de Córdoba:

> Son castigados los consejos cuando se prefieren a los celestiales. También afearon esta blandura en prudencia humana muchos, diciendo: «No muerden los muertos, y guardar en prisión Príncipe de sangre real era difícil» [36].

Derrochó, por tanto, Felipe II esfuerzo y dinero por atraerse a Inglaterra y afianzar su alianza, según la consigna que en 1553 había dado Carlos V a su embajador Simón Renard:

> A toda costa es nuestro deseo que Inglaterra y los Países Bajos resulten aparejados, con el fin de que se proporcionen mutua ayuda contra sus enemigos... [37]

La esterilidad de María Tudor hizo fracasar todo aquel empeño; el reingreso al catolicismo de Inglaterra duraría lo que el breve reinado de la segunda esposa de Felipe II, y poco más la alianza entre las dos Coronas.

La duda que puede formularse es si Felipe II no arrojó demasiado pronto la toalla, en la cuestión de conseguir sucesión de María Tudor. A esos efectos, apenas si se pueden computar los trece meses de su primera estancia en Ingla-

---

[36] Luis Cabrera de Córdoba, *Felipe II, op. cit.,* I, pág. 51.
[37] Citado en mi obra *Tres embajadores..., op. cit.,* pág. 21.

terra. ¿No era demasiado poco? ¿Hubo algo más? Felipe II salió de Londres, camino de los Países Bajos, llamado por su padre, como protagonista destacado en el acto del relevo; pero esa jornada de Bruselas transcurrió el 25 de octubre, y Felipe II dejaría pasar año y medio antes de regresar a Londres, y eso a paso de carga, por espacio de sólo cien días. Y ya no volvería a visitar Inglaterra. No cabe duda: la operación «Londres» se torna ingrata para el Rey, y cuando llega a la conclusión de que no conseguirá descendencia de la Reina, abandona presuroso la empresa.

11
En la cumbre

El Príncipe —a los ojos de los españoles todavía el Príncipe, aunque ya sea rey de Nápoles y rey consorte de Inglaterra— siente una liberación cuando su padre, Carlos V, lo llama a su lado en el verano de 1555. Hace tiempo que está esperando esa llamada del achacoso Emperador. En realidad, desde aquel gran viaje de 1548, cuando lo vio tan consumido en su palacio de Bruselas, Felipe II sabía que ese momento no podía tardar. De hecho, a partir de entonces el Príncipe va haciéndose más y más con el poder, y todos lo saben, como aquel noble castellano, el conde de Buendía, que se atreve a decirle en 1552:

> Suplico a V.A. me mande responder al memorial que le di en Madrid, que todos sabemos que sin consulta de Alemania puede V.A. despachar todas las cosas...[1]

De todas formas, estaba claro que existía una dificultad para aquel relevo en el poder, puesto que todavía vivía la auténtica reina propietaria de la Corona, la desventurada Juana la Loca. De ahí que Felipe II, antes de emprender su viaje a Inglaterra en 1554, pase por Tordesillas. Aquella era una visita que desbordaba a todas luces lo familiar; tenía que conocer exactamente cuál era la situación física de la regia prisionera y cuáles las perspectivas de cara al pronto relevo en la cumbre, pues hubiera sido muy difícil plantear la coronación de Felipe como rey de las Españas en vida no sólo de su padre, sino también de su abuela.

Pero eso, en el verano de 1555, ya era cosa pasada. La muerte, el 12 de abril de aquel año, de la pobre Reina había dejado abierto el camino para la alta operación de Estado tan ansiada por el César. Y hemos de decir que, con algu-

---

[1] Conde de Buendía a Felipe II, 2 de septiembre de 1552 (Archivo General de Simancas, Estado, Castilla, leg. 91, fol. 62; original).

nas dudas, también lo estaba deseando Felipe, en función de dejar aquella situación de interinidad y de poner en marcha, de una vez con toda su plenitud, su propia manera de ver la política, su propio esquema de gobierno; sobre todo, desde luego, a nivel nacional, puesto que en materia de política internacional el Príncipe siempre tuvo a su padre como el gran mentor, el que mejor conocía los entresijos de las relaciones con el resto de la Cristiandad, como lo demostraban las Instrucciones de 1548, verdadero testamento político del César.

En todo caso, Felipe sale de Inglaterra con la sensación de que allí no se podía hacer más, que había hecho todo lo humanamente posible para la reincorporación de aquel reino al catolicismo, empresa que había cuidado de forma especial, llevándose un equipo de teólogos, entre los que sobresalía aquel fraile dominico, fray Bartolomé de Carranza, al que Felipe premiaría pronto nada menos que con la mitra toledana, aunque no tardaría después en despeñarlo de su gracia, como tendremos ocasión de comprobar.

Para Felipe II era un alivio dejar la corte inglesa. ¡Ya estaba bien de fingir amor hacia la pobre reina de la rosa roja! ¡Ya estaba bien de poner buena cara a tantos desaires que él y los suyos recibían de los condenados ingleses, siempre tan altaneros! Por lo tanto, ¡qué alegría cuando vio desaparecer las costas inglesas, aunque dejase allí a su desconsolada esposa! De frente tenía ya algo más que las tierras de Flandes, que al menos podía considerar como suyas: tenía el poder, y el poder a manos llenas.

Porque estamos acostumbrados a evocar las jornadas de octubre de 1555, las jornadas de la abdicación imperial, con un solo protagonista: Carlos V. Y sin duda hay suficientes razones para ello. Pero ahora nos importa destacar al otro personaje, al Príncipe, que lo iba a recibir todo, que se iba a convertir en el nuevo señor de los Países Bajos, como primer paso para convertirse en el rey de las Españas, en el máximo poder de Occidente.

Por lo tanto, cuando pronuncia su emotivo discurso de despedida, que hace sollozar a la mayoría de los presentes, Carlos procede como lo que se espera de él, y lo hace a la perfección: ¡estamos ante una gran jornada para la gran historia, y todos son conscientes de ello!

El papel del Príncipe es muy distinto. Él no ha nacido en aquellas tierras y, por lo tanto, no tiene por qué aparentar ningún sentimiento de ternura o cosa que se le parezca. Él es el nuevo señor de los Países Bajos, el símbolo del poder, y como tal lo mejor que le cuadra es mantenerse imponente en su grandeza y aislado de sus súbditos. ¿Acaso no dicen los grandes pensadores que el mando exige soledad? Pues ese aislamiento, esa soledad quiere sentirla y hacerla sentir desde un principio. De ahí que no se lance a pronunciar ningún discurso, cosa que por otra parte iba contra su manera de ser. Que alguien hable en su nombre, que no va a ser el joven noble con el que Carlos V entra en la sala y sobre cuyo brazo se apoya; no será, en verdad, el ambicioso príncipe de Orange el escogido por Felipe II, sino un hombre de la Iglesia, criatura de la corte, ministro predilecto del propio Emperador y en el que también Felipe va a depositar su confianza: Granvela.

Basta con proclamar quién hablará en su lugar, quién es el hombre de su confianza, quién posee, al menos, parte de su secreto. Con eso es suficiente. El nuevo señor impone también su nuevo estilo: un cierto alejamiento de todos, una reserva altiva, un distanciamiento; ese distanciamiento a que obliga el poder.

En el fondo, es como una versión de la sentencia de Maquiavelo: el Príncipe ha de escoger ser temido, antes que ser amado. De momento, el nuevo conde de Flandes ya ha demostrado que no le importa ser amado. Le bastará con proclamar que tratará de ser justo, en cuyo ejercicio de la justicia estará el filo de su espada para que todo el mundo entienda que contra aquel que se atreva a discutir sus decisiones será de todo punto implacable.

De forma que en su breve participación de la jornada de Bruselas dejará para muchos bien claro su mensaje, que hará sentir aún más a los presentes la decisión imperial del abandono del poder.

¿Esperaba Felipe II, rey ya de las Españas a partir de enero de 1556, volver pronto a la alta meseta castellana? ¿Añoraba la luz de su tierra, ¡la lengua hispana!, su pequeña familia —aquel hijo, Carlos, que entonces andaba por los diez años—, incluso sus amores con la hermosa Isabel de Osorio? Posiblemente. Pero una vez más su sentido de la responsabilidad se impone, y ante la nueva situación creada en el verano de 1556, con un retorno de la alianza entre el Papa y el rey de Francia, tal como la había sufrido treinta años antes su padre, el Emperador, Felipe II decide aplazar su regreso a España. Es más, y dado que todavía es rey consorte de Inglaterra, torna a Londres para obtener el apoyo inglés.

Antes, ha de cumplir un deber filial: despedir al viejo Emperador, que al fin lo ha podido arreglar todo para emprender su último gran viaje, que le ha de llevar a su retiro de Yuste. El Emperador va con un pequeño cortejo, apenas ciento cincuenta personas; es una muestra de su sincero deseo de abandono del mundo. Y Felipe II quiere acompañarle, y lo hace desde su salida de Bruselas hasta Gante, si bien la peligrosa marcha de la guerra le obliga a regresar a la corte belga, pues no en vano el nuevo Papa, Paulo IV, está amenazando incluso con excomulgarle y privarle del reino de Nápoles.

Para contrarrestar la furia de aquel colérico pontífice, Felipe II decide precaverse mandando a Nápoles a su mejor soldado: el duque de Alba.

La situación no era nueva. En verdad, parecía que se estaba repitiendo lo ocurrido treinta años antes, con la Liga clementina montada por Clemente VII contra su padre, el Emperador. Por lo tanto, Felipe II sabe ya a qué atenerse. En primer lugar, la obligada consulta de los mejores teólogos españoles, aunque ya se sabe su respuesta. ¿Era legítimo que un rey católico empleara sus armas contra el Papa? Los teólogos convocados (salvo el cardenal Silíceo), y entre ellos Melchor Cano, fueron unánimes en la respuesta: en el Papa cabía distinguir sus dos personalidades, la de pastor de la Iglesia, que merecía todo respeto y obediencia en materia religiosa, y la de jefe de Estado, al que, si procedía violentamente, se le podía ofrecer la debida resistencia.

¡Y estaba claro que Felipe II no iba a consentir verse desposeído, a las primeras de cambio, nada menos que de aquel primer reino que le había cedido su padre, Nápoles, que estaba vinculado a las mayores gestas de los tercios viejos, a todas las hazañas del Gran Capitán!

Ahora bien, había que aprender del pasado. No se podía volver a repetir lo ocurrido en 1527 con el saco de Roma. No se debía repetir, pero sí se podía amenazar. Por lo tanto, que el adversario temiese lo peor. Y de ese modo, el lenguaje del Rey mostraría bien a las claras su indignación. A mediados del mes de septiembre de 1556, cuando tan reciente tenía la despedida de su padre, el Emperador (a quien bien comprendía que ya no vería más, pues tan acabado estaba), Felipe II expresa a su hermana Juana, como gobernadora en su nombre de los reinos de las Españas, toda su cólera y hasta dónde está dispuesto a llegar para oponerse a los ataques del Papa que tanto le indignaban:

> Se ha entendido de nuevo que el Papa quiere excomulgar al Emperador, mi señor, y a mí y poner entredicho y cesación *a divinis* en nuestros Reinos y Estados...

¿Qué ocurriría si tal nueva se hacía pública en España? Eso era lo primero que había que evitar, con las medidas más severas:

> Si por ventura entre tanto viniese algo de Roma que tocase a esto, conviene proveer que no se guarde ni cumpla ni se dé lugar a ello. Y para no venir a esto, mandar, conforme a lo que tenemos escrito, haya gran cuenta y recaudo en los puertos de mar y tierra... y que se haga grande y ejemplar castigo en las personas que las trujeren, que ya no es tiempo de más disimular...[2]

A tenor de esas instrucciones estaría la amenazadora carta que apenas si hacía un mes que el duque de Alba había enviado a Paulo IV. ¡Que fuera el soldado el que se encarase con el Papa! Una carta escrita en tales términos que bien podía haberse atribuido al humanista Alfonso de Valdés, al autor de *Diálogo de las cosas acaecidas en Roma o Diálogo de Lactancio y un arcediano*, la polémica obra sobre el saco de Roma:

> No pudiendo faltar a la obligación que tengo como ministro, a cuyo cargo está la buena gobernación de los Estados de S.M. en Italia, ni aguantar más que V.S. haga tan malas fechorías y cause tantos oprobios y deshonores a mi Rey y señor, faltándome ya la paciencia para seguir los dobles tratos de V.S., me será forzado, no sólo a no deponer las armas, como V.S. me dice, sino proveerme de nuevos alistamientos que me den más fuerzas para la defensa de mi dicho Rey y señor de estos Estados y aun para poner a Roma en tal aprieto,

---

[2] Felipe II a Juana de Austria, Bruselas, 17 de septiembre de 1556 (Archivo General de Simancas, Estado, leg. 114, fol. 27).

que conozca en su estrago se ha callado por respeto y se sabe demo-
ler sus muros...[3]

Tal era lo que sucedía porque el Papa había trocado su papel de pastor
para convertirse en lobo. ¡En verdad que no lo podía decir mejor ni más claro
el propio Alfonso de Valdés!

De todas formas, un panorama sombrío que, con la declaración de guerra
del rey de Francia, rompiendo las ilusorias treguas de Vaucelles, fuerza a Felipe II a hacer algo que era poco de su agrado: viajar entre Flandes e Inglaterra,
tener entrevistas en la cumbre, negociar con sus molestos súbditos ingleses
una ayuda de todo punto precisa para la buena marcha de la guerra. Entre
marzo y julio de 1557, Felipe estará en Inglaterra y volverá a ver a su esposa,
María Tudor. Pero en cuanto consigue el mínimo apoyo que los ingleses se re-
signan a darle, se despide de una vez por todas.

Un gran historiador inglés, injustamente olvidado, nos describe ese momento, tan penoso para la reina de la rosa roja:

> A principios de julio Felipe caminaba por última vez de Grave-
> send a Dover por Canterbury, yendo al lado suyo en litera su mujer
> enferma. El 3 de julio se despidió de ella, a punto de embarcar en el
> bote que había de conducirle al galeón que le aguardaba.
>
> María, con la muerte en el corazón, se volvió de espaldas al mar y
> se fue desolada a su mansión de Londres...[4]

El año 1557 es muy particular en la vida de Felipe II; es el de su aventura
bélica, en el que se hallará en primera línea de combate.

Ya había estado en circunstancias parecidas cuando se produjo la crisis
de 1552 y llegó a España la noticia del difícil momento por el que estaba pasando el Emperador, al tener que enfrentarse con el asalto francés a Metz,
Toul y Verdún y a la inesperada rebelión del duque Mauricio de Sajonia. En
aquel año, el Príncipe contaba ya veinticinco años, y a esa edad ya se había
visto a muchos soberanos acaudillar sus tropas. ¿Abandonaría a su padre,
cuando se veía tan acosado por todas partes? Recordemos aquella carta que le
envió el obispo de Cuenca:

> Vuestra Alteza está en trance, según las cosas presentes, de ganar
> o perder reputación del valor de su persona para siempre, porque
> por ventura no se ofrecerá en la vida otro tiempo ni ocasión tan gran-
> de como agora para mostrar su valor y poder...

¡Ya estaba el problema del siglo, la cuestión de la honra! Y no era sólo la
opinión del buen obispo; se trataba de un comentario general. A creer al prelado de Cuenca, no se hablaba de otra cosa:

---

[3] La carta, recogida por Fernández y Fernández de Retana en su obra *La España de Felipe II*,
I, págs. 400-403.

[4] Martin Hume, *Reinas de la España antigua,* Madrid, s.a., pág. 228.

... Y V.A. tenga entendido que se habla de esto y todos esperan lo que V.A. hará, y que en esto especialmente y en otras cosas le miran a las manos...[5]

Es más, el propio Príncipe estuvo entonces a punto de ponerse en campaña, atacando el sur de Francia[6], de lo que fue disuadido por el Emperador, que no quiso comprometer a su hijo en empresa tan arriesgada[7].

Pero entonces era distinto. En aquellos años cuarenta y principios de los cincuenta, Felipe era el segundo de a bordo, el *alter ego* del Emperador, su mejor auxiliar; pero, a la postre, eso, el que debía cumplir mejor que nadie los designios imperiales.

Ahora —en 1557— todo ha cambiado. Su padre es un viejo prematuro que se ha recluido en el retiro conventual de Yuste, y nada se puede esperar ya de él, salvo algún consejo que, por lo demás, pocas veces llega a tiempo.

Felipe está solo en el poder; tanto más solo cuanto que se halla en tierra extraña, a más de mil kilómetros de aquella Castilla que es la garantía de su firmeza. Está solo, y de lo que haga o de lo que deje de hacer a nadie puede culpar, sino a sí mismo. Y la guerra está ahí, a un paso, en la frontera con Francia, apenas a doscientos kilómetros de su palacio de Bruselas, donde tiene su corte; esa guerra contra los franceses que torna una y otra vez, bien a su pesar, y que debe afrontar, pues todo el mundo sabe que las batallas decisivas no se darán en tierras de Italia ni en los aledaños de los Pirineos, sino en esas llanuras cruzadas por tantos ríos que corren entre Bruselas y París.

¿Cómo actuará Felipe II? Ya hemos visto que, contra la imagen que se le suele asignar de un príncipe vacilante, la realidad es que el Rey muestra una notable actividad, presentándose en la corte inglesa en aquella primavera de 1557; por las mismas fechas en las que manda a su hombre de confianza, a Ruy Gómez de Silva, a España, para recabar el mayor apoyo económico posible.

Y tiene fortuna, pues junto con la ayuda inglesa —que no sería todo lo importante que hubiera querido, pero sí lo suficiente para inclinar la balanza de la guerra a su favor— se encontraría con que las Indias vuelven otra vez a mostrarse generosas en sus remesas de oro y plata. Es cierto que se descubren algunas irregularidades de los oficiales de la Casa de Contratación de Sevilla, contra los que truena el Emperador desde Yuste, pidiendo los más ejemplares

---

[5] La carta, citada por mí en *Política mundial de Carlos V y Felipe II*, Madrid, 1966, págs. 149 y 150.

[6] Proyecto al que alude Ruy Gómez de Silva, en carta escrita a Eraso, posiblemente para que Carlos V tuviera noticia de ello y manifestara su aprobación o rechazo: «Su Alteza queda con tanta pena de lo que acá se pudiera pensar, que cierto no sé si ha de hacer alguna cosa de su persona...» (Madrid, 10 de mayo de 1552; Archivo General de Simancas, Estado, Castilla, leg. 89, fol. 131, autógrafa).

[7] Carlos V envió a don Juan de Figueroa para disuadir a su hijo de aquel intento (véase el documento en mi obra *Corpus documental de Carlos V*, III, págs. 477-484).

castigos [8]; pero, a la postre, Ruy Gómez de Silva puede conseguir en torno a los dos millones de ducados, que ayudarán a financiar la guerra, tanto en Italia como en Flandes.

Por lo tanto, la guerra. El olor a pólvora, el posible bautismo de fuego para el Rey, que en aquella primavera ha cumplido los treinta años. A esa edad, más o menos, Carlos V se había aprestado a combatir al mismo Turco —nada menos que a Solimán el Magnífico— ante los muros de Viena. A él le toca hacerlo ahora contra los franceses de Enrique II.

Tiene a su lado los mejores soldados, salvo el duque de Alba, que combate para él entre Nápoles y Roma. También está con él un viejo aliado, Manuel Filiberto de Saboya, compañero de armas de Carlos V en los campos de Mühlberg; un veterano, pues, de la guerra contra la Liga de Schmalkalden. Asimismo cuenta con capitanes belgas tan prestigiosos como el conde de Egmont, aquel que le había representado en la corte inglesa en 1554, y tiene, sobre todo, a los tercios viejos españoles, con soldados como Alonso de Cáceres, Bernardino de Mendoza, Enrique Enríquez y el más famoso de todos: Julián Romero.

Felipe II pone su cuartel general en Cambrai, para seguir de cerca la guerra. Pero los acontecimientos se suceden tan rápidamente, que la gran batalla de San Quintín (10 de agosto de 1557) se libra sin su presencia. No será, pues, su anhelado bautismo de fuego, cosa que sentirá en extremo:

> Mi pesar de haber estado ausente supera a cuanto Vuestra Majestad puede suponer... [9]

Así se lamenta con su padre, el Emperador. Sabe muy bien que el viejo César estaba pendiente de lo que hiciera y que le hubiera gustado verle al frente de sus tropas victoriosas [10].

Tiene que conformarse con acudir a los campos de San Quintín para estar entre los vencedores, que le rendirán sus armas y le mostrarán las banderas ganadas al enemigo; muy poco, sin duda, para un alma de auténtico soldado, pero, quizá, suficiente para Felipe II.

Pero tendrá otra oportunidad de conocer qué cosa era la guerra, y, además, sin apenas peligro: asistir a la toma de la plaza de San Quintín, que sus

---

[8] «... La Princesa —doña Juana, su hija— ... envíe a mandar a los que en esto entienden, que suspendan luego a los dichos Oficiales y los prendan, y aherrojados públicamente a muy buen recaudo los saquen de aquella ciudad y traigan a Simancas y pongan en unas mazmorras y secuestren sus haciendas...» (Carlos V al secretario Juan Vázquez de Molina, Yuste, 12 de mayo de 1557; *Corpus documental de Carlos V*, IV, pág. 325).

[9] Felipe II a Carlos V, 11 de agosto de 1557, por lo tanto, al día siguiente de la batalla de San Quintín y a poco de recibir Felipe su noticia; en Fernández y Fernández de Retana, *La España de Felipe II, op. cit.*, I, pág. 449.

[10] Acaso fue entonces cuando Carlos V se lamentó porque su hijo no hubiera emprendido una enérgica ofensiva sobre París.

defensores y, primeramente, el almirante Coligny se resisten a entregar sus armas. Se procede a un asedio en toda regla y se marca el día exacto del asalto: el 27 de agosto.

Felipe II ha pasado la noche anterior en el campamento con sus tropas; al menos, ha vivido con ellos lo que supone esa espera llena de ansiedad antes de una jornada en la que está en juego la victoria o la derrota, pero también la vida o la muerte; sin contar con cualquier descalabro que lleva al combatiente a ser un inválido para el resto de sus días. Y al día siguiente ocupa un puesto de observación, dispuesto a contemplar el asalto de la plaza, como quien asiste a un emocionante espectáculo; con una emoción bien garantizada, pues son sus tercios viejos los que acometerán la hazaña.

¡Las hazañas de los tercios viejos, de que tanto ha oído hablar a su propio padre, ahora ante sus ojos! ¿Y quién será el primero en plantar su bandera en las murallas de la ciudad enemiga? El capitán Luis Cabrera de Córdoba, abuelo del famoso cronista del Rey, quien así nos narra lo que le había llegado por vía oral y familiar:

> Los franceses fueron vencidos, entrando el primero y muriendo el capitán Luis Cabrera de Córdoba..., el cual capitán, superando la batería, plantó su bandera...[11]

Pero hubo algo más que el heroico asalto a las murallas enemigas. Después sobrevino el saqueo generalizado de la ciudad, el incendio de casas y templos, el pillaje, la matanza de los vencidos y de civiles, la violación de mujeres...; en suma, todo el horror de la guerra, la otra cara de la moneda, como sucedía siempre cuando una ciudad se defendía, y se concedía licencia del botín para los asaltantes. Eso también lo pudo ver el Rey, y acaso fue cuando pensó en voz alta: «¿Y esto es lo que tanto apasiona a mi padre?»

Pero el horror que desde entonces sentiría hacia la guerra no le iba a evitar el entrar en ella una y otra vez, a lo largo de su reinado.

Lo que sí le iba a impedir, el asedio y toma de San Quintín, sería la marcha decisiva sobre París, con el consiguiente alargamiento del conflicto durante otra campaña.

El año 1558 empezó muy mal para la suerte de la guerra. La indecisión filipina no sólo había permitido a los franceses rehacer sus fuerzas, sino que el duque de Guisa, abandonando Italia, que tan admirablemente había defendido el duque de Alba, se había presentado ante los muros de Calais y a las primeras de cambio se había hecho con lo que era la última gran plaza inglesa en tierras de Francia. Esto es, los franceses habían demostrado que seguían vivos, y es más, que podían seguir aspirando a la victoria.

Un serio revés, por tanto, que además ponía en peligro la alianza hispano-inglesa. Se hablaba de traición; se rumoreaba que el gobernador de la plaza,

---

[11] Cabrera de Córdoba, *Felipe II rey de España,* Madrid, ed. Real Academia de la Historia, 1877.

El desdichado rey don Sebastián de Portugal, muerto en la desafortunada empresa de Marruecos en 1578, que daría lugar a que Felipe II, *el hijo de la portuguesa*, aspirase al trono de Lisboa. Grabado de la época

ALEXANDER FARNESIVS D.G.PARMÆ ET PLACENTIÆ
DVX. GVB. BELG. NOM. PHILIP. II. HISPANIÃ REGII
Obijt Anno. 1 5 9 2. 3 Decemb. ÆTATIS SVE. 48
Ott.s vani pinxit   P. De Iode excudit

Alejandro Farnesio fue el mejor soldado con que pudo contar Felipe II tras la muerte de don Juan de Austria en 1578. Gobernador insigne de los Países Bajos, no solo consiguió constantes triunfos en el campo de batalla sino que demostró su talento de estadista al montar la Unión de Arras, origen sin duda de la actual nación belga. Grabado de 1592

Rodolfo II se educó durante diez años en la Corte de Felipe II, entre 1561 y 1571. De ese modo, cuando alcanza el trono imperial en 1576 se daría el caso paradójico de que el rey de España viera en él más al sobrino que le debía acatamiento que al emperador. Retrato de Joseph Heinz. Museo de Historia del Arte (Viena)

En los últimos años de su vida Felipe II irá perdiendo a sus grandes colaboradores en el gobierno y en las armas (Granvela, Alba); uno de los más destacados para reemplazarlos sería su sobrino el archiduque-cardenal Alberto, después marido de Isabel Clara Eugenia y gobernador de los Países Bajos. Retrato del archiduque Alberto por Rubens. Museo del Prado (Madrid)

Detalle de la batalla de San Quintín. Fresco de la Sala de las Batallas del monasterio de San Lorenzo de El Escorial

San Pío V, alma de la Santa Liga que conseguiría frenar al Turco en Lepanto, es también el Papa capaz de enfrentarse con Felipe II para llevar a Roma el proceso (y el procesado) de Carranza, aquel arzobispo de Toledo tan maltratado por la Inquisición española. Grabado del siglo XVIII

Prodigioso cuadro del Greco que nos señala las limitaciones de Felipe II en su valoración de la pintura, dado que no le agradó para decorar la basílica de su amado Monasterio escurialense. *El martirio de San Mauricio*, por el Greco. Monasterio de El Escorial

La inquietante belleza de la princesa de Éboli nos hace evocar algunos de los pasajes más misteriosos de la vida de la Corte de Felipe II. No en vano el rumor popular la había hecho amante sucesivamente del rey y de su secretario Antonio Pérez. Retrato de Ana de la Cerda, princesa de Éboli, por Sánchez Coello. Colección particular (Sevilla)

Antonio Pérez, el político astuto, el secretario desleal a su rey, el maquinador del asesinato de Escobedo, es acaso el personaje que más daño hizo a Felipe II, que tuvo la imprudencia de darle su confianza durante muchos años. Óleo en el Hospital Tavera (Toledo)

Este es, sin duda, el mejor retrato que poseemos de Fray Luis de León, el inspirado poeta lírico y célebre profesor del Estudio de Salamanca, que supo enfrentarse con la Inquisición, superando su encierro y proceso, para volver a su cátedra y poder decir con tono senequista: «Decíamos ayer...» *Libro de Retratos* de Francisco Pacheco. Fundación Lázaro Galdiano (Madrid)

El tiempo de Felipe II es también el de Fray Luis de León, el gran poeta y profesor de la Universidad de Salamanca. Aquí parece darnos una lección de mesura ante la fachada del viejo Estudio salmantino, proclamando aquello de que el rey era el primero que debía someterse a la ley

A partir de la década de los setenta Felipe II se convierte más y más en el rey devoto, en el rey del rosario en mano, tan en contraste con su padre, el Emperador, siempre cabalgando entre sus soldados. Retrato de Sánchez Coello. Museo del Prado (Madrid)

Ana de Austria, la cuarta y última esposa de Felipe II, había nacido en Cigales, lugar palaciego entonces cercano a Valladolid. Estuvo tan entrañablemente unida al Rey que puede decirse que murió por cuidarle cuando cayó enfermo camino de Portugal. Retrato de la Reina por un discípulo de Coello. Museo del Prado (Madrid)

Pantoja de la Cruz pintó este retrato de Felipe II para la biblioteca del monasterio de San Lorenzo. Estamos ante el rey cuya mirada parece perderse en la eternidad, cansado ya de este mundo

El rey asceta. Esta podría ser la reflexión ante las escondidas habitaciones de Felipe II en el colosal monasterio de San Lorenzo

Es de observar en este espléndido enterramiento de Felipe II que el rey se hiciera acompañar de tres de sus cuatro mujeres (María Manuela de Portugal, Isabel de Valois y Ana de Austria) y de su hijo primogénito, don Carlos, al que había metido en prisión; como si quisiera decir a los siglos venideros que si el rey había tenido que castigar al príncipe rebelde, el padre quería entrar con él en la gran historia.
Escultura de Pompeo Leoni. Monasterio de El Escorial

El análisis detallado del testamento de Felipe II constituye una de las partes más destacadas de este libro, porque a través de su lectura puede percibirse claramente la personalidad del rey, inmerso ya en la vida más devota. Archivo General de Simancas

lord Wentworth, demasiado blando a la hora de defender la ciudad, lo que trataba era de minar el prestigio de la reina María Tudor, para favorecer su relevo por su hermanastra Isabel [12]; algo, en todo caso, que afligió al Rey:

> Lo he sentido tanto —escribía a su hermana Juana— que no lo podría encarescer, y con mucha razón, por ser plaza de tanta reputación e importancia, y abierto camino para estas tierras de Flandes, y specialmente por los de Inglaterra, donde hay diferentes voluntades y propósitos particulares... [13]

Pero las perspectivas de la guerra se irían aclarando con la ayuda de la marina inglesa y la victoria de Gravelinas, en la que tanto destacó uno de los nobles flamencos de mayor prestigio: el conde de Egmont. En cambio, una noticia llegó de improviso a la corte de Felipe II en Bruselas que le puso en gran alarma: el descubrimiento de focos luteranos en la Corona de Castilla, sobre todo en Castilla la Vieja y Andalucía.

El hecho, de por sí tan grave, dado que Felipe II venía a representar la potencia que defendía a ultranza el catolicismo, tuvo la virtud de excitar al máximo a Carlos V, que al punto mandó los mensajes más enérgicos a su hijo: la Inquisición debía aplastar de forma implacable a tales herejes, por muy alto que estuviesen:

> Os ruego cuan encarecidamente puedo que, demás de mandar al arzobispo de Sevilla [el Inquisidor General] que por agora no haga ausencia dessa Corte..., le encarguéis y a los del Consejo de la Inquisición muy estrechamente de la mía, que hagan en este negocio lo que ven que conviene y yo dellos confío, para que se ataje con brevedad tan gran mal. Y que para ello les deis y mandéis dar todo el favor y calor que fuere necesario...

Esas parecían palabras formularias. Pero no lo eran las siguientes, que demuestran que la cólera del Emperador iba creciendo conforme se explayaba en el asunto. Y así, añade en la carta a su hija:

> ... y para que los que fueren culpados sean punidos y castigados con la demostración y rigor que la calidad de sus culpas merecerán. Y esto sin excepción de persona alguna... [14]

¿Por qué esa advertencia final? Porque los informes de la Inquisición acusaban a algo más que a simples clérigos o frailes; a miembros de la alta nobleza. Y lo que era más grave: al propio arzobispo de Toledo.

---

[12] Véase mi estudio *Tres embajadores de Felipe II en Inglaterra,* Madrid, 1951, págs. 25 y 258-260, nota 15.

[13] Felipe II a su hermana Juana de Austria, Bruselas, 15 de enero de 1558 (Archivo General de Simancas, Estado, leg. 816, fol. 9).

[14] Carlos V a su hija Juana, Yuste, 3 de mayo de 1558 (*Corpus documental de Carlos V,* IV, pág. 424).

¡El arzobispo de Toledo! Aquel fraile dominico al cual el Rey había preferido sobre todos apenas hacía unos meses, cuando hubo que cubrir la vacante que había dejado el cardenal Silíceo, muerto en 1557. Un fraile que había destacado por su ciencia teológica y por su piedad en el Concilio de Trento y que tanto le había ayudado en las jornadas de Inglaterra y en el que había puesto toda su confianza.

Fue, sin duda, la primera gran decepción sufrida por Felipe II, como si se sintiera traicionado. A las noticias que le llegaban de su hermana se añadían las advertencias del padre, que, venciendo las dificultades de la gota, sacaba fuerzas de flaqueza para hacerle de su propia mano las más apretadas instancias:

> Hijo: Este negro negocio que acá se ha levantado me tiene tan escandalizado cuanto lo podéis pensar y juzgar. Vos veréis lo que escribo sobre esto a vuestra hermana. Es menester que escribáis y que lo proveáis muy de raíz y con mucho rigor y recio castigo [15].

¿Qué hacer? Todavía no hay nada de seguro, sólo indicios; pero ¿cómo iniciar nada con el arzobispo en los Países Bajos? Era preciso mandarlo a Castilla con algún serio pretexto, para que nada sospechase, pero de manera que estuviese ya al alcance de la Inquisición.

¿Un pretexto? Había uno y suficientemente importante: conseguir que la reina María de Hungría accediese a relevar a Felipe II en el gobierno de los Países Bajos. El 13 de julio de 1558 se ha logrado la victoria de Gravelinas, y eso permite plantearse una próxima paz con Francia y, por tanto, el ansiado regreso a España. De forma que alguien tiene que ir de inmediato a España para pedir al Emperador que presione a la reina María de Hungría, pues ella es la única que puede relevar a Felipe II en Flandes. Se trataba de una misión del más alto nivel para la que sólo cabía pensar en un gran personaje. Eso permite al Rey designar sin sospechas al arzobispo Carranza.

Y Carranza, aunque barruntando algo del peligro, obedece y se pone en camino para España [16].

Tal ocurría a finales de julio de 1558. El 1 de agosto, Carranza desembarcaba en Laredo. Iba a comenzar uno de los capítulos más penosos del reinado de Felipe II.

Aun así, el acontecimiento mayor, al menos desde el punto de vista familiar, fue muy otro: la muerte del Emperador.

¡La muerte del Emperador! ¡El fallecimiento de Carlos V! Un suceso que todas las historias destacan debidamente con sus pelos y señales, en el entorno conventual del retiro de Yuste.

---

[15] Véase mi libro *La España del emperador Carlos V, op. cit.*, pág. 941.

[16] José Luis González Novalín, *El inquisidor general Fernando de Valdés*, Oviedo, 1968, I, pág. 323: «Si el gozo de su entrada pontifical en España pudo verse empañado, durante la travesía por cierto miedo a la Inquisición...»

Pero ahora no se trata de eso, sino de meditar en lo que aquella muerte supuso para Felipe II y en el eco que tuvo en Bruselas, donde tenía su corte el Rey.

Y de entrada, una primera observación: lo tarde que le llega la noticia, pues si la muerte del César se produce el 21 de septiembre, Felipe II no la conoce hasta bien entrado el mes de octubre. Sabemos que su hermana Juana de Austria le informa con todo detalle desde Valladolid el 11 de octubre; se trata de un informe oficial, en el que anuncia también una carta personal: «... como más particularmente lo scribo de mi mano...»

Ya, por lo tanto, con notorio retraso, pues la noticia debió de llegar a la corte castellana a finales de septiembre o, como muy tarde, a principios de octubre. La explicación estaría en el abatimiento de la hija:

> Aunque yo estoy tan penada y sentida, como tengo razón, de haber perdido tal padre como el Emperador, mi señor, que haya gloria, no dexaré de dar cuenta a V.M. en ésta de lo que pasó en su enfermedad hasta su fallescimiento...[17]

Felipe II se hallaba en Arras, atento a los últimos coletazos de la guerra. Ya se habían iniciado las conversaciones para la paz, tan ansiada por todos, y el Rey pudo hacer frente a sus deberes filiales. Desde el punto de vista personal, tenía el modelo de lo que había hecho su padre a la muerte de la Emperatriz: el retiro a un convento, escogiendo para tal caso el de Grunendal, cercano a Bruselas. Pero estaba, además, el imprescindible acto de los funerales imperiales a celebrar en Bruselas, algo a realizar con tal aparato y majestuosidad que precisaba montarse con mucho tiempo de antelación.

Y es ahora cuando debemos plantearnos si todo aquello merece la pena de ser recordado con algún detalle o si se trata de algo puramente anecdótico.

Lo cierto es que las historias al uso apenas si lo mencionan, y que la muerte del Emperador, en las biografías de Felipe II, se despacha con un par de renglones. Ahora bien, basta reflexionar sobre lo que supone actualmente la muerte de un gran personaje, la conmoción popular que se produce y la atención que provoca en todos los medios de comunicación (por ejemplo, tras la muerte del alcalde de Madrid Enrique Tierno Galván, «el viejo profesor», o cuando sobrevino el fallecimiento de don Juan, el padre del Rey), para entender que esos sucesos son de tal calibre, que, si interesan de ese modo a la opinión pública, algo guardan, algo esconden que no debe ser desatendido por los historiadores.

Está, por supuesto, el propio dolor del Rey ante la muerte de su padre, el Emperador; un doble mazazo, pues está fuera de dudas la veneración que

---

[17] Juana de Austria a Felipe II, Valladolid, 11 de octubre de 1558 (*Corpus documental de Carlos V,* IV, pág. 448).

el Rey sentía por su padre, como también que Felipe II sentía muy hondamente los vínculos familiares.

¡La muerte del padre! Ese terrible hachazo que nos deja a la intemperie, que nos despoja del último refugio, que nos entrega ya a nuestro propio destino, sin otra salvaguarda. Eso que sentimos todos los mortales, también lo sintió Felipe II.

A ello había que añadir el desamparo por la pérdida de su más fiel consejero, el único de cuya sinceridad estaba bien seguro, del que mejor conocía los entresijos de la política internacional.

Y eso también lo acusó el Rey. Lo cual no quiere decir que en su retiro del monasterio de Grunendal, donde permanecería en torno a los dos meses, Felipe II no estuviera atento a los acontecimientos, aunque evidentemente con menores reflejos. Fue precisamente estando en dicho monasterio cuando tuvo noticia segura de la grave enfermedad de su mujer, María Tudor, y cuando hizo el último esfuerzo para que la princesa Isabel, la futura reina de Inglaterra, casase con su aliado y pariente el duque de Saboya[18].

Pero eso no le iba a hacer olvidar lo que debía a la memoria del Emperador.

Al fin, todo preparado, las exequias fúnebres del César quedaron fijadas para el 29 de diciembre de 1558.

Se ha estudiado con detenimiento lo que suponen esas ceremonias públicas montadas desde el poder para marcar su grandeza y para perpetuarse, con una imagen imponente de su poderío. Entiendo que deberíamos tomar esas consideraciones con cierta dosis de prudencia, pues no se puede olvidar que para Felipe II se trataba, sobre todo, de rendir un homenaje a la memoria de su padre, en honor de lo que aquel Emperador había hecho y de la importancia que tuvo en su tiempo.

Un homenaje realizado en Bruselas y en el que participarían todos, desde la multitud agolpada, presenciando en silencio el impresionante desfile, y bordeándolo con 2.500 hachones encendidos, hasta el propio Rey, pasando por todos los personajes de la corte, con el desfile también de todos los signos del poder imperial, y cerrándolo con el aparato de la doble guardia regia, la española y la alemana. Y al aire, el sonar fúnebre de las campanas de todas las iglesias, doblando a muerto, y el de los tambores y trompetas de la corte.

Dos horas duró el desfile. Lo encabezaba la clerecía y los frailes de los conventos de Bruselas, portando sus cruces. Seguían los capellanes y cantores de la capilla musical del Emperador, aquella preciada herencia que Maximiliano había querido recibir, pidiéndosela infructuosamente a Felipe II. A continuación, y guardando alguna distancia, iba el alto clero de los Países Bajos. Era la fase religiosa, cerrada por doscientos pobres, como mejores intercesores ante la justicia divina. Seguía la Casa del Rey, en todos sus escalones,

---

[18] Véase sobre esto mi libro *Tres embajadores de Felipe II en Inglaterra, op. cit.,* págs. 29 y sigs.

desde el más modesto, como porteros, hasta el más alto, como los gentiles-hombres.

Era la primera parte del desfile. A continuación, los atabales y trompetas anunciaban con su música fúnebre la muerte del Emperador, representado por el rey de armas portando el estandarte imperial con su lema: *Plus Ultra*. Y eso anunciaría lo más espectacular: la puesta en escena de una nao en cuyos costados iban representados los grandes hechos del reinado de Carlos V, como una crónica viva de sus hazañas, pero también las de sus vasallos. Por lo tanto, con el recuerdo de sus victorias, como Túnez o Mühlberg, y asimismo de la conquista de Nueva España o la del Perú. Algo espectacular, algo jamás visto, porque correspondía a una realidad también como nunca se había dado.

No menos espectacular y solemne fue el desfile que siguió de veinte caballos, uno detrás del otro, todos encubertados de luto, cada uno representando a los diversos reinos y señoríos de Carlos V, desde el primero, con las armas del condado de Flandes, hasta el último, con las de Castilla. Un desfile que era como el de todo lo que había supuesto y todo lo que había dejado tras de sí aquel gran Emperador, pues tras esa cabalgata iban los portadores de las insignias del poder imperial (el escudo, la espada, la corona), siguiendo en imponente silencio, que hacía aún más grande el duelo, el caballo del Emperador (por ello llamado «el caballo de duelo»).

Y tras el caballo de duelo, el propio Rey, el mismo Felipe II, vestido con loba negra cuya cola llevaba Ruy Gómez de Silva.

Finalmente, cerraban el desfile la grandeza, los caballeros del Toisón de Oro, los grandes consejeros y, claro está, en último lugar la doble guardia del Rey, la española y la alemana, que no podía faltar como homenaje a aquel Emperador, capitán de sus ejércitos.

De esa manera se desarrollaron en Bruselas las exequias fúnebres de Carlos V, ultimadas con las ceremonias religiosas celebradas en la iglesia de Santa Gúdula, que conservaba tantos recuerdos del Emperador, empezando por las leyendas de sus vidrieras.

Era como cerrar un capítulo de la gran historia y abrir otro: el del reinado personal, ya sin interferencia alguna, del rey Felipe II.

Y es que se había realizado ya, de un modo completo, el relevo en la cumbre.

12
EL HOMBRE DE ESTADO

Hace ya algunos años el historiador inglés Koenigsberger formuló su teoría sobre Felipe II como hombre de Estado, en un ensayo que circuló ampliamente y que tuvo general aceptación, avalado por la categoría intelectual del autor: el Rey español nunca había tenido un plan claro y preciso de gobierno:

> ... ni el propio Felipe ni ninguno de sus ministros redactaron nunca un plan político completo...

¿Qué explicación cabía encontrar para tal anomalía? El propio Koenigsberger nos lo dirá:

> Para este fallo no puede haber más que una sola explicación razonable: no tenían tal programa o plan, y, con toda seguridad, no durante los primeros veinticinco años del reinado... [1]

Tal aserto sobre el hijo de Carlos V, cuando el *idearium* carolino era uno de los temas preferidos de los modernistas de la época, ahondaba aún más las diferencias entre ambos soberanos: no sólo entre el rey-soldado y el rey-papelero; no sólo entre el emperador cosmopolita y el rey castellano; no sólo entre el viajero sempiterno, siempre yendo y viniendo por los caminos de media Europa, y el monarca sedentario que apenas si salía del alcázar madrileño o de su refugio de El Escorial; no sólo, en fin, la gran diferencia entre el que llevaba tras sí la corte ambulante y el que había fijado de una vez por todas su corte en Madrid, capital del Imperio hispano, sino que ahora se añadía esta otra entre el gran hombre de Estado con su idea imperial y el rey que gobernaba sin un concreto plan de gobierno.

---

[1] H. G. Koenigsberger, «El arte de gobierno de Felipe II», en *Revista de Occidente,* 1972, núm. 107, pág. 134.

Pero cabe la pregunta: ¿eso era cierto? A mi entender, y ya lo expresé en más de una ocasión, la tesis de Koenigsberger no resiste al más mínimo estudio de la obra política de aquel monarca.

Veamos, por ejemplo, lo que respecta a la política internacional. En ese terreno, Felipe II muestra tener unas ideas muy claras: liquidación de la añeja rivalidad con Francia, poniendo su acento en una paz duradera que le asegure el predominio hispano sobre Italia, como ya hemos visto que logrará a través de la paz de Cateau-Cambrésis de 1559; por lo tanto, a los pocos meses de la muerte de Carlos V, y en lo que muchos historiadores ven el comienzo verdadero de su reinado.

Se podría argumentar que ése había sido el consejo dado por Carlos V en sus Instrucciones políticas de 1548 (lo que se ha venido en llamar el Testamento político del Emperador); esto es, que aquí, como en muchos otros aspectos, Felipe II no hace sino mostrarse un dócil discípulo de su padre. Aun así, ¿no vendría eso a demostrar que el Rey tenía un plan de gobierno? Al menos, el que había recibido de Carlos V. Un plan de gobierno, de cara a la política internacional, asumido por Felipe II en sus líneas maestras, aunque en ocasiones introdujera algunas variantes.

En general, cierto, los grandes problemas internacionales ante los que se ve inmerso son una herencia imperial, salvo precisamente el de las tierras germánicas, de las que se descuida por completo. Varios de esos problemas Felipe II los asume íntegramente. Y es más, consigue darles una respuesta satisfactoria. Tal, la paz con Francia, que no se verá rota hasta los últimos años de su reinado. Tal, la defensa de Italia, frente a la ofensiva turca; recuérdese a este respecto lo que supone la liberación de Malta, en 1565, o la Liga Santa —réplica de la que había forjado Carlos V en 1539—, que con Felipe II tendrá el logro tan decisivo de Lepanto; logro del que es muy consciente y de ahí que quiera perpetuarlo con la magia del pincel de Tiziano, aunque por desgracia el viejo pintor ya no consiga precisamente una obra maestra en el cuadro que hace por encargo del Rey.

¡Y está Trento! ¿Cómo olvidar que el Rey luchó lo indecible por conseguir que las nuevas sesiones del Concilio fueran una continuación de las que se habían celebrado en tiempos del Emperador? De modo que bien pudo decirse que si el Concilio de Trento se había iniciado gracias al apoyo imperial, en 1545, también podía afirmarse que se concluyó en el mismo lugar en 1563, merced a la decisiva intervención de Felipe II. Aquí, el hijo vino a coronar la obra de su padre, a continuarla, a ser como la prolongación de su brazo, después de su muerte.

Del mismo modo, resulta evidente que Felipe II asumió la política de sus antecesores de cara a la unidad peninsular; algo que Carlos V no había declarado expresamente en sus Instrucciones de 1548, pero que había insinuado cuando la muerte del príncipe Juan Manuel dejaba entreabierta la cuestión sucesoria portuguesa. Desde Yuste, Carlos V pugnó entonces por los posibles derechos de su nieto Carlos, en caso del prematuro fallecimiento del rey-niño don Sebastián. Fue don Carlos quien murió primero, pero cuando el que fallece, en 1578, y sin sucesión, es don Sebastián, la cuestión estaba ahí, y en la lucha que llevó a cabo Felipe II, como pretendiente con mejores derechos al trono luso, no haría sino seguir lo marcado por Carlos V en 1557, e incluso sesenta años antes por los Reyes Católicos, como es tan notorio.

Hemos hablado de algunas variantes al esquema imperial. Ciertamente. Así, en relación con la posible boda inglesa —la de Felipe II e Isabel de Inglaterra, tanteada por el Rey a finales de 1558— se eliminaría la cláusula por la cual los hijos de aquel matrimonio heredarían, además de Inglaterra, los Países Bajos, argumentando que eso hubiera sido en perjuicio de los derechos del príncipe don Carlos.

Aquí es donde topamos con una de las cuestiones personales de Felipe II: su visión del mantenimiento de la herencia recibida. Nada de mermas, ni siquiera en relación con aquellas tierras tan lejanas y tan difíciles de mantener en paz. Será necesario que transcurran treinta años de luchas terribles para que el Rey se plantee una solución a la cuestión de Flandes, dejándolas a su hija Isabel Clara Eugenia «... para alivio destos Reynos...», como señalaría en el Codicilo a su Testamento, hecho en 1597.

Y estaba el principio general de la paz. Felipe II no era hombre de armas, no amaba la guerra, ni la deseaba, a fin de conquistar nuevos reinos a costa de sus vecinos.

Quizá parezca poco apropiada la estampa del rey pacífico para un soberano tan metido en guerras, pero eso es lo que se corresponde con lo que se plantea a principios de su reinado; otra cosa es que sean sus vecinos los que invadan sus dominios y le obliguen a combatir, como ocurrió en 1557, ante la enemiga del papa Paulo IV y de Enrique II de Francia. Pero una vez asentada la paz de Cateau-Cambrésis, Felipe II no volverá sus armas contra Francia, pese a la crisis interna por la que atraviesa el reino galo bajo los reinados de Francisco II y de Carlos IX. No trataría de alterar más las cosas de su vecino, apoyándole, en cambio, en su lucha contra los hugonotes. Las guerras de los Países Bajos arrancan de una necesidad distinta: la de castigar a unos súbditos rebeldes. Cuál era su idea a este respecto lo dejaría bien reflejado en sus consejos a Catalina de Médicis para que obrara de igual modo en Francia:

> Señora: Este gentilhombre me dio una carta de V.M. y otra..., por ellas... entendí particularmente la malvada conspiración que algunos vasallos rebeldes del Rey, mi hermano, tenían concertada contra su persona y la de V.M...

Se hace eco de lo que su embajador, don Francés de Álava, le informaba sobre su decisión de castigar a los culpables:

> ... de castigar a los dichos rebeldes, como lo meresce su maldad...

¿Cuál es el consejo del Rey?

> ... así lo suplico yo a V.M. cuan encarescidamente puedo, y que en ninguna manera afloxe de tan sano y sancto propósito, pues de otra manera cada día se verían en peores aprietos, trabajos y peligros... [2]

Esa sería una norma que mantendría hasta el fin de sus días: mano dura con los rebeldes, el más implacable rigor contra los súbditos que se resistieran a sus órdenes. Y eso le llevaría a verdaderas acciones de guerra, dentro y fuera de España, en los Países Bajos o en el reino de Granada o contra los amotinados aragoneses que habían tratado de liberar a Antonio Pérez.

Ese esquema de paz con los reinos vecinos de la Europa cristiana será una constante hasta la década de los ochenta. A partir de entonces, la oportunidad de hacerse con la herencia de Portugal le hará cambiar de signo.

Curiosamente, no será el rey-joven el deseoso de guerrear con medio mundo, sino el de los últimos años, el más belicoso.

¿Y en cuanto a política interna? ¿Muestra el Rey algún plan de acción, algún programa concreto? Diremos en seguida que aquí nada encontraba en las instrucciones paternas, salvo el que mantuviera un firme apoyo a la Inquisición o que gobernara a sus súbditos con justicia. Pero pese a ello, a pesar de esos pocos indicios, sí resulta evidente que, en el planteamiento del gobierno interno de la Monarquía, Felipe II es el que innova, apartándose ciento ochenta grados de la política imperial. Y eso en dos terrenos: en el económico y en el de la administración central.

En el económico, porque ya desde los tiempos en los que gobernaba España, en nombre de su padre, había comprobado la extrema penuria en la que se estaba hundiendo el país, en especial los reinos de la Corona de Castilla. Eso es lo que resuena en todos los despachos del Príncipe desde 1544, cuando le insta tan apretadamente a la paz con Francia:

> ... la cual importa tanto para el bien y remedio de la Cristiandad y aún destos Reinos, que están tan necesitados y exhaustos que no sé con qué manera de palabras se lo pueda encarescer... [3]

En 1554, tras los gastos ocasionados por el viaje de Felipe II a Inglaterra, como esposo de María Tudor, el estado de la Hacienda era tan calamitoso, que todas las rentas estaban empeñadas hasta seis años después, lo que provocaría esta señal de alarma dada por la princesa Juana, entonces regente de España:

---

[2] Felipe II a Catalina de Médicis, Madrid, finales de octubre de 1567; en Pedro Rodríguez y Justina Rodríguez, *Don Francés de Álava y Beamonte. Correspondencia inédita de Felipe II con su embajador en París,* San Sebastián, 1991, pág. 68.

[3] Carta citada de Felipe II a Carlos V, Valladolid, 17 de septiembre de 1544 (*Corpus documental de Carlos V,* II, pág. 270).

> Está consumido y gastado casi todo lo que se puede sacar de rentas ordinarias, extraordinarias, bulas y subsidios, hasta fin de 1560 [4].

A finales de 1556 la situación no había hecho sino empeorar, llegando la deuda de la Hacienda Real a una cantidad aproximada a siete millones de ducados [5], cifra que suponía el doble de los ingresos de la Corona en 1554, que sólo habían alcanzado los 2.865.818 ducados.

Eso explica la decisión de Felipe II de suspender los pagos, la quiebra formalizada en junio de 1557. Era, a juicio de Vicens Vives, un intento de consolidar la deuda flotante, cuyos intereses se venían pagando desde 1552.

Por lo tanto, una situación económica agobiante, casi desesperada. ¿Y no responde a eso los oídos que se prestan en la corte a los consejos que da por entonces un arbitrista que luego se haría famoso, Luis de Ortiz? El contador burgalés prometía desempeñar la Hacienda Real con sus buenas medidas, que hoy consideraríamos de tipo mercantilista, por las que se trataba nada menos que de conseguir «el supremo mando e imperio del mundo».

No vamos a insistir más en ese tema del *Memorial* de Luis de Ortiz, que antes estudiamos con tanto detenimiento, sino de resaltar la atención que el Rey le prestó, indicio claro de las reformas que estaba deseando realizar en el campo económico. De ese modo, por una cédula suya de 27 de febrero de 1558, promete al contador burgalés los premios y ventajas que le demandaba, si su plan salía bueno, y de la forma más solemne:

> ... os doy mi fe y mi palabra real que todo lo susodicho se os cumplirá, sin faltar cosa alguna dello... [6]

Sabemos que las reformas económicas propugnadas por Luis de Ortiz no acabarían cuajando y que la atención que les prestó el Rey sólo hay que tomarlo como un indicio de sus planes de cambio en la Hacienda; medidas que se mostraron además en el decreto de junio de 1557, con la orden de la suspensión de pagos, convirtiendo la deuda flotante en consolidada para obtener un respiro de tiempo con el que poder cambiar las cosas.

Una de ellas, y de las que más insufribles parecían, era la presencia de los asentistas extranjeros, alemanes y genoveses principalmente. ¿Cómo desplazarlos? ¿Cómo poder aliviar a la Hacienda regia de los altos intereses que llevaban? Creando una banca nacional. Y eso fue precisamente lo proyectado en 1560, a raíz del regreso de Felipe II a España [7]. Ciertamente, poco fue lo conseguido, pero lo que ahora importa es resaltar que también en este campo, tan importante, el Rey tuvo un plan de reformas que trató de llevar a cabo.

---

[4] Citado por Carande, *Carlos V y sus banqueros, op. cit.,* III, pág. 430.

[5] *Ibídem,* pág. 469.

[6] Véase mi estudio *Economía, Sociedad y Corona,* Madrid, 1963, pág. 460.

[7] Felipe Ruiz Martín, «La Banca en España hasta 1782», en VV.AA., *El Banco de España. Una historia económica,* Madrid, 1970, págs. 20 y sigs.

Pero, a todas luces, lo que marca el afán de cambio del Rey y su logro mayor fue, evidentemente, la creación de la capitalidad, convirtiendo a Madrid en la corte de la Monarquía, acabando con la pesadilla de la corte ambulante que se arrastraba desde la época de los Reyes Católicos. Con lo cual nos encontramos con dos notas singulares: una, que el Rey rompía abiertamente con el esquema de gobierno de sus antepasados y, por supuesto, con el de su padre, el Emperador, y la segunda, que con ello demostraba que no quería dejarse arrastrar por los acontecimientos, que trataba de canalizar el futuro.

Naturalmente, eso en la medida de lo posible, pues ¿qué gobernante puede escapar a la presión de los acontecimientos? ¿Cómo podía evitar Felipe II, por ejemplo, la muerte sin sucesión de María Tudor? Está claro que los acontecimientos también mandan y que los estadistas deben tenerlos en cuenta y, con arreglo a sus principios políticos, darles el debido tratamiento.

Con lo cual debemos afrontar una de las principales cuestiones: las normas políticas y morales por las que se guió Felipe II. A mi juicio, fueron éstas: acendrado sentido de su responsabilidad como gobernante; sentimiento también de la suprema e indiscutible dignidad regia de sus funciones; defensa del patrimonio recibido, que debía legar a sus herederos; recta administración de la justicia, con tendencia a la severidad e incluso al implacable rigor contra los que considerase culpables o meramente disidentes, y, por último (aunque no fuera la postrera norma, sino acaso la primera), extrema religiosidad. Pautas en conjunto positivas (aunque ya veremos que algunas no tanto), pero que se vieron perjudicadas en su aplicación por otros rasgos de la personalidad del Rey, en particular su carácter receloso.

En cuanto al sentido de su responsabilidad como Rey y de cómo debía aplicarse al gobierno personal de la Monarquía, sin escatimar esfuerzo alguno, tenemos no pocos ejemplos. Yo diría que fue una máxima recibida de Carlos V, en las célebres Instrucciones carolinas de 1543, y que el Príncipe ya no olvidaría; aquello de que:

... más os ha hecho Dios para gobernar que no para holgar... [8]

Esa máxima del gobierno la asumió Felipe II plenamente. De ahí que, cuando algunos consejeros le insten en 1559 a seguir en los Países Bajos, apuntando a que el regreso a España era disfrutar plácidamente de su reinado, olvidándose de sus deberes de gobernante, lo tome como un agravio, y así lo anote de su mano al margen de una carta de su hermana doña Juana en la que la princesa le advertía que los reinos de Castilla estaban tan exhaustos que no podrían socorrerle con ningún dinero para que se sostuviese con la corte en Bruselas.

Ante esa advertencia, Felipe II anota al margen de su mano:

---

[8] Instrucciones personales citadas de Carlos V a Felipe II, de 1543 (*Corpus documental de Carlos V*, II, pág. 99).

No ay qué decilles sino averme parecido bien lo que dicen. Y no se vea en qué, ni mostréis a nadie este capítulo, que no quiero aprovecharme destas cosas sino de hazer lo que sé que más me combiene qu'es irme, sin andar aprovechándome de parecer de nadie.

Y añade, dolido:

De algunas cosas del memorial sé que han rreydo allá harto, y en algunas han mirado y vna dellas se me acuerda que hera de yo no pensase ir a holgar, o cosa desta manera [9].

¿Por qué se muestra el Rey tan dolido? Porque había tomado como la decisión más conveniente la de regresar a España, no por desertar de sus deberes regios. Eso no lo haría jamás, manteniéndose en el tajo mientras las fuerzas se lo permitiesen. En una consulta del Consejo de Indias anotó la ya harto cansada mano del Rey:

Creed que lo deseo harto —resolver la petición que se le hacía—, mas no se puede más, y esta noche pasada me llevó hasta la cuarta en un pie... [10]

Por lo tanto, el Rey despachando hasta la madrugada, hasta que no puede más y ha de rendirse, dejando su oficio de gobernante hasta la nueva jornada. Y esa norma marcada por su padre, y que tan de veras quiere cumplir y cumple, es la que transmite a su hijo, dándonos la prueba de hasta qué punto la tenía por un deber inexcusable:

Debéis hurtar las horas de tus comodidades —advierte a su hijo Felipe III— para emplearlas en trabajar y atender a los negocios de tu Reino y al bien común de tus vasallos...

Pues ¿qué cosa era ser rey? ¿Una preeminencia, sin más? ¿Un privilegio para gozar de la vida por encima de los demás mortales?
Nada de eso:

... porque el ser rey —añade Felipe II, con buen conocimiento de causa—, si se ha de ser como se debe, no es otra cosa que una esclavitud precisa, que la trae consigo la corona... [11]

---

[9] La carta de doña Juana a Felipe II, de 14 de julio de 1559, con la anotación marginal del Rey, publicada por mí hace casi medio siglo; véase mi estudio *Tres embajadores de Felipe II en Inglaterra,* Madrid, 1951, págs. 253 y 254.

[10] Biblioteca Nacional, ms. 18.633, núm. 65 (*ibídem,* pág. 277, nota 49).

[11] Véase mi estudio «Las Instrucciones políticas de los Austrias mayores», en *Gesammelte Aufsätze zur Kulturgeschichte Spaniens,* vol. 23, Münster, 1967, págs. 171-188, y, concretamente, la pág. 186.

Por lo tanto, el Rey esclavo de su oficio, que era velar por el bien común de sus vasallos.

Ahora bien, tan admirable sentido de la responsabilidad tenía su contrapartida, en una Monarquía autoritaria, con marcada tendencia al absolutismo, en la que el Rey se consideraba elegido por la gracia de Dios; y era el sentido de la imponente majestad del cargo regio y, en consecuencia, lo indiscutible de sus decisiones, máxime cuando el Rey se sentía asistido por la Divina Providencia, en justa contrapartida a su entrega total para cumplir fielmente sus designios.

Dicho de otra manera: cuando Felipe II se ponía el manto real se convertía en la personificación del poder absoluto, en una prolongación del brazo divino, en algo sagrado, tan intocable como indiscutible. De ahí su tendencia al rigor contra cualquier tipo de disidentes, políticos, religiosos o sociales, como ya hemos comentado. Asimismo, esa inclinación a la estricta administración de la justicia, nota ya advertida por los contemporáneos. Una rigurosidad que saltaba de repente, para provocar mayor impacto con el temor de lo imprevisto. Baste recordar la frase de su cronista Cabrera de Córdoba, que le había tratado personalmente y que le conocía bien: «... su risa y su cuchillo eran confines...»

Una propensión a la severidad que deja traslucir en sus Instrucciones escritas, en este caso a su hermanastro don Juan de Austria:

> No olvidando por esto —por la justicia— la templanza y la misericordia, que ésta es tan infinitamente grande en Dios como la Justicia...

Posteriormente, después de esas consideraciones generales, añade el Rey algo que parece enteramente suyo:

> ... y el mucho rigor causa, a veces, tanto daño como la mucha clemencia. Debéis medir el medio de las dos...

Un texto que yo comentaba hace casi treinta años:

> ... vuelve a notarse en el Rey Prudente la mayor tendencia a la severidad..., cosa bien manifiesta en el concepto que se le desliza, yo creo que dejando obrar al subconsciente, en esa frase suya: «... el mucho rigor causa, a veces, tanto daño como la mucha clemencia». O dicho de otro modo: la mucha clemencia siempre es dañina; el rigor excesivo, sólo a veces... [12]

Y tan cierto es eso, que el propio Rey lo precisaría inmediatamente:

---

[12] «Las Instrucciones políticas de los Austrias mayores», est. cit., pág. 185.

Debéis medir el medio de los dos —añade en los consejos a su hijo Felipe—, mas cuando sea preciso, obre el rigor y la entereza...

¿Comentamos esta frase? Para Felipe II sólo los débiles de carácter se mostraban blandos a la hora de gobernar. Por el contrario, los grandes reyes era ahí donde evidenciaban su entereza; esto es, su fuerza. Y de ese modo, a juicio del soberano, los resultados eran óptimos:

> ... mas cuando sea preciso, obre el rigor y la entereza, *que así, casti-gando a unos, escarmientan todos...* [13]

Tal era lo que aconsejaba Felipe II a su hijo en 1597; por tanto, a finales de su reinado. ¿Recordaba, acaso, la represión contra los amotinados de Zaragoza de 24 de septiembre de 1591 y su orden de que tan pronto supiera la detención de Lanuza le llegara también la noticia de su degüello? ¿Recordaba los severos escarmientos infligidos sobre los sufridos vecinos de Ávila, que en aquel mismo año se habían atrevido a protestar contra el nuevo impuesto, tan gravoso, de los millones? ¿Se había olvidado ya de lo que había supuesto el implacable rigor mostrado con los flamencos, y las consecuencias de la ejecución de los condes de Egmont y de Horn, junto con la terrible represión montada por el Tribunal de los Tumultos, aquel que el pueblo flamenco había titulado Tribunal de la Sangre?

En suma, con toda la experiencia acumulada, casi en las vísperas de su muerte, Felipe II seguía manteniendo la máxima de que el buen gobernante debía tener la mano dura en el ejercicio de su poder. Y, satisfecho con lo que había realizado, se lo quiere decir a su hijo, para que siga por el mismo camino.

Y ello porque, a su juicio, el Rey debía inspirar no sólo respeto, sino también temor.

Pues el Príncipe debía saber revestirse con el manto solemne de la majestad, y de esa forma se lo advierte Felipe II a su hijo: «A todos vuestros vasallos os debéis presentar como Rey.»

Porque en él coexistían dos personalidades: la humana y la regia, pero no simultáneas, sino sucesivamente:

> Debes persuadirte —le insiste a su hijo— y entender muy bien que desde el instante que ocupes el solio y llegues a la majestad, debes despojarte de ti mismo, dejando juntamente con el vestido, todos tus apetitos y deseos y divertimientos, y vestirte de la majestad, integridad y respeto que corresponden a un rey.

Con ese majestuoso porte debía presentarse el Rey ante sus mismos ministros, reflejando en su semblante lo que de ellos sentía; por lo tanto, claro y

---

[13] «Las Instrucciones políticas de los Austrias mayores», est. cit., pág. 185. Por supuesto, el subrayado es nuestro.

abierto ante los buenos servidores, pero muy al contrario con los que no tuviere por tales:

> Otras veces, que deberá ser con más frecuencia —y atención a esa advertencia—, mostrará el rey su semblante áspero, saturnino y encapotado y con sobreojo, especialmente con aquellos consejeros y ministros desidiosos y tardos en alguna cosa, para que ansí procuren clarificar, con su aplicación y trabajo, el mismo real semblante.

Y eso era lo que daría grandeza al Príncipe. Felipe II está pensando en la fama perpetua para su hijo, en darle las normas que, si las seguía fielmente, le convertirían en

> ... uno de los reyes de vuestra línea de más nombre y gloria... [14]

Entre esas normas prevalece sobre todas la de que el Rey debía ser en extremo, más que justo, justiciero, entendiéndolo tal como lo define el *Diccionario* de la Real Academia Española, en su segunda acepción:

> *Justiciero.*—2. Que observa estrictamente la justicia en el castigo de los delitos.

Y así, con esos términos se expresa el Rey, tanto a su hermano don Juan de Austria, cuando le nombra general de la Mar en 1568, como a su hijo Felipe, en sus Instrucciones citadas en 1597. A su hermano le dice:

> De la Justicia usaréis a un mismo tiempo con igualdad y rectitud y, cuando sea necesario, con el rigor y exemplo que el caso requiera...

A su hijo Felipe le insta apretadamente a que fuera «recto y justiciero», añadiéndole, conforme a esa tendencia suya que ya hemos comprobado hacia la severidad:

> Todos han de saber muy bien que te precias mucho de recto y de justiciero, y que aun los mismos consejeros no estarán tan libres de tu descontentamiento si algo disiden y determinan injustamente...

Esto es, nadie, ni las más altas cabezas de su reinado, debían creerse libres de su posible enojo, con las terribles consecuencias que eso podía traer consigo. Y eso no eran meras palabras. Felipe II podía recordar lo que le había acontecido al arzobispo Carranza o al secretario Antonio Pérez, cuando añadía en sus consejos al hijo:

---

[14] Instrucciones de Felipe II a Felipe III de 1597, en mi estudio citado «Las Instrucciones políticas de los Austrias mayores», págs. 186 y 187.

> Y en haciendo algunos fuertes exemplares, está cierto que serás respetado mucho y la Justicia estará autorizada como debe...[15]

¿Y la religiosidad? ¿Debemos omitir este aspecto, si es que queremos presentar a un verdadero hombre de Estado en la Europa del Quinientos? Ciertamente que no. Está claro que tal cuestión, en el siglo de las guerras de religión, se convierte en una de las principales.

Pero no sólo porque en aquella época la política estaba, con frecuencia, al servicio de las ideas religiosas, sino también por las consecuencias que traía el que un soberano como Felipe II se creyera el brazo armado de la Divina Providencia.

Por otra parte, era algo que estaba en la época y de lo que muy pocos escapaban. De forma que, cuando parecía que el Rey se apartaba de esa norma, se consideraba que era justamente castigado por los cielos, como cuando Cabrera de Córdoba reprochaba a Felipe II el haber apoyado en su juventud a la princesa —y luego reina— Isabel de Inglaterra, la hija de Ana Bolena:

> ... son castigados los consejos cuando se prefieren a los celestiales...[16]

Nos llevaría largo, y fuera de momento, explicar la política filipina de apoyo en sus primeros pasos a la reina Isabel de Inglaterra; algo, por otra parte, ya realizado en esta obra. Lo que importa ahora señalar es que Felipe II siempre tuvo el norte de la defensa de la religión católica, dentro y fuera de sus fronteras, en el ámbito de la Europa occidental, que era la que consideraba que caía bajo su hegemonía y, por tanto, bajo su responsabilidad; dejando las cosas del Imperio germano y de la Europa oriental sometidas a la Casa de Austria de Viena, de lo que podía desentenderse, como de hecho así ocurrió.

Pero no en lo que se refería a la Europa occidental, insisto en ello, y en particular, claro está, a sus reinos y señoríos. Sabía muy bien, y estaba orgulloso, que era el rey de la Monarquía católica, título concedido por Roma a sus antepasados Fernando e Isabel y que él había heredado. Él era «el Rey católico», y eso imprimía carácter. En sus Instrucciones a su hijo Felipe III se lo recuerda vehementemente:

> Debéis estar cierto, hijo, que no habrá cosa que mal os venga si a nuestra santa religión obedecéis, seguís y amáis y defendéis con todo vuestro corazón...[17]

Y en su Testamento de 1594, junto con las referencias generales de tipo religioso, similares a las que se encuentran en el Testamento de Carlos V, en

---

[15] Manuel Fernández Álvarez, «Las Instrucciones políticas de los Austrias mayores», est. cit., pág. 184.

[16] L. Cabrera de Córdoba, *Felipe II, Rey de España, op. cit.*, I, pág. 51.

[17] Véase mi estudio «Las Instrucciones políticas de los Austrias mayores», pág. 184.

las que se marcaba también la protección regia a la Inquisición, se añade por Felipe II algo que denota que era muy consciente de los problemas religiosos de su tiempo y de las consecuencias políticas que comportaban, dentro y fuera de las fronteras de sus reinos: la defensa de la Inquisición, porque

> ... en estos tiempos peligrosos y llenos de tantos errores en la fe, conviene aún tener más cuidado y advertencia que en los pasados... [18]

Por lo tanto, lo que importa destacar no es que el Rey practicara asiduamente las ceremonias religiosas, conforme a un firme creyente, y que de ese modo se lo recomendara a su piadoso hijo Felipe III —que, por cierto, en esto sí que le salió un aventajado discípulo—, sino que con su decidida enemiga de los disidentes de la fe católica y con su apoyo sin fisuras a la Inquisición protagonizara tan duras jornadas, dentro y fuera de España, como la represión de los calvinistas flamencos, a partir de 1567, o como los autos de fe inquisitoriales de principios de su reinado, celebrados en Valladolid y Sevilla entre los años 1559 y 1561.

De igual modo, puede afirmarse que su particular sentido de sus relaciones con la Divinidad tendría amplias repercusiones a escala internacional, como lo probaría el descabellado ataque marítimo a Inglaterra a cargo de la *Armada Invencible,* que tan claro estaba que al punto dejaría de serlo, y ello pese a cuantas advertencias se le hicieron, como en la parte correspondiente de esta historia se detalla debidamente; tan cegado como estaba el Rey de que nada podía ir mal, cumpliendo como cumplía los designios divinos.

Por lo tanto, podríamos resumir diciendo que en Felipe II nos encontramos con el representante de una Monarquía autoritaria, con marcada tendencia al absolutismo, y que el Rey se mostró en todo momento con un gran sentido de la responsabilidad de sus funciones, imbuido de un providencialismo divino, que le llevaba a no escatimar esfuerzo alguno para la resolución de los problemas de Estado y, en suma, para el debido gobierno, tal como él lo entendía, de sus reinos. Un gobierno de sus súbditos impartiendo la más severa de las justicias —la nota de rey-justiciero, que ya hemos comentado—, mientras que en el exterior pasaría de una política pacifista a otra de continuas guerras, desencadenadas precisamente por la influencia de sus esquemas religiosos, que acaban imponiéndose sobre sus ideales de paz, con los que había iniciado su gobierno.

En definitiva, no puede afirmarse que no tuviera un plan de gobierno. Lo tuvo, y muy claro, en parte heredado de su padre y también propio y personal. Lo que sí puede decirse es que en la ejecución de ese plan, no siempre acertado, destacó, con más frecuencia de lo deseado, su marcada tendencia a

---

[18] *Testamento de Felipe II,* ed. crítica de Manuel Fernández Álvarez, Madrid, Editora Nacional, 1982, pág. XVI.

la severidad, con el castigo implacable de los que se enfrentaban con sus decisiones.

Pero seríamos injustos si no señaláramos nada más que sus violencias y sus errores. Tuvo también aciertos, y aciertos insignes, como convertir a Madrid en capital de la Monarquía, modernizando notoriamente las estructuras del Estado. Y, de una forma u otra, con lo conseguido en Lepanto y en Lisboa, puede afirmarse que en sus tiempos se alcanzó el cenit del Imperio español.

Acaso, es cierto, apuntando ya algunas grietas que acabarían provocando la ruina de aquella grandiosa Monarquía, pero tampoco sería justo cargarle con los errores de sus sucesores.

LAS INDIAS ENTREVISTAS POR FELIPE II

Aunque no sea del caso un estudio pormenorizado de la historia de las Indias en el reinado de Felipe II —lo que sería ir más allá del objetivo de esta biografía—, sí parece pertinente plantearnos en qué medida Felipe II tuvo conciencia del fenómeno indiano y, además, cómo sentía a ese respecto lo que eran sus responsabilidades como *Hispaniarum et Indianarum Rex.*

De entrada, a Felipe II, cuando todavía era un muchacho, tenía que conmocionarle lo que iba oyendo sobre las gestas de los españoles en las Indias: descubridores, conquistadores y misioneros. Personajes como Hernán Cortés, Francisco Pizarro y Pedro de Valdivia; Vasco Núñez de Balboa, Magallanes, Elcano. Sucesos como la primera circunnavegación del globo o como las conquistas de México y del Perú —las primeras transmitidas a las crónicas, la segunda vivida ya en su niñez— o la feroz resistencia de los araucanos, tuvieron que serle familiares, como a todos los castellanos de su tiempo; como lo fue, en su momento, la polémica entre Las Casas y Sepúlveda en Valladolid y en 1550 sobre los justos títulos de la conquista, aunque por esas fechas el Príncipe se hallara con su padre en tierras del Imperio.

No hay que decir lo que las nuevas de las Indias suponían en el ánimo de los españoles de la época que no salían del Viejo Continente, empezando por los propios gobernantes. Era como una maravilla que se renovaba de año en año. A la increíble noticia del Descubrimiento se había seguido la de la conquista de imperios fabulosos, como el de los aztecas y los incas, la llegada constante de los metales preciosos, la penetración en las inmensidades del océano Pacífico y la primera circunnavegación del globo.

De eso quedan testimonios en los escritos del tiempo, tanto en los documentos oficiales como en las crónicas de los mismos protagonistas de aquellos sucesos. No se dejaba pasar ocasión sin que se hicieran referencias a ello, como cuando el obispo Mota habló, en su discurso a las Cortes de Castilla en 1520, de la existencia de

... otro Nuevo Mundo de oro fecho para él [19], pues antes de nuestros días nunca fue nascido... [20]

El pasmo continuo de aquella sociedad ante aquellos prodigios y ante quienes los protagonizaban, lo vemos en el relato —ingenuo, sin duda, pero por ello más fidedigno— del cronista Bernal Díaz del Castillo, cuando al relatar el regreso de Hernán Cortés a España, en 1528, nos dice aquello ya comentado:

La fama de sus grandes hechos volaba por toda Castilla...

Y ese vuelo era el de la imaginación de los españoles, su orgullo de ser el pueblo pionero, el que estaba llegando hasta donde nadie había llegado y descubriendo prodigios que los antiguos romanos ni siquiera habían supuesto.

Lagasca, el pacificador del Perú, lo diría a mediados del siglo, cuando ya Felipe II había entrado en el gobierno de la Monarquía, como *alter ego* de su padre, el Emperador; él podía asegurar cómo había visto y conocido lo que no había sospechado la Antigüedad; aquello de

Y cuán contra lo que todos los antiguos escribieron de las zonas, especialmente de la Tórrida... [21]

Era ya un lugar común. Incluso un veterano de las guerras de Flandes a finales del siglo, como Diego de Villalobos, se haría eco de ello:

... siendo con sus virtudes el nombre español casi inmortal, desde las regiones más antárticas del mundo hasta las árticas de nuestros polos, pasando las calurosas regiones de lo equinocial, siguiendo el presto camino del sol, dando vueltas a la mar y a la tierra, sin dexar parte donde las cruces españolas no hayan sido conocidas...

Y añade, pleno de orgullo:

... donde tan lexos estuvo de llegar la potencia romana... [22]

Todo ese orgullo tuvo que sentirlo también Felipe II, y ya desde muy niño. Está claro que su maestro Sepúlveda, tan partidario de las hazañas de los conquistadores, no se las silenciaría. Y de hecho sabemos que el Príncipe

---

[19] Para Carlos V.

[20] Cortes de Santiago de 1520, en *Cortes de León y Castilla,* VI, págs. 294 y 295; cf. mi libro *Poder y sociedad en la España del Quinientos,* Madrid, Alianza Universidad, 1995, pág. 194.

[21] Pedro de Lagasca a Fernando de Austria, 2 de febrero de 1554 (*Corpus documental de Carlos V, op. cit.,* III, pág. 646).

[22] Diego de Villalobos y Benavides, *Comentarios de las cosas sucedidas en los Países Baxos de Flandes (1594-1598),* Madrid, 1612, Memorial al Consejo de Guerra, fol. **.

gustaba de preguntar a Lagasca sobre cosas de las Indias, cuando el pacificador del Perú, de regreso a España, pasó al Imperio para dar cuenta a Carlos V del éxito de su misión y se vio con él en Mantua[23].

Si Felipe II siguió, ya desde niño, las noticias de las gestas españolas en las Indias, desde la conquista del Perú por los Pizarro y los Almagro en los años treinta, cuando él todavía era un chiquillo entre los ocho y los doce años, también lo tenemos que imaginar como el Príncipe cada vez más sumido en sus obligaciones hacia sus nuevos súbditos. El formidable debate entre Las Casas y Sepúlveda ocurriría en Valladolid y en 1550, cuando el Príncipe estaba ausente de España, pero no ajeno a lo que en ella sucedía, aunque nada de ello aparezca en la correspondencia de Maximiliano de Austria, entonces gobernador de España por la ausencia de Felipe[24].

En esas fechas, la expansión española en América había sido tan grande, que en el ánimo del Príncipe se hace paso la idea de que es preciso imponer un nuevo estilo: frente a la conquista, la pacificación, con la consolidación de lo ganado. La hora de los conquistadores ha pasado. Es llegada la etapa de la colonización.

Y eso se aprecia en las *Nuevas Ordenanzas de Población y Descubrimiento* de 1573, que el Rey encarga a Juan de Ovando, donde campea ya otro espíritu, marcando las tres premisas a que debe sujetarse la expansión hispana en las Indias: la primera, descubrir; la segunda, poblar, y la tercera, pacificar. Se orilla, por tanto, la palabra conquista, que ya tenía para entonces connotaciones negativas[25]. Y todo ello marcado con dos justificaciones: la expansión de la fe y el buen gobierno de los indios, lo que quedaría ya recogido en la *Recopilación de Leyes de los reynos de Indias,* con la siguiente de Felipe II:

> Porque el fin principal que nos mueve a hacer nuevos descubrimientos es la predicación y dilatación de la Santa fe católica y que los indios sean enseñados y vivan en paz y policía: ordenamos y mandamos que antes de conceder nuevos descubrimientos y poblaciones se dé orden de que lo descubierto, pacífico y obediente a nuestra Santa Madre Iglesia Católica, se pueble, asiente y perpetúe, para paz y concordia de ambas Repúblicas...[26]

Por lo tanto, unas nuevas Ordenanzas de Indias para aplicar bajo este reinado. Y así, cuando el virrey Francisco de Toledo refiere al Rey los abusos que cometían algunos de los españoles afincados en el Perú, Felipe II le contestará:

---

[23] Calvete de Estrella, *Rebelión de Pizarro en el Perú y vida de don Pedro García;* citado por Kamen, *op. cit.,* pág. 48.

[24] Rafaela Rodríguez Raso, *Maximiliano de Austria, Gobernador de Carlos V en España,* Madrid, 1963, pág. 45.

[25] Mario Hernández Sánchez-Barba, *Historia Universal de América,* Madrid, Guadarrama, 1963, 2 vols., I, págs. 487 y sigs.

[26] *Recopilación...,* libro IV, título 1.º, ley 1 (ed. Cultura Hispánica, Madrid, 1943, II, pág. 1).

... lo que sobrello hay que decir de presente es que guardéis y hagáis guardar la instrucción que se os envía cerca dello... [27]

Exponente también de la preocupación filipina por las Indias lo encontramos en las medidas para su defensa, de los ataques corsarios, tanto en la ruta oceánica como en las mismas Indias. Ya hemos visto el apoyo que da a Pedro Menéndez de Avilés, en los primeros años de su reinado, para que asegurase esa ruta y para que eliminase los intentos de penetración de los calvinistas franceses en los años sesenta. También hemos podido seguir su forcejeo diplomático con la reina Isabel de Inglaterra, para que prohibiese las incursiones de sus vasallos en las Indias, con resultado cada vez más negativo, siendo ese uno de los motivos que llevarían a la desastrosa expedición de la *Armada Invencible.* Pero si no se consiguió vencer a Inglaterra en el mar, al menos se preservó a las Indias de una invasión enemiga, con el excelente sistema de formidables fortificaciones de sus principales plazas marinas, como La Habana, Veracruz o Cartagena de Indias. Por otra parte, el alto nivel poblador y pacificador conseguido en los dos grandes virreinatos de México y Perú permitirían realizar en su reinado la hazaña de la incorporación de Filipinas, con el descubrimiento de la ruta marina del tornaviaje entre Filipinas y México, gracias al talento de Urdaneta, que recogemos en otra parte de este libro.

Todo ello permitió un florecimiento de los asentamientos hispanos en Indias, reflejado en el rápido incremento de las relaciones económicas entre las colonias y la metrópoli, como se comprueba por el espectacular aumento de las remesas de metales preciosos, a lo largo del reinado [28].

Tuvo la fortuna Felipe II de contar con algunos buenos colaboradores, entre los que destaca el virrey Toledo, que ejerció su mandato en Lima entre 1569 y 1581 y que puso las bases del gobierno del virreinato de forma tan firme, que perduraría hasta el siglo XVIII, gracias a su detenida visita del territorio, a lo largo de sus dos primeros años, que le permitiría su adecuada organización administrativa.

Los avances en la expansión hispana no fueron espectaculares durante este reinado, pues, en verdad, en la conciencia de todos estaba que lo que importaba era asegurar lo conquistado; aun así hay que mencionar, además de las Filipinas, ya recordadas, los asentamientos en la zona del mar de la Plata, con la definitiva fundación de Buenos Aires en 1580 por Juan de Garay; mientras en Chile, al sur de los poblamientos realizados por Valdivia a mediados de siglo, la nota constante era el estado de guerra contra los indios araucanos, que darían lugar al poema épico *La Araucana,* de Alonso de Ercilla.

---

[27] Citado por Juan Manzano Manzano, *Historia de las Recopilaciones de Indias,* Madrid, Instituto de Cultura Hispánica, 1950, pág. 231.

[28] Véanse los datos en la primera parte de esta obra, capítulo 5: «Los ingresos de la Monarquía».

Es algo que merece la pena destacarse, porque el poema se imprimió en Madrid a lo largo del reinado de Felipe II: la primera parte en 1569, la segunda en 1578 y los siete cantos últimos en 1589. No olvidemos que Alonso de Ercilla (1533-1594) es un contemporáneo riguroso de Felipe II. Y es notable cosa la alabanza que hace de sus enemigos:

> Son de gestos robustos, desbarbados,
> bien formados los cuerpos y crecidos,
> espaldas grandes, pechos levantados,
> recios miembros, de niervos bien fornidos,
> ágiles, desenvueltos, alentados,
> animosos, valientes, atrevidos,
> duros en el trabajo, y sufridores
> de fríos mortales, hambres y calores.

Este poema, tan propio de la España imperial, está dedicado a Felipe II, y el Rey tuvo que conocerlo en sus líneas generales, aunque no lo leyera por menudo.

No fueron los araucanos los únicos quebraderos de cabeza del Rey en las Indias, pues varias rebeliones se suscitaron a lo largo del reinado, ocurriendo las más sonadas en la década entre 1561 y 1571. Sería la primera la del sangriento Lope de Aguirre, miembro de la expedición que el virrey del Perú, marqués de Cañete, había encomendado a Pedro de Ursúa, para que descubriese las tierras de El Dorado; un sueño de gran parte de los conquistadores, tanto de uno como de otro virreinato indiano, que aquí daría lugar a una notable incursión en la ruta del Amazonas. Iniciada el 26 de septiembre de 1560, pronto surgieron los descontentos, culminados por el asesinato de Ursúa el 1 de enero de 1561. A partir de ese momento se desarrollaría una carrera de atrocidades, bajo el signo de la rebelión más abierta contra el Rey, con propósito de nombrar un príncipe del Perú. Aguirre llevaría la expedición por el Amazonas hasta lograr la salida al Océano, entrando pronto en colisión con los conquistadores asentados en la costa venezolana, pereciendo finalmente el 27 de octubre de 1561 aquel «rebelde hasta la muerte», como le escribiría a Felipe II.

Cinco años después sobrevendría en México la rebelión de Martín Cortés, hijo del famoso conquistador, frente al gobierno del virrey don Luis de Velasco, con propósito de proclamar la independencia de Nueva España, con el apoyo de los criollos descontentos por la supeditación a la corte del Rey. La muerte del Virrey, en 1564, agravó la situación, pero la Audiencia actuó con energía, apresando a los principales conjurados, y entre ellos al mismo Martín Cortés. Contra lo que cabía esperar, el nuevo virrey, Gastón de Peralta, marqués de Falces, puso en libertad a Cortés, que pudo volver y vivir en España sin mayores quebrantos, hasta su muerte en 1589.

Mayor repercusión tuvo la rebelión y muerte en el Perú del inca Túpac Amaru, bajo el virreinato de Francisco de Toledo. Hacia 1571, Túpac Amaru estaba refugiado en Vilcabamba, que era un foco de rebelión permanente contra el gobierno de Lima y como el último baluarte del antiguo poderío inca. Francisco de Toledo envió una expedición de castigo que venció a los rebeldes, ocupó Vilcabamba y apresó a Túpac Amaru. Llevado al Cuzco, tuvo un rápido proceso, siendo condenado a muerte y ejecutado, queriendo así el Virrey extremar el rigor para cortar de raíz cualquier intento de rebelión indígena en contra del dominio español.

Curiosamente, y pese a que esa era la política del Rey ante casos similares ocurridos en España, el rigor del Virrey no fue bien visto en la corte y criticada la muerte del joven inca, a la edad de treinta años. En la versión del inca Garcilaso nos encontramos ante un juez cruel —el virrey Toledo— y un inocente: Túpac Amaru.

Es dudoso que Felipe II pronunciara una frase adversa contra la justicia de su Virrey, pero, evidentemente, siguió con atención el desarrollo de aquel suceso. En todo caso, lo cierto es que Francisco de Toledo, pese a sus servicios a la Corona, sería relevado de su cargo y condenado en España al destierro de la corte, muriendo sin recobrar la gracia del Rey en 1582.

Todo lo dicho nos permite concluir que Felipe II tuvo siempre muy presente las cosas de las Indias, que para él suponían algo verdaderamente importante: la expansión de la fe, aquello de seguir la obra de los primeros apóstoles, de lo que dejaría constancia en su Testamento, con aquella notable consigna dada a sus sucesores: que se mantuvieran siempre unidas las Coronas de Portugal y Castilla, porque eso era lo mejor para su seguridad, aumento y buen gobierno,

> ... y para ensanchar nuestra Sancta fe cathólica y acudir a la defensa de la Iglesia [29].

Esto es, para que se mantuviera también la expansión del Evangelio; eso de «ensanchar» la fe, de que tanto se preciaba el Rey Prudente.

Curiosamente, se encontrará a finales de su reinado con un fenómeno preocupante, verdaderamente inesperado: que la proyección en el Pacífico puso en contacto al virreinato de Nueva España no sólo con las Filipinas, sino también con el rico comercio chino, de donde los comerciantes asentados en México obtenían múltiples mercancías exóticas muy demandadas, pero con el resultado del desvío de la plata mexicana hacia el Lejano Oriente. Y eso preocupa tanto al Consejo de Indias como al propio Rey, que se ven obligados a intervenir, prohibiendo aquel comercio en 1593, e incluso el de Filipinas para los mexicanos, sólo autorizando a los asentados en Filipinas el realizarlo con México, para mantener la ruta comercial con el galeón de Manila. Y así se legisla el 11 de enero de 1593:

---

[29] Felipe II, *Testamento,* ed. crítica de Manuel Fernández Álvarez, Madrid, Editora Nacional, 1982, pág. 23.

Porque conviene que se excuse la contratación de las Indias Occidentales a la China y se modere la de Filipinas, por haber crecido mucho, con diminución de la de estos Reynos, prohibimos, defendemos y mandamos que ninguna persona de las naturales ni residentes en la Nueva España, ni en otra parte de las Indias, trate ni pueda tratar en las islas Filipinas...[30]

Por lo tanto, también las Indias como garantía de unos tesoros que han de venir a España. En definitiva, la imagen de aquel nuevo mundo de oro, de que hablaba el obispo Mota en 1520, sigue operando bajo Felipe II y a lo largo de todo su reinado. Y como también se mantiene la nota religiosa, como ya hemos comprobado, puede afirmarse que la fiebre del oro y la fiebre de la fe son las dos constantes más nítidas. Pues bien, en las Indias entrevistas por Felipe II se mezclarían, a buen seguro, ambas imágenes: la del ensanchamiento de la fe, como la misión encomendada por Dios a la Corona, y la del oro, como la recompensa divina a la Monarquía católica.

---

[30] *Recopilación de Leyes..., op. cit.,* III, pág. 522.

13
LOS HOMBRES DEL REY

Los hombres del Rey: he ahí un título que sería impropio para la etapa imperial, en la que las mujeres tuvieron tan acusado papel político.

En todo caso, hombres y mujeres, importa mucho recordar quiénes fueron los principales colaboradores del Rey, porque eso también nos ayuda a marcar aún más su perfil de estadista, dado que aquí sí que decide por su propia voluntad, al nombrar o al destituir a sus ministros.

Al principio, todo parece seguir igual. En la corte, en la diplomacia y en la guerra siguen sonando los mismos nombres de los grandes personajes de la época imperial: el obispo Granvela —luego cardenal—, como principal negociador de la paz de Cateau-Cambrésis; el duque de Alba, verdadero príncipe de la milicia, y Fernando de Valdés, el terrible inquisidor general, el de los autos de fe de Valladolid y Sevilla, entre 1559 y 1561.

Sin embargo, lo cierto es que pronto se aprecian unos cambios significativos. Por ejemplo, el duque de Alba no será llamado al teatro principal de la guerra, en 1557, como era el de los Países Bajos, donde se hallaba Felipe II con su corte, sino que es enviado al secundario de Italia, para la defensa de Nápoles; no donde se ventilaba la defensa de Bruselas o la marcha decisiva sobre París —lo que estaba esperando Carlos V en Yuste, tras la victoria de San Quintín—, sino el forcejeo con el papa Paulo IV, donde no se sabía si era más peligrosa la victoria que la derrota, sobre todo si esa victoria implicaba un segundo saco de Roma. La estampa de un duque de Alba entrando vencedor en la Ciudad Eterna, pero pidiendo perdón y besando humildemente el pie al Santo Padre, era como un castigo más que un reconocimiento a sus méritos de soldado. El duque de Alba podía quejarse de que había sido postergado por el Rey y condenado a bailar con la más fea, pese a que se disimulara su nombramiento haciéndole vicario del Rey sobre toda la Italia hispánica.

Y en cuanto a Antonio Perrenot de Granvela, el hijo del todopoderoso ministro de Carlos V, que había heredado a la muerte del padre la suma confianza del Emperador, pudo pensar que nada iba a cambiar con Felipe II, después de que el Rey le diera aquella muestra de confianza tan grande, al designarle para que hablase en su nombre ante los Estados Generales, en aquella emotiva jornada de la abdicación de Carlos V; aún más, tras el éxito obtenido en las negociaciones de la paz de Cateau-Cambrésis, en las que él había sido la figura principal. Sin embargo, cuando Felipe II decide regresar a España, no se lo llevará consigo, sino que lo dejará en Bruselas, al lado de la nueva gobernadora de los Países Bajos, su hermanastra Margarita de Parma. De forma que de ministro del Emperador pasaba Granvela a ser ministro no del Rey, sino de su representante en Bruselas.

Un evidente retroceso, una caída en su carrera política, una pérdida de prestigio.

Sólo Fernando de Valdés, el inquisidor, se mantenía en su cargo, con todo su terrible poder, pese a que en 1557 el Emperador había tronado contra él desde Yuste, por su negativa a contribuir con sus donativos a la marcha de la guerra. Pero también en este caso es conveniente recordar que quien se mostró más agraviado fue Carlos V, y no Felipe II.

Por lo tanto, esos cambios en el alto personal directivo de la Monarquía nos señalan, como no podía ser menos, que también a este alto nivel se comprueba la magnitud del relevo generacional. No era sólo que el joven Felipe sustituyera al viejo Emperador; era también que los hombres del Rey empezaban a desplazar al equipo que había gobernado con Carlos V.

Era un proceso que ya se había iniciado en los últimos años del reinado del césar Carlos, sobre todo a partir de la tremenda crisis de 1552, que había puesto de manifiesto la decadencia física del Emperador; cosa tan grave siempre en un político, pero más aún si cabe cuando se trata de un soberano de una Monarquía autoritaria, en la que todo depende de las decisiones personales del monarca. Empieza ya a insinuarse que los tiempos de Carlos V han pasado, y cada vez crece más el papel de Felipe II. Y eso se observa en el peso que van adquiriendo sus ministros respectivos, en particular Ruy Gómez de Silva, el amigo de los juegos infantiles del Rey, y el nuevo secretario Gonzalo Pérez (el partido filipino), frente a Granvela y el duque de Alba (el partido imperial). Curiosamente, la documentación nos permite comprobar que cada uno de ellos tenía un notable auxiliar en la otra corte, alineándose en el equipo imperial el secretario Juan Vázquez de Molina, sito en Valladolid, mientras que el otro secretario, Eraso, que prestaba sus servicios en Bruselas, se muestra complaciente confidente de los ministros filipinos.

Veamos algunas pruebas de ese curioso entrecruce de relaciones e influencias. En noviembre de 1551, Ruy Gómez de Silva escribía a Eraso pidiéndole que presionara a Carlos V a fin de que concediera mayor protagonismo al Príncipe. Y le añade:

S.A. trabaja todo lo que puede, y yo sería de voto que siempre S.M. le animase de allá y le diese calor para semejantes cosas. En sustancia, esto es lo que la conciencia me acusa y debía escribir, *confor-me a lo que allá platicamos vuestra merced y yo...* [1]

No se puede creer que Ruy Gómez de Silva tuviese, por su cuenta y riesgo, tales pláticas con Eraso en Bruselas, cuando el Príncipe había acudido al lado del Emperador. Es, sin duda, el propio Príncipe quien las promueve, instigado y espoleado, por supuesto, por sus más allegados, tanto o más interesados que él en que aquel traspaso de poderes comenzara a realizarse.

Es evidente: aun en las relaciones familiares más entrañables de las dinastías regias, llega un momento en el que se produce un afán de renovación, de relevo en el poder; de algo que podríamos entender como un apunte de oposición, más o menos esperanzada, pero que puede acabar en una oposición desesperada, a cargo del Príncipe heredero de la Corona, si no encuentra una vía fácil para sus aspiraciones, y que puede llegar a enseñar los dientes, porque sabe que el futuro es suyo. Así se produce un balanceo entre los dos focos de poder, el viejo, polarizado en la corte imperial de Carlos V, entonces itinerante entre Bruselas, Augsburgo e Innsbruck, y el que apuntaba cada vez con más fuerza en Castilla, aglutinado en torno a la figura del príncipe Felipe. Y ambos grupos de poder se reconocen y se respetan. En principio, claro está, los ministros que se hallan en Bruselas, en la corte imperial, aparecen como protectores, y como tales funcionan; pero, poco a poco, sobre todo después de la crisis de 1552 que tanto dañó al prestigio imperial, el panorama va cambiando. Y eso lo reflejan fielmente los documentos.

Así, antes de que en España se conozca el descalabro de Innsbruck, con la fuga desordenada del César, el tono de las cartas de Ruy Gómez de Silva con Eraso es de lo más respetuoso. Ante un rumor de sus intrigas, se apresura a desmentirlas humildemente:

> Yo traxe tan bien entendida la lición que vuestra merced allá me dio, que le juro a Dios y a ésta que es cruz... [2]

Pero en septiembre de 1552, cuando llegan a España las noticias del desastre ocurrido y de la difícil situación en que se halla Carlos V, que sólo espera de Castilla la salvación, las relaciones cambian de forma espectacular. La crisis internacional ha estallado y la merma del prestigio de Carlos V —y, en consecuencia, de sus ministros más allegados, incapaces de haberla previsto— es notoria. De forma que Gonzalo Pérez, el secretario del Príncipe, adopta de pronto un tono casi insolente con Granvela, para exigirle, más que pedirle, su apoyo para que se le otorgase la abadía de Montaragón, que había vacado

---

[1] Archivo General de Simancas, Castilla, leg. 89, fol. 123; cf. mi libro *Política mundial de Carlos V y Felipe II,* Madrid, 1966, pág. 192.

[2] Gonzalo Pérez a Granvela, septiembre de 1552 (Biblioteca Nacional, Ms., núm. 7.912, s.f.).

recientemente, dejando traslucir que, si así lo hacía, se lo tendría en cuenta en el futuro; un futuro próximo en el que el poder habría pasado ya de Bruselas a Valladolid. Y así termina diciéndole:

> ... y con esta merced quedaría obligado más de lo que estoy a servirlo perpetuamente...[3]

Esto es, estaban ya próximos los días en que todo el poder quedaría en manos del Príncipe, y bueno era que los hasta entonces todopoderosos ministros del Emperador empezasen a hacer méritos para la nueva situación que se les echaba encima.

Entre esos personajes que integran el equipo de Felipe II yo destacaría a tres, en esos primeros años: un cortesano, un miembro de la alta nobleza y un burócrata; Ruy Gómez de Silva, don Gómez Suárez de Figueroa, conde de Feria, y Gonzalo Pérez.

Los tres, figuras grises, en notorio contraste con los más destacados ministros de Carlos V, como habían sido Nicolás Perrenot de Granvela —el padre del cardenal—, Tavera o el propio Cobos, y como lo seguían siendo, entre los vivos, Granvela hijo y el duque de Alba.

Pues aquí apunta una de las características de las monarquías autoritarias, con tendencia al absolutismo: si sus representantes regios no están seguros de sí mismos, preferirán a su lado figuras mediocres, escogerán a sus ministros no tanto por su capacidad como por su fidelidad. No quieren sabios consejeros, que puedan discrepar de sus decisiones, sino fieles ejecutores. Felipe II, al que se le ve siempre un poco inseguro, se rodea al punto de los que consideraba sus hechuras; en particular, de los que se habían ganado su confianza —hasta donde eso era posible— en sus años juveniles. De ahí la fortuna de Ruy Gómez de Silva o de Luis de Requesens, sus compañeros de juegos infantiles. Los «criados» por su mano aventajarían pronto a los poderosos ministros de la etapa anterior. En el alto clero, uno de los escogidos por Felipe II sería un simple fraile dominico, fray Bartolomé de Carranza, al que convierte en cabeza de la Iglesia hispana, haciéndole arzobispo de Toledo, y si Carranza cae poco después en desgracia, sería por ese otro fenómeno tan propio de los monarcas recelosos: su descomunal reacción cuando se consideran traicionados. En la corte, el preferido será un portugués, con lo cual ya se entiende hasta qué punto se lo debía todo al Rey. En la alta nobleza, no un Grande de España, siempre tan altivos, sino el conde de Feria, el que había sido durante mucho tiempo un segundón que había tratado de hacer carrera en la diplomacia —a mediados de siglo lo vemos como embajador del Emperador en Génova— y al que Felipe convertirá en duque de Feria. Y en la burocracia, a otra figura secundaria, Gonzalo Pérez, un antiguo protegido de Alfonso de Valdés que se había hecho lentamente con un puesto en la Cancillería

---

[3] Gonzalo Pérez a Granvela, septiembre de 1552 (Biblioteca Nacional, Ms., núm. 7.912, s.f.).

imperial y que tuvo la fortuna de que el Emperador lo dejase al lado del Príncipe, cuando se ausentó de España en 1543.

Cierto que en ese desplazamiento de los viejos ministros imperiales la muerte había ayudado a Felipe II en los años cuarenta. En 1545, ya lo hemos comentado, fallecía el gran cardenal Tavera; en 1546, lo hacía Juan de Zúñiga, su enérgico ayo; en 1547, Francisco de los Cobos, acaso el más poderoso de todos en el ámbito español, y, finalmente, en 1550, Nicolás Perrenot de Granvela, el más respetado por Carlos V. De ese modo, fue más fácil a Felipe II irse rodeando de los hombres que consideraba suyos.

Y se daría una nota todavía más diferenciadora con los tiempos del Emperador, en esa selección de sus auxiliares. Carlos V supo acompañarse siempre, tanto o más que de sus «criaturas», de sus familiares más allegados, incluso los femeninos, empezando por su propia mujer, la emperatriz Isabel.

En verdad, es asombroso observar el importante papel jugado por las mujeres de la dinastía, bajo el reinado de Carlos V, y no sólo por la Emperatriz. Recordemos el caso de Margarita de Saboya, la tía del Emperador, hasta su muerte en 1530 gobernadora sin cortapisa alguna de los Países Bajos; o a María de Hungría, la hermana —y posiblemente la cabeza más lúcida de todos los Austrias—, que la sucede en el cargo y que en él permanece durante un cuarto de siglo, hasta el gran relevo generacional de 1555. Y habría que añadir el nombre de Catalina, la hermana pequeña —la hija póstuma de Felipe el Hermoso—, la «pariente pobre» de los años primeros en Tordesillas, luego reina de Portugal, en cuyo puesto sabría colaborar para mantener la paz entre las dos monarquías ibéricas. Y nada digamos de la Emperatriz, verdadero *alter ego* del César durante sus ausencias de España entre 1529 y 1538.

Nada de eso encontraremos en tiempos de Felipe II. Por lo pronto, por unas razones u otras, ninguna de sus mujeres desempeñó un papel similar al ejercido por la Emperatriz (salvo, fugazmente, Isabel de Valois, en las jornadas de Bayona de 1565), ni sus hermanas, María o Juana, comparable al de María de Hungría. María, porque quedó demasiado aislada en Viena y porque cuando regresó a España, en 1581, prefirió apartarse del mundo en el convento de las Descalzas Reales que había fundado su hermana, y en cuanto a ésta, Juana de Austria, porque aparte del primer lustro en que representó, y no con demasiado acierto, a su padre y después a su hermano en el gobierno de España, ocupó ya un segundo plano en la corte, para retirarse finalmente a esa fundación suya citada de las Descalzas Reales de Madrid. De forma que sólo cabría destacar el papel político llevado a cabo por una mujer, Margarita de Parma, la hija natural de Carlos V y gobernadora de los Países Bajos entre 1559 y 1567. Eso sí, Felipe II encontraría en su hija mayor, Isabel Clara Eugenia, a la confidente de sus últimos años que tanto precisaba, si bien su papel político no trascendiera ni se concretara en ningún cargo determinado, hasta la muerte del Rey, con su paso a los Países Bajos.

En cuanto a los hombres de la dinastía, dentro del juego generacional, el contraste es todavía mayor, pues mientras vemos a Carlos V apoyarse en su hijo y heredero, del que todo lo espera, para Felipe II, en cambio, su primogénito don Carlos es una fuente constante de conflictos, acabando por desencadenar la más peligrosa de las crisis en una Monarquía autoritaria, con su rebelde oposición al Rey.

Quedarían por recordar los hermanos: Fernando, el sucesor de Carlos V en el Imperio, y don Juan de Austria, el hermanastro de Felipe II. Carlos se supo apoyar en su hermano Fernando para las cosas del Imperio, y esa alianza se mostró tan eficaz que puede afirmarse que fue una de las claves de los triunfos del Emperador, hasta que se produce la ruptura familiar en 1551, tras la imposición de unos acuerdos en la sucesión al Imperio que Viena nunca aceptaría de buen grado. Por lo que hace a Felipe II, sus relaciones con don Juan de Austria están tan embrolladas, entre afectos y recelos, que al lado de aciertos espectaculares, como el emplearle en la guerra de Las Alpujarras y en la jornada de Lepanto, está el penoso abandono en los Países Bajos, especie de trampa mortal de la que ya don Juan de Austria sería incapaz de salir.

Esbozadas, a grandes rasgos, esas diferencias tan significativas entre la época imperial y la filipina, veamos ahora algo, con más detalle, respecto a los hombres del Rey de su primera década de gobierno.

El portugués Ruy Gómez de Silva (1516-1573) forjó su fortuna gracias a que su abuelo, Ruy Téllez de Meneses, mayordomo mayor de la emperatriz Isabel, logró incorporarlo a la corte castellana, primero como menino de la Emperatriz y después como paje del príncipe Felipe, al que llevaba once años. Esa diferencia de edad y su carácter sumiso, con su total entrega al Príncipe, hizo que éste le cogiera un hondo afecto, del que pronto daría pruebas, como cuando, en una reyerta entre pajes, Ruy Gómez hiriera al Príncipe en un ojo. Aunque en su momento hemos tratado ese accidente, es necesario aludir ahora a él como prueba de los sentimientos de Felipe II hacia el portugués. La herida carecía de importancia, pero el hecho fue tomado como de tan grave desacato por los ministros de la corte (sobre todo, ocurriendo en ausencia de Carlos V), que se pidió el más severo castigo contra el infractor. Ello había ocurrido en 1535, cuando Carlos V estaba inmerso en la campaña de Túnez, así que la Emperatriz tuvo que solucionar el problema. Y allí se comprobó el ascendiente que Ruy Gómez de Silva, con sus diecinueve años, tenía sobre el Príncipe, un muchacho que apenas si contaba con ocho; el cual, lloroso, pidió a su madre clemencia para el supuesto culpable, y con tal ahínco, que la Emperatriz decidió que aquello había sido un incidente entre muchachos y que no tenía que intervenir más justicia que la suya propia[4].

Desde aquel momento la entrega de Ruy Gómez de Silva al Príncipe fue aún mayor, como también el afecto de Felipe hacia su paje. Desde entonces, en los momentos más importantes de la vida del Príncipe encontraremos

---

[4] «... porque aquéllos eran muchachos y rapaces, y no era menester que otra Justicia entendiese en ello...»; cit. por J. M. March, *Niñez y juventud de Felipe II,* Madrid, 1941. Cf. mi libro *Economía, Sociedad y Corona,* Madrid, 1963, pág. 178.

siempre al portugués. En su boda con María Manuela de Portugal, como en el gran viaje de 1548, en la aventura inglesa de 1554, en las jornadas de 1555 y en el regreso a España de 1559. En el momento más difícil de la guerra paulina, en la primavera de 1557, cuando Felipe II, desde su corte de Bruselas, decide que hay que pedir ayuda a todas partes para afrontar con probabilidades de éxito la guerra; entonces, mientras él se reserva la gestión en Londres, cabe su esposa María Tudor, manda a Ruy Gómez de Silva, como su persona de mayor confianza, a que haga lo propio en Castilla [5].

Asimismo, al negociarse la paz con Francia a finales de 1558, concretada al año siguiente en Cateau-Cambrésis, Ruy Gómez de Silva será uno de los miembros del equipo que envía Felipe II, si bien en aquella ocasión la figura más destacada sería Granvela, como quien mejor conocía todos los recovecos de la política internacional de aquella hora.

Pero donde el Rey le daría las mayores muestras de su confianza sería en aquella penosa jornada de la prisión de su hijo, como hemos podido ver en su momento.

Ahora bien, aquello fue un proceso lento. Ruy Gómez de Silva sabía que tenía no pocos enemigos, y que para muchos cortesanos él no era más que un extranjero. Al principio, pocos le tenían en cuenta, más que como el cortesano que servía para divertir a su señor. El propio Carlos V ni siquiera lo menciona en sus notables Instrucciones de 1543. Para él, Ruy Gómez era poco más que un advenedizo del que había que hacer poca cuenta. Por eso, en aquellos años, Ruy Gómez procura hacerse con aliados en la corte imperial, a través del secretario Eraso, con el que extrema las oficiosidades y al que procura tener al tanto de lo que sucedía en la corte castellana, incluso con comentarios poco halagüeños para la gente del país que le había acogido, pero que podían entenderse como un cumplido, dado que sin Eraso la administración en Castilla era ineficaz en extremo:

> ... No tengo que dezir —le escribe desde Madrid en 1551— sino que los negoçios van a la española, despacio y mal entendidos...

Todo andaba mal y la corrupción era general:

> Estas gentes —añade en su carta a Eraso— han menester visitación desde la mayor hasta la menor...

[5] Relación del dinero de Castilla que había de llevar en 1557 Ruy Gómez de Silva (Archivo General de Simancas, Estado, Castilla, leg. 135, fol. 74). Se trata de una estimación de cantidades diversas que habían de conseguirse, tanto de rentas de la Corona (maestrazgos, remesas de las Indias) como de préstamos pedidos a varias dignidades eclesiásticas, tal el obispo de Córdoba, Leopoldo de Austria (tío del Emperador, del que se esperaban nada menos que 100.000 ducados), y el arzobispo de Sevilla, al que se le asignaban 15.000, que era a lo que se había avenido en una primera entrega el arzobispo inquisidor, frente a los 150.000 que en principio le había pedido la corte (véase la obra de José Luis González Novalín, *El inquisidor general Fernando de Valdés*, Oviedo, 1968, I, págs. 286 y sigs.).

No pierde la ocasión, desde luego, de solicitar un mayor poder para su príncipe y señor:

> Su Alteza trabaja todo lo que puede...

Pero también le da cuenta de las intrigas de la corte y de las sordas luchas entre los ministros castellanos; en este caso, entre Juan Vázquez de Molina y Gonzalo Pérez: que el secretario del Príncipe quería entrar también a llevar los negocios de Estado, a lo que Vázquez de Molina se negaba. Por supuesto, no deja de referirse al duque de Alba y de su salida de la corte, aunque era de suponer que, dada la tensión internacional, pronto sería llamado:

> ... creçen tanto los negoçios de guerra que de fuerça le habrán de hazer venir...

Y después de tantas confidencias y de allanar el camino, su propia petición.

Una petición de apoyo que era al mismo tiempo una justificación por la extrema merced que el Rey le había hecho, concediéndole la dignidad de clavero de la Orden de Calatrava; galardones que en principio estaban reservados para los cristianos viejos de la alta nobleza castellana. Y en eso se basaría la justificación del portugués: si dignidades semejantes se daban a nobles de origen converso, ¿por qué cabía extrañarse que también se la dieran a él? Y así razona:

> ... si pareciere allá demasiada merced o autoridad, sepa vuestra merced que ninguna cosa destas es, porque de la Orden de Alcántara es Presidente el Comendador de Herrera, que aunque viejo, es cristiano nuevo, y por ser anciano le dieron la preeminençia... [6]

Las familiaridades de Ruy Gómez de Silva con Eraso, estableciendo una conexión con la corte carolina, son constantes. En ellas no podían faltar las referencias al duque de Alba, verdadero peso pesado y personaje que no era precisamente del agrado del portugués, que veía en él un peligroso rival:

> El duque d'Alva se vuelve a su casa, y Su Alteza le dio liçençia, con yntinción de llamalle si fuere menester.

No era una ausencia cualquiera, sino una manifestación de su agravio, marchándose de la corte del Príncipe, donde no se le daba todo el protagonismo que esperaba y que creía merecer:

---

[6] Ruy Gómez de Silva al secretario Eraso, 25 de noviembre de 1551 (véase mi libro *Política mundial de Carlos V y Felipe II, op. cit.*, pág. 193).

El Duque anda descontento —añade Ruy Gómez en su carta a
Eraso— y no tiene razón, porque el Príncipe le haze harto favor y le
da parte de todo lo que hay, sin faltar nada, y lo de su casa lo comunica con él.

Pero eso no era bastante. El duque de Alba aspiraba a convertirse en una
especie de valido, después de los méritos adquiridos en la guerra contra la
Liga alemana de Schmalkalden, prevaliéndose de la doble situación de un
Emperador tan achacoso, por una parte, y de un Príncipe tan inexperto, por
otra. Y Ruy Gómez tiene buena cuenta de denunciar tales ambiciones:

... y con todo esto —el favor del Príncipe—, porque no lo tiene todo,
no está contento. Y esto no sé si convernía a su servicio, como algunas veces lo tenemos platicado vuestra merced y yo...[7]

De modo que la ambición del duque de Alba era la comidilla de la corte; lo cual viene a coincidir con lo que ya había advertido Carlos V a su hijo
en sus Instrucciones de 1543; aquello tan significativo que ya hemos comentado:

El duque de Alba quisiera entrar con ellos... Y por ser cosa del
gobierno del Reino donde no es bien que entren Grandes, no lo quise admitir, de que no quedó poco agraviado...

Y recordemos que el Emperador añade, con un estilo que parece anun-
ciar al *Lazarillo:*

... Yo he conocido en él, después que le he allegado a mí, que él pretende grandes cosas y crecer todo lo que él pudiere, aunque entró
santiguándose humilde y recogido. Mirad, hijo, qué hará cabe vos
que sois más mozo...

Penetrante juicio del Emperador sobre el Duque, añadiendo las más graves advertencias a su hijo sobre lo que le podía ocurrir si cedía a sus exigencias:

De ponerle a él ni a otros Grandes muy adentro en la gobernación os habéis de guardar, porque por todas vías que él y ellos pudieren os ganarán la voluntad, que después os costará caro. Y aunque
sea por vía de mujeres creo que no lo dexará de tentar...[8]

---

[7] Ruy Gómez de Silva a Eraso, Madrid, 5 de abril de 1552 (Archivo General de Simancas, Estado, Castilla, leg. 89, fol. 129; autógrafa).

[8] Instrucciones citadas de Carlos V a Felipe II de 1543 (*Corpus documental de Carlos V,
op. cit.,* II, pág. 109).

Utilizar la vía amorosa para ganar la voluntad de un príncipe joven era una posibilidad a tener en cuenta, algo que estaba en el ambiente de la corte, y había que estar prevenidos contra ella. El propio Carlos V se lo achacaba también a Cobos[9]. Y nuestra duda entonces, que parece razonable, es si también entraría en ese juego el mismo Ruy Gómez de Silva.

El cual, por lo pronto atacaría también a otro de los ministros de ese bando imperial: al secretario Juan Vázquez de Molina, el sobrino de Cobos, que había heredado parte de sus cargos:

> Juan Vázquez —sigue siendo Ruy Gómez el que informa a Eraso— no se platica tanto conmigo como solía. No sé si son çelos de que me carteo con vuestra merced, o de que vuestra merced se cartee con Su Alteza por mi vía...

De forma que ya los enlaces están realizados y los puentes establecidos: Eraso (en Bruselas) con Ruy Gómez (en Madrid), saltándose al que tenía oficialmente el cargo de secretario de Estado. Y eso Juan Vázquez de Molina lo acusa:

> Acá pasó unas escaramuças conmigo —añade el portugués—, agraviándose desto de Su Alteza. Esto es materia que hasta que vuestra merced la sepa bien de raíz, no ha de dar a entender que sabe nada della, y disimule, porque ansy cumple. Otras cosas hay que le podría parlar, que por ser chismerías...[10]

Por lo tanto, las alianzas establecidas, aunque se procurase disimular, ese arte de la corte en que Ruy Gómez parecía mostrarse tan consumado maestro.

Eraso, su amigo, se lo había advertido: que nadie pudiera decir de él que se metía en las cosas del gobierno o de la justicia del reino, pues podía ser su desgracia, ya que a fin de cuentas él era un extranjero y en Castilla no se toleraría tamaña intromisión; por supuesto que cuando el Príncipe ocupase el trono las cosas cambiarían. Y, sin embargo, a la corte de Carlos V en Bruselas llegan quejas. Eraso ha de llamar la atención a su protegido, y Ruy Gómez de Silva le jura que todo era falso:

> ... yo traxe tan bien entendida la lición que vuestra merced allá me dio, que le juro a Dios y a ésta que es cruz[11], que hasta agora, ni con liçençiado ni en cosa de Justiçia no he hablado a Su Alteza, ni a per-

---

[9] «... y como —Cobos— ha sido amigo de mujeres, si viese voluntad en vos de andar con ellas, por ventura antes ayudaría que estorbaría...» (*Corpus...*, II, pág. 110).

[10] Ruy Gómez de Silva a Eraso, Madrid, 5 de abril de 1552 (Archivo General de Simancas, Estado, Castilla, leg. 89, fol. 129; autógrafa).

[11] Y la pinta en la carta.

sona de Spaña, ni en cosa me he metido ni hablado que sea fuera de mi profesión, que es vestir el sayo a Su Alteza. Y porque pienso, con ayuda de Dios, que traerá las cosas a que yo pueda hazer esta satisfaçión a boca, no diré más... [12]

Ya lo hemos comentado: todavía Carlos V estaba en la cumbre de la fortuna y bueno era aparecer humilde y sin mayores ambiciones. Pero la adversidad acechaba ya al César. A poco llegan a Castilla las noticias de la fuga de Innsbruck. Todo el poderío del Emperador, levantado tras cinco años de guerras contra franceses y protestantes alemanes, se venía abajo. De pronto, era la corte carolina la que lo tenía que esperar todo de la corte de Castilla, empezando por la ayuda que proporcionara el príncipe Felipe.

Tal cambio tenía que reflejarse en las relaciones entre los dos centros de poder. Sólo tres días después vuelve Ruy Gómez de Silva a escribir a Eraso. ¡Pero qué tono tan distinto! El protegido se convierte en protector y el que recibe humildemente consejos es el que los da, con cierto deje de altivez:

> Su Alteza —le escribe el 10 de mayo— queda con gran contentamiento de lo que vuestra merced hace çerca de su serviçio. Llévelo vuestra merced siempre adelante, porque de creçer Su Alteza en este contentamiento ha de venir el de vuestra merced... [13]

Hace muchos años que descubrí ese documento en Simancas. La cuartilla donde lo transcribí amarillea de tanto tiempo. Y ya entonces me atrevía yo a comentar al margen: «Apunta el partido nuevo del Príncipe. Ahora es Ruy Gómez de Silva quien habla como protector.» Y no me faltaba razón para ello.

Con ese poder en alza y gozando del favor del Príncipe, Ruy Gómez se atreve a una formidable escalada: igualarse con la altiva alta nobleza castellana, con los Grandes de España. ¿De qué modo? Por la vía más rápida: emparentando con ella. Para eso es preciso que intervenga la decisiva influencia de su Príncipe, conforme al uso de que esos matrimonios tienen que hacerse con la conformidad de la Corona. ¿Y quién está a la vista? Una chiquilla que apenas si tiene doce años, de nombre Ana, que desciende de la más linajuda de las familias hispanas: hija del duque de Francavilla, don Diego de Mendoza, y de doña Catalina de Silva, hermana del conde de Cifuentes, noble muy vinculado a la corte. Por lo tanto, Ana de Mendoza es la escogida, una tataranieta nada menos que del poderosísimo don Pedro de Mendoza, aquel cardenal de España del tiempo de los Reyes Católicos a quien por su poder el pueblo le llamaba el tercer rey de Castilla. Y la boda se concierta, aunque naturalmente habrá que esperar a que pasen unos años para consumarla.

---

[12] Ruy Gómez de Silva a Eraso, Madrid, 7 de mayo de 1552 (Archivo General de Simancas, Estado, Castilla, leg. 89, fol. 130; autógrafa).

[13] Ruy Gómez de Silva a Eraso, Madrid, 10 de mayo de 1552 (*ibídem*, fol. 131; autógrafa).

Tal era ya el poderío de Ruy Gómez de Silva en 1552.

Un poderío que no haría sino afianzarse y crecer. Siempre lo encontraremos ya al lado de Felipe II, al que acompaña, por supuesto, cuando la aventura de la boda inglesa con María Tudor lleva al Rey —y ya lo era, pues Carlos V le había cedido el reino de Nápoles— a la corte de Londres. Y también se refleja, como podía esperarse, en el tono desenvuelto de las cartas de Ruy Gómez de Silva, cada vez más seguro de que es el hombre de confianza del nuevo Rey. Basta con leer sus comentarios sobre la reina inglesa María Tudor, a poco de su llegada a Londres, acompañando a Felipe II:

> La Reina es muy buena cosa, aunque más vieja de lo que nos decían... [14]

Y una semana después, como si aquella triste boda le afectara tanto como a su señor, trata de encontrar algo que la mejore:

> La princesa de Portugal [15] envió un gran presente a la Reina de vestidos y tocados, y la Reina les estuvo mirando y holgando con ellos...

Tras de lo cual busca ya una mejora de la Reina:

> Paréceme que si usase nuestros vestidos y tocados, que se le parecería menos la vejez y la flaqueza...

Y ya, el gran desahogo, el fastidio por lo que estaba pasando su Rey:

> ... Para hablar verdad con vuestra merced —comenta con Eraso—, mucho Dios es menester para tragar este cáliz...

De ahí el elogio hacia Felipe, capaz de sacrificarse por razones de Estado:

> Y lo mejor deste negocio es que el Rey lo vee y entiende que no por la carne se hizo este casamiento, sino por el remedio deste Reino y conservación desos Estados [16].

Después de la aventura inglesa, tan desventurada, la paz de Cateau-Cambrésis, el retorno a España con el joven Rey y la boda anunciada con Ana de Mendoza, que ya se ha convertido en una espléndida mujer, acaso la belleza de la corte, con sus diecinueve años recién cumplidos. Los honores llueven sobre Ruy Gómez de Silva, al que el Rey quiere elevar a la cima, para con-

---

[14] Ruy Gómez de Silva a Eraso, 26 de julio de 1554 (publicado por *Codoin,* III, pág. 527).

[15] Se trata de doña Juana de Austria, princesa viuda de Portugal.

[16] Ruy Gómez de Silva a Eraso, 29 de julio de 1554 *(Codoin,* III, pág. 530).

trarrestarle con la imponente grandeza del duque de Alba, Grande por la cuna y por su propia grandeza, labrada a pulso en mil lances afortunados que hacen de él el primer capitán de su tiempo.

Pero Felipe II recela de tanto poder. No puede prescindir del Duque, eso está claro. A fin de cuentas, ése es el peso del Imperio: que las cosas de la guerra siempre resultan prioritarias. Aunque el Estado es algo más, y ahí es donde puede hacer su juego el valido (si es que lo podemos llamar así) portugués, al que, por lo pronto, el Rey hace duque de Pastrana y príncipe de Éboli, elevándolo al mayor nivel cortesano, además de consejero del Consejo de Estado.

No obstante lo anterior y por si fuera poco, para que la paridad con el duque de Alba sea lo más completa posible, también se acuerda de ambas esposas y, puesto que hay que nombrar las tres primeras damas que acompañen a la nueva reina, la deliciosa Isabel de Valois, el Rey las escoge con todo cuidado o, por mejor decir, con la máxima intención. No es una elección arbitraria. Una de ellas es inexcusable: su hermana, la princesa viuda de Portugal, Juana de Austria. Para las otras dos, el Rey buscará el equilibrio cortesano, el mismo que trataba de conseguir en el Consejo de Estado, y designa a la duquesa de Alba, por supuesto, pero también a la jovencísima esposa de Ruy Gómez de Silva, a la inquietante belleza de Ana de Mendoza, duquesa de Pastrana y princesa de Éboli.

Desde entonces, la princesa de Éboli se convierte en uno de los personajes más atractivos, más interesantes y más misteriosos de nuestra historia del Quinientos.

Sabemos la leyenda: estamos ante la amante del Rey. Pero ¿es sólo leyenda? La cuestión no es baladí, no se limita únicamente a lo que podríamos llamar vida privada de Felipe II. En principio, porque a través de ese examen quedará más en claro la posición del valido y el grado de las relaciones que mantenía con el Rey, y también porque nos permitirá comprender mejor la época, en uno de sus aspectos yo creo que peor conocidos, pese a su notorio interés, como es el de los recovecos de la vida amorosa del Quinientos.

Asimismo, existe otra razón: porque es falso que se pueda prescindir de esa materia, como si se tratara de meros cotilleos, que nada tienen que ver con la verdadera historia, y ello por cuanto que tienen su fuerte influencia en el curso de esa gran historia, como hemos de ver.

Y de entrada, algo debemos señalar: es falsa la imagen de Felipe II como un rey casto y devoto, incapaz de tales devaneos amorosos; ese rey que nos salta a la imagen, con la estampa del retrato de Anguissola, que custodia el Museo del Prado, y que aparece de medio busto, todo de negro y portando en la diestra no la espada, sino el rosario. Figura verdadera, por supuesto, pero que corresponde a un período posterior y que no se puede presentar como si fuera también la de sus años juveniles y de la plena virilidad; aparte de que lo devoto y lo casto no son términos sinónimos y que de hecho se dan con frecuencia por separado.

Para abordar el tema en profundidad, lo primero será ver cuál era el ambiente de la época, respecto a la vida amorosa de los reyes en nuestro siglo XVI, para después centrarnos en lo que sabemos respecto a Felipe II; eso nos permitirá ya enfocar la cuestión planteada al principio: si cabe suponer que una de las amantes del Rey fue la princesa de Éboli.

Con lo cual quiero decir que ir de inmediato sobre la vida amorosa del Rey puede llevar a falsas apreciaciones, y que establecer unos adecuados parámetros nos ayudará a esclarecer los hechos.

Por ejemplo, a no asombrarnos demasiado —no digo a escandalizarnos— si nos encontramos con que la vida amorosa de Felipe II tuvo etapas verdaderamente turbulentas. Fue lo que estaba en el ambiente, lo que la sociedad permitía al varón, y en especial a las testas coronadas. Y eso en toda Europa. Los ejemplos de Felipe el Hermoso en los Países Bajos, de Enrique VIII en Inglaterra, de Enrique II en Francia son clara muestra de ello.

En España, por supuesto, ocurría algo similar: una alborotada vida amorosa de los reyes, al margen del matrimonio, en contraste con la conducta de las reinas, y con el consiguiente resultado de múltiples hijos ilegítimos.

Ya Fernando el Católico había dado la señal, sin rebozo alguno y provocando los celos de Isabel. Y nada de ocultar a sus bastardos, el más aventajado de los cuales llegaría a ser arzobispo de Zaragoza y personaje destacado todavía a principios del reinado de Carlos V [17]. Eso sí, hombres o mujeres, dedicados a la vida religiosa, como aquella doña María de Aragón, abadesa del convento agustino de Madrigal de las Altas Torres [18].

No hablemos de Felipe el Hermoso, pues lo que a ese respecto hizo sufrir a su esposa, la desventurada reina Juana, hasta hacerla enloquecer de celos, debiera bastarnos [19].

Centrémonos en Carlos V, como modelo más inmediato y como personaje en tantos aspectos admirado por su hijo Felipe II. ¿Con qué nos encontramos? La historia nos recuerda sus dos hijos naturales, tan famosos, con los nombres de Margarita de Parma y de don Juan de Austria. Pero no fueron los únicos, como hemos de ver. Tampoco nos interesa sólo la frecuencia del hecho, sino también la forma de resolver las diversas situaciones sociales que se plantearon.

Ciertamente, no fueron los únicos hijos naturales del César. Carlos V, antes y después de su vida matrimonial con la emperatriz Isabel (de la que estuvo tan tiernamente enamorado y a la que parece que le fue fiel), tuvo varias aventuras amorosas y los consiguientes hijos naturales, de lo que existen inequívocamente pruebas documentales, al menos de dos casos, en los que nacieron sendas hijas.

---

[17] Véase la notable carta que escribe don Alonso de Aragón, arzobispo de Zaragoza, a Carlos V, el 7 de marzo de 1516 (*Corpus documental de Carlos V, op. cit.,* I, págs. 50-57).

[18] Sobre esto, véase mi libro *Fray Luis de León,* Madrid, 1991, págs. 72 y sigs.

[19] Manuel Fernández Álvarez, *Juana la Loca,* Palencia, Diputación Provincial, 1994.

De una de ellas ya se encuentran pistas en las crónicas del tiempo, como en Alonso de Santa Cruz, que nos dice que Carlos V «... en el vicio de la carne fue a su mocedad mozo...», para explicar así que en aquella época había tenido dos hijas naturales, una en los Países Bajos y la otra en Castilla[20]. La de los Países Bajos se trata, sin duda, de Margarita de Parma. En cuanto a la de Castilla, que podría parecer fantasía del cronista, es la que, según la tradición, había muerto muy niña en el convento de madres agustinas de Madrigal de las Altas Torres. Pues bien, sobre esa criatura es sobre la que hoy tenemos bastante documentación, aparte del cuadro existente en el convento, cuyo pie reza:

> Doña Juana de Austria, hija natural de Carlos V. Murió novicia.

¿Se trata de una superchería de las monjas del convento, para aumentar su prestigio, como refugio de los devaneos imperiales que añadir a los del rey Fernando el Católico? Nada de eso. El cuadro es muy malo y, posiblemente, posterior a los hechos, pero la referencia es exacta.

La prueba documental fue encontrada por el padre agustino fray Quirino Fernández. Se trata de una interesantísima correspondencia de la abadesa de aquel convento agustino con Carlos V y con el conde de Nassau (uno de los principales nobles del entorno carolino en sus primeros años), con fragmentos tan reveladores como los siguientes:

> Yo he querido escribir y hacer saber a vuestra merced —le dice la abadesa doña María de Aragón al conde de Nassau desde Madrigal, el 28 de marzo de 1524— cómo la señora doña Juana está muy linda y muy grande; que, para la poca edad que tiene, es maravilla del cuerpo que tiene, y suéltase ya un poquito a andar de un mes acá, trayéndola de los bracitos...

Evidentemente, muy importante tenía que ser aquella criatura y muy vinculada a la casa reinante, para que la abadesa de Madrigal —hija natural de Fernando el Católico, no lo olvidemos— se tomase tanto interés y pusiese tanto cariño en ella. Un texto que ya nos permitiría sospechar el alto parentesco de aquella inocente, pero si hubiera alguna duda, la abadesa nos la disiparía:

> Parécese de cada día mucho más al Emperador, mi señor, que yo recibo gloria de la ver. Y su madre besa mil veces las manos de vuestra merced[21].

---

[20] Alonso de Santa Cruz, *Crónica del emperador Carlos V,* Madrid, ed. R. A. Historia, II, pág. 38.

[21] Quirino Fernández, «Las dos agustinas de Madrigal, hijas de Fernando el Católico», en *Analecta Agustiniana,* 1988, LI, págs. 44-46; cf. mi estudio *Fray Luis de León,* Madrid, Espasa Calpe, 1991, págs. 72 y sigs.

He ahí, por tanto, a esa niña hija natural de Carlos V, que entonces tendría algo más del año, pues era cuando empezaba a andar, y por ello que debió nacer a principios de 1524 y engendrada por el Emperador en 1522, durante su estancia en los Países Bajos, poco antes de su regreso a España. Una criatura que lleva su madre, como una más de la servidumbre del conde de Nassau, que es el depositario del secreto de su señor. Y esa criatura, cuando nace, es llevada al convento de las agustinas de Madrigal, donde ya era tradición que los reyes hacían profesar a sus hijas bastardas. Pero debió vivir poco tiempo, pues a partir de noviembre de 1525 cesan las referencias sobre ella[22].

Por lo tanto, estamos ante una aventura amorosa de Carlos V con una humilde mujer, de la que apenas si sabemos nada más, salvo que era alguien del entorno cortesano del conde de Nassau, que aparece como el encubridor del lance, y acaso como el inductor, como parece desprenderse de lo que le cuenta la abadesa:

> Ella, en verdad, es muy honrada y, por ser madre de doña Juana, justo es que Su Majestad lo haga bien con ella. Y a vuestra merced[23] suplica que se acuerde de ella, que su esperanza en vuestra ilustre persona tiene, que piensa por su mano le ha de venir el bien, como siempre la hizo mercedes...[24]

A partir de ese momento, ¿cuál es la actitud del Emperador? De total abandono. Su hija natural queda al cuidado de la madre donde la tradición regia mandaba que se hiciera, y él ya puede desentenderse del asunto.

No lo creía así, por supuesto, la que había sido su amante, y de su lastimosa queja se hace eco, caritativa, la propia madre abadesa doña María de Aragón:

> Su madre —escribe al conde de Nassau— besa las manos de vuestra merced. Está muy triste de ver que cuánto ha que Su Majestad aquí envió a la señora doña Juana, nunca se ha acordado de ella. Y de esto tiene tanta pena, que no puede ser más...[25]

En marcado contraste, la otra hija natural que Carlos V había tenido unos meses antes, nacida en los Países Bajos, sería educada con esmero y después recibida en el mundo con toda autoridad; me refiero a Margarita de Parma, nacida también en 1522, que andando el tiempo casaría nada menos que con Octavio Farnesio, el hijo natural del papa Paulo III.

¿Cómo explicar tan notable diferencia de trato? Por la distinta procedencia social de las madres, perteneciendo la de Margarita al linaje nobiliario de

---

[22] *Fray Luis de León, op. cit.,* pág. 74.
[23] El conde de Nassau.
[24] *Ibídem,* pág. 73.
[25] *Ibídem,* págs. 73 y 74.

la familia flamenca Van der Gheyst, mientras que la madre de Juana el único título que tenía era el de haber dado una hija al Emperador.

Pero existe aún un caso más extremo. Hoy tenemos sospechas fundadas de que Carlos V tuvo a los dieciocho años una hija con la reina Germana de Foix.

Tal es lo que se desprende de un documento tan solemne como es el testamento de aquella Reina, la cual deja una de sus joyas más preciadas a doña Isabel de Castilla:

> Item, legamos y dexamos aquel hilo de perlas gruesas de nuestra persona, que es el mejor que tenemos, en el que hay ciento y treinta y tres perlas, a la serenísima doña Isabel, infanta de Castilla...

¿Quién era aquella infanta, que no aparece recogida en las crónicas de la época? Doña Germana nos lo dirá:

> ... hija de la Mat. del emperador mi señor e hijo...

Pero ¿por qué tal distinción con esa supuesta infanta de Castilla? El testamento corresponde a 1536, el año en que muere doña Germana, y para esas fechas ya habían nacido las dos hijas de la emperatriz Isabel, María y Juana. Pero doña Germana sentía especialísimo afecto hacia esa Isabel de Castilla, como ella misma nos lo expresa en el testamento:

> ... y esto por el sobrado amor y voluntad que tenemos a Su Alteza.

¡Asombroso! No se puede dudar de la autenticidad de ese testamento. Estamos copiando del original que custodia el Archivo de Simancas [26], y que conocimos gracias a la referencia de una joven investigadora valenciana, Regina Pinilla Pérez de Tudela [27].

Cierto, en su testamento doña Germana se refiere a esa hija del Emperador, pero no precisa el lazo que le unía con ella, salvo esa indicación de su gran amor y voluntad. Cabría sospechar que se trataba de su hija, pero nada más. Ahora bien, el propio Archivo de Simancas guarda otro documento que nos lo aclara: la carta del esposo de doña Germana, don Fernando, virrey de Valencia y duque de Calabria, quien en ese año de 1536 escribe a la Emperatriz para darle cuenta de la muerte de doña Germana —recuérdese que en ese año Carlos V está ausente de España, enfrascado en la campaña de Provenza—, y le comenta el legado de su mujer con estas palabras:

---

[26] Archivo General de Simancas, Patronato Real, leg. 29 (59).

[27] Se trata de la tesis doctoral de la profesora Pinilla sobre los virreyes de Valencia Germana de Foix y el duque de Calabria; cf. mis diálogos luisianos en el libro *Fray Luis de León,* Madrid, Espasa Calpe, 1991, págs. 75 y sigs.

Vea V.Mgt. el legado de las perlas que dexa a la serenísima infanta doña Isabel, su hija. V.Mgt. mandará screvirme si es servida que se
le embien con hombre propio [28].

Por lo tanto, el duque de Calabria nos lo precisa: esa Isabel de Castilla, a
la que doña Germana señala en su testamento como hija del Emperador, era
también, en efecto, hija de doña Germana. Y todo apunta a que esa relación
amorosa la tuvo el Emperador a poco de llegar por primera vez a España [29].
Es más: doña Isabel de Castilla debió de criarse en la corte imperial, y por eso
el duque don Fernando le envía a la Emperatriz ese precioso legado de 133
perlas gruesas [30].

Por lo tanto, tres hijas naturales del Emperador tenidas con tres mujeres
pertenecientes a niveles distintos y que por ello tienen también tres tratamien-
tos diferentes: la hija de la Reina se cría en la corte, la hija de aquellos nobles
flamencos —los Van der Gheyst— se casará una y otra vez con príncipes italianos, y, en fin, la hija de aquella humilde mujer de la servidumbre del conde
de Nassau será metida al punto en el convento de madres agustinas de Madrigal de las Altas Torres. Y la costumbre es que, cuando la dama es principal, se
vea desposada de mano del Rey con uno de los miembros de la alta nobleza
de su corte, que más que como una infamia parece que lo toma como un favor y una distinción personalísima de su señor, quien, por supuesto, recom-
pensará adecuadamente aquel peculiarísimo servicio, como lo haría en el caso
del duque de Calabria al dar al matrimonio el virreinato de Valencia. Tres
ejemplos a seguir, pues, por Felipe II para casos similares.

Falta por referirnos al último hijo natural de Carlos V, al famosísimo don
Juan de Austria, criado al principio tan modestamente (en relación evidente
con el humilde grado social de la madre) y con tanto secreto, pero al que después el Emperador, acaso porque se trataba de un hijo varón, quizá por especiales planteamientos de conciencia en aquellas horas postreras de Yuste, re-
comendará al fin tan apretadamente al Rey, su hijo, como es tan notorio.

A este respecto, yo quisiera comentar una curiosa minuta de Felipe II escrita cuando tiene ya noticia directa de aquel suceso, que nos hace ver las dudas del Rey.

La minuta es de mano de Eraso y está escrita a principios de 1559; es el
borrador para contestar a Luis Quijada, señor de Villagarcía, en relación con
la noticia que había mandado sobre la existencia de don Juan de Austria, tal
como se lo había encargado el Emperador. Se trata de una larga minuta de la

---

[28] La carta del duque de Calabria a la Emperatriz va acompañando al testamento de doña
Germana de Foix y se encuentra en el mismo legajo del Archivo General de Simancas, Patronato
Real, leg. 29 (59).

[29] Véase mi libro *Fray Luis de León, op. cit.,* págs. 70 y sigs.

[30] Es ahora, al revisar una vez más esos documentos, cuando caigo en la cuenta de que doña
Isabel de Castilla tuvo que criarse en la corte imperial, como parece probarlo que el duque de
Calabria envíe allí el precioso legado hecho por su mujer.

que copiaremos sólo los párrafos principales. Su interés radica en que se ta-
chan y corrigen frases, dando señales de titubeo sobre cómo había de enfocar-
se aquel delicado asunto, tanto más cuanto que aquel muchacho era hijo de
una humilde mujer. Para nuestro intento, pondré en columnas separadas la
redacción inicial y la definitiva:

Redacción inicial	Redacción definitiva
En lo de don Juanito he holgado de saber es mi hermano... y tengo por cierto le dotrinaréis y haréis criar en las letras y lo demás, como lo sabréis muy bien hacer...	En lo de ese muchacho, he holgado de lo que dél me escribís... y tengo por cierto le haréis dotrinar y que aprenda latín y lo demás, como es menester hacer...

Hay otras tachaduras y correcciones, pero de menor importancia. Lo que
sí importa anotar es que la noticia de la existencia de aquel hijo natural de
Carlos V, algo que ya era del dominio público tanto en Castilla como en los
Países Bajos (y a ello se alude en el documento), y de la inminencia de darlo a
conocer, de un modo oficial, le plantea a Felipe II notorias dudas. Se podría
suponer que era una cuestión muy delicada y, al mismo tiempo, desagradable.
Da la impresión de que en el Rey chocan dos sentimientos: el de un espontá-
neo afecto hacia aquel inesperado hermano y la cautela de lo que había de
hacerse con él. Así, en un principio sale aquello de nombrarlo por su nombre
(«don Juanito») y de tratarlo ya como su hermano; pero tras la reflexión, propia o de sus consejeros, viene ya esa cautelosa referencia a «ese muchacho»,
sin nombre ni parentesco.

En cuanto a las dudas, ya de menor importancia, respecto a su crianza,
únicamente señalar que se estaba pensando en aquel momento, posiblemente,
en que debería ser educado para la Iglesia y no para la corte, quedando a cargo de ello don Luis Quijada; lo cual, evidentemente, obligaría a que el Rey no
lo reconociera como su hermano [31].

Que los príncipes tuvieran hijos ilegítimos era, pues, algo que aquella sociedad daba como un hecho natural, y que estaba justificado sobre todo si lo
tenía con dama principal; en otro caso, todo se hacía más oscuro.

Sería lo que de un modo franco y abierto reconocería uno de esos altos
personajes, precisamente don Juan de Austria, en carta a su hermana la princesa Margarita de Parma, escrita desde Nápoles en 1573:

> Señora: Ríase V.A. en leyendo esta carta de lo que yo en ella
> quiero decirla, que yo, aunque corrido, pienso también hacerlo.
> Acuérdese V.A. que ... me preguntó si yo tenía algún hijo, y justa-
> mente me mandó que se lo diese si lo tenía. Respondíla que no...

[31] Felipe II a Luis Quijada, s.f. (Archivo General de Simancas, Estado, Castilla, leg. 128, fol. 124; minuta). Documento transcrito por Asunción Ugarte Anitúa, a la que quiero expresar mi profunda gratitud.

[pero] de aquí a un mes creo que de muchacho que soy me he de ver
padre corrido y avergonzado. Y digo avergonzado porque es donaire
tener yo hijos...

Después de esa primera parte de la carta, en la que don Juan de Austria
da la noticia a su hermana, viene ya la notable referencia a su amante, aunque,
por supuesto, sin dar su nombre:

La que verdaderamente le parirá es mujer de las más nobles y señaladas de aquí y de las más hermosas que hay en toda Italia; que, al
fin, con estas partes y principalmente la de la nobleza, parece que podrá mejor sufrirse este desorden...

Ese tratamiento moral parecía obligado: un hijo natural era algo repro-
chable. Pero al punto don Juan de Austria rectifica, y añade con firmeza:

... si desorden puede llamarse cosa tan natural y usada en el
mundo... [32]

Con esta exposición de cómo se veía la vida amorosa de los príncipes de
las casas reinantes, dando por sentado que tener una amante era la cosa más
natural y usada en el mundo y recordando también el tratamiento dispensado,
cuando eran damas de linaje destacado, casándolas con personajes elevados
de la corte, estaremos en condiciones de sopesar la intervención de Ruy Gómez de Silva en la vida amorosa de Felipe II.

Así, por ejemplo, los primeros amores del entonces «príncipe de las Españas» con Isabel de Osorio, dama de la Emperatriz, a la que vemos después
en la corte de Juana de Austria. Una relación amorosa de la que existen pruebas concluyentes, y que debió de comenzar muy pronto, cuando vivía aún la
princesa María Manuela de Portugal, la primera mujer de Felipe II, de la que
pronto se desilusionó por su tendencia a la obesidad que tanto la afeaba y
que la Princesa no supo o no pudo evitar, pese a los consejos de su madre, la
reina Catalina de Portugal [33].

---

[32] Carta citada por Gregorio Marañón, *Antonio Pérez: el hombre, el drama, la época*, Madrid,
1951, I, pág. 220, nota 5.

[33] La obesidad de la Princesa era tan notoria, que cuando se reanudan las negociaciones de
boda en 1542 Felipe pregunta alarmado sobre ello al embajador imperial en Lisboa, Sarmiento, el
cual no tiene más remedio que confirmárselo: era «más gorda que flaca», aunque no tanto como
cuando era muchacha (Sarmiento a Felipe II, Lisboa, 25 de julio de 1542; Archivo General de Simancas, Estado, Castilla, leg. 373. Cf. Fernández y Fernández de Retana, *op. cit.*, I, págs. 180
y sigs.). «La rolliza infanta —comenta Keniston— fue, en verdad, una figura patética» (Keniston,
Francisco de los Cobos, op. cit., pág. 279). En lo cual, la Princesa salía a su madre, cuya obesidad
es tan patente en el cuadro que custodia el Museo del Prado pintado por Antonio Moro. En contraste, María Manuela había sido educada desde muy niña en el amor a Felipe: «La Princesa —escribía
el embajador Lope Hurtado a Carlos V en 1530— hace todas las cosas que le piden por amor del
príncipe de Castilla...» (cit. por Aude Viaud, *Lettres des souverains portugais a Charles Quint et a*

Ante esa situación era fácil prever que algo iba pronto a cambiar.

Ya en 1545 empiezan las salidas nocturnas del Príncipe, mientras que su desvío hacia la Princesa es la comidilla de la corte, y hasta tal punto, que el rumor llega hasta el Emperador, que se cree obligado a reprender por ello a su hijo:

> Lo mismo he hecho [en lo de reprenderle] —informa a don Juan de Zúñiga— en lo de la sequedad que usa con su mujer en lo exterior, de lo cual me pesa mucho, y no sería razón que así se hiciese, y no deja de entenderse por otras partes, que es harto inconveniente. Aunque bien creemos que esto no procederá de desamor, sino del empacho que los de su edad suelen tener, y así esperamos que habrá enmienda...[34].

En la crónica de las bodas de los Príncipes, ¿no dice el cronista textualmente: «... es algo gordilla...»?[35]

Debió de ser entonces cuando inició el Príncipe su aventura amorosa con Isabel de Osorio, frente a cuya espléndida belleza mal podía defenderse María Manuela de Portugal. El Príncipe sabía las licencias que aquella sociedad le concedía y su inclinación ya apuntaba fuertemente, y hubo de suceder lo que ya el Emperador había previsto: que más de un cortesano le empujara a ello. Carlos V lo temía del duque de Alba o de Cobos, pero, evidentemente, no eran esos los confidentes del Príncipe.

Pero el que hacía de tal y el que a todas luces estuvo al tanto de todo ello fue Ruy Gómez de Silva. El príncipe de Orange afirma en su *Apologie* que de allí arrancó la fortuna del valido portugués, y todo parece indicar que eso correspondió a la realidad.

De igual modo tuvo que estar al tanto Ruy Gómez de los encargos hechos a Tiziano de aquellos fascinantes cuadros eróticos, con cuya vista querría recordar Felipe II sus amores con Isabel de Osorio, en aquella cárcel de su matrimonio con María Tudor.

Los embajadores venecianos relatan otros amoríos de Felipe II, como los tenidos en Flandes hacia 1555 con madame D'Aller. Son muy notorios los que mantuvo con Eufrasia de Guzmán a poco de su regreso a España. Y conforme a los usos regios que ya hemos comentado, la haría desposar con don Antonio de Leiva, hijo del famoso vencedor de Pavía y príncipe de Ascoli.

---

l'Impératrice, Lisboa-París, 1994, pág. 64). En cuanto a los consejos de Catalina para que evitase la obesidad, véase Ludwig Pfandl, *Felipe II,* Madrid, 1942, págs. 90 y 91.

[34] Citado por Fernández y Fernández de Retana, *España en tiempo de Felipe II, op. cit.,* I, pág. 213. Es el propio Carlos V el que se hace eco de las salidas nocturnas de su hijo: «Habéis hecho muy bien —le dice a Zúñiga— si le habéis hablado de lo que pasó en Cigales en casa de Perejón y del salir de noche, y si eso fuere empeorando o se hizo con algún mal fin, avisarme heis particularmente...» *(ibídem).*

[35] «Bodas de Felipe II y María Manuela», en mi *Corpus documental de Carlos V, op. cit.,* II, pág. 177.

Con todos esos antecedentes, ¿cabe extrañarse de que Felipe II se fijara en aquella atractiva e inquietante mujer, precisamente la prometida de su confidente, el oficioso Ruy Gómez de Silva? Aquí ocurre como cuando Copérnico ensayó unas nuevas tablas astronómicas, tomando como punto de partida que era la Tierra la que se movía en torno al Sol: que también cuadran mejor todas las otras referencias que poseemos, como las abrumadoras recompensas a la nueva pareja —ducado de Pastrana, principado de Éboli—, e incluso el nombrar a Ana de Mendoza dama de honor de la corte de la reina Isabel de Valois, su mujer.

Y, sobre todo, por lo que hace a esta parte de los hombres del Rey, esto nos permite comprender la posición cada vez más fuerte de Ruy Gómez de Silva en la corte, al que vemos ya en 1559 como consejero del Consejo de Estado, que era el principal cargo a que podía aspirar.

Para el oficioso servidor del Rey, era la recompensa natural a tantos servicios como prestaba.

De esa manera se convertiría en una de las cabezas de bando en la corte, frente a la otra que encarnaba el duque de Alba.

Un bando con unas características muy precisas; sería lo que en términos actuales llamaríamos el partido de las palomas, frente al de los halcones, que no hay que decir sino que era el acaudillado por el fiero duque de Alba.

Miembros destacados del partido de Éboli eran el conde de Feria y el secretario Gonzalo Pérez.

En cuanto a don Gómez Suárez de Figueroa, señor de Zafra y conde de Feria, estamos ante una figura mucho más fácil de identificar [36]. Es el prototipo de segundón, que inicia su carrera en la diplomacia y al que vemos a mediados de siglo como embajador de Carlos V en Génova [37]. En 1551 hereda el título de conde de Feria, por la muerte de su hermano mayor don Pedro, sin sucesión; pero, en vez de enriscarse en su nuevo señorío, como tantos otros miembros de la alta nobleza castellana, se mantiene ya en el servicio de la corte.

Estamos ante otro representante de la generación del príncipe de Éboli. Caballero de la Orden de Santiago, fue apreciado por Felipe II posiblemente a su paso por Génova en su gran viaje al Imperio, cuando Feria llevaba aquella embajada.

En 1554 es ya uno de los nobles más destacados que acompañan a Felipe II en su aventura inglesa. Allí conoce a una dama de la corte de María Tudor, lady Jane Dormer, de la que existe un delicioso retrato que custodia el Museo del Prado, con la que desposa con gran sentimiento de su familia extremeña, pero con gran satisfacción del Rey, que ve desde ese momento en

---

[36] Véase su semblanza en mi libro *Tres embajadores de Felipe II en Inglaterra, op. cit.,* págs. 22 y sigs.

[37] En 1551 estaba, en efecto, como embajador de Carlos V en Génova; véase su correspondencia con Granvela, Biblioteca Nacional, Ms., Papeles de Granvela, 7.914, caja 11.

Feria al más cualificado de sus servidores para ayudarle a mantener vivas y abiertas sus relaciones con Inglaterra; tanto es así, que le nombrará su representante en la corte de María Tudor, cuando se ausenta de Londres, y, a la muerte de la soberana, le designa su primer embajador cerca de la nueva reina Isabel de Inglaterra. Cuando cesa en la embajada inglesa es tanto el gasto que ha sufrido Feria y son tantas las deudas que ha contraído en el servicio del Rey, que a su regreso a España se refugia en su señorío de Zafra, tratando de restablecer su dañada hacienda. Y allí estaba todavía en 1564, cuando escribe al Rey en favor de algunos miembros de su linaje y le dice:

> V.M. sea muy bien venido a Castilla, y para tanto descanso suyo y de la Cristiandad, como yo deseo. Quixera [*sic*] ir a besar los pies de V.M.; y porque tengo en menos mi contento que pagar mis deudas, me dexo estar en mi casa hasta tener mejor disposiçión para continuar el serviçio de V.M... [38]

Es a raíz de esa carta cuando el Rey le llama de nuevo a la corte, haciéndole de su Consejo de Estado y nombrándole duque de Feria. Y prueba de la confianza tan grande que ha puesto ya en él es que le vemos acompañar al Rey cuando pone mano sobre su hijo y le detiene, en la jornada nocturna del 17 de enero de 1568. Es entonces designado capitán de la guardia que vigila al Príncipe. Manteniéndose siempre en un discreto segundo plano, sería uno de los integrantes del bando que encabezaba el príncipe de Éboli.

Para perfilar la personalidad del primer duque de Feria son muy útiles los informes de los embajadores venecianos, especialmente el de Badoero, cuya embajada transcurre entre 1552 y 1557. Nos presenta al Duque, cuando rayaba los cuarenta, como un hombre sencillo, que vestía sobriamente, al modo castellano, con rasgos de gran señor, en especial por su liberalidad. A juicio del veneciano, Feria carecía de envidia, sin recelo alguno contra Ruy Gómez de Silva, un extranjero de nobleza muy inferior a la suya, pese a los muchos favores que el portugués recibía del Rey. De apacible carácter, no demostraba grandes cualidades para los negocios de Estado y, desde luego, ninguna habilidad para las intrigas de la corte; quizá por ello fuera tan bienquisto del Rey [39].

El duque de Feria se muestra, de todas formas, como una figura que no encasillaba del todo con los modos y las costumbres de la sociedad castellana de su tiempo. Más abierto, con otra amplitud de miras incluso bajo lo religioso, dio muestras de ello al casarse con Jane Dormer, venciendo la oposición familiar. En efecto, su madre, doña Catalina Fernández de Córdoba, le

---

[38] Conde de Feria a Felipe II, Zafra, 18 de mayo de 1564 (Archivo General de Simancas, Estado, Castilla, leg. 144, fol. 316).

[39] Véase mi tesis doctoral, publicada en 1951, *Tres embajadores de Felipe II en Inglaterra*, *op. cit.*, págs. 22 y sigs.

tenía preparada su boda con una sobrina del Duque, Catalina, por el afán de reunir las dos casas nobiliarias de Feria y Priego. Todo estaba ultimado hacia 1553, si bien la corta edad de la novia obligaba a un aplazamiento del matrimonio. Un año después, el Duque conocía a Jane Dormer, y la delicada belleza de la inglesa le hizo olvidar a la prometida que le esperaba en tierras extremeñas. Por supuesto que su nuevo compromiso encontró el cordial apoyo de la reina María Tudor, gozosa de que su dama preferida desposara con el noble castellano. En cambio, doña Catalina se opuso, tratando de evitarla, y no sólo porque la novia inglesa desbarataba sus proyectos para su hijo, sino también porque temía que influyera negativamente sobre su formación religiosa. Se decían demasiadas cosas de aquella Inglaterra, para que doña Catalina estuviese tranquila con la noticia de que su hijo iba a desposar a una noble de aquella corte. Y ello hasta el punto de consultar con el padre Laínez, quien hubo de sacarla de sus temores, porque lo cierto es que Jane Dormer era una mujer de carácter dulcísimo, tal como trasciende de la pintura que le hizo Antonio Moro, a que antes hemos aludido. De ella diría don Álvaro de la Quadra, que había sido su huésped en Londres durante medio año:

... cierto, es muy gentil señora y de muy santas costumbres...[40]

Quien demostraba tanta personalidad como para enfrentarse con la sociedad castellana de su tiempo puede suponerse que tendría también su propia opinión en los asuntos de Estado, aunque no lograse convencer a su Rey. Quien haya leído sus informes cuando era embajador en Inglaterra, o la correspondencia cruzada con su sucesor en la embajada, don Álvaro de la Quadra, sabe muy bien que más de una vez el Duque discrepa abiertamente del modo en que Felipe II llevaba los asuntos ingleses. Así, después de la negativa de Isabel a desposarse con Felipe II y tras sus primeros pasos en materia religiosa, que cada vez apartaban más y más a Inglaterra de Roma, se crea una peligrosa situación, por cuanto la ilegitimidad de Isabel para el partido católico propiciaba una intervención francesa y la creación de un formidable bloque franco-anglo-escocés, pues no olvidemos que María Estuardo estaba casada con Francisco II de Francia. Ante esa situación, hubo un bando, como ya hemos comentado, partidario de adelantarse a la intervención francesa con una invasión de los tercios viejos que derrocase a Isabel y volviese otra vez la situación a los tiempos de María Tudor; y de esa opinión era el duque de Feria. Pese a ello, Felipe II se decidió por la vía de la negociación, mandando a Londres a un emisario especial, don Juan de Ayala, para hacer presente a la Reina la peligrosa situación en que se estaba metiendo, pero sin presionarla demasiado; como en las instrucciones a don Juan de Ayala se decía: «... no se

---

[40] Quadra a Granvela, 6 de junio de 1559 (Archivo General de Simancas, Estado, leg. 812, fol. 229-18).

le han de hacer fieros ni amenazas...»[41] Una embajada que el entonces conde de Feria, recién salido de Londres, criticaría con estas palabras:

> Todo cuanto hoy se hace y se dice no basta para movernos. Solamente se extiende la cosa ahora a lo que don Juan de Ayala lleva en comisión, que será de tan poco efecto como lo pasado[42].

En cuanto a Gonzalo Pérez, nos encontramos con el personaje más sinuoso, sin duda el de más talento y, por supuesto, el verdaderamente culto. Humanista en cierto sentido, formado en la Universidad de Salamanca, con estrecha amistad con Pérez de Oliva, en contacto con relevantes personajes de las letras italianas, que presumía de haber traducido la *Odisea,* de Homero —aunque más probable es que se sirviera de otro para tal fin—, pero sobre todo, y en función de su papel en la corte, el que dominaba los negocios de Estado, función que va a ir desarrollando poco a poco, desde que en 1543 Carlos V le deja al frente de la secretaría de su hijo. Protegido en un principio por Alfonso de Valdés, la muerte de su protector en 1532 no truncó su carrera, como hemos podido comprobar. Felipe II, en una primera etapa, le confía los papeles de la Corona de Aragón, siempre más dificultosos de negociar, en lo que se mostró muy eficaz. Sabe hacerse con el favor del Príncipe, hasta el punto de acompañarle en sus primeros viajes, tanto en el de 1548 al Imperio, como en 1554 a Inglaterra y los Países Bajos.

En 1556, cuando Felipe II se convierte en rey de la Monarquía católica, vemos a Gonzalo Pérez al frente de la Secretaría de Estado. Se ha convertido ya en el primer personaje de la burocracia filipina, en su vertiente más brillante, como era la de la política exterior.

Ambicioso, siempre tratando de redondear su fortuna personal, se ordena sacerdote (aunque no podamos precisar la fecha), no tanto por devoción como por aprovechar nuevas oportunidades para conseguir beneficios eclesiásticos. En los últimos años aspiró incluso al cardenalato, para lo que movilizó sus influencias en Roma, en contrapartida a tantos favores concedidos desde su centro de poder en la corte madrileña o de los que podía seguir concediendo; pero, sorprendentemente, no consiguió en cambio el apoyo del propio Rey, quizá porque se hablaba demasiado de su supuesto hijo natural, el famoso Antonio Pérez; aunque en esto también puede que existiera una de esas turbias relaciones de todas las épocas, pues un rumor popular achacaba su paternidad al príncipe de Éboli, que dejaría así a su hijo bastardo al cuidado del poderoso secretario, para que le formase y le introdujese en los negocios de Estado, como en realidad haría Gonzalo Pérez de forma tan notoria.

---

[41] Instrucciones de Felipe II a don Juan de Ayala (Archivo General de Simancas, Estado, leg. 812, fol. 80).

[42] Feria a don Álvaro de la Quadra, Gante, 9 de julio de 1559 *(ibídem,* fol. 77).

También con Gonzalo Pérez observamos el proceso de cambio y el paulatino ascenso del equipo del Príncipe, frente al imperial que antes de la crisis de 1552 comandaba Granvela hijo. Cuando se prepara el gran viaje de Felipe II al Imperio, en 1548, Gonzalo Pérez es uno de los elegidos para formar parte del cortejo filipino; así se lo indica el Príncipe, pero el secretario sabe que la decisión ha llegado de más arriba, y se apresura a mostrar su agradecimiento a Granvela:

> S.A. me ha mandado que le vaya a servir en este camino —escribe desde Valladolid, poco antes de la marcha, el 4 de septiembre de 1548—. Bien sé que vino ordenado de allá y el favor y merced que V.S. me hizo en ello... [43]

Pasan unos años y el secretario sigue manifestando abiertamente la supremacía del alto ministro carolino; se trata de cubrir la vacante dejada en el virreinato de Valencia por la muerte del duque de Calabria, algo que urge y que debe decidir el Emperador, y Gonzalo Pérez se lo advierte a Granvela con estos respetuosos términos:

> Valencia tiene muy gran necesidad de Virey [*sic*] y no menos de Regente, porque ni hay justicia ni gobierno, y si no hay ministros quales conviene, poco aprovecha que de acá se mande lo que se ha de hazer...

Y añade, reconociendo el poderío de Granvela:

> Suplico a V.S.Rma. que, por lo que debe al cargo que tiene y lugar tan preeminente con su Md., se lo traiga a la memoria, para que no se dilate más [44].

Pero ya estamos en 1552, el año de la crisis, y a poco se desatan los acontecimientos de Innsbruck, de tan graves consecuencias para el poderío de Carlos V en Europa y que tanto minaron su prestigio. Inmediatamente, el tono de Gonzalo Pérez con Granvela cambia. Todavía Granvela es quien puede decidir influyendo sobre el ánimo imperial, pero ya el secretario filipino, más que pedir, parece que exige; que no en vano se va encontrando cada vez más como quien pronto será el que pueda dispensar favores. Es cuando, a finales de septiembre de aquel año de 1552, pide que se le conceda la abadía de Montaragón, haciendo alarde casi insolente de sus méritos:

---

[43] Gonzalo Pérez a Granvela, Valladolid, 4 de septiembre de 1548 (Biblioteca de Palacio, Ms., núm. 2.281, s.f.).

[44] Del mismo al mismo, autógrafa, Madrid, 4 de abril de 1552 (Biblioteca Nacional, Ms., 7.912, s.f.; Papeles de Granvela, caja 9).

... pues ha tantos años que sirvo y nunca se ha tenido memoria de mí, y Su Mad. ha dado de comer por la Iglesia a otros que no han servido ni trabajado más que yo, ni han estudiado más que yo...

Entonces es cuando el secretario, seguro ya de su creciente poder, le insinúa a Granvela que llegará el momento en el que pueda devolverle el favor recibido:

... y con esta merced quedaría obligado más de lo que estoy a servirlo perpetuamente a V.S. ... [45]

Efectivamente, pronto se produce el cambio. Tras el relevo de 1555, ya son otros los que mandan. Ahora es Granvela el que se cartea con Gonzalo Pérez y hasta le hace confidencias sobre los más graves asuntos. Estamos en 1558. Ya han muerto Carlos V y María de Hungría, los dos personajes que habían llevado el peso de la política exterior en la época anterior. Es a finales de noviembre, y las noticias —o, mejor, la falta de noticias— de Inglaterra son alarmantes. Y Granvela escribe a Gonzalo Pérez y desliza una censura hacia el nuevo poder:

En muy mal punto nos viene lo que de Inglaterra [*sic*] amenázanos Dios, y son grandes golpes en breve tiempo. Temo si algo ha de seguir más, tras tales avisos que nos envía Dios...

Entonces, como quien se ha visto apartado del centro del poder, añade, pesaroso:

Todo lo que se esperaba poder hazer allá [46] no terná ya lugar, por no nos haber servido del tiempo, quando muy bien se podía. Agora es tarde, y no creo que tomará Ysabel estrangero... [47]

Porque ya es Gonzalo Pérez el que lleva todos los asuntos de Estado y quien se comunica directamente con Felipe II, seleccionando para él los despachos que, a su juicio, debía ver. Ya en Toledo, un año antes de producirse el traslado de la corte a Madrid, el secretario comunica a su señor:

... V.M. vea estas cartas que ha traydo el vizconde Montaguto, embaxador de Inglaterra, del obispo del Aguila [48], para que esté advertido...

---

[45] Gonzalo Pérez a Granvela, Monzón, 30 de septiembre de 1552 (doc. cit., véase *supra,* nota 44).

[46] La boda de Isabel con Manuel Filiberto de Saboya.

[47] Granvela a Gonzalo Pérez, Cercamps, 21 de noviembre de 1558 (Archivo General de Simancas, Estado, Flandes, leg. 518, fol. 218; autógrafa).

[48] Don Álvaro de la Quadra, obispo de Aquila, entonces embajador de Felipe II en Inglaterra.

No todo se lo manda al Rey. El ya poderoso secretario hace la distribución, enviando otra parte de despachos a su gran protector, y además el hombre de confianza de Felipe II, el príncipe de Éboli:

> El pliego de Pagete [49] he embiado a Ruy Gómez; él mostrará a V.M. lo que le escribe...

A lo que Felipe II, mostrando ya su estilo, apostilla al margen: «Ya quedo prevenido...» [50]

Puesto que así están las cosas, es ahora Granvela el que solicita el apoyo de Gonzalo Pérez. En 1561, Roma quiere honrarle con el capelo cardenalicio, pero Granvela sabe muy bien que eso no puede aceptarlo sin la previa licencia de su Rey. Y, claro, tantea a Gonzalo Pérez, esperando su apoyo. Es más, le hace la confidencia de que Roma ya se lo había prometido en tiempos de Carlos V, aunque entonces había rehusado, porque así convenía para los intereses del Emperador en el Imperio, mientras que ahora —en 1561— le favorecería, dándole más autoridad para servir mejor al Rey en los negocios de Flandes.

Y añade esta asombrosa queja contra el Emperador, como si pensara que sería bien acogida en la corte de España:

> ... sentía [51] que fuera la ruyna de mi Casa, que no tenía con qué sostener, *y Su Md. tenía la mano corta en gratificar a los que le servían...* [52]

Por lo tanto, los hombres del Rey, aquellos con los que Felipe II afronta la primera etapa de su reinado, están bien definidos: Ruy Gómez de Silva, como su mayor confidente, y Gonzalo Pérez, como su secretario de Estado. Y, entre la nobleza cortesana, el conde de Feria, al que el Rey convertiría en Grande de España, con el título de duque de Feria. Mientras que los anteriores ministros carolinos quedarían relegados a funciones secundarias, en especial Granvela, como auxiliar de Margarita de Parma en el gobierno de los Países Bajos.

Pocos testimonios tan notables de la existencia de aquellos dos focos de poder y de su distinto progreso, como la carta que escribe Granvela a Juan Vázquez de Molina para que se hiciera cargo de todos los papeles que él había enviado a Carlos V, cuando se entera de que había muerto el Emperador. ¿Qué ocurriría si aquellos documentos caían en manos de sus enemigos? Pero ¿quiénes eran y dónde estaban esos enemigos?:

---

[49] Lord Paget, uno de los nobles católicos ingleses más destacados de la corte de María Tudor.

[50] Gonzalo Pérez al Rey, Toledo, 18 de marzo de 1560 (Archivo General de Simancas, Estado, Castilla, leg. 139, s.f.; original).

[51] El renunciar otra vez al capelo cardenalicio.

[52] Granvela a Gonzalo Pérez, Bruselas, 9 de marzo de 1561 (*ibídem,* Flandes, leg. 521, fol. 41; autógrafa). Por supuesto, el subrayado es nuestro.

Muy magnífico señor —escribe Granvela a Juan Vázquez de Molina—: V.m. puede pensar quánto he sentido el fallescimiento del Emperador, nuestro señor y buen amo, y de la serenísima reyna María, y por su prudencia conosce quánta falta nos harán en las cosas de Su Md.; y esto basta para quien lo entiende. Dios, por su gracia, les dé su sancta gloria, como verdaderamente creo que lo han merecido...

Después de ese lamento por aquellas muertes, Granvela señala su honda preocupación por lo que se le podía venir encima:

Yo he escripto desde aquí muchas cartas de mi propia mano al dicho señor Emperador y a la serenísima Reyna, y embiado algunas copias. Suplico a v. merced me la haga tan señalada de compelir los ministros que han estado cabe las personas de ambos, de parte del Rey, nuestro señor, para que pongan en manos de vuestra merced todas aquellas scripturas mías, *que no querría que con ellas me procurassen aquí alguna burla...* [53]

Por supuesto, no tenía nada que ocultar, pues siempre había sido leal al Emperador; pero, por si acaso, prefería tenerlas en su poder:

Vuestra merced, si será servido, las podrá ver, y conocerá por ellas el zelo que siempre he tenido y tengo en el servicio de mis amos...

Y termina con su verdadero anhelo:

... y me hará muy grand merced de que después puedan bolver a mis manos... [54]

El otro gran orillado fue el duque de Alba. Ya hemos visto que en los años cincuenta andaba quejoso de que Felipe II no le diera todo el poder, y cómo el enviarle a Italia, un frente secundario, para defender Nápoles contra el papa Paulo IV y contra las tropas de Enrique II, podía haberlo tomado como un apartamiento del campo principal de operaciones. Lo cierto es que después de firmarse la paz de Cateau-Cambrésis el Duque regresó a España y se refugió en su señorío de Alba.

Entonces hubo un momento en que pareció que Felipe II iba a darle un papel de primer orden en la corte, pues habiéndose agravado la situación en el Norte, con las pretensiones de Francia sobre Escocia e Inglaterra, Felipe II acude al consejo del Duque. Le manda toda la información que había llegado a Toledo y le pide que le dé su parecer sobre lo que se debía hacer:

---

[53] El subrayado es mío.

[54] Granvela a Vázquez de Molina, Douai, 4 de diciembre de 1558 (Biblioteca de Palacio, Ms., 2.304, s.f.; minuta).

... por tener vos tan entendidos estos negocios y haber passado todo por vuestra mano... [55]

El Duque contestaría al Rey a vuelta de correo, para aconsejarle que estuviese prevenido y que se armase, para caso que hiciera falta su propia intervención, y que se advirtiera a la reina Isabel de Inglaterra que por su culpa no se iría contra Francia, de forma que no intentase intervenir en Escocia [56].

De nuevo el Rey le pide consejo, en esta ocasión porque el rey de Francia le solicitaba su apoyo para luchar contra los rebeldes escoceses [57]. Entonces el Duque ve la oportunidad de que todo redundara en un aumento del poderío de Felipe II:

> Y a ver si debaxo desto se puede hazer algún negoçio, que se compadesçe my bien hazerse juntamente con estotro, pues toda la fuerza en que V.M. cresciere es creçer el serviçio de Dios y a la defensa de su verdad...

Pero ¿qué estaba ocurriendo? Una y otra vez llegaban los correos del Rey al señorío de Alba. ¿No era manifiesto que había que contar con el Duque para los grandes asuntos de Estado? Confiándolo así, el duque de Alba se presentó en la corte. ¿Y cuál fue el resultado? Que el partido del príncipe de Éboli, viendo con desagrado su presencia en la corte, logró desplazarle, quitando al Rey la idea de que entregase al Duque el poder en los asuntos de política exterior.

Y el duque de Alba acusaría amargamente el golpe, quejándose al otro gran desplazado, a Granvela:

> S.M. dixo aquí no sé qué forma de encomendarme los negoçios de Estado y Guerra, a lo que estos señores dixeron que no les parecía bien que obiese entre nosotros por titular... [58] con algunos a S.Md. en ello, y así se está la República. Ellos hicieron el oficio por mí. Tengo por cierto entendieron la merced que me hazían y éste [59] los llevó a hazer el oficio. Y entienda vuestra s. que destrúyenme para las otras negociaciones.

Pero que el Duque lo había tomado no como un favor, sino como un gran tiro, queda claro en el párrafo final de su escrito:

---

[55] Felipe II al duque de Alba, Toledo, 29 de julio de 1560 (Archivo General de Simancas, Estado, Castilla, leg. 139, s.f.; copia).

[56] Duque de Alba al Rey, Alba, 3 de agosto de 1560, respondiendo a la carta regia de 29 de julio, con lo que se echa de ver la prontitud en la respuesta *(ibídem;* original).

[57] Del mismo al mismo, Alba, 19 de septiembre de 1560 *(ibídem).*

[58] Palabra ilegible.

[59] ¿El príncipe de Éboli? Posiblemente.

Dios se apiade de todo, por quien Él es [60].

Era una lucha feroz por el poder. El duque de Alba sabía muy bien que en el príncipe de Éboli y en Gonzalo Pérez tenía sus más enconados enemigos. Éboli era intocable, por la vieja privanza que gozaba con el Rey; así que trató de desplazar al secretario, pero sólo consiguió agrandar aún más aquella enemistad:

> El duque de Alba —escribiría Gonzalo Pérez a Granvela— ha querido jugarme una presa, pero entienda que yo tengo los huesos muy duros y él los tiene muy tiernos para quebrantármelos.

Dada la amistad del Duque con el prelado, es evidente que el arranque de ira del secretario es calculado: ¡que sepan sus enemigos que con él no se jugaba fácilmente! E incluso llegaría a más, amenazando a su vez con fuertes represalias. Aquella tan significativa, que ya hemos comentado:

> Téngole prevenido un sobrino [61] que sabrá vengarme de todos los lazos que me arma... [62]

Estaba claro que el carácter de Felipe II se acomodaba mejor a las sinuosidades y oficiosidades del príncipe de Éboli que al temperamento enérgico del duque de Alba; sin embargo, hasta la crisis de los Países Bajos de 1566 preferirá mantener juntos a los dos, en el mismo Consejo de Estado, como cabezas de los bandos de la corte, para contrabalancear sus influencias. De ese modo hacía buenos los consejos imperiales de 1543, de no atarse a uno sólo. Sería la época de mayor peso del Duque, que llegaría incluso a presidir el equipo diplomático que acompañaría a la reina Isabel de Valois en las Vistas de Bayona de 1565.

Momento importante. Y la satisfacción del Duque rezumaría en todos sus despachos al Rey, porque le daba la ocasión de volcar todas sus alabanzas sobre la prudente conducta de Isabel de Valois, sabiendo muy bien que ganaba con ello muchos enteros con Felipe II:

> Prometo a V.M. que ha tratado los negocios con una prudencia y un valor tan grandes, que aunque teníamos grande opinión de S.M., nos ha espantado... [63]

Y acertaría, porque Felipe II lo comentaría satisfecho:

---

[60] Alba a Granvela, Toledo, 9 de diciembre de 1560 (Biblioteca de Palacio, Ms., Papeles de Granvela, núm. 2.249, s.f.; autógrafa).

[61] Se refiere a Antonio Pérez, a quien, como clérigo, no podía dar el tratamiento de hijo.

[62] Citado por Marañón, *Antonio Pérez,* Madrid, 1951, I, pág. 20.

[63] Citado por González de Amezúa, *Isabel de Valois,* Madrid, 1949, II, pág. 271.

La Reina, mi mujer, apretó terriblemente a su madre [64] para que se aceptase el Concilio de Trento... [65]

A esos hombres del Rey de la primera etapa del reinado habría que añadir a Carranza, el sencillo fraile dominico al que Felipe II había convertido en arzobispo de Toledo; pero su tropiezo con la Inquisición, fruto en buena medida de una trampa urdida por su fiero enemigo, el inquisidor Fernando de Valdés, le desplazaría hasta tal punto, que sólo la enérgica intervención del papa san Pío V le evitó males mayores, como en otra parte de esta obra se comenta. Por lo tanto, el príncipe de Éboli y el duque de Alba como cabezas principales, a los que había que añadir al hábil secretario de Estado Gonzalo Pérez y, en un plano discreto, al duque de Feria. No serían los únicos, pero sí los más destacados de la primera etapa del reinado de Felipe II. En 1566 muere Gonzalo Pérez; en 1567, el duque de Alba deja la corte para reprimir los alborotos de Flandes; en 1571 muere el duque de Feria, y en 1573 lo hace el príncipe de Éboli.

A partir de ese momento se iniciaría una nueva etapa, presidida por la figura, verdaderamente inquietante, de Antonio Pérez, el hombre que más daño hizo al Rey. Durante cinco años, el secretario traidor hizo y deshizo a su antojo, engañando continuamente a Felipe II y adentrándose cada vez más en una turbia historia de falsedades y de acciones inconfesables, hasta que todo estalló tras el *affaire* del asesinato de Escobedo. Esa amarga experiencia obligó a Felipe II a acudir a los viejos servidores, a aquellos ministros de Carlos V que había orillado: al fiel Granvela, para entonces ya cardenal, y al duque de Alba. Pero su edad obligaría a un nuevo relevo; el duque de Alba —de todas formas, sólo utilizado para la campaña de Portugal— moriría en 1582 y Granvela en 1586.

Otro personaje hay que tener en cuenta: el confesor del Rey. Cargo que, en un reinado tan largo como el de Felipe II, sería ocupado por diversos religiosos, en su mayoría frailes.

Ya hemos visto que en sus años juveniles el Príncipe tuvo como confesor a Silíceo, después arzobispo de Toledo y cardenal, que no de otra manera pagaba el Rey a sus incondicionales. Anteriormente esbozamos su figura y veíamos que no era el más adecuado para tal cargo, a juicio del propio Emperador, de forma que lo sorprendente resulta que se le mantuviera en tan destacado puesto. Fue, probablemente, el que más influyó sobre el joven Príncipe, dándole aquella formación de extrema religiosidad que caracterizaría después su rígida intolerancia, trasladada también a sus tareas de gobernante.

De los demás, cabría recordar a fray Bernardo de Fresneda, que asiste a Felipe II en sus primeros años de gobernante. Está con él durante su estancia en Inglaterra, en los años del reinado de María Tudor, representando también

---

[64] Catalina de Médicis, la madre de Isabel de Valois.
[65] Felipe II al cardenal Pacheco; citado por González de Amezúa, *op. cit.*, II, pág. 271.

la línea dura e inquisitorial, frente a la más dialogante de Carranza; recordemos que, en la pugna entre Fernando de Valdés y Carranza, entre el inquisidor general y el arzobispo de Toledo, fray Bernardo de Fresneda se alía con el inquisidor, siendo en parte responsable del cambio de actitud del Rey frente al dominico.

Pero la figura más destacada, de las que pasaron por el cargo de confesor regio, lo fue fray Diego de Chaves; en parte, por su recia personalidad y también porque le tocó vivir momentos particularmente difíciles en la corte, como la prisión del príncipe don Carlos y como el proceso de Antonio Pérez. A él fue a quien el Príncipe heredero confió su secreto: que deseaba la muerte de un hombre, que era el mismo Rey. Pero, sobre todo, donde le vemos jugar un papel destacado es con motivo del proceso de Antonio Pérez, con sus cartas al Secretario para que se aviniese a la confesión de su participación en la muerte de Escobedo; algo que se expone en otra parte de esta obra. Antonio Pérez le califica de «principal consejero de las primeras prisiones» [66]. Y posiblemente por eso, y por la extrema gravedad de los documentos que con tal motivo se cruzaron entre él y el Rey, fue por lo que, en su posterior Codicilo, Felipe II dio aquella asombrosa orden a una comisión formada por Cristóbal de Moura, Juan de Idiáquez y fray Diego de Yepes (el que fue su último confesor): que en presencia de Juan Ruiz de Velasco se buscasen y se destruyesen tales documentos:

> ... quiero que todos los papeles, abiertos o cerrados, que se hallaren de fray Diego de Chaves, defuncto, que fue mi confesor, como se sabe, escritos dél para mí o míos para él, se quemen allí luego en su presencia, ... sin leerlos... [67]

Finalmente, hay que recordar que su influencia sobre Felipe II llegó a ser tan grande, que se atrevió a denunciar nada menos que al conde de Barajas, entonces presidente del Consejo de Castilla, por las notorias quejas que tenía el pueblo contra su gobierno, amenazando al Rey con no darle la absolución, con el resultado de que Felipe II depusiera al Conde.

Orgullosamente, el fraile firmaba su carta «desde mi celda», sabiendo que el Rey era muy sensible a esas manifestaciones. Y desde su celda consiguió la victoria.

Curiosamente, la última etapa del reinado de Felipe II ve el encumbramiento de otro portugués, Cristóbal de Moura, como si el Rey no pudiera jamás olvidar que era el hijo de la portuguesa; Moura, una notable figura de estadista que fue una de las mejores herencias dejadas por Felipe II a su hijo, y no aprovechada por éste como el caso lo merecía.

---

[66] Antonio Pérez, *Relaciones, op. cit.* (ed. París, 1598), pág. 45.

[67] Felipe II, *Codicilo y última voluntad,* ed. crítica de Manuel Fernández Álvarez, Valencia, Ediciones Grial, 1997, pág. 78.

Una última etapa en la que vemos también a un Rey más apartado de la corte, más metido en su refugio de El Escorial, donde cada vez cuenta más con el apoyo y la colaboración de una gran mujer: su hija Isabel Clara Eugenia, lo que nos lleva a una cuestión ineludible: ¿qué supuso la mujer en la biografía personal de Felipe II? ¿Cuál fue su entorno femenino?

14
EL ENTORNO FEMENINO

En efecto, el círculo femenino. Porque ¿cómo poder entender a Felipe II, si no nos fijamos en lo que supuso la mujer en su reinado? La mujer en su obra política y en su vida privada. El ambiente familiar, en primer lugar, con el grupo portugués: su madre, la Emperatriz, aquella incomparable Isabel de Portugal; su aya, la fiel Leonor de Mascarenhas, y, por último, su primera esposa, la princesa María Manuela de Portugal.

Presentemos un cuadro inicial, para después entrar en el detalle con mejor aproximación. Pronto surge la primera amante: Isabel de Osorio, la dama de la corte de la Emperatriz, primero, y, después, de la princesa Juana; una de las mujeres que llenan más la vida sentimental del entonces Príncipe. Se sucede la experiencia inglesa, donde hay que citar no sólo a María Tudor, la segunda esposa, sino también a Elizabeth, a la pretendida vanamente por Felipe II, y, en el intermedio, a las damas galantes de los Países Bajos, de que nos hablan las crónicas. A partir de 1560, en el horizonte el primer gran amor de Felipe II en la vida matrimonial: Isabel de Valois, la dulce prenda de Francia. Pero pronto hay que citar otras amantes: Eufrasia de Guzmán, y, acaso, la misma princesa de Éboli, a modo de mujer fatal de aquel siglo. Después vendría la cuarta y última esposa, Ana de Austria, la princesa nacida en Cigales, y el intento con Margarita, su otra sobrina austríaca.

Pero también habría que hablar de las hermanas, María, Juana y Margarita de Parma, y, por supuesto, de las hijas, Isabel Clara Eugenia y Catalina Micaela. Tampoco estaría de más la referencia a la bufona Magdalena Ruiz.

Y la primera nota que hay que destacar, en este repaso inicial, es el cosmopolitismo. Se ha dicho de Felipe II que con él la dinastía se castellaniza; algo cierto, si se tiene en cuenta el hecho de que pone su corte en Castilla; ya más dudoso, si nos atenemos a sus ministros, donde vemos destacar a dos portugueses, Ruy Gómez de Silva, en la primera etapa, y Cristóbal de Moura, en la segunda. Pero, en todo caso, donde nos encontramos con todas las nacionalidades europeas —de la Europa occidental— es en este entorno familiar: portuguesas al principio, como su madre, su aya y su primera esposa; inglesas, como María Tudor; flamencas y belgas del círculo galante de Bruselas; francesas, como Isabel de Valois, su tercera esposa; italianas —o italianizadas—, como su hermana Margarita de Parma, y austríacas, en fin, como su cuarta esposa, Ana.

También, claro, las españolas, donde estarán algunos de sus amores más íntimos y de sus afectos más profundos; de los amores íntimos, Isabel de Osorio; de los afectos profundos, el que siente hacia sus hijas Isabel Clara Eugenia y Catalina Micaela.

Veamos ahora, con algún detalle, esa procesión de figuras femeninas, empezando, claro, por las portuguesas y, en primer término, la que llena toda su infancia y su niñez: la emperatriz Isabel, su madre.

La belleza es una fuerza en la historia. Es evidente que Isabel lo era. Por desgracia —y es verdaderamente asombroso—, no tenemos ningún cuadro directo de la Emperatriz, a pesar de su rango y de que estamos en la época del Renacimiento, la etapa de los mejores retratistas de corte; algo que suscitó la sorpresa y el dolor de Carlos V, que habría de remediarlo con el que encarga a Tiziano diez años después de la muerte de su mujer. Pero hay que dar por bueno el que Tiziano nos ha legado, porque responde a todo lo que sabemos de la Emperatriz: una mujer exquisita, bellísima, pero frágil físicamente, y la cumbre de la elegancia.

Una mujer para enamorar, como enamoró a su esposo, Carlos V, a las primeras de cambio, y como, sin duda, arrobó a su hijo, desde que el niño empezó ya a valorar su entorno familiar y cortesano.

Si de la belleza de Isabel tenemos esos reflejos de la admiración de los contemporáneos —es famosa la del duque de Gandía, a quien tanto impresiona la muerte de la Emperatriz, hasta el punto de ingresar en religión, para convertirse en san Francisco de Borja—, de su elegancia también nos han quedado pruebas. Ya Carmen Mazarío, su biógrafa, pudo constatar, no sin cierta perplejidad, los cientos de vestidos regios de la Emperatriz. Ella nos dirá:

> Imposible trasladar el grueso cuaderno en folio donde, con letra menuda, están inventariadas y con frecuencia tasadas las galas de una Reina que era la mayor de su época e hija, por añadidura, del ostentoso don Manuel de Portugal[1].

Pero es más: Isabel creaba moda. Era la que marcaba la moda en la corte, y todas las damas de la nobleza, y aun de la burguesía, la trataban de imitar.

Véase este detalle: en 1532, Alfonso de Valdés, el gran erasmista español,

---

[1] María del Carmen Mazarío Coleto, *Isabel de Portugal, Emperatriz y Reina de España, op. cit.,* pág. 89.

manda a su amigo Dantisco, el embajador polaco en la corte imperial, un par de guantes; sabe de su condición mujeriega, y le dice:

> Te envío con esta carta unos guantes, de esos que nuestra Empe-
> ratriz suele usar, para que, si acaso has comenzado a cortejar alguna
> muchacha en la Corte, como acostumbras, la conquistes con un rega-
> lo español. Que sigas bien [2].

Por lo tanto, su madre, la Emperatriz, como la suma belleza y la suma elegancia; pero, además, con temple para gobernar las Españas en las largas ausencias de Carlos V y para sufrir lo que la vida le mandara, como cuando el Emperador se lamentaba de no poder regresar tan pronto como quisiera, y le añadía:

> ... ensanche ese corazón para sufrir lo que Dios ordenase... [3]

Aquí hay que pensar que la Emperatriz ejerció sobre Felipe II una doble influencia: la activa, durante los años de su niñez, y el impacto tremendo provocado por su muerte prematura, en plena juventud (a los treinta y seis años), cuando el Príncipe tenía sólo doce.

Y había algo más: Isabel, la madre amada y admirada, le había marcado un ideal de belleza que quedaría ya fijo en Felipe.

En curioso contraste, sí que poseemos cuadros de Leonor de Mascarenhas, la que fue aya de Felipe II; pues sin ser una obra maestra, al menos es un excelente retrato el que poseemos debido, posiblemente, a Sánchez Coello; con actitud devota, libro de horas en las manos y tocas de dueña, doña Leonor fue uno de los personajes femeninos de más influencia en la corte de la Emperatriz, que la apreciaba sobremanera, hasta el punto de confiarla, de hecho, el cuidado del Príncipe niño. Y, a su vez, Felipe II la mantendría su respeto, de modo que le daría el mismo cargo en la niñez de su hijo don Carlos. De gran longevidad, moriría en la corte en 1584. En cuanto a su carácter, el cuadro de Coello nos la presenta como una hermosa mujer de ojos penetrantes y mirada reflexiva, como de quien ha visto no poco y ha callado mucho.

Con María Manuela de Portugal, la primera esposa de Felipe II, cerramos esta primera galería de mujeres portuguesas. No sabemos mucho de ella, porque apenas si vivió dos años en la corte; pero sí que no respondía al ideal de belleza femenina que había encarnado la Emperatriz y que tan fuertemente se había marcado en Felipe II. Su madre, Catalina —aquella hija póstuma de Felipe el Hermoso, que durante diecisiete años vivió con su madre, Juana la Loca—, era notoriamente obesa; de lo cual, aun con el cuidado que los pin-

---

[2] Alfonso de Valdés a Juan Dantisco, Ratisbona, 8 de agosto de 1532; publicado por Antonio Fontán y Jerzy Axer (eds.), *Españoles y polacos en la Corte de Castilla,* Madrid, Alianza Universidad, 1994, pág. 236.

[3] *Corpus documental de Carlos V, op. cit.,* I, pág. 474.

tores de corte realizaban su oficio, el cuadro del Museo del Prado debido a
Antonio Moro es una muestra evidente. Catalina da la impresión que va a estallar dentro de sus ricos vestidos de corte. Y esa tendencia a la obesidad la
heredó su hija, hasta el punto de que la madre le aconseja que tomara todos
los cuidados posibles para evitar aquellas dos situaciones que podrían desa-
morar al Príncipe: la obesidad y los celos. La muerte no le dio tiempo a María
Manuela a caer en los celos, pero no pudo evitar la obesidad. El cronista de la
boda no puede menos de confesar cuando ve a la novia en Salamanca:

> ... es algo gordilla... [4]

De ahí el desencanto que sufre el Príncipe, aquel desvío suyo hacia su
mujer que tanto preocupó a su padre, el Emperador.

Entonces es cuando entra en escena, si no es que lo había hecho ya antes,
la famosa Isabel de Osorio, la primera amante conocida de Felipe II.

Es ya la que le despierta la furia erótica de los Austrias. Es su primer gran
amor, aquella que le atrae invenciblemente, la que campea con su belleza en la
corte de la Emperatriz, primero, y, después, en la de su hermana doña Juana.
Isabel de Osorio debía de tener dieciséis o diecisiete años cuando murió la
Emperatriz; le llevaba, por tanto, al Príncipe unos cuatro o cinco años, y al joven desilusionado en su primer matrimonio, al Felipe adolescente de los diecisiete o dieciocho años, aquella mujer de unos veintidós se le aparecería en toda
su arrogante belleza. De ahí aquellas visitas tan frecuentes a Toro, donde ha
emplazado la corte de su hijo don Carlos y de su hermana doña Juana y donde
se halla Isabel de Osorio. Por eso aquel aire de fiesta cuando toma el camino
de la ciudad castellana y la grandísima soledad que siente cuando la deja:

> Ayer vine aquí —a Toro— donde me pienso holgar...

Pero cuando parte, suelta su lamento de enamorado:

> Otras nuevas no sé decir sino que he partido hoy de Toro con
> grandísima soledad... [5]

No conozco ningún retrato seguro de Isabel de Osorio, aunque bien pudiera ser la que retrata Tiziano —con un aire convencional, por supuesto,
de belleza mitológica—, y por encargo del Príncipe, en la hermosa pintura de
nuestro Museo del Prado titulada *Venus y Adonis*. El cuadro, como ya hemos
indicado, es uno de los más logrados de los que pinta el genial artista veneciano por encargo del Príncipe en los años cincuenta; y para mí que Felipe II
quería de ese modo suplir la ausencia de aquella hermosa castellana que dejaba en España. De su amor a Isabel de Osorio quedaría la huella de su regio
amparo, como los cuatro millones de maravedíes que le deja por juro estando

---

[4] *Corpus documental de Carlos V, op. cit.,* II, pág. 177.
[5] Véase mi estudio *Economía, Sociedad y Corona, op. cit.,* pág. 243.

en los Países Bajos; protección real, que no ya principesca, que servirá para que Isabel de Osorio alzase en Saldañuela el espléndido palacio renacentista que todavía puede admirarse.

En 1554, cuando Felipe II, ya rey de Nápoles, cuenta veintisiete años, entramos en la aventura inglesa y en las mujeres del norte de Europa, con las que, de un modo u otro, se relaciona: María Tudor, su segunda mujer; Isabel Tudor, a la que pretende con tanto ahínco, y las damas galantes de Bruselas en los Países Bajos.

Pero antes de llegar a ello, anterior a la aventura inglesa, Felipe II ha de dejar otra portuguesa en el camino, una de las princesas más olvidadas y que, sin embargo, estuvo a punto de convertirse en reina de España. En efecto, cuando surge la crisis de 1552, Carlos V, en su afán de conseguir dinero y más dinero con que poder enfrentarse con todo lo que se le venía encima, planea una nueva boda de su hijo, puesto que éste hacía siete años que había enviudado de María Manuela de Portugal. ¿Y en quién piensa Carlos V? Pues en otra princesa portuguesa, que no en vano era entonces el reino más rico de la Cristiandad y que más espléndidamente dotaba a sus princesas a la hora de sus esponsales.

Y ahí es cuando nos encontramos con María, la última hija de Manuel el Afortunado y de Leonor de Austria, la hermana mayor del Emperador; por lo tanto, una prima carnal de Felipe II. Una princesa de notables riquezas, por lo mucho que había heredado de su padre. Una boda solicitada a toda furia para celebrarse en 1553. Era verdad que la princesa María llevaba seis años a Felipe II, pero eso no fue obstáculo para que se fijara el matrimonio.

Otro impedimento mayor vino de repente: la muerte de Eduardo VI de Inglaterra y la subida al trono de María Tudor. La nueva reina inglesa era aún mucho mayor que Felipe II —le llevaba once años—, poco atractiva y de riquezas dudosas; pero era una reina. Y ante las reinas palidecen las princesas. De ese modo, María de Portugal fue olvidada, porque la política internacional obligaba a Carlos V a aquel gesto descortés que no sería perdonado en Lisboa.

Esa circunstancia hizo que Felipe II tuviera ante sí, de nuevo, la ruta del norte de Europa, en este caso en dirección a las islas inglesas.

La figura de María Tudor es, en verdad, patética. Cuando contemplamos su famoso retrato hecho por Antonio Moro, hay algo en su actitud que conmueve.

Ahí está la pobre reina, anhelante de recibir al Príncipe de España, posando para él y preguntándose, sin duda, si todo no será un desastre. ¿Cómo ocultar la diferencia de años? ¿Cómo los estragos que en su rostro han hecho, más que la edad, las insufribles angustias padecidas bajo la cruel tiranía de su padre? María Tudor, sin embargo, se muestra hasta casi animosa. En último término, ¡quién sabe! Ella ha de compensar a su esposo con su total entrega, con su ansia de cariño, ella que ha sufrido tanto y tanta soledad. Y así se planta sentada en su sillón palaciego con la rosa roja en su diestra, símbolo de su linaje Tudor, del que está orgullosa.

En su aventura inglesa, Felipe II no se lleva ningún desengaño. Desde el primer momento sabe el sacrificio que se le pide, conoce la edad de su nueva esposa, y por el mismo cuadro de Antonio Moro, que se le ha enviado, también comprende que no es precisamente la belleza una de las condiciones de la Reina. Esos sentimientos los comparten los más íntimos de los que le acompañan a Londres. De forma que, cuando se produce el encuentro, las cosas se suavizan. ¡La Reina, a fin de cuentas, era una gran mujer! Pero, ¡ay!, vista de cerca no ganaba en nada:

> La Reina es muy buena cosa, aunque más vieja de lo que nos decían... [6]

En la odisea inglesa, Felipe II trata de cumplir con su deber: ¡ese hijo del que tanto esperaba Carlos V para recuperar la primacía en el norte de Europa! E incluso pretende mostrarse galante con la Reina, si bien está claro quién corteja a quién:

> Entretiene muy bien a la Reina —informa el oficioso cortesano Ruy Gómez de Silva a Eraso— y sabe muy bien pasar lo que no es bueno en ella [7] para la sensibilidad de la carne, y tiénela tan contenta que cierto, estando el otro día ellos dos a solas, casi le decía ella amores y él respondía por las consonantes... [8]

¡Estando los dos a solas! Entonces, ¿cómo lo sabía Ruy Gómez de Silva? No cabe duda: el propio Felipe II le ha hecho esa confidencia; una prueba más de hasta dónde llegaba la privanza del portugués. En todo caso, una Reina enamorada, entregada a sus ilusiones, y un Rey que, al fin hombre, no puede evitar tener ese alarde de conquista amorosa con el amigo de su niñez.

Pero eso no dura mucho. Esa situación de condescendencia del Príncipe-Rey se va esfumando cuando se confirma que el objetivo tan deseado, por el que se había llegado a aquel sacrificio, era inasequible, por la esterilidad invencible de la Reina. Y Felipe II acoge como una liberación la llamada de su padre, el Emperador, para que asista a las jornadas de la abdicación que tendrían lugar en Bruselas a finales de octubre de 1555.

¡Ya estaba bien de simular un amor que no sentía!

Atrás quedaba la pobre Reina de la rosa roja. La cantada por las baladas populares inglesas de la época:

> *Gentle Prince of Spain,*
> *come, o, come again...* [9]

---

[6] Ruy Gómez de Silva a Eraso, Londres, 26 de julio de 1554 (*Codoin,* III, pág. 527).

[7] Alude a la fealdad de la Reina.

[8] Ruy Gómez de Silva a Eraso, Londres, 12 de agosto de 1554 (*ibídem,* pág. 531).

[9] Comentada por Tenison, *Elizabethan England,* Londres, 1933, I, pág. 129; cf. mi obra *Tres embajadores..., op. cit.,* págs. 261 y 262, nota 45.

Es cuando Felipe II se divierte de lo lindo en los Países Bajos. ¡La corte de Bruselas cuenta, en verdad, con hermosas mujeres!

Oigamos al embajador veneciano Badoero, que se procuraba la mejor información para la República. Estamos en diciembre de 1555. Carlos V aún no ha regresado a España, pero eso no coarta al joven Rey:

> S.M. —comenta Badoero— ha estado de nuevo en casa de madame d'Aller que está reputada como muy hermosa.

Y añade, cauteloso:

> ... y de la que parece que anda muy enamorado.

Aventuras galantes, cuyas noticias alcanzan a la corte de Londres y que hacen sufrir a la reina María Tudor:

> *Gentle Prince of Spain,*
> *come, o, come again...*

¿Es entonces cuando Felipe tiene una hija de una dama flamenca? Tal ocurriría, si creemos a otro veneciano, el embajador Giovanni Soranzo:

> Felipe tuvo por aquel tiempo relaciones con una joven de Bruselas, que le dio una hija.

El entorno femenino de Felipe II, en esos años finales de la década de los cincuenta, no acabaría ahí. Pues, en verdad, hay que referirse también a un proyecto de boda fracasado, pese al interés del Rey por llevarlo a cabo.

Hay que citar también, por tanto, a Isabel Tudor, a la hija de Ana Bolena, a la que el conde de Feria, embajador español en Londres, plantea ese matrimonio en nombre de su señor, y tan seguro estaba el Rey de que aquello era cosa hecha, que endureció las condiciones pactadas en la boda con María Tudor.

Pero sucedió lo que tenía que suceder: que el Rey se vio rechazado.

Ahora bien, como Isabel de Inglaterra era tan imprevisible, mostró su desagrado a Feria cuando le informó de la alianza matrimonial de Felipe II con la casa Valois:

> Tornó a decirme —informa Feria— que V.M. no debía de estar tan enamorado della como le había dicho, pues no había tenido paciencia para aguardar... [10]

---

[10] Véase mi *Tres embajadores..., op. cit.,* pág. 47.

A partir de ese momento, con la paz de Cateau-Cambrésis firmada y establecido el otro enlace matrimonial con Isabel de Valois, Felipe II tornaría a España.

En el horizonte estaba una de las princesas más atractivas, más dulces y más bienquistas de España: Isabel de Valois, Isabel de la Paz.

Ahora bien, la nueva reina de España contaba entonces catorce años y el matrimonio no se consumaría hasta 1561.

Demasiado tiempo para Felipe II.

¿Fue entonces cuando conoció a Eufrasia de Guzmán, la que casaría con el príncipe de Ascoli? ¿O con aquella inquietante mujer, a la que haría dama de la Reina y que desposaría con Ruy Gómez de Silva, aquella Ana de Mendoza de la que tanto se hablaba?

Seguramente. Eso estaba en la mejor tradición regia. Felipe II no innovaría nada. Ya hemos señalado que algo similar había hecho su padre, Carlos V, con Germana de Foix, y no digamos Fernando el Católico. De los amoríos con Eufrasia de Guzmán se tienen pocas dudas; más en el caso de la princesa de Éboli, después del estudio de Marañón. Pero de lo que no cabe duda es que, para bien o para mal, también hay que recordar a la princesa de Éboli en esta visión del entorno femenino de Felipe II. Pues existe una corriente de opinión que trata de negar las relaciones amorosas entre Felipe II y la princesa de Éboli, como si eso fuera algo monstruoso e indigno del Rey. Ya hemos visto que, por el contrario, eso era tomado como lo más natural del mundo por la época, como la licencia que estaba permitida a los reyes. La pregunta es si tenemos alguna prueba de ello.

Pues bien, sí; al menos del enorme atrevimiento de la Princesa cuando se ve perseguida. Nada de súplicas al Rey, sino la réplica indignada de quien se cree con todo el derecho del mundo a ello, como puede hacerlo alguien que un día tuvo los favores regios. Y así, indignada por el trato que recibía de la justicia regia, le escribe con este increíble apasionamiento:

> Yo digo a V.M. que pensando cuán diferentemente mereció esto mi marido, estoy muchas veces a pique de perder el juicio, sino que la devergüenza de ese perro moro [11] que V.M. tiene a su servicio me lo hará cobrar...

Y no queda ahí la cosa. La princesa de Éboli cargaría aún más la mano en sus reproches al Rey:

> Y torno a recordar a V.M. que no vaya a manos de ese hombre, ni ninguno mío. Y si V.M. se quiere hacer tan hidalgo que no entiende por quien se lo digo, digo por... [12]

---

[11] Se refiere al secretario Mateo Vázquez.
[12] Citado por G. Marañón, *Antonio Pérez, op. cit.,* I, pág. 405.

¡Increíble! ¿Qué hay de cierto entre el Rey y la Princesa para que se permitiera tamañas licencias? Aquí lo menos que puede decirse es que existe una duda razonable. Y tanto es así que dedicaremos el capítulo siguiente a tratar sobre ello

Ahora bien, en la década de los sesenta la figura femenina que brilla con luz propia es, sin duda, Isabel de Valois.

Era la hora de Francia, el momento de rendirse al encanto de la mujer francesa.

Pues no cabe duda: Isabel supo cumplir su misión.

Es la esposa que más tiernamente amó Felipe II, la que le dio las dos hijas bienamadas y la única que puso en algún momento a su nivel, encomendándole la delicada misión de acudir a las Vistas de Bayona, para entrevistarse con su madre, Catalina de Médicis; la cual pensó que le sería relativamente fácil engañar a su hija, encontrándose con una Isabel desconocida para ella; bien es verdad que cuando dejó París Isabel era todavía una chiquilla. Al verla tan segura de sí misma, defendiendo los puntos de vista de España, Catalina no pudo menos de exclamar: «¡Muy española venís!» [13]

Sin embargo, sería la que arrojara más sombras sobre la personalidad de Felipe II, debido al enfrentamiento del príncipe don Carlos con el Rey. ¿Cuál fue la actitud de la Reina? Sabemos que trató de intervenir a favor del Príncipe, y que, al principio, el Rey la ordenó que no saliera de su cámara; pero no tardaría en visitarla, dando lugar al embarazo que en aquel otoño le costaría la vida.

Esa muerte sí la sintió Felipe II. No la de María Manuela o la de María Tudor, pero la de Isabel de Valois sí le causó gran dolor.

Sería el *annus horribilis* de Felipe II: la prisión y muerte de don Carlos, los sucesos de los Países Bajos y después la muerte de su esposa:

> Son cosas éstas —se lamentaría con el cardenal Espinosa— que no pueden dexar de dar mucha pena... [14]

Felipe II entra en profunda depresión; pero la vida sigue, la Corona está sin heredero varón y la norma era clara: el Rey, a sus cuarenta y un años, debía intentarlo de nuevo desposándose por cuarta vez.

Y así fue como llegaron las archiduquesas austríacas. La primera sería Ana de Austria.

La conocemos bien por los retratos de Antonio Moro, de Viena, y por el de Sánchez Coello, de nuestro Museo del Prado. Demasiado blanca, demasiado rubia, demasiado frágil, esta vienesa, nacida en Cigales a finales de 1549, llegaba a España en 1570 para dar hijos al Rey.

Pero se los dio, aunque tan frágiles como ella, que morían al poco de nacer; sólo se salvaría uno, Felipe III, y acaso habría sido mejor que le ocurriera lo que a sus hermanos.

---

[13] González de Amezúa, *Isabel de Valois, op. cit.,* II, pág. 241.
[14] G. Parker, *Felipe II,* Madrid, 1984, pág. 122.

En todo caso, no era la mujer para hacer olvidar a Isabel de Valois. Cuando murió en 1580, cuidando al Rey, que había caído enfermo, y contagiándose de su enfermedad, parecía que, definitivamente, Felipe II cerraba el capítulo de sus matrimonios.

Sin embargo, a punto estuvo de no ser así, porque entonces llegaba a la corte su hermana, la emperatriz viuda María, acompañada por su hija Margarita, y Felipe II tanteó una nueva boda.

¡Aquello era como una invasión de las austríacas! Los primeros años habían sido los de las portuguesas; ahora parecía tocar el turno a las vienesas.

Pero Margarita rechazó al Rey. Por segunda vez, el todopoderoso rey de las Españas se veía rechazado en sus afanes matrimoniales.

Y ya no lo intentaría más.

Del resto del entorno femenino, habría que citar a las hermanas y, sobre todo, a las hijas. En cuanto a las hermanas, está claro que Felipe II sentía predilección por la mayor, María, que había sido su compañera de juegos infantiles. Desde 1548, habían dejado de verse, salvo la fugaz entrevista de Zaragoza de 1551; pero ya hemos dicho que María sentía la añoranza de España y que, una vez viuda, acabará por volver a la corte de Madrid. La entrevista de los dos hermanos en Lisboa, donde María fue a encontrarse con Felipe II, fue muy tierna; después, al hacer una vida prácticamente conventual, el trato de los dos hermanos fue muy escaso.

Más relación tuvo con la hermana pequeña, Juana, la que le sustituyó en el gobierno en 1554; pues es a su lado, en Aranda primero y en Toro después, donde se cría don Carlos y donde está aquella Isabel de Osorio que tanto había enamorado a Felipe II. Y al regreso del Rey a España, en 1559, volveremos a ver a doña Juana cerca del Rey, como primera dama de Isabel de Valois, junto con la duquesa de Alba y con la princesa de Éboli.

Y también lo fue de la cuarta esposa, Ana de Austria. Pero su verdadero centro, su refugio, estaba en su fundación, el convento de las Descalzas Reales de Madrid, donde sería enterrada en 1573.

Quedan las hijas bienamadas, las que le había dado Isabel de Valois: Isabel Clara Eugenia y Catalina Micaela. Eran la gran pasión del Rey, de las que Felipe II diría en 1569, cuando no hacía el año de la muerte de Isabel de Valois, a la abuela materna, Catalina de Médicis:

> Son todo el consuelo que me ha quedado de haberme privado Nuestro Señor de la compañía de su madre[15].

Y ellas, Isabel Clara Eugenia y Catalina Micaela, serán las principales protagonistas del siguiente capítulo que dedicaremos a las cartas familiares de Felipe II.

De todas formas, ahí también tendremos ocasión de encontrarnos con

---

[15] González de Amezúa, *Isabel de Valois, op. cit.,* pág. 533; cf. Parker, *Felipe II, op. cit.,* pág. 113.

una de las pocas mujeres que se atrevían a contarle las verdades al Rey: la bufona Magdalena Ruiz.

Habiendo pasado revista a ese entorno femenino es cuando podemos valorar lo que supone la mujer en la vida de Felipe II. Juegan un papel bien destacado en su intensa vida amorosa, tanto dentro como fuera de la familia; tanto en el plano erótico (Isabel de Osorio, Eufrasia de Guzmán y, seguramente, la misma princesa de Éboli) como en el tiernamente afectivo: con el esposo (Isabel de Valois), con el padre (Isabel Clara Eugenia y Catalina Micaela) y con el hermano (la emperatriz María, especialmente). Eso sin olvidar, claro, la imagen siempre presente de la madre, la emperatriz Isabel, de la que guardaba aquel tríptico con las imágenes de la Virgen y el Niño Jesús, que luego dejaría en su Codicilo, ¿a quién si no?: a su hija Isabel Clara Eugenia; un tríptico que la Emperatriz le había regalado en 1535 y que desde entonces le acompañaba:

> A la infanta doña Isabel, mi hija mayor, a quien tan tiernamente quiero por lo mucho que merece y la gran compañía que me ha hecho dexo una imagen de Nuestro Señora y su Hijo bendito..., la qual por habérmela dado la Emperatriz, mi señora, y haber oído dezir que primero fue de la reina cathólica doña Isabel, mi bisagüela, la he traído siempre conmigo desde el año 35...[16]

Ahora bien, en contraste con lo que ocurre durante el reinado de su padre, el Emperador, la mujer tiene muy escaso protagonismo político bajo Felipe II. Ninguna tendrá el papel de *alter ego,* tal como lo había representado la emperatriz Isabel con Carlos V. Ni tampoco habría otra que jugara un papel tan destacado a nivel europeo, como Margarita de Saboya o como María de Hungría lo llevaron a cabo desde los Países Bajos y desbordando las fronteras de aquellos Estados. El mismo papel político jugado por su hermana, la emperatriz María, lo fue bajo la inspiración y según los cauces marcados en su día por Carlos V.

Algo, sin duda, a tener en cuenta cuando se piensa en el entorno femenino que rodeó a Felipe II y en lo que ello supone para entender mejor la personalidad del Rey.

---

[16] *Codicilo y última voluntad de Felipe II,* ed. crítica de Manuel Fernández Álvarez, Valencia, Ed. Grial, 1997, pág. 77.

15
EL REY Y LA PRINCESA

Un personaje inquietante, que en gran medida contribuyó con su fuerte protagonismo a oscurecer la imagen del Rey, fue, sin duda alguna, la princesa de Éboli, y aquí sí que bien podríamos añadir el adjetivo, tantas veces empleado sin venir a cuento, de famosa; esto es, la célebre y famosa princesa de Éboli. Célebre y famosa por su extraña belleza, a la que daba un aire más inquietante el supuesto parche en su ojo derecho [1], pero también por su turbulento proceder en la corte, entrometiéndose en los asuntos de Estado con tal pasión, que acabaría arrastrándola a siniestras maquinaciones y, en definitiva, a perder su puesto privilegiado de gran dama de la alta nobleza encumbrada a lo más alto, y a desplomarse a la más mísera de las situaciones, viviendo sus últimos años en el más riguroso de los encierros.

La cuestión clave sería ésa: su afán dominante, su pasión por los negocios de Estado, su ansia por estar en el centro mismo donde se fraguaban las grandes decisiones políticas, en aquella corte que era entonces la de la Monarquía más poderosa de su tiempo, adonde llegaban todos los rumores, y donde había que tomar postura frente a los más diversos e importantes problemas, que afectaban prácticamente a toda la Cristiandad. Y para estar en ese centro de observación y de decisión, la Princesa puso en juego las dos importantes armas que tenía a la mano: la de su alto linaje y la de su provocadora belleza. Alto, altísimo linaje, como quien era nada menos que una Mendoza, descendiente de aquel cardenal que en tiempos de los Reyes Católicos llegó a ser titulado por un cronista de la calidad de Pedro Mártir de Anglería como el

---

[1] Sobre el supuesto defecto del ojo derecho de la Princesa, el mejor estudio, tanto sobre la documentación existente como sobre los cuadros que se poseen, es el de Marañón, *Antonio Pérez,* en *Obras completas* (Madrid, 1970, VI, págs. 192 y sigs.), que acaba admitiéndolo, si bien en muchos relatos de la época, como en la crónica de Cabrera de Córdoba, no se encuentre alusión alguna; pero sí aparecen en otros testimonios, como en una carta del hijo del duque de Alba al secretario de su padre, de 1573, haciendo cábalas sobre cómo sería el parche de la Princesa («de qué traería el ojo la princesa de Éboli»).

tercer rey de España; tal era su poderío y tanta su prepotencia. Y algo, incluso mucho de esa prepotencia y de ese afán de protagonismo al más alto nivel, heredaría su bisnieta por línea paterna, Ana de Mendoza, princesa de Éboli. En cuanto a su inquietante belleza, que daría lugar a que su mejor estudioso la denominara como una especie de mujer fatal del siglo XVI [2], tendremos ocasión de tratar más adelante.

No cabe duda de que el destino tuvo también no poca parte en el futuro de la Princesa, cuando en 1552, siendo todavía una chiquilla, en torno a los doce años —había nacido el 28 de junio de 1540—, fue solicitada por Ruy Gómez de Silva para convertirla en su esposa. Las negociaciones matrimoniales habían sido apoyadas por el mismo príncipe Felipe.

A este respecto, conviene recordar algunos extremos. En primer lugar, la fecha: 1552. En ese año el Príncipe hacía unos meses que había regresado a España, después de aquel largo viaje por media Europa, que le había hecho cruzar el norte de Italia, atravesar los Alpes, verse con sus primos austríacos en Innsbruck, conocer a la alta nobleza alemana por las tierras del Imperio y encontrarse al fin con su padre, el Emperador, en Bruselas. Sin entrar en detalles sobre los móviles de aquel viaje y de sus resultados, que tratamos más largamente en otra parte de esta historia, sí es imprescindible dejar bien sentado que a su regreso Felipe volvería a España con una importante experiencia en materias de Estado y, sobre todo, con el pleno apoyo paterno para gobernar el país como auténtico *alter ego* del Emperador.

Pero ¿quién había ido con él en aquella expedición? ¿Quién le había acompañado en aquel notable viaje y sido su constante confidente? Aquel que había estado siempre con él desde los mismos años de la niñez, aquel portugués que había llegado a la corte española en el cortejo de la emperatriz Isabel y que no le había dejado un instante, casi desde que había nacido: Ruy Gómez de Silva. Ahora bien, Ruy Gómez contaba ya treinta y seis años en 1552 y parecía que era el momento de ser recompensado por tantos servicios por su señor. Y en 1552 el Príncipe estaba en condiciones de hacerlo generosamente. ¿De qué manera? Apoyando la boda de su privado con una dama de la alta nobleza castellana, encumbrándolo así en la jerarquía social de su tiempo. Tanteados algunos partidos, ambos se fijaron al fin en aquella Ana de Mendoza, hija del conde de Mélito y de Catalina de Silva, ésta, a su vez, hermana del conde de Cifuentes. Por lo tanto, una mujer de la alta nobleza castellana. Además, Ana era hija única y, por ello, heredera de muy rico patrimonio, engrandecido generosamente por el Príncipe con una renta para el matrimonio de 6.000 ducados [3].

Ahora bien, existía un inconveniente: la edad de la futura princesa de

---

[2] Marañón, *op. cit.,* págs. 181 y sigs.

[3] «Para ellos y después de sus días para sus descendientes legítimos» (García de Mercadal, *La princesa de Éboli,* Barcelona, 1992, pág. 15; cf. G. Muro, *Vida de la princesa de Éboli,* Madrid, 1877).

Éboli, que en 1552 cumplía los doce años. Por lo tanto, aunque se cerraran las capitulaciones, estaba claro que había que esperar alrededor de dos años para que aquel matrimonio se consumara[4].

Y sucedió lo inesperado. La situación internacional se complicó de tal manera, que el Emperador volvió a llamar a su hijo antes de que se cumpliera aquel plazo. En efecto, en junio de 1554 Felipe II volvía a salir de España, camino de Inglaterra, para desposarse con María Tudor. Con él, como no podía ser menos, iría Ruy Gómez de Silva, que así debió aplazar su boda con Ana de Mendoza.

Una espera que no iba a ser de unos meses, sino de cinco años. Hasta el otoño de 1559 no regresarían Felipe II y su privado a España. Para entonces, Ruy Gómez tendría ya cuarenta y tres años, y el Rey, treinta y dos. En cuanto a Ana de Mendoza, se había convertido en toda una mujer —ya hemos dicho que de provocadora belleza, y no es una expresión al estilo de novelas rosa, sino una realidad—, con sus diecinueve años bien cumplidos.

Podríamos añadir que era la estrella de aquella corte, dejando aparte la nueva reina, aquella dulce Isabel de Valois; pues, sin duda, aun cuando le superaban en linaje la princesa Juana de Austria, la hermana del Rey, y la duquesa de Alba, también damas de la Reina, ambas palidecían ante la viveza y el arranque que ponía en todas sus cosas Ana de Mendoza.

Es en ese primer encuentro cuando pronto el rumor general se hizo eco de las relaciones amorosas entre el Rey y la Princesa. Ruy Gómez de Silva era el marido, pero el Rey era el amante. Y de tal forma, que el tercer hijo que pare la Princesa en 1563, el futuro segundo duque de Pastrana, se daba como del Rey y no del privado.

Esto requiere una advertencia. Muchos sesudos historiadores han dado últimamente en negar esos amoríos —lo cual es comprensible, porque no existe ninguna prueba irrefutable—, pero lo hacen indignados, como si el admitir lo contrario fuera un deseo de ennegrecer la figura de Felipe II (lo cual es, cuando menos, una tontería). Felipe II tuvo varias amantes, dentro y fuera de España, como las tuvo su padre, Carlos V, y como las tuvieron la mayoría de los reyes en cualquier época de nuestra historia. Y nadie se rasgaba las vestiduras por ello. Aquí lo que importa dejar sentado, pues, es si los indicios que conocemos sobre esas relaciones dan algún fundamento al rumor popular y si ese planteamiento esclarece en algo todo lo que después sucedería, que sería nada menos que el asesinato de Escobedo, la estrecha prisión de la Prin-

---

[4] Aunque pudiera parecer edad muy temprana, no era raro que tal ocurriera en aquella época, acaso como una necesidad social ante la fragilidad de la existencia. Recuérdese que la propia Isabel de Valois celebró sus esponsales con Felipe II en Guadalajara el 29 de enero de 1560, antes de cumplir los catorce años, pues había nacido el 2 de abril de 1546. Algo, por otra parte, reflejado en la literatura de la época en toda la Europa occidental, como en *La española inglesa,* de Cervantes, o en el drama *Romeo y Julieta,* de Shakespeare, donde su madre plantea la necesidad de casar a Julieta cuando está a punto de tener esos catorce años.

cesa sin juicio, el proceso casi sin prisión de Antonio Pérez, la fuga de éste al reino de Aragón, con el alzamiento de Zaragoza, y, finalmente, el último rigor desplegado por el monarca contra la Princesa, recluida en su palacio de Pastrana.

Según esta tesis, sería la futura princesa de Éboli la que se fijara en el Rey. Entre Felipe II y Ruy Gómez de Silva, entre el Rey, de treinta y dos años, y el privado, de cuarenta y tres, entre la arrogancia de quien había salido de Castilla como el Príncipe y volvía ya como el nuevo monarca deseoso de renovarlo todo, y el privado portugués siempre a la sombra del otro, siempre retraído y borroso, la elección para Ana de Mendoza no cabía duda. Por otra parte, eran conocidas las fuertes tendencias eróticas de Felipe II. Y, sobre todo, él era el Rey, él era el mismo centro del poder. De forma que todo era perfecto y todo se presentaba fácil para Ana de Mendoza.

En seguida, pues, corrieron los rumores por la corte, porque eso siempre es difícil de esconder: el Rey tenía una nueva amante, que ya no era aquella Isabel de Osorio, apartada de la corte y recluida en su palacio de Saldañuela, sino la joven esposa de Ruy Gómez de Silva.

Ahora bien, Felipe II distinguía muy bien entre sus placeres como hombre —poderoso, desde luego— y sus deberes como rey. Así que tan pronto como se diera cuenta de que para Ana, por el contrario, lo uno era el camino para lo otro, y que de los secretos de alcoba quería pasar a las confidencias políticas, con lo que eso traía consigo, tenía que apartarla de su lado.

Suposiciones, por supuesto, basadas en el rumor de la corte que los daba por amantes, y en el comportamiento que ambos tuvieron siempre: el Rey, escrupuloso en sus deberes regios; la Princesa, con incontenibles ganas de mangonearlo todo.

Y aquí es donde encaja un documento regio, a mi entender mal interpretado. Se trata de una carta del secretario Mateo Vázquez al Rey, fechada a 28 de julio de 1578, en la que se aludía a manejos de la Princesa, a la que el Rey contestaría, con una singular confidencia:

> ... esto es malo de creer, aunque si de alguna persona es de creer es de esa señora.

Y añade el Rey lo que de pronto la imagen de la Princesa le trae a la memoria:

> ... de quien me habréis visto andar siempre bien recatado, *porque ha mucho que conozco sus cosas* [5].

---

[5] El comentario de Felipe II a carta de Mateo Vázquez es de 28 de julio de 1578 (documento sito en la Biblioteca Zabalburu, publicado por Muro, *op. cit.,* apéndice 165; cf. Marañón, *op. cit.,* pág. 212).

Es una confesión espontánea del Rey. Alude, sin dejar resquicio a la duda, a unas primeras intimidades y a ese descubrimiento inicial de los manejos de la Princesa, lo que le había obligado a apartarla de su vista.

> ... ha mucho que conozco sus cosas...

Porque el Rey recordaba de pronto, en aquel verano de 1578, lo que había podido comprobar, no cuando la Princesa había enviudado, que era algo relativamente reciente (recordemos que había ocurrido en 1573), sino de hacía mucho tiempo («ha mucho que conozco sus cosas»), como lo había sido su encuentro con la Princesa en 1560: la princesa de Éboli era una intrigante con la que había que tener mucho cuidado. Era una fuente de conflictos. Pero como a la postre era la mujer de su privado, la mejor solución era retraerse de ella y eso tomarlo ya como una norma inquebrantable:

> ... esa señora de quien me habréis visto andar siempre bien recatado...

Siempre, se entiende, desde los años en que Mateo Vázquez se incorpora como secretario en la corte del Rey. ¿Y cuándo ocurrió eso? En 1573, cuando, muerto ya el cardenal Espinosa, a cuyo servicio estaba, le llamó el Rey a su lado. Curiosamente, el mismo año en que había fallecido Ruy Gómez de Silva.

Por lo tanto, una cosa es cierta, porque el mismo Rey la confiesa en esa confidencia espontánea a su secretario Mateo Vázquez: hubo un tiempo en el que la Princesa había tenido acceso al Rey; hasta que en un momento determinado el Rey decide recatarse de ella, como de mujer peligrosa. De esa forma, la Princesa, la que la corte había señalado como la amante del Rey, se convierte en *esa señora,* de la que cualquier disparate se podía creer. Es de ese modo como parece cobrar todo su sentido la confidencia del Rey al secretario Mateo Vázquez, tan enemigo de Antonio Pérez y de la Princesa:

> ... esto es malo de creer, aunque si de alguna persona se puede creer es de esa señora, de quien me habréis visto andar siempre bien recatado, porque ha mucho que conozco sus cosas...

Por consiguiente, una etapa, acaso no tan breve, pero ya lejana en 1578, en la que por lo menos la Princesa había tenido acceso al mundo íntimo del Rey, que viene a coincidir con su hijo Rodrigo, aquel que la voz general atribuía al Rey, hasta el punto de que siempre se le tuviera como tal. Pasados los años, en 1584 seguía diciéndose:

> Felipe II, no obstante su piedad, era muy dado a las mujeres, habiendo en la Corte algunos señores como el duque de P... y otros que pasaban por hijos suyos [6].

---

[6] Marañón, *op. cit.,* pág. 205.

No es difícil identificar a ese duque con el de Pastrana, dado que es el único cuyo apellido empieza por esa letra. Recuérdense los otros: Alba, Béjar, Feria, Infantado, Medinaceli, Medina-Sidonia, Francavila, Cardona...

Por lo tanto, una etapa de íntimas relaciones que duraría, por lo menos, hasta 1562, que fue el año en el que nació Rodrigo.

Apartada después de la intimidad del Rey, la Princesa tendría el pleno acceso a la de su marido, renovados los combates conyugales. ¡Y de qué modo! En los diez años siguientes, siete partos. Lo cual quiere decir que apenas si unos meses separaban cada parto del nuevo embarazo. Y en ese trato tan íntimo y tan constante, la Princesa pudo volver a sus ansias de enterarse de todo lo que ocurría en la corte y fuera de ella, todos los graves asuntos de Estado, teniendo bajo su seducción a su propio marido, que le llevaba tantos años (veinticuatro, exactamente), esto es, al poderoso privado del Rey.

Porque no se puede creer lo que afirma Marañón de que a la Princesa se le desató la furia de mangonearlo todo a la muerte de su esposo. Esa ansia era propia de su carácter dominante y no hay razón para pensar que no la desplegara durante aquellos trece años de su matrimonio, teniendo tantas facilidades para hacerlo [7]. Es cierto que a la muerte de Ruy Gómez de Silva tuvo el arrebato de hacerse monja, queriendo profesar en el convento de las carmelitas descalzas fundado por ella en vida de su marido en la villa de Pastrana; una vida conventual que tantos quebraderos de cabeza daría a santa Teresa («La monja de la princesa de Éboli era de llorar» [8]), como los había tenido a la hora de la fundación [9]. Y curiosamente en su exclaustramiento tendría que ver el propio Rey, con el pretexto de que tenía más obligación de cuidar del patrimonio de sus hijos.

Tal le venía a ordenar, si bien rodeado de fórmulas corteses, el Rey a la Princesa en carta personal escrita el 25 de septiembre de 1573:

> Princesa doña Ana de Mendoza, prima:
> Como quiera que holgara yo mucho de que se pudiera haber tomado resolución en lo de la tutela y administración de las personas e hazienda de vuestros hijos, que nos habéis suplicado, para que desde luego pudiérades estar libre de este cuidado, han sido tantos y tan

---

[7] En realidad, el propio Marañón lo reconoce así en otro pasaje de su obra: «El marqués de la Fabara decía haber oído a la Éboli, cuando estaba en plenas relaciones con Antonio Pérez, que "aunque era muerto el príncipe Ruy Gómez, ella podía más y sabía más que nunca", inapreciable confesión de sus ansias de dominar y de que durante la vida de su marido utilizó a éste para saber y para mandar» *(Marañón, op. cit.,* pág. 187).

[8] Santa Teresa al padre Domingo Báñez, enero de 1574 *(Epistolario,* en *Obras completas,* ed. 1979, pág. 714).

[9] La Santa recuerda en las *Fundaciones* su estancia en Pastrana de 1569, cuando había sido llamada por los príncipes de Éboli para fundar allí un convento, y comenta: «Estaría allí tres meses, adonde se pasaron hartos trabajos, por pedirme algunas cosas la Princesa que no convenían a nuestra religión, y ansí me determiné a venir de allí sin fundar antes que hacerlo. El príncipe Ruy Gómez con su cordura —que lo era mucho— y llegado a razón, hizo a su mujer que se allanase...» *(Fundaciones,* ed. cit., pág. 566).

graves negocios que han ocurrido después que el príncipe Ruy Gómez de Silva, vuestro marido, falleció, que no ha habido lugar para
ello. E ansí es forzoso e necesario que entre tanto que esto se haze,
que será con la brevedad que se pudiere, vos os encarguéis de la dicha tutela y administración, como os lo ruego y encargo mucho lo hagáis, pues demás de que por el presente no se puede excusar, por los
inconvenientes que podrán resultar de lo contrario, yo, por lo mucho
e bien que el dicho Ruy Gómez me sirvió continuamente e la afición
que le tuve e tengo a sus cosas e vuestras, recibiré en ello mucho placer e servicio.

Del Pardo, a XXV de Septiembre de 1573 años.

Yo, el Rey[10].

Obsérvese que la Princesa había acudido a Felipe II, en el trance de la
custodia de sus hijos, todos tan chicos, que el mayor no tenía más que diez
años. Si el padre había muerto y la madre se metía monja, ¿a quién acudir?
Y es aquí donde también toma más sentido que lo hiciese al Rey, si en verdad
era el auténtico padre del tercer hijo. Pero precisamente estamos ante algo a
lo que Felipe II no quería acceder, porque era como reconocer lo que no deseaba de ningún modo llevar a cabo: su paternidad de don Rodrigo. Pero, por
otra parte, no podía tampoco desentenderse del todo. Y es de anotar que, a
vueltas con el mismo asunto, responde a una carta de su secretario Mateo
Vázquez en que le volvía a tocar el tema, y termina con este juicio:

> ... y, por cierto, que creo que tendría más obligación [la Princesa] a
> esto [a la tutela de sus hijos] que a ser monja[11].

Una tutela de los hijos y una custodia de los bienes que no tenía que ser
desde la corte. Antes bien, Felipe II prefería que la Princesa las llevase a cabo
sin salir de su señorío de Pastrana. De forma que, cuando dos años más tarde
hay indicios de que el príncipe de Mélito, padre de la Princesa, le insta al regreso, el Rey se muestra contrario:

> Tengo por muy cierto que para la conciencia y quietud de todos
> ellos, y aun no sé si el honor, les conviene más el no venir ella
> aquí...[12]

También este comentario regio da que pensar. Que prefiriese no ver a la
Princesa en la corte, se comprende, dadas las reservas que tenía hacia ella;
pero ¿por qué temía que se produjera un quebranto en el honor de aquel linaje? ¿Por la experiencia personal de que la Princesa era mucha mujer para
mantenerse en sosiego en su casa? Porque, aparte del sexo, lo cierto es que,

---

[10] En García de Mercadal, *op. cit.,* págs. 54 y 55.

[11] *Ibídem,* pág. 57.

[12] *Ibídem,* pág. 70; cf. Marañón, *op. cit.,* pág. 191. Muro publica las cartas que entonces se
cruzaron entre el Rey y la Princesa.

mientras vivió Ruy Gómez de Silva, la Princesa tenía fama ya de intervenir en las cosas de Estado; no por otra razón el embajador francés procuraba obsequiarla, buscando su mediación para conseguir un trato de favor en lo que había de negociar en la corte por orden de Catalina de Médicis.

En esa situación sobreviene la muerte de la madre de Ana de Mendoza, lo que precipita el retorno de la Princesa a la corte.

Corría ya el año de 1576.

Y como una obligación a la gratitud que debía al linaje, Antonio Pérez visita a la Princesa en su casona-palacio. Pronto las idas y venidas del secretario menudean. De nuevo corre el rumor por la corte: la linda viuda se alegra más de la cuenta y tiene un nuevo amante. No sería el Rey, pero al menos el secretario del Rey.

Por lo tanto, otra vez la ocasión para intervenir en los negocios de Estado. Nuevamente la Princesa haciendo de mujer fatal, empleando su atractivo para captar al hombre de moral dudosa y de poder cierto. Porque ése era el caso: otra vez la mujer sería quien sedujera. Para Antonio Pérez, la confabulación con la Princesa sólo se puede entender como la del plebeyo deslumbrado con la belleza de una Grande de España. En cuanto a la Princesa, porque era la forma de volver a sus viejas intrigas. Ya que no podía pensar en el Rey, se conformaría con su secretario. Lo que dejaría bien reflejado en una frase chulapona, tal como se la oyó una testigo citada en el proceso de Antonio Pérez, que a una amenaza de Escobedo le había replicado la Princesa:

> Haced lo que queráis, Escobedo, que más quiero al trasero de Antonio Pérez que al Rey [13].

A su vez, Antonio Pérez recordaría, pasados los años, ya en el destierro, cómo había sido su perdición y quién había seducido a quién:

> No hay leona más fiera ni fiera más cruel que una linda dama; como de tal se ha de huir... [14]

Hemos planteado esta cuestión del Rey y la Princesa siguiendo la hipótesis de unas primeras relaciones amorosas entre ambos, que culminarían en el nacimiento de su hijo, Rodrigo, futuro segundo duque de Pastrana. Hemos aportado varios indicios que apuntan a que el rumor de la época pudo ser cierto, pero deberíamos hacernos algunas otras preguntas, tanto en torno al posible enfrentamiento de ambos protagonistas en el momento de la crisis de 1579 como sobre el comportamiento del Rey con su supuesto hijo.

Empecemos por esto último. Parece razonable pensar que si el Rey tuviera a Rodrigo por su hijo le diera un trato de favor, que se apreciara algo que

---

[13] Marañón, *op. cit.*, pág. 200.
[14] *Ibídem*, pág. 226.

nos indicara la existencia de esos lazos; pues no olvidemos que en Felipe II los sentimientos paternos eran muy fuertes, siempre y cuando no chocaran con sus deberes regios.

Pues bien, aparte de ese interés ya señalado porque Rodrigo (con el resto de sus hermanos, por supuesto, pero eso no podía ser de otro modo) fuera protegido, a la muerte del príncipe de Éboli, tanto en el plano familiar como en el de su patrimonio, nos encontramos con que su carrera fue notable en el ejército. En efecto, tras una adolescencia borrascosa, con lamentables actos de noble pendenciero y despótico, alguien debió de aconsejarle que si quería hacer fortuna en la corte tenía que enmendar la plana. Y lo hizo, apuntándose a la campaña de Portugal, bajo el mando del duque de Alba. De allí pasó a Flandes, donde su ascensión fue casi meteórica, en este caso bajo el servicio de otro gran soldado: Alejandro Farnesio. De forma que, cuando en 1589 Felipe II proyecta el relevo de Farnesio, uno de los nombres que se barajaron para el puesto de nuevo general en jefe del ejército de la Monarquía en Flandes iba a ser el de Rodrigo, ya segundo duque de Pastrana. Es posible que el agravamiento de la prisión de la madre, con las medidas extremas tomadas por Felipe II contra la reclusa de Pastrana, le llevara a dejar en suspenso tal recompensa[15].

¿Y en cuanto al enfrentamiento entre el Rey y la Princesa, a partir de la actuación de la justicia, con motivo del asesinato de Escobedo? Admitiendo la hipótesis de unos antiguos lazos amorosos y dado el fuerte carácter de la Princesa, tenía que darse una viva reacción de Ana de Mendoza, exigiendo de su antiguo amante otra protección, dado que, en definitiva, aquella muerte se había producido con el consentimiento regio. Otra cosa obligaría ya a descartar la existencia de tales amoríos. ¿Qué pruebas tenemos? Aquí el historiador tiene que hacer también el papel del detective, rastreando las posibles pistas.

¡Pero es que existen! Al menos una, pero muy importante: la carta que la Princesa escribió al Rey, después de recibir la visita del cardenal Quiroga, que había ido a verla por orden de Felipe II, como un último recurso para que se llegase a un acuerdo entre los dos secretarios (Antonio Pérez y Mateo Vázquez). Una carta que conocemos por haberla publicado Antonio Pérez en sus polémicas *Relaciones,* y por eso desechada por algunos, pero que un análisis serio permite darla por auténtica. Se trata, sin duda, de uno de tantos documentos comprometedores que Antonio Pérez fue recogiendo en sus momentos de privanza, y que no podía menos de dar a conocer, a la hora de justificar su conducta. El mismo Antonio Pérez nos aclara cómo había llegado a su poder:

---

[15] Marañón, *op. cit.,* pág. 201. Otra prueba del interés especial de Felipe II por el duque de Pastrana es cuando se entera que tenía amistad con un don Antonio de Manrique, tachado de sodomita, noticia que le da el presidente Pazos «con lágrimas de sangre»; curioso documento de 21 de noviembre de 1581, recogido al final de la *Causa criminal* contra Antonio Pérez, publicado por Marañón, *op. cit.,* pág. 1165. Asimismo podría añadirse que Rodrigo acude al Rey cuando teme que su madre le despoje de sus derechos de primogenitura, en beneficio de su siguiente hermano. ¡Y ese temor le venía porque el propio príncipe de Éboli la había facultado para ello! Y ése es otro indicio a tener en cuenta: el desvío del Príncipe hacia Rodrigo encaja mejor si lo tenía por hijo del Rey.

No se espante nadie de que Antonio Pérez tenga esta carta original, que el Rey se la dio de su mano el mismo día que la recibió.

Y añade, compungido:

Tal corría la confianza entre rey y vasallo en las horas postrimeras...

Por lo tanto, una carta escrita hacia la primavera de 1579, con un estilo tan personal que nadie sería capaz de imaginar, y por tanto de falsear.
Dice así:

Señor:
Por haber mandado Vuestra Majestad al cardenal de Toledo que me hablase en estas cosas que han pasado de Antonio Pérez, para que yo procurase reducirle, he entendido yo y tratado dello muy diferentemente de lo que entendía, pues quedar un hombre inocente, después de muchas persecuciones, sin honra ni sosiego, no era cosa que a él le podía estar bien, ni nadie con razón persuadírselo. Mas todo lo puede el servicio de Vuestra Majestad.

Ese es el comienzo. Naturalmente, la Princesa parte del supuesto de que Antonio Pérez era inocente, no porque no hubiera intervenido en la muerte de Escobedo, sino porque, habiéndolo hecho con la aprobación regia, tenía que estar fuera de culpa, al menos para el Rey. Y al Rey se estaba dirigiendo la Princesa. La cual le añadirá en seguida por qué no podía entrar en componendas con Mateo Vázquez, con una queja ya sobre el comportamiento del propio monarca, en cuya queja la Princesa no se andaría por las ramas:

Bien se acordará Vuestra Majestad que le he dicho en algún papel lo que había entendido que decía Mateo Vázquez y los suyos que perdían la gracia de Vuestra Majestad los que entraban en mi casa. Después de esto he sabido que han pasado más adelante, como a decir que Antonio Pérez mató a Escobedo por mi respecto, y él tiene tales obligaciones a mi casa, que cuando yo se lo pidiera, estuviera obligado a hacerlo.

Hasta aquí, la exposición de los agravios que imposibilitaban cualquier entendimiento como el que se le pedía a la Princesa para llegar a una avenencia con Mateo Vázquez. A continuación, la Princesa entraría en las exigencias al Rey. ¡Y de qué forma! De esta linda manera:

Y habiendo llegado esta gente a tal, y extendídose tanto su atrevimiento y desvergüenza, está Vuestra Majestad como rey y caballero, obligado a que la demonstración desto sea tal que se sepa y llegue adonde ha llegado lo primero.

Pero ¿entraría el Rey en razón? No lo creía ya la Princesa, o por lo menos lo dudaba, de forma que le lanza otra andanada:

> Y si Vuestra Majestad no lo entendiere assí y quisiere que aun la auctoridad se pierda en esta casa, como la hacienda de mis abuelos, y la gracia tan merecida del Príncipe, y que sean éstas las mercedes y recompensas de sus servicios, con haber dicho yo esto me habré descargado con Vuestra Majestad de la satisfación que debo a quien soy.

Por lo tanto, reproche sobre reproche al Rey, que parecía olvidar lo que había sido y lo que debía seguir siendo para él la casa de Éboli, pero también la misma Princesa como tal. Ya no sería la carta de una súbdita a su Rey. Ahora el tono se radicalizaría más, en un tú a tú impresionante, como quien se cree que puede hacerlo. Ahora será Ana quien hable a Felipe, la dama al caballero, si es que por tal se le podía tener:

> Y suplico a Vuestra Majestad me vuelva este papel, pues lo que he dicho en él es como a caballero y en confianza de tal y con el sentimiento de tal ofensa...

A continuación, y acordándose que tenía unos pleitos en marcha y que sobre ellos había mandado unos memoriales al Rey, de los que no tenía respuesta, aprovecha la ocasión para hacerle un largo recordatorio; otra prueba más de que nos hallamos ante una carta auténtica y no amañada por Antonio Pérez. Unos agravios en los que, atención, se alude a la suerte de los hijos, como algo que debía importar sobremanera al Rey:

> Pues si todos éstos, Señor, dizen esto, poco es desamparar yo el pleyto, que los hijos y todo sería bien dexarlo, que es con lo que se acabarían tantas maneras de disfavores.

Y viene ya la traca final, el último gran reproche, que antes hemos señalado:

> Que yo digo a Vuestra Majestad que pensando en cuán diferentemente meresçió esto mi marido, estoy muchas vezes a pique de perder el juyzio, sino que la desvergüenza de agora de esse perro moro que Vuestra Majestad tiene en su servicio me le hará cobrar. Y torno a acordar a Vuestra Majestad que no vaya a manos desse hombre ni ninguno mío. Y si Vuestra Majestad le quisiere hazer tan hidalgo que no entienda por quien digo, digo por... [16]

---

[16] Copio el texto de la edición publicada por Antonio Pérez de sus *Relaciones,* en París, 1598, págs. 22 a 24. En la transcripción de Alfredo Alvar (Madrid, Turner, 1986, págs. 113-115) se deslizan algunos errores, como en la parte final, donde, coincidiendo con Marañón, se transcribe: «... que no entiende por quien digo, digo peor...», lo que hacía sospechar a Marañón que los puntos suspensivos había que suponer que se corresponderían con alguna expresión desgarrada de la

Convengamos en que, por lo menos, una carta en tales términos casa mejor en mujer que se cree que puede hablar alto, como quien ha logrado en su día las mayores intimidades, que no en quien no ha pasado de ser una súbdita, más o menos ilustre, frente al Rey. En aquel rompecabezas hay que tratar de encajar las piezas con el mayor cuidado. Y estamos ante una de las principales.

También hay que tener en cuenta un hecho singular. Cuando el Rey ordena la prisión de la Princesa, la justicia procederá con mucho mayor rigor con ella que con el secretario, y además —esto es en verdad asombroso— sin proceso alguno. Igualmente, a esto hay que buscar una explicación. Se entiende que se procurase, en un principio, tratar con mano izquierda al secretario, porque se sospechaba, como era lo cierto, que en su poder obraban importantes documentos y que todo cuidado era poco. Pero queda la cuestión de que a la Princesa no se le incoase proceso alguno. ¿Cuál podía ser la razón? Aquí vuelve otra vez a suscitarse la suposición primera: que el Rey, caso de que hubiera sido el amante de la Princesa, temiera que un proceso abierto pusiese al descubierto lo que él nunca había querido reconocer. Y por la misma razón, cuando Antonio Pérez logró fugarse de la prisión, escapando a la última justicia regia, el Rey extremó su rigor con la mísera cautiva de Pastrana.

Yo diría que no por crueldad, o por ensañamiento contra quien se había atrevido a enfrentarse con el Rey, ni por un último arranque rabioso de un antiguo amante humillado, sino por el temor a que a una fuga sucediese la otra, y que la Princesa en libertad pudiese proclamar a los cuatro vientos aquel gran secreto que el Rey quería mantener oculto a los hombres.

Porque no podemos silenciar, verdaderamente, el trato al principio con altibajos, pero a partir de 1582 cada vez más riguroso del Rey con la Princesa. Con un primer golpe teatral, en la misma noche del 28 de julio en que se había procedido a la prisión de Antonio Pérez, y a la misma hora, las once, para aquellos tiempos tan intempestiva, se presentó en casa de la Princesa el capitán de la guardia del Rey, don Rodrigo Manuel de Villena, comendador de la Orden de Santiago, acompañado del almirante de Castilla; que con no menos aparato quiso el Rey que se procediera a la detención de la Princesa, quien ya estaba acostada, de forma que el sobresalto fue mayúsculo, máxime cuando se le hizo saber que se procedía a su inmediata prisión. Como último recurso, la Princesa pidió que se le dejara mandar a su hijo, el duque de Pastrana, para que pidiera clemencia al Rey. De nuevo pensamos: ¿en quién mejor podía apoyarse Ana de Mendoza, si en verdad era aquél el hijo de entrambos? Pero eso ya debía estar previsto por Felipe II, siéndole negada a la Princesa ni siquiera tal dilación.

De ese modo fue conducida a la torre de Pinto, donde estaría seis meses, en condiciones calamitosas. Más tarde sería trasladada al castillo de Santor-

---

Princesa (Marañón, *op. cit.*, pág. 412). Evidentemente, lo que aquí se omite por Antonio Pérez es el nombre del acusado por la Princesa.

caz, con alivio de su trato, para pasar finalmente al palacio de su villa de Pastrana. Allí conoció la Princesa, durante algunos meses, una mejora de su prisión, hasta el punto de que pudo volver a su vida primera, la propia de una gran señora feudal en su señorío, con fiestas suntuosas al estilo caballeresco, tan del gusto de la alta nobleza.

Pero eso duró poco. En noviembre de 1582, el Rey la despojó de la tutoría de sus hijos y de la administración de sus bienes, reduciendo su prisión al torreón de su palacio de Pastrana.

Finalmente, como reacción a la inesperada fuga de Antonio Pérez, en la primavera de 1590, se agrava de tal manera su encarcelamiento, con tupida celosía en la gran ventana de su prisión que daba a la plaza y desde la que se podía divisar, a lo lejos, la campiña y un algo de libertad, procediéndose de igual modo con el resto de los huecos de su cárcel, que bien puede decirse que fue condenada a ser emparedada viva. Dicen sus biógrafos que la Princesa, mientras los albañiles y los herreros procedían a su siniestra labor, sollozaba sin tregua oculta tras unas cortinas [17].

Tendría junto a ella, eso sí, a un ser querido: su hija Ana, que no la abandonó en los doce años que duró su prisión, y menos en aquellos últimos y tan duros momentos [18].

Pero para la Princesa, para aquella mujer tan altiva y arrogante, para aquel ser tan lleno de vida, aquel enclaustramiento tan riguroso fue decisivo. De nada sirvieron ya sus súplicas a Felipe II, ni aquel lamentarse y proclamar que jamás había querido ir contra su Rey y señor natural. Ya era tarde para esperar clemencia alguna de quien, cuando se ponía el manto regio, dejaba a un lado todo sentimiento de piedad y se convertía en la expresión misma del poder. De un poder frío e implacable. Y bien lo hubo de sufrir la Princesa, que al fin, rindiéndose a sus muchos males acumulados, dejaba de existir en aquella rigurosa prisión a los cincuenta y un años, posiblemente de un ataque al corazón [19].

Era el 12 de febrero de 1592.

Finalmente, nos encontramos con otra interrogante: ¿estamos seguros de que la Princesa tuvo algo que ver con la muerte de Escobedo? Eso es lo que parece deducirse de la reacción de Antonio Pérez y de doña Ana, ante el descubrimiento de sus intrigas por el secretario de don Juan de Austria, que es a lo que aluden no pocos de los testigos que desfilan por la causa criminal incoada contra Antonio Pérez. Pero no puede incorporarse a esos indicios inculpadores la altiva carta de la Princesa al Rey, que ya hemos comentado, porque la referencia expresa que en ella hace a que se le acuse como inductora del

---

[17] Marañón, *op. cit.*, pág. 442; cf. García de Mercadal, *op. cit.*, págs. 181 y sigs.

[18] García de Mercadal, *op. cit.*, pág. 189.

[19] Marañón (*op. cit.*, pág. 443), por error, indica que la Princesa había muerto a los cincuenta y dos años, siendo así que no los habría cumplido, si hubiese vivido, hasta cuatro meses después, dado que había nacido el 28 de junio de 1540.

asesinato de Escobedo puede también tomarse como la réplica airada de quien se considera por encima de tamaña sospecha, tachándola de absurda.

También está el hecho de que el Rey no la sometiera a proceso alguno, cuestión que resulta difícil de interpretar. Que su detención fuera sincrónica con la de Antonio Pérez no pasa de ser un golpe teatral de cara a la opinión pública, para dejar bien sentado a lo que se exponía quien se enfrentaba con el Rey, fuera cual fuese su puesto político o su posición social; aunque no cabe duda de que también se quería que la gente relacionase ambos encarcelamientos.

Desde luego, la Princesa estaba involucrada en el tráfico traicionero de secretos de Estado, práctica a la que debía estar habituada desde los tiempos mismos del príncipe Ruy Gómez de Silva, su poderoso marido; incluyendo últimamente, a partir de 1579, los relacionados con Portugal, cosa que pudo acabar siendo decisiva en el ánimo del Rey[20].

Pero no se puede omitir que cuando el Rey notifica a la Grandeza de la Corona de Castilla la medida represiva tomada con la Princesa, para nada alude, ni siquiera veladamente, a su participación en la muerte de Escobedo. Esa carta, que conocemos a través de las *Relaciones* de Antonio Pérez, que tiene todos los visos de ser auténtica, sólo menciona las diferencias existentes entre sus dos secretarios —Antonio Pérez y Mateo Vázquez— y la altanera reacción de la Princesa cuando el Rey le pidió, a través de su confesor (que lo era fray Diego de Chaves), que mediara para que se avinieran.

Es una breve carta. La que conocemos, dirigida al duque del Infantado, reza así:

> El Rey:
> Duque primo: Ya habréis entendido que entre Antonio Pérez y Matheo Vázquez, mis secretarios, ha habido algunas differenças y poca conformidad, interpuniendo en ellas la auctoridad de la Prinçesa de Eboli, con la cual he tenido la quenta que es razón, assí por los deudos que tiene como por haber sido muger de Ruy Gómez, que tanto me sirvió y a quien tuve la voluntad que sabéis. Y habiendo querido entender la causa desto, para tratar del remedio, y porque se hiziesse con el silencio que convenía, y por la satisfación que tengo de la persona de fray Diego de Chaves, mi confesor, le ordené que hablasse de mi parte a la Princesa y entendiesse la quexa que tenía del dicho Matheo Vázquez y en lo que la fundaba, como lo hizo. Y habló para comprobaçión dello a otras personas, que ella le nombró. Y no hallando el fundamento que convenía, procuró con ella (siguiendo la comissión que yo le di) de atajar para que çessasse y no passasse adelante, y que los dichos Antonio Pérez y Matheo Vázquez se tratassen y fuessen amigos, assí por lo que convenía a mi serviçio

---

[20] Véase *supra,* parte segunda, cap. 10. También Marañón se cuestiona la participación de la Princesa en la conjura del crimen (*op. cit.,* pág. 360).

como a todos ellos. Y entendiendo yo que la Prinçesa lo impedía, le habló el dicho mi Confesor algunas vezes para que encaminasse de su parte lo que yo tan justamente desseaba. Y viendo que no solamente no aprovechaba, pero que el término y libertad con que ha proçedido es de manera que por ello y su bien, ha sido forçado mandarla llevar y recoger esta noche a la fortaleza de la villa de Pinto. De lo qual, por ser vos tan su deudo, he querido avisaros, como es razón, para que lo tengáys entendido, y que nadie dessea más su quietud y gobierno y acesçentamiento de su Casa y collocación de sus hijos.

En Madrid, a 29 de Iulio 1579 [21].

Por supuesto, de ese tenor fue la carta escrita por el Rey al noble más afectado por la nueva de la desgracia de la Princesa, como lo era su yerno, el duque de Medina-Sidonia [22].

Parece claro que el Rey no dice más que una mínima parte de los motivos que le llevaron a la prisión de la Princesa. En principio, que hubiera querido poner en sus manos la resolución de la grave enemistad que había entre sus dos secretarios, como si ella fuera la causante de la misma, no deja de asombrar, porque evidentemente él era el más directamente afectado y el único que podía zanjar la cuestión de una vez por todas, con su regia autoridad; al contrario, en un principio diríase que alentó aquellas diferencias, prefiriéndolos separados y hostiles, antes que unidos y amigos.

Más pesó en su ánimo el lenguaje intemperante de la Princesa, cayendo ya en el desacato frente al Rey; aquello a lo que alude en su carta Felipe II del «término y libertad con que ha procedido...».

Pero nada más. Nada, en relación con el asesinato de Escobedo. Acaso porque no quiso manchar de forma irremediable el honor del linaje de los Éboli, quizá porque el Rey no lo viera tan claro.

Si eso fuera así, en la muerte de Escobedo sólo toparíamos con dos altos responsables: Antonio Pérez, el gran manipulador, y Felipe II, en definitiva, el decisivo consentidor.

---

[21] Antonio Pérez, *Relaciones,* ed. cit., París, 1598, pág. 31.
[22] *Ibídem,* pág. 32.

16
LAS CARTAS FAMILIARES

En 1956, hace más de cuarenta años, publicaba yo una semblanza de Felipe II [1] y dedicaba uno de sus capítulos a comentar las cartas familiares del Rey, tomando como base las que había publicado Gachard en 1884 [2], que recogía las que Felipe II había mandado a sus hijas Isabel Clara Eugenia y Catalina Micaela desde Lisboa, entre 1581 y 1583. Allí había material suficiente para mostrar un Felipe II íntimo, amantísimo de sus hijas, de la naturaleza, de los jardines, de las flores, de los ruiseñores... Era como descubrir un buen padre de familia que, teniendo que abandonar el hogar, añora desde lejos lo que ha dejado en Castilla.

Después de la obra de Gachard otros estudiosos han vuelto sobre el tema. En 1975 lo hacía Spivakovsky [3], y en 1988, por citar los trabajos más destacados, la que podemos considerar edición definitiva: la de Fernando J. Bouza Álvarez [4]. Pese a la buena edición de Gachard, se comprende la labor

---

[1] Manuel Fernández Álvarez, *Felipe II. Semblanza del Rey Prudente,* Madrid, 1956, reeditado en mi *Economía, Sociedad y Corona,* Madrid, 1963, págs. 171-233; el comentario a las cartas familiares, en las págs. 214 y sigs.

[2] Gachard, *Lettres de Philippe II à ses filles les Infantes Isabelle et Cathérine, écrites pendant son voyage en Portugal (1581-1583),* París, 1884.

[3] Erika Spivakovsky, *Felipe II: Epistolario familiar. Cartas a su hija la infanta doña Catalina (1585-1596),* Madrid, 1975.

[4] Fernando J. Bouza Álvarez, *Cartas de Felipe II a sus hijas,* Madrid, Turner, 1988. Se recogen tanto las escritas desde Portugal como las enviadas más tarde a Turín, donde viviría sus últimos años Catalina Micaela, desde su boda con el duque Carlos Manuel de Saboya. Por lo tanto, reuniendo en un solo volumen las cartas publicadas sucesivamente por Gachard y por Spivakovsky, con la particularidad de un notable acompañamiento de notas, sobre los diversos personajes citados en las cartas; eso sí, con una modernización del estilo personal de Felipe II, que llega incluso a la alteración del orden de las palabras en las frases: así, una expresión regia como «dicho me han» se transcribe por «me han dicho»; o «hame pesado dello», en «me pesa de ello» (véase la carta de Felipe II a Catalina Micaela de 17 de julio de 1583, en la ed. cit. de Bouza). Un intento claro de hacer más asequible la lectura de las cartas regias al público medio, pero que puede desorientar gravemente a los historiadores de la lengua en sus estudios sobre la evolución del español en los últimos años del reinado de Felipe II.

de Spivakovsky y de Bouza, atentos al otro mazo de cartas del Rey, las que a partir de 1585 envía a su hija Catalina Micaela.

Son dos bloques distintos: en el primero, Felipe II escribe a sus dos hijas mayores, pero que todavía están por hacerse mujeres; son casi unas niñas, aunque el Rey ya les confíe el cuidado de sus otros hermanos más pequeños. Por otra parte, ellas —Isabel Clara Eugenia y Catalina Micaela— son las que guardan el hogar familiar y es el Rey el que se ha ausentado y añora constantemente el regreso. Y lo que abunda son las referencias personales: los hondos afectos familiares, las pequeñas historias del desarrollo corporal de aquella tropa menuda que había quedado en el alcázar madrileño, las originalidades de los locos (bufones) que habían acompañado a Felipe II.

Además, el Rey comenta las noticias que recibe de las hijas, de forma que hay como un reflejo del epistolario de las Infantas que, lamentablemente, fueron destruidas, al menos en parte, por orden del Rey, como él mismo lo declara en una ocasión a sus hijas:

> A las demás cartas vuestras, por ser ya viejas, acuerdo de no responder, sino quemarlas, por no cargar más de papeles...[5]

En sus cartas, el Rey les da cuenta por menudo de las cosas personales que le van pasando. Entre ellas, también de las políticas —las Cortes, la empresa naval contra don Antonio, la jura—, pero como de pasada, sin ninguna reflexión política, que sin duda no venía a cuento. Y una nota constante: lo religioso.

Las cartas escritas a Catalina Micaela ya marcan desde el principio la diferencia. En primer lugar, no es el Rey el que se va del hogar; es aquella hija tan querida. Y se va como un personaje independiente: es «la duquesa de Saboya». Aquí sí caben los comentarios políticos, como de hecho los hará Felipe II, pues con esa motivación se ha establecido tal boda con el duque de Saboya y se ha llegado a aquel durísimo sacrificio de enviar a su hija tan lejos, con tan pocas esperanzas de volver a verla.

Por lo tanto, insistimos, dos mazos de cartas de muy distinto significado que conviene comentar por separado. Pero, en todo caso, tanto uno como el otro deparando una riquísima información confidencial sobre Felipe II, tanto más interesante cuanto que el Rey jamás pensó en que podría llegar a nuestras manos; de hecho, como hemos visto, lo que él podía controlar, las cartas que recibía de sus hijas, las iba destruyendo.

Otro aspecto que hay que tener en cuenta es la periodicidad de las cartas. Lo más frecuente es una al mes, lo que estaba en función del tiempo que tardaba el correo entre Madrid y Lisboa, pues normalmente el Rey escribe contestando a las cartas que recibe de sus hijas.

Estamos, por tanto, ante un tema altamente sugestivo. Puede afirmarse

---

[5] Gachard, *Lettres de Philippe II à ses filles...*, París, 1884, pág. 184.

que ésta es la vía para penetrar un poco en el carácter tan introvertido del monarca.

La primera carta que tenemos del Rey a las Infantas —aunque evidentemente hubo alguna anterior— está escrita desde la villa portuguesa de Thomar el 3 de abril de 1581. Por ella sabemos que Felipe II lo hacía como respuesta a la que le habían mandado sus hijas:

> Siempre deseo responderos —así la comienza— y nunca puedo, y menos ahora que son las once y aún no he cenado...

Parece claro que era el Rey quien tenía que iniciar la correspondencia; él era el que había salido de la corte y quien tenía que informar sobre sus pasos. Pero es que en la misma carta Felipe II nos indica ya que existía otra suya anterior:

> ... sólo digo ahora —añade— que sería muy bien que escribáis y respondáis a mi hermana, *como creo que os lo escribí ya...* [6]

Cuando Felipe II escribe su carta, hacía pocos días que había llegado a Thomar. Había entrado el 5 de diciembre en Portugal, pero el avance había sido muy lento, para congraciarse con las poblaciones que le abrían sus puertas: Elvas —donde pasó casi tres meses—, Crato, Abrantes... Podemos decir que en el ánimo del Rey campeaban entonces tres sentimientos: el primero, el de la alta misión que tenía ante sí para coronar el intento secular, desde los Reyes Católicos, de unir Castilla y Portugal (veremos esto más tarde: Castilla y Portugal en su retina, no Portugal y España); el segundo, la reciente muerte de su cuarta esposa, precisamente contagiada en su intento de cuidarle, y el tercero, la soledad que sentía por dejar atrás el hogar regio —entre Madrid y El Escorial—, su hogar, y en él a sus hijas bienamadas.

Eso es lo primero que hay que anotar: Felipe II escribe a sus hijas haciendo un hueco en sus gravísimas y trascendentales jornadas de Estado. Y lo hará por lo general extensamente, de forma que esta primera carta que conocemos —que ya hemos visto que no era la primera que escribía—, que es tan corta, le obliga a disculparse: sólo eran unas líneas. La respuesta más larga debía aplazarse:

> Siempre deseo responderos y nunca puedo, y menos ahora que son las once y aún no he cenado...

Tenemos, pues, desde sus inicios, el tono confidencial del Rey, ofreciéndonos rasgos inesperados. El hermético Rey, el que parecía esculpido de piedra, el Rey tan riguroso en sus justicias y tan poderoso en sus acciones, lamen-

---

[6] *Cartas de Felipe II a sus hijas,* ed. cit., pág. 43.

tándose porque la fatiga le venza y porque los negocios de Estado —¿qué si no?— le impidan lo que entonces más anhelaba: escribir a sus hijas, tener con ellas un rato de expansión, unos momentos de distensión en que se limitara a pensar en los seres queridos y ese añorar lo que ha dejado atrás con ellos: las florestas de Aranjuez, la caza de El Pardo, las obras de El Escorial.

Pero como no es una carta en firme, tan larga como él querría, sólo apunta algunas cosas urgentes: en torno a su hermana María, cuyo viaje de regreso a España ya empezaba a tratarse; la novedad de un sello regio (donde, atención, ya se han puesto las armas de Portugal), y, por supuesto, lo que no podía faltar, las escuetas referencias a los sucesos políticos inmediatos: la reunión de las Cortes portuguesas para jurarle Rey, lo que le iba a obligar, contra su voluntad —sin duda, porque quería mantener el luto por la reciente muerte de su cuarta esposa, Ana de Austria—, a vestir de brocado:

> ... y ya sabréis cómo me quieren hacer vestir de brocado muy contra mi voluntad, mas dicen que es la costumbre de acá...

Y no había tiempo para más. La fecha y la firma: «Vuestro buen padre.» Esa era ya novedad, y significativa. No es el Rey el que firma; es el padre, pero, además, con esa carga afectiva: «Vuestro buen padre.»

En el rico epistolario cruzado entre Carlos V y Felipe II, el Emperador siempre firma: «Yo, el Rey.» Sólo en ocasiones en las que añade una posdata autógrafa, la concluye con «Vuestro padre»[7].

De forma que Felipe II da, a intento, y desde esos primeros momentos, esa carga afectiva tan emotiva que mantiene ya a lo largo del epistolario y que lo hará tan humano: «Vuestro buen padre.» Pues no cabe duda que como tal se sentía, y como tal lo tenían sus hijas. Podría argüirse que ése era un título que debiera esperar a que se lo diesen las hijas y no tomarlo él de antemano, pero eso sería entrar en bizantinismos. Felipe II se despoja del manto real, coge la pluma para escribir aquellos intrincados garabatos a sus hijas, y los termina como haría cualquier otro cabeza de familia en situaciones similares: «Vuestro buen padre.» A un padre al que le llegan, al fin, las cartas de las hijas, y largas de contenido, en que le hablan de todas las novedades de la corte, del calor que se estaba echando ya en Madrid y de cómo uno de sus hermanos —acaso Diego— había dejado ya su vestimenta infantil. Pero, sobre todo, donde las hijas hablan al padre de las fresas de Aranjuez y de los ruiseñores: que corría el mes de abril y la primavera había estallado.

Y el Rey, melancólico, acusa el golpe:

> Mucha envidia tiene Magdalena[8] a las fresas y yo a los ruiseñores...

---

[7] *Corpus documental de Carlos V,* II, pág. 332.

[8] Magdalena Ruiz, una entre los locos y bufones de que gustaba rodearse Felipe II y que le habían acompañado a Portugal.

Porque, claro, también los oía en Thomar desde su ventana de palacio, pero no había comparación:

> ... aunque algunos pocos se oyen de una ventana mía...

Asistimos también al alborozo del padre, comentando las pequeñas noticias familiares: ¡al infante Felipe le había nacido un diente! Y el padre empieza a echar cuentas: ¿no tenía ya los tres años? Duda, y en las dudas ya se le va el santo al cielo con Diego, el mayor —entonces, el Príncipe—:

> Acá han escrito que a vuestro hermano chico [9] le había salido un diente...

Lo que, con razón, asombra al Rey-padre: ¿no era harto tarde?

> ... paréceme que tardaba mucho para tener ya 3 años, que hoy los cumple...

Pero ¿dos o tres? ¿Y el mayor? ¡Que las hijas le saquen de dudas!

> ... y estoy en dudas si son 2 ó 3 y creo que debe estar lindo, como decís. También estoy en duda cuánto cumple el mayor [10] en julio, aunque creo que son seis. Avisadme lo cierto de ello...

Las cartas del Rey no son breves, aunque para ello tuviera que pagarlo su cuerpo:

> No pude escribiros el lunes pasado y porque no sea hoy lo mismo lo comienzo antes que las otras cosas, que quizás me costará acabarlas muy tarde [11].

Así empieza Felipe II su carta el 24 de junio y a continuación les detalla mil cosas, unas menudas y otras grandes, de lo que acontecía en Lisboa. Y como el puerto era famoso, el Rey les describe su movimiento, tal como lo veía desde su ventana. De modo que nos podemos imaginar al Rey asomándose a ella y tomando nota para la carta de sus hijas:

> Y de una pieza alta, donde yo escribo, se ve de una ventana todo lo más del largo de Lisboa, que por aquí no tiene el río de ancho sino

---

[9] Felipe (nacido en 1578).
[10] Diego (nacido en 1575).
[11] En otra ocasión se disculpa por ser breve: «... porque es tarde y no se sufre trasnochar esta noche, porque la pasada me acosté a las tres...» (Fernando Bouza, *Cartas de Felipe II a sus hijas, op. cit.,* pág. 56).

poco más de media legua. Y de otra ventana se ve Belem y San Gian y mucho del río abajo y todos los navíos que entran y salen por él [12].

Mas, como buen padre, acusa en seguida recibo de lo que le mandan las hijas, aunque sean presentes como frutas que el largo camino ha hecho incomestibles:

> Los albérchigos vinieron de manera que si no lo escribierais, no se pudieran conocer, y así no los pude probar, de que me pesó mucho porque por ser del jardincillo de vuestra ventana me supieran muy bien... [13]

Hasta el tiempo, bueno o malo, será siempre una noticia que mandar:

> Y ninguna calor ha hecho estos días, sino hoy que ha hecho mucha... [14]

O bien cuando corre el mes de enero del 82 y un temporal de aguas se abate sobre Lisboa, y (pese a que es pleno invierno) no hace frío, lo que asombra al Rey, acostumbrado al clima meseteño:

> No hace frío, que todo es llover, y ahora ha gran rato que parece que se cae el cielo de agua... [15]

Lo cual, cuando llega la emperatriz María, tan hecha a las nieves de Viena, el asombro crece: pues al año siguiente, casi día por día, en mes de enero de 1583, el Rey anota:

> Por mucho que haya llovido —en Madrid, se entiende—, aquí mucho más, mas no ha nevado nada ni hace frío, que mi hermana se espanta dello... [16]

Y las tormentas, algunas con gran aparato de truenos y relámpagos, le hace embromar a Isabel Clara Eugenia, que le producían pavor:

> También es terrible el tiempo que hace aquí y lo que llueve y algunas veces con muy grandes truenos y relámpagos...

Después añade, bromista:

---

[12] Fernando Bouza, *op. cit.,* pág. 46.
[13] *Ibídem,* pág. 48.
[14] *Ibídem,* pág. 47.
[15] *Ibídem,* pág. 58.
[16] *Ibídem,* pág. 82.

Y esto sería bueno para vos, la mayor, si no le habéis perdido ya el miedo...[17]

En las cartas del Rey no deja de apuntar el hombre de Estado, con referencias concretas a las situaciones políticas por las que se estaba pasando en Portugal; también el hombre amante de la caza, de los pájaros y de los jardines (de la naturaleza, en suma), con la añoranza de lo que había dejado atrás, en El Pardo, en Aranjuez o en El Escorial; pero, sobre todo, el padre de familia amantísimo que recuerda las menores cosas de sus hijas, las muy amadas, y en menor grado de los tres pequeños, Diego (1575-1582), Felipe (1578-1621) y María (1580-1583).

Las notas del hombre de Estado son siempre muy breves, y sobre sucesos que se suponía que seguían atentamente las hijas mayores desde la corte madrileña. Tal la referencia a cuando había sido jurado Rey por las Cortes portuguesas de Thomar:

> Creo que se comenzarán pronto las Cortes —escribe el 3 de abril de 1581— y primero el juramento porque ya viene mucha gente...

Y añade la nota personal citada, la confidencia a las hijas:

> ... y ya habréis sabido cómo me quieren hacer vestir de brocado, *muy contra mi voluntad,* mas dicen que es la costumbre de acá[18].

Todavía estaba en pie la guerra contra el prior de Crato, don Antonio, y el Rey lo cita, pero sin ningún arrebato de ira, como algo natural que había que combatir, como se combatía el frío, pero sin poner pasión en ello:

> Esta mañana salió de aquí una armada de 14 ó 15 galeones y naos y carabelas con mil españoles y mil alemanes por don Antonio...

¿Dirá algo más? ¿Mostrará algún signo de cólera contra quien había osado discutir sus derechos al trono portugués, armas en mano? Nada de eso; se limitará a dar la referencia exacta de dónde se estaba emplazando la armada:

> ... y están ahora delante de Belem, esperando tiempo para ir su viaje...[19]

¡Cualquiera diría que se trataba de un viaje de placer! La única nota de acoso la encontramos en ese *por* don Antonio, que acaso nosotros diríamos *a por* don Antonio.

---

[17] Fernando Bouza, *op. cit.,* pág. 57.
[18] *Ibídem,* pág. 43.
[19] *Ibídem,* pág. 48.

El Rey es observador: diríamos, es el padre que quiere contar cosas a las hijas y va anotando todo lo que le parece curioso. Su estancia en Lisboa de casi tres años le da ocasión, más de una vez, de visitar las galeras; galeras a cuyos remos estaban los galeotes, esos personajes tan desafortunados del mundo de la época, del Mediterráneo milenario, lo mismo en el área cristiana que en la musulmana. Unas galeras que ahora han llegado a Lisboa, con los tercios viejos, y con sus galeotes. ¿Pasará el Rey sin verlos? No. Pero su mirada se desliza, indiferente a su dolor, fijándose sólo en el aspecto externo. A poco de su llegada visita Felipe II las galeras y entra en la capitana:

> Y luego se pusieron en cueros los que remaban, con unos zaragüellos de lienzo solamente; y son los de aquella galera, que es buena, cerca de trescientos, todos rapados la barba y la cabeza...

Una estampa a todo color, para contar como experiencia de viajero. Por lo demás, un viaje placentero:

> ... vinimos muy a placer, con buen tiempo [20] y siempre al remo...

El placer, claro está, para el Rey y sus acompañantes, no para los míseros galeotes [21].

Algo similar ocurre cuando el Rey asiste a un auto de fe. ¡Los terribles autos de fe! Porque un auto de fe suponía una ceremonia religiosa, con sermón incluido; pero, claro, especialmente unos condenados, con su sentencia también incluida, que, no hay que decirlo, era para no pocos la hoguera.

Pero para los que mandaban era como un espectáculo a todo color:

> Ayer fuimos mi sobrino [22] y yo al Auto y estuvimos en una ventana donde lo vimos todo muy bien y diéronnos sendos papeles de los que salían a él, y el suyo os envío aquí para que veáis los que fueron. Hubo primero sermón, como suele, y estuvimos hasta que se acabaron las sentencias y después nos fuimos, porque en la casa donde estábamos los había de sentenciar la justicia seglar...

¿A qué sentencia? El Rey la sabe y sin más se lo dice a las hijas:

> ... los había de sentenciar la justicia secular a quemar a los que relajaron los inquisidores.

Fue una mañana bien ocupada:

> Fuimos a las ocho y volvimos a comer cerca de la una.

---

[20] Era ya finales de junio de 1581.

[21] Carta de 26 de junio de 1581 (Fernando Bouza, *op. cit.,* pág. 46).

[22] El cardenal Alberto de Austria, que quedaría como virrey de Portugal, y que sería el futuro marido de Isabel Clara Eugenia.

Esto es, el tremendo espectáculo, la horrenda suerte de los relajados por la Inquisición y entregados a la justicia seglar para que fueran quemados en la hoguera no altera el buen ánimo del Rey, que a la una, como era su costumbre, se retira a comer. Y todo se dice como una noticia más, una nota curiosa que se manda junto con el papel explicativo, para que las Infantas se hagan mejor idea.

Y el Rey termina su carta: «Y Dios os guarde, como deseo»[23].

Ese Rey que se nos muestra tan indiferente al sufrimiento de los míseros de aquel mundo, fueran galeotes, fueran relajados por la Inquisición, muestra, sin embargo, sus sentimientos de amante de la Naturaleza en una medida y con unos matices que no dejan de asombrar. Lo anterior no era ninguna novedad. Encajaba con la idea que la misma época tenía del fundador de El Escorial; pero el tono poético que emplea en sus referencias a la Naturaleza, eso supone una novedad, y de primer orden. Ya hemos visto algo de ello, como cuando echaba en falta a los ruiseñores: «... aunque algunos pocos se oyen de una ventana mía...»

Es abril de 1582. El Rey lleva ya más de un año en Portugal. La primavera se siente en el aire, y el Rey lo acusa. Recibe cartas de sus hijas en las que le hablan de Aranjuez, ¡Aranjuez en marzo o abril! Aranjuez en la primavera. El Rey se queda nostálgico, coge la pluma y les escribe:

> Mucho holgué con vuestras cartas y con las nuevas que me dais de Aranjuez.

Después agrega, melancólico:

> Y de lo que más soledad he tenido es del cantar de los ruiseñores, que hogaño no les he oído, como esta casa es lejos del campo...[24]

Del campo escurialense, que tanto le atraía, lo que mejor recordaba era La Herrería:

> ... que cuando está toda verde, ya sabéis que no hay mejor cosa en todo aquello...[25]

Ahora bien, lo que más abundan son las noticias familiares, esa nota del padre que echa en falta a sus hijos y que les recuerda por mil motivos; no digamos cuando se acerca una fecha especial. Por ejemplo, cuando Clara Isabel Eugenia cumple los quince años. Y lo malo es que al Rey se le había pasado la fecha y se lo tuvo que recordar la hija:

---

[23] Carta de 2 de abril de 1582 (Fernando Bouza, *op. cit.,* pág. 65).
[24] Felipe II a sus hijas, Lisboa, 16 de abril de 1582 (*ibídem,* pág. 66).
[25] Del mismo a las mismas, Lisboa, 19 de marzo de 1582 (*ibídem,* pág. 64).

Y sea enhorabuena haber cumplido vos, la mayor, quince años, que es gran vejez tener ya tantos años... Y hoy ha ocho días que os quise dar la enhorabuena y al escribir se me olvidó. Y vos, la menor, también cumpliréis presto catorce.

En efecto, Isabel Clara Eugenia había cumplido los quince el 12 de agosto, de forma que el Rey parece sincero (ocho días antes había querido felicitarla), pues escribe su carta a 21 de agosto; peor andaba su memoria en cuanto al aniversario de Catalina Micaela, para lo que faltaban casi dos meses[26].

Sin embargo, como todo buen padre, también Felipe II desea saber más de sus hijas, principalmente de las mayores, que son, sin duda, las preferidas. Por ejemplo, y puesto que hacía tanto tiempo que faltaba del hogar, saber cuánto habían crecido. Es el 19 de marzo de 1582. A la corte de Lisboa llegan correos de Castilla que le llevan noticias de sus hijas, que crecían hermosas:

De vosotras me dan todos muy buenas noticias y de que estáis muy grandes. Según esto debéis de haber crecido mucho, a lo menos la menor...

Pero el Rey no se contenta con las noticias verbales, quiere pruebas tangibles, así que se le ocurre una idea:

Si tenéis medidas avisadme cuánto habéis crecido después que no os vi y enviadme vuestras medidas muy bien tomadas en cintas y también la de vuestro hermano[27], que holgaré de verlas, aunque más holgaría de veros a todos[28].

Ruego paterno que las hijas cumplen de inmediato, a vuelta de correo: quince días más tarde el Rey las tenía ante sí, lo que le llena de gozo. Y aunque cuando recibe las cartas de sus hijas es muy tarde para contestarles como quisiera, sin embargo les pone unas líneas para acusar su recibo:

Quisiera responder ahora a vuestras cartas, mas es tan tarde que no puedo y así lo dejaré para otro día.

Tarde, sí, pero al menos hace un esfuerzo, porque quiere añadir algo:

Solamente os diré que holgué mucho con ellas y con vuestras medidas...[29]

---

[26] Felipe II a las Infantas, Lisboa, 21 de agosto de 1582 (F. Bouza, *op. cit.*, pág. 51); en cuanto a Catalina Micaela, había nacido el 10 de octubre de 1567.

[27] Posiblemente se refiere al príncipe don Diego, que todavía vivía.

[28] *Ibídem*, pág. 65.

[29] Felipe II a las Infantas, Lisboa, 2 de abril de 1582 (*ibídem*).

Todas las novedades de los hijos las celebra, y no sin humor. Así, cuando las Infantas le escriben que a la pequeña María, que todavía no había cumplido los dos años, le salían ya los colmillos. ¿No era un poco pronto? Claro que a él le estaba ocurriendo todo lo contrario:

> Muy buenas nuevas son para mí saber que todos lo estáis y paréceme que se da mucha prisa vuestra hermanica en salirse los colmillos...

En ese momento el Rey alza la pluma, para añadir con humor:

> ... deben ser en lugar de dos que se me andan por caer, y bien creo que los llevaré menos cuando vaya ahí. Y con que no sea más que con esto, se podrá pasar [30].

Se interesa por los incipientes estudios del príncipe Diego, que a sus seis años corridos no leía tan bien como debiera y le promete una escribanía de la India si se aplicaba, para cuando él volviese [31]. Es más, todos sus problemas de Estado no le hacen olvidar que el Príncipe es todavía un niño, y para él va guardando aquello que puede interesarle, y a las hijas les encarga que se lo digan:

> ... que tengo libros de pinturas que llevarle cuando vaya... [32]

Como cualquier padre, y eso es lo emotivo. Pero claro estaba que Felipe II no era como cualquier padre y que de pronto su poderío podía mostrarse increíble.

¡Un elefante! El Rey anuncia a su hijo que le manda un elefante, que le enviaba como presente el virrey de la India. ¡Caramba! Eso eran palabras mayores:

> Ayer vino nueva cómo ha llegado, cuarenta leguas de aquí, a un puerto, una nao de las que vienen de la India, que por ser vieja vino primero que las demás. Creo que vendrá aquí presto. No sé lo que traerán. Sólo he sabido que viene en esta nao un elefante que envía a vuestro hermano el Visorrey que envié a la India desde Tomar, que era llegado allá y llegó a buen tiempo... Decid a vuestro hermano esto del elefante... [33]

---

[30] Felipe II a las Infantas, Lisboa, 15 de enero de 1582 (F. Bouza, *op. cit.,* pág. 57). En cuanto a la pequeña María, la última hija de Felipe II, había nacido el 14 de febrero de 1580 (muerta el 4 de agosto de 1583).

[31] Cartas de 2 y 23 de octubre de 1581 (*ibídem,* págs. 53 y 54).

[32] Felipe II a las Infantas, Lisboa, 15 de junio de 1582 (*ibídem,* pág. 70).

[33] Felipe II a las Infantas, Lisboa, 30 de julio de 1582 (*ibídem,* pág. 73).

Efectivamente, el elefante llegó a Lisboa y pasaría a Castilla, aunque don Diego poco lo disfrutaría, dada su temprana muerte en octubre de aquel mismo año. Pues el Rey alcanzaba, tanto era su poderío, a mandarle eso, un elefante; pero no tanto como para poder dar salud a aquellos enfermizos hijos suyos.

El conjunto de los afectos familiares que rezuman estas cartas del Rey se completa con los que manifiesta hacia su hermana María. Era la que le quedaba, puesto que Juana había muerto ya en 1577. Al Rey le llegan nuevas de que su hermana quería dejar Viena. Viuda desde 1576, después de veintiocho años de matrimonio con Maximiliano tuvo dieciséis hijos, aunque no todos sobrevivieron; de esos, algunos educados en España (Ernesto y Alberto). En fin, su hija primogénita, Ana, había sido la cuarta esposa de Felipe II. Y la Emperatriz, que no dejaba de añorar España, muy unida a su hermano, decidió regresar a su lado, acompañada de su hija Margarita, que tenía entonces catorce años (había nacido en 1567). Ambas querían acogerse a las Descalzas Reales, la fundación religiosa de la princesa Juana.

Ese deseo de la Emperatriz viuda, su hermana, y sus preparativos de viaje los va conociendo Felipe II estando en Lisboa, y desde entonces apenas hay carta en que no se refiera al viaje de María.

La Emperatriz había salido de Praga, acompañada de su hija, en agosto de 1581. No llegaría a Madrid hasta marzo de 1582, en un viaje lentísimo de más de medio año de duración, con estas grandes etapas: Graz, Milán, Génova, Marsella, Colliure, Barcelona, Madrid. En Madrid descansaría unos días, festejada por sus sobrinas las Infantas, aunque no sin algún momento de tensión, por querer servirse la Emperatriz de la infanta Isabel Clara Eugenia más de lo que permitía el protocolo[34]. A principios de mayo entraba en Portugal y se abrazaba con su hermano.

La ansiedad con que Felipe II esperaba aquel encuentro, tras tantos años sin ver a su hermana, se refleja fielmente en su epistolario. En octubre de 1581, cuando su hermana aún estaba viajando por el norte de Italia, se le ve preocupado:

> No he sabido más de la venida de mi hermana, a lo menos, cosa cierta[35].

Un mes más tarde ya sabe que ha llegado a Génova y confía en que aproveche el buen tiempo —ese veranillo de San Martín— para hacer la travesía a Barcelona, siempre, sin embargo, tan incierta y peligrosa, y no sólo por la mar[36].

---

[34] «Si mi hermana os tomó a vos, la mayor, para que la ayudaseis, está bien; y si no fue para esto, no tuvo razón ni se lo consintáis, aunque ya creo que no era menester deciros esto, pues debe ya estar en las Descalzas; digo, cuando llegue ésta. Y por esto no os envío carta para ella» (Felipe II a las Infantas, Lisboa, 5 de marzo de 1582; F. Bouza, *op. cit.,* pág. 63).

[35] Felipe II a las Infantas, Sintra, 2 de octubre de 1981 (*ibídem,* pág. 53).

[36] Felipe II a las Infantas, Lisboa, 20 de noviembre de 1581 (*ibídem,* pág. 56).

Naturalmente, hubo travesía y gran tormenta y peligro cierto. Al llegar a tierra, en Colliure, la Emperatriz escribe a su hermano, sabiéndole preocupado:

> ... diz que vino muy mareada, que tuvo gran tormenta la noche antes que llegó, de manera que tuvieron peligro algunas galeras...[37]

Aun así, el tiempo se torna muy crudo y todavía el viaje por tierra es azaroso. Faltan noticias —se aprecia la enorme dificultad en la información— y el Rey se alarma[38].

Mas, al fin, las buenas noticias van llegando. Se sabe ya que la Emperatriz, con su hija Margarita, camina a sus jornadas hacia Madrid. Las Infantas la esperan como uno de los grandes acontecimientos de sus vidas. A fin de cuentas, era la única tía paterna que tenían, y en la que confiaban encontrar afinidades ideológicas que reforzaran las afectivas. Y le preguntan al padre en qué se parecían y, claro, dónde la alojarían.

> Y bien creo que holgaréis de ver a mi hermana lo que me decís y que nos solíamos parecer algo, y más que todo en el belfo; no sé ahora lo que será...

En cuanto a su estancia en Madrid, se sabía su deseo: posar en las Descalzas, aunque antes pasaría por El Escorial, y ya tenía Herrera orden de prepararle el aposento mismo del Rey:

> ... porque me parece que querrá más posar mi hermana donde yo suelo posar, por estar cerca de la iglesia...[39]

Era la nota piadosa que no podía faltar y que tan presente estaba en esta época del Rey, el retratado por Anguissola con el rosario en la mano.

Cuando se acerca el momento del encuentro familiar de las Infantas con su tía, la Emperatriz, el ansia de Felipe II crece y se dispara en mil preguntas: ¿seguirían pareciéndose? ¿Se le notaban los años?:

> ... os tengo gran envidia de que creo que cuando llegue ésta, habéis ya visto a mi hermana.

Y, claro, pide que se le informe con todo detalle:

---

[37] Felipe II a las Infantas, Lisboa, 25 de diciembre de 1581 (F. Bouza, *op. cit.,* pág. 59).

[38] «Estoy espantado de no saberse nada de mi hermana y aun con mucho cuidado, porque desde otro día que se desembarcó no he sabido más de ella y no sé qué pueda ser. No puedo creer sino que se ha ahogado algún correo...» (Lisboa, 15 de enero de 1582; *ibídem,* pág. 57).

[39] Felipe II a las Infantas, Lisboa, 29 de enero de 1582 (*ibídem,* pág. 59).

> Escribidme muchas buenas nuevas della, que así espero que serán, y si viene gorda o flaca, y si nos parecemos agora algo, como creo que solíamos y bien creo que no estará tan vieja como yo.

No se olvida de que con Margarita va la hija. Pero ¿hablaría ésta castellano? Según una tradición, la lengua íntima de la corte de Viena —la familiar de la casa imperial— era el castellano, lo que además les permitía comunicarse en familia sin temor a ser sorprendidos, como si se tratara de una lengua en clave; y en verdad que tenía que serlo para los vieneses o para los de Praga el habla castellana en el XVI. Es posible que así fuera en la corte de Fernando, el nacido en Alcalá de Henares, o, en ocasiones, entre Maximiliano II y María. Pero el testimonio que tenemos ahora, en cuanto a la archiduquesa Margarita, es que se había educado en la cultura alemana y que apenas conocía el castellano [40]. De todas formas, el Rey empieza pronto a pensar en su sobrina y comienza a echar cuentas. ¿Era de la edad de la infanta Catalina Micaela?

> Escribidme quién es mayor, ella o vos, la menor, y dadla entrambas un recado de mi parte, el que a vosotras os pareciere, que bien creo que puedo fiar de entrambas que se lo sabréis bien dar... [41]

¿Era la natural atención familiar con la sobrina tan lejana que llegaba a España? ¿Pensaba ya Felipe II que ahí podía tener nueva esposa que desposar?

A finales de febrero el encuentro se produce y ya llegan las noticias. Y era de ver el ponerse las primas juntas para comprobar quién estaba más alta, algo en lo que Felipe II muestra su buen humor y el contento que le retozaba por todo el cuerpo; aunque, todo hay que decirlo, extrañamente diríase que para él las hijas carecían de nombre: serán siempre «la mayor» o «la menor». El Rey alude a una carta que le ha llegado de su hermana la Emperatriz:

> ... me dice que vos, la mayor, estabais mayor que ella con chapines y también vos, la menor, pues estáis mayor que vuestra prima, siendo de más edad que vos.

Y comenta, no sin gracia:

> Mas no os envanezcáis con esto, que más creo que lo hace ser ella muy pequeña que no vos grandes.

---

[40] «También escribidme de vuestra prima —pide el Rey a las Infantas— y si os entendéis bien con ella, que me dijo don Antonio de Castro que él no se había entendido, que hablaba poco castellano...» (Felipe II a las Infantas, Lisboa, 19 de febrero de 1582; F. Bouza, *op. cit.,* pág. 61). Algo confirmado por las Infantas: «... decís que lo habla mal...» (Felipe II a las Infantas, Lisboa, 5 de marzo de 1582; *ibídem,* pág. 63).

[41] *Ibídem,* pág. 62.

Es una carta llena de noticias familiares. El Rey se acuerda de que hacía precisamente dos años y un día que había dejado la corte madrileña. Las hijas habían encontrado vieja a la Emperatriz, más que al padre. ¿No sería por el tiempo pasado?

> Si me vieseis ahora no os parecería mi hermana más vieja que yo, sino yo mucho más que ella, como soy, pues le llevo trece meses... [42]

Al fin, la Emperatriz deja la corte madrileña camino de Lisboa. Felipe II sale a su encuentro, que resultó conmovedor para ambos hermanos:

> ... salí del carro [43] aprisa y la fui a besar las manos antes que pudiese salir del suyo...

¡Qué gran momento familiar! Hacía más de un cuarto de siglo que se habían visto en Bruselas, a poco de las jornadas de abdicación del Emperador, y más de treinta y cuatro años desde que habían convivido en la corte castellana, cuando todavía María, la Emperatriz, no se había casado. Desde aquellas fechas, en cortes tan distantes, entre Viena y Madrid, sólo las cartas familiares y políticas, con las varias noticias de tantos nacimientos —María tuvo dieciséis hijos—, tantas muertes, tantos sucesos de tan diverso signo —por ejemplo, el de la prisión y muerte de don Carlos—. Así que el encuentro fue memorable:

> Y lo que ella y yo holgaríamos de vernos lo podéis pensar, habiendo veintiséis años que no nos habíamos visto, y aun, en treinta y cuatro años solas dos veces nos hemos visto y bien pocos días en ellos... [44]

En efecto, esos dos encuentros habían sido, el primero, en Zaragoza, en 1551, cuando Felipe II regresaba a España para quedar como *alter ego* del Emperador, cruzándose allí con el cortejo de Maximiliano y María, que volvían a su corte de Viena; y el segundo, como hemos indicado, en 1556, en Bruselas, adonde acudieron los reyes de Bohemia para despedir a Carlos V.

A partir de aquel momento, los dos hermanos apenas si se separan, en aquellos diez meses que estuvieron juntos en Portugal; sólo en una ocasión, en que la Emperatriz no fue con su hijo, el archiduque Alberto, a conocer Belem. Catalina Micaela le dice que había estado muy triste los días en los que, por su enfermedad de viruelas, no había podido verse con su hermana Isabel Clara Eugenia, y el Rey le comenta:

---

[42] Felipe II a las Infantas, Lisboa, 5 de marzo de 1582 (F. Bouza, *op. cit.,* pág. 63).

[43] *Carro* = carruaje o carroza, que ya se había extendido en España.

[44] Felipe II a las Infantas, Almeirim, 7 de mayo de 1582 (*ibídem,* pág. 68).

> Yo creo que habrá bajado vuestra hermana y juntándose con vos y que habéis estado bien sola estos días sin ella y también ella sin vos...

Y lo comprende muy bien, porque eso mismo le había pasado a él con su hermana:

> ... y tanto como yo lo estuve los días que estuve en Belem sin mi hermana y mi sobrino... [45]

Por lo tanto, un Rey todopoderoso, cargado de responsabilidades, un Rey teniendo ante sí nada menos que todo un reino nuevo y un imperio nuevo —el de las Indias Orientales— que controlar, dirigir y gobernar, pero un Rey que encuentra tiempo para los recuerdos familiares.

Aunque, eso sí, de una manera extraña, a lo que había que buscar una explicación. Para él sus hijas muy amadas no serán Isabel y Catalina, sino «la mayor» y «la menor». Tampoco empleará expresiones como «María, mi hermana», o «mi hijo Felipe». Los nombres quedan olvidados, con toda la rotundidad que un nombre personal implica; lo que en ocasiones obligará a complicadas soluciones. La hija menor será para el Rey «la chiquita» [46] o «la hermanica» [47], pero jamás María. ¿En el fondo, indiferencia del Rey ante el familiar con el que dialoga? ¿Despojo de su personalidad? ¿Qué padre no menciona a cada hijo por su nombre, personificándolo, identificándolo, marcándolo de ese modo? Porque cada hijo tiene una gracia propia, un comportamiento distinto, un modo de ser singular; y todo eso cristaliza en su nombre, que al punto nos lo evoca. ¿Es que el Rey era incapaz de llegar a esos extremos en sus relaciones familiares? Parece asombroso. Habría que encontrar otra explicación, que acaso estuviera en el odioso protocolo.

Pero, sea como fuere, eso era mermar las posibilidades de las relaciones familiares, disminuir la carga afectiva, distanciar al Rey (y quizá se tratara de eso) de sus hijos.

Por el contrario, los bufones sí serán llamados por sus nombres.

Los bufones, los «locos», como los llamaba Carlos V, que ya había advertido a su hijo que debería frenar su tendencia a tratar con ellos [48]. Es más, le advierte claramente que debía reformarse del todo en ese punto. Todos los reyes y grandes de aquella sociedad tenían sus bufones, pero lo del Príncipe era ya excesivo:

---

[45] Felipe II a Catalina Micaela, Lisboa, 3 de enero de 1583 (F. Bouza, *op. cit.,* pág. 81).

[46] Felipe II a Catalina Micaela, Santarém, 5 de mayo de 1581 (*ibídem,* pág. 45).

[47] «... se da mucha prisa vuestra hermanica en salirse los colmillos» (carta cit., 15 de enero de 1582, pág. 57).

[48] Tratando de la reforma de su casa, con motivo de su boda con la princesa María Manuela, y el cambio de trato y compostura, le añade: «... y para ello no es muy necesario enviar muchas veces locos en embaxadas ni visitas...» (*Corpus documental de Carlos V, op. cit.,* II, pág. 97).

... y en cuanto no haréis tanto caso de locos, como mostráis tener condición a ello, ni permitiréis que no vayan a vos tantos locos como iban, no será sino muy bien hecho... [49]

Pero en este punto, poco caso hizo el Rey a su padre. Desde el primer momento, su corte se llenó de aquellos locos. Los más famosos fueron Magdalena Ruiz y Luis Tristán, pero no los únicos. Consigo, en las jornadas de Lisboa, se llevó a los dos y, además, al Calabrés, Mariola —o Marifernández— y Sancho Morata. Los atrevimientos de aquellos locos con el Rey sólo se pueden creer por lo que el mismo Felipe II escribía a sus hijas. En ese sentido, los lances que cuenta de Magdalena Ruiz asombran. Nos podemos hacer una idea de aquella pobre idiota a través del cuadro de Sánchez Coello, en que Isabel Clara Eugenia la tiene a su lado; en el lienzo aparece la Princesa con la enana al lado, sobre cuya cabeza apoya la mano, y la enana, arrodillada, se acompaña de dos monos, marcando así más su carácter bufonesco y extravagante.

Eran los únicos que podían atreverse a recriminar al Rey:

> Magdalena anda hoy con gran soledad de su yerno [50] —informaba Felipe II a sus hijas desde Almada, el 26 de junio de 1581—, que partió hoy para ahí, aunque yo creo que lo hace por cumplimiento...

Y agrega el Rey:

> ... estuvo muy enojada conmigo porque le reñí algunas cosas que había hecho en Belem... [51]

No sería la única vez:

> Magdalena está muy enojada conmigo... —vuelve a informar el Rey a sus hijas tres meses después— porque no reñí a Luis Tristán por una cuestión que tuvieron delante de mi sobrino... Se ha ido muy enojada conmigo, diciendo que se quiere ir y que le ha de matar, mas creo que mañana se le habrá pasado... [52]

Enfados que van y vienen y que siempre dan motivo para que el Rey los celebre con sus hijas, seguro de que reirían con aquellos atrevimientos:

> Ya creo que Magdalena no está tan enojada conmigo —les dice el 15 de enero de 1582—, pero ha días que está mala, y se ha purga-

---

[49] *Corpus...,* págs. 99 y 100.

[50] Magdalena Ruiz, que había sido antes bufona de la princesa Juana, se había casado, en efecto, y tenido dos hijas, una monja y otra casada con Francisco de Oviedo (cf. Bouza, *op. cit.,* págs. 168-170, nota 14).

[51] *Ibídem,* pág. 47.

[52] *Ibídem,* pág. 54.

do y quedado de muy mal humor y ayer vino acá. Y está muy mal parada y flaca y vieja y sorda y medio caduca y creo que todo es del beber...[53]

No es la única vez que el Rey alude al alcoholismo de la pobre bufona:

Magdalena me dijo hoy —la carta es de 29 de enero de 1582— que escribiría y hasta ahora aún no ha venido, que no sé qué trae estos días que parece muy poco.

Porque lo habitual, no cabe duda, es que aquellos locos entrasen a su aire en las habitaciones regias[54]. Que Magdalena abandonase su costumbre, asombra al Rey:

No sé si el vino tiene alguna culpa desto, y bueno me pondría si supiese que yo escribo tal cosa...[55]

Como entraban sin pedir permiso alguno, rompían el quehacer del Rey, aunque no, por supuesto, cuando despachaba asuntos de Estado, pero sí cuando estaba enfrascado en las cartas de sus hijas. En una ocasión el Rey lo estaba haciendo en Lisboa y a mitad de la carta cambia de tema porque entra la enana-bufona:

Magdalena —añade entonces— lo hace muy bien en escribiros y está aquí ahora y dice que os diga de su parte que quisiera más estar con vosotras que enviaros recado...

El Rey aprovecha ya para comentar sus cosas: Magdalena ya no era lo que había sido:

Y yo digo que, aunque se le levantan los pies cuando oye algún son, se cansa ya tanto que no puede bailar. Y el otro día tuvo un desmayo y ha quedado harto flaca...[56]

¿Qué atrevimientos eran los de aquellos bufones que tanto divertían al Rey? De lo que podía hacer o decir, por ejemplo, Magdalena Ruiz, sabemos algo por ella misma, aparte de esas cabriolas a que se refiere Felipe II, o a sus juegos con los monos.

En efecto, se conoce una carta de Magdalena Ruiz al duque de Alba,

---

[53] F. Bouza, *op. cit.*, pág. 58.
[54] Con ocasión de una visita al monasterio de Uclés, que era de clausura, el Rey señala que por eso no iría Magdalena, clara señal de que lo habitual en ella era ese acompañamiento constante al Rey.
[55] *Ibídem*, pág. 60.
[56] *Ibídem*, pág. 72.

cuando el Duque estaba en los Países Bajos entregado a la represión de los rebeldes flamencos, que muestra bien a las claras sus atrevimientos. Véanse algunos de sus fragmentos más significativos:

> Duque mío de mi alma, Dios te me dexe ver como yo he soñado contigo, que te veía muy gordo y muy gentil hombre, y armado como me lo han dicho...

La despedida es gloriosa:

> Y con esto acabo rogando a Dios se me cumpla mi deseo de daros quatro besos en la frente o en la mexilla, si está colorado, que vos no los queréis en la boca, porque hartas debéis besar allá, amarga de mí, según allá diz que se usa; que aunque yo no fuera flamenca, según vos sois, me besárades en la boca, por vida del pie negro...

Un final que aprovecha para pedir, conforme al tradicional derecho de los bufones, con insulto incluido, para mostrar su locura poderosa:

> Y déos Dios salud, vida y contentamiento contra vuestros enemigos vitoria. Y no sería malo que me imbiásedes alguna cosa de allá, Don Majadero, en pago de cuatro cartas que os tengo escritas... [57]

Y volviendo a Felipe II, algunas cosas más cabe añadir, de las muchas sugerencias que provoca la lectura de sus cartas. Y es la primera la nota de la piedad, del afán religioso. Es rara la carta en que no se aluda a una misa, a una procesión, a la asistencia de algún acto religioso; ya hemos hecho referencia al auto de fe. En otras ocasiones son las visitas a iglesias más o menos famosas, y a conventos, más o menos importantes.

De esa constante piadosa, que nos hace recordar al Felipe II rosario en mano, pintado un poco antes por Sofonisba Anguissola, recogemos algunos testimonios más significativos.

Por ejemplo, la asistencia a misa, aunque no fuera festivo:

> ... el otro día, martes, día de San Antonio, a 13 déste, fui a oir misa a un monasterio de Descalzas que se llama San Antonio, una legua de allí... [58]

Por supuesto, las ceremonias religiosas fuera de lo corriente son referidas por menudo, como la salve cantada por los galeotes:

---

[57] *Documentos escogidos del Archivo de la Casa de Alba,* Madrid, 1891, págs. 85-87; rf. por Fernando Bouza, ed. cit., pág. 170.

[58] Felipe II a las Infantas, Almada, 26 de junio de 1581 (ed. cit., pág. 46).

... y antes de salir de la galera dijeron allí la salve que suelen decir los sábados... Y lo más es con unos ministriles que son esclavos de la galera, que son muy buenos y tañen muy bien muchos instrumentos, y así con ellos dijeron muy bien la salve...[59]

Otras veces es misa cantada, o bien misa con sermón[60]. Por supuesto, si el predicador es famoso, el Rey lo cita por su nombre, como cuando se trata del célebre fray Luis de Granada, acaso el más elocuente de los oradores sagrados, que tanto predicamento había ganado en la corte de Lisboa:

... ayer predicó aquí en la capilla fray Luis de Granada y muy bien aunque es muy viejo y sin dientes...[61]

Cierto, para entonces fray Luis de Granada había cumplido ya los setenta y ocho años, que era edad harto avanzada para la época. Sin duda, la falta de dientes debía hacerse notar en la dificultad para vocalizar debidamente, y por eso el Rey lo anota.

No se olvida el Rey de compartir con sus hijos los privilegios religiosos que obtiene durante su estancia en Portugal. A su entrada en Elvas recibe del legado pontificio, Alessandro Riario, un presente de perdones y agnusdéi. Pasa el tiempo y el Rey lo recuerda de pronto, porque el legado le había dicho que los repartiese con las Infantas, y el Rey al fin lo hace, explicando por menudo cómo se ganaban los perdones[62]. En septiembre de 1582, el Rey tiene ocasión de ver una procesión curiosísima en Lisboa:

... y cierto me ha pesado mucho de que no la vieseis, ni vuestro hermano[63], aunque hubo unos diablos que parecían a las pinturas de Jerónimo Bosco, de que creo que tuvierais miedo[64].

La nota piadosa, pues, como podía esperarse del Rey del rosario en la mano, que sigue fielmente todas las prácticas religiosas, en las que había sido educado. En ese sentido, Felipe II no cabe duda de que era fiel a las normas paternas, ya señaladas en las Instrucciones de 1543:

Tener siempre a Dios delante de vuestros ojos y ofrecerle todos los trabajos y cuidados que habéis de pasar y sacrificaros y estar muy pronto a ellos...[65]

[59] F. Bouza, ed. cit., pág. 49.
[60] Ibídem, pág. 52.
[61] Felipe II a las Infantas, Lisboa, 5 de mayo de 1582 (ed. cit., pág. 63).
[62] Felipe II a las Infantas, Lisboa, 20 de noviembre de 1581 (ed. cit., pág. 56).
[63] Diego, sin duda.
[64] Felipe II a las Infantas, Lisboa, 3 de septiembre de 1582 (ed. cit., pág. 74).
[65] Corpus documental de Carlos V, op. cit., II, pág. 92.

Y por supuesto, tal como él mismo recomendaría a su hijo Felipe III:

> Debéis tener cierto, hijo, que no habrá cosa que mal os venga si a
> nuestra Santa religión obedecéis, seguís y amáis y defendéis con todo
> vuestro corazón.

Y eso de tal forma, que nada importaba si se perdía incluso el mismo trono en aquel combate. Era el sentido providencialista a ultranza. Es por lo que añade el Rey:

> Muchas coronas de gloria hallaréis si la terrena que os dejaré perdieseis en esta demanda...

Incluso, agrega, como si escribiera al dictado de su confesor:

> ... porque si campeón esforzado os presentáis a la batalla por defender nuestra religión sagrada, aunque perdáis el Reino os dará Dios la gloria, que es lo fixo... [66]

A veces, hasta extremos que lo acusa su cuerpo, como cuando asiste el 24 de diciembre a la misa del gallo. Al día siguiente, Navidad, hace un esfuerzo para escribir a sus hijas, pero a duras penas puede con la pluma:

> No pude escribiros el lunes pasado —les dice—, ni ahora podré responderos, porque es tarde y no se sufre trasnochar esta noche, porque la pasada me acosté a las tres, porque se acabó poco antes la misa del gallo que oí y los maitines, desde una ventana que tengo por acá dentro sobre la capilla... [67]

Por lo demás, no cabe duda: Felipe II es el viajero que va a un país del que se hablan maravillas, como cabeza del Imperio de Ultramar más dilatado (África, Asia, Insulindia e incluso la zona americana del Brasil), y, por lo tanto, que sabe que tiene que contar cosas. Eso es lo que se espera de él y tratará de cumplirlo [68].

---

[66] Véase mi estudio «Las Instrucciones políticas de los Austrias mayores», en *Gesammelte aufsätze zur Kulturgeschichte Spaniens,* Münster, 1967, vol. 23, pág. 184.

[67] Felipe II a las Infantas, Lisboa, 25 de diciembre de 1581 (F. Bouza, ed. cit., pág. 56).

[68] No se olvidaría ni siquiera de las modas. En Portugal anota que todos llevaban zapatos. Y cuando se encuentra con su hermana y su sobrina y las damas de su cortejo, comprueba que llevaban los trajes no muy a distinta usanza: «No me parece que traen tan grandes lechugillas las damas; débenlas haber achicado después que vieron las de ahí...» (carta de 7 de mayo de 1582; *ibídem,* pág. 69). Y más adelante: «Bien creo que las damas de mi hermana han achicado los abanicos, porque no los traen grandes, mas los verdugados no por cierto, que son terribles...» *(ibídem,* pág. 70).

Pero también es el padre que se preocupa de los suyos, de los que espera estar al tanto de cualquier novedad, grande o chica, y si algo se le oculta mostrará su enfado. En la primavera de 1582, las Infantas van a Aranjuez, donde Catalina Micaela tuvo una caída que debió asustar en la corte madrileña, pero de la que nada dijeron al Rey. A Felipe II le llega, sin embargo, la noticia, y se enfada:

> Y bien os habéis callado la caída que vos, la menor, disteis en Aranjuez y aun creo que otras cosas... [69]

En cambio, él no esconde a las hijas el aparatoso lance sufrido en una galera:

> ... metí una pierna por el agujero del mástil y casi caí, pero túveme bien, no caí en el agua, sino dentro de la barca. Y pudiéreme hacer harto mal en la pierna que metí en el agujero y todavía me dí un golpe en la espinilla que me dolió harto por un rato y se me desolló un poco...

Eso sí, acaba tranquilizando a las hijas:

> ... pero no fue nada —concluye— y agora la tengo ya buena [70].

Cualquier cosiquina sobre su salud o sobre la de su sobrino preferido, el cardenal Alberto —el futuro marido de Isabel Clara Eugenia—, la comunica al instante:

> Estos días he andado un poco desconcertado —les escribe el 21 de agosto de 1581—; no sé si tiene la culpa de ello haber comido más melón algunos días antes, que los había muy buenos... [71]

De su hermana, la emperatriz María, aunque la encuentra bien, le intranquiliza el menor tosido, y anota:

---

[69] Felipe II a las Infantas, Almeirim, 7 de mayo de 1582 (F. Bouza, ed. cit., pág. 68). No sería la única vez que se enteraría por fuera de las enfermedades de las hijas: «Yo supe que vos, la mayor —escribe el Rey desde Lisboa el 13 de enero de 1583—, habíais tenido calentura del catarro, aunque no me lo escribáis...» Pero, sincero, confiesa que así había sido mejor, por ahorrar la preocupación: «... aunque holgué mucho de no saberlo hasta saber que estabais ya muy buena...» (Felipe II a las Infantas, *ibídem*, pág. 82). También anota cuidadosamente las veces que su sobrino, el cardenal Alberto, enfermaba, y la evolución de sus males, con las curas consabidas del tiempo, sangrías y purgas incluidas: «El mal de mi sobrino fue creciendo —escribe el 30 de octubre de 1581—... y así lo sangraron otra vez y ayer se purgó...» (*ibídem*, pág. 55).
[70] Felipe II a las Infantas, Sintra, 2 de octubre de 1581 (*ibídem*, pág. 52).
[71] *Ibídem*, pág. 50.

> Mi hermana viene muy buena y me dice que mejor desde Guada-
> lupe acá que antes de allí, aunque *hoy la oí toser un poco...*

No cabe duda: Felipe II, esclavo del protocolo, no menciona jamás a sus hijas por su nombre. Su propio padre aparece sólo como el Emperador. De modo que cuando la aspereza del camino, ya de regreso a Castilla, le obliga a dejar el carruaje y coger la litera, usa la que había sido de Carlos V, y lo indica de ese modo:

> Y esta litera que traigo es una que fue del Emperador, mi señor,
> que haya gloria...[72]

Nada, pues, de referirse al padre como tal padre, sino al personaje, y ese era, claro está, el de la historia, el de la gran historia: el Emperador.

Quizá por eso la única nota discordante con su hermana se deba a esa esclavitud del protocolo. Pues algo debió ocurrir, a poco que la emperatriz María se entrevista con sus sobrinas las Infantas en Madrid, que obliga a Felipe II a mostrarse ceñudo; aquello de:

> Si mi hermana os tomó a vos, la mayor, para que la ayudaseis,
> está bien; y si no fue para esto, no tuvo razón, ni se lo consintáis...[73]

Pero, curiosamente, María no aparecerá nunca como la Emperatriz. ¿Por qué? Posiblemente porque para Felipe II, muy pagado de su grandeza y de su papel de jefe de la dinastía, eso resultaba embarazoso. De esa forma siempre aludirá a ella como su hermana, sin otro tratamiento.

Lo que parece claro es que a la vista de su sobrina, la archiduquesa Margarita, que había acudido a Lisboa acompañando a su madre —y probablemente atraída también por la posibilidad de abrazar a su hermano, el cardenal Alberto—, a Felipe II, a la vista de aquella chiquilla de quince años, se le recrudecen sus viejos apetitos carnales. Por lo pronto, dejará su fastidioso luto para parecer más galano ante la joven. ¡Qué diablos! No pasaba de los cincuenta y cinco, y su enfoque de la vida a tal edad era muy distinto al que había tenido su padre, Carlos V. De sus sentimientos nada dice a sus hijas, pero sí de su cambio de atuendo. Al detallar el encuentro fraterno, añade:

> ... y yo estoy con el contentamiento que es razón. Mi sobrino anda de
> colorado[74] y yo con raso y gorra, desde que llegamos a mi her-
> mana...[75]

---

[72] F. Bouza, ed. cit., pág. 87.
[73] Carta cit. *(ibídem,* pág. 63).
[74] Como cardenal.
[75] Carta cit. *(ibídem,* pág. 68).

«Y a mi sobrina», podía haber agregado. Pero en aquella ocasión, y por segunda vez en su vida, Felipe II sería rechazado en sus pretensiones matrimoniales.

En conjunto, las cartas portuguesas de Felipe II a sus hijas mantienen ese tono familiar de un padre que echa en falta a sus hijas, a las que procura contar con detalle todo lo notable que va viendo y que no cesa de preocuparse por ellas, aunque en su estilo epistolar jamás sean Isabel Clara Eugenia y Catalina Micaela, sino simplemente la mayor y la menor.

Otro tono muy distinto tendrá la otra serie de cartas que el Rey envía desde España a su hija Catalina Micaela, cuando la ve partir para su nuevo y lejano destino de duquesa de Saboya.

LAS CARTAS A TURÍN

El segundo bloque de cartas es realmente muy distinto, dentro del sentido unitario que les da el ser todas también autógrafas del Rey. Pero es que, en primer lugar, Felipe II no es ya el viajero, dispuesto a contar las maravillas que le salen al paso en Portugal, sino el que despide a su hija. Ahora, en efecto, es Catalina Micaela la viajera, la que deja el hogar, la que ha de contar sus impresiones a un padre que, en todo caso, nos las dará a conocer, en la medida que se haga eco de ellas.

Pero existen otras diferencias. Por ejemplo, que el viaje de Felipe II es de ida y vuelta, mientras que el de la Infanta sería definitivo; con lo cual, la carga emotiva de la ausencia es aún mayor. Y sobre todo, que la salida del hogar familiar de Catalina Micaela es con una misión política, como era el estrechar la alianza entre la Monarquía católica y la Casa de Saboya, de tan estratégico emplazamiento alpino, entre Francia y el ducado de Milán, y en el camino más seguro de los tercios viejos desde Italia a los Países Bajos (el camino español).

Por lo tanto, dos notas a destacar en esta parte de la correspondencia filipina a su hija Catalina Micaela: la familiar y la política. Y con esta intensidad: al principio la carga emotiva es fortísima, como hemos de ver; pero, paulatinamente, a partir sobre todo de 1589, lo emotivo decae, las cartas se abrevian notoriamente y lo político es lo que predomina.

La despedida en el año 1585 es tristísima. Queda como evidencia que la infanta Catalina Micaela es la gran sacrificada a la política de Estado. Podemos criticar a Felipe II por su decisión como errónea, dado que, de entrada, lo que marcaba era un desprestigio de la Corona de España, pues como tal se tomó en Europa: que la primera hija que desposaba —eso sí, la más pequeña— lo fuera con un simple duque de un Estado harto pequeño, y no para hacerla reina de algún gran reino. Cierto que eso se había convertido en muy difícil por la peculiar situación a que había llegado Europa a finales de la centuria: los países nórdicos se habían convertido al luteranismo, y por ello, vetados para una princesa de la Monarquía católica. Las islas Británicas estaban regidas por mujeres, Isabel y María Estuardo. Añádase que gran parte de la Europa occidental y meridional se hallaba ya en manos de la Monarquía hispana. En ese sentido, la misma grandeza de España hacía más difícil la tarea de casar a las Infantas. ¿Dónde encontrar para ellas un príncipe adecuado, en aquella Europa dividida por la Reforma? Hasta entonces, las posibilidades mayores se habían centrado en Inglaterra, en los Países Bajos, en el Imperio y en Portugal. De esos cuatro destinos, sólo quedaba viable el del Imperio, el de continuar los entronques con la Casa de Viena, que fue el camino intentado por el propio Felipe II con suerte varia (ya hemos comentado las calabazas que le dio su sobrina Margarita de Austria), y ese sería el que, al fin, seguiría para la infanta Isabel Clara Eugenia.

Pero no para Catalina Micaela, a quien Felipe II, preso otra vez de la razón de Estado, sacrificó casándola con el duque Carlos Manuel de Saboya, el hijo del vencedor de San Quintín.

La razón era clara: se trataba de afianzar la alianza con el Estado que aseguraba el camino español hacia los Países Bajos; un sacrificio que pronto se vería que era inútil.

Y Catalina Micaela lo acusaría amargamente desde el primer momento. ¿Qué otro sentido tiene, si no, aquel gesto suyo de rechazar la bandeja llena de perlas que le ofrecía el padre? Al escoger sólo tres y comentar que éstas eran suficientes para una duquesa, estaba reprochando, y bien dolida, la decisión paterna [76].

Sin embargo, Felipe II, quizá con un cierto sentido de culpabilidad, veremos que no lo tiene en cuenta.

En todo caso, lo que campea al principio es la tristeza. Nada más embarcar Catalina Micaela en Barcelona, el Rey hará partir un correo a uña de caballo para que le lleve su primera carta llena de pena, a fin de que cogiera a la galera de la Infanta en Rosas, «... porque os alcance antes que os engolféis...». Esto es, mientras seguía costeando las tierras de España. Y ello para decir a la hija sólo unas líneas:

> Por la mucha soledad con que me dejáis y mucho cuidado de saber cómo os ha ido después que os embarcasteis... [77]

---

[76] A ese incidente parece corresponder el perdón que pide después Catalina Micaela en su primera carta al Rey, a lo que Felipe II contesta disculpándola, como quien harto tenía de qué reprocharse: «No tenéis que pedirme perdón —contesta a su hija el 18 de junio de 1585— de cuando nos despedimos, porque aunque errarais mucho estabais bien disculpada, y yo os lo pagué en la misma moneda, porque de vos ni del Duque no pude despedirme como quisiera...» (F. Bouza, ed. cit., pág. 93).

[77] Felipe II a Catalina Micaela, Barcelona, 14 de junio de 1585 (*ibídem,* pág. 92).

Pero, para desesperación del Rey, el correo salió tan apresurado que no supo cumplir la orden regia:

> ... [lo] hizo todo al revés[78].

Felipe II se retira a la Torre de Llobregat, y comprueba con pena que desde allí no se veía el mar. Al día siguiente pasa al monasterio jerónimo de la Murta, sito en las afueras de Barcelona, desde el que se divisaba el Mediterráneo, pero ya era tarde, y lo anota con una pena que nos alcanza y nos golpea:

> La Torre donde estuvimos no se podía ver desde la mar, ni de ella la mar, pero desde el monasterio de la Murta, donde estuvimos sábado a las vísperas, se veía mucho mar...

Sí, mucho mar, pero ya era tarde. Y añade el Rey, apenado:

> ... mas ya no estabais en el golfo[79].

Aquí nos encontramos con el padre ansioso, que asciende a un mirador para echar una última mirada al mar por donde se ha ido aquella hija a la que tanto quería, y, desalentado, comprueba que ya nada se ve de las galeras regias que se la llevaban a Italia. Entonces ya no resta más que esperar a que lleguen cartas de la hija, que siempre tardan más de lo que se desearía, porque nunca falla aquello de que el que espera, desespera. Y el propio Rey se lamenta:

> ... que ha mil años que no sabemos de vos y del Duque, que es malo para quien desea saber cada hora de vosotros...[80]

Claro que la Infanta, ya duquesa de Saboya, tenía la misma queja del padre; pues, ciertamente, tan agobiado andaba con las Cortes de Monzón, que no encontraba tiempo para la hija, cosa que él mismo reconocía:

> Y bien creo que también os habrá parecido que acá tardamos en escribiros, mas ya sabéis que mis ocupaciones no me dan siempre lugar para todo lo que yo querría, y estos días no han faltado hartas...[81]

Pronto le llegan al Rey noticias de que Catalina Micaela esperaba ya su primer hijo. A partir de ese momento, las bromas menudean. Sin duda, al Rey le ilusiona la idea del primer nieto:

> Y no tenéis por qué correros de lo que ahí escriben de vos, pues por muchas mujeres ha pasado lo mismo, y si hacen porqué justo es que lo paguen, y ya no podréis negar que habéis hecho lo que ellas...

---

[78] Felipe II a Catalina Micaela, Martorell, 18 de junio de 1585 (F. Bouza, ed. cit., pág. 92).
[79] *Ibídem,* pág. 93.
[80] Felipe II a Catalina Micaela, Monzón, 3 de agosto de 1585 (*ibídem,* pág. 96).
[81] Felipe II a Catalina Micaela, Monzón, 23 de agosto de 1585 (*ibídem,* pág. 97).

Y añade, festivo:

> Y por carta bien se puede decir esto sin que os pongáis colo-
> rada... [82]

Los partos en el horizonte, por tanto; un riesgo mortal en aquel Quinientos que ahora debía afrontar Catalina Micaela, que harán al Rey estar pendiente de todo y aun dar sus consejos, como quien había tenido ocho hijos.

De momento, preñado tras preñado. En abril de 1586, Felipe II tiene
noticia del primer nieto [83]; en mayo de 1587 conoce el segundo [84], y cinco meses después ya Catalina Micaela da cuenta de un nuevo embarazo. Era su
obligación con la dinastía saboyana, y la Infanta la cumple sin tregua [85]. Es en
ese tercer parto, que resultó muy trabajoso, cuando Felipe II se atreve a aconsejar:

> ... cuán buena habíades quedado del parto, y con razón, pues fue lar-
> go, y me dicen que trabajoso, aunque vos no me lo decís, y serálo
> siempre que os pusiéredes a parir en silla y no en camilla, que es cosa
> muy peligrosa ponerse ... [ileg.] en la silla, y creo cierto que fue esta
> causa de la muerte de la Princesa, mi primera muger. Y a vuestras
> dos madres [86] que parieron siempre en camilla, y veis cuán bien les
> sucedió, que cierto es lo mejor y más seguro... [87]

Por cierto, que por esta carta, tan curiosa, nos enteramos de que
Felipe II asistía personalmente a los partos de sus esposas, y así razona el porqué se atrevía a dar aquellos consejos:

> ... de las veces que sabéis que yo lo he visto, os puedo dar estos bue-
> nos consejos [88].

El tiempo va pasando, inexorable, y la soledad crece, tanto más cuanto que pocas esperanzas había de volver a ver a aquella hija, traspasada a
una corte tan lejana. El Rey anota los años que van cayendo, y la tristeza le
invade:

> Ayer hizo tres años que os embarcasteis y que no os veo, que no
> me ha dado ahora poca soledad...

---

[82] F. Bouza, *op. cit.,* pág. 98.

[83] *Ibídem,* pág. 109. Tendría diez hijos y moriría a causa de un mal parto, con el undécimo.

[84] *Ibídem,* pág. 119.

[85] *Ibídem,* pág. 121.

[86] Dos madres, porque como tal hizo también Ana de Austria con las Infantas.

[87] Carta de 14 de junio de 1588 (ed. cit. de Bouza, pág. 124; cf. con la ed. de Spivakovsky,
págs. 94 y 95).

[88] *Ibídem.*

Gran soledad, por el amor que sentía por aquella hija suya, y el Rey lo declara:

> ... y sé que con razón la puedo tener de vos por lo que me queréis y yo os quiero...[89]

En una ocasión en que el Rey debe acudir al Escorial, para comprobar cómo iban las obras del monasterio, yendo sin sus hijos, lo acusa, y, claro, recuerda también a la hija ausente:

> He estado muy solo sin ellos esos días, con que también se me ha renovado mucho la soledad que tengo de vos...[90]

Y tanto la quería, que —ay, los prejuicios de la época— no le hubiera importado que en su primer parto hubiese tenido una niña, con tal de que la Infanta estuviese buena. Eso sí, era su primer nieto varón, y el Rey lo celebra:

> ... estoy alegrísimo de ello y también de que sea hijo y me hayáis dado el primer nieto que he tenido, aunque a trueque de que vos estéis muy buena, tomara muy en paciencia que fuera nieta...

Después de ese rasgo, generoso y acaso raro para el tiempo, añade:

> ... mas estando vos buena, como lo espero, muy bien está que sea nieto...[91]

La nota afectuosa, por tanto, pero también la política, pues con aquella responsabilidad se enviaba a la Infanta y se la había hecho descender a duquesa de Saboya. Mas como las cosas no siempre iban bien, y como el comportamiento del duque saboyano dejaba mucho que desear, en particular a partir del desastre de 1588, las quejas del Rey menudean.

No cabe duda: Catalina Micaela había recibido una consigna de su padre, el Rey. La boda con el duque de Saboya, Carlos Manuel, celebrada el 11 de marzo de 1585, no zanjaba la cuestión. La Infanta estaba advertida por su padre de cuál era su papel en la corte de Turín: controlar siempre a su marido, el Duque, para que siguiera con fidelidad la política del Rey en Italia.

Eso lo sabemos por el propio Felipe II: a sus instrucciones orales, nunca tan completas como quisiera, el Rey le había mandado otras escritas:

> ... no pude despedirme como quisiera —le escribe el 18 de junio de 1585, cinco días después de su partida—, ni deciros algunas cosas

---

[89] F. Bouza, ed. cit., pág. 124.
[90] Felipe II a Catalina Micaela, El Escorial, 10 de abril de 1586 (*ibídem,* pág. 107).
[91] Felipe II a Catalina Micaela, Vaciamadrid, 27 de abril de 1586 (*ibídem,* pág. 109).

que pensaba. Y así de ellas y de otras que se me han ofrecido después he hecho el papel que va aquí... [92]

Pero eso no le basta al Rey. Para que constantemente se lo recuerde y para que le diga en cada momento lo que el Rey espera de su hija, Felipe II pone a su lado a un hombre de su extrema confianza, el barón Sfondrato, con la categoría de su mayordomo mayor. En principio, debía cuidar de su salud y del gasto de su casa —sin duda, porque el Rey ayudaba a su financiación— [93], pero también de recordar a la Infanta las grandes líneas de la política filipina.

Una tarea de vigilancia, e incluso de espionaje, que no podía ser del agrado del Duque, con el consiguiente conflicto. También entonces debía intervenir la Infanta: avenir a su marido con el representante de su padre:

> ... vos procuradlo de componer —le ordena el Rey—, porque cualquiera cosa que hubiese de ésas sería de mucho inconveniente, y yo sé que sabréis vos hacer todo esto mejor que yo decirlo [94].

Y por una vez, al menos, la Infanta acierta en aquella nada fácil tarea, con gran satisfacción de Felipe II [95].

En cambio, nada consigue Catalina en cuanto a impedir la serie de aventuras bélicas en que se mete el Duque; empezando porque, en todo caso, y conforme a su visión de la guerra, Felipe II aconseja que si había de hacerla, al menos que no se pusiera al frente de su ejército:

> ... que el Duque no se halle presente —en la guerra—, ni aun cerca...

Ello no sólo por el peligro en que ponía su vida, sino también por la cuestión del prestigio, ese valor tan en alza en los estadistas del Quinientos. Y las razones de Felipe II eran claras: porque si la campaña fracasaba, la derrota sería en gran daño del prestigio personal del Duque, mientras que no habría tal si mandaba a otro. Pero si la victoria le sonreía, el beneficio sería el mismo:

> Creed que me mueve mucho más lo que toca a su reputación —escribe a su hija—, porque si se sale con el negocio se la dará tan grande hallarse él ausente como presente, y aun quizá mayor estando ausente. Y si no se saliese con lo que se pretende, como podía ser, pues estas cosas están en la mano de Dios y no de los hombres, sería

---

[92] Felipe II a Catalina Micaela, Martorell, 18 de junio de 1585 (F. Bouza, ed. cit., pág. 93).

[93] Las Instrucciones al barón Sfondrato, fechadas a 13 de junio de 1585, cits. por Bouza en su ed. de las cartas de Felipe II que manejamos para este capítulo, pág. 199, nota 214.

[94] Felipe II a Catalina Micaela, Monzón, 3 de octubre de 1585 (*ibídem,* pág. 101).

[95] «Mucho debe de aprovechar... en lo que os escribí del Barón y lo que habéis hecho en ello..., de que yo tengo el contentamiento que podéis pensar...» (Felipe II a Catalina Micaela, Tortosa, 2 de enero de 1586; *ibídem,* pág. 104).

mucho más desreputación suya, sin comparación, hallándose presente...[96]

Es curioso anotar que la infanta Catalina Micaela no se libra del sistema general de propaganda de la Cancillería regia, por el cual se aireaban los buenos sucesos logrados en los campos de batalla y se silenciaban los adversos. La toma de Amberes en 1585, que fue uno de los grandes triunfos de Alejandro Farnesio, meses después de la partida de la Infanta, se le anuncia para que tenga el eco cortesano correspondiente:

> Bien creo que habréis holgado con las nuevas de Amberes, y así espero en Dios que irán adelante, pues es por su servicio...[97]

En cambio, las jornadas de la *Armada Invencible* sólo se comentan cuando se esperan los mayores éxitos:

> La armada partió de Lisboa en fin de Mayo y desde que entró este mes [Junio] no sabemos más de ella; espero en Dios que le dará el buen suceso que tanto conviene a su servicio...[98]

Dos meses después, de forma incomprensible, al Rey le llegan las mejores noticias, y al punto las dispara:

> Creo que habréis tenido ya ahí las nuevas que tuvimos ayer de haber vencido mi armada a la de Inglaterra o parte della, que si es verdad es buena nueva, y así espero lo será, aunque no he tenido aún carta dello. Placerá a Dios de darnos buen suceso...[99]

Después, nada: el silencio. Ni siquiera ante su hija tiene el Rey la confidencia de lo que había supuesto tamaña derrota; lo que no es poco para marcar su perfil, en contraste con su padre, que siempre se mostró más franco con él respecto a los avatares de la política y de la guerra.

¿Se observa algo de esta diferencia en el mismo tono de las cartas? Pese a las muestras de afecto del Rey a sus hijas, hay algo de más distante, como si el Rey nunca dejara de serlo. Cierto que eso lo encontramos también en Carlos V, pero en un tono más mitigado.

Veámoslo en el mismo protocolo de las cartas:

---

[96] Felipe II a Catalina Micaela, San Lorenzo, 27 de agosto de 1586 (F. Bouza, ed. cit., pág. 114; cf. la ed. cit. de Spivakovsky, pág. 79 y 80).

[97] Felipe II a Catalina Micaela, Monzón, 5 de noviembre de 1585 (*ibídem,* pág. 101).

[98] Felipe II a Catalina Micaela, El Escorial, 14 de junio de 1588 (*ibídem,* pág. 125).

[99] Felipe II a Catalina Micaela, El Escorial, 19 de agosto de 1588 (*ibídem,* págs. 125 y 126; cf. Spivakovsky, ed. cit., pág. 98).

Carlos V a Felipe II

Inicio: Serenísimo Príncipe, nuestro muy caro y muy amado hijo:

Despedida: Serenísimo Príncipe, nuestro muy caro y muy amado, hijo, Nuestro Señor sea en vuestra guarda [100].

Y en las posdatas autógrafas: Vuestro *buen padre* Carlos [101].

Felipe II a Catalina Micaela

Inicio: A la Infanta Duquesa de Saboya, mi hija:

Despedida: Os guarde Dios como deseo. Vuestro buen padre [103].

Felipe II a Carlos V

Inicio: Sacra Católica y Cesárea Majestad:

Despedida: Guarde Nuestro Señor la imperial persona de V.M^d. con acrecentamiento de más Reinos y señoríos, como desea y la Cristiandad ha menester.
Muy humilde hijo de V.Mt.
El Príncipe [102]

Catalina Micaela a Felipe II

Inicio: ? [No consta]

Despedida: Nuestro Señor guarde a V.M. tantos años como yo deseo y ha menester.
Muy humilde y obediente hija de Vuestra Majestad.
La Infanta doña Catalina [104]

¿Con qué nos encontramos? A bote pronto podría parecer que se trata de fórmulas estereotipadas, marcadas por el protocolo, y muy similares. Sin embargo, un examen más detenido permite apreciar algunas curiosas y significativas diferencias. En primer lugar, no son menos afectuosas las cartas del rey-soldado que era Carlos V que las de Felipe II. En ellas reitera el llamar al Príncipe: «Nuestro muy caro y muy amado hijo.» En cuanto a la forma en que Felipe II cierra sus cartas con «Vuestro buen padre», lo encontramos también en Carlos V, que concluye con su nombre, cosa que no vemos en Felipe II, y que da una nota más personal a las cartas del Emperador.

Pero es en el tratamiento de los hijos a los padres donde vemos las mayores diferencias. Felipe II siempre cierra con un voto porque el Imperio de

---

[100] Carlos V a Felipe II, campamento del Emperador, 24 de octubre de 1546 (*Corpus documental de Carlos V, op. cit.,* II, págs. 508 a 510).

[101] Carlos V a Felipe II, Yuste, 15 de noviembre de 1557 (*ibídem,* IV, pág. 365).

[102] Felipe II a Carlos V, Madrid, 11 de febrero de 1547 (*ibídem,* II, págs. 515 y 516).

[103] Tal se repite en todas las cartas del Rey a su hija Catalina Micaela; véase F. Bouza, ed. cit., págs. 92 y sigs.

[104] Catalina Micaela a Felipe II, Turín, 10 de septiembre de 1589 (*ibídem,* pág. 212, nota 298).

Carlos V se haga más y más grande: «... con acrecentamiento de más Reinos y señoríos...»; fórmula que desaparece en las cartas de Catalina Micaela, como si eso, tras la incorporación de Portugal, y de su Imperio de Ultramar, ya no fuera ni posible, ni deseable.

Por último, la despedida final, donde la Infanta introduce una variante muy significativa: no sólo es la humilde hija, sino «la obediente». ¿Esto indica algo? ¿Estamos ante la Infanta que ha sido mandada a cumplir una misión y que debe estar siempre atenta a la orden del padre-Rey? ¿Acaso también porque Felipe II ha mostrado cuán riguroso puede ser? Es decir, no sólo quiere ser amado, sino también temido y, por ende, obedecido.

Obedecido, pero no tanto como Felipe II quisiera, sobre todo a partir del desastre de 1588. Desde ese momento, el Duque juega su propia política, no sin reclamar de su suegro apoyos militares —los tercios viejos, siempre tan temibles—, lo que provoca el disgusto de Felipe II, que comprueba cada vez más la frágil alianza que había establecido; lo que nos hace pensar en el inútil sacrificio que había hecho con la boda de su hija. Cuando el Duque acomete la ocupación del marquesado de Saluzzo, el Rey reacciona reprochándoselo a su hija:

> ... nunca pensé que el Duque tomara una resolución tan grande sin darme parte della primero... [105]

El Rey advierte a su hija que los españoles enviados por el gobernador de Milán —que lo era entonces el duque de Terranova— eran para su guarda personal. Y en cuanto al Duque, que se abstuviera de nuevas empresas; algo que Felipe II espera que su hija consiga:

> ... del Duque, que no se dé en ninguna manera lugar a que se empeñe en otra cosa [106].

A partir de ese momento, la consigna reiterada del Rey sería que su hija procurase apaciguar a su belicoso marido:

> ... y pues os toca tanta parte, será bien que de la vuestra ayudéis a que el Duque se aquiete...

Tal le insta Felipe II a Catalina Micaela el 22 de febrero de 1589 [107].
Y tres meses después:

> Tened la mano en esto muy de veras para que se reporte... [108]

---

[105] Felipe II a Catalina Micaela, Madrid, 5 de diciembre de 1588 (F. Bouza, ed. cit., pág. 127).
[106] *Ibídem,* pág. 128.
[107] *Ibídem,* pág. 129.
[108] Felipe II a Catalina Micaela, El Escorial, 7 de mayo de 1589 (*ibídem,* pág. 130).

Pero no era fácil controlar al Duque, siempre tan belicoso, y con sus altibajos de fortuna, que, buscando el triunfo, no dudaba en hacer concesiones en materia religiosa, lo que provoca este muy significativo reproche de Felipe II:

> ... me pesó mucho de algunos puntos della [109] que tocan a la Religión, que importara mucho que no se los hubiera concedido...

De nuevo recuerda el Rey a su hija la misión que tenía encomendada, como adelantada de la Monarquía en aquella parte de Europa, para que se siguiesen las líneas políticas marcadas por el Rey:

> ... y será muy bien que, pues vos habéis nacido y criado donde sabéis la cuenta que se tiene con estas cosas, que le acordéis siempre [110] todo lo que a ella toca, y no dexéis hacer cosa que en poco ni en mucho sea contra ella... [111]

A partir de esa fecha se aprecia un cambio en el epistolario regio. Las cartas de Felipe II, antes tan largas y tan efusivas, se van haciendo cada vez más breves y escuetas. Y los reproches menudean: por ejemplo, los españoles mandados por el gobernador de Milán para salvaguarda de la Infanta sufrían un mal trato en Turín. ¿Cómo podía consentirlo Catalina Micaela? Y lo más grave: que tanto el Duque como ella actuaban en Roma abusando de su confianza regia y en contra de las instrucciones que allí tenía dadas el Rey.

Es una queja que parecería increíble si no la leyésemos en la carta de Felipe II:

> Me dicen que el Duque y vos usáis en las casas de Roma de mi autoridad sin mi orden y aun contra la que tienen mis ministros. No lo querría creer y menos de vos...

Y el padre-Rey tan encolerizado se muestra que termina con lo que es una orden terminante, preñada de amenazas:

> Si algo ha habido, enmiéndese de manera que no lo oya yo más... [112]

En otra ocasión el desacato del Duque llega al extremo de apresar un correo regio.

---

[109] La paz firmada en 1589 por el Duque con Berna.

[110] Al Duque, su marido.

[111] Felipe II a Catalina Micaela, Aranjuez, 26 de noviembre de 1589 (F. Bouza, ed. cit., pág. 135; cf. Spivakovsky, ed. cit., pág. 113).

[112] Felipe II a Catalina Micaela, El Pardo, 5 de diciembre de 1590 (*ibídem,* pág. 141; cf. Spivakovsky, ed. cit., pág. 121).

El 15 de octubre de 1591, el 26 del mismo mes y año, el 13 de febrero de 1592, el 6 de junio y el 28 de agosto del mismo 1592 y el 23 de agosto de 1593; en esas seis ocasiones, en cartas por otra parte muy breves, Felipe II no hace sino insistir a su hija que tenga de su mano al Duque, para que no siga en su política tan aventurada y tan agresiva, de la que esperaba el apoyo de su suegro, pero sin tener en cuenta su aprobación previa [113].

Pasan los años, pero las quejas del Rey no cesan. En septiembre de 1595, Felipe II parece a remolque de la política de su yerno:

> A todo lo que se me ha propuesto de parte del Duque he hecho responder por escrito...

Y a su hija le añade:

> ... creed que se hace lo que conviene y se puede.

Para ello, la Infanta también debía colaborar, vigilando a su marido y teniéndolo más sujeto:

> ... y tened allá la mano en que siempre se haga lo que es justo [114].

Ahora bien, ¿cuáles eran los resultados? Cada vez estaba más claro que Catalina Micaela era incapaz de cumplir la misión que se le había asignado, y que su influencia sobre el Duque era nula. Y el Rey acaba por declararlo:

> Del [cuidado] que vos habéis tenido de acordar al Duque lo que os he encomendado no dudo...

La intención de la hija quedaba salvada, pero ¿y los resultados? Eso el Rey ya lo cuestionaba. Y así, apenado, añade:

> ... mas quisiera que fuera de más fruto [115].

Esa sería una de sus cartas postreras. Sólo mandaría otras dos, y muy breves, a su hija, en aquel año de 1596. Y lo que no deja de ser significativo: siempre dejando constancia de que respondía a cuatro e incluso seis cartas de la Infanta.

---

[113] F. Bouza, ed. cit., págs. 146, 147, 149, 151, 152 y 156. Quizá por ello Felipe II tratara de canalizar tanto ímpetu guerrero proponiendo al Duque que sucediera a Alejandro Farnesio en el gobierno de los Países Bajos, con el señuelo de que desde allí podía empeñarse en la conquista de Inglaterra y acceder al título regio; en contrapartida, cedería su Estado de Saboya a la Monarquía católica, para que lo uniese al Milanesado. Tal fue el plan que, según el embajador veneciano, planteó el conde de Fuentes en Turín al Duque, siendo por éste rechazado (Albersi, *Relazioni...*, II, 1595, pág. 200; cf. Spivakovsky, *op. cit.*, pág. 36).

[114] Felipe II a Catalina Micaela, El Escorial, 19 de septiembre de 1595 (F. Bouza, ed. cit., pág. 160).

[115] Felipe II a Catalina Micaela, Madrid, 4 de febrero de 1596 (*ibídem,* pág. 161).

Ninguna le escribe en 1597.

Mas, de pronto, la tragedia: la muerte de Catalina Micaela a causa de un mal parto.

Era el 7 de diciembre de 1597, cuando la Infanta contaba treinta años.

Golpe durísimo, que el Rey acusó y que amargó sus últimos meses de vida.

A decir de Cabrera de Córdoba, su cronista, nada afligió tanto al Rey como la muerte de aquella hija, de la que se había desprendido doce años antes por razones de Estado más aparentes que reales.

En su conjunto, ¿qué opinión nos merece este epistolario del Rey? Marañón lo tiene por pueril; Spivakovsky, por falta de estilo literario, algo de lo que considera que el Rey era incapaz. ¿Es así?

Desde luego, la primera impresión que se saca, cuando se leen detenidamente las cartas del Rey, sobre todo si se hace sobre los propios escritos originales, es que estamos ante un hombre autoritario, no demasiado culto, con una permanente obsesión religiosa, afectuoso con los suyos, reservado con los demás —y acaso por eso, con la necesidad de rodearse de pobres locos—. Amante de la Naturaleza, de lo que deja no pocas pruebas; en cambio, apenas si las da del mundo de la cultura. Sólo en dos ocasiones una especie de auto sacramental, con aparición de demonios, que ve en Portugal, le trae el recuerdo del Bosco [116]. Otra vez se refiere a Cabezón, hijo del famoso organista [117], lo que está en línea con la reconocida afición musical de los Austrias. Y, en fin, en este apartado cultural cabría también señalar que comenta con sus hijas un sermón que oye a fray Luis de Granada [118], a todo lo cual ya hemos aludido. Por supuesto, también encontramos referencias a sus preocupaciones por las obras regias, en particular por el monasterio de El Escorial. Se interesa por las primeras letras de su hijo Diego, pero no encontramos nada especial respecto a sus hijas, con las que podría entablar temas de más enjundia.

¿Rezuman estas cartas bondad, inteligencia, cultura? No con exceso. Afectos familiares, sí —pero eso no es sinónimo de bondad—; amor a la Naturaleza, también, y, sobre todo, religiosidad. Las prácticas religiosas se cuentan una y otra vez a las hijas. Ya hemos visto cómo protesta porque su yerno hubiera hecho concesiones en esa materia en la paz que había firmado con Berna, lo que le lleva a esa loa, a su modo, a España:

> ... y será muy bien que, pues vos [Catalina Micaela] habéis nacido y criado donde sabéis la cuenta que se tiene con estas cosas...

---

[116] «... unos diablos que parecían a las pinturas de Jerónimo Bosco...» (Felipe II a las Infantas, Lisboa, 3 de septiembre de 1582; F. Bouza, ed. cit., pág. 74). Referencia que repite en su carta de 17 de septiembre de ese 1582 (*ibídem,* pág. 76).

[117] «... hice venir aquí a Cabezón» (Lisboa, 10 de julio de 1581; *ibídem,* pág. 49).

[118] «... ayer predicó aquí en la capilla fray Luis de Granada y muy bien aunque es muy viejo y sin dientes...» (carta de 5 de marzo de 1582; *ibídem,* pág. 63).

De todo esto, podría llamar la atención lo que indicamos sobre la cultura. Si sólo nos basáramos en sus escasas referencias a personajes o sus nulas menciones a sus lecturas, sería un juicio aventurado. Pero es algo más. Un hombre culto se expresa por escrito de otro modo, con otra soltura. Y Felipe II no es capaz de hacerlo. En ese sentido, tiene razón Spivakovsky cuando señala: «... no tenía estilo literario...» Y un poco después: «... no sabía articular su pensamiento salvo mediante clisés.»

Acaso porque había leído, sí, incontables despachos, pero muy pocos libros.

Tampoco sus rasgos grafológicos permiten un juicio más favorable, si bien es verdad que la gota no le ayudaba.

En suma, nos encontramos con un estadista cargado de responsabilidades que halla en su correspondencia familiar una evasión afectiva, y como algo tan íntimo, que destruye las cartas que recibe, quizá para que nadie penetre en el hombre y para que siempre esté en pie ante el mundo el Rey, y nada más que el Rey.

Un Rey que nos muestra, bien a su pesar, sus íntimos sentimientos: su añoranza de las florestas de Aranjuez, y de los cantos de los ruiseñores; pero, sobre todo, de sus hijos, en particular de las dos mayores, si bien, al paso de los años, sólo una encenderá sus recuerdos a la hora de redactar su Codicilo: Isabel Clara Eugenia, para la que, como veremos, guarda el mayor de los cariños; mientras para Catalina Micaela sólo restará lo que un padre siempre tiene, aun para los hijos que cree que se le tornan esquivos.

Una, lo veremos, será la entrañablemente amada; la otra, la que querrá como es razón, esto es, como lo pedía la obligación paterna.

En todo caso, un testimonio impresionante por su espontaneidad, una prueba preciosa que nos permite penetrar en el corazón del Rey, y de la que ningún historiador serio puede prescindir, a la hora de interpretar la personalidad de Felipe II.

17
EL HOMBRE DE EL ESCORIAL

El hombre de El Escorial, en efecto. Felipe II es sobre todo el hombre por cuya voluntad se alzó el imponente monasterio de San Lorenzo de El Escorial, y por ello será siempre recordado. De forma que el Rey y su obra quedan por los siglos emparejados. Todos los que se acercan a ver esa impresionante fábrica piensan al punto en el Rey que ordenó su construcción. Y sienten que cualquier mensaje que escuchan cuando franquean su recinto, o cuando ven la obra desde cualquier perspectiva, les dice algo sobre la personalidad del Rey.

Eso es lo que intentaré yo ahora. No tanto disertar sobre los mil detalles de que nos hablan los historiadores del arte acerca de cómo se empezó, cómo se ejecutó y cómo se concluyó aquella magna obra, sino reflexionar sobre todo lo que nos puede aportar su conocimiento y su visión para comprender mejor a Felipe II.

Naturalmente, una de las primeras cuestiones es tratar del motivo que le llevó a ello. En eso casi todos los historiadores parecen de acuerdo: estamos ante un voto, una promesa hecha por el Rey para desagraviar a la Divinidad, al comprobar consternado cómo la victoria de San Quintín, la primera que alcanzaban sus armas en los comienzos de su reinado, había supuesto la profanación y destrucción de un convento de monjas, y eso precisamente el mismo día en que la Iglesia recordaba el martirio de un santo español, san Lorenzo, lo que suponía como otro agravio añadido. Por supuesto que todo eso ocurrió y que todo eso habrá que tenerlo en cuenta.

Pero hubo algo más. De entrada, la magnificencia con que está proyectada la obra, desde un principio —aunque hubiera importantes cambios en los primeros años—, nos está dando una pista sobre la personalidad del Rey: la firme creencia en su propia grandeza. Una grandeza que vinculaba a las gestas de su padre, aunque él tratara después de continuarlas de otra forma y con otros hábitos.

Quiero decir con ello que, a mi entender, Felipe II comenzó a proyectar algo en ese sentido antes de la batalla de San Quintín. Es más, que hizo partícipe de sus pensamientos a su padre, Carlos V. Bajo esa luz cobran sentido los términos en que se expresa el Emperador en su Codicilo cuando, al tratar de su enterramiento, revoca una primera decisión respecto a Granada y apunta a Yuste, pero acaba dejándolo todo en manos de su hijo, con tal de que no olvide su deseo de que sus restos descansaran junto con los de la Emperatriz:

> ... sin embargo desto, tengo bien de remittillo, como lo remito, al Rey, mi hijo, para qu'él haga y ordene lo que sobrello le parecerá, con tanto que de cualquier manera que sea, el cuerpo de la Emperatriz y el mío estén juntos, conforme lo que acordamos en su vida... [1]

A este respecto, nada como leer con cuidado la carta fundacional de Felipe II.

En ella, lo primero que destaca es la nota piadosa del Rey —lo cual es obvio, pues en definitiva se trata de una fundación religiosa—, pero con un marcado sentido providencialista que no puede pasarse por alto. Y al punto, la referencia concreta al Codicilo paterno.

> Reconociendo los muchos y grandes beneficios que de Dios Nuestro Señor habemos rescebido y cada día rescebimos, y cuánto Él ha sido servido de encaminar y guiar los nuestros hechos e los nuestros negocios a su sancto servicio, y de sostener y mantener estos nuestros Reinos en su sancta fe y religión y en paz y en justicia...

Una clara manera de agradecer aquellos beneficios que el Rey creía tan firmemente que debía a la Divinidad, lo cual se corresponde, por otra parte, con el hecho de la radicalización ideológica de aquella Monarquía (la «Monarquía católica»). Y después de referirse a la fundación religiosa, donde precisamente se oraría por la dinastía («por Nos e por los Reyes nuestros antecesores e subcesores»), viene ya la referencia concreta a Carlos V y al codicilo de su Testamento:

> ... teniendo ansimismo fe e consideración a que el Emperador y Rey, mi señor e padre, después que renunció en mí estos sus Reinos e los otros sus Estados e se retiró en el monasterio de Sanct Hierónimo, donde fallesció y está su cuerpo depositado, *en el cobdecilo que últimamente hizo nos cometió e remitió lo que tocaba a su sepultura y al lugar y parte donde su cuerpo y el de la Emperatriz y Reina, mi señora y madre, habían de ser puestos y colocados...*

---

[1] *Testamento de Carlos V,* ed. crítica de Manuel Fernández Álvarez, Madrid, Editora Nacional, 1982, pág. 99.

La carta de fundación la firma Felipe II el 22 de abril de 1567 [2], cuando ya hacía años que se había iniciado la construcción del monasterio; pero demuestra que el Rey tenía muy presentes los motivos que le habían movido a hacerlo. Como indica con razón Fernando Checa, los fines funerarios son básicos para comprender la obra de El Escorial [3].

Todo ello arrancó de su última etapa de los Países Bajos. Decidido a emprender aquella magna obra, Felipe II lo primero que hizo fue recabar información. Quería saber cuáles eran las edificaciones religiosas más notables de Europa para sobresalir por encima de ellas. Y a tal fin encomendó a su arquitecto regio, Gaspar de Vega, para que recorriera Europa y recabase noticias sobre los mejores monumentos existentes.

Y una cuestión importante: el estilo en que había de edificarse el monasterio. Superado ya el arcaizante goticismo —tan presente todavía en España a principios del Quinientos, como lo prueba la catedral de Salamanca—, el Rey se inclinaría por un clasicismo sobrio. Había que elegir el arquitecto capaz de plasmar las ideas regias. Fue cuando Felipe II pensó en Juan Bautista de Toledo, que ya había dado muestras de su talento, vinculado además nada menos que a la figura gigante de Miguel Ángel, bajo cuyas órdenes había trabajado como aparejador en las obras acometidas por él en el Vaticano, y que por aquellas fechas era el arquitecto del virrey de Nápoles, don Pedro de Toledo. Y desde los Países Bajos Felipe II designa ya a Juan Bautista de Toledo como el arquitecto que había de acometer la nueva fundación religiosa. Pues atención a esa fecha. Fue en Gante, el 15 de julio de 1559, dos meses, por tanto, antes de su partida para España, cuando Felipe II firmó la cédula regia de aquel nombramiento de su nuevo arquitecto.

De manera que ya antes de su regreso a España Felipe II está decidido a emprender la gran obra que recuerde a las generaciones siguientes aquel tiempo que él había enseñoreado. Eso quiere decir que está convencido de hallarse viviendo en una época de plenitud. Pero también habría que recordar que ya para entonces, como piedra angular de su deseo de renovar el sistema de gobierno, ha decidido también fijar su capital en Madrid, tal como lo había hecho a lo largo de los años de 1551 a 1554, cuando había gobernado España en nombre de su padre, el Emperador. Y ambas decisiones tienen algo en común, porque lo que todavía no se había marcado era el lugar donde se asentaría el nuevo monasterio, aunque sí la Orden religiosa que lo había de regentar, que no podía ser otra que la Orden jerónima, a la que tanta devoción tenían los Austrias hispanos, y que había sido ya la elegida por Carlos V para escoger el lugar de su retiro; precisamente en el convento jerónimo de Yuste. Ahora bien, en cuanto al emplazamiento del nuevo monasterio, quedaría supeditado a esa circunstancia de que estuviera cerca,

---

[2] Julián Zarco Cuevas, *El monasterio de San Lorenzo el Real de El Escorial,* Madrid, 1955, pág. 9.

[3] Fernando Checa, *Felipe II, mecenas de las Artes, op. cit.,* pág. 201.

naturalmente, de la villa de Madrid, donde ya en 1559 proyectaba el Rey poner su corte.

Algo que yo estudié con cierto detenimiento hace más de treinta años, con motivo del centenario de aquel acontecimiento.

Decía yo entonces:

> ... dos cosas parecen de todo punto indudables: que cuando Felipe II regresa a España en 1559 viene dispuesto a fijar su capital y que, al tiempo, desea fundar un monasterio en honor de San Lorenzo en el corazón de Castilla. Puede afirmarse que ambas cuestiones andan ligadas en el ánimo del Rey, ya que obra de tanto empeño y para tantos años como el monasterio que pretendía construir —y bajo su inmediata vigilancia, conforme a su idiosincrasia— exigía que la Corte estuviera cercana... [4]

Es cierto que para un personaje del relieve de Gonzalo Pérez, el secretario del Rey, todavía no estaba muy claro a mediados de abril de 1561 dónde iría la corte, si a Madrid o a Segovia:

> S. M. ha hecho dar gran prisa en la labor del alcázar de Madrid —escribía por entonces al duque de Alba— y quieren decir que nos mudaremos allí, otros que a Segovia. Yo no lo sé cierto... [5]

Ambas ciudades reunían ciertas condiciones imprescindibles, como poseer alcázar regio y estar cercanas a la sierra donde se quería alzar el nuevo monasterio-palacio; pero Madrid tenía mejor emplazamiento, en cuanto a sus comunicaciones tanto con el sur andaluz como con la Corona de Aragón, y mejor clima de cara al largo invierno meseteño. Además contaba con otra ventaja, decisiva para aquel monarca: estar cercana a las florestas de Aranjuez y a los bosques tan llenos de caza de El Pardo.

Por otra parte, parecía que la decisión estaba tomada de antemano, si se tiene en cuenta dónde había instalado Felipe su corte en 1551, cuando todavía era el Príncipe heredero y vuelve a España para gobernarla en nombre de su padre, el Emperador. Y de hecho, sabemos que el entonces todavía conde de Feria, mucho más cercano a las posibles confidencias del Rey, aconsejaba por aquellos años a la Compañía de Jesús que alzasen un colegio en Madrid en el que se pudiese educar a los hijos de la alta nobleza.

Por lo tanto, desde el radio de acción de la villa madrileña, lo que urgía era buscar el lugar idóneo, el mejor emplazamiento para la nueva fundación religiosa y palaciega. Y pronto una comisión regia recorrería la vertiente meridional de la sierra durante cerca de dos años, y tras sus informes el Rey se

---

[4] Véase mi estudio cit. *Economía, Sociedad y Corona,* pág. 261.
[5] *Ibídem.*

decidiría por El Escorial, desechando otros como Manzanares el Real, convencido de que aquel sitio

> ... era el mejor que en el contorno de la comarca de Madrid se podía hallar... [6]

Por consiguiente, El Escorial, escogido, entre otras razones, porque era un lugar serrano cercano a Madrid, donde ya se había decidido situar la corte, y no a la inversa, que Madrid estuviera en función de su cercanía a El Escorial. De forma que en la primavera de 1562, casi un año después de que Madrid fuera ya «la villa con Corte», se procedía al acotamiento del terreno y a desbrozarlo, tarea no pequeña que permitiría un año después iniciar las obras y colocar la primera piedra del monasterio.

Era ya en 1563. Veintiún años más tarde, el 13 de septiembre de 1584, el Rey asistiría a la colocación de la última piedra.

Y eso es ya algo para anotar, porque quiere decir que aquella fundación religioso-palaciega se haría toda ella a lo largo del reinado filipino, superando las enormes dificultades técnicas que suponía realizarla en lugar tan apartado y abrupto, amén del fuerte coste económico que tuvo que afrontar el Rey, dueño, sí, del mayor imperio de la época —y como jamás se había conocido ni se llegaría a conocer, sobre todo después de la incorporación de Portugal y de sus dominios de Ultramar a la Corona—, pero también con el reino de Castilla, que era el corazón de aquel inmenso Imperio, cada vez más endeudado y más empobrecido. Pese a todo, la obra continuó sin tregua año tras año, conservando su unidad, que sería una de sus más notables características; algo que sólo un largo reinado, como el de Felipe II, y el haberse iniciado en sus comienzos, permitió asegurar. Con lo cual, la unidad de la obra sería uno de sus rasgos más notables.

Pero no bastaba con su remate. Una obra olvidada no tarda en convertirse en una ruina, y eso el Rey lo sabía muy bien. De ahí que procure asegurar el mantenimiento del monasterio, incluso después de su muerte, con las cláusulas pertinentes insertas en su Testamento.

En primer lugar, con la solemne recomendación a sus sucesores:

> Iten, encargo mucho al Príncipe, mi hijo, y a otro cualquiera que por tiempo venga a suceder en estos Reinos, la casa y monasterio de Sanct Lorenzo el Real y todo lo que le toca y tocare a aquella fundación, para que sea ayudada, mirada y favorecida...

¿Y por qué? Al punto lo declarará el Rey, señalando dos razones. La primera no sin cierta arrogancia, por haber sido decisión suya, movido de un sentimiento devoto, que cada vez se iba haciendo más fuerte en el ánimo regio:

---

[6] Fray José de Sigüenza, *Historia de la Orden de San Jerónimo,* Madrid, ed. 1909, pág. 407.

... por haberla yo fundado para el servicio de Nuestro Señor...

Y la segunda, por representar el monumento fúnebre de la dinastía, de forma que aquella fundación, como a continuación declara Felipe II, se había hecho también

> ... para mi enterramiento y de las demás personas reales, cuyos cuerpos están allí trasladados y sepultados [7], y los demás sucesores míos que en el dicho monasterio se quisieren enterrar [8].

Con lo cual se confirman algunas de las principales características de la magna obra filipina. Pues por la carta fundacional conocemos perfectamente cuáles eran los motivos regios, por otra parte bien visibles a través de la estructura del edificio y del destino de sus diversas partes. Lo que ocurre, y esto es ya decisorio, es que en su Testamento, fechado en 1597, a los trece años de la terminación de la obra escurialense, el Rey nos vuelve a declarar esos dos motivos personales: el fervor piadoso y el ansia de dejar un testimonio grandioso de la dinastía, que sirviera de perpetuo recordatorio, con los enterramientos de sus padres, el césar Carlos V e Isabel, la Emperatriz, con el suyo propio y el de sus familiares y sucesores.

Porque esa es la cuestión: que Felipe II, aunque no conociera directamente Yuste y el palacete mandado construir por su padre —que apenas si era una modesta casa de campo impropia de cualquier personaje de la alta nobleza, cuanto más de tan gran Emperador—, como si hubiera escuchado las quejas de los miembros del séquito imperial (y acaso habían llegado hasta sus oídos), cuando comparaban el castillo de los condes de Oropesa en Jarandilla, que les había servido de alojamiento provisional en el invierno de 1556 a 1557, con lo que les deparaban las estrecheces de Yuste, Felipe II decide salvar tal ofensa y marcar que también ante la muerte la dinastía regia era la dinastía.

Por lo tanto, junto a esos fines devotos que le caracterizan, los dinásticos. Era preciso alzar un monumento tal como nadie pudiera tener, ni por aproximación. Un monumento digno de la memoria de sus padres, los Emperadores de la Cristiandad.

Pero lo cierto es que esa referencia aparece en seguida, impregnada de respeto filial. De forma que cuando proyecta los dos grupos fúnebres que han de presidir la basílica del monasterio, reservará el lugar de honor para sus padres.

Y en ello también había novedad, ya que la costumbre de todas las fundaciones religiosas era que apareciesen en la capilla mayor el enterramiento del fundador, o si acaso, de la pareja fundadora, y no más. Felipe II eso lo querrá

---

[7] Se refiere a los restos de sus padres, Carlos V e Isabel, llevados desde Yuste y Granada.

[8] *Testamento de Felipe II,* ed. crítica de Manuel Fernández Álvarez, Madrid, Editora Nacional, 1982, págs. 14 y 15.

ampliar con un grupo familiar numeroso compuesto por cinco personajes, lo cual era algo insólito. Pero además, y eso resulta más significativo, porque serán dos grupos fúnebres, uno frente al otro, y porque el lugar de privilegio, el del Evangelio, lo dejará para honrar la memoria paterna, y de esa forma lo declarará en su Testamento, que a este respecto se convierte en un documento del mayor interés, pues nada de eso cabía sospechar a través de la carta fundacional.

Era todavía un proyecto, pues, como es sabido, los tales enterramientos no se terminarían totalmente hasta años después de la muerte del Rey. Pero por eso Felipe II quiere dejar constancia de ello en su Testamento, para que no cupiera duda alguna. El Rey lo tenía ya todo pensado y precisado:

> ... los bultos, postura y forma de nuestro enterramiento quiero que se hagan por la orden que tengo dada para ello y conforme a las traças que están hechas al propósito...

Y añade, impregnado de acatamiento filial, con el recuerdo emocionado de sus progenitores:

> ... prefiriendo en el lugar a mis padres, por el mucho amor y respeto que yo les devo y tengo...

Ya en la primera cláusula del Testamento filipino se hace referencia al monasterio de San Lorenzo y se insiste en los motivos regios que habían dado lugar a la majestuosa fundación:

> ... que yo, en algún reconoscimiento que de las mercedes y beneficios que de Nuestro Señor he rescibido, hize fundar y dotar [el monasterio] para poner en él los cuerpos del Emperador don Carlos, mi señor y padre, y de la Emperatriz doña Isabel, mi señora y madre, como al presente lo están... [9]

A partir de ese momento, el Rey citará sus familiares más cercanos enterrados en El Escorial, no desordenadamente, claro está, sino con el orden que marcaban las sucesivas generaciones y, dentro de ellas, las impuestas por la proximidad del parentesco. Y así va refiriéndose en primer lugar a sus dos tías paternas, las reinas doña Leonor de Francia y doña María de Hungría; a sus tres esposas, María Manuela de Portugal, Isabel de Valois y Ana de Austria [10]; a sus hijos ya fallecidos (Carlos, Fernando, Diego, Carlos Lorenzo y María); a sus hermanos Fernando y Juan, a su sobrino el archiduque Wenceslao y a su hermanastro, el infortunado don Juan de Austria.

---

[9] *Testamento de Felipe II,* ed. cit., pág. 5.

[10] Naturalmente, no se cita a María Tudor, cuyo enterramiento estaba en la abadía londinense de Westminster.

Es preciso insistir sobre la importancia que tiene el Testamento del Rey para entender bien la fundación del monasterio de San Lorenzo. En la cláusula 14 encomienda expresamente a su hijo que no abandone su protección, volviendo a reiterar los dos móviles principales que le habían llevado a tamaña obra: el religioso y el dinástico. Y en la 48 promete incluso extenderse más en el Codicilo que ya tenía proyectado, como lo haría, en efecto, tres años más tarde.

¿Qué quedaba por recordar, para que hiciese falta esa nueva atención regia? Pues la fábrica del monasterio estaba ya conclusa, de lo cual, por cierto, el Rey mostraría su honda satisfacción:

> Las obras de St. Lorenzo, en todo lo principal, están a Dios gracias acabadas y la casa dotada por mí... [11]

¿Qué faltaba, pues? Estaba claro: proveer con generosidad su mantenimiento. Es cuando el Rey da cifras concretas: para las obras del monasterio tenía asignados 8.000 ducados mensuales, lo que da idea del coste total de aquella fábrica [12]. Según el gran historiador del monasterio, el padre Zarco —siguiendo aquí al padre Sigüenza—, esa cifra rondaría los seis millones de ducados, cantidad muy alta para la época, que venía a doblar los ingresos anuales de la Monarquía a mediados de siglo; lo que hace comprensible que se desataran quejas y críticas hostiles a la fundación regia por parte de los contemporáneos, en una Corona de Castilla cada vez más empobrecida. No es extraño que unos aullidos oídos noche tras noche en el verano de 1577 en el interior de la obra se tomasen como un aviso del cielo contra tamaño derroche regio.

Y eso un historiador no lo puede olvidar. La vista del monasterio, en un principio, sólo produce asombro en el espectador por su grandeza; pero para los sufridos españoles de la época venía a ser, sobre todo, como una carga añadida, y no pequeña, a las múltiples que generaba sobre sus espaldas el Imperio filipino.

Por lo tanto, la fundación escurialense nos habla de la profunda devoción del Rey, de su fuerte sentimiento dinástico, de la grandeza con que quiere que se perpetúe su obra, como un homenaje indestructible a la memoria de sus padres, los Emperadores de la Cristiandad, y asimismo para eterno recuerdo de su propia grandeza; pero también nos habla de un coste casi insufrible para sus súbditos, con algo que tiene ciertas reminiscencias faraónicas.

Pero El Escorial no es sólo un edificio colosal para la devoción o para magnificar la dinastía de los Austrias hispanos; es también un vastísimo edificio cuyas paredes tienen valiosas pinturas al fresco o de las que cuelgan nota-

---

[11] Codicilo, cláusula 6; cf. *Testamento de Felipe II, op. cit.,* pág. 81.

[12] Por lo tanto, 96.000 ducados anuales. Para tener una idea de la cuantía de esa cifra, baste recordar que la campaña contra el reino de Aragón de 1591 había costado 137.000 ducados (véase mi libro *El siglo XVI. Economía, Sociedad, Instituciones,* en *Historia de España Menéndez Pidal, op. cit.,* XIX, pág. 717).

bles lienzos pintados al óleo; sin olvidar las esculturas religiosas, en particular las que se pueden admirar en la basílica del monasterio. Y además una de las partes con personalidad propia es la biblioteca, a su vez regiamente decorada con frescos y lienzos.

Todo ello nos ayuda a conocer mejor la faceta cultural de Felipe II, siempre supervisando la labor de los artistas que trabajaban para el monasterio, y atento a las remesas de libros que se iban consiguiendo para la biblioteca, bien a través de las adquisiciones hechas en la Europa católica por su enviado especial, el sabio Arias Montano, bien por legados de sus allegados o por otros casuales medios, como cuando las galeras regias apresaron unas naves en el Mediterráneo con una valiosa carga de manuscritos árabes.

De ese modo, El Escorial se convirtió en un taller para los artistas de la Europa católica —en especial, para los españoles e italianos— y en un centro cultural de primer orden; si acaso, con el grave inconveniente de la dificultad que tenían los estudiosos para su acceso. Pero, en todo caso, de referencia obligada para entender la personalidad del Rey, en su faceta de mecenas de las artes y de la cultura.

Y eso resulta evidente para cualquier visitante del monasterio, sin necesidad de ser ningún especialista. El Escorial nos muestra al Rey como mecenas de las artes y de las letras.

Ahora bien, con algunas importantes limitaciones, fruto de la propia formación de Felipe II; las restricciones impuestas por su estricta formación religiosa y por la educación recibida, en la que la nota de la novedad era ya algo harto sospechoso y que había que rechazar de inmediato.

Así, en cuanto a las artes, su sentido de la majestuosidad de la Corona y su afán de engrandecer la dinastía le harán aceptar un estilo sobrio, pero en medidas colosales, como las que depara la vista de conjunto del monasterio; algo que va a perfilar Juan Bautista de Toledo, el arquitecto que a mediados del siglo trabajaba para la corte de los virreyes de Nápoles, y que sabrá continuar Juan de Herrera tan a la perfección, compenetrándose de tal modo con el sentir del Rey —o el Rey con su arquitecto—, que bien podría aplicarse al estilo herreriano el título de filipino.

En la pintura, las limitaciones de Felipe II aparecen bien claras. Admirador del Bosco, hasta el punto que será una de las pocas referencias culturales que se deslizan en las cartas íntimas que escribe a sus hijas desde Portugal, y hecho ya al Tiziano, aunque al principio se mostrara demasiado crítico, incluso hasta dudando en rechazar el retrato que le había hecho en Augsburgo en 1551, exclamando con disgusto:

> ... si hubiese más tiempo, yo se le hiciera tornar a hacer... [13]

---

[13] Felipe II a María de Hungría, 16 de mayo de 1551 (cit. por J. F. Sánchez Cantón, *Museo del Prado. Catálogo de los cuadros,* Madrid, 1952, pág. 660).

Sin embargo, desgraciadamente, rechaza al Greco.

Es cierto que la alegre sensualidad de Tiziano acaba captándolo en sus años jóvenes, de lo que daría muestras en la serie de cuadros eróticos pintados por el genial veneciano por encargo del entonces príncipe de las Españas; pero estaba claro que aquello no tenía cabida en El Escorial, monumento para la devoción y para la meditación sobre la muerte. Pero Tiziano también era capaz de pintar cuadros religiosos de bellísima factura, y algunos de ellos irían a adornar el monasterio, como el soberbio cuadro de *Cristo con la cruz a cuestas,* que llama a la devoción en el oratorio del Rey.

Podría pensarse que Felipe II tuvo dos oportunidades para hacer de El Escorial una pinacoteca de excepcional valía con dos pintores de alta calidad, uno español —Navarrete *el Mudo*— y el otro pronto hispanizado: El Greco. Y algo logró con el primero, si bien la muerte pronto desbarató aquella posibilidad (recuérdese que Navarrete muere en 1579), aunque, naturalmente, de esa pérdida no cabe culpar al Rey. En cambio, sí podemos lamentar y lamentaremos siempre que el Rey rechazase el soberbio lienzo del cretense *El martirio de san Mauricio,* destinado en principio para una de las capillas de la basílica (y que quedaría relegado a otra pieza del monasterio, la sacristía de las Capas, del claustro alto), y que en su lugar prefiriese la obra de un pintor mediocre, la del italiano Rómulo Cincinato.

Aquí es preciso hacer un alto, porque se impone la comparación de ambos cuadros, para colegir el porqué de la decisión regia.

El Greco había resuelto el tema del martirio de san Mauricio y de la legión tebana en dos planos: el remoto, en donde se narraba el propio martirio, y el inmediato, donde en un primer plano, y a gran tamaño, se presentaba al Santo rodeado de sus compañeros de armas, hablando serenamente con ellos, en una actitud inspirada en las *sacre conversazioni* tan del gusto de la pintura italiana del Renacimiento, como *La polémica sobre la Santísima Trinidad,* de Andrea del Sarto, que puede admirarse en el Palacio Pitti de Florencia, o como en la misma y genial pintura de Rafael *La disputa del Santo Sacramento,* de las estancias pintadas para el Vaticano.

El Greco logra, en todo caso, un cuadro soberbio. La figura central del lienzo, la del Santo, que ladea la cabeza y alza el índice de su mano diestra para replicar a sus compañeros de armas y para animarles al sacrificio, arrostrando la muerte sin combatir, tiene un tono cargado de melancolía que quizá no lleve a la devoción inmediata, pero sí a la reflexión y tras ella a una más profunda devoción; algo que no fue capaz de captar Felipe II, y por eso su rechazo de la obra, como nos explica el padre Sigüenza:

> ... no le contentó a S.M.; no es mucho, porque contenta a pocos...

Pero añade, guardando la ropa:

> ... aunque dicen es de mucho arte y que su autor sabe mucho y se ve en cosas excelentes de su mano...

Y termina, sentencioso:

En esto hay muchas opiniones y gustos... [14]

Pero en el comentario del padre Sigüenza ya atisbamos que la propia época discrepó del juicio del Rey y que lamentó que aquel gran artista no fuese contratado de forma permanente, para que así el monasterio tuviese una larga serie de obras maestras de su mano. Y aquí es donde toma toda su expresión el resto de la frase:

... aunque dicen es de mucho arte y que su autor sabe mucho y se ve en cosas excelentes de su mano...

Porque, además, tampoco el cuadro de Cincinato incita a la inmediata devoción; ni podía conseguirlo un pintor tan mediocre, con una pintura tan falsa como la que hace, como la del santo que reza con el rostro vuelto a los cielos y del que se nos da la pista, para que por tal lo tengamos, con la orla de la santidad sobre su cabeza; como falsos son los que aguardan, desnudas las espadas, el degüello a que están condenados, y como falsos y de cartón piedra son también los soldados-verdugos del primer plano, y en particular el que enarbola la espada para mostrarnos su fuerza y su violencia; todos ellos, los soldados-verdugos, que también parece que sostienen a modo de una conversación, aunque no fuera santa.

Que el amanerado y mediocre cuadro de Cincinato, un pintor de tercera fila, fuese preferido a la obra genial del Greco, es algo para lamentar. Y no sólo porque nos revele las limitaciones en arte de Felipe II, sino porque además el hecho no quedó en que el cuadro del Greco fuese relegado a otra pieza secundaria del monasterio, sino porque ya dejase de ser el gran pintor que lo llenase con sus impares creaciones.

Aun así, la primera reflexión que hacemos, tras visitar el monasterio, con los ojos bien abiertos, como si fuera la primera vez, es que también tiene, y no poco, de museo, con tantas obras de arte allí recogidas; de escultura, con piezas de la valía del *Cristo,* de Benvenuto Cellini, o de los dos grupos fúnebres de la basílica, de Carlos V y de Felipe II, de los Leoni, o incluso de las estatuas gigantes de los reyes del Antiguo Testamento, de Juan Bautista Monegro. Pero sobre todo, por supuesto, por sus frescos y por sus lienzos. No todos, ciertamente, del tiempo de Felipe II, pues El Escorial ha ido enriqueciéndose con el paso de los siglos; baste recordar la espléndida obra de Claudio Coello *La adoración de la Sagrada Forma,* que preside la sacristía del monasterio. Aun así, lo más valioso o, si se quiere, lo más significativo es de la época del Rey

---

[14] Citado por Fernando Checa, *Felipe II, mecenas de las Artes,* Madrid, 1992, pág. 342, donde comenta largamente la decisión del Rey, rechazando la obra del Greco y relegándola a la sacristía de las Capas.

Prudente, que muy pronto empezó a vestir el monasterio, con una idea muy precisa: que los frescos que adornasen sus paredes y los lienzos de sus capillas tuvieran un fin concreto: incitar a la devoción, conforme a las normas emanadas del Concilio de Trento. Si bien, y dado que el conjunto era tan monumental y tan diverso (monasterio, basílica, panteón, palacio, biblioteca y seminario), que algunas de sus partes podían albergar también pinturas profanas, como los frescos de las batallas que adornan el acceso a la parte palaciega del monasterio.

Es evidente que para la basílica, iniciada en 1577 y terminada en 1582, Felipe II quiso contar con los mejores pintores de su tiempo, pero sujetándolos a normas muy precisas, emanadas de los decretos tridentinos. Ambas cosas hemos de tenerlas muy en cuenta. Así, en cuanto a la primera, vemos que muy pronto el Rey establece contacto con Navarrete *el Mudo,* con el que se firma un contrato en 1579. Y en función de dicho contrato, Navarrete comenzará a trabajar para el monasterio, componiendo algún excelente cuadro, como *El martirio de san Lorenzo,* acertando con aquella línea expresiva que llevara a la devoción, tal como la pedía el Rey, y con una excelente técnica en la que apunta un tenebrismo *avant la lettre,* cuando todavía Caravaggio no era sino un niño. Lamentablemente para los intentos del Rey y para lo que había de suponer El Escorial, como foco de las artes de su tiempo, Navarrete moriría en aquel mismo año de 1579.

Como comentaria consternado el padre Sigüenza, eso sería lo que obligaría a Felipe II a acudir a los artistas italianos, como aquellos que con más seguridad serían capaces de llevar a cabo la tarea que él tenía *in mente.*

Pues la verdad era que en aquel último cuarto de siglo España carecía de piezas de recambio, a la hora de sustituir a Navarrete. Muerto éste, viejo y perdido en Extremadura Morales *el Divino,* y dado que Sánchez Coello sólo era hábil como retratista de la corte, y lejanos todavía los tiempos áureos de la pintura religiosa que en el siglo XVII florecería con pintores de la calidad de Zurbarán, Ribera y Murillo, el Rey tuvo que mirar a Italia. No cabía pensar en Tiziano, que tenía ya todos los años del mundo, y que moriría antes de iniciarse la basílica, aunque algunos de sus cuadros adornaran el monasterio, como su notable lienzo *El martirio de san Lorenzo* de la «capilla de prestado». Pero había varios pintores que tenían cierta fama, metidos además en la línea ideológica de la Contrarreforma, como Zuccaro, como Luca Cambiaso y, sobre todo, como Pellegrino Tibaldi, que para Felipe II tenía la garantía de pertenecer al círculo artístico de Milán, en torno a la figura tan prestigiosa y ya casi sagrada del arzobispo san Carlos Borromeo; precisamente el arzobispo con el que el Rey había mantenido una tensa disputa, que a punto estuvo de provocar en 1569 una temible ruptura, forcejeo salvado finalmente a favor del Santo y que a finales de la década de los setenta ya había sido superado[15].

---

[15] Véase mi estudio cit. *Poder y sociedad...,* págs. 56 y sigs.

Curiosamente, es también a finales de los setenta cuando llega a España El Greco, atraído sin duda por la posibilidad de trabajar para la decoración de El Escorial.

¡Qué oportunidad! De ella surgiría el hermoso lienzo *El martirio de san Mauricio,* que ya hemos comentado; hermoso, sin duda, pero lejos de las directrices marcadas por el Rey, que quería ser en esto estrictamente fiel a lo señalado por los padres tridentinos. Unas directrices recogidas por el cronista del Rey Ambrosio de Morales, que en 1566 señalaría las normas a que habían de ceñirse los artistas al tratar los temas religiosos: de forma sencilla y clara y de modo que excitaran a la devoción. Y acaso la falta de dramatismo y el que no se expusiera como tema principal el mismo martirio, influiría en Felipe II para apartar aquel lienzo de la basílica y ordenar su colocación en una pieza más apartada. Pues como si un mal azar lo torciera todo, tampoco los colores fríos, con preponderancia del amarillo, hacían recordar la pintura veneciana tan amada por el Rey. Pero conviene añadir que el pintor fue pagado espléndidamente (800 ducados, casi el doble de lo que recibían los artistas por similares compromisos) y que el cuadro no fue rechazado de El Escorial, sino de la basílica.

Ahora bien, y eso fue lo grave, el Rey ya no contaría con El Greco como pintor del monasterio. De esa manera se perdió una ocasión única de convertir El Escorial en el mejor museo del Greco, y el Rey de ser el gran mecenas del mejor pintor de su tiempo, cuando El Greco iniciaba su espléndida etapa artística.

Aun así, El Escorial sigue siendo un notable exponente de la pintura de la Contrarreforma, por la aportación sobre todo de Pellegrino Tibaldi, un artista discípulo de Miguel Ángel, que sabe dar cierta grandeza a sus murales (escalera principal del monasterio), y que en los lienzos del retablo de la basílica es capaz de competir con la maestría de los Leoni, tan inspirados en sus esculturas. En efecto, cuadros como *La adoración de los pastores* o como *La adoración de los Reyes Magos* recogen lo mejor de la tradición pictórica italiana del Renacimiento, aunando dulzura y grandeza; dulzura a lo Rafael y grandeza a lo Miguel Ángel.

Pero para entender el mecenazgo del Rey y su relación con las artes, será preciso tener en cuenta que no sólo acudió a los pintores italianos, como Tibaldi, Zuccaro o Luca Cambiaso. Pues también el arte flamenco está presente en el monasterio, bien por aportaciones directas del monarca, bien por lo que fue llegando en sucesivas entregas. Y así hay que recordar piezas como *El Calvario,* de Roger van der Weyden, o *El carro de heno,* del Bosco.

Si la basílica está adornada con las pinturas y esculturas para excitar la devoción —una devoción que parece realzada por los grupos fúnebres del Emperador y del propio Rey, como si ambos animaran a los fieles a ello—, en la sacristía y en las piezas contiguas, en especial en las salas capitulares, lo que predomina es la sensación de museo, como si se tratara de un espacio para la contemplación y para el goce estético, aunque por supuesto sea el tema religioso el predominante. En algunos momentos nos parece estar ante un museo de pintura veneciana: Tiziano, Veronés, Tintoretto. Y, por supuesto, siguen las piezas de otros grandes pintores italianos del Renacimiento: Rafael, Sebastián del Piombo, Correggio.

Pero también de los pintores flamencos: Gerard David, Gossaert, Van Orley, Van der Weyden, Patinir, y el admiradísimo del Rey, El Bosco. En 1593, en una de las más importantes entregas hechas al monasterio, ingresan para su adorno nada menos que 145 paisajes de los Países Bajos; sin duda exponentes del gusto del Rey por recordar así las tierras en las que había estado no poco tiempo, y que ya no volvería a visitar.

¿Qué podríamos señalar de todo ello? Está claro el mecenazgo del Rey, su afición a las bellas artes, y el vario empleo que hace, especialmente de la pintura, que si en El Escorial empieza fundamentalmente por ser un instrumento en función de la devoción, también servirá para la contemplación. En sus propias habitaciones colocará cuadros tan devotos como *El Calvario,* de escuela flamenca (de desigual valor artístico, pero con la dramática figura de la Virgen), como otros para la reflexión, y aun para las más inquietantes interrogantes, como *El carro de heno,* del Bosco, donde la crítica social y de las propias dignidades de la Iglesia se aúnan con una visión de pesadilla, como la parte que evoca al infierno.

Por supuesto que no todas las pinturas son religiosas, ni tenían por qué serlo. Lo más significativo, a este respecto, son los lienzos de la sala de las Batallas, larga galería de 55 metros donde aparece pintada al fresco, por obra de varios artistas italianos poco conocidos (Granello, Castello, Tabarón y Cambiaso), la batalla de la Higueruela, ganada en 1431 por Juan II a los moros en la vega de Granada, así como una serie de frescos dedicados a las jornadas de San Quintín. Que estas pinturas fuesen precedidas de las que evocaban la acción militar de Juan II, sólo se explica por el hallazgo entonces de un lienzo sobre aquel tema que había aparecido en un arcón del alcázar de Segovia, y que al Rey pareció tan curioso que al punto quiso que se copiara para adornar el monasterio [16]; acaso para que sirviera como contraste entre lo que eran las guerras medievales y las de mediados del Quinientos. Como el padre Sigüenza comenta:

> Aquí —por los frescos sobre San Quintín— se diseña otro género de milicia harto diferente, donde no hay ballesta, ni adarga, ni aun alfange, sino picas, coseletes, arcabuces y fuego en todas partes; en la artillería, en la infantería, en los de a pie y en los de a caballo...

Se trataba, posiblemente, de reflejar el gran cambio provocado por el avance técnico en la guerra:

---

[16] «Mostraron el lienzo al Rey, nuestro fundador, y contentóle; mandó lo pintasen en esta galería...» (padre Sigüenza).

Vese aquí —añade el padre Sigüenza— otra manera de escuadrones, otros modos de pelea y de muertes más fieras y extrañas...

Y es posible que eso fuera lo que llamase la atención del Rey para querer que ambas batallas se pintasen en aquella sala. En todo caso, nos da la estampa de un Felipe II siempre atento a todo lo que suponía la fábrica y el adorno de aquella fundación suya, que bien sabía que haría inolvidable su nombre, venciendo la injuria de los siglos.

El Felipe II protector de las letras tiene otros condicionamientos; también religiosos, por supuesto, pero más fuertes, porque no en vano el libro había colaborado tanto en el despliegue de la Reforma, y porque sobre el libro ejercía tan estrecha vigilancia la Inquisición.

No cabe duda de que Felipe II protegió a los sabios de su tiempo: Ambrosio de Morales y Arias Montano son prueba de ello. Incluso pudiera ser que el final del proceso de fray Luis de León fuera debido a su directa intervención. Y nos gusta evocar aquí al Rey protector de santa Teresa de Jesús, cuya obra reformadora fue tan bien vista por Felipe II, y aunque lo fuera por motivos exclusivamente religiosos, no cabe duda de sus benéficos efectos sobre la obra mística y literaria de la Santa. Un amparo regio que, de modo indirecto, también favorecería al mismo san Juan de la Cruz.

Y está la creación de la biblioteca de El Escorial, tan magníficamente decorada, que cuando se ve provoca un sentimiento de admiración, como algo resplandeciente y vivo, en contraste con las otras partes del monasterio, que parecen dedicadas casi exclusivamente a recordar la muerte. Aquí, en la biblioteca, se aprecia lo mejor del arte de Tibaldi, el autor de sus frescos. Una biblioteca a la que el Rey entrega en seguida —en 1575— la suya propia, de 4.000 volúmenes, cantidad que hoy podría parecer pequeña, e incluso insignificante, pero que entonces resultaba excepcional. Pronto se pudo saber que uno de los mejores regalos que se le podían hacer al monarca era el de ofrecerle libros para la biblioteca del monasterio, como lo hizo ya en 1576 el gran historiador y humanista Diego Hurtado de Mendoza, donando su biblioteca, con la condición, eso sí, de que el Rey se hiciera cargo de sus deudas; condición aceptada gustosamente por el monarca. Los cronistas Jerónimo de Zurita y Juan Pérez de Castro, y el propio Ambrosio de Morales, también hicieron sendas donaciones. Asimismo, la nobleza y el alto clero: el marqués de los Vélez con 486 obras, el cardenal de Burgos nada menos que con 935. De esa forma se alcanzaron pronto unas cifras tales, que hicieron de la biblioteca de El Escorial una de las más importantes de la Cristiandad, acaso superada tan sólo por la del Vaticano, tanto por el número como por la calidad. Y a todo ello Felipe II trató de atender, marcando una renta fija para su debido sostenimiento.

El resultado fue una biblioteca verdaderamente regia, tanto por el mecenazgo de Felipe II como por su magnificencia; pero no porque estuviera destinada a palacio, como hemos de ver. Otra cosa es que, como nos indica

Matilde López Serrano, sirviera de modelo para no pocas de las creadas después en buena parte de las cortes europeas [17]. La riqueza de su decorado y sus mismos fondos hacen pensar en que no estamos ante una biblioteca conventual. Sin embargo, una mayor reflexión permite otras consideraciones.

En primer lugar, su ubicación, en la parte frontal del monasterio, entre el seminario y el convento, nos da una pista de las intenciones regias. Y de igual modo su decoración principal, con los dos testeros dedicados a evocar la Filosofía y la Teología, junto con los siete frescos de la bóveda con las figuras que simbolizan las siete artes liberales: Gramática, Dialéctica y Retórica *(trivium),* y Música, Aritmética, Geometría y Astronomía *(quadrivium).* Por lo tanto, los estudios básicos, propios del bachiller de la época, que permitían pasar al grado superior de licenciatura, en este caso ceñido a la teología.

Y eso era lo que se estudiaba en el seminario, regentado por los padres jerónimos del monasterio. Por lo tanto, una biblioteca que sirviera para la formación de los futuros teólogos, en la línea marcada por el Concilio de Trento.

Pero, desde luego, una biblioteca en la que el Rey vuelca sus afanes, demostrando que no era ajeno al mundo de la cultura, sino todo lo contrario.

Para empezar, su rica decoración. Es aquí donde los frescos compuestos por Tibaldi nos llenan de admiración. Resulta evidente el modelo de la Capilla Sixtina y la influencia de Miguel Ángel, al que continuamente se recuerda en las figuras pintadas, en sus ropajes y actitudes, pero se puede afirmar que Tibaldi se muestra digno discípulo de aquel genio. El fresco dedicado a la Filosofía, con una majestuosa matrona rodeada de los cuatro grandes sabios de la Antigüedad: Sócrates, Platón, Aristóteles y Séneca (eso sí, no por ese orden, y tocados con extraños turbantes tanto Platón como Aristóteles), y en el testero frontero, el de la entrada y principal, con otro gran fresco dedicado a la reina de las letras, a la Teología, acompañada de los cuatro grandes padres de la Iglesia: san Jerónimo, san Ambrosio, san Agustín y san Gregorio.

El efecto de conjunto es espléndido, bien asistido Tibaldi por otros artistas menores, pero todos italianos, para las figuras menores y resto de la decoración (Castello y Granello). Incluso en las escenas de los frisos es posible que interviniera Bartolomé Carduccio (a él se las asigna el padre Sigüenza), aunque el padre Zarco pudo comprobar que la escritura de tasación estaba a favor de Tibaldi.

La profundidad de esta hermosa biblioteca (54 metros de largo, sólo un metro inferior a la sala de las Batallas, pero casi el doble de ancho, con sus nueve metros, y el doble de alta, con diez metros) permite la admirable colocación de las librerías de nobles maderas (caoba, ébano, nogal...), y en el centro, tan espacioso, la instalación de globos terráqueos y vitrinas para la presentación de algunos de sus ejemplares más valiosos. Asimismo, la existencia de un notabilísimo monetario completa la importancia del conjunto, donde se

---

[17] Matilde López Serrano, «La Biblioteca», en *El Escorial, octava maravilla del mundo,* Madrid, 1967, pág. 211.

puede admirar el retrato del fundador, de Pantoja de la Cruz, donde Felipe II, ya en su vejez, aparece todo vestido de negro, con el solo adorno del collar del Toisón de Oro, y con la faz cansada de un monarca ya achacoso, pero que quiere estar presente también en aquella parte del monasterio que tanto amaba.

En cuanto a los libros impresos y manuscritos, algunos preciosamente miniados, no puedo menos de comentar los dos o tres más significativos. Así, el códice virgiliano, manuscrito del siglo XV con ornamentación renacentista italiana, en el que posiblemente se iniciara el Rey, cuando Príncipe niño, en el estudio del latín, recitando los versos de la primera égloga virgiliana, con aquellos tan significativos y casi simbólicos del pastor Melibeo, agradecido por poder dedicar su tiempo a la música: *Deus nobis haec otia fecit.*

O bien, el breviario del emperador Carlos V, donde en la escena de la adoración de los Reyes Magos aparece la evidente imagen del propio Emperador como uno de ellos, acaso Gaspar, pero, en todo caso, bien adornado con el collar del Toisón de Oro, para que no quepa duda alguna.

O, asimismo, los manuscritos de santa Teresa de Jesús, que nos recuerdan la admiración del Rey a la Santa, bien reflejado en el apoyo dado para que, a su muerte, se imprimiera toda su obra, bajo la dirección de fray Luis de León.

En efecto, por el *Epistolario* de la Santa sabemos con qué confianza ponía santa Teresa sus graves problemas en manos del Rey [18]. Y sabemos también que el original del *Libro de la vida* llegó en 1586 a manos de la emperatriz María, quien, entusiasmada con su lectura, proclamó su deseo vivísimo de que fuera impresa, y así fue cómo la obra fue entregada a fray Luis de León para que tuviera a su cargo su edición, que apareció dos años más tarde, en 1588, en la imprenta de Guillermo Foquel, de Salamanca.

Y aquí viene la noticia que debe ser recogida, para su reflexión, en torno a la personalidad de Felipe II. En cuanto el Rey tuvo noticia de aquella publicación, reclamó el original para que fuera depositado en la biblioteca escurialense [19].

Por lo tanto, otra vez la nota de la sincera y, aún más, de la profunda devoción de Felipe II, que cuando veía o intuía la santidad, se inclinaba reverente, lo mismo en España que fuera de ella, como cuando mandó a su gobernador en Milán, el duque de Alburquerque, que se postrase ante san Carlos Borromeo, pidiéndole perdón en su nombre por las anteriores diferencias, cuando el Santo se salvó milagrosamente de un criminal atentado perpetrado contra su vida en su propio oratorio mientras oficiaba la santa misa; espantado, sin duda, el Rey de que ni por asomo pudiera estar implicado en aquel sacrilegio, tanto más que el haberse salvado el Santo era como una señal dada por

---

[18] Sobre esto, véase mi ensayo «Teresa de Jesús y Juan de la Cruz», en *Poder y sociedad en la España del Quinientos,* Madrid, Alianza Editorial, 1995, págs. 328 y sigs.

[19] Efrén de la Madre de Dios y Otger Steggink, «Introducción» a las *Obras completas de santa Teresa,* Madrid, 1979, pág. 28.

los cielos de su santidad, como una especie de juicio medieval de Dios, resucitado en pleno siglo XVI para alumbrarle el entendimiento, cuando el conflicto abierto entre su gobernador en Milán y el santo arzobispo estaba en peligro de desembocar en cualquier medida extrema[20].

Esa es la nota de la devoción más extremada, la que continuamente destaca cuando se contempla el monasterio de San Lorenzo, por fuera y por dentro. Su propia traza nos lo dice bien a las claras: dejando aparte la basílica, las tres cuartas partes del colosal edificio están dedicadas al convento —que ocupa toda la fachada meridional— y al seminario. Si se añade, pues, la magna basílica y que las mismas habitaciones de los reyes son, en buena medida, oratorios y, por lo tanto, prolongación de la zona religiosa del monasterio, se entiende bien que ésa sea su denominación. Estamos ante lo que Felipe II titula en su Testamento «la casa y monesterio de San Lorenzo el Real». Casa también, es cierto, porque pone en ella la suya propia, pero ya hemos visto con qué limitaciones, y no sólo por el espacio, sino porque sus habitaciones personales recuerdan más bien las de una celda de un fraile de vida austera que las del rey más poderoso de su tiempo; pero que además en la terminología del Rey no se quiere aludir al «palacio», sino a una reiteración sobre el conjunto conventual, como lo hace continuamente en su Testamento, en que una y otra vez se refiere a «la casa dotada por mí», para referirse al monasterio.

Y también habría que recordar aquel inmenso depósito de reliquias que ya en un inventario de la época se hacían ascender a más de 7.400; cifra que, en verdad, causa estupor y que provoca no poca perplejidad, hasta el punto de pensar ya en una enfermiza obsesión del monarca, que en el Codicilo a su Testamento, firmado un año antes de su muerte, alude a su gran cantidad y a que todavía seguían llegando, sin duda porque mantenía su orden de que le fueran enviadas de todas partes de la Cristiandad:

> Y porque son muchas las reliquias que he hecho entregar en Sanct Lorenzo, creo que ya deben estar dadas todas las que tenía intención de poner en la dicha casa, mas porque otras van viniendo...[21]

Por lo tanto, una cosa parece clara: una vez más, el Rey nos manifiesta su extrema devoción. Ahora bien, y es preciso repetirlo para no producir confusión: devoción y bondad son categorías distintas, dos condiciones que no tienen por qué ir aunadas. Y debo añadir que, a mi juicio, en el caso de Felipe II no lo irían, pues siempre vemos al Rey más inclinado al rigor y al castigo implacable de los que consideraba culpables, en especial del delito contra su autoridad regia, en sus más mínimas manifestaciones, que a la comprensión y a la benevolencia.

---

[20] También, para esto, véase mi libro *Poder y sociedad...*, *op. cit.*, págs. 55 y sigs.
[21] *Testamento de Felipe II*, ed. cit. de Manuel Fernández Álvarez, Madrid, Editora Nacional, 1982, pág. 85.

Debiéramos añadir que la devoción del Rey iba también dirigida hacia la dinastía, como si fuera algo sagrado puesto por la Divinidad en la tierra para el buen gobierno de los hombres y, por ende, de su salvación. Política y religión estarían estrechísimamente unidas en el ánimo regio. En esa política religiosa, en ese régimen teocrático, seguía vivo el modelo de la familia imperial. Por consiguiente, cobrará todo su sentido la magnificación de la dinastía en las figuras de sus padres y en la suya propia, expuestas al público de forma tan solemne y tan magnífica que parecen eclipsar a las de los propios santos representados en las diversas capillas de la basílica, como si ellos fueran también otros santos a los que se podría pedir y rezar. Felipe II podía seguir el oficio divino desde su mismo lecho, que así venía a prolongar lo más sagrado de la basílica; así la basílica y lo que ella representaba se deslizaba hacia el interior de las habitaciones regias (tanto del Rey como de la Reina, o, mejor dicho, de la infanta Isabel Clara Eugenia, que sería quien las habitara, por la prematura muerte de la reina Ana de Austria y la prolongada viudez de Felipe II, a partir de 1580) y penetraba ya por todo el recoleto refugio filipino, yo diría que hasta sus últimos y más escondidos rincones. Lo que era difícil para los hombres resultaba abierto de par en par para la Divinidad, como si Felipe II aspirase así a una vida conventual, a seguir los mandatos de los carmelitas descalzos, como cuando san Juan de la Cruz decía aquello de «Desprendámonos de todo. Vivamos sólo para Dios».

Para Dios y para la dinastía. A partir de 1597, Felipe II también podría ver ya el grupo fúnebre presidido por su padre, gracias a la soberbia obra de Pompeyo Leoni, en bronce dorado a fuego. Un enterramiento bajo un epitafio latino que, según la autorizada traducción del padre Zarco, dice así:

> A la honra y gloria de Dios Omnipotente y Máximo. A Carlos V, augusto emperador de los romanos, rey de estos reinos, de las dos Sicilias y Jerusalén, archiduque de Austria y su excelso progenitor, lo dedicó su hijo Felipe II. Están también aquí enterrados Isabel, su esposa, y María, su hija, emperatrices; Leonor y María, sus hermanas, reinas; la primera de Francia, la otra de Hungría.

Sería interesante señalar que para Felipe II aquel es, sobre todo, el monumento al rey de las Españas, juntando todos los títulos hispanos en esa simple referencia: «rey de estos reinos». Y también que está redactado en tiempos de Felipe II y, por tanto, con su inevitable aprobación. Y la prueba de ello es que se inserte algo que no se corresponde con la realidad, un cambio que el Rey no sospechaba: que su hermana, la emperatriz María, acabase prefiriendo las Descalzas Reales para su tumba, donde ya estaba enterrada su hermana Juana; por lo tanto, desvinculándose así del proyecto faraónico del Rey, lo que da que pensar.

Más difícil de interpretar es la siguiente inscripción, puesta en el nicho contiguo, a la derecha del grupo fúnebre imperial, aunque por supuesto también resulta evidente la glorificación de la dinastía:

> Ocupa este lugar tú solo, descendiente de Carlos V, si sobrepujares con el esplendor de tus hazañas la gloria ancestral; los demás, absteneos reverentemente.

Por supuesto, ese hueco sigue vacío, lo que podría ser tomado como un gesto de humildad del Rey, un signo de admiración hacia el padre, hacia aquel invicto Emperador al que nadie, ni tampoco él, Felipe, era capaz de sobrepujar en sus hazañas. Pero ¿qué sentido tiene ese gesto de humildad cuando ya estaba preparado el hueco frontero, al otro lado del altar mayor —en la parte de la Epístola—, para recoger el grupo fúnebre de Felipe II, sobre el que ya estaba trabajando a toda furia Pompeyo Leoni en Milán?

Consideración que obliga a recoger el epitafio que Felipe II mandó poner en su propio enterramiento, también según la traducción del muy erudito padre Zarco, acaso quien mejor conoció y estudió el monasterio. Reza así:

> A Dios omnipotente y máximo. Felipe II, Rey Católico de todos los reinos de España, de las dos Sicilias y Jerusalén, Archiduque de Austria, viviendo aún, las mandó poner en este sagrado templo que erigió desde sus cimientos. Junto con él descansan Ana, Isabel y María, sus mujeres, y Carlos, príncipe, su hijo primogénito.

Véase, por tanto, que aquí se titula ya expresamente Felipe como rey de las Españas *(Hispaniarum Rex)*. Y quizá sea más importante señalar que, entre todos los hijos, escogió al primogénito, al desventurado don Carlos, a quien había tenido que meter en tan estrecha prisión, para que le acompañase así y para que volviese a integrarse —*post mortem,* eso sí— al seno de la familia regia de donde tan duramente había sido expulsado.

Y en el epitafio del nicho siguiente se lee lo que puede que nos ayude a resolver el enigma antes señalado:

> Este sitio se reserva para el más digno, en virtud de los descendientes de aquel que, voluntariamente, se abstuvo de ocuparlo...

Después añade:

> ... si así no fuere, permanezca vacío.

A mi entender, esto aclararía el complicado pensamiento del Rey. Al dejar vacío el nicho situado a la derecha del enterramiento de su padre, declaraba ya, con reverencia filial, que no era digno de competir con él ante la historia; pero, a su vez, encarecía a sus sucesores que hiciesen lo mismo con el similar nicho situado a la diestra de su enterramiento, salvo que alguien le sobrepujare.

Advirtiendo, como dándolo por cierto, que en caso contrario debía también permanecer vacío. Era como si diera por supuesto que su hijo Felipe III estaba muy lejos de su grandeza. Y en verdad que en eso no se equivocaba.

Aún habría que hablar del panteón, para fijar más el proyecto escurialense de Felipe II; un panteón que enormes dificultades técnicas, al tropezar las obras con una vía de agua que no había manera de desviar, retrasaron, de tal modo que sólo hasta muy entrado el reinado de Felipe IV no se consiguió superar. Pero ahí estaba la idea, que los sucesores del Rey no abandonarían, conscientes de que era la única forma de dar cima a la gigantesca tarea del fundador del monasterio, bien reflejada en el hecho de que ya se hubieran llevado los restos de Carlos V y de Isabel la Emperatriz, su esposa, los cuales estaban enterrados provisionalmente en la «iglesia de prestado» o iglesia vieja, desde 1574.

Por lo tanto, es preciso referirse al panteón, el lugar donde se habían de recoger los restos de los reyes de la Casa de Austria y de sus inmediatos familiares, porque nos señala Felipe II: que el monasterio no es sólo un centro de devoción *ad maiorem Dei gloriam,* sino también el monumento que ha de recordar a la posteridad la grandeza de la dinastía de los Austrias, y muy en particular la de los fundadores de la dinastía y de la Casa, como los reyes escogidos por la Divina Providencia para realizar la magna tarea de defender la religión y culminar y mantener el mayor Imperio que jamás habían visto los hombres.

Algo que se refleja bien en los dos epitafios que antes hemos comentado.

Y ya, para terminar este largo comentario, unas reflexiones sobre las habitaciones del Rey, los aposentos que se encuentran tras un largo recorrido por la zona palaciega, hasta el último rincón ya lindando con el convento y con sus huecos dando a la basílica, como si fuera una morada colgada sobre lo eterno.

Es cuando de nuevo nos viene la idea de Yuste y de cómo la obra del Emperador está presente en el proyecto filipino, aunque ciertamente con otras dimensiones y con otros añadidos.

Empecemos por las diferencias: lo que el Emperador hizo en Yuste fue sencillo y, por ende, económico. De entrada, buscó un lugar apartado donde ya existiera un convento y una iglesia de la Orden jerónima. Sólo le hacía falta alzar, a su vera, su residencia, limitada a un sencillo palacete. Y no pensó ni en un seminario, plantel de futuros teólogos, ni en una magna biblioteca, ni en un panteón que glorificase la dinastía.

Felipe II, en cambio, va a construirlo todo *ex novo,* y en términos tales que su obra tomaría caracteres de algo colosal, algo faraónico, con el correspondiente elevadísimo coste económico, tan criticado por no pocos de aquella época. Y añade esas partes que ya hemos mencionado: el seminario, la biblioteca y el panteón. En cuanto al palacete de Carlos V, pensado sólo para el Emperador y para el servicio más inmediato, Felipe II lo convierte en una gigantesca mansión para él y los suyos, como transforma también el sencillo enterramiento carolino de Yuste —una cripta en que apenas si cabe el féretro del Emperador— en el espléndido panteón que aún nos sigue admirando. Y no digamos nada en cuanto a la diferencia entre los cuatro libros de que se acompaña el César con la regia biblioteca laurentina cuya dimensión dobla ella sola a todo el palacete imperial de Yuste.

Pero Felipe II tomará algunas ideas del retiro mandado hacer por su padre, en especial aquella de que desde su habitación pudieran seguirse los oficios divinos. Igualmente, en el fondo, que El Escorial fuera también un lugar de retiro, un refugio donde el Rey pudiera gustar de aquella soledad que tanto amaba.

En efecto, no cabe duda de que en algunos aspectos el proyecto de Carlos V de gozar de una vida retirada y en unas circunstancias determinadas, en que lo religioso fuera la nota predominante, tuvo su impacto sobre Felipe II, sobre todo con la morada puesta al lado de la iglesia y tan cercana al convento. De hecho, con toda la magnificencia de El Escorial, con toda su aparatosidad tan colosal, la parte destinada al Rey no es mayor de la que tenía Carlos V en Yuste.

Es cierto que, en lo demás, San Lorenzo hace olvidar a Yuste, empezando por la tumba mandada hacer por el Emperador en una cripta a los pies del altar mayor, que Felipe II transformará en un panteón. El personaje individual superado por el colectivo. Carlos sólo pensó en él; su hijo Felipe, en toda la dinastía, en sus inmediatos antecesores y en los que le siguieren.

Y, efectivamente, estaba la idea de la soledad, el apartamiento del mundo, tan propio de Yuste. En eso, el deseo del Emperador parece mayor o, si se quiere, más logrado, porque es una soledad apenas sin el aparato de la corte, una soledad en la que la Naturaleza cobra toda su fuerza, una soledad sin poder que la doblara. Carlos V está protegido por ese terreno abrupto que se alza al norte de la Vera de Plasencia, en una zona semidesértica, donde sus vecinos más cercanos son los pobres lugareños de aldeas remotas y fuera del tráfico, pequeños pueblos como perdidos de los hombres. No hay corte en Yuste, apenas un puñado de servidores que atiendan a Carlos de Gante, y no la hay porque el César lo ha dispuesto así.

En cambio, la soledad de El Escorial es relativa. La corte sí está presente, como lo está el poder en su más alto grado. La soledad del Rey es más artificial. Se consigue a base de esconderse tras el laberinto de las cámaras y pasillos del monasterio. Pero la corte, los hombres, en suma, las damas y los caballeros, y la misma guardia, están ahí, al alcance de la voz. Felipe II tiene en El Escorial más su escondite que su soledad, el refugio donde poder ocultarse de los hombres, pero sin dejar jamás el poder.

Porque adentrarse por el monasterio a la búsqueda del retiro del Rey, sin un guía competente que te lleve de la mano, es como introducirse en un laberinto, con tantos pasillos y cámaras a recorrer.

Diríase que Felipe II mandó construir tan soberbio monasterio, colosal en sus proporciones, para esconderse mejor detrás de sus muros.

Y así, protegido de esa manera, sin ver a sus súbditos ni ser visto por ellos, poder mejor gobernarlos y dirigirlos como si tuviera miedo a que influyeran sobre sus decisiones.

En suma, él, el Rey, a solas con Dios para gobernar el mundo.

¿Acaso no era Dios, el Dios todopoderoso, el Dios infalible, acaso no era también invisible a los hombres?

Pues de esa misma manera, el Rey parecía querer imitar en todo a la grandeza divina; busca el retiro de su fundación monástica de El Escorial, no para dejar el poder, sino para mejor y más a su gusto emplear, dirigir y proyectar su poder.

18
TESTAMENTO Y MUERTE

EL TESTAMENTO

El 7 de marzo de 1594 firma Felipe II en Madrid su testamento, que sin duda meditó profundamente, aunque muchas de sus cláusulas no hacían sino repetir, y en ocasiones al pie de la letra, las insertas en el de su padre, Carlos V.

Porque, en efecto, otra vez salta el recuerdo paterno. Podría parecer que las circunstancias personales eran muy otras. Y, de hecho, se aprecian no pocas diferencias. En primer lugar, Carlos V había compuesto el suyo en Bruselas a los cincuenta y cuatro años, pero tan envejecido ya, que apenas si puede abrir las credenciales que le presentan los embajadores. A esa edad, cuando corría el año 1581, Felipe II se hallaba feliz en Lisboa, con el único lamento de tener lejos a sus hijas, sus florestas de Aranjuez, su caza de El Pardo y los muros de El Escorial; pero, por lo demás, venturoso por haber terminado con fortuna la empresa de Portugal. Tan radiante, que incluso decide quitarse el luto por su cuarta esposa, Ana de Austria, y mostrarse con sus mejores ropajes, galano y cortesano, para deslumbrar a su sobrina Margarita, a la que desea convertir en su quinta esposa.

Trece años después, ese panorama, tanto el personal e íntimo como el político, ha cambiado notoriamente. En 1594, el Rey tiene ya sesenta y siete años y su salud deja mucho que desear, cada vez con un cuerpo más dolorido, atenazado por la gota. Y en cuanto a la situación política, el país vive el clima de pesadumbre, fruto del desastre de la *Armada Invencible* y de la irreductible rebelión de los Países Bajos, junto con las malas nuevas que llegan de Francia, así como de las audaces incursiones de los corsarios ingleses en las Indias Occidentales. Todo ello tiene acongojado al Rey. Y ello sin olvidar que cada vez se está degradando más la situación interna, con un reino donde la miseria crece por momentos, donde las cargas fiscales se hacen insufribles y en donde el *affaire* de Antonio Pérez, con el fracaso de la justicia regia, ha dejado un profundo malestar.

De ese modo, y en ese ambiente, el Rey comprende que se acerca el relevo. En otras palabras: se impone hacer testamento.

Diríase que no es ajeno a ello su amado retiro de El Escorial, con las ya habituales jornadas en que se traslada al monasterio. Es, en verdad, un retiro propicio para las últimas reflexiones, para esa *meditatio mortis,* a que tanto se prestan los muros escurialenses, su basílica, su convento, sus recónditas habitaciones personales y hasta la propia severa e imponente Naturaleza que lo rodea y que hace más de diez años que el Rey disfruta a su sabor, desde que, el 13 de septiembre de 1584, y en su presencia, se ha colocado la última piedra.

Pues la devoción del Rey, esa condición de monarca devoto que tanto hemos destacado en el hombre de El Escorial, es también una de las primeras notas que afloran en el Testamento regio.

El Rey se nos presenta desde el principio con todos sus títulos y añade al punto un compendio de la más ortodoxa de las doctrinas cristianas. Diríase que no está ajeno a ello la mano de su confesor, fray Diego de Yepes, que conoce bien el sentir de su soberano y su gusto por las frases que más parecen de un teólogo que quiere defender su doctrina, en una época de tan fuertes debates religiosos, que de un creyente normal y corriente, que trata sin más de poner en orden sus cosas y de aparejarse para bien morir:

> Conosciendo cómo, según doctrina del apostol San Pablo, después del pecado está estatuido por la Divina Providencia que todos los hombres mueran en su castigo...

Eso sí, como si se tratara de un presentimiento, el teólogo hará decir al Rey:

> ... cuando la esperamos [la muerte] con debido aparejo de vida y la sufrimos con paciencia...

Pues se trata, eso está claro, de un primer paso que prepare una buena muerte que asegure la vida eterna. Y eso se dirá en seguida:

> ... ayudado por el divino favor a que sea tal[1] que consiga bien morir...

Al punto vendrá la inevitable referencia al demonio, ese tremendo personaje de nuestro barroco:

> ... sin que tentación alguna, ni ilusión del demonio, enemigo del género humano...

Pero ¿cómo defenderse del demonio? ¿Cómo hurtar su embestida, escapar a su acoso, librarse de sus trampas sutiles, contra las que tan poco puede

---

[1] Su aparejamiento para recibir de buen grado la muerte, se entiende.

la natural flaqueza humana? Acudiendo al amparo de toda la corte celestial. Sólo en ella confiará el Rey. De entrada, por supuesto, la Virgen María:

> ... suplico a la gloriosísima y purísima Virgen y Madre de Dios, adbogada de los pecadores y mía, que, en la hora de mi muerte, no me desampare...

Es una redacción propia de un teólogo meticuloso, más que de un rey. Y un teólogo deseoso de marcar las diferencias con los protestantes, en aquella época de la Contrarreforma. Nada de cristocentrismo. De forma que a continuación vendrá la referencia a los ángeles y arcángeles (el de la Guarda y san Miguel y san Gabriel) «... y todos los otros ángeles del Cielo...».

A lo que seguirá la larga relación de aquellos santos más venerados por el Rey, y uno al menos de su confesor: san Juan Bautista, san Pedro, san Pablo, Santiago, san Andrés, san Juan Evangelista, san Felipe, san Lorenzo, san Jorge, san Jerónimo, san Benito, san Bernardo, santo Domingo, san Francisco y san Diego, para terminar con las dos santas más destacadas: santa Ana (la madre de la Virgen) y la Magdalena.

Aquí se pueden observar varias categorías de santos, empezando por siete de los apóstoles (y entre ellos, naturalmente, san Felipe), para terminar con los fundadores de las grandes Órdenes, desde san Benito hasta san Francisco. No podía faltar, claro, san Lorenzo, olvido impensable en el fundador de El Escorial. Y hace pensar en que la inclusión de san Diego sea obra directa del confesor del Rey, que ya hemos indicado que lo era entonces fray Diego de Yepes, sin olvidar que lo había sido antes otro Diego, con una fuerte influencia sobre el Rey durante más de veinte años: fray Diego de Chaves.

Una larga nómina santoral. Pero todo parece poco para ese socorro que se pide, casi con angustia:

> ... para que mi ánima, por su intercesión y méritos de la pasión de Jesucristo, nuestro Señor, sea colocada en la gloria...

Por supuesto que en términos similares se expresan los testamentos de sus antecesores, como Isabel la Católica y el propio Carlos V. Pero se observan algunas diferencias reveladoras: en el de Isabel la Católica toda esa relación de santos está hecha con sin igual armonía y la inspiración personal de la Reina se manifiesta con claridad, como cuando se refiere a san Juan Evangelista («al cual yo tengo por mi abogado special en esta presente via, e así lo espero tener en la hora de mi muerte e en aquel muy terrible juicio e estrecha examinación e más terrible contra los poderosos, cuando mi ánima será presentada ante la silla e trono real del Juez soberano...»).

Y en cuanto a Carlos V, su alma de soldado pedía otra concisión, algo más escueto. De entrada, comienza implorando directamente a Dios, no a los santos («... encomendamos nuestra ánima a Dios todopoderoso...»). La referencia a la Virgen María y a los santos vendrá después, pero con otros límites: junto al arcángel san Miguel, sólo siete santos (entre ellos, claro, san Carlos) y tres santas. E inmediatamente, sin más circunloquios, sus disposiciones testamentarias. En suma, lo que en el Testamento de Carlos V supone veinte líneas, pasa a ser más del doble en el de Felipe II, con cuarenta y nueve renglones.

En el Testamento de Felipe II pronto se echa de ver el carácter del Rey, y si lo seguimos comparando con el de su padre, aparecen las notas de más reflexivo, más detallista, más burócrata incluso. Así, el Testamento se dividirá en una serie de cláusulas (49), ordenadamente enumeradas y agrupadas en cuatro cuerpos: el primero, el religioso, destinado a asegurar la salvación del alma: limosnas, pago de deudas, mandas pías; el segundo, tocante al magno problema de Estado de la sucesión, con las explícitas recomendaciones al Príncipe heredero para el buen gobierno de la Monarquía; el tercero, referido a la política exterior, y el cuarto, ceñido ya a varios aspectos tan propios de la personalidad de Felipe II, como todo lo que atañía a su fundación de El Escorial, o su particular devoción de las reliquias. Cuatro apartados distintos, pues, aunque evidentemente relacionados estrechamente entre sí, y que nos aportan otras cuatro pistas sobre la personalidad del Rey.

En relación al primero, el dedicado al aspecto religioso de su propia salvación, es con mucho el más amplio, con 19 cláusulas; las dedicadas al enterramiento, al pago de las deudas, a las misas, a las limosnas y al recuerdo a los criados regios, empezando por los capellanes de la real capilla. Con todo lo cual, el Rey buscaba asegurar «... la eterna felicidad...».

Cuando fija los términos precisos de su enterramiento, en el monasterio de San Lorenzo de El Escorial, recuerda a sus padres, y torna a indicar que llevar allí sus restos era uno de los fines principales que le habían movido a su fundación monástica:

> ... para poner en él los cuerpos del emperador don Carlos, mi señor y padre, y de la emperatriz doña Isabel, mi señora y madre...

Tras lo cual, viene ya el asegurar el pago de sus deudas, algo que tiene preocupado el ánimo regio, como si se tratara de un tema mal resuelto, de forma que ordena que se pagaren incluso aquellas deudas sobre las que hubiere dudas:

> ... yendo antes contra mi hazienda que contra mi conciencia...

Cuestión que nos parece novedosa, al menos si la confrontamos con lo que en esos casos se señala en el Testamento paterno. Por supuesto, esa ansia por dejar resuelta la cuestión de las deudas está vinculada al afán de la salvación. No se trata tanto de reparar injusticias o del temor al qué dirán, sino llana y simplemente del problema de la salvación, y así se razona por el Rey en el resto de la cláusula:

... yendo antes contra mi hazienda que contra mi conciencia, de manera que mi alma sea descargada y no pene, por no serles pagado con diligencia...

Por lo tanto, hay que asegurar por todos los medios la salvación del alma, no dejar ningún cabo suelto que arruine el gran negocio, que eche a perder la gran partida. Hay que echar mano de todos los recursos, sin olvidar ninguno, empezando porque toda la gente de la Iglesia, clérigos y religiosos, del lugar donde falleciere, digan misa por él, y en particular en el monasterio de San Lorenzo el día que le enterraren y durante los nueve días siguientes.

Y aun así, eso no parece suficiente. Hay que dejar ordenado que se digan más misas por su alma: ¿Cien? ¿Doscientas? ¿Mil? Nada de eso. El Rey es el rey. El Emperador había ordenado 30.000, y el hijo no querrá ser menos, copiando aquí, ce por be, el Testamento paterno. La reina Isabel había encargado 20.000 misas por la salvación de su alma [2]; sin duda, los Austrias mayores querrán mostrar que también aquí era mayor su grandeza.

La oración, pues, la plegaria de los hombres de la Iglesia para la salvación del alma del Rey. Pero también la de la gente menesterosa, de la cual Felipe II recuerda tres géneros: los pobres, las doncellas humildes, que tuvieran necesidad de dote para casarse, y los cautivos en la guerra contra el infiel.

Aquí, la comparación con el Testamento de su padre, Carlos V, no deja de ser significativa. El Emperador había asignado 10.000 ducados de limosna «para pobres envergozantes»; esto es, no para los pordioseros, sino para los que finaban de hambre antes de pasar por la vergüenza de pedir. Felipe II, en cambio, no establecerá distingos, aludirá sólo a los pobres, sin más, y reducirá notoriamente la limosna. Sólo mandaría «... que se vistan çien pobres...».

Y aunque se dejaba a criterio de los testamentarios regios la forma de hacerlo («y el vestido sea qual a mis testamentarios paresciere»), de suyo se comprendía que la suma no podía pasar de los cincuenta o sesenta ducados, máxime que incluso podía hacerse con ropa vieja, como lo hizo Lázaro después de sus buenas ganancias como aguador, tal como nos indica el anónimo autor del *Lazarillo de Tormes;* lo cual se corresponde con los relatos y los grabados del tiempo, con tanta mísera gente vistiendo harapos, cuando no enseñando las carnes.

Mantiene el Rey aquellos 10.000 ducados de limosna dejados por Carlos V para dotes de doncellas pobres, en especial las huérfanas de buena fama, pero añadiendo:

... y aviéndolas desta calidad hijas de criados míos, quiero que se prefieran a las otras...

---

[2] Isabel la Católica, *Testamento,* ed. cit., Valladolid, 1944, pág. 12.

Aún resulta más asombroso que aumente tan notoriamente la cantidad asignada para los cautivos, pasando de los 10.000 ducados asignados por Carlos V a 30.000. Eso sí, cambiará el texto, pues si Carlos V podía referirse —y, de hecho, se refería— a sus compañeros de armas («prefiriendo los que ovieren sido captivos en armadas nuestras donde nos ayamos hallado presente...»), conforme a su ejecutoria de soldado, Felipe II sólo puede aludir al drama del cautivo; eso sí, con preferencia a los que padecieren cautiverio en la lejana Constantinopla, «... que suelen tener menos quien haga por ellos...»[3].

En conjunto, los 30.000 ducados de lismosnas ordenados por el Emperador se convierten en 40.000, aparte la vestimenta de aquellos cien pobres ordenada por Felipe II. Por lo tanto, un aumento notorio, como si todo pareciera poco para los méritos que debían hacerse de cara al gran juicio divino. ¿Estamos ante una muestra de inseguridad? En todo caso, esa seguridad a la que aluden la mayoría de los biógrafos del Rey, a la hora de su muerte, no queda muy clara cuando le vemos firmar su Testamento en 1594. Acaso porque entonces, cuando tantas adversidades brotaban por todas partes, eso se tomara como otros tantos signos de la cólera divina, y todo parezca poco para calmar su ira. Y así, las peticiones de ayuda hechas por el Rey para ser perdonado y para que su alma quedara libre de pena siguen aumentando. No le bastan ni las 30.000 misas, ni los 40.000 ducados largos de limosnas para pobres, huérfanas y cautivos, ni el escrupuloso pago de sus deudas y de los salarios incumplidos con sus criados, «para que mi ánima quede descargada»[4], ni remediar todos los daños cometidos por su pasión por la caza, en perjuicio de los campesinos comarcanos a sus cotos[5]. Todavía tratará de conseguir más intersecciones, como al donar sendas lámparas de plata a la iglesia de Santiago de Compostela y al monasterio de Montserrat, «... para que ardan siempre por mi ánima...»[6].

Aún quedaría el supremo recurso: alcanzar un jubileo e indulgencia plenaria, a impetrar por sus testamentarios en Roma, para que todo surtiera mayor efecto.

Por decirlo con sus propias palabras:

> ... para que las misas que se dixeren y limosnas que se dieren sean más aceptas a Dios y de mayor utilidad para la salvación de mi ánima...[7]

Evidentemente, el Rey ya no es aquí tanto el rey como el pecador. No manda, ordena o dispone, sino que indica, sugiere, pide. Tiene a su lado, sin

---

[3] Felipe II, *Testamento,* ed. crítica de Manuel Fernández Álvarez, Madrid, Editora Nacional, 1982, pág. 9.

[4] *Testamento,* ed. cit., cláusula 13, pág. 13.

[5] *Ibídem,* cláusula 3, pág. 7.

[6] *Ibídem,* cláusula 8, pág. 9.

[7] *Ibídem,* cláusula 9, pág. 11.

duda, a su confesor. El Testamento de su padre, Carlos V, le sirve de pauta, y posiblemente también el de Isabel la Católica, que se le aparecía como una soberana llena de virtudes, que aunaba el profundo sentido religioso y la moral más estricta con la clara visión de Estado.

Ahora bien, como todo aquello (el pago de sus deudas, las misas, las limosnas y ofrendas) suponía un fuerte desembolso, el Rey ordena la venta de sus bienes. Y como sabe de sobra que eso no bastaría, manda también que se librasen tantas rentas de la Corona como fuere preciso; eso sí, de las que disfrutaba en España, como si aquí también quisiera dejar señalado en dónde tiene depositada su mayor confianza. Y así ordena que aquello se librase:

> ... en rentas de mis Reinos y señoríos de España que basten para lo susodicho... [8]

Unas rentas de España que se concretaban —siguiendo aquí Felipe II las huellas de su padre, Carlos V— en las obtenidas de las tres Órdenes Militares castellanas, Santiago, Alcántara y Calatrava. Con lo cual marcaba una vez más sus vinculaciones con la Corona de Castilla [9].

En cambio, donde vemos una notoria singularidad filipina es en todo lo que hace referencia a uno de sus tesoros más apreciados por el Rey Prudente: las reliquias. Nada semejante encontramos en el Testamento carolino. Curiosamente, Felipe II empieza por recordar algunas heredadas de su padre: las contenidas en una flor de lis de oro donde había «muchas reliquias», y un *lignum crucis*. Y ordena que se mantuvieran para siempre en el patrimonio regio:

> ... quiero y es mi voluntad que no se puedan vender ni enagenar por ninguna causa... [10]

Es evidente que con esa veneración por las reliquias Felipe II se mostraba fiel a sus principios religiosos, propios del catolicismo tridentino, tan distante aquí del protestantismo. En todo caso, lo que asombra —y ya lo hemos comentado [11]— es su obsesión por acumular más y más reliquias, hasta llegar a superar nada menos que las 7.400.

Obsesión por las reliquias, sin duda excesiva, y más cuando a continuación parece poner en el mismo plano otras piezas muy ajenas a esa condición.

En efecto, en la cláusula siguiente declara el Rey que junto a las reliquias que había heredado de su padre, y en el mismo guardajoyas —lo cual es ya

---

[8] *Testamento,* ed. cit., cláusula 17, pág. 19.

[9] Cf. los dos testamentos: *Testamento de Carlos V,* ed. cit., pág. 9; *Testamento de Felipe II,* ed. cit., cláusulas 18 y 19, págs. 19-21.

[10] *Testamento de Felipe II,* ed. cit., cláusula 43, pág. 51.

[11] Véase *supra* el capítulo 17, «El hombre de El Escorial», donde comentamos estos aspectos.

bien significativo—, guardaba varios cuernos de unicornio, pidiendo a sus herederos que los conservasen con igual celo.

Verdaderamente asombroso: el adorador de las reliquias sagradas creyendo a pies juntillas en las virtudes del unicornio, compartiendo aquí la leyenda en su eficacia para hacer más potente al hombre, y en este caso, al rey. Por ello, se sentía especialmente afortunado, por cuanto que poseía nada menos que seis supuestos cuernos del fabuloso animal. Y ordena, por tanto, su cuidadosa custodia:

> Iten, es voluntad que también se conserven y anden juntos con la suçesión destos Reinos, seys cuernos de unicornio, que asimismo están en la dicha guardajoyas, para que tampoco se puedan enagenar ni empeñar [12].

Pero ¿de qué animal se trata? ¿Qué es eso del unicornio? Según lo define el *Diccionario* de la Real Academia Española, se trata de un animal fabuloso con figura de caballo y con un cuerno recto en mitad de la frente.

Vemos aquí, tras esa posesión regia, un tráfico engañoso, acaso que vendría de más atrás, aunque nada aparezca recogido en el Testamento del Emperador. Posiblemente iniciado o mantenido tal tráfico fraudulento, tal superchería, en tiempos de Felipe II. Cabe imaginarse a los embaucadores llegando con los cuernos del unicornio a palacio, para vender su mercancía al crédulo monarca. Y la pregunta se desliza, inquietante: ¿cuántas de aquellas otras reliquias no tendrían un origen similar? ¿No están dándose aquí la mano lo religioso y lo mágico? En su momento lo hemos comentado.

Porque ¿dónde estaba la frontera entre magia y religión, entre la credulidad mágica y el fervor religioso en el siglo XVI? ¿Dónde la tenía fijada, si es que se daba cuenta de ello, el propio Rey?

Religión y magia; con ambos aspectos nos encontramos en el Testamento de Felipe II. Pero, afortunadamente, con algo más. Y entre otras cosas, con sus sentimientos paternos. Porque Felipe II no se puede olvidar que además de Rey es padre. Como Rey, debía fijar, y lo hizo, la orden sucesoria, en lo cual no haría sino atenerse a las leyes de la Corona. Y así, en primer lugar, vendría la designación de su único hijo varón, el príncipe Felipe (y futuro Felipe III), como heredero universal; si bien, consciente ya de lo que suponía la cuestión de Flandes y cuánto importaba buscar un remedio a tanta violencia y a tanto disparate desatados desde 1566, desgajaría —con ciertas restricciones— aquellos Estados de los Países Bajos, en favor de su hija Isabel Clara Eugenia, en atención a la paz general

... y para alivio destos Reinos... [13].

---

[12] *Testamento,* ed. cit., cláusula 44, pág. 51.
[13] *Ibídem,* cláusula 31, pág. 41.

Tal se consignaría en la cláusula segunda del Codicilo hecho en 1597, pensando ya de ese modo completar el anterior Testamento, si bien el hecho de que la Infanta no tuviera descendencia de su matrimonio con su primo hermano, el archiduque Alberto de Austria, acabaría por anular el deseo de Felipe II.

Pero eso sería algo que ya ocurriría en el siglo XVII y que escaparía al control del Rey. Aquí, como cuando Carlos V había ideado cuarenta años antes la fórmula de la alianza matrimonial con la Inglaterra de María Tudor, los hechos acabarían arruinando los proyectos regios.

En todo caso, tanto en lo que se refería a la Monarquía católica hispana como en los Países Bajos, una expresa orden de que quienes hubieran de heredarlos fueran siempre católicos. Y eso se dirá sin dejar lugar a dudas; que el heredero había de ser:

> ... la persona a quien perteneciere por razón y justicia, con que no sea hereje ni lo haya sido, ni sospechoso dello, sino verdadero católico... [14]

Ese es un requisito nuevo, que no aparece en el Testamento de Carlos V. Está claro que nos encontramos en un momento de máxima tensión religiosa en la Europa occidental, con una Isabel de Inglaterra favoreciendo en todas partes a los enemigos de Roma, y con un Enrique IV de tan sospechoso proceder en Francia. Evidentemente, por nada del mundo quiere Felipe II que algo similar ocurra en España, teniéndola como la tenía por el baluarte más firme del catolicismo, como no hacía mucho que lo había expresado a su hija Catalina Micaela, al protestar por las condiciones religiosas pactadas por Carlos Manuel de Saboya con la ciudad suiza de Berna [15].

Eso en cuanto a Rey. Pero también importa oír al padre, ver lo que personalmente deja a sus hijos (Felipe, Isabel Clara Eugenia y Catalina Micaela) y oírle cómo se expresa a la hora de recordarlos por sus respectivos méritos.

El Príncipe estaba a punto de cumplir los dieciséis años cuando el Rey firma su Testamento el 7 de marzo de 1594; los cumpliría un mes después, el 14 de abril. Isabel Clara Eugenia ya tenía veintisiete años, y veintiséis, Catalina Micaela. Pero lo importante aquí es señalar la situación de cada uno frente al padre. Felipe era el único varón y el Príncipe heredero; Isabel Clara Eugenia, la fiel acompañante de su padre a lo largo de sus últimos años de vida, casi día a día, y Catalina Micaela era la gran ausente, tras su boda con el duque de Saboya, con fuertes consignas políticas que es incapaz de cumplir.

Y ahora veamos lo que el Rey deja a cada uno y en qué términos lo hace. Al Príncipe, lo habitual para sus ejercicios de caballero («lo del armería y caballos»), una valiosa joya («un diamante rico que yo había dado a su madre») y las pinturas, sin especificar cuáles; sin duda, la pinacoteca regia, incluyendo

---

[14] *Testamento,* ed. cit., cláusula 37, pág. 47.
[15] Véase *supra* el capítulo 16, «Las cartas familiares», epístolas entre Felipe II y sus hijas Isabel Clara Eugenia y Catalina Micaela.

algún Bosco y los lienzos eróticos encargados a Tiziano, que seguían en el viejo alcázar madrileño, como *Venus y Adonis* y *Dánae recibiendo la lluvia de oro.* Lo demás, otras joyas y la tapicería, las obtendría el Príncipe pagándolas a los moderados precios que estimasen los testamentarios regios.

El Rey fijaría las dotes de sus dos hijas. Catalina Micaela ya había recibido la suya de 500.000 ducados, de los que recibía 40.000 ducados anuales de renta situados en el reino de Nápoles. Nueve años después, el Rey asigna una dote de 600.000 ducados a Isabel Clara Eugenia, de los que recibiría 60.000 ducados anuales de renta [16].

En su Codicilo, Felipe II volvería a recordar a sus hijos, y es cuando tiene para cada uno de ellos una expresión de particular afecto: al dejar al Príncipe una cruz de reliquias, dos pinturas religiosas, un crucifijo de plata y unas tapicerías flamencas que habían pertenecido a Margarita de Saboya (la tía de Carlos V), añade el Rey que lo hacía:

> ... en señal de lo que le quiero y por memoria de lo que debe hacer por servicio de quien se puso en ella [17] por nosotros... [18]

Mucho más emotivo es el recuerdo que tiene para su hija Isabel Clara Eugenia, sin duda, la preferida del Rey. Felipe II no puede olvidar que a partir de 1580 se había convertido en su confidente, la que no se había apartado de su lado, a partir de su regreso de Portugal, la que había mitigado así la soledad a que se vio condenado desde la muerte de su cuarta esposa, Ana de Austria. Y de ello dejará constancia cierta:

> A la infanta doña Isabel, mi hija mayor, a quien tan tiernamente quiero por lo mucho que mereçe y la gran compañía que me ha hecho...

Y entre los varios objetos preciosos que le deja, uno de particular valor, por sus connotaciones familiares: un tríptico con las imágenes de Jesús y la Virgen, al que Felipe II tenía especial devoción, por haberlo recibido de su madre, la Emperatriz, cuando apenas si tenía ocho años:

> ... la cual [imagen], por havérmela dado la Emperatriz, mi señora, y haver oydo dezir que fue de la Reina Católica, doña Isabel, mi visagüela, la he traído siempre conmigo desde el año de 35... [19]

---

[16] *Testamento,* ed. cit., cláusula 40, pág. 49.

[17] Referencia piadosa a Jesucristo.

[18] *Codicilo y última voluntad de Felipe II,* ed. crítica, con revisión de la transcripción paleográfica, de Manuel Fernández Álvarez, Valencia, Ediciones Grial, 1997; cláusula 9, pág. 75.

[19] *Codicilo,* ed. cit., cláusula 12, pág. 77.

En cuanto a su otra hija, Catalina Micaela, el tono empleado por el Rey deja ver las últimas diferencias que habían existido. Es su hija, cierto, y tendrá también con ella atenciones y recuerdos, pero con otra carga afectiva:

> Asimismo dexo a la infanta doña Catalina, mi hija, a quien tanta razón tengo de amar y estimar, como lo hago... [20]

Por lo tanto, lo que para Isabel Clara Eugenia era tiernísimo amor paterno, se convierte en lo que mandaba la razón para Catalina Micaela.

Ahora bien, un testamento, cuando es el de un rey, contiene mucho más que sentimientos religiosos y familiares. Es un momento solemne, y el Rey ha de aprovecharlo para marcar las líneas principales de la política exterior y aun de la interior. Ya hemos visto que señala, como no podía menos, lo que se refería a la orden sucesoria, tanto más que Felipe II quería introducir la novedad de que los Países Bajos quedasen para Isabel Clara Eugenia, aunque, eso sí, con fuertes restricciones; como feudo de la Corona de Castilla —atención, no de España—, con especificación de liga perpetua entre los dos Estados («... y sean amigos de amigos y enemigos de enemigos...») y con la condición de que, en caso de que la Infanta no tuviera hijos, volvieran de nuevo a la Corona castellana. Es más: el Rey podría mantener guarniciones en diversas plazas, algunas de la importancia de Amberes [21].

En cuanto a la política interior, se aprecia la defensa de la España de realengo, pero curiosamente desaparece la referencia a los abusos de la justicia señorial que tanto habían preocupado a Carlos V, como algo que no había sido capaz de remediar; acaso porque Felipe II, con su constante permanencia en la Península, a partir de 1559, y por el temor que provocaba su conocido rigor, tuviera mejor resuelto aquel no pequeño problema de la sociedad española.

Muy significativa es la consigna del Rey en cuanto a la religiosidad que debía campear en la expansión por Ultramar. Estamos ante una labor de apostolado que Felipe II encomendaría a los pueblos de Castilla y Portugal, como una empresa común que afianzara la reciente unión de las dos Coronas. Se trata de una de las cláusulas más relevantes del Testamento filipino:

> Declaro expresamente —son los términos solemnes del Rey— que quiero y es mi voluntad que los dichos Reinos de la corona de Portugal hayan siempre de andar y anden juntos y unidos con los Reinos de la corona de Castilla, sin que jamás se puedan dividir ni apartar los unos de los otros, por ninguna causa que sea o ser pueda...

---

[20] *Codicilo,* ed. cit., cláusula 13, pág. 78.
[21] *Ibídem,* págs. 82-84.

¿Por qué razón? Por la mayor pujanza de ambos y para mejor acometer la magna empresa de la evangelización por el mundo entero, cuya consigna quedaba aquí señalada:

> ... por ser esto lo que más conviene para la seguridad, augmento y buen gobierno de los unos y de los otros y para poder mejor ensanchar nuestra sancta de cathólica y acudir a la defensa de la Iglesia... [22]

Propio del testamento de un rey es advertir al príncipe heredero sus obligaciones con sus súbditos; tan propio, que aquí Felipe II no hace sino copiar, casi al pie de la letra, el Testamento de su padre, Carlos V. Es con esa referencia como hay que tomar el consejo real al Príncipe:

> ... que sea muy humano y benigno a sus súbditos y naturales... [23]

Algo a que también le había instado el padre, con la diferencia de invertir los términos:

> ... que sea muy beninno y humano a sus súbditos y naturales... [24]

Donde se aprecian las diferencias es en la confianza que cada uno tiene en el heredero. En efecto, cuando en 1554 Carlos V hace su Testamento, Felipe II ya tiene veintisiete años y, sobre todo, ya ha dado pruebas de saber cumplir sus deberes como *alter ego* del Emperador; en cambio, en 1594 el futuro Felipe III aún no ha cumplido los dieciséis y, lo que era más preocupante, daba qué pensar si no acabaría dejándose gobernar. De forma que Felipe II tiene que mostrarse precavido, poniendo a su lado quienes le ayudaran debidamente, al menos hasta que alcanzase la veintena:

> ... que en la gobernación dellos [sus súbditos] se guíe y gobierne conforme al paresçer de las personas que le dexo señaladas en un papel firmado de mi mano...

Y añade entonces el Rey Prudente:

> ... y esto se entiende hasta que llegue a la edad de veinte años [25].

Así quería mantener Felipe II aquella Junta de Gobierno que había creado en los últimos años de su reinado, verdadera novedad en la Monarquía, integrada por Cristóbal de Moura, el conde de Chinchón, el marqués de Velada y el secretario Juan de Idiáquez, de vida tan efímera, como es notorio.

---

[22] *Testamento,* ed. cit., cláusula 21, pág. 23.
[23] Felipe II, *Testamento,* ed. cit., pág. XV; cláusula 28, pág. 33.
[24] Carlos V, *Testamento,* ed. cit., pág. 19.
[25] Felipe II, *Testamento,* ed. cit., cláusula 30, pág. 41.

En resumen, después de este largo análisis del Testamento filipino, algunas notas podríamos destacar: religiosidad extrema, en primer lugar; una devoción no exenta de algunos rasgos de credulidad (¡aquellos cuernos de unicornio, tan celosamente custodiados en el guardajoyas!), y ya hemos visto que una religiosidad vinculada a una agobiante preocupación por la salvación eterna, cuya búsqueda es tan propia de toda religión, y hasta su misma base. La cuestión estaría en que hay un tipo de creyente al que la observancia de sus deberes religiosos le da ya una extrema confianza, tanto en la vida cotidiana como en la hora de su muerte. Evidentemente, ese no sería el caso del Rey. Incluso el recuerdo de haber vendido lugares de señorío eclesiástico le llena de agobio. Y eso a pesar de que no había hecho sino seguir las huellas de su padre, Carlos V, para afrontar así aquella descomunal batalla en pro del catolicismo, tanto ante musulmanes como ante herejes. El mismo hecho de que en tales ocasiones hubiera tenido la licencia de diversos papas —y entre ellos, nada menos que san Pío V [26]—, no le bastaba para sosegar su alma. De forma que en su Codicilo tendría este lamento:

> Y porque como el venderlos fue contra mi voluntad, forçado de neçesidades, assí deseo que aya efecto el volver los unos bienes y los otros a cuyos eran... [27]

Devolución, pues, a la Iglesia de lo que era suyo, «... por el descargo de mi conçiençia...» [28].

Hay que destacar también aquellas dos cuestiones de la gran política exterior: Flandes y Portugal. Flandes, porque era lo agobiante, lo que había que dejar solucionado, de cara a la sucesión, y porque el Rey era consciente de lo que estaba suponiendo para España, como un sacrificio insostenible. Aquello que resumiría, al pensar en la solución de desgajarlos del resto de la Monarquía y cederlos en dote a su hija Isabel Clara Eugenia, con aquella expresión: «... para alivio destos Reinos...»

Y en cuanto a Portugal, la nota opuesta: lo que suponía haber dado cima a un proyecto secular, ya planteado bajo los Reyes Católicos —aquel nieto suyo, Miguel, proclamado heredero de Portugal, Castilla y Aragón—, negociado por Carlos V y conseguido por él. De forma que lo que en este caso se plantearía sería encontrar la fórmula dando a los dos pueblos con vocación de Ultramar, Portugal y Castilla, la común tarea de hacer apostolado, instándoles a ello en términos solemnes:

> ... para poder mejor ensanchar nuestra sancta fe cathólica y acudir a la defensa de la Iglesia.

---

[26] Véase mi comentario en la Introducción al *Codicilo y última voluntad de Felipe II,* Valencia, Ediciones Grial, 1997, *op. cit.,* págs. 59 y sigs.

[27] *Codicilo...,* ed. cit., cláusula 4, pág. 71.

[28] Felipe II, *Testamento,* ed. cit., Madrid, 1982, pág. 31.

No es necesario insistir en que en su Testamento y Codicilo Felipe II tenía que buscar el aseguramiento de su magna fundación escurialense, que para él venía a ser como huella perenne de su reinado, en lo que andaría acertado, pues hoy en día resulta imposible evocar su figura sin que salte al punto la imagen del monasterio de San Lorenzo.

Pero yo quisiera terminar este largo recorrido sobre el Testamento de Felipe II recordando que también aquí tenemos ocasión de encontrarnos, al lado del Rey, con el padre, y con las referencias expresas hacia sus tres hijos: el príncipe Felipe, el heredero, y las dos infantas, Isabel Clara Eugenia y Catalina Micaela. Y a cada uno de ellos dedicándoles unos párrafos en los que dejaba testimonio del distinto grado de su afecto: al príncipe Felipe, recordándole sobre todo sus obligaciones, que no en vano era eso, el heredero, el que debía continuar su obra al frente de la Monarquía; de forma que al dejarle un crucifijo le indicará que eso le debía servir: «... por memoria de lo que debe hacer...»

Eso sí, añadiendo también, como no podía ser menos, la nota afectiva: «... en señal de lo que le quiero.»

Con Catalina Micaela, tantos años ausente, que no había sabido cumplir aquella delicada misión con el duque de Saboya, se mostrará más distante, si bien no podrá menos de declarar que, al fin, era su padre, y que tenía con ella las naturales obligaciones, lo que le haría proclamar, más como un dictado de la conciencia que del corazón:

> ... a quien tanta razón tengo de amar y estimar, como lo hago...

Y sería, por último, con Isabel Clara Eugenia, con aquella hija que tanto le había dado, con la que Felipe II vuelca su corazón, y con tales términos que escapan con mucho de la redacción protocolaria de un testamento, para convertirse en un auténtico testimonio de sus íntimos sentimientos:

> A la infanta doña Isabel, mi hija mayor a quien tan tiernamente quiero, por lo mucho que merece y la gran compañía que me ha hecho...

Al comentar esta parte del Codicilo de Felipe II, en mi reciente edición crítica tan espléndidamente editada por Ediciones Grial, no podía menos de reflexionar:

> Algo que en definitiva nos ayuda a comprender quién era Felipe II, quién era el padre y quién era el Rey [29].

Y así lo sigo pensando.

---

[29] Manuel Fernández Álvarez, *Codicilo y última voluntad de Felipe II,* Valencia, Ediciones Grial, 1997, pág. 63.

LOS ÚLTIMOS AÑOS Y LA MUERTE DEL REY

A diferencia de Carlos V, Felipe II se mantiene en el poder hasta los últimos momentos. En medio de su cruel y larga enfermedad, sigue despachando con Cristóbal de Moura los asuntos más relevantes de Estado hasta el último día de agosto de 1598. Es el 1 de septiembre cuando lo abandona todo, recibe la extremaunción y ya se entrega a la muerte, que todavía no llegaría hasta doce días después.

Su salud había decaído mucho desde 1592. Diríase que al salir de Madrid para cerrar la crisis aragonesa, abierta tras la fuga de Antonio Pérez y los tumultos de Zaragoza, con la convocatoria de las Cortes de Aragón, aquel esfuerzo, dejando por unos meses su corte de Madrid y su refugio de El Escorial, había minado sus fuerzas; y de tal modo que, a su regreso, tanto era su mal aspecto físico, que sus médicos, alarmados, le instaron a cambiar de género de vida. Se imponía ceder en el trabajo del reino y también adoptar una nueva dieta alimenticia.

Haciendo caso a tales consejos, el Rey soltó amarras en el poder, nombrando aquella Junta de Gobierno, a que ya se ha hecho referencia en otra parte de esta obra, y en la que la figura clave era aquel portugués, Cristóbal de Moura, que venía a ocupar su privanza en estos últimos años de su reinado, si es que de privanza se puede hablar cuando nos referimos al Rey Prudente. Es más, llamó a su sobrino preferido, el archiduque-cardenal Alberto, para que, dejando su puesto de virrey de Portugal, viniera a la corte y ayudara al príncipe Felipe en aquella incorporación a las tareas de Estado en que el Rey quería ya irle introduciendo. Por otra parte, la gota que padecía desde tantos años, se le había recrudecido de tal forma, afectando a sus manos, que ya le resultaba muy fatigoso incluso la firma de los documentos regios; dificultad que intentó suplir con una estampilla manejada por su secretario. Es entonces cuando tiene aquella advertencia a su hijo, inserta en su Codicilo, en la que le dice:

> Assimismo, porque atento el impedimento de mi mano, y porque es tiempo que nos ayudemos, el Príncipe, mi hijo, y yo, y para más información y noticia suya *y más breve y mejor expediente de los negocios,* tengo resuelto que mi hijo firme por mí todas las cartas, cédulas y despachos que se hicieren...[30]

Por otra parte, los más graves sucesos seguían sacudiendo a la Monarquía. En el interior, y a poco del regreso de Aragón, tuvo lugar la conjura del pastelero de Madrigal, urdida por el agustino fray Miguel de los Santos, un fraile portugués partidario del prior don Antonio de Crato, que por ello había sido desterrado a Castilla, y que llevaba ya unos años como vicario de la Orden en el

---

[30] *Codicilo y última voluntad de Felipe II,* ed. cit. de 1997; cláusula 16, pág. 80.

convento de Madrigal. Una imprudencia, sin duda, que después se lamentaría, pues era el convento de las monjas de sangre real, que por lo tanto debería estar mejor vigilado y en manos más seguras. En el convento profesaba entonces una de esas monjas de linaje regio, doña Ana de Austria, nieta nada menos que de Carlos V, como hija que era de don Juan de Austria y de una dama de la corte de la princesa doña Juana, de nombre doña María de Mendoza.

Pasemos ahora por alto todo lo que nos sugiere ese hecho de la facilidad con que los príncipes conseguían sus amantes en el entorno femenino de las cortes de sus hermanas (tal había ocurrido en el mismo caso del Rey con Isabel de Osorio). Y volviendo a la conjura urdida por fray Miguel de los Santos, nos encontramos con que éste aprovechó la coincidencia de que entonces vivía en la villa un pastelero que le recordaba, por su extraño aspecto, al fallecido rey don Sebastián de Portugal. Se trataba de Gabriel de Espinosa, que ya se le había visto en el oficio de cocinero en Madrid.

Basándose en la creencia popular de que el rey don Sebastián no había muerto en Alcazarquivir, el fraile agustino planeó la boda del pastelero con doña Ana de Austria y trató de buscar apoyos entre los nobles portugueses descontentos y en las naciones vecinas rivales de España.

Una conjura de tal calibre no podía estar mucho tiempo oculta. Sin embargo, lo cierto es que se descubrió por pura casualidad.

Una noche de los primeros días de octubre de 1594, haciendo su ronda nocturna el alcalde de Valladolid, licenciado Rodrigo Santillán, tuvo noticia de las andanzas en la villa de un forastero de extraña traza que, sin duda medio ebrio, alardeaba de sus riquezas en mesones de dudosa fama, y lo que era más intrigante, dejándose llevar de la lengua, y con frases tan sospechosas, que, discutiendo sobre un retrato de Felipe II —posiblemente el de alguna moneda—, se le oyó decir que era «el de vuestro amo». ¿Cómo así? ¿Acaso no era también el suyo? A lo que había replicado, despectivo: «No; el mío, no. Yo seré el suyo y el vuestro.»

Eso ya eran palabras mayores. Se comprende que al punto el licenciado Santillán iniciara una búsqueda frenética de tan extraño personaje, que por sus señas era fácil de reconocer: era «rojo» (esto es, de pelo azafranado), no muy alto, y con una nube en un ojo. Y, en efecto, pudo dar con él y detenerlo, cuando estaba a punto de darse a la fuga. Le somete a interrogatorio y, en seguida, salta el nombre de doña Ana de Austria, como su valedora. Pues el preso, Gabriel de Espinosa, citando a doña Ana creyó que podía parar el golpe de la justicia.

Y fue al contrario. Santillán intuyó que se había topado con un asunto de la máxima gravedad, un auténtico problema de Estado. Acostumbrado a combatir delincuentes de poca monta, aquello se salía de lo corriente. De forma que encarceló rigurosamente al sospechoso, aislándolo para que no pudiera comunicarse con nadie, y mandó un despacho a uña de caballo al Rey, dándole cuenta de todo lo sucedido. Y escribe en la cubierta: «Al Rey, nuestro señor, en sus reales manos.» Sabe bien que de ese modo entrará en contacto directo con aquel Rey que hacía que todo, lo grande y lo chico, pasase por sus manos. Efectivamente, el mensaje llegó a su destino.

En la información del alcalde de Valladolid se hablaba también de una niña, al parecer hija de doña Ana de Austria. ¡Pero doña Ana era monja de un convento de clausura!, religiosa a la que el Rey había protegido, autorizándola a llevar el apellido regio y dándole las preeminencias de excelentísima. Y eso preocuparía a Felipe II, casi tanto como la propia conjura, porque posteriores informaciones aludían a que el padre de aquella niña podía ser uno de los archiduques, Ernesto o Alberto, a los que tanto había distinguido el Rey. ¡Precisamente en los que Felipe II pensaba para escoger el futuro marido de su hija predilecta, Isabel Clara Eugenia! ¡Y la niña se llamaba, además, Clara Eugenia! ¿Es que se estaba fraguando algo similar a lo ocurrido en los Países Bajos, con implicaciones de su propia familia? El Rey decide enviar a un juez de su máxima confianza para que apriete al preso:

> Os daréis maña —le encarga— a apurarle, de manera que le hagáis confesar la verdad, sin pasar en lo del tormento más de amenazarle con él por esta primera vez...[31]

De esa manera fue descubriéndose la conjura, aunque no toda, pues fray Miguel de los Santos tuvo tiempo de destruir no pocos documentos comprometedores, en relación, seguramente, con los contactos que había establecido.

Entonces entró en acción la justicia regia, empleándose con todo el rigor con los dos principales protagonistas. Aquello era un delito de alta traición, con la pena que marcaba la época: la horca, y que la cabeza fuese cortada y expuesta en lugar público, con el pregón consabido:

> ¡Esta es la justicia que manda hacer el Rey, nuestro señor, a este hombre por traidor a Su Md., y haberse fingido persona real siendo hombre bajo y embustero!

Así fue al cadalso Gabriel de Espinosa, el 1 de agosto de 1595, siendo ajusticiado en la plaza de la villa de Madrigal, con un gran golpe de gente que acudió de toda la comarca. Y una suerte similar sufrió meses después en Madrid fray Miguel de los Santos, tras ser degradado de su condición de clérigo. En cuanto a doña Ana de Austria, no le valió de momento su alto linaje ni las cartas en que protestaba de su inocencia, que dirigió al Rey y a la infanta Isabel Clara Eugenia, su prima, siendo trasladada a un convento de Ávila con condena de sufrir prisión —la cárcel que existía en los conventos— por cuatro años, con la pena de tener que ayunar a pan y agua todos los viernes y pérdida de todos sus títulos y preeminencias[32].

---

[31] María Remedios Casamar, *Las dos muertes del rey don Sebastián,* Granada, 1995, pág. 44.

[32] Felipe III la volvería a la gracia regia, nombrándola abadesa de Las Huelgas, cargo que desempeñaría durante largos años, hasta su muerte hacia 1625.

En cuanto a las otras tres o cuatro figuras secundarias, el peor librado fue un criado de doña Ana, acusado de conocer la conjura y no denunciarla, tan maltratado en el tormento, que había quedado manco de ambos brazos, hasta el punto de que el propio alcalde indicaba que no podía ser mandado a galeras a cumplir los cuatro años a que había sido condenado [33].

Falta por comprobar cómo llevó todo aquello el Rey. Ya hemos visto cuánto le había preocupado el origen incierto de aquella niña, a la que primero se había dado por hija de doña Ana de Austria. En una de sus órdenes secretas a la justicia de Valladolid, en que advierte: «Véase lo que digo aquí dentro», señala:

> ... que se le encomiende mucho el averiguar lo de la hija, que es lo que importa... [34]

Y esa es la interrogante que sigue agobiándole, de forma que una y otra vez insiste en que aquello era necesario y urgente *aclararlo*. Todavía, cuando estaba por terminarse todo el proceso, escribe de su mano:

> Paréceme bien todo esto, quanto a lo que toca a no ser Espinosa el rey don Sebastián, pero conviene averiguar quién es la madre de la hija, y el padre, y esto se les escriba que procuren averiguar, y si no pudiere ser de otra manera será menester apretarlos [35].

En otra apostilla a los escritos que le había mandado, en este caso el juez Juan de Llano, el Rey descubre un poco más el porqué de su interés por aquella niña:

> Todavía procurad traer mucho averiguado, más que hasta aquí, quién fue la madre de la niña, mejor que hasta aquí se ha hecho...

Y añade:

> ... porque conviene saberse lo cierto, por muchas causas [36].

Esto es, su justicia ya tiene controlada la conjura, y bastaba con cumplir las rigurosas sentencias; pero el enigma de la niña sigue preocupando al Rey «por muchas causas». Claro era que, más que la culpa de doña Ana, si resultaba ser la madre (pues no podía haber culpa mayor que la de su participación en la conjura), estaba la cuestión de que el padre fuera uno de aquellos sobri-

---

[33] Se trataba de Juan de Roderos, que intentó refugiarse en Colindres, al amparo de Bárbara Blomberg, la madre de don Juan de Austria.

[34] María Remedios Casamar, *Las dos muertes del rey don Sebastián, op. cit.,* pág. 52.

[35] *Ibídem,* pág. 204.

[36] *Ibídem,* pág. 261.

nos regios —los archiduques Ernesto y Alberto—, entre los que Felipe II pensaba elegir el esposo de Isabel Clara Eugenia. De forma que recibe, con alivio, que fuera hija del pastelero y de una criada suya.

Por lo demás, tan inmensos dominios no podían menos de traer consigo sucesos de desigual fortuna. Por un lado, los virreyes de Nápoles y Sicilia saqueaban a su placer a los pueblos del Mediterráneo oriental, alentando aquella ola de «levantes» aventureros a que aluden las *Memorias* del capitán Contreras.

En cambio, en la lucha con Inglaterra la suerte era diversa; frente al éxito con que se había rechazado el ataque de Hawkins y Drake a las Indias Occidentales, con muerte de los dos capitanes ingleses, vino la noticia del audaz ataque de la flota inglesa a Cádiz, con el terrible saqueo de la ciudad por los hombres del almirante Howard, y demostrando una vez más cuán superior era la armada inglesa.

Eso ocurría por los tiempos en que la muerte del archiduque Ernesto, gobernador de los Países Bajos, había decidido a Felipe II a mandar allá al archiduque Alberto, quien en efecto entraría en Bruselas en febrero de 1596, tras una penosa marcha, cruzando los Alpes en pleno invierno.

Por lo tanto, no faltaban preocupaciones al Rey. Incluso atendió las peticiones del papa Clemente VIII, deseoso de otra Liga Santa para contener al Turco en la frontera húngara, ordenando que se le diera al menos a su legado, Camilo Borghese, la fuerte cantidad de 700.000 ducados. Y eso sin abandonar la guerra en el mar, tratando de replicar a las agresiones de Isabel de Inglaterra con un intento de desembarco en Irlanda, aunque ciertamente poco afortunado. Sin olvidar que una de las misiones del archiduque Alberto era reanudar la guerra con Enrique IV de Francia, sobre cuya frontera norte desencadenaría una fuerte ofensiva, con ocupación de diversas plazas.

Guerra abierta, por tanto, en tres frentes: en el mar, en el norte de Francia y en la frontera de Holanda. Eso suponía un continuado sacrificio económico, cuando las Cortes de Castilla hacían ver a su Rey que todos los recursos estaban agotados.

En ese ambiente tan cargado de graves problemas de Estado es cuando sobreviene, en el otoño de 1597, lo que podríamos llamar el signo de inflexión en el reinado de Felipe II. Ya a finales de agosto de aquel año, con la firma del Codicilo, trató Felipe II de buscar algunas soluciones, de cara al nuevo reinado, previendo su próximo fin, tomando la medida de legar los Países Bajos a Isabel Clara Eugenia, con aquella justificación que tanto hemos comentado: «... para alivio destos Reinos...»

A poco, le llegaba la triste nueva de la muerte de su hija Catalina Micaela, que tanto le afligió, y comprendiendo que ya era, más que necesaria, urgente la paz con Francia, ordenó a sus diplomáticos que la negociasen, lo que al fin se lograría el 2 de mayo de 1598. Sería la paz de Vervins. Era como poner en orden los asuntos de la Monarquía, antes de que llegase el relevo en la cumbre.

A partir de entonces, los achaques del Rey irían en aumento. La gota le había inmovilizado de tal manera, que no soportaba ni la cama ni los sillones regios, mientras que apenas si podía dar unos pasos. Por suerte para él —cierta suerte, en medio de aquella tan dura enfermedad—, tuvo la fortuna de que su fiel ayuda de cámara Jean L'Hermite le fabricase una ingeniosa silla articulable, que le permitía cambiar de postura su cuerpo y estirar sus doloridos miembros. Y no sin razón se muestra, como un testimonio de aquellos difíciles momentos, en el monasterio de San Lorenzo de El Escorial.

Y se entró en la fase final.

A finales de junio de 1598, el Rey, hasta entonces gobernando su inmensa Monarquía desde el alcázar madrileño, ordenó su traslado a su refugio escurialense. Ello en contra de la opinión de sus médicos, los doctores Juan Gómez de Sanabria y Cristóbal Pérez de Herrera, que argumentaban que los fuertes vientos de la sierra le serían perjudiciales.

Pero ¿qué importaba eso a tales alturas de la enfermedad? Lo que el Rey deseaba era encontrarse, y pronto, en su amado refugio. ¿Acaso no lo había hecho para que albergase su cuerpo? ¿Acaso no le esperaban allí sus padres tan reverenciados, el emperador Carlos V y la emperatriz Isabel? ¿Y no era allí donde había acumulado aquel increíble tesoro de reliquias, precisamente para que le ayudasen en la hora de su muerte, en aquel trance del juicio final ante el Todopoderoso? Las reliquias que podían ampararle, no para seguir viviendo, pero sí para bien morir.

Y así, el 30 de junio, en su silla de manos llevada por dos porteadores, constantemente relevados, lentamente (pues no de otra manera lo permitía su quebrantado cuerpo), Felipe II abandonó Madrid y se fue adentrando en la sierra, camino de El Escorial. Un viaje doloroso, que tardaría seis jornadas en concluir, que parecía interminable para todo su cortejo, pero que para él tenía un aliciente supremo: ver de nuevo su querida fundación. Por fin, el 5 de julio, así transportado, franqueó la última colina y tuvo ante sus ojos la masa imponente del monasterio, con sus airosas torres.

* * *

A partir de ese momento, el Rey viviría sus últimas emociones. Había dejado atrás el alcázar madrileño, sabiendo que ya no lo volvería a ver, como atrás habían quedado las florestas de Aranjuez y los bosques de El Pardo. Ahora tenía ante sí aquel golpe de vista, contemplando a lo lejos toda la masa del monasterio, en una perspectiva que tampoco se volvería a repetir. Y es con esa sensación de disfrutar las cosas por última vez como, tras descansar aquella noche en La Fresneda, decide al día siguiente recorrer amorosamente todas las dependencias del monasterio: la basílica, por supuesto, donde puede reverenciar, emocionado, sus reliquias tan veneradas; la sacristía, la biblioteca, los jardines, el convento. Al fin, extenuado y gozoso y melancólico, se retira a su cámara. El esfuerzo realizado le provoca un fuerte ataque de fiebre, pero había merecido la pena.

Aunque no sólo la fiebre. La gota se recrudece. El dolor es tan agudo, en pies y manos, que no soporta ni siquiera el roce de las finas sábanas.

Y así sufriría el Rey su pasión, con el ánimo de un asceta. Serían casi dos meses en los que ni la fiebre ni el dolor cederían.

Pero había más. Un tumor maligno le aflora en una pierna. Los médicos deciden actuar, sajando para sacar toda la zona supurante, aunque son incapaces de limpiar del todo aquel miembro enfermo. Y nuevos abscesos purulentos acometen al monarca. También los cirujanos continúan con su oficio, martirizando al enfermo con su técnica rudimentaria. ¡Y todo ello sin anestesia alguna!

Increíblemente, aquel cuerpo lo soporta todo. El Rey se resiste a dejar su tarea de gobierno, de forma que se ve acudir a su lecho de enfermo a Cristóbal de Moura, para consultar con él los asuntos más graves.

Así van pasando los días, en un tormento físico que no hace sino crecer; pero las noches son aún peores. Y como ya lleva tantos días sin abandonar el lecho, al Rey se le forman unas llagas terribles en el cuerpo. Por si fuera poco, y esto sí le agobiaría en exceso, su vientre empieza a funcionar mal, se le declara una incontinencia y es preciso hacer una abertura en el lecho para que pueda el monarca expulsar sus excrementos.

Es ya un cuerpo muerto, donde parecen anidar los gusanos. Y la cámara, como un sepulcro, con el aire fétido de un cadáver en descomposición. Todo como si se tratara de un cuadro barroco, como una pintura a lo vivo tal como lo hubiera podido pintar —y como lo acabaría haciendo años después— el más destacado representante del barroco, Valdés Leal.

El 1 de septiembre, Felipe II abandona ya las tareas de Estado, y recibe la extremaunción, sabiendo que su fin está cercano.

Pero no tanto. Aún pasarían doce días, en los que Felipe II se hace leer los escritos santos. Manda que le pongan bien cerca de su lecho algunas de sus reliquias más veneradas. Y pone en ello tanto cuidado, que aun en las horas de letargo, su hija Isabel Clara Eugenia, que sigue fielmente a su lado, soportándolo todo, no tiene más que decir, como frenando a un intruso inoportuno: «¡Que nadie toque las reliquias!», para que el Rey abra los ojos.

¿Serenidad del Rey ante la muerte? Nadie como él ha acumulado tantos recursos para lograr la salvación. ¿Qué ha de temer? Pero ¿quién puede asomarse a la conciencia de un moribundo? Lo cierto es que Felipe II ordena que se le lean continuamente los sagrados textos: la Pasión del Señor, según san Mateo, gustando también de oír los que le hablaban del Dios de la misericordia.

Sabemos que en un momento dado llamó a su confesor, fray Diego de Yepes, para ponerlo todo en sus manos (todo, esto es, nada menos que su salvación eterna), con esta grave advertencia: que a su cuidado quedaba, como su confesor que era, el que nada se omitiera para lograr aquel fin tan deseado, pues él estaba dispuesto a cumplir todo lo que le mandase:

> ... que hará cuanto le mande en nombre de Dios, y que así estará en sus manos y responsabilidad de confesor cuanto él deje de hacer por su alma, pues está dispuesto a todo[37].

Una seguridad del Rey ante el más allá, por tanto, relativa, de modo que prefiere que sea otro, el confesor, el que afronte la responsabilidad de que todos los trámites sean cumplidos.

Una vez más, nos encontramos con el Rey ordenancista, el monarca minucioso en todo y para todo, incluso a la hora de su muerte.

Uno de los detalles, lo cual le honra, es llamar a su hijo, el Príncipe heredero, para que vea con sus propios ojos en qué paraban las glorias de la tierra. Esto es, para que asumiera, con aquella dramática clase práctica, que al fin los reyes hombres eran.

Y es cuando le dice:

> ... porque veáis en lo que paran las monarquías deste mundo...

Es como si Felipe II actuara como primer personaje dentro de un auto sacramental, tal como los escribiría medio siglo después Calderón de la Barca.

Cuando los médicos se dan cuenta de que su fin está próximo, se lo indican a Cristóbal de Moura para que se lo haga saber al Rey. Esto significa que es el propio Felipe II quien ha dado tal orden. Quiere ser consciente de su tránsito, para afrontarlo como tenía meditado. Entonces pide el crucifijo con el que había muerto su padre, Carlos V —que era también el que había tenido su madre, la Emperatriz—. Y mientras sonaban las oraciones de los presentes, expiró.

Sal, alma cristiana, de este mundo.

Eran las tres de la madrugada del 13 de septiembre de 1598.

* * *

Había transcurrido un largo reinado de cuarenta y dos años, incluso podría decirse de más de medio siglo, si tenemos en cuenta que a partir de 1543 es el que queda en nombre de su padre gobernando España.

Un dilatado reinado, polémico ayer y polémico hoy, porque grandes y dramáticos sucesos lo conmovieron. En algunos casos, el comportamiento del

---

[37] Fernández y Fernández de Retana, *España en tiempo de Felipe II, op. cit.*, II, pág. 817.

Rey fue admirable; en otros, en cambio, no puede menos de ser censurado, como lo fue en sus días por la opinión pública, por sus propios súbditos.

Por lo tanto, con unos notables altibajos debidos en gran parte a su profunda religiosidad. Algunos de sus mayores aciertos tuvieron, sin duda, esa base, como cuando volcó todo el peso de la Monarquía en la defensa de la Cristiandad, en aquellas jornadas de Lepanto. No de otra manera puede juzgarse su decisión de mantener el dominio de las Filipinas, pese a quienes le aconsejaban lo contrario, por el coste que ello suponía para la Real Hacienda. Pues no todo podía cifrarse en un recuento de dineros. De forma que, con toda justicia, aquel lejano archipiélago asiático lleva el nombre del que en este caso podríamos denominar uno de los grandes personajes de la historia.

En muchos aspectos, supo continuar la obra de su padre, como al esforzarse por la reanudación del Concilio de Trento, o como cuando culminó la tarea secular de la incorporación de Portugal. En otros casos fue, evidentemente, menos afortunado, e incluso responsable directo de lamentables traspiés de la Monarquía: la cuestión de Flandes, con su sangrienta represión, el envío de la *Armada Invencible...*

Con algo similar nos encontramos cuando meditamos sobre su gobierno interno de la Monarquía. Ahí está, por ejemplo, como un auténtico acierto, el haber creado la capital de la Monarquía, uno de los hechos de mayor trascendencia en nuestra historia. Pero claro está que no se puede silenciar su responsabilidad en la muerte de Escobedo y en haber escogido, como su secretario y hombre de confianza, a un político de tan pobre condición moral como lo fue Antonio Pérez. Curiosamente, hoy se le exculpa de uno de los sucesos que más le ensombrecieron: la prisión de su hijo don Carlos. Pero, en todo caso, un aire de sumo rigor acompaña su figura. Y en eso no caben engaños, a pesar de su amor a las artes, a la Naturaleza, a las florestas de Aranjuez, y pese sobre todo a lo que trasciende, como padre sumamente afectivo, de sus cartas a sus hijas. Cuando Felipe II se vestía el manto regio, la severidad con que imponía sus mandatos y el rigor con el que trataba a quienes osaban enfrentársele, era su nota más acusada. Y no tiene por qué asombrarnos, pues pueden coincidir perfectamente en una persona —y lo estamos viendo todos los días— los sentimientos más tiernos para los suyos, con el mayor de los rigores para los demás. Pues lo cierto es que, hasta los últimos años de su reinado, Felipe II castigó con una terrible severidad a quienes se atrevieron a discutir sus órdenes, como bien pudieron lamentar los vecinos de Ávila tras su protesta en 1593 contra el servicio de los millones.

Por eso ocurrió con el Rey lo contrario que con su padre, Carlos V. El Emperador fue pasando de ser un soberano discutido y protestado —ejemplo claro, las Comunidades de Castilla—, a un monarca querido y admirado; acaso porque supo abandonar el poder en su momento preciso, pasando de ser el gran Emperador al sencillo hombre de Yuste. Por el contrario, Felipe II fue recibido desde su nacimiento con sumo alborozo, como si hubiera nacido la gran esperanza de España, para ir perdiendo poco a poco aquella primera popularidad. Cuando estuvo gobernando España, como el *alter ego* de su padre, se le vio defender a Castilla, tratando de evitar su ruina; y curiosamente, una vez asumido todo el poder regio, se olvidó de tan buenos principios, para seguir sacrificando el reino en empresas religiosas ajenas a los intereses del país, hasta acabar provocando aquella reacción de las Cortes castellanas con la significativa frase: si los otros pueblos de Europa se querían perder, que se perdieran.

Refugiado en su monasterio de El Escorial, cada vez más alejado de sus súbditos, convirtiendo su vida en un enigma, en un misterio, siguiendo aquel querer verlo todo, pese a su evidente decadencia física, hasta el punto de ni siquiera poder firmar con su mano los despachos regios; convertido en una sombra, pero sin dejar el poder, cuando seguía encendida la guerra en los Países Bajos y frente a Francia, cuando la marina inglesa saqueaba a su placer la misma ciudad de Cádiz, y, sobre todo, cuando la mayor miseria estaba consumiendo al país entero, se comprende que el pueblo lo resumiese todo en una frase que no puede menos de hacernos meditar: «¡Si el Rey no muere, el reino muere!»

Y, con todo, estamos ante un personaje de la gran historia, con el que está claro que viene a cerrarse lo mejor del Imperio español.

Que no en vano, cuando lo evocamos, al punto se nos alza en el horizonte la colosal estampa del monasterio de San Lorenzo de El Escorial, la fundación que él tanto amaba y que es, a todas luces, una de sus obras más imperecederas y más logradas.

Ahora bien, dicho todo esto, alguna otra reflexión habría que añadir. Porque un rey, cuando es un rey de verdad, dentro del tipo de Monarquía autoritaria como la hispana del Quinientos, no muere del todo cuando muere. Tiene su legado. Quiere continuar su obra. Trata de hacerlo a través de su hijo, el príncipe heredero.

No podemos olvidar, en efecto, todos los esfuerzos de Felipe II por conseguir hacer del Príncipe, su hijo, un auténtico rey, incorporándolo a las tareas del gobierno, con aquella indicación tan expresa en su Codicilo:

> ... porque es tiempo que nos ayudemos el Príncipe, mi hijo, y yo... [38]

O bien, apartando de su lado al duque de Lerma, que tan perniciosa influencia ejercía sobre él; cierto que limitándose a mandarlo como virrey a Valencia [39].

Pero, sobre todo, lo que ahora importa recordar son los consejos postreros de Felipe II a su hijo, que le envía por su secretario Idiáquez.

Se trata del documento tantas veces estudiado por mí, cuya copia posee la Biblioteca Nacional de París [40]. Está fechado en San Lorenzo de El Escorial,

---

[38] *Codicilo y última voluntad de Felipe II,* ed. cit., pág. 80.
[39] Mejor hubiera sido mandarlo a Lima, como indica Pérez Bustamante.
[40] *Política mundial de Carlos V y Felipe II, op. cit.,* págs. 217 y sigs.

a 30 de julio de 1595. En él, Felipe II emplea con su hijo otra vez aquella expresión tan significativa: «... tiempo es que nos ayudemos...»

Le indica cómo tiene que comportarse en las audiencias regias que convocaría en su nombre, y cómo debía intervenir en los asuntos de Estado, durante las consultas de los distintos Consejos. Y para que no echara en saco roto sus advertencias, le insta a que las lea: «... las veces que fuere menester, para tenerlas en la memoria.»

Y, apelando a sus sentimientos, le declara que todo lo hacía pensando en él:

> De lo que sabéis que os quiero podéis inferir el ánimo y amor con que esto os digo...

Para terminar encomendándolo a la protección divina:

> Dios os haga muy suyo[41].

Pues bien, esto hay que recordarlo cuando se enjuicia toda la obra política de Felipe II. Porque en este caso es evidente que no tuvo la fortuna de su padre, el Emperador, a la hora de forjar un *alter ego.*

Algo que escapó a su voluntad. Con una frase del tiempo, podríamos concluir que el Rey lo deseó, lo buscó, lo tanteó con todas sus fuerzas. Que apuró todo lo que estaba en sus manos para hacer de Felipe III un auténtico rey, pero que algo que estaba por encima de él le impidió lograrlo.

Y en eso sí que el Rey Prudente fue desafortunado.

Pero yo quisiera terminar aludiendo al aspecto con el que posiblemente él, Felipe II, quisiera ser recordado: como rey de las Españas y fundador del monasterio de San Lorenzo de El Escorial.

Porque eso resulta innegable: con la imagen del Rey nos llega, al punto, la de su amada fundación escurialense. Como si dijéramos: algo de la grandeza de aquella imponente fábrica se vincula ya para siempre a su figura.

De ese modo, estaríamos tentados a titular por último a Felipe II como el hombre de El Escorial. Esa obra que es capaz de vencer las injurias del tiempo y que siempre nos hace evocar su reinado.

---

[41] Estos consejos, a los que hacen referencia los cronistas de la época, como Cervera de la Torre, los inserto en mi reciente edición crítica del *Codicilo y última voluntad de Felipe II,* Valencia, Ediciones Grial, 1997, págs. 44 y 45.

ÍNDICE ALFABÉTICO

262, 264, 270-272, 276, 284, 286, 299, 301-304, 306-309, 313-329, 332, 333, 335, 338, 346-349, 352-354, 359, 361, 372-376, 378-380, 383, 384, 388, 391, 396, 399, 403, 405, 407-409, 418, 421, 424, 436-448, 451, 452, 455, 456, 466, 468, 470, 473, 478, 480, 485-487, 489, 490, 494, 501, 508, 511, 513, 514, 517, 518, 520, 521, 533, 538, 543, 550, 563, 592, 595, 616, 619-623, 625-635, 637-641, 643, 645-650, 652, 653, 655-675, 677-697, 699-701, 704-711, 713-725, 727-732, 734-738, 741-748, 750-755, 757, 758, 761-764, 766, 767, 769-773, 775-780, 785, 789, 795-801, 803-805, 808-813, 815, 816, 819-822, 830-836, 839, 843, 860, 871, 876, 879, 886-888, 894-896, 898, 899, 903, 909, 911-914, 917, 919-923, 926-929, 931, 932, 936, 938-940.

Carlos V. Homenaje de la Universidad de Granada: 372.

Carlos V. Un hombre para Europa, de Manuel Fernández Álvarez: 34, 315.

Carlos V, de Brandi: 718.

Carlos V, de R. B. Merriman: 711.

Carlos V a caballo, de Tiziano: 466.

Carlos V y Felipe II a través de sus contemporáneos, de Alberi: 22.

Carlos V y los españoles, de Jover Zamora: 713.

Carlos V y sus banqueros, de Carande: 779.

Carlos VIII de Francia: 505.

Carlos X, cardenal: 587.

Carlos IX de Francia: 367, 368, 585, 777.

Carlos, archiduque: 392, 406.

Carlos de Habsburgo: 17-20, 26, 28, 32, 76, 100, 126, 199, 239, 248, 252, 258, 270, 290, 333, 337, 340, 360, 369, 384, 387, 388, 395, 396-408, 410-414, 416, 422-424, 450, 468, 492, 518, 521, 538, 542, 544, 592, 593, 685, 729, 736, 741, 751, 757, 763, 776, 777, 800, 827, 831, 832, 837, 871, 899, 912, 939.

Carlos el Temerario: 81.

Carlos Lorenzo, infante: 236, 899.

Carlos Manuel de Saboya: 84, 94, 336,

338, 368, 390, 521, 549, 569, 772, 857, 858, 881, 884.

Carmelitas, orden de las: 262.

Carmoní (Hernando de): 459.

Caro Baroja (Julio): 26, 220, 222.

Carranza (Bartolomé de): 18, 23, 28, 29, 76, 221, 250, 252, 291, 292, 333, 338, 347, 349, 352-356, 389, 390, 602, 756, 762, 770, 784, 798, 826, 827.

Carrera (fray Antonio de): 349-351.

Carrillo de Albornoz, linaje noble: 126.

Carro de heno, El, de Jerónimo el Bosco: 905, 906.

Cartagena: 136, 162, 194, 390, 434, 435, 447-450, 453, 481, 655, 671.

Cartagena de Indias: 362, 363, 552, 576, 611, 612, 790.

Cartago: 480.

Cartas de Felipe II a sus hijas, ed. de Fernando J. Bouza Álvarez: 22, 258, 569, 857, 859, 861.

Cartas de los secretarios del Cardenal... durante su regencia en los años de 1516 y 1517, publ. por Vicente de la Fuente: 77.

Cartulario de la Universidad de Salamanca, de Vicente Beltrán de Heredia: 266, 280, 281.

Carvajal (Alonso de): 462.

Carvajal (Luis de): 327.

Casa de las Conchas: 51.

Casamar (María Remedios): 21, 933, 934.

Casas (padre Bartolomé de Las): 308, 658, 787, 789.

Cascaes: 531.

Caspe: 631.

Castelbarracín: 738.

Castello: 906, 908.

Castellón de Ampurias: 702.

Castelnuovo: 319, 473, 713.

Castilla, reino de: 15-17, 27, 40, 41, 44, 45, 47-54, 57, 58, 66, 68-73, 77, 87, 90, 95-98, 100, 101, 106, 108-112, 114, 115, 117, 122, 123, 125, 127, 129-142, 144, 149, 151, 152, 155, 157, 159-163, 166-168, 172, 175, 177, 182, 186-188, 190-193, 195-197, 206, 216, 217, 221, 227, 228, 233, 237, 241, 248, 276, 280,

Gembloux: 499, 514.

Génova: 54, 77, 80, 95, 102, 104, 171, 230, 231, 337, 344, 437, 438, 444-446, 450, 453, 470, 637, 663, 697, 702, 703, 705, 710, 727, 798, 816, 868.

Gentilezas y bravuconadas de los españoles, de Pierre de Bourdeille: 25, 388.

Géographie de l'Espagne morisque, de Henri Lapeyre: 222.

Gérard (Baltasar): 545, 547, 549.

Germana de Foix: 151, 215, 287, 811, 812, 836.

Germania: 79, 87, 134, 387.

Germanías: 441, 608.

Gerona: 195.

Gesammelte Aufsätze zur Kulturgeschechte Spaniens: 781, 877.

Geschichte der Regierung Ferdinands des Ersten, de W. Bucholtz: 715.

Gesta de Castelnuovo, La, de Manuel Fernández Álvarez: 139, 319.

Giardini (Cesare): 28, 398.

Gibraltar: 194, 447, 465, 519, 580.

Gieser: 269.

Gijón: 195.

Gil (Luis): 264, 268.

Ginebra: 267.

Giraldi (Francesco): 579.

Girón (Pedro): 254.

Gitanilla, La, de Miguel de Cervantes: 229.

Giunta: 269.

Giustiniani: 428.

Goleta, La: 303, 437, 445, 478.

Gómar: 670.

Gómez-Centurión Jiménez (Carlos): 27.

Gómez Dávila: 31.

Gómez de Sanabria (Juan): 936.

Gómez de Silva (Ruy): 336, 340, 385, 405, 407, 413, 415, 422, 463, 501-503, 519, 594, 596, 598, 601, 640, 650, 659, 671, 679, 734, 736, 746, 766, 767, 773, 796-798, 800-807, 814-817, 819, 822, 824-826, 829, 834, 836, 842-848, 850-855.

Gómez Reinel (Pedro): 114.

Gonzaga (Fernando de): 705.

Gonzaga (Ferrante): 710.

Gonzaga (Octavio): 513.

González (Tomás): 20, 504, 505, 553.

González Dávila (Gil): 178, 183.

González de Amezúa y Mazo (Agustín): 27, 30, 336, 337, 366, 368, 369, 825, 826, 837, 838.

González de Mendoza (Pedro): 634-636, 646, 805.

González Novalín (José Luis): 29, 63, 65, 70, 219, 258, 267, 351, 353, 770, 801.

González Palencia (Ángel): 29, 197.

Gonzalo Pérez, secretario de Felipe II, de Ángel González Palencia: 29.

Goñi (J.): 114.

Gossaert: 906.

Goulaine de Laudonnière (René de): 364.

Gozzo: 437, 445, 446, 452.

Gracián, (padre Jerónimo): 534.

Grado: 90.

Gran Capitán. *Véase* Fernández de Córdoba (Gonzalo).

Gran Duque de Alba, El. Un siglo de España y de Europa (1507-1582), de S. W. Maltby: 28.

Granada (fray Luis de): 178, 258, 876, 891.

Granada, reino de: 15, 61, 62, 67, 87, 112, 118, 125, 126, 129, 130, 138, 140, 158, 160, 164, 178, 188, 189, 192, 194, 196, 216, 221-223, 276, 282, 359, 360, 371, 433, 434, 441, 453, 456-460, 464, 465, 482, 504, 520, 535, 619-621, 654, 778, 894, 906.

Granadilla: 161.

Grande, río: 344.

Grandezas de España, de Pedro de Medina: 197.

Granello: 906, 908.

Granvela (Antonio Perrenot de): 21, 22, 27, 28, 53, 60, 86, 116, 256, 265, 335-337, 339, 340, 373, 377, 378, 400, 404, 408, 411, 445, 471, 489, 490, 495, 524, 527, 593, 594, 601-603, 701-704, 710, 718, 762, 795-797, 801, 818, 820-826.

Granvela (Nicolás Perrenot de): 53-55, 78, 86, 662, 697, 716, 718, 720, 798, 799.